BRUNNER - SUDDARTH

SOINS INFIRMIERS

MÉDECINE ET CHIRURGIE

FONCTIONS CARDIOVASCULAIRE ET HÉMATOLOGIQUE

BRUNNER/SUDDARTH

SOINS INFIRMIERS – MÉDECINE ET CHIRURGIE

(EN 6 VOLUMES)

Volume 1 Fonction respiratoire

Volume 2 Fonctions cardiovasculaire et hématologique

Volume 3 Fonctions digestive, métabolique et endocrinienne

Volume 4 Fonction génito-urinaire

Volume 5 Fonctions immunitaire et tégumentaire

Volume 6 Fonctions sensorielle et locomotrice

BRUNNER - SUDDARTH

SOINS INFIRMIERS

MÉDECINE ET CHIRURGIE

FONCTIONS CARDIOVASCULAIRE ET HÉMATOLOGIQUE

Suzanne Smeltzer

Brenda Bare

3e ÉDITION

ÉDITIONS DU RENOUVEAU PÉDAGOGIQUE INC.

5757, RUE CYPIHOT, SAINT-LAURENT (QUÉBEC) H4S 1X4

TÉLÉPHONE : (514) 334-2690 TÉLÉCOPIEUR : (514) 334-4720

J. B. LIPPINCOTT

A WOLTERS KLUWER COMPANY

VOLUME 2 DE 6

Ce volume est une version française des parties 3 et 7 de la septième édition de *Brunner & Suddarth's Textbook of Medical-Surgical Nursing* de Suzanne Smeltzer et Brenda Bare, publiée et vendue à travers le monde avec l'autorisation de J.B. Lippincott Company

Traduction: Sylvie Beaupré, Marie-Annick Bernier, France Boudreault, Pierre-Yves Demers, Annie Desbiens, les traductions l'encrier, Jocelyne Marquis, Véra Pollak
Révision et supervision éditoriale: Jocelyne Marquis et Suzie Toutant
Correction d'épreuves: France Boudreault, Pauline Coulombe-Côté, Corinne Kraschewski, Diane Provost
Coordination de la réalisation graphique: Micheline Roy
Conception de la page couverture: Denis Duquet
Photocomposition et montage: Compo Alphatek Inc.

Les médicaments et leur posologie respectent les recommandations et la pratique en vigueur lors de la publication du présent ouvrage. Cependant, étant donné l'évolution constante des recherches, les modifications apportées aux règlements gouvernementaux et les informations nouvelles au sujet des médicaments, nous prions le lecteur de lire attentivement l'étiquette-fiche de chaque médicament afin de s'assurer de l'exactitude de la posologie et de vérifier les contre-indications ainsi que les précautions à prendre. Cela est particulièrement important dans le cas des nouveaux médicaments ou des médicaments peu utilisés.

Les méthodes et les plans de soins présentés dans le présent ouvrage doivent être appliqués sous la supervision d'une personne qualifiée, conformément aux normes de compétence en vigueur et en tenant compte des circonstances particulières de chaque situation clinique. Les auteurs, les adaptateurs et l'éditeur se sont efforcés de présenter des informations exactes et de rendre compte des pratiques les plus courantes. Cependant, ils ne peuvent être tenus responsables des erreurs ou des omissions qui auraient pu se glisser ni des conséquences que pourrait entraîner l'utilisation des informations contenues dans cet ouvrage.

Dépôt légal: 2ᵉ trimestre 1994
Bibliothèque nationale du Québec
Bibliothèque nationale du Canada
Imprimé au Canada

ISBN 2-7613-0889-1 (Volume 2)
13002 ABCD
ISBN 2-7613-0696-1 (L'ensemble)
2245

1 2 3 4 5 6 7 8 9 0 II 9 8 7 6 5 4
COM9

CONSULTANTS

PARTIE 4

Version anglaise

Chapitre 12

Kathleen Collins Monahan, RN, MSN
Formation en soins infirmiers, Yale-New Haven Hospital, New Haven, Connecticut

Chapitres 13 et 14

Loretta Spittle, RN, MS, CCRN
Étudiante au doctorat, The University of Virginia, Charlottesville, Virginia

Chapitre 15

Linda H. Schakenbach, RN, MSN, CCRN, CS
Infirmière clinicienne spécialisée en soins intensifs cardio-respiratoires, The Fairfax Hospital, Falls Church, Virginia

Chapitre 16

Katherine J. Kaut, RN, MSN, CCRN
Infirmière clinicienne spécialisée en soins intensifs, The Fairfax Hospital, Falls Church, Virginia

Chapitre 17

Patricia M. Griffith, RN, MSN
Infirmière clinicienne spécialisée, National Institutes of Health, Bethesda, Maryland

Priscilla V. Rivera, RN, MS, CNA
Infirmière-chef, Nursing Department, Heart, Lung and Blood Nursing Service, The National Institutes of Health Clinical Center, Bethesda, Maryland

Version française

Chapitres 12, 13, 14, 15, 16 et 17

Sylvie Le May, certificat en gestion des services de santé, inf., M.Sc.
chargée d'enseignement, faculté des sciences infirmières, Université de Montréal

PARTIE 5

Version anglaise

Chapitres 18 et 19

Lois M. Hoskins, PhD, RN
Doyenne, School of Nursing, The Catholic University of America, Washington, DC

Chapitre 20

Kathryn A. Pollon, RNC, MSN
Spécialiste en santé mentale, Northwest Center for Community Mental Health, Reston, Virginia

Chapitre 21

Mona B. Shevlin, MA, PhD
Professeur, Department of Education, The Catholic University of America, Washington, DC
Directrice, Counseling Center for Greater Washington, McLean, Virginia

Chapitre 22

Gail P. Hamilton, RNC, MSN, DSW
Professeur agrégé, Department of Nursing, College of Allied Health Professions, Temple University, Philadelphia, Pennsylvania

Chapitre 23

Margaret Rafferty, RN, MA, MS, CNA
Professeur adjoint, Long Island College Hospital-School of Nursing, Brooklyn, New York

Version française

Chapitre 18

Danielle Fleury, inf., M.Sc.
Adjointe à la vice-doyenne aux études de premier cycle, faculté des sciences infirmières, Université de Montréal

Chapitres 19, 20 et 21

Yvonne Caron, MAP
Responsable de formation pratique, premier cycle, école des sciences infirmières, université Laval, Québec

Chapitre 22

Martine Roussel, inf., B.Sc.
Consultante en formation, Garneau-Poirier et associés

Chapitre 23

Dr Marie-France Raynault
Médecin-conseil au service de prévention communautaire, DMP, Hôpital Saint-Luc, Montréal

AVANT-PROPOS

Les six premières éditions anglaises de *Soins infirmiers — médecine et chirurgie* ont été le fruit d'une collaboration qui a trouvé son expression dans un partenariat *efficace*. Le soutien inébranlable des enseignantes, des praticiennes et des étudiantes nous a donné la plus grande des joies en nous amenant à nous pencher sur la quintessence des soins infirmiers, les réactions humaines aux problèmes de santé.

Nous sommes heureuses que Suzanne Smeltzer et Brenda Bare aient accepté d'être les auteures et les directrices de la septième édition de cet ouvrage. Elles nous ont déjà prêté main forte lors des éditions précédentes, et nous pouvons attester qu'elles ont l'intégrité, l'intelligence et la détermination nécessaires à la publication d'un ouvrage d'une telle envergure. Elles savent à quel point il est important de lire tout ce qui est publié sur le sujet, de voir comment les découvertes de la recherche en sciences infirmières peuvent être mises à profit dans la pratique, de choisir des collaborateurs *qualifiés* et d'analyser à fond les chapitres pour s'assurer que leur contenu est exact et d'actualité.

Nous tenons à remercier les infirmières qui ont utilisé notre ouvrage pour leur fidélité et leur encouragement. Nous passons maintenant le flambeau à Suzanne et à Brenda, avec la certitude qu'elles consacreront tout leur talent à la recherche de l'excellence qui constitue la marque de ce volume.

Lillian Sholtis Brunner, RN, MSN, ScD, *Litt*D, FAAN
Doris Smith Suddarth, RN, BSNE, MSN

Préface

Quand on passe d'une décennie à une autre, les prévisions et les prédictions abondent. Quand c'est dans un nouveau siècle que l'on s'engage, elles déferlent. À l'aube du XXIe siècle, la documentation spécialisée dans les soins de santé regorge donc de prédictions sur l'avenir de notre monde, et plus particulièrement sur l'avenir des systèmes de soins de santé. Les titres des ouvrages et des articles sur le sujet contiennent souvent des mots comme «perspectives démographiques au XXIe siècle», «prospectives en matière de soins de santé» ou «les systèmes de soins de santé en mutation».

Selon ceux et celles qui ont tenté de prédire ce que seront les soins infirmiers au XXIe siècle, les infirmières doivent se préparer à faire face à des changements et à relever de nouveaux défis. Il leur faudra donc anticiper les courants et les orientations de leur profession si elles ne veulent pas se laisser distancer. Les nouveaux enjeux leur ouvriront des perspectives inédites sur leur profession, tant dans la théorie que dans la pratique, et cela ne pourra se faire que dans un souci constant d'excellence.

Dans la septième édition de *Soins infirmiers en médecine et en chirurgie* de Brunner et Suddarth, nous nous sommes donné pour but de favoriser l'excellence dans la pratique des soins infirmiers. Nous avons continué de mettre l'accent sur ce qui a fait notre marque dans les éditions précédentes: notions de physiopathologie, explications scientifiques, résultats de la recherche et état des connaissances actuelles sur les principes et la pratique des soins infirmiers cliniques. Pour décrire le vaste champ d'application des soins infirmiers en médecine et en chirurgie, nous avons eu recours à des principes de physique, de biologie, de biotechnologie médicale et de sciences sociales, combinés à la théorie des sciences infirmières et à l'art de prodiguer les soins.

La démarche de soins infirmiers constitue le centre, la structure du présent ouvrage. À l'intérieur de cette structure, nous avons mis en évidence les aspects gérontologiques des soins, les traitements médicamenteux, l'enseignement au patient, les soins à domicile et la prévention. Le maintien et la promotion de la santé, de même que les autosoins, occupent aussi une place importante. Cet ouvrage est axé sur les soins aux adultes qui présentent un problème de santé aigu ou chronique et sur les rôles de l'infirmière qui leur prodigue des soins: soignante, enseignante, conseillère, porte-parole, coordonnatrice des soins, des services et des ressources.

Nous avons accordé plus d'espace que dans les éditions précédentes aux questions d'actualité en matière de soins de santé. Dans cet esprit, nous avons consacré un chapitre aux problèmes d'éthique qui se posent le plus dans la pratique des soins infirmiers. Nous avons aussi traité en détail des besoins en matière de santé des personnes âgées (dont le nombre augmente sans cesse), des sans-abri, des personnes atteintes du sida ou d'autres maladies immunitaires et des personnes atteintes d'une maladie chronique dont la vie est prolongée grâce aux progrès de la médecine.

Nous avons accordé une importance particulière à la recherche en sciences infirmières en consacrant une section aux progrès de la recherche à la fin de chaque partie de l'ouvrage. Dans cette section, nous présentons une analyse des résultats de différentes recherches, suivie de leur application possible en soins infirmiers. Dans les bibliographies, nous avons marqué d'un astérisque les articles de recherche en sciences infirmières. Nous avons choisi avec soin les références les plus représentatives de l'état actuel des connaissances et de la pratique.

De plus, nous avons voulu dans l'édition française faciliter la consultation d'un ouvrage aussi exhaustif en le séparant en volumes plus petits et plus faciles à transporter dans les cours ou sur les unités de soins. Pour ce faire, nous avons divisé la matière en six grandes fonctions, auxquelles nous avons ajouté divers éléments de théorie plus générale: le **volume 1** traite de la fonction respiratoire, du maintien de la santé et de la collecte de données; le **volume 2** couvre les fonctions cardiovasculaire et hématologique ainsi que les notions biopsychosociales reliées à la santé et à la maladie; le **volume 3** traite des fonctions digestive, métabolique et endocrinienne ainsi que des soins aux opérés; le **volume 4** explique la fonction génito-urinaire ainsi que les principes et les difficultés de la prise en charge du patient; le **volume 5** couvre les fonctions immunitaire et tégumentaire, les maladies infectieuses et les soins d'urgence; et enfin, le **volume 6** traite des fonctions sensorielle et locomotrice.

Afin de faciliter la lecture du texte, nous avons utilisé le terme «infirmière» et avons féminisé les titres de quelques professions. Il est entendu que cette désignation n'est nullement restrictive et englobe les infirmiers et les membres masculins des autres professions. De même, tous les termes masculins désignant des personnes englobent le féminin. Nous avons choisi de désigner par le terme «patient» la personne qui reçoit les soins parce que, dans le contexte du présent ouvrage, il correspond bien à la définition donnée par les dictionnaires: Personne qui subit ou va subir une opération chirurgicale; malade qui est l'objet d'un traitement, d'un examen médical (*Petit Robert)*. Dans tous les autres contextes, les infirmières peuvent utiliser un autre terme de leur choix: client, bénéficiaire, etc.

Nous avons conservé notre perspective éclectique des soins au patient, parce qu'elle permet aux étudiantes et aux infirmières soignantes d'adapter ce qu'elles apprennent à leur propre conception des soins infirmiers. La matière du présent ouvrage peut être utilisée avec tous les modèles conceptuels de soins infirmiers.

Nous considérons la personne qui reçoit les soins comme un être qui aspire à l'autonomie, et nous croyons qu'il incombe à l'infirmière de respecter et d'entretenir cette volonté d'indépendance.

À l'aube du XXIe siècle, dans l'évolution rapide de la société et des soins de santé, une chose n'a pas changé: l'infirmière a toujours pour rôle d'humaniser les soins. La septième édition de *Soins infirmiers – médecine et chirurgie* de Brunner et Suddarth, avec sa perspective holistique des soins au patient, fait écho à ce souci d'humanisation.

TABLE DES MATIÈRES

VOLUME 1

partie 1

Échange gaz carbonique-oxygène et fonction respiratoire

partie 2

Maintien de la santé et besoins en matière de santé

partie 3

Collecte des données

VOLUME 2

partie 4

Fonctions cardiovasculaire et hématologique

partie 5

Notions biopsychosociales reliées à la santé et à la maladie

VOLUME 3

partie 6

Fonctions digestive et gastro-intestinale

partie 10

Fonctions de la reproduction

partie 11

Prise en charge du patient: Principes et difficultés

VOLUME 5

partie 12

Fonction immunitaire

partie 13

Fonction tégumentaire

partie 14

Maladies infectieuses et soins d'urgence

VOLUME 6

partie 15

Fonction sensorielle

partie 16

Fonction locomotrice

partie 4

Fonctions cardiovasculaire et hématologique

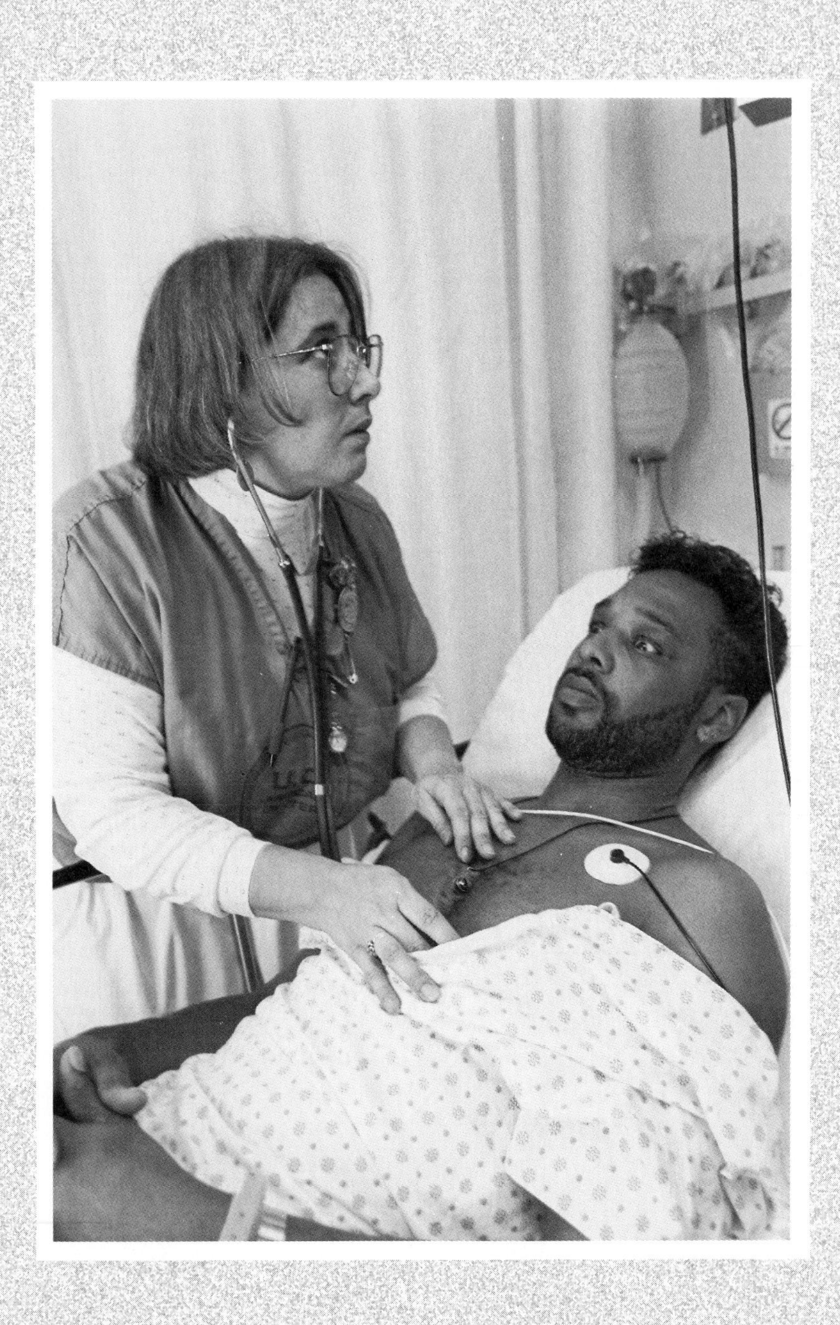

12
ÉVALUATION DE LA FONCTION CARDIOVASCULAIRE

SOMMAIRE

OBJECTIFS D'APPRENTISSAGE

Après avoir étudié ce chapitre, vous devriez être en mesure de réaliser ce qui suit:

1. *Décrire l'anatomie du coeur et en expliquer le fonctionnement normal.*
2. *Procéder à un bilan de santé incluant les facteurs de prédisposition aux maladies cardiaques, et à l'examen physique du patient cardiaque.*
3. *Utiliser les paramètres d'évaluation servant à déterminer l'état de la fonction cardiovasculaire.*
4. *Établir le rapport entre les composantes de l'ECG et les différents temps de la révolution cardiaque.*
5. *Déterminer le rythme cardiaque au moyen du tracé électrocardiographique.*
6. *Interpréter un tracé électrocardiographique: rythme cardiaque, présence ou absence d'ondes P, d'intervalles PR, d'intervalles QRS et d'intervalles QT.*
7. *Expliquer l'objectif clinique des différents examens diagnostiques et épreuves fonctionnelles utilisés en cardiologie et le rôle de l'infirmière dans les interventions qui s'y rapportent.*
8. *Expliquer l'utilité, l'objectif clinique et les complications possibles, du monitorage de la pression veineuse centrale, de la pression de l'artère pulmonaire, et de la pression artérielle systémique, et décrire le rôle de l'infirmière dans les interventions qui s'y rapportent.*

Pour recueillir des données sur un patient atteint d'une maladie cardiaque, l'infirmière dresse son profil global, procède à un examen physique et vérifie les résultats des épreuves fonctionnelles. L'infirmière qui travaille en cardiologie doit posséder une solide connaissance de l'anatomie, de la physiologie et de la physiopathologie afin d'être en mesure de faire une bonne collecte de données, de formuler des diagnostics infirmiers, d'établir un plan de soins et de comprendre le but des épreuves diagnostiques.

ANATOMIE ET PHYSIOLOGIE DU CŒUR

Le cœur est un muscle creux situé au centre du thorax, entre les poumons, et reposant sur le diaphragme. Son poids est de 300 g en moyenne. L'âge, le sexe, le poids corporel, la fréquence de l'activité physique et les maladies cardiaques influent sur le poids et le volume du cœur. Celui-ci a pour fonction de pomper le sang dans les tissus, de les alimenter en oxygène et autres éléments nutritifs et de les débarrasser du gaz carbonique et des déchets métaboliques. Il est séparé en deux parties, le cœur droit et le cœur gauche. Le cœur droit pompe le sang vers les poumons par la voie de l'artère pulmonaire et le cœur gauche vers le reste de l'organisme par la voie de l'aorte. L'éjection se fait simultanément des deux côtés, à peu près à la même vitesse.

L'action de pompage du cœur se fait grâce à une contraction et un relâchement rythmique du muscle qui constitue sa paroi. Au cours de la contraction (*systole*), les cavités du cœur se rétrécissent pour éjecter le sang; au cours du relâchement (*diastole*), elles se remplissent de sang. Chez un adulte normal, le cœur bat entre 60 et 80 fois par minute, et chacun de ses ventricules éjecte environ 70 mL de sang à chaque battement, pour un débit moyen de 5 L/min environ.

ANATOMIE

On appelle *médiastin* la région située au milieu de la cage thoracique entre les deux poumons. Le cœur, tapissé d'un mince sac fibroséreux que l'on appelle le *péricarde,* occupe la plus grande partie du médiastin.

Le péricarde protège le cœur mais n'est pas essentiel à son fonctionnement. Une très petite quantité de liquide se trouve entre le cœur et le péricarde. Ce liquide a pour fonction de lubrifier la surface du cœur et de réduire la friction pendant les contractions.

Cavités du coeur. Le côté droit et le côté gauche du cœur se composent chacun de deux cavités, une *oreillette* et un *ventricule,* qui sont séparées par les *cloisons interauriculaire* et *interventriculaire.* Les ventricules ont pour fonction d'éjecter le sang dans les artères. Pour leur part, les oreillettes reçoivent le sang qui provient des veines et lui servent de réservoir avant de le déverser dans les ventricules. On peut voir à la figure 12-1 la circulation du sang dans les cavités du cœur.

Les cavités ont des parois dont l'épaisseur est fonction de la charge de travail qui leur est dévolue. Les oreillettes ont une paroi plus mince que les ventricules parce que la pression qu'elles doivent exercer pour retenir le sang et le diriger vers les ventricules est faible. De même, la paroi du ventricule gauche, qui doit vaincre la forte pression sanguine générale pour éjecter le sang, est deux fois et demie plus épaisse que celle du ventricule droit, qui s'oppose à la pression plus faible des vaisseaux pulmonaires.

Selon l'axe du cœur dans la cavité thoracique, le ventricule droit se trouve à l'avant (juste sous le sternum) et le ventricule gauche à l'arrière. Le ventricule gauche est responsable du *choc apexien,* normalement perçu au niveau du 5ᵉ espace intercostal gauche, aux environs de la ligne verticale passant par le milieu de la clavicule.

Valvules cardiaques. Les valvules s'opposent au retour du courant sanguin vers son point d'origine. Elles se composent de minces feuillets de tissu fibreux et s'ouvrent et se ferment passivement en fonction des changements de pression et du sens de la circulation. Elles sont de deux types: *auriculoventriculaires* et *sigmoïdes* (*semilunaires*).

Valvules auriculoventriculaires. Ce sont la valvule mitrale (ou bicuspide, qui signifie composée de deux valves), située entre l'oreillette gauche et le ventricule gauche, et la valvule tricuspide (composée de trois valves), située entre l'oreillette droite et le ventricule droit. Elles s'opposent au retour du sang des ventricules vers les oreillettes au moment de la systole (contraction des ventricules). Leur ouverture et leur fermeture sont assurées par les *muscles papillaires* et les *cordages tendineux* (figure 12-1). Les muscles papillaires sont des faisceaux qui se trouvent sur les côtés des parois ventriculaires. Les cordages tendineux sont des bandes fibreuses qui prennent naissance au niveau des muscles papillaires et vont jusqu'aux feuillets valvulaires, dont ils relient l'extrémité libre à la paroi du ventricule. Ils se tendent avec la contraction des muscles papillaires pour garder les feuillets valvulaires

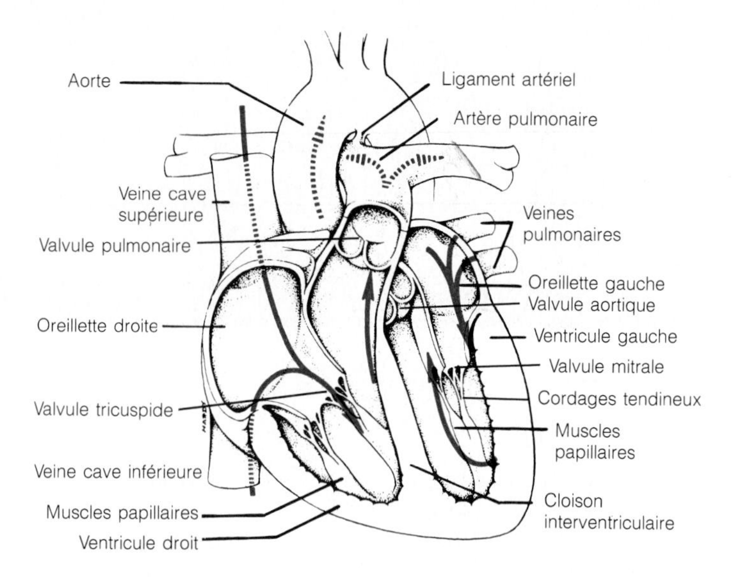

Figure 12-1. Structure du cœur. Les flèches indiquent le sens de la circulation du sang à travers les cavités.
(Source: E. E. Chaffee et E. M. Greisheimer, *Basic Physiology and Anatomy,* Philadelphia, J.B. Lippincott)

fermés pendant la systole et empêcher le retour du sang vers son point d'origine.

Valvules sigmoïdes ou semilunaires. Ces valvules se situent entre les ventricules et leur artère correspondante. Celle qui se trouve entre le ventricule droit et l'artère pulmonaire se nomme *valvule pulmonaire* et celle qui se trouve entre le ventricule gauche et l'aorte est appelée *valvule aortique.* Elles se composent chacune de trois valves qui fonctionnent sans l'aide de muscles papillaires ou de cordages tendineux. Il n'y a pas de valvules entre les grandes veines et les oreillettes.

Artères coronaires. Les artères coronaires sont les vaisseaux qui irriguent le muscle cardiaque. Le cœur a d'importants besoins métaboliques en oxygène et en éléments nutritifs (figure 12-2), puisqu'il utilise entre 70 et 80 % de l'oxygène qu'il reçoit, comparativement à 25 % pour les autres organes. Les artères coronaires naissent de la première partie de l'aorte (au niveau du ventricule gauche). Le cœur gauche est alimenté principalement par l'artère coronaire gauche, qui se divise en plusieurs branches, dont l'artère interventriculaire antérieure, qui se dirige vers le bas, et l'artère circonflexe, qui traverse le côté gauche du myocarde. Le cœur droit est alimenté par l'artère coronaire droite. Contrairement aux autres artères, les artères coronaires sont perfusées au cours de la diastole. Elles nécessitent une pression diastolique minimale de 60 mmHg pour être bien perfusées.

Myocarde. On appelle myocarde le tissu musculaire spécialisé qui compose la quasi-totalité de la paroi du cœur. Vu au microscope, ce tissu a l'aspect d'un muscle strié, mais contrairement aux autres muscles de ce type, sa contraction est totalement involontaire. Les fibres du myocarde sont groupées en faisceaux à la façon d'un *syncytium,* afin de se contracter et de se relâcher de manière coordonnée et rythmée. Ce sont ces contractions et ces relâchements qui assurent l'action de pompage du cœur. La membrane qui tapisse sa face interne s'appelle l'*endocarde,* et sa couche cellulaire externe s'appelle l'*épicarde.*

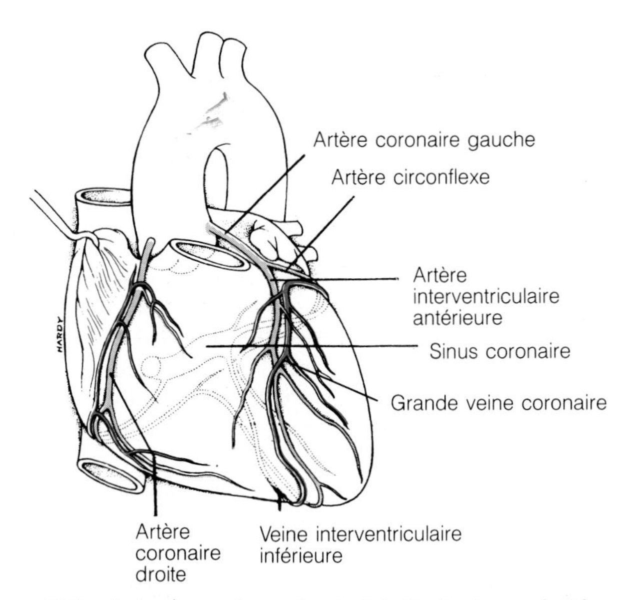

Figure 12-2. Artères coronaires qui partent de l'aorte et encerclent le cœur. On peut aussi voir certaines veines coronaires.

(Source: E. E. Chaffee et E. M. Greisheimer, *Basic Physiology and Anatomy,* Philadelphia, J.B. Lippincott)

CONDUCTION

Le myocarde a une rythmicité intrinsèque si bien qu'il continue de se contracter, dans les conditions appropriées, quand on le détache du reste du cœur. Les contractions sont dues à des impulsions électriques générées par les cellules spécialisées du système de conduction et transmises aux cellules du myocarde. Des contractions séquentielles des oreillettes et des ventricules sont également nécessaires à la circulation du sang.

Le nœud *de Keith et Flack (sinoauriculaire),* au niveau duquel prennent naissance les influx provoquant les contractions du cœur, se situe à la jonction de la veine cave supérieure et de l'oreillette droite (figure 12-3). Il joue un rôle de centre rythmogène (pacemaker). Dans un cœur normal au repos, le nœud de Keith et Flack produit entre 60 et 100 impulsions par minute, mais il peut modifier ce rythme en fonction des besoins de l'organisme. Le signal électrique qu'il produit est transmis par la voie des cellules myocardiques de l'oreillette jusqu'au *nœud d'Aschoff-Tawara* (auriculoventriculaire), qui se situe dans la paroi de l'oreillette droite, près de la valvule tricuspide. Le nœud d'Aschoff-Tawara se compose de cellules musculaires spécialisées semblables à celles du nœud de Keith et Flack, mais dont le rythme intrinsèque est de 40 à 60 impulsions par minute. Il commande la transmission de l'excitation venue du nœud de Keith et Flack par les oreillettes vers les ventricules, par l'intermédiaire du *faisceau de His,* une lame mince et aplatie de tissu cardiaque différencié qui prolonge le nœud d'Aschoff-Tawara, à travers la paroi auriculoventriculaire, jusque dans les ventricules. De là, il se divise en deux branches, une branche droite destinée au ventricule droit, et une branche gauche destinée au ventricule gauche. Les deux branches s'épanouissent ensuite dans le myocarde des deux ventricules pour former le réseau de Purkinje. La dépolarisation se transmet par conduction dans le reste du myocarde par l'intermédiaire des fibres musculaires elles-mêmes.

Le rythme cardiaque est déterminé par les cellules myocardiques ayant le rythme intrinsèque le plus rapide, soit normalement celles du nœud sinoauriculaire. En cas de dysfonctionnement du nœud de Keith et Flack, le nœud d'Aschoff-Tawara prend la relève. Si une défaillance des deux nœuds survient, le myocarde conserve un rythme de 40 battements par minute, soit le rythme intrinsèque des cellules myocardiques ventriculaires.

PHYSIOLOGIE

Électrophysiologie

L'activité électrique du cœur est provoquée par le mouvement des ions (des particules chargées comme le sodium, le potassium et le calcium) à travers la membrane cellulaire. On appelle potentiel d'action cardiaque les variations du courant électrique enregistrées à l'intérieur d'une cellule donnée (figure 12-4).

Au repos, les cellules du muscle cardiaque sont polarisées, ce qui signifie qu'il existe une différence de potentiel électrique entre l'intérieur de la membrane, chargé négativement, et l'extérieur, chargé positivement. Le cycle cardiaque débute quand une impulsion électrique est déclenchée et qu'une modification de la perméabilité de la membrane permet le passage des ions (figure 12-4). Un courant d'entrée d'ions positifs amènera alors à l'intérieur de la membrane des charges positives et entraînera une *dépolarisation* suivie d'une contraction du muscle cardiaque. Normalement, une cellule du muscle cardiaque se dépolarise quand une cellule voisine se dépolarise (bien qu'elle puisse aussi se dépolariser par stimulation électrique externe). La dépolarisation d'une seule cellule spécialisée du système de conduction provoque par conséquent la dépolarisation et la contraction de tout le myocarde. La *repolarisation* se produit quand la cellule retourne à son potentiel de repos, et correspond à un relâchement du myocarde.

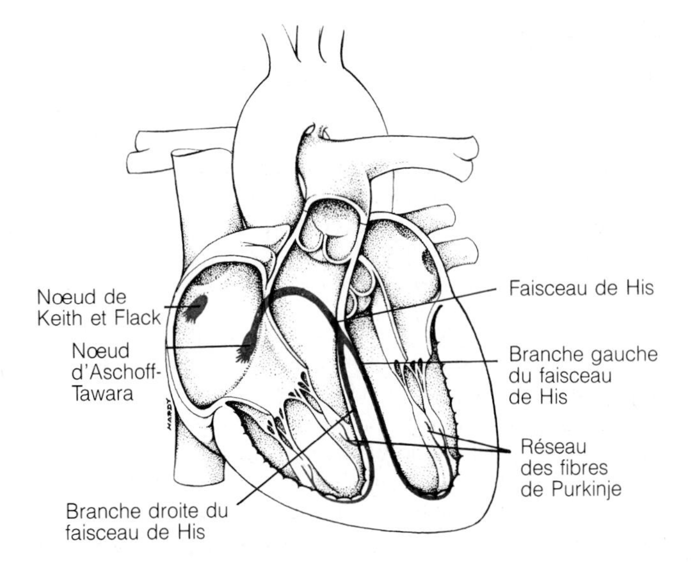

Figure 12-3. Système de conduction. On peut voir la relation entre le nœud de Keith et Flack, le nœud d'Aschoff-Tawara et le faisceau de His et ses branches.

(Source: E. E. Chaffee et E. M. Greisheimer, *Basic Physiology and Anatomy,* Philadelphia, J.B. Lippincott)

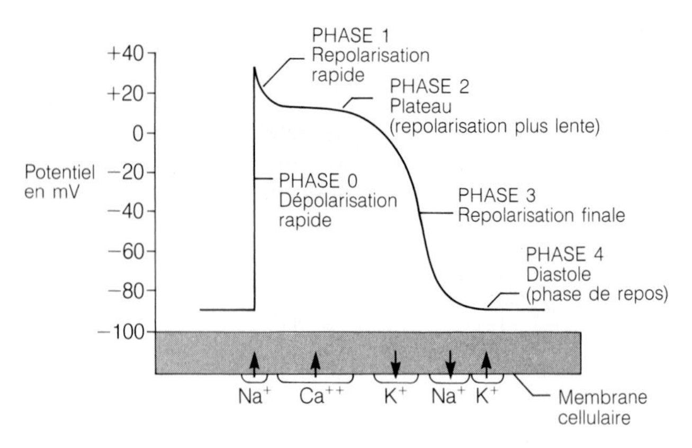

Figure 12-4. Potentiel d'action du cœur. Les flèches au bas du diagramme indiquent la durée approximative et la direction du mouvement de chacun des ions qui influent sur le potentiel électrique de la membrane. On ne sait pas exactement au cours de quelle phase le Ca^{++} sort de la cellule, mais on croit que ce serait au cours de la phase 4.

Au cours de la dépolarisation, on observe un afflux rapide de sodium dans la cellule, entraînant une augmentation de la perméabilité de la cellule au calcium et, par conséquent, une entrée de calcium à l'intérieur de la cellule. Cet afflux de calcium survient au cours du plateau de la phase de dépolarisation. Il est beaucoup plus lent que l'afflux de sodium et dure plus longtemps. On appelle *couplage excitation-contraction* le déclenchement de la contraction cardiaque lié aux variations du potentiel électrique de la membrane cellulaire.

Contrairement aux muscles squelettiques et aux muscles lisses, le muscle cardiaque a une période réfractaire prolongée au cours de laquelle il ne peut se contracter, ce qui prévient les contractions saccadées et rapides (tétanie) qui provoqueraient une mort subite du cœur.

Le couplage excitation-contraction et la contraction du muscle cardiaque dépendent de la composition du liquide interstitiel qui entoure les cellules musculaires. La composition de ce liquide est à son tour influencée par la composition du sang. Par conséquent, une variation du taux sanguin de calcium peut perturber la contraction des fibres musculaires du cœur. Les changements dans la concentration sanguine de potassium ont aussi de l'importance parce que le potassium affecte le potentiel électrique de la cellule cardiaque.

Hémodynamique

La direction de la circulation du sang est régie principalement par le principe selon lequel les liquides se déplacent d'une région où la pression est plus forte vers une région où la pression est plus faible. Cette différence de pression est appelée gradient. Ainsi, quand le ventricule gauche se contracte, la pression ventriculaire excède la pression aortique et, par conséquent, le sang est poussé du ventricule vers l'aorte. Quand les pressions s'équilibrent, la valvule aortique se ferme et le sang cesse de sortir du ventricule. Ensuite, le sang qui a pénétré dans l'aorte y augmente la pression et est ainsi entraîné, à travers les artères et les capillaires, jusque dans les veines. Le sang retourne ensuite vers l'oreillette droite parce que la pression y est plus faible que dans les veines. De même, un gradient de pression permet au sang de passer des artères pulmonaires dans les poumons, puis de retourner vers l'oreillette gauche par les veines pulmonaires. Les gradients de pression sont considérablement plus faibles dans la circulation pulmonaire que dans la circulation générale, parce que la résistance à l'écoulement du sang est moins forte dans les vaisseaux pulmonaires.

Révolution cardiaque. Les variations de pression qui se produisent dans les cavités du cœur au cours de la révolution cardiaque commencent au moment de la *diastole* quand les ventricules sont relâchés (figure 12-5). Au cours de la diastole, les valvules auriculoventriculaires sont ouvertes et le sang qui revient par les veines passe dans les oreillettes, puis dans les ventricules. Vers la fin de la diastole, les oreillettes se contractent en réponse à un signal déclenché par le nœud de Keith et Flack, ce qui provoque une augmentation de la pression dans les oreillettes et une poussée du sang dans les ventricules dont le volume est ainsi augmenté de 15 à 25 %. À ce moment, les ventricules se contractent (*systole*) en réponse à la transmission de l'impulsion électrique déclenchée dans le nœud de Keith et Flack quelques millisecondes plus tôt. La pression dans les ventricules augmente rapidement, ce qui provoque la fermeture des valvules auriculoventriculaires. La fermeture de ces valvules stoppe le remplissage des ventricules par le sang provenant des oreillettes et empêche le retour vers les oreillettes du sang contenu dans les ventricules. L'augmentation rapide de la pression dans les ventricules provoque l'ouverture des valvules pulmonaire et aortique et l'éjection du sang dans l'artère pulmonaire et l'aorte. L'éjection du sang est d'abord rapide, puis ralentit progressivement à mesure que la pression dans les ventricules se rapproche de la pression dans leur artère correspondante. À la fin de la systole, le muscle ventriculaire se relâche et la pression dans les ventricules baisse rapidement. À cause de cette baisse de pression, le sang a tendance à retourner vers les ventricules, ce qui provoque la fermeture des valvules sigmoïdes (semilunaires). En même temps, la pression dans les ventricules devient inférieure à la pression dans les oreillettes et les valvules auriculoventriculaires s'ouvrent. Les ventricules commencent à se remplir et une nouvelle révolution s'engage. Il importe de noter que les phases mécaniques de la révolution cardiaque (systole et diastole) qui correspondent respectivement au remplissage des cavités du cœur et à l'éjection du sang sont en relation étroite avec les séquences électriques qui provoquent la contraction et le relâchement du muscle cardiaque. Pour bien comprendre la figure 12-5, il faut savoir que les séquences électriques observées à l'électrocardiogramme (ECG) précèdent les phases mécaniques. (Voir à la page 288 pour l'interprétation de l'ECG.)

Les phases de la révolution cardiaque provoquent des hausses et des baisses répétées de pression à l'intérieur des ventricules. On appelle *pression systolique* la pression maximum et *pression diastolique* la pression minimum.

Débit cardiaque

Le débit cardiaque (DC) est la quantité de sang expulsée par chaque ventricule en une minute. Chez l'adulte moyen en bonne santé, il est en moyenne de 5 L / min, mais peut varier

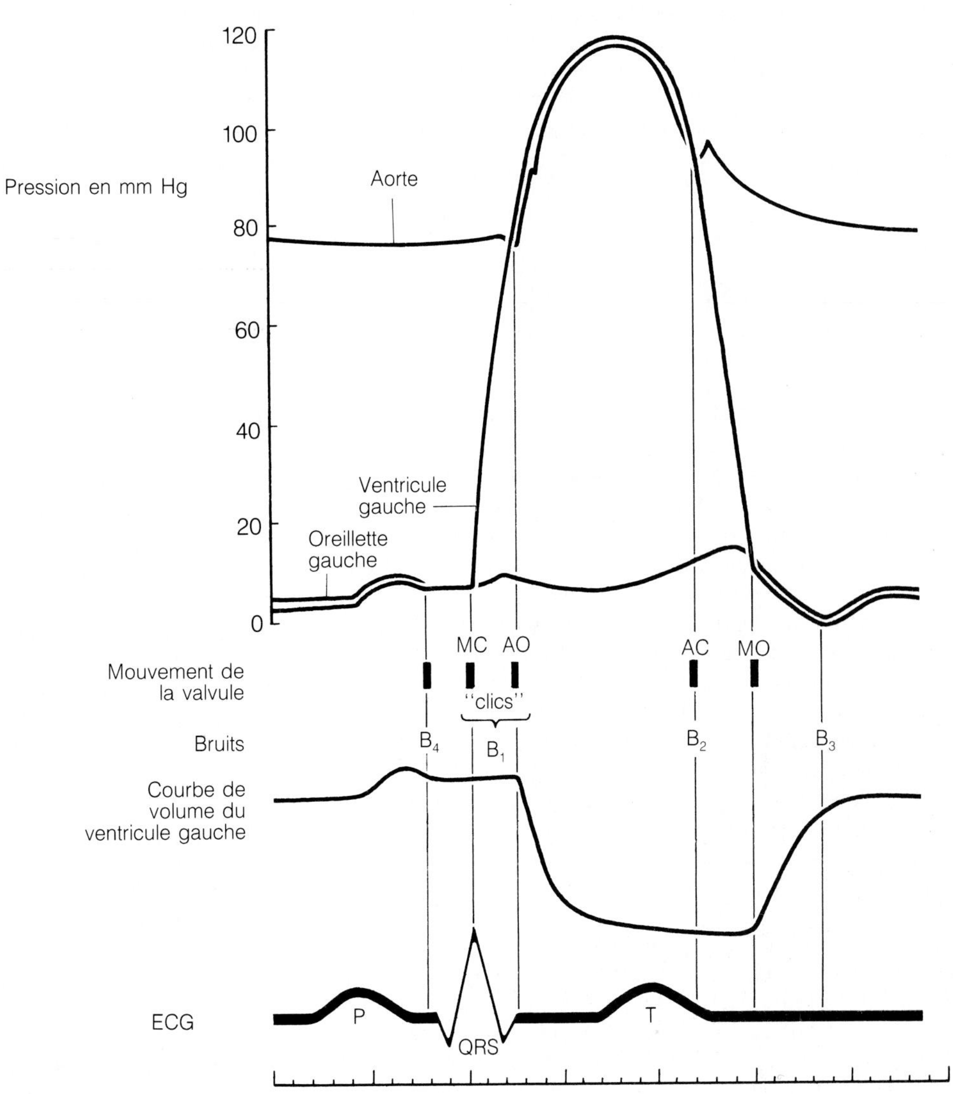

Figure 12-5. Phases mécaniques et séquences électriques de la révolution cardiaque. On peut voir trois courbes de pression: aortique, ventriculaire gauche et auriculaire gauche. Les séquences électrocardiographiques précèdent les phases mécaniques. (Voir plus loin dans ce chapitre l'interprétation de l'ECG.) L'ouverture et la fermeture des valvules sont indiquées, de même que la relation entre les bruits cardiaques et les phases. (Voir plus loin dans ce chapitre l'auscultation du cœur.)

considérablement en fonction des besoins métaboliques de l'organisme. Il est égal au volume d'éjection systolique (VS) multiplié par la fréquence cardiaque (FC).

$$DC = VS \times FC$$

Le *volume d'éjection systolique* est la quantité de sang expulsée à chaque systole par chaque ventricule. Le débit cardiaque peut par conséquent être affecté par les variations du volume d'éjection systolique et de la fréquence cardiaque. Chez l'adulte sain, la fréquence cardiaque au repos est de 60 à 80 battements par minute et le volume d'éjection systolique est en moyenne de 70 mL par battement.

Régulation de la fréquence cardiaque. Comme le cœur a pour fonction l'irrigation des tissus de l'organisme, son débit doit varier en fonction de leurs besoins métaboliques. Par exemple, au cours de l'exercice, le débit cardiaque total peut être quatre fois plus élevé qu'au repos et atteindre 20 L / min. Cette augmentation s'accompagne normalement d'une accélération de la fréquence cardiaque et d'une augmentation du volume d'éjection systolique, de l'ordre de deux fois.

Les mécanismes de régulation de la fréquence cardiaque dépendent du système nerveux autonome, aussi bien de la partie sympathique que de la partie parasympathique. Les impulsions qui proviennent du système parasympathique, et qui sont transmises au cœur par le nerf vague, peuvent ralentir la fréquence cardiaque en réduisant la vitesse de dépolarisation du nœud de Keith et Flack; celles provenant du système sympathique peuvent l'accélérer en augmentant la vitesse de dépolarisation. La fréquence cardiaque est donc déterminée par l'équilibre entre ces deux systèmes de régulation. Elle peut aussi être stimulée par l'augmentation du taux de catécholamines circulantes (hormones sécrétées par les surrénales) et par un excès d'hormone thyroïdienne provoquant un effet semblable à celui des catécholamines.

Régulation du volume d'éjection. Le volume d'éjection systolique dépend principalement de trois facteurs: (1) la contractilité myocardique, (2) le degré d'étirement du muscle cardiaque avant la contraction (*précharge*) et (3) la pression contre laquelle le muscle cardiaque doit éjecter le sang au cours de la contraction (*postcharge*).

La *contractilité myocardique* est la force que peut générer le myocarde contracté dans des conditions données. Elle est augmentée par les catécholamines circulantes, l'activité du système nerveux sympathique et certains médicaments, comme la digitaline. Elle est diminuée par l'hypoxémie et l'acidose. Une augmentation de la contractilité provoque une augmentation du volume d'éjection systolique.

La *précharge* est le second facteur qui influe sur le volume d'éjection systolique. Elle se définit comme la force de distension qui étire le muscle ventriculaire avant son excitation et sa contraction, et elle est déterminée par le volume de sang dans le ventricule à la fin de la diastole. Plus la précharge est grande, plus le volume d'éjection systolique est élevé, jusqu'à ce que le muscle soit étiré au point de ne plus pouvoir se contracter. La *loi de Starling* rend compte de la relation entre le volume d'éjection systolique et le volume ventriculaire à la fin de la diastole pour une contractilité cardiaque donnée. Cette loi se fonde sur le fait que l'énergie de la contraction du muscle cardiaque est directement proportionnelle à la longueur de la fibre musculaire avant l'excitation. Ce phénomène est dû à une augmentation de l'interaction entre les filaments minces et les filaments épais des sarcomères. (Voir le chapitre consacré à la physiologie des muscles squelettiques pour de plus amples explications à ce sujet.)

La *postcharge* est le troisième facteur qui régit le volume d'éjection systolique. Il s'agit de la résistance s'opposant à la contraction du cœur. On appelle *résistance vasculaire générale* la résistance qui s'oppose à la contraction du ventricule gauche, et *résistance vasculaire pulmonaire* celle qui s'oppose à la contraction du ventricule droit. Une augmentation de la postcharge provoque une diminution du volume d'éjection systolique.

Le volume d'éjection systolique peut être augmenté considérablement, à l'effort, par exemple, par une augmentation de la précharge (due à une augmentation du retour veineux), une augmentation de la contractilité (due à une décharge électrique provenant du système sympathique) et une diminution de la postcharge (due à une vasodilatation périphérique avec diminution de la pression aortique).

On appelle *fraction d'éjection* le pourcentage du volume de fin de diastole éjecté à chaque contraction. Il se situe entre 55 et 75 % chez l'adulte normal. On peut utiliser la fraction d'éjection comme un indice de la contractilité.

Gérontologie

L'artériosclérose des artères coronaires et ses effets sur le cœur ont été longtemps associés au vieillissement. Toutefois, selon des études récentes, l'âge ne serait pas le seul facteur en cause. De plus, il a été prouvé que les altérations de la fonction cardiaque dues à l'âge peuvent être atténuées par des modifications des habitudes de vie, comme l'exercice régulier et l'abandon de la cigarette, et du régime alimentaire, comme une réduction de la consommation de sodium et de gras.

Des études ont également démontré que le débit cardiaque est suffisant dans des circonstances normales chez la personne âgée en bonne santé. Par contre, si l'activité physique est réduite, le ventricule gauche s'atrophie à cause de la réduction de la charge de travail. Le vieillissement provoque aussi une réduction de l'élasticité et une dilatation de l'aorte, un épaississement et une rigidité des valvules, et une augmentation de la quantité de tissu conjonctif dans les nœuds de Keith et Flack et d'Aschoff-Tawara et dans les branches du faisceau de His. Ces modifications entraînent une diminution de la contractilité myocardique, une augmentation du temps d'éjection dans le ventricule gauche et un retard de conduction, ce qui ralentit la réponse du cœur au stress physique et émotionnel (accélération insuffisante de la fréquence cardiaque et délai du retour à la fréquence de base après une accélération même faible). Par conséquent, le stress peut avoir des effets nocifs chez les personnes âgées, et peut même déclencher une insuffisance cardiaque.

Profil du patient

Les données à recueillir chez les patients cardiaques varient selon que le trouble dont ils souffrent est aigu ou chronique. Par exemple, un patient souffrant d'un infarctus du myocarde, en phase aiguë exige des interventions infirmières immédiates, dont certaines sont destinées à lui sauver la vie (soulagement de la douleur thoracique, prévention des arythmies, etc.). On ne doit pas dans ce cas procéder à une entrevue détaillée, mais plutôt se limiter à poser quelques questions judicieuses sur la douleur thoracique, les symptômes qui y sont associés (difficultés respiratoires, palpitations), les allergies médicamenteuses et la consommation de cigarettes. On doit poser ces questions tout en prenant le pouls et la pression artérielle, et en amorçant la perfusion intraveineuse. Le profil du patient pourra être complété quand son état se sera stabilisé.

L'infirmière qui s'occupe d'un patient atteint d'un trouble cardiaque aigu doit d'abord évaluer le fonctionnement du cœur et le débit cardiaque. Les personnes qui souffrent d'une coronaropathie présentent généralement une douleur thoracique (angine de poitrine ou infarctus du myocarde), des difficultés respiratoires, de la fatigue et une diminution du débit urinaire (insuffisance ventriculaire gauche avec diminution du débit cardiaque), des palpitations et des étourdissements (arythmies dues à une ischémie, un anévrisme, un stress ou un déséquilibre électrolytique), un œdème et un gain de poids (insuffisance ventriculaire droite), ainsi qu'une hypotension orthostatique avec étourdissements et vertiges (hypovolémie due à un traitement aux diurétiques). Les patients qui souffrent d'un problème valvulaire présentent des symptômes d'insuffisance cardiaque, des arythmies et une douleur thoracique.

Si le patient a une douleur thoracique, les questions doivent permettre de déterminer si cette douleur est attribuable à une maladie qui menace sa vie, comme un infarctus du myocarde. Les douleurs thoraciques ne sont pas toutes causées par une ischémie du myocarde. (Le tableau 12-1 présente les caractéristiques des douleurs thoraciques associées à différents problèmes cardiaques et à d'autres maladies.) Quand on évalue une douleur thoracique, il importe de se rappeler les points suivants :

- Il existe peu de lien entre l'intensité de la douleur et la gravité de sa cause. Chez certains patients, comme les personnes âgées et les diabétiques, l'angine ou l'infarctus du myocarde ne provoquent pas de douleur, la fatigue, la dyspnée et la diaphorise étant les plus importants symptômes.
- Il existe peu de lien entre le siège de la douleur et sa source.

- Le patient peut présenter plus d'un problème clinique.
- Si le patient a des antécédents de coronaropathie, on présume que la douleur thoracique est due à une ischémie, jusqu'à preuve du contraire.

Pour faciliter la collecte des données subjectives sur les antécédents cardiovasculaires du patient, on peut lui poser les questions suivantes. Les questions doivent toutefois être personnalisées si des éclaircissements sont nécessaires.

Respiration

- Vous arrive-t-il d'être essoufflé?
- Dans quelles circonstances?
- Que faites-vous pour améliorer votre respiration?
- Qu'est-ce qui aggrave vos problèmes respiratoires?
- Depuis quand êtes-vous essoufflé?
- Y a-t-il des activités courantes qui vous sont essentielles et que vous avez dû abandonner à cause de vos problèmes respiratoires?
- Prenez-vous des médicaments pour améliorer votre respiration?
- Certains des médicaments que vous prenez affectent-ils votre respiration?
- À quel moment de la journée préférez-vous prendre vos médicaments?

Circulation

- Décrivez la sensation que vous éprouvez dans la poitrine*.
- Est-ce que cette sensation se propage dans vos bras, votre cou, vos mâchoires ou votre dos?
- Vous semble-t-elle causée par quelque chose en particulier?
- Combien de temps dure-t-elle généralement?
- Qu'est-ce qui la soulage?
- Avez-vous gagné ou perdu du poids récemment?
- Vos mains, vos pieds et vos jambes (ou la région du sacrum si le patient est alité) sont-ils parfois enflés?
- Avez-vous des étourdissements? Dans quelles circonstances?
- Avez-vous moins d'énergie qu'à l'habitude? Vous sentez-vous plus fatigué?
- Sentez-vous parfois que votre cœur bat trop vite, trop fort ou de façon irrégulière?
- Votre pression artérielle est-elle normale?
- Avez-vous des maux de tête? Qu'est-ce qui les cause?
- Vos mains et vos pieds sont-ils parfois anormalement froids? Quand et dans quelles circonstances?

Miction

- La quantité d'urine que vous émettez vous semble-t-elle normale?
- Vous levez-vous la nuit pour aller aux toilettes? Combien de fois? Depuis quand?
- Prenez vous un diurétique? Quand le prenez-vous?

* *Les patients nient souvent éprouver une douleur dans la poitrine. C'est pourquoi il est préférable d'employer des mots autres que «douleur».* Les patients utilisent notamment les termes suivants pour décrire ce qu'ils ressentent: étranglement, constriction, oppression, serrement, pression, sensation de lourdeur ou d'étirement, sensation de suffocation dans la gorge, indigestion, brûlure.

État mental

- Votre pensée est-elle ralentie? Moins claire?
- Est-ce que vous riez ou pleurez plus facilement qu'à l'habitude?
- Quand avez-vous noté un changement?
- Prenez-vous des médicaments qui pourraient affecter votre pensée?

Si l'état du patient le permet, on peut procéder à l'évaluation d'autres fonctions organiques.

Les données recueillies au cours de l'établissement du profil du patient sont nécessaires à l'élaboration d'un plan de soins personnalisé, du plan de congé et du programme d'enseignement. Pour être en mesure d'établir un programme de réadaptation avec des objectifs bien précis ou pour modifier certaines activités, il importe de savoir comment le patient perçoit les conséquences de sa maladie sur ses activités quotidiennes. Puisque des changements au régime alimentaire sont presque toujours nécessaires (réduction de l'apport en sodium et en gras saturés, ou réduction de l'apport énergétique), il faut inclure dans le profil du patient ses préférences (y compris celles qui sont de nature culturelle ou ethnique) et ses habitudes alimentaires (consommation d'aliments en conserve ou préparés par opposition aux aliments frais, repas pris au restaurant par opposition aux repas pris à la maison). On doit de plus savoir si le patient fait lui-même l'épicerie ou la cuisine, et s'enquérir de sa situation financière pour lui suggérer au besoin des choix alimentaires sains, mais économiques, de même que des façons peu coûteuses de faire de l'exercice, et lui indiquer les services communautaires auprès desquels il peut obtenir des renseignements et de l'aide lors de sa convalescence. Voir le chapitre 10 pour une description plus détaillée du profil du patient.

FACTEURS DE PRÉDISPOSITION AUX CORONAROPATHIES

Pour établir le profil du patient atteint d'un trouble cardiovasculaire, l'infirmière doit lui poser des questions concernant ses habitudes de santé. Des études épidémiologiques ont démontré que certaines habitudes ou comportements prédisposent aux coronaropathies. Il s'agit de facteurs de risque que l'on peut classer en deux catégories, selon qu'ils peuvent ou non être modifiés.

Facteurs qui ne peuvent être modifiés

- Antécédents familiaux de coronaropathies
- Âge
- Sexe (fréquence plus élevée chez les hommes que chez les femmes) Note: Selon des études récentes, il semble que les maladies cardiovasculaires soient beaucoup plus fréquentes chez les femmes qu'on ne l'avait cru jusqu'ici, après la ménopause surtout. Elles affecteraient un tiers des femmes âgées de 50 à 75 ans et seraient la première cause de décès dans ce groupe d'âge. (Source: «The Dilemma of Estrogen Replacement Therapy», *American Health*, avril 1992, p. 70)
- Race (fréquence plus élevée chez les Noirs que chez les Blancs)

Facteurs qui peuvent être modifiés ou régularisés

- Hyperlipidémie 
- Hypertension

TABLEAU 12-1. ***Douleurs thoraciques***

	Caractéristiques, siège et irradiation	*Durée*	*Facteurs précipitants*	*Mesures de soulagement*
ANGINE DE POITRINE	Douleur rétrosternale qui se diffuse à travers la poitrine. Peut irradier vers l'intérieur du bras, le cou et les mâchoires.	5 à 15 min	Habituellement reliée à la fatigue, à l'émotion, à la consommation d'aliments ou au froid.	Repos, nitroglycérine, oxygène
INFARCTUS DU MYOCARDE	Douleur rétrosternale ou dans la région précordiale qui se diffuse largement à travers la poitrine. On note parfois une gêne fonctionnelle douloureuse des épaules et des mains.	>15 min	Apparition spontanée, mais est parfois due à une angine instable.	Sulfate de morphine, rétablissement de l'irrigation de l'artère coronaire obstruée
PÉRICARDITE  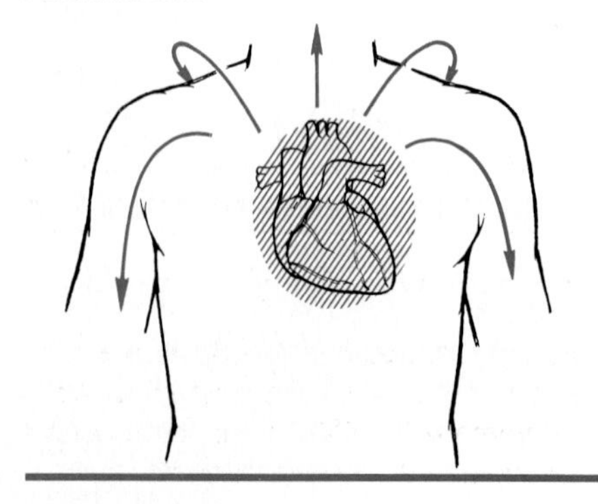	Douleur rétrosternale aiguë et intense, ou douleur dans la région gauche du sternum. Peut être ressentie dans la région épigastrique et irradier vers le cou, les bras et le dos.	Intermittente	Apparition soudaine. Est intensifiée par l'inspiration, la déglutition, la toux et la rotation du tronc.	Position assise, le dos droit, analgésiques, anti-inflammatoires

TABLEAU 12-1. (suite)

	Caractéristiques, siège et irradiation	*Durée*	*Facteurs précipitants*	*Mesures de soulagement*
DOULEUR PULMONAIRE	Douleur provenant de la portion inférieure de la plèvre. Peut irradier vers le rebord costal ou la partie supérieure de l'abdomen. Le patient est parfois capable de la localiser.	30 min et plus	Apparition souvent spontanée. Est déclenchée ou intensifiée par l'inspiration.	Repos, temps, traitement de la cause sous-jacente, bronchodilatateurs
DOULEUR ŒSOPHAGIENNE	Douleur rétrosternale qui peut se diffuser autour de la poitrine et des épaules.	5 à 60 min	Apparition spontanée. Est déclenchée par la position couchée, les liquides froids et l'effort.	Prise d'aliments, d'antiacides, de nitroglycérine pour le soulagement du spasme
ANXIÉTÉ	Douleur localisée, parfois d'intensité variable, dans la partie gauche de la poitrine. Le patient peut se plaindre d'engourdissements ou de fourmillements dans les mains et la bouche.	2 à 3 min	Est déclenchée par le stress et la tachypnée reliée aux émotions.	Élimination du stimulus, détente

- Tabagisme
- Hyperglycémie (diabète)
- Obésité
- Sédentarité
- Stress
- Prise de contraceptifs oraux

Les facteurs de risque font donc essentiellement partie des données à recueillir chez les patients atteints d'un problème cardiaque. On traite plus en détail au chapitre 13 de ces différents facteurs de risque.

Pour prodiguer au patient un enseignement efficace concernant les facteurs de risque, l'infirmière doit posséder de solides connaissances de base et être au courant des plus récentes recommandations dans ce domaine. Elle a pour tâche de l'aider à modifier les facteurs qui peuvent l'être en fixant des objectifs raisonnables. Les professionnels de la santé ne sont pas tous convaincus que la modification des facteurs de risque soit efficace chez les personnes déjà atteintes d'une coronaropathie, mais tous s'entendent pour dire que de saines habitudes de vie (régime alimentaire à faible teneur en matières grasses et exercice, par exemple) sont bénéfiques.

EXAMEN PHYSIQUE

On procède à l'examen physique pour confirmer les données obtenues lors de l'établissement du profil. Les données initiales sont recueillies au moment de l'admission. Si l'infirmière qui procède à l'examen physique ne possède pas une expérience suffisante, ces données doivent être vérifiées par un médecin ou une autre infirmière. Dans les cas de cardiopathie aiguë, l'examen physique comprend la prise des signes vitaux toutes les deux heures au moins. Les variations dans les signes vitaux doivent être décelées le plus tôt possible, avant que des complications graves n'apparaissent. Or, les infirmières sont les personnes les mieux placées pour le faire, parce qu'elles sont continuellement en contact avec les patients. Elles doivent faire part au médecin de ces variations et les noter au dossier.

On doit aussi noter, lors de l'examen physique, l'apparence générale du patient, et procéder à l'évaluation des éléments suivants:

- Efficacité de la contractilité du myocarde
- Volume et pression de remplissage
- Débit cardiaque
- Mécanismes de compensation

Les données qui traduisent une diminution de l'efficacité de la contractilité sont une réduction de la pression différentielle, une hypertrophie du cœur et la présence de souffles et de bruits de galop.

Une distension de la veine jugulaire, de même que la congestion pulmonaire, l'œdème périphérique et l'hypotension orthostatique dénotent une altération du volume et de la pression de remplissage.

La fréquence cardiaque, la pression différentielle, la résistance vasculaire périphérique, le débit urinaire et certaines signes neurologiques sont des indicateurs du débit cardiaque.

Pour maintenir le débit cardiaque, l'organisme a recours à des mécanismes de compensation, dont l'augmentation du volume de remplissage et l'accélération du rythme cardiaque.

Il convient de noter que les données obtenues lors de l'examen physique doivent être interprétées en fonction des résultats des épreuves diagnostiques dont il est question plus loin dans ce chapitre.

L'examen physique se fait selon un ordre logique, de la tête aux pieds. Une infirmière expérimentée peut l'effectuer en 10 minutes. Il comprend: (1) une vérification de l'apparence générale, (2) la prise de la pression artérielle, (3) la prise du pouls, (4) l'examen des mains, (5) l'examen de la tête et du cou, (6) l'auscultation du cœur, (7) l'auscultation des poumons, (8) l'examen de l'abdomen et (9) l'examen des pieds et des jambes.

Apparence générale

L'infirmière doit d'abord vérifier si le patient est pâle, souffrant ou en diaphorèse. Il lui faut ensuite noter son niveau de conscience, une pensée incohérente traduisant une mauvaise irrigation du cerveau. Elle peut s'informer auprès des membres de la famille, car ils connaissent bien le patient et remarquent souvent des changements subtils de comportement. L'infirmière doit aussi noter le degré d'anxiété et les effets de cette anxiété sur l'état cardiovasculaire. Si le patient est anxieux, elle doit s'efforcer de le rassurer tout au cours de l'examen.

Pression artérielle

La pression artérielle est la pression exercée sur la paroi des artères. Elle est influencée par différents facteurs, dont le débit cardiaque, la capacité de distension des artères, le volume sanguin, la vitesse de la circulation sanguine et la viscosité du sang. Il s'agit d'un phénomène cyclique. Elle varie en fonction des phases de la révolution cardiaque, s'élevant lors de la systole en passant par un maximum (*pression systolique*) et diminuant lors de la diastole pour atteindre un minimum (*pression diastolique*). Elle s'exprime généralement par le rapport pression systolique sur pression diastolique. Sa normale chez l'adulte est de 100/60 à 140/90, et sa moyenne de 120/80. Le terme *hypertension* désigne une augmentation de la pression artérielle et le terme *hypotension,* une diminution.

On appelle *pression différentielle* la différence entre la pression systolique et la pression diastolique. Sa normale se situe à 40 mm Hg environ. Une augmentation de la pression différentielle résulte d'une augmentation de la pression systolique et a pour nom *hypertension systolique.* Ce type d'hypertension s'observe notamment dans les cas d'artériosclérose (durcissement des artères) et de thyrotoxicose. Une hausse de la pression diastolique s'accompagne souvent d'une hausse de la pression systolique. La pression diastolique évoque une hypertension quand elle se situe à 95 mm Hg, surtout chez une personne jeune. Si elle dépasse 95 mm Hg, elle indique une hypertension qui exige un examen plus poussé et un traitement.

On peut mesurer la pression artérielle directement ou indirectement. La mesure directe se fait au moyen d'un cathéter artériel (voir plus loin dans ce chapitre) et la mesure indirecte au moyen d'un sphygmomanomètre et d'un stéthoscope. Le sphygmomanomètre se compose d'un manchon gonflable relié à un manomètre. La pression lue sur le manomètre correspond à la pression en millimètres de mercure transmise à l'artère brachiale. Pour prendre la pression, on enroule le manchon autour du bras, puis on le gonfle au moyen de la poire prévue à cet effet, jusqu'à ce que le pouls disparaisse, ce qui indique que l'on a dépassé la pression systolique et que l'artère brachiale est bloquée. On continue de gonfler le manchon jusqu'à ce que la pression atteigne 20 à 30 mm Hg au-dessus du point de disparition du pouls, puis on le dégonfle lentement. La mesure peut se faire par auscultation ou par palpation, l'auscultation étant plus précise.

Pour prendre la pression artérielle par auscultation, on place la cupule ou le diaphragme du stéthoscope sur l'artère brachiale, juste sous le pli du coude, à l'endroit où l'artère émerge des deux têtes du biceps. On gonfle le manchon comme on l'a décrit au paragraphe précédent, puis on le dégonfle de 2 à 3 mm Hg par seconde jusqu'à ce que reviennent les bruits secs qui indiquent la pression systolique. Ces bruits, connus sous le nom de *bruits de Korotkoff,* coïncident avec le battement cardiaque et se font entendre jusqu'à ce que la pression dans le manchon soit descendue sous la pression diastolique. En pratique, il arrive souvent que les bruits s'assourdissent avant de disparaître, à 10 mm Hg environ sous la pression diastolique normale. Généralement, c'est la disparition des bruits qui indique la pression diastolique réelle. Si on note un écart de plus de 10 mm Hg entre l'assourdissement des bruits et leur disparition, on inscrit trois chiffres, par exemple 120/80/60, le premier indiquant la pression systolique, le deuxième la pression au moment de l'assourdissement des bruits, et le troisième la pression au moment de leur disparition.

Parfois, on observe une disparition temporaire des bruits que l'on appelle *trou auscultatoire*. Par exemple, les bruits de Korotkoff sont entendus à 170 mm Hg, ils disparaissent à 150, reviennent à 130, puis disparaissent de nouveau à 90. Dans ce cas, on parlerait d'un trou auscultatoire de 20 points. Le trou auscultatoire est fréquent chez les patients qui souffrent d'hypertension ou d'une importante sténose aortique.

Pour mesurer la pression artérielle par palpation, on utilise le sphygmomanomètre de la même façon, mais on se guide sur le pouls radial plutôt que sur les bruits artériels. La pression systolique se prend au moment où le pouls revient. On utilise la palpation dans les cas où les bruits sont peu audibles. On ne peut mesurer la pression diastolique de façon précise par cette méthode.

Pour obtenir une mesure précise de la pression artérielle, le manchon doit être de la taille appropriée. S'il est trop grand, la pression sera faussement abaissée, s'il est trop petit, elle sera faussement élevée.

Quand on prend la pression artérielle d'un patient pour la première fois, on doit la prendre dans les deux bras. Si on observe une différence, il faut la noter et en informer le médecin. Par la suite, on prend la pression dans le bras où elle est la plus élevée. S'il est difficile de prendre la pression dans le bras, on peut la prendre dans la jambe, en utilisant un manchon très large.

Pour mesurer avec précision la pression artérielle, il importe de se rappeler ce qui suit:

- Le manchon doit être de la taille appropriée.
- Il doit être enroulé solidement autour du bras, la chambre gonflable au centre de l'artère brachiale.
- Le bras doit être au niveau du cœur ou en dessous.
- La première mesure se fait sur les deux bras, et les mesures suivantes sur le bras où la pression est la plus élevée. En l'absence de problèmes vasculaires, la différence des pressions entre les deux bras ne dépasse pas 5 mm Hg.
- On doit noter la position du patient et le bras sur lequel on a pris la pression.
- Il est plus facile d'observer un trou auscultatoire si on prend la pression systolique par palpation avant de la prendre par auscultation.
- On doit demander au patient de ne pas parler pendant la mesure, car des études ont démontré que le fait de parler augmente sensiblement le rythme cardiaque et la pression artérielle.

Pression différentielle. Il s'agit de la différence entre la pression systolique et la pression diastolique. Elle est le reflet du volume d'éjection systolique, de la vitesse d'éjection et de la résistance vasculaire générale. Elle peut servir d'indicateur non effractif de la capacité de maintenir le débit cardiaque. Si elle descend sous les 30 mm Hg chez un patient cardiaque, des examens plus poussés sont indiqués.

Hypotension orthostatique. Elle se définit comme une baisse anormale de la pression artérielle lors du passage de la position couchée à la position debout, et se manifeste généralement par des étourdissements ou une sensation ébrieuse, ou encore par une syncope. Elle peut avoir plusieurs causes, dont les plus fréquentes chez les patients cardiaques sont: une hypovolémie, une perturbation des mécanismes responsables de la vasoconstriction et une neuropathie du système nerveux autonome. Pour faire la distinction entre ces causes, le médecin se fonde sur les circonstances d'apparition de l'hypotension orthostatique et sur les signes associés. Pour dépister l'hypotension orthostatique, on doit procéder comme suit:

- Placer d'abord le patient en décubitus dorsal, complètement à plat si son état le permet. Attendre 10 minutes, puis prendre la pression artérielle et le rythme cardiaque.
- Ne pas retirer le manchon, mais vérifier s'il est bien placé. Puis, asseoir le patient sur le bord du lit, les pieds pendants.
- Attendre de une à trois minutes, puis prendre la pression artérielle et le rythme cardiaque.
- Si nécessaire, placer ensuite le patient en position debout, attendre de une à trois minutes et prendre encore une fois le rythme cardiaque et la pression artérielle.
- Si des signes ou symptômes de malaise se manifestent, replacer immédiatement le patient dans son lit.
- Noter tous les signes et symptômes qui accompagnent les variations de pression.
- Toujours prendre les mesures en position couchée avant de les prendre en position debout.
- Toujours noter le rythme cardiaque et la pression artérielle en indiquant la position du patient (couchée = o+; assise = ♀; debout = ♀).

La réaction normale aux changements de position est une accélération de la fréquence cardiaque de l'ordre de 15 à 20 battements par minute (pour compenser la diminution du volume d'éjection systolique et maintenir le débit cardiaque), une baisse de la pression systolique de l'ordre de 15 mm Hg ou moins et une légère baisse ou élévation de la pression diastolique entre 5 et 10 mm Hg.

On soupçonne une hypovolémie si on observe une accélération de la fréquence cardiaque et, *soit* une baisse de plus de 15 mm Hg de la pression systolique, *soit* une baisse de plus de 10 mm Hg de la pression diastolique chez un patient qui a subi un traitement aux diurétiques ou qui a présenté une hémorragie. Il est difficile de faire la différence entre une hypovolémie et une perturbation des mécanismes responsables de la vasoconstriction sur la base des variations posturales de pression seulement. Dans le premier cas, la chute de pression est attribuable à la perte de volume, et dans le second, à une diminution de la vasoconstriction périphérique. Dans les deux cas, la réponse de la fréquence cardiaque est normale. Voir le tableau ci-dessous.

	Pression artérielle	*Rythme cardiaque*
Position couchée o+	120/70	70
Position assise ♀	100/55	90
Position debout ♀	98/52	94

Si l'hypotension orthostatique est due à une atteinte du système nerveux autonome, la fréquence cardiaque n'augmente pas en réponse aux changements de position. On note parfois une absence ou une diminution concomitante de la vasoconstriction périphérique. La neuropathie peut aussi s'accompagner d'une hypovolémie. On peut voir dans le tableau ci-dessous les mesures de la pression artérielle et du rythme cardiaque caractéristiques d'une atteinte du système nerveux autonome.

	Pression artérielle	*Rythme cardiaque*
Position couchée ⚲	150/90	60
Position assise ♀	100/40	60

Caractéristiques du pouls

Quand on prend le pouls, on doit déterminer sa fréquence, son rythme, son amplitude, sa forme et l'élasticité des vaisseaux.

Fréquence. La fréquence normale du pouls au repos peut se situer autour de 50 chez un jeune adulte athlétique en bonne santé. Elle peut dépasser 100 battements par minute à l'effort et dans les périodes d'agitation. Au cours de l'examen physique, l'anxiété provoque souvent une augmentation de la fréquence du pouls. Dans ce cas, il convient de reprendre le pouls à la fin de l'examen, quand le patient est plus calme.

Rythme. Il importe aussi de noter la régularité du rythme du pouls. Des variations mineures sont normales. Chez les jeunes particulièrement, le pouls s'accélère au cours de l'inspiration et ralentit au cours de l'expiration. C'est ce que l'on appelle une *arythmie sinusale.*

Lors de l'examen physique initial ou si le pouls est irrégulier, on doit palper le pouls radial pendant une minute tout en auscultant au moyen d'un stéthoscope le pouls apexien. L'aide d'une autre infirmière est parfois nécessaire pour mesurer de façon précise le pouls apexien.

Il faut noter les différences entre les contractions cardiaques et le pouls. Les arythmies (troubles du rythme) provoquent souvent ce que l'on appelle un «pouls déficitaire», soit une différence entre le pouls apexien (pouls entendu à la pointe du cœur) et le pouls périphérique. Un pouls déficitaire peut indiquer une fibrillation auriculaire, un flutter auriculaire, une extrasystole, ou un bloc cardiaque plus ou moins important. Voir le chapitre 14 pour de plus amples renseignements sur ces arythmies.

Les arythmies que l'on peut observer au cours d'un examen physique sont complexes. Pour comprendre leur mécanisme, une connaissance approfondie de l'électrophysiologie du cœur est nécessaire. Les infirmières spécialisées en cardiologie possèdent généralement cette connaissance.

Amplitude. On peut qualifier l'amplitude du pouls de normale, faible ou imperceptible.

0 — imperceptible
+1 — très faible
+2 — faible
+3 — normale

Comme cette évaluation est subjective, il est préférable de préciser les variations à l'intérieur de l'échelle (par exemple, pouls radial gauche +2/+3).

Forme. La forme du pouls est souvent très révélatrice. Par exemple, dans la sténose aortique, la montée est lente (la pression différentielle est aussi abaissée et le pouls est faible). Par ailleurs, un pouls à montée et descente abruptes, appelé «pouls dégringolant» indique le plus souvent une insuffisance aortique. Pour une évaluation plus précise de la forme du pouls, la palpation de l'artère carotide est préférable à celle de l'artère radiale, parce que les caractéristiques les plus apparentes des ondes pulsatiles peuvent être altérées dans les vaisseaux plus petits.

Élasticité des vaisseaux. Il est aussi important de vérifier l'élasticité des vaisseaux, surtout chez les personnes âgées. On l'évalue en palpant l'artère radiale. Une artère normale est droite, lisse, ronde et élastique. Une artère dont l'élasticité est réduite a des parois durcies, et est sinueuse et tordue.

Pour évaluer la circulation périphérique, on doit prendre tous les pouls artériels, à des endroits où les artères sont près de la surface de la peau et sont faciles à oblitérer contre les os et les muscles. Les artères temporale, carotide, brachiale, radiale, fémorale, poplitée, pédieuse et tibiale postérieure ont un pouls perceptible à la palpation. Pour mesurer les pouls dans les membres inférieurs avec précision, on doit repérer soigneusement l'artère et respecter scrupuleusement la technique (voir la figure 16-3 au chapitre 16). Une pression trop forte peut facilement abolir les pouls de l'artère pédieuse et de l'artère tibiale postérieure, et induire en erreur la personne qui procède à l'examen. Chez environ 10 % de la population, il est impossible de palper l'artère pédieuse. Dans ce cas, l'irrigation est assurée par l'artère tibiale postérieure.

Mains

On doit noter les caractéristiques suivantes quand on procède à l'examen des mains chez un patient cardiaque:

- Une cyanose périphérique, qui est due à un ralentissement circulatoire provoquant une extraction plus importante, par les tissus, de l'oxygène du sang (désaturation veineuse excessive). Ce phénomène peut être une réaction normale au froid, mais peut aussi indiquer un ralentissement pathologique de la circulation, comme dans le choc cardiogénique.
- La pâleur, qui peut traduire une anémie ou une augmentation de la résistance vasculaire générale.
- Le temps de remplissage des capillaires, qui est une indication de la vitesse de la circulation périphérique. Pour le mesurer, on comprime un ou plusieurs doigts du patient pour quelques secondes, puis on relâche la pression. Normalement, l'irrigation revient presque instantanément. Si elle est retardée, elle indique un ralentissement de la circulation périphérique, comme dans l'insuffisance cardiaque.
- La température et la moiteur des mains, qui sont régies par le système nerveux autonome. Normalement, les mains sont chaudes et sèches, mais deviennent froides et moites sous l'influence du stress. Dans le choc cardiogénique, elles sont froides et moites à cause d'une stimulation du système nerveux sympathique et de la vasoconstriction qui en résulte.
- L'œdème, qui rend la peau plus tendue.
- La déshydratation, qui réduit l'élasticité de la peau et que l'on observe surtout chez les personnes âgées.

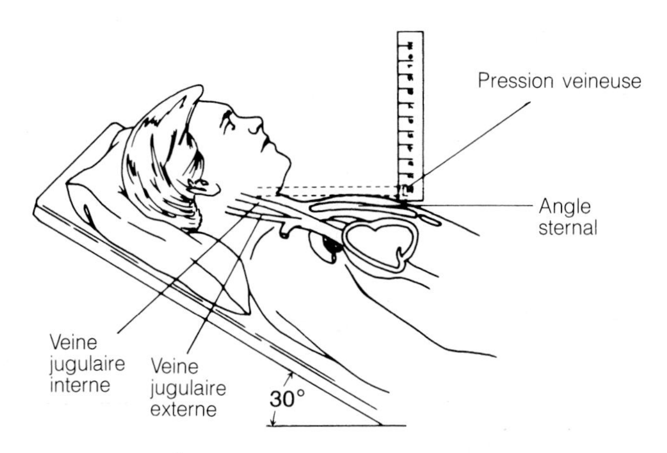

Figure 12-6. Évaluation de la distension de la veine jugulaire. On doit noter le point le plus haut auquel on peut voir les pulsations, puis mesurer la distance en centimètres entre ce point et l'angle sternal. On exprime la mesure obtenue en centimètres au-dessus de l'angle sternal.

- L'hippocratisme (déformation de l'extrémité des doigts et des orteils), qui peut indiquer une oxygénation inadéquate chronique des tissus, comme dans les cardiopathies congénitales.

Tête et cou

On doit d'abord s'assurer qu'il n'y a pas de coloration bleue des lèvres et des lobes des oreilles traduisant une cyanose périphérique. Comme on l'a vu précédemment, la cyanose périphérique est causée par un ralentissement de la circulation et une diminution importante de l'oxygène associé à l'hémoglobine.

L'observation des pulsations des veines jugulaires permet d'évaluer sommairement le fonctionnement du cœur droit ainsi que la pression veineuse centrale, qui correspond à la pression télédiastolique de l'oreillette et du ventricule droits. La pression télédiastolique est la pression lors de la dernière partie de la diastole.

La distension des jugulaires est causée par une augmentation de la pression et du volume de remplissage au niveau du cœur droit. On mesure s'il y a présence de distension comme suit:

- Placer le patient sur le dos, la tête surélevée de 15 à 30 degrés.
- Lui faire tourner la tête légèrement sur le côté opposé à la veine examinée.
- Repérer la veine jugulaire externe.
- Détecter ensuite les pulsations de la veine jugulaire interne (ne pas les confondre avec celles de l'artère carotide qui se trouve à proximité).
- Puis, repérer le point le plus haut auquel on peut les voir.
- Au moyen d'une règle graduée en centimètres, mesurer la distance verticale entre ce point et l'angle sternal (figure 12-6).
- Noter la distance mesurée en indiquant l'angle d'inclinaison de la tête (exemple: 5 cm au-dessus de l'angle sternal, avec la tête surélevée de 30 degrés).
- On considère élevées des mesures qui dépassent 3 à 4 cm.

S'il est difficile de voir la veine jugulaire interne, on peut observer les pulsations de la veine jugulaire externe. Elle est plus superficielle, et visible juste au-dessus de la clavicule, au point de jonction du muscle sternocléidomastoïdien. Elle est normalement distendue quand le patient est couché à plat sur le dos, mais non quand on lui surélève la tête. Elle n'est généralement pas visible quand la tête est surélevée à un angle de plus de 30 degrés.

Une distension apparente de la jugulaire externe quand la tête est surélevée de 45 à 90 degrés indique une augmentation anormale du volume veineux, ce qui peut être un signe d'insuffisance cardiaque droite ou, plus rarement, d'une obstruction de la veine cave supérieure ou d'une embolie pulmonaire aiguë massive.

Cœur

On examine le cœur indirectement par inspection, palpation, percussion et auscultation de la paroi thoracique. Il est essentiel pour un examen complet de procéder avec méthode, en fixant son attention sur les six foyers anatomiques suivants (figure 12-7):

1. *Foyer aortique* — deuxième espace intercostal* droit, près du sternum
2. *Foyer pulmonaire* — deuxième espace intercostal gauche, près du sternum
3. *Point d'Erb* — troisième espace intercostal gauche, près du sternum
4. *Foyer tricuspidien* — quatrième et cinquième espaces intercostaux du côté gauche du sternum
5. *Foyer mitral ou apexien* — cinquième espace intercostal gauche, près du sternum
6. *Foyer épigastrique* — sous la pointe du sternum.

Dans la majorité des cas, le patient doit être couché sur le dos avec la tête légèrement surélevée. L'examinatrice droitière se place à la droite du patient, l'examinatrice gauchère à sa gauche.

Inspection et palpation

On inspecte de façon méthodique chaque foyer de la région précordiale, puis on le palpe. Un éclairage en diagonale aide à percevoir les pulsations peu visibles. Chez les jeunes et chez les personnes âgées maigres, on observe une impulsion normale discrète, bien localisée directement au-dessus de la pointe du cœur, au niveau du cinquième espace intercostal gauche, aux environs de la ligne médioclaviculaire. On appelle cette pulsation *choc apexien.*

Souvent, le choc apexien est palpable. Il s'agit d'une légère pulsation de un à deux centimètres de diamètre. Il coïncide avec le début du premier bruit du cœur et prend fin après la première moitié de la systole. On le repère d'abord avec la paume de la main, puis on se sert du bout des doigts pour décrire sa dimension et son intensité. Quand il est large et intense, on l'appelle parfois *choc en dôme d'hypertrophie ventriculaire gauche.*

---

* *Note: Pour repérer avec précision les espaces intercostaux, rechercher d'abord l'angle de Louis (voir la figure 12-7). Pour ce faire, repérer la crête osseuse qui se trouve près de la partie supérieure du sternum, à la jonction du corps du sternum et du manubrium. Ensuite, à partir de l'angle de Louis, glisser un doigt vers la gauche ou vers la droite du sternum. On repère les autres espaces intercostaux à partir de ce point de référence, par palpation le long de la cage thoracique.*

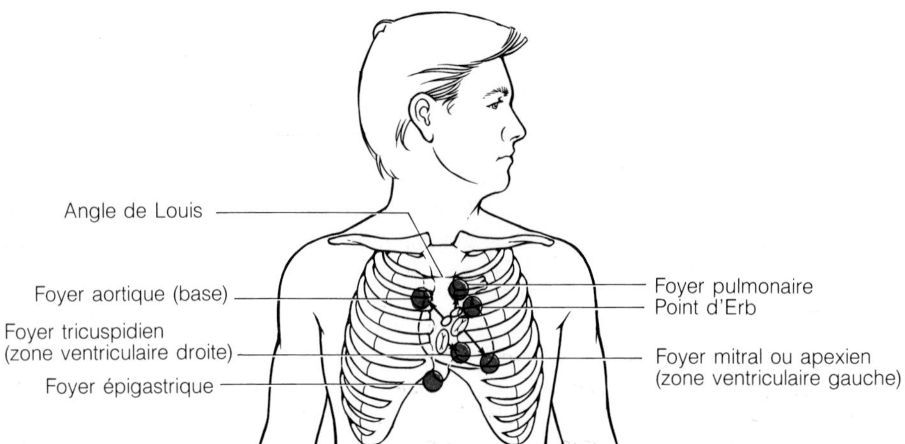

Figure 12-7. Foyers d'auscultation de la région précordiale

- *Choc apexien anormal.* On peut soupçonner une hypertrophie ventriculaire gauche due à une insuffisance si le choc apexien est palpable sous le cinquième espace intercostal, ou latéralement par rapport à la ligne médioclaviculaire, ou encore s'il s'étend au-delà d'un espace intercostal. Le choc apexien n'est normalement palpable que dans un seul espace intercostal. Si on observe deux régions distinctes avec mouvement paradoxal, on doit soupçonner un anévrisme ventriculaire.

Les souffles exceptionnellement intenses peuvent être perçus à la palpation. Ils se manifestent par une sensation de ronronnement perçue avec la paume de la main, que l'on appelle *frémissement.* Ils indiquent toujours une importante cardiopathie. On peut aussi percevoir des frémissements lors de la palpation de vaisseaux gravement obstrués, et au niveau des artères carotides dans les cas de sténose de la valvule aortique.

Percussion

Normalement, on repère le bord gauche du cœur par percussion. Il s'étend du sternum à la ligne médioclaviculaire, du troisième au cinquième espace intercostal. Le bord droit du cœur se situe sous le bord droit du sternum, mais le sternum empêche de le repérer. Si le cœur gauche ou le cœur droit sont hypertrophiés, on peut généralement le déceler. Chez les personnes dont la poitrine est très épaisse, ou qui souffrent d'obésité ou d'emphysème, le cœur peut se situer loin sous la surface du thorax, de sorte que l'on ne peut repérer même son bord gauche, à moins qu'il ne soit hypertrophié.

On ne procède à la percussion que si on dépiste un déplacement du choc apexien ou si on soupçonne une cardiomégalie.

Auscultation

On doit ausculter tous les foyers que l'on peut voir à la figure 12-7, à l'exception du foyer épigastrique. Les bruits provoqués par la fermeture des valvules sont entendus à des endroits précis de la paroi thoracique, qui ne correspondent pas à l'emplacement des valvules, mais correspondent plutôt à la direction de l'irradiation du bruit à l'intérieur de la paroi thoracique. Les bruits provenant des vaisseaux dans lesquels du sang circule irradient vers le bas. Ainsi, ceux qui correspondent à la fermeture de la valvule mitrale sont entendus au niveau du cinquième espace intercostal sur la ligne médioclaviculaire. On appelle cette région le *foyer apexien.*

L'infirmière qui procède à l'auscultation doit identifier les bruits normaux et anormaux. Il s'agit d'une tâche difficile, mais avec laquelle il est possible de se familiariser.

Bruits du coeur: Description générale. Les bruits normaux B_1 et B_2 sont produits principalement par la fermeture des valvules. L'intervalle entre B_1 et B_2 correspond à la systole. Il est généralement plus court que l'intervalle entre B_2 et B_1, qui correspond à la diastole. Une accélération du rythme cardiaque entraîne un raccourcissement de la diastole (figure 12-8). Si le cœur fonctionne normalement, on n'entend aucun bruit au cours de la systole et de la diastole. Par ailleurs, dans les cas de troubles ventriculaires, on peut percevoir des bruits que l'on appelle *bruits de galop* et *claquements.* Une ouverture ou une fermeture incomplète des valvules donne naissance à des bruits prolongés que l'on appelle *souffles.* La section qui suit est consacrée à une description plus détaillée des bruits du cœur, suivie d'un résumé de la méthode à suivre pour l'auscultation du cœur.

Bruits normaux

Premier bruit du coeur. Le premier bruit du cœur (B_1) provient de la fermeture simultanée des valvules mitrale et tricuspide. La vibration de la paroi du myocarde peut aussi y contribuer. On le perçoit sur toute la région précordiale, mais il est à son maximum au niveau du foyer apexien. Son intensité est augmentée dans les cas de cardite rhumatismale à cause d'une calcification des feuillets valvulaires, et dans tous les cas où le ventricule se contracte alors que la valvule est grande ouverte (par exemple, s'il y a interruption du cycle cardiaque normal par une contraction ventriculaire prématurée). Son intensité varie si la contraction auriculaire n'est pas synchrone avec la contraction ventriculaire, parce que la valvule est entièrement ou partiellement fermée lors d'un battement et presque entièrement ouverte lors du battement suivant, à cause de l'irrégularité de l'activité auriculaire. B_1 est facile à déceler et permet de situer les différents temps de la révolution cardiaque (voir la figure 12-5).

Deuxième bruit du coeur. Le deuxième bruit du cœur (B_2) provient de la fermeture des valvules aortique et pulmonaire. Généralement la valvule aortique se ferme d'abord, suivie presque immédiatement de la valvule pulmonaire.

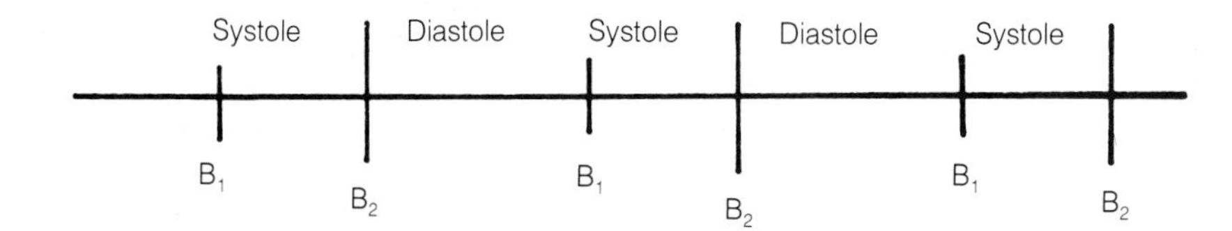

Figure 12-8. Bruits normaux du cœur

Par conséquent, il arrive que B_2 soit dédoublé. Ce dédoublement est habituellement plus accentué à l'inspiration et disparaît à l'expiration, à cause de l'influence de la respiration sur l'éjection du contenu du ventricule droit. B_2 est plus intense à la base du cœur. Sa composante aortique est entendue clairement au niveau des foyers aortique et pulmonaire, mais moins clairement au niveau de la pointe. La composante pulmonaire, si elle est présente, n'est audible qu'au niveau du foyer pulmonaire. On peut donc percevoir un bruit simple au niveau du foyer aortique et un bruit dédoublé au niveau du foyer pulmonaire.

Bruits anormaux

Troisième bruit du cœur (B_3). Une résistance au remplissage du ventricule au cours de la diastole peut donner naissance à des vibrations transitoires qui ressemblent beaucoup à B_1 et B_2, mais sont généralement moins intenses. Elles donnent lieu à une succession de trois bruits qui rappellent le galop du cheval. C'est pourquoi on les désigne souvent sous le nom de *bruits de galop.* On perçoit B_3 au tout début de la diastole, au cours de la phase de remplissage rapide. Il est normal chez les enfants et les jeunes adultes (figure 12-9). Il est rarement audible chez les adultes d'âge moyen et est associé aux myocardiopathies et à l'insuffisance cardiaque avec éjection incomplète au cours de la systole. Il est plus facile à percevoir si le patient est couché sur le côté gauche.

Quatrième bruit du cœur (B_4). Ce bruit est audible au cours de la contraction auriculaire et produit comme B_3 une succession de trois bruits que l'on désigne sous le nom de galop (figure 12-10). Il est souvent associé à une hypertrophie ventriculaire observée dans certains cas de coronaropathie, d'hypertension ou de sténose aortique. Dans de très rares cas, on entend les quatre bruits du cœur au cours d'une même révolution. On parle alors de *rythme quadruple.*

B_3 et B_4 sont de très faible intensité et ne sont audibles que si on appuie la cupule du stéthoscope très légèrement contre la poitrine. Généralement, ils sont à leur maximum au niveau du foyer apexien. Occasionnellement, s'ils proviennent du ventricule droit, on peut les percevoir du côté gauche du sternum.

Claquements. Le *claquement d'ouverture* est un bruit très aigu entendu au tout début de la diastole et qui révèle presque toujours une sténose de la valvule mitrale consécutive à une cardite rhumatismale (atteinte cardiaque du rhumatisme articulaire aigu). Il est audible au niveau du bord gauche du sternum. Il est causé par une forte pression dans l'oreillette gauche avec déplacement brusque d'une valvule mitrale trop rigide. On ne peut le confondre avec la composante pulmonaire de B_2 parce qu'il apparaît trop longtemps après ce bruit, ni avec les bruits de galop parce qu'il est entendu trop tôt au cours de la diastole. Il est presque toujours associé à un souffle de sténose mitrale.

Le *claquement d'éjection* est dû à une sténose de la valvule aortique. Il s'agit d'un son bref, très aigu, qui suit immédiatement B_1. Il est provoqué par une forte pression dans le ventricule avec déplacement d'une valvule aortique rigide et calcifiée.

Souffles. Les *souffles* sont causés par une turbulence du courant sanguin, due notamment à un grave rétrécissement d'une valvule, au mauvais fonctionnement d'une valvule permettant un flux rétrograde, à une malformation congénitale située à la paroi ventriculaire ou localisée entre l'aorte et l'artère pulmonaire, ou à une augmentation du courant sanguin causée par de la fièvre, la grossesse ou une hyperthyroïdie par exemple.

Les caractéristiques d'un souffle sont: la *chronologie,* la *localisation du maximum d'intensité,* l'*intensité,* la *tonalité,* la *qualité* et l'*irradiation* ou *transmission.*

La chronologie d'un souffle dans la révolution cardiaque est d'une grande importance. On doit d'abord déterminer s'il apparaît au cours de la systole (souffle systolique) ou de la diastole (souffle diastolique). Dans le cas d'un souffle systolique, on doit noter s'il coïncide avec B_1 ou s'il le suit, ou s'il précède B_2 ou le chevauche. Dans le cas d'un souffle diastolique, on doit noter s'il est continu ou s'il disparaît vers le milieu ou la fin de la diastole.

La localisation du maximum d'intensité du souffle a aussi beaucoup d'importance. Le souffle de sténose mitrale est audible seulement au niveau du foyer apexien, parfois sur quelques centimètres à peine. Les souffles de sténose aortique ou pulmonaire sont audibles sur une grande surface, mais sont à leur maximum au niveau de la valvule en cause. Le souffle d'insuffisance aortique est à son maximum le long du bord gauche du sternum, entre le troisième et le quatrième espace intercostal. Il est plus facile à percevoir si le patient est en position assise, le torse incliné vers l'avant. (Souvent, il n'est pas audible au niveau du foyer aortique, parce que la direction du courant sanguin est inversée.)

L'intensité des souffles est évaluée selon une échelle de 1 à 6 degrés. Les souffles de degré 1 sont parfois difficiles à percevoir, ceux de degré 2 et 3 devraient être perçus facilement, ceux de degré 4 ou plus s'accompagnent habituellement

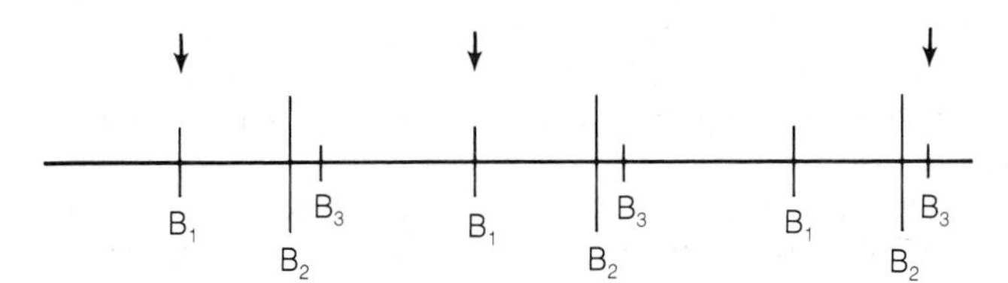

Figure 12-9. B_3 suit immédiatement B_2.

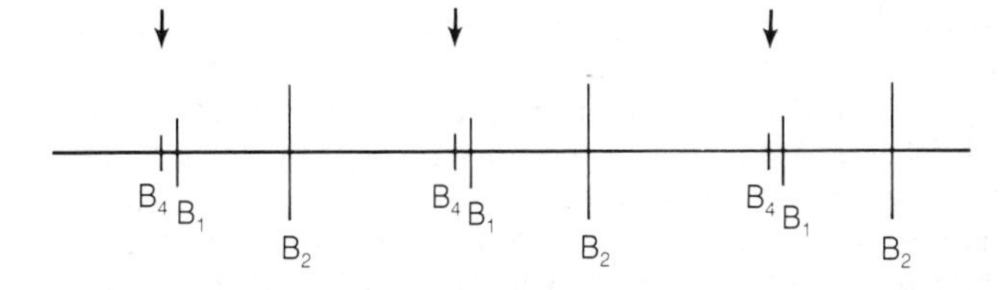

Figure 12-10. B_4 précède immédiatement B_1.

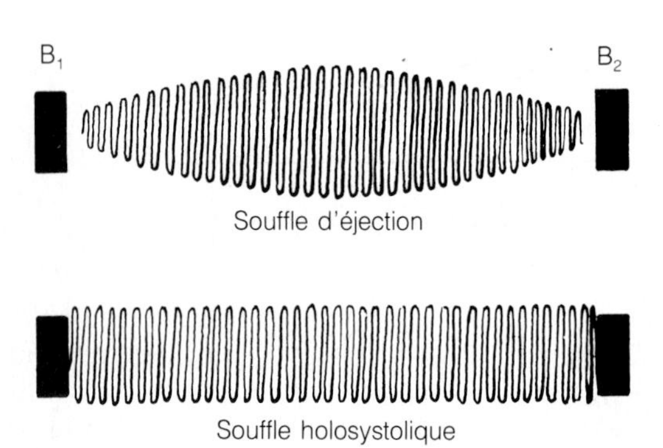

Figure 12-11. Différences entre les souffles d'éjection engendrés par les valvules pulmonaire et aortique et les souffles holosystoliques engendrés par les valvules mitrale et tricuspide. Les souffles d'éjection commencent après B_1, atteignent un maximum d'intensité au milieu de la systole et s'éteignent généralement avant B_2. Les souffles holosystoliques sont de même intensité tout au cours de leur émission; ils commencent avec B_1 et se terminent avec B_2.

d'un frémissement qui peut être palpé sur la surface de la paroi thoracique, ceux du degré 5 sont audibles avec le stéthoscope appuyé partiellement sur la poitrine, et ceux de degré 6 sont audibles avec le stéthoscope légèrement au-dessus de la poitrine. Un souffle peut varier d'intensité au cours de son émission, ce qui est caractéristique de certains troubles valvulaires. Par exemple, le souffle de sténose aortique commence un peu après B_1, augmente d'intensité au milieu de la diastole et diminue d'intensité avant de s'éteindre juste avant B_2. On dit des souffles qui ont cette configuration sonore qu'ils ont une forme losangique. On les appelle *souffles d'éjection* (figure 12-11), parce que l'augmentation d'intensité au milieu de la diastole correspond à l'éjection du contenu ventriculaire à travers la valvule aortique ou pulmonaire. Par contre, les souffles d'insuffisance mitrale ou de communication interventriculaire ont une intensité constante. De plus, ils commencent avec B_1 et se terminent avec B_2. On les appelle *souffles holosystoliques.*

Les patients atteints d'une coronaropathie présentent surtout des souffles holosystoliques de régurgitation mitrale. Ces souffles sont dus au courant rétrograde du sang dans le ventricule. L'inversion du courant sanguin a pour cause l'ouverture anormale de la valvule mitrale provoquée par une ischémie des muscles papillaires qui les rend inaptes à la contraction. Le souffle de régurgitation mitrale est à son maximum au niveau du foyer apexien et est perçu au moyen de la membrane du stéthoscope.

La tonalité est une autre caractéristique importante des souffles. Par exemple, le souffle de sténose mitrale est grave et bourdonnant. Pour le percevoir, on doit se servir de la cupule du stéthoscope que l'on appuie légèrement sur la paroi thoracique. Par contre, le souffle d'insuffisance aortique est très aigu et, occasionnellement, sifflant. On le perçoit mieux au moyen de la membrane du stéthoscope. Les autres souffles, surtout le souffle de sténose aortique, ont une tonalité mixte, ce qui les rend très rudes.

Quant à la qualité des souffles, ceux-ci peuvent être sifflants, en roulement, rudes ou musicaux.

La dernière caractéristique des souffles est leur irradiation, ou transmission. Par exemple, le souffle d'insuffisance mitrale, qui est à son maximum au niveau du foyer apexien, irradie vers l'aisselle, ce qui correspond à la direction de sa transmission. Pour la même raison, le souffle de sténose aortique irradie vers les artères carotides du cou. Par contre, le souffle de sténose pulmonaire, qui ressemble au souffle de sténose aortique, n'irradie pas vers le cou, mais plutôt vers l'épaule gauche ou le dos.

Frottement péricardique. Le frottement péricardique est dû au glissement des deux membranes péricardiques au cours de la révolution cardiaque. Il est audible aussi bien au cours de la systole que de la diastole et indique une péricardite. On peut facilement le confondre avec un souffle, mais il s'en distingue par le fait qu'il s'accentue à l'inspiration et que seuls les souffles des cavités droites (relativement rares) présentent cette caractéristique. Il est plus facile à percevoir au moyen de la membrane du stéthoscope, lorsque le patient est en position assise, le tronc incliné vers l'avant.

Résumé de la méthode à suivre pour l'auscultation. Le patient doit être en décubitus dorsal, et la pièce aussi calme que possible. Un stéthoscope avec cupule et membrane est nécessaire.

On place d'abord la membrane du stéthoscope au niveau du foyer apexien, puis on le déplace vers le haut le long du bord gauche du sternum. On peut aussi commencer l'examen aux foyers aortique et pulmonaire et se déplacer vers le bas jusqu'au foyer apexien. On repère d'abord B_1; on en évalue l'intensité et le dédoublement avant de repérer B_2 et d'en évaluer aussi l'intensité et le dédoublement. On recherche ensuite les autres bruits au cours de la systole, puis de la diastole. Il est parfois utile de se poser les questions suivantes: Est-ce que j'entends des 'clics', des bruits sifflants aigus? Est-ce que le bruit apparaît au cours de la systole ou de la diastole, ou des deux? On continue de déplacer le stéthoscope progressivement d'un foyer de la région précordiale à l'autre, tout en étant à l'affût des bruits anormaux. Enfin, on tourne le patient sur le côté gauche, on place le stéthoscope sur le foyer apexien pour entendre, s'il y a lieu, B_3 et le souffle mitral qui sont à leur maximum à cet endroit.

Si on décèle un bruit anormal, on recommence l'examen de toute la surface thoracique pour déterminer l'emplacement exact du bruit et son irradiation. Il importe de rassurer le patient, car celui-ci peut s'inquiéter du fait que l'examen se prolonge. Après avoir établi les caractéristiques de chaque phase de la révolution cardiaque, on peut faire la synthèse de ses observations.

Interprétation des bruits du cœur. L'interprétation des bruits du cœur exige de l'infirmière une connaissance approfondie de la physiologie et de la physiopathologie du cœur. Toutefois, la compétence dont elle doit faire preuve en ce domaine varie selon la nature de son travail. Par exemple, une infirmière qui fait des examens physiques dans une école ou dans une clinique doit tout simplement être en mesure de reconnaître les anomalies. Sa tâche se limite à faire part au médecin des observations anormales: troisième bruit, souffle systolique ou diastolique, frottement péricardique, large dédoublement de B_2, etc. Dans le cas de l'infirmière spécialisée en cardiologie, on est plus exigeant. Elle doit par exemple être capable de distinguer les arythmies et d'agir en conséquence, en plus de savoir déceler l'apparition et la disparition des bruits de galop chez les patients qui souffrent d'un infarctus du myocarde ou d'insuffisance cardiaque. Elle fait partie d'une équipe de professionnels qui se partagent les connaissances subtiles qu'exige l'interprétation de l'examen de l'appareil cardiovasculaire.

Poumons

L'évaluation de la fonction respiratoire est décrite au chapitre 2. Toutefois, les troubles respiratoires les plus courants chez les patients cardiaques sont notés ci-dessous.

- *Tachypnée*. Une accélération du rythme respiratoire que l'on observe chez les patients atteints d'insuffisance cardiaque. La tachypnée peut aussi avoir pour cause la douleur ou une grande anxiété.
- *Respiration de Cheyne-Stokes*. Une variété de rythme respiratoire caractérisé par une période d'apnée plus ou moins longue, à laquelle succède une série de respirations rapides, que l'on peut retrouver chez les patients qui souffrent d'une grave insuffisance ventriculaire gauche. Il est important de noter la durée de la période d'apnée.
- *Hémoptysie*. Un crachement de sang qui peut indiquer un œdème pulmonaire aigu.
- *Toux*. On observe souvent une toux sèche ou des toussotements provoqués par une irritation des voies respiratoires inférieures chez les patients qui souffrent d'une congestion pulmonaire consécutive à une insuffisance cardiaque.
- *Râles*. Les râles peuvent avoir pour cause une insuffisance cardiaque ou une atélectasie associée à l'alitement, ou encore un spasme provoqué par la douleur dans les cas d'ischémie. Ils peuvent aussi être provoqués par les analgésiques et les sédatifs. En général, les râles s'observent d'abord à la base des poumons (à cause de la pesanteur du liquide accumulé et de la faible ventilation du tissu basilaire), mais ils peuvent se répandre dans toutes les portions des champs pulmonaires.
- *Wheezing*. Le wheezing peut être causé par une compression des bronchioles dans les cas d'œdème pulmonaire interstitiel. Les inhibiteurs bêta-adrénergiques, comme le propanolol, peuvent provoquer un spasme des voies respiratoires, surtout chez les patients qui souffrent d'une maladie respiratoire sous-jacente.

Abdomen

Chez les patients cardiaques, l'examen de l'abdomen consiste généralement à déterminer la dimension du foie et à vérifier la distension de la vessie.

- *Détermination de la dimension du foie*. La diminution du retour veineux consécutive à une insuffisance ventriculaire droite peut causer l'engorgement du foie. Dans ce cas, le foie est hypertrophié, ferme, insensible et lisse. Pour mettre en évidence un reflux hépatojugulaire, on presse fermement sur le foie pendant 30 à 60 secondes, ce qui devrait augmenter la pression dans la veine jugulaire et faire gonfler celle-ci.
- *Vérification de la distension de la vessie*. Le débit urinaire est un important indicateur du débit cardiaque. Avant de prendre toute autre mesure, on doit toujours vérifier s'il y a distension de la vessie chez un patient qui n'urine pas. Pour ce faire, on palpe la région sus-pubienne pour y déceler la présence d'une masse de forme ovale (globe vésical) et on vérifie par percussion s'il y a matité.

Pieds et jambes

Les patients cardiaques présentent souvent des problèmes vasculaires, et l'œdème périphérique peut être associé à l'insuffisance ventriculaire droite. Par conséquent, il importe de vérifier chez tous les cardiaques si la circulation artérielle périphérique et le retour veineux sont normaux. De plus, il faut être à l'affût des signes de thrombophlébite, une complication associée à l'immobilité. Voir le chapitre 16 pour de plus amples renseignements à ce sujet.

GÉRONTOLOGIE

Certains aspects de l'examen cardiovasculaire diffèrent chez les personnes âgées. Par exemple, il est plus facile de prendre leurs pouls périphériques par palpation parce que leurs artères sont plus dures et que le tissu conjonctif qui les entoure est diminué. Par contre, la forme de la poitrine peut rendre plus difficile la perception des pulsations cardiaques par palpation. Ainsi, chez un patient atteint d'une bronchopneumopathie chronique obstructive, il est souvent impossible de palper les pulsations cardiaques à cause d'une augmentation du diamètre antéropostérieur de la poitrine. La pointe du cœur peut aussi être déplacée vers le bas à cause d'une cyphoscoliose (une déviation double de la colonne vertébrale, à convexité postérieure et courbure latérale), ce qui peut faire croire, à tort, que le choc apexien est déplacé.

La pression systolique augmente avec l'âge, mais la pression diastolique reste généralement stable après 50 ans. Il est de pratique courante d'administrer des hypotenseurs aux personnes dont la pression systolique se situe de façon constante à 160 mm Hg ou plus, ou dont la pression diastolique est de 95 mm Hg ou plus. Chez les personnes âgées, on ne doit pas entreprendre un traitement médicamenteux de l'hypertension sans tenir compte d'un grand nombre de facteurs, dont l'hypotension orthostatique qui indique une perte de sensibilité des réflexes posturaux.

B_4 est audible chez environ 90 % des personnes âgées, à cause d'une diminution de la compliance ventriculaire gauche, et B_2 est généralement dédoublé. Soixante pour cent d'entre elles présentent un souffle, le plus souvent un souffle d'éjection systolique légèrement perceptible, dû à une sclérose des feuillets de la valvule aortique.

Résumé: L'examen cardiaque de base comprend toujours une prise du pouls et de la pression artérielle, ainsi qu'une évaluation de l'apparence et du niveau de bien-être et de conscience. La mesure de la pression artérielle a de l'importance pour tous les patients, parce que l'hypertension asymptomatique est fréquente et peut avoir des conséquences graves qui peuvent être atténuées par un dépistage et un traitement rapides.

L'examen de la partie antérieure du thorax est relativement simple et comprend le repérage du choc apexien. La percussion ne fait pas partie intégrante de l'examen, mais elle peut fournir des renseignements utiles dans les cas d'hypertrophie du cœur. L'auscultation doit se faire avec méthode et englober les six principaux foyers de la région précordiale. On doit faire part au médecin de toute anomalie découverte au cours de l'examen.

EXAMENS ET ÉPREUVES DIAGNOSTIQUES

Les examens et les épreuves diagnostiques sont faits dans le but de confirmer les résultats obtenus lors de la collecte de données et de l'examen physique. Certains sont faciles à interpréter, mais d'autres ne peuvent l'être que par un médecin. Pour tous ces examens et ces épreuves, le patient doit recevoir des explications. Certains exigent des interventions infirmières particulières avant et après leur réalisation.

ÉPREUVES DE LABORATOIRE

On peut demander des épreuves de laboratoire pour diverses raisons: aider au diagnostic de l'infarctus du myocarde aigu (l'angine de poitrine ne peut être confirmée par des analyses sanguines ou urinaires), dépister certaines anomalies qui peuvent modifier le pronostic, évaluer la gravité d'une inflammation, dépister les facteurs de prédisposition aux cardiomyopathies, établir les valeurs de base avant un traitement, mesurer les concentrations sanguines de certains médicaments et dépister les anomalies en général. Les paragraphes qui suivent sont consacrés aux épreuves de laboratoire effectuées généralement chez les patients cardiaques. Comme les méthodes de mesure diffèrent d'un laboratoire à l'autre, les valeurs normales peuvent varier.

Enzymes cardiaques

Le diagnostic de l'infarctus du myocarde repose sur les antécédents du patient, ses symptômes, le tracé électrocardiographique et les taux plasmatiques des enzymes cardiaques (la créatine-phosphokinase (CPK) et son iso-enzyme myocardique (CPK-MB), la lacticodéshydrogénase (LDH) et l'alpha-hydroxybutirique déshydrogénase. Les enzymes sont libérées par les cellules quand une lésion en rompt les membranes. La plupart des enzymes ne sont pas spécifiques de l'organe atteint, mais certaines fractions le sont, comme CPK-MB, qui est contenue essentiellement dans les cellules du myocarde. Lors d'un infarctus, les cellules myocardiques altérées par une hypoxie prolongée libèrent la CPK-MB dans les espaces interstitiels du myocarde. Celle-ci est ensuite transportée par le système lymphatique et la circulation coronaire dans la circulation générale, ce qui se traduit par une élévation de son taux plasmatique. La CPK et son iso-enzyme CPK-MB sont donc un indicateur relativement spécifique de la nécrose myocardique. Elles s'élèvent rapidement, atteignant leur maximum dans les 18 à 24 heures suivant l'infarctus. Les dosages de la LDH et de la HBDH peuvent être utiles si la première élévation des CPK n'a pu être observée, parce que ces enzymes atteignent leur maximum plus tard. De plus, s'il y a présence de nécrose cardiaque, LDH_1 devient plus élevée que LDH_2 ($LDH_1 < LDH_2$ normal, $LDH > LDH_2$ en présence de nécrose).

Analyses biochimiques

Électrolytes sériques. Les déséquilibres électrolytiques peuvent affecter le pronostic chez un patient atteint d'un infarctus du myocarde ou de tout autre cardiopathie. Le sodium sérique dénote l'équilibre hydrique, une hyponatrémie indiquant un excès de volume liquidien et l'hypernatrémie un déficit de volume liquidien. Le calcium est essentiel à la coagulation du sang et à l'activité neuromusculaire, l'hypocalcémie et l'hypercalcémie pouvant modifier le tracé électrocardiographique et provoquer des arythmies.

Les taux sériques de potassium sont un indicateur de la fonction rénale et peuvent être abaissés par les diurétiques, souvent utilisés dans le traitement de l'insuffisance cardiaque. Une hypokaliémie cause une excitabilité cardiaque, en plus de potentialiser les effets toxiques de la digitaline, dont les problèmes de rythme. L'hyperkaliémie provoque une dépression du myocarde et une hyperexcitabilité ventriculaire. L'hypokaliémie comme l'hyperkaliémie peuvent provoquer une fibrillation ventriculaire et un arrêt des contractions du cœur. De plus, l'hypokaliémie provoque l'apparition d'une onde U (après une onde T) à l'ECG, tandis que l'onde T devient haute et pointue lors d'une hyperkaliémie.

Azote uréique du sang. L'azote uréique est un produit final du métabolisme des protéines excrété par les reins. Chez un patient cardiaque, un taux élevé d'azote uréique peut indiquer une altération de l'irrigation rénale due à une diminution du débit cardiaque ou une déplétion du volume liquidien intravasculaire due à un traitement aux diurétiques.

Glycémie. Le dosage de la glycémie est important chez les patients cardiaques, car un grand nombre d'entre eux sont aussi atteints de diabète. Le stress peut provoquer une légère élevation de la glycémie, à cause d'une conversion du glycogène hépatique en glucose par l'adrénaline endogène libérée.

Lipides sériques. On mesure le cholestérol total, les triglycérides et les lipoprotéines pour évaluer les risques d'athérosclérose, surtout chez les personnes qui ont des antécédents familiaux de maladies cardiaques, ou pour diagnostiquer une anomalie précise des lipoprotéines. Les personnes dont le taux de lipoprotéines de haute densité (HDL) est abaissé et le taux de lipoprotéines de basse densité (LDL) est élevé sont prédisposées à l'athérosclérose. Le taux de cholestérol total est relativement constant tout au cours de la journée. Toutefois, les patients qui subissent des prélèvements sanguins en vue d'un bilan lipidique complet doivent être à jeun depuis 12 heures. Le stress prolongé peut provoquer une augmentation du cholestérol total.

RADIOGRAPHIE THORACIQUE ET FLUOROSCOPIE

La radiographie thoracique est généralement utilisée pour déterminer la dimension, le contour et la position du cœur. Elle peut aussi révéler la présence de calcifications cardiaques et péricardiques, de même que les altérations physiologiques de la circulation pulmonaire. Elle n'est pas utile pour le diagnostic de l'infarctus du myocarde, mais peut confirmer la présence de certaines de ses complications, comme l'insuffisance cardiaque. On confirme également par radiographie thoracique la position des cathéters cardiaques, comme les cathéters-électrodes des stimulateurs cardiaques ou les cathéters artériels pulmonaires.

La *fluoroscopie* est une méthode d'observation visuelle du cœur sur un écran luminescent. Elle permet de voir les pulsations cardiaques et vasculaires et de déceler les anomalies du contour du cœur. Elle est utile pour l'introduction et la mise en place des électrodes de stimulation cardiaque (électrodes de pacemaker) et des cathéters dans les cathétérismes cardiaques.

ÉLECTROCARDIOGRAMME

L'électrocardiogramme (ECG) est une représentation visuelle de l'activité électrique du cœur selon différents angles de la surface cutanée.

On peut l'enregistrer sur une bande de papier ou l'observer sur l'écran d'un oscilloscope. Pour en faciliter l'interprétation, l'âge du patient, son sexe, sa pression artérielle, sa taille, son poids, ses symptômes et ses médicaments (surtout la digitaline et les antiarythmiques) doivent figurer sur la formule de demande. L'électrocardiogramme est particulièrement utile pour évaluer les perturbations de la fonction cardiaque (problèmes de rythme et de conduction, hypertrophie des cavités, infarctus du myocarde, déséquilibres électrolytiques, etc.).

Un ECG se compose généralement de 12 dérivations obtenues grâce à des électrodes que l'on place sur la surface cutanée à des positions bien définies (figure 12-12). Par exemple, la dérivation DI mesure l'activité électrique entre le bras gauche et le bras droit. L'ECG complet représente donc l'activité électrique du cœur à partir de 12 points anatomiques différents.

Méthode

Pour procéder à un ECG, on place les électrodes de la façon illustrée à la figure 12-12. Pour que les électrodes des membres supérieurs et inférieurs adhèrent bien à la peau, on les place sur une surface plane, juste au-dessus des poignets et des chevilles, sur un tampon d'alcool ou après avoir enduit la peau d'une crème électrolyte. On les fixe ensuite au moyen des courroies prévues à cet effet. Les courroies ne doivent pas pincer la peau ou gêner la circulation. Les électrodes précordiales sont retenues manuellement ou au moyen de ventouses.

Les électrodes placées sur les membres permettent d'enregistrer six dérivations, dont trois dérivations bipolaires standard: D I, D II et D III et trois dérivations unipolaires: AVR, AVL et AVF.

Certains appareils ne comportent qu'une seule électrode précordiale que l'on place à la position désirée avant de choisir la dérivation que l'on veut enregistrer. Pour obtenir les dérivations précordiales, les électrodes fixées aux membres doivent être en place.

Toutes les formules de résultat d'ECG doivent porter les renseignements suivants:

1. Le nom et le numéro de dossier du patient
2. Son âge et son sexe
3. Sa pression artérielle, son état clinique, ses médicaments cardiaques et ses autres médicaments, comme les phénothiazines, de même que le diagnostic provisoire
4. Toute position inhabituelle du patient au cours de l'enregistrement, les déformations thoraciques, l'absence d'un membre, la détresse respiratoire ou les tremblements
5. Le lieu, la date et l'heure de l'enregistrement

Autre méthodes d'enregistrement de l'ECG

Pour obtenir des renseignements plus complets, on peut enregistrer des dérivations supplémentaires, en plaçant des électrodes du côté droit par exemple, ce qui permet une

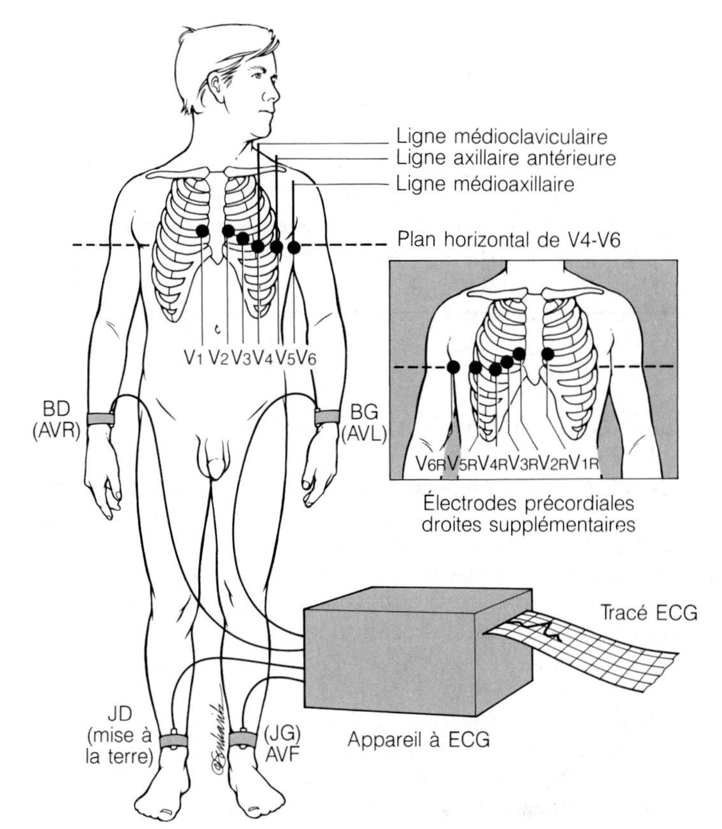

Figure 12-12. Position des électrodes. Les dérivations précordiales standard sont V_1: quatrième espace intercostal, bord droit du sternum; V_2: quatrième espace intercostal, bord gauche du sternum; V_3: en diagonale et à mi-chemin entre V_2 et V_4; V_4: cinquième espace intercostal, ligne médioclaviculaire gauche; V_5: en ligne droite avec V_4 sur la ligne axillaire antérieure; V_6: en ligne droite avec V_4 et V_5, sur la ligne médioaxillaire. Les électrodes précordiales droites sont placées en image inversée des électrodes gauches.

meilleure évaluation du fonctionnement du ventricule droit (figure 12-12). On peut aussi utiliser une électrode œsophagienne pour vérifier le fonctionnement des oreillettes.

On peut procéder à un monitorage en continu sur oscilloscope d'une des 12 dérivations, généralement D II ou V_1 modifiée (MCL_1) (figure 12-13). On choisit D II pour obtenir une image précise des ondes P, et MCL_1 pour déterminer de quel ventricule proviennent les extrasystoles. L'information est transmise au moniteur cardiaque, soit directement par les fils de l'électrode, soit par télémétrie. La transmission par télémétrie se fait par ondes radioélectriques, à partir d'un émetteur à piles porté par le patient, ce qui permet à celui-ci de se déplacer au cours de l'enregistrement. Le monitorage en continu de l'ECG est courant dans les unités de soins intensifs et de soins d'urgence. Il est aussi beaucoup utilisé dans les unités de soins intermédiaires et les unités de soins généraux pour le dépistage des arythmies.

Pour obtenir une bonne conduction et une image nette, il convient de respecter les règles suivantes:

- Nettoyer la peau avec un tampon de gaze imbibé d'alcool avant de mettre l'électrode en place. Raser la peau si le patient est très poilu.
- Si le patient transpire beaucoup et que les électrodes glissent, appliquer un peu de benjoin sur la peau.

- Changer les électrodes toutes les 24 heures et vérifier si la peau est irritée. Ne pas placer les nouvelles électrodes exactement au même endroit.
- Si le patient est allergique aux électrodes, utiliser des électrodes hypoallergéniques.

Le monitorage d'une dérivation de l'ECG peut se faire au moyen d'un petit appareil appelé moniteur de Holter ou d'un magnétophone. Grâce à ces appareils, on peut, au cours des activités quotidiennes du patient ou pendant son sommeil, dépister les arythmies et l'ischémie myocardique, évaluer les effets des médicaments antiarythmiques et antiangineux, et vérifier le fonctionnement d'un stimulateur cardiaque (pacemaker). Le moniteur de Holter ne pèse que 1 kg environ et peut se porter sur l'épaule. Pour la durée de l'enregistrement, on demande au patient de tenir un journal dans lequel il doit noter entre autres, l'heure de l'apparition des symptômes, de même que ses expériences et activités inhabituelles. Une fois l'enregistrement terminé, on examine le tracé au moyen d'un lecteur optique pour en faire l'interprétation.

Chez les patients considérés comme étant à risques élevés de subir un arrêt cardiaque, on peut effectuer une forme spéciale d'ECG, dite de «moyenne de signaux» (signal-averaged), grâce auquel on obtient une moyenne de 150 à 300 ondes QRS donnant des renseignements sur les risques d'arythmies ventriculaires fatales. Il s'agit d'un électrogramme de surface, qui filtre les artéfacts et amplifie les signaux QRS. L'enregistrement se fait au chevet du patient et dure environ 15 minutes.

Le monitorage transtéléphonique permet de transmettre à distance les résultats d'un ECG. Il se fait au moyen d'une boîte de transmission placée sous l'embouchure d'un téléphone. On utilise souvent cette méthode pour vérifier le fonctionnement d'un stimulateur cardiaque permanent sans que le patient ait à se déplacer.

Interprétation de l'ECG

L'ECG fournit d'importants renseignements sur l'activité électrique du myocarde. Les ondes sont imprimées sur papier graphique, avec le temps ou le rythme en abscisse et l'amplitude en ordonnée.

Les ondes représentent le fonctionnement du système de conduction cardiaque, soit le déclenchement et la transmission de l'activité électrique.

Ondes, complexes et intervalles. L'ECG comporte une succession d'ondes et de segments désignés par des lettres, dont l'onde P, le complexe QRS, l'onde T, le segment ST, l'intervalle PR et, parfois l'onde U.

L'*onde P* représente la dépolarisation auriculaire. Elle a normalement 2,5 mm de hauteur ou moins et dure 0,11 secondes ou moins. La première déflexion négative après l'onde P est l'*onde Q*, qui dure normalement moins de 0,03 secondes et dont l'amplitude est de 25 % inférieure à celle de l'onde R. La première déflexion positive après l'onde P est l'*onde R*. L'*onde S* est la première déflexion négative après l'onde R (figure 12-14).

Le complexe QRS est un groupe d'ondes qui commence avec l'onde Q (ou l'onde R s'il n'y a pas d'onde Q) et se termine avec l'onde S. Il représente la dépolarisation ventriculaire. Il dure normalement entre 0,04 et 0,10 secondes. Si son amplitude est inférieure à 5 mm, on le désigne par des minuscules (qrs); si elle est supérieure à 5 mm, on utilise des majuscules (QRS).

L'*onde T* représente la repolarisation ventriculaire. Elle suit le complexe QRS et sa déflexion est similaire, mais moins importante en amplitude. L'*onde U*, si elle est présente, suit l'onde T et a approximativement la même dimension que l'onde P; on pourrait donc la confondre avec une onde P surnuméraire. On croit qu'elle représente la repolarisation du réseau de Purkinje; elle se retrouve parfois chez les patients atteints d'hypokaliémie.

Le *segment ST*, qui représente le début de la repolarisation ventriculaire, est compris entre la fin du complexe QRS et le commencement de l'onde T. Il est normalement isoélectrique et est perturbé dans les cas d'ischémie myocardique et dans certains types d'angine (angine de Printgmetal, par exemple).

L'*intervalle PR* commence avec l'onde P et se termine avec l'onde Q ou l'onde R. Il représente le temps exigé pour la dépolarisation auriculaire et le délai entre la transmission de l'influx nerveux par le nœud d'Aschoff-Tawara et la dépolarisation ventriculaire. Sa durée normale est de 0,12 à 0,20 secondes.

L'*intervalle QT*, qui correspond à la durée de la systole ventriculaire, commence avec l'onde Q, ou avec l'onde R s'il n'y a pas d'onde Q, et se termine avec l'onde T. Il varie selon le rythme cardiaque et est habituellement plus de deux fois plus court que l'intervalle RR (qui va du commencement d'une onde R jusqu'au commencement d'une autre onde R). Il dure entre 0,32 et 0,40 secondes si le rythme cardiaque est entre 65 et 95.

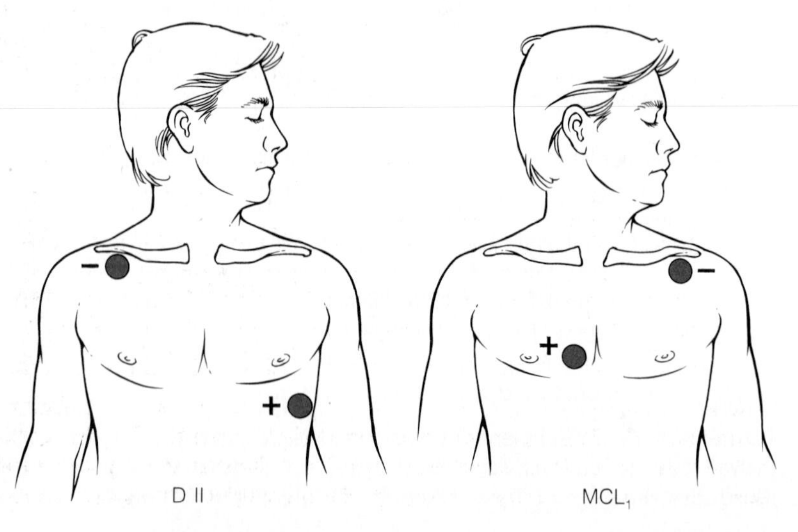

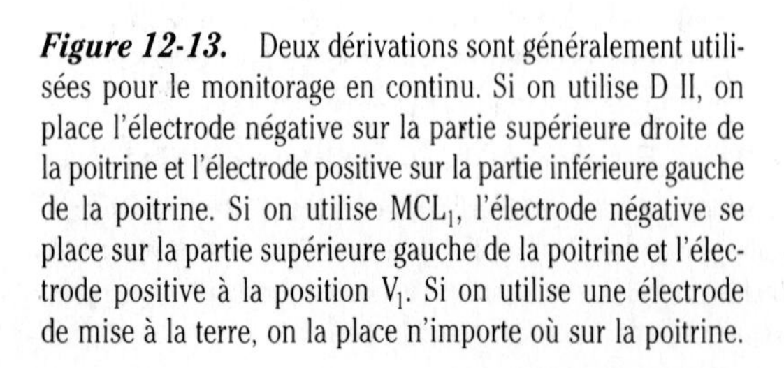
Figure 12-13. Deux dérivations sont généralement utilisées pour le monitorage en continu. Si on utilise D II, on place l'électrode négative sur la partie supérieure droite de la poitrine et l'électrode positive sur la partie inférieure gauche de la poitrine. Si on utilise MCL_1, l'électrode négative se place sur la partie supérieure gauche de la poitrine et l'électrode positive à la position V_1. Si on utilise une électrode de mise à la terre, on la place n'importe où sur la poitrine.

Détermination du rythme cardiaque à partir du tracé électrocardiographique. Il existe différentes méthodes pour ce faire:

Le papier graphique sur lequel on enregistre le tracé électrocardiographique est divisé en grands carrés délimités par des lignes foncées contenant des petits carrés délimités par des lignes pâles (figure 12-14). On compte 300 grands carrés par minute. Par conséquent, on peut déterminer facilement et de façon précise le rythme cardiaque en divisant 300 par le nombre de grands carrés entre deux ondes R. Par exemple, si on compte deux grands carrés entre deux ondes R, le rythme cardiaque est à 150 (300 ÷ 2). Si on compte cinq grands carrés, le rythme cardiaque est à 60 (300 ÷ 5 [figure 12-15A]).

Il existe une autre méthode moins précise que l'on peut utiliser quand le rythme est irrégulier. On compte le nombre des intervalles RR en 6 secondes et on multiplie ce nombre par 10. Le papier graphique est habituellement marqué d'une ligne verticale tous les 15 grands carrés (ce qui représente 3 secondes [figure 12-15B]). On compte les intervalles RR plutôt que les complexes QRS, car le rythme cardiaque calculé à partir des complexes QRS est parfois faussement élevé. Enfin, on peut déterminer le rythme cardiaque à l'aide d'une réglette spéciale (figure 12-16). On place le repère de la réglette sur un complexe QRS, et on lit le rythme cardiaque trois complexes plus loin en ne comptant pas le complexe QRS vis-à-vis de la ligne de repère, à l'intersection du troisième complexe et de la règle.

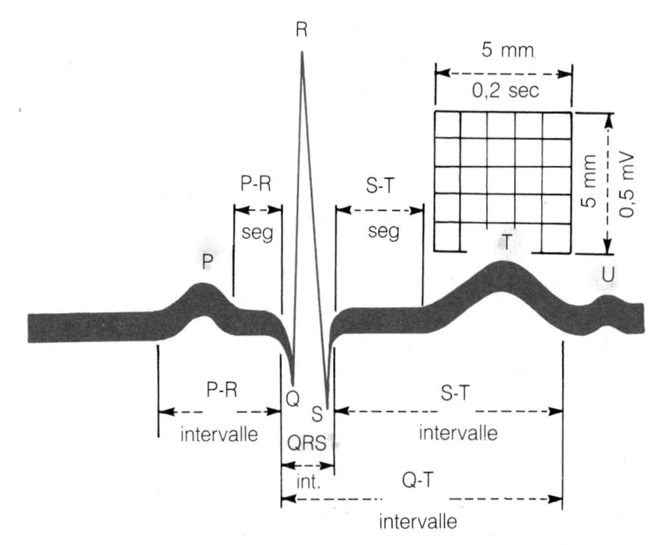

Figure 12-14. Composantes les plus courantes de l'électrocardiogramme. L'intervalle PR commence avec l'onde P et va jusqu'au début du complexe QRS. Le complexe QRS commence avec l'onde Q et se termine avec l'onde S. L'intervalle QT commence avec l'onde Q et se termine avec l'onde T.

Observations anormales

Ischémie et lésions myocardiques. L'ischémie myocardique se traduit par un élargissement et une inversion de l'onde T dus au retard de la repolarisation. Il est possible que la région affectée ne revienne pas à son potentiel de repos, contrairement aux régions qui l'entourent, ce qui se reflète dans les dérivations les plus proches de cette région. L'ischémie entraîne aussi des changements dans le segment ST. Dans le cas où la lésion est épicardiaque, les cellules atteintes se dépolarisent normalement, mais se repolarisent plus rapidement que les cellules normales, ce qui se traduit par un surdécalage (de plus de 1 mm) du segment ST. Si la lésion se situe sur la surface de l'endocarde, le segment ST est sous-décalé (de 1 mm ou plus) dans les dérivations où l'électrode positive fait face à la région affectée. Le sous-décalage est horizontal ou orienté vers le bas. La durée du segment ST est de 0,08 secondes.

Infarctus du myocarde. Il existe des infarctus du myocarde sans onde Q ou avec onde Q. Dans les infarctus avec onde Q, des ondes Q anormales apparaissent un à trois jours après l'infarctus, à cause de l'absence d'un courant de dépolarisation dans le tissu nécrosé et de la présence de contre-courants dans les autres parties du cœur. L'onde Q anormale dure 0,04 seconde ou plus et a le quart de la profondeur de l'onde R (si l'onde R excède 5 mm). Les perturbations caractéristiques d'une ischémie ou d'une lésion myocardique sont

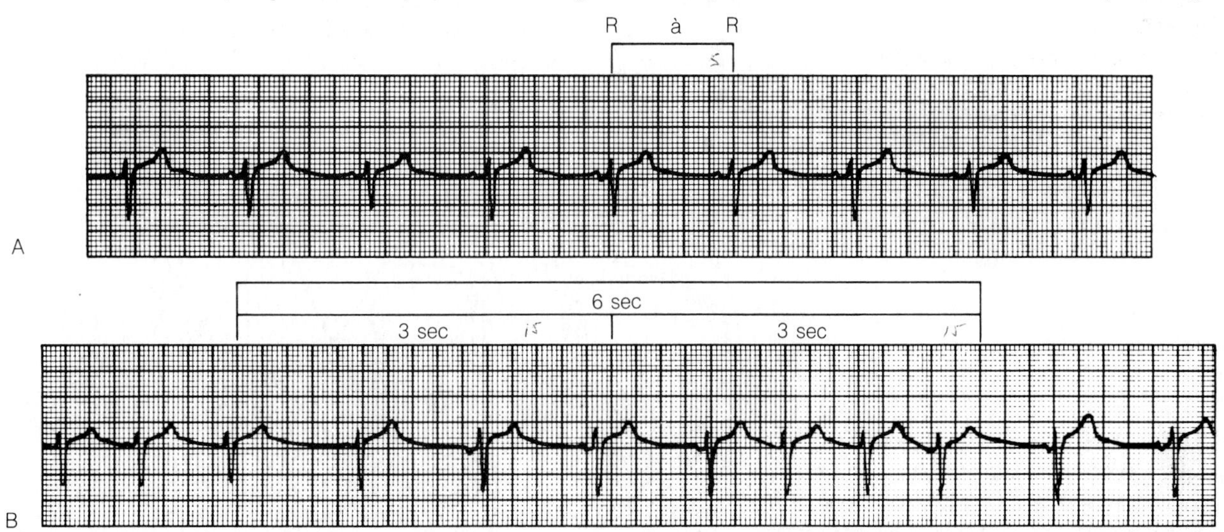

Figure 12-15. (**A**) Détermination du rythme cardiaque dans les cas où il est régulier. Si on compte par exemple 5 grands carrés entre deux ondes R et que l'on divise 300 par ce nombre, on obtient 60. (**B**) Détermination du rythme cardiaque dans le cas où il est irrégulier. Si on compte par exemple environ 7 intervalles RR en 6 secondes et que l'on multiplie ce chiffre par 10, on obtient 70.

(Source: S. L. Underhill et al., *Cardiac Nursing*, 2e édition, Philadelphia, J. B. Lippincott, 1989, p. 314)

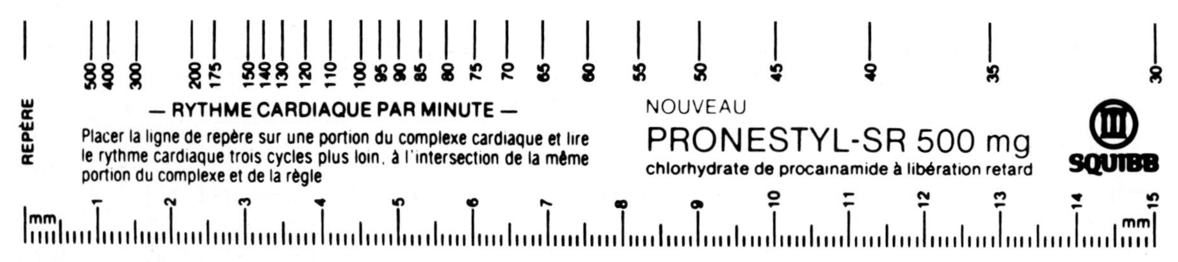

Figure 12-16. Réglette permettant de mesurer le rythme cardiaque.
(Source: Bristol-Meyers Squibts Pharmaceutical Group)

aussi présentes (figure 12-17). Dans le cas de l'infarctus du myocarde sans onde Q, le segment ST et les ondes T sont perturbés, mais il n'y a pas de prolongement de l'onde Q. Le diagnostic est confirmé par les symptômes et l'analyse des enzymes cardiaques.

Chez le patient qui se rétablit d'un infarctus, le segment ST revient généralement à la normale en une à six semaines. L'onde T devient large et symétrique et garde cette forme pendant 24 heures. Elle s'inverse en un à trois jours et reste inversée pendant une à deux semaines. Les perturbations de l'onde Q sont habituellement permanentes. On peut déceler un ancien infarctus avec onde Q par la présence d'ondes Q importantes sans perturbations du segment ST et de l'onde T.

ÉPREUVE D'EFFORT

L'épreuve d'effort est une méthode non effractive utilisée pour évaluer certains aspects de la fonction cardiaque. Elle permet de déterminer la réponse du cœur à une demande accrue en oxygène au cours d'un effort physique. On l'emploie à différentes fins: trouver la cause de douleurs thoraciques, dépister les maladies ischémiques du myocarde, évaluer la capacité fonctionnelle du cœur après un infarctus du myocarde ou une chirurgie cardiaque, vérifier l'efficacité des médicaments antiarythmiques et antiangineux, dépister les arythmies qui se manifestent au cours de l'effort physique et aider à l'établissement d'un programme de conditionnement physique.

Pour effectuer une épreuve d'effort, on peut faire marcher le patient sur un tapis roulant, le faire pédaler sur un ergocycle ou lui faire monter et descendre des marches. On augmente graduellement la vitesse de marche et l'inclinaison si on utilise un tapis roulant, ou la résistance si on utilise un ergocycle. On enregistre un tracé électrocardiographique avant, pendant et après l'effort (figure 12-18). Tout au cours de l'épreuve, on vérifie souvent la pression artérielle, et on observe l'aspect physique du patient. On doit également être à l'affût de l'apparition de douleurs thoraciques.

On poursuit l'épreuve jusqu'à ce que le patient atteigne un rythme cardiaque déterminé à l'avance. On arrête si le patient présente une douleur thoracique, une fatigue extrême, une baisse de la pression artérielle ou du pouls, ou toute autre complication.

On demande au patient de ne pas fumer, manger ni boire dans les quatre heures qui précèdent l'épreuve, et de porter des souliers de marche. On conseille aux femmes de porter un soutien-gorge. Après l'épreuve, le patient doit se reposer pendant un certain temps, éviter de consommer des stimulants ou de la nourriture et de s'exposer à des changements extrêmes de température (douche chaude ou froide, sortie par temps

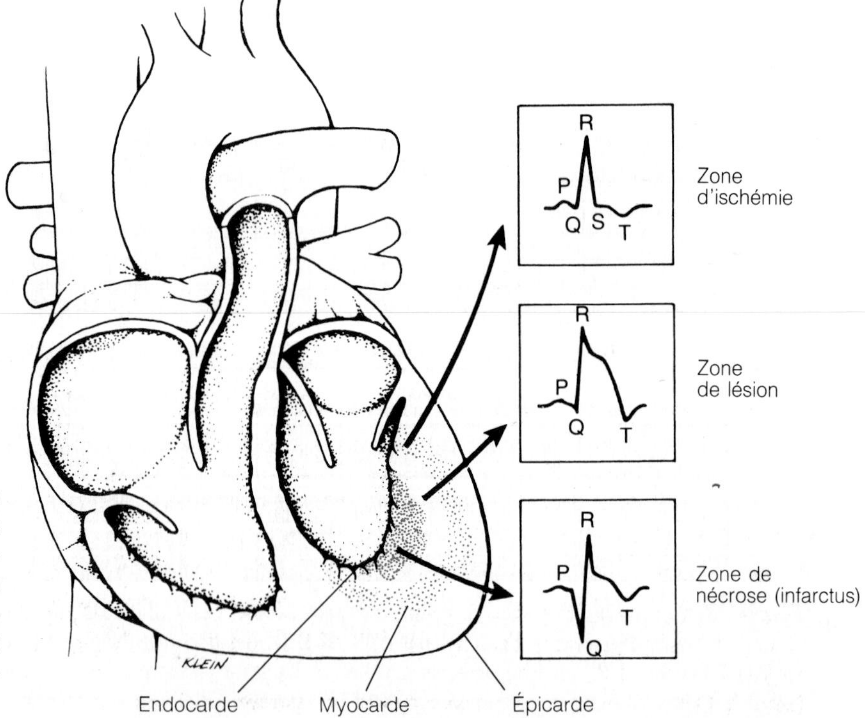

Figure 12-17. Effets d'une ischémie, d'une lésion ou d'un infarctus du myocarde sur l'ECG. L'ischémie entraîne une inversion de l'onde T à cause d'une altération de la repolarisation. La lésion myocardique provoque un surdécalage du segment ST. Dans l'infarctus avec onde Q, on observe l'apparition d'ondes Q ou QS à cause de l'absence d'un courant de dépolarisation et de la présence de contre-courants provenant d'autres parties du cœur.

froid). On doit attendre que la pression artérielle et l'ECG soient revenus à la normale avant de permettre au patient de partir.

VECTOCARDIOGRAMME

Le vectocardiogramme ressemble à l'électrocardiogramme. On l'obtient par la réunion dans l'espace de trois vecteurs cardiaques traduisant l'activité électrique du cœur à chaque révolution cardiaque sur les trois plans: frontal, sagittal et horizontal. Il confirme l'ECG dans certaines maladies cardiaques, comme l'hypertrophie ventriculaire, les troubles de conduction et l'infarctus du myocarde. L'infirmière doit dire au patient qui doit subir un vectocardiogramme qu'il s'agit d'une épreuve similaire à l'ECG, qui ne présente aucun danger et ne cause aucune douleur.

CATHÉTÉRISME CARDIAQUE

Le cathétérisme cardiaque est une technique effractive de diagnostic. Il comporte l'introduction d'un ou de plusieurs cathéters dans le but de mesurer notamment la pression à différents niveaux du cœur et des gros vaisseaux. Il est utilisé dans la majorité des cas pour vérifier la perméabilité des artères coronaires et décider d'un traitement chirurgical (angioplastie transluminale percutanée ou pontage par exemple) dans les cas de coronaropathie (voir le chapitre 15). Pendant le cathétérisme, le monitorage de l'électrocardiogramme sur oscilloscope s'impose et on doit avoir à portée de la main du matériel de réanimation, parce que l'introduction d'un cathéter dans le cœur peut causer des arythmies fatales.

Angiographie

Le cathétérisme cardiaque s'accompagne généralement d'une angiographie. Il s'agit de la visualisation radiographique des vaisseaux ou des cavités cardiaques à l'aide d'un produit de contraste injecté par le cathéter. Si une seule cavité ou un seul vaisseau est mis en évidence, on parle d'*angiographie sélective.* La *cinéangiographique* est l'enregistrement cinématographique d'un vaisseau, par une série de clichés rapides, sur un écran fluoroscopique. L'enregistrement permet des comparaisons futures.

On utilise notamment l'angiographie pour l'étude de l'aorte, des artères coronaires, du cœur gauche et du cœur droit.

Aortographie. L'aortographie permet l'exploration visuelle de la lumière aortique et des principales artères qui naissent de l'aorte. L'*aortographie thoracique* est utilisée pour l'étude de la crosse de l'aorte et des principales artères qui y prennent naissance. Elle peut se faire par la voie translombaire, brachiale rétrograde ou fémorale.

Artériographie coronaire. Pour procéder à une artériographie coronaire, on introduit un cathéter radio-opaque dans l'artère coronaire que l'on veut étudier, par la voie de l'artère brachiale ou fémorale droite, puis de l'aorte ascendante, en se guidant par fluoroscopie. On utilise cette technique pour déterminer la gravité de l'artériosclérose et décider d'un mode de traitement. On y a également recours pour l'étude des malformations congénitales des artères coronaires.

Cathétérisme du cœur droit. Il comprend l'introduction d'un cathéter radio-opaque à partir des veines fémorale ou cubitale antérieure permettant de voir directement, au moyen d'un fluoroscope, l'oreillette droite, le ventricule droit et les vaisseaux pulmonaires. Généralement, on mesure d'abord la pression dans l'oreillette droite et on prélève des échantillons sanguins pour la mesure de l'hématocrite et de la saturation en oxygène. Puis, on dirige le cathéter vers le ventricule droit en passant par la valvule tricuspide et on procède aux mêmes mesures que dans l'oreillette. Finalement, on introduit le cathéter dans l'artère pulmonaire, en passant par la valvule pulmonaire, puis le plus loin possible au-delà de ce point, où on procède au prélèvement d'échantillons «capillaires» et à la mesure de la pression de l'artère pulmonaire.

On considère que le cathétérisme du cœur droit est relativement sans danger. Il peut néanmoins entraîner dans certains cas des complications, dont des arythmies, un spasme veineux, une infection au point d'insertion du cathéter, une perforation cardiaque, et rarement, un arrêt cardiaque.

Cathétérisme du cœur gauche. Pour explorer les cavités gauches, on peut employer le cathétérisme artériel rétrograde par artériotomie de l'artère brachiale droite. Avec cette méthode, le cathéter traverse l'orifice aortique et pénètre dans le ventricule gauche. Les manipulations sont guidées par fluoroscopie.

On peut aussi employer la technique transseptale, selon laquelle le cathéter est introduit dans la veine fémorale droite (par ponction percutanée ou dénudation [cutdown]), jusqu'à l'oreillette droite, traverse la cloison interauriculaire, pénètre dans l'oreillette gauche, puis dans le ventricule gauche à travers

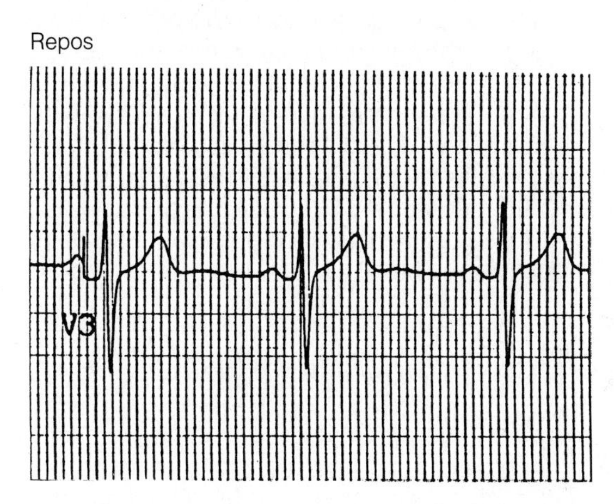

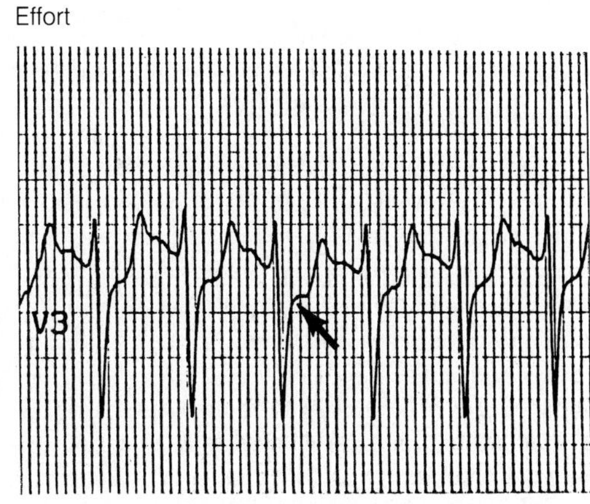

Figure 12-18. Enregistrement d'une dérivation d'une épreuve d'effort. On peut voir un sous-décalage horizontal de 4 mm du segment ST à l'effort.

la valvule mitrale. Tout au cours de ces deux techniques, on suit de près la fonction cardiaque du patient à l'aide de l'électrocardiogramme.

Le cathétérisme du cœur gauche est utilisé le plus souvent pour évaluer le fonctionnement du muscle ventriculaire gauche et des valvules mitrale et aortique, ou la perméabilité des artères coronaires, avant et après une chirurgie cardiaque. On procède généralement à un cathétérisme du cœur droit avant d'effectuer un cathétérisme du cœur gauche. Les complications possibles du cathétérisme du cœur gauche sont des arythmies, un infarctus du myocarde, une perforation du cœur ou des grands vaisseaux et une embolisation généralisée.

Après avoir retiré le cathéter, on doit suturer l'artère, refermer le point de dénudation et le recouvrir d'un pansement si la voie brachiale a été utilisée. Si on a procédé par ponction fémorale, il faut appliquer une pression jusqu'à ce que le saignement soit arrêté.

Interventions infirmières

L'infirmière qui prépare un patient à un cathétérisme cardiaque doit notamment:

- Lui dire de rester à jeun dans les 8 à 12 heures qui précèdent l'examen.
- Lui expliquer ce à quoi il doit s'attendre au cours de l'examen (lui dire par exemple qu'il devra rester couché pendant deux heures sur une table dure) et lui faire connaître les sensations qu'il va éprouver. Il supportera mieux l'expérience s'il est bien informé.

Occasionnellement, les patients ressentent des palpitations dans la poitrine dues à des extrasystoles qui se produisent presque toujours quand la pointe du cathéter touche le myocarde. Après l'injection du colorant, on demande parfois au patient de tousser pour corriger une arythmie et chasser le colorant des artères, ou de prendre une grande respiration et de la garder pour faire baisser le diaphragme afin de mieux voir les structures du cœur. L'injection de l'opacifiant peut provoquer une sensation de chaleur dans tout le corps et une envie d'uriner, qui durent une minute tout au plus. L'infirmière doit aussi:

- Inciter le patient à exprimer ses craintes. Le renseigner et le rassurer.
- Préparer le patient aux interventions qui seront nécessaires après le cathétérisme.

Les soins infirmiers à prodiguer aux patients qui viennent de subir un cathétérisme cardiaque sont, notamment:

- Observer le point d'insertion du cathéter ou de dénudation pour y déceler les signes d'hémorragie ou de formation d'un hématome. Prendre les pouls périphériques dans le membre affecté (pouls pédieux et tibial postérieur dans le membre inférieur, pouls radial dans le membre supérieur) toutes les 15 minutes pendant 1 à 2 heures, puis toutes les heures ou toutes les 2 heures jusqu'à ce qu'ils se stabilisent.
- Vérifier la température et la coloration du membre affecté. Si le patient éprouve de la douleur, un engourdissement ou un fourmillement dans le membre affecté, vérifier la présence de signes d'insuffisance artérielle. Faire part sans délai au médecin de tout changement.
- Vérifier si le patient a des arythmies en observant le moniteur cardiaque ou en prenant le pouls ou le rythme cardiaque apexien. La douleur ou une distension de la vessie peuvent déclencher une réaction vasovagale se traduisant par une bradycardie, une hypotension et des nausées. Cette réaction est plus fréquente quand le cathéter a été inséré par la voie fémorale. Il est essentiel dans ce cas d'intervenir sans délai en élevant les jambes plus haut que la tête, en administrant des solutions, et parfois de l'atropine, par voie intraveineuse.
- Si le cathéter a été inséré par la voie fémorale percutanée, garder le patient en décubitus dorsal ou latéral pendant quelques heures, avec la jambe affectée toujours en position étendue et la tête surélevée de 30 degrés ou moins. Le retourner d'un côté à l'autre si son bien-être l'exige.
- Signaler immédiatement au médecin toute douleur thoracique.
- Inciter le patient à prendre beaucoup de liquides pour augmenter le débit urinaire et favoriser l'élimination du colorant par les reins.
- Recommander au patient de demander de l'aide pour sortir du lit après un repos prolongé, à cause du risque d'hypotension orthostatique.

ÉCHOCARDIOGRAPHIE

L'échocardiographie est une méthode non effractive d'étude des dimensions, de la forme et du mouvement des structures cardiaques.

Il existe trois façons d'obtenir un échocardiogramme: en mode M, un mode unidimensionnel qui fut le premier mode utilisé, le mode bidimensionnel (figure 12-19) et le mode Doppler ou de contraste. Dans les trois modes, des ondes sonores de haute fréquence sont dirigées vers le cœur à travers la paroi thoracique et les échos renvoyés par les différentes structures sont recueillis par un transducteur (dispositif qui convertit une forme d'énergie en une autre), tenu à la main et appliqué sur la partie antérieure de la poitrine. Le transducteur convertit les échos en impulsions électriques et les transmet à l'appareil d'échographie pour projection sur un oscilloscope ou enregistrement sur un magnétoscope. On enregistre simultanément un ECG pour situer les phases de la révolution cardiaque. L'échocardiographie est une méthode qui présente peu de risques et donne, à plusieurs égards, des renseignements similaires à ceux obtenus par angiocardiographie. Elle est très utile pour diagnostiquer les souffles cardiaques et les distinguer. Elle permet également de dépister l'hypertrophie du cœur, l'épaississement des cloisons ou des parois ou un épanchement péricardique. On l'utilise également pour étudier le mouvement des prothèses valvulaires.

Le patient doit savoir que l'échocardiographie ne présente pas de danger et ne cause pas de douleur. On doit aussi lui mentionner qu'il devra changer de position quelques fois au cours de l'examen, qu'il devra respirer lentement et retenir périodiquement sa respiration.

PHONOCARDIOGRAPHIE

La phonocardiographie est un enregistrement graphique et chronologique des bruits du cœur et du pouls. Elle permet d'identifier et de différencier les différents bruits et souffles et de les repérer de façon précise par rapport aux différents

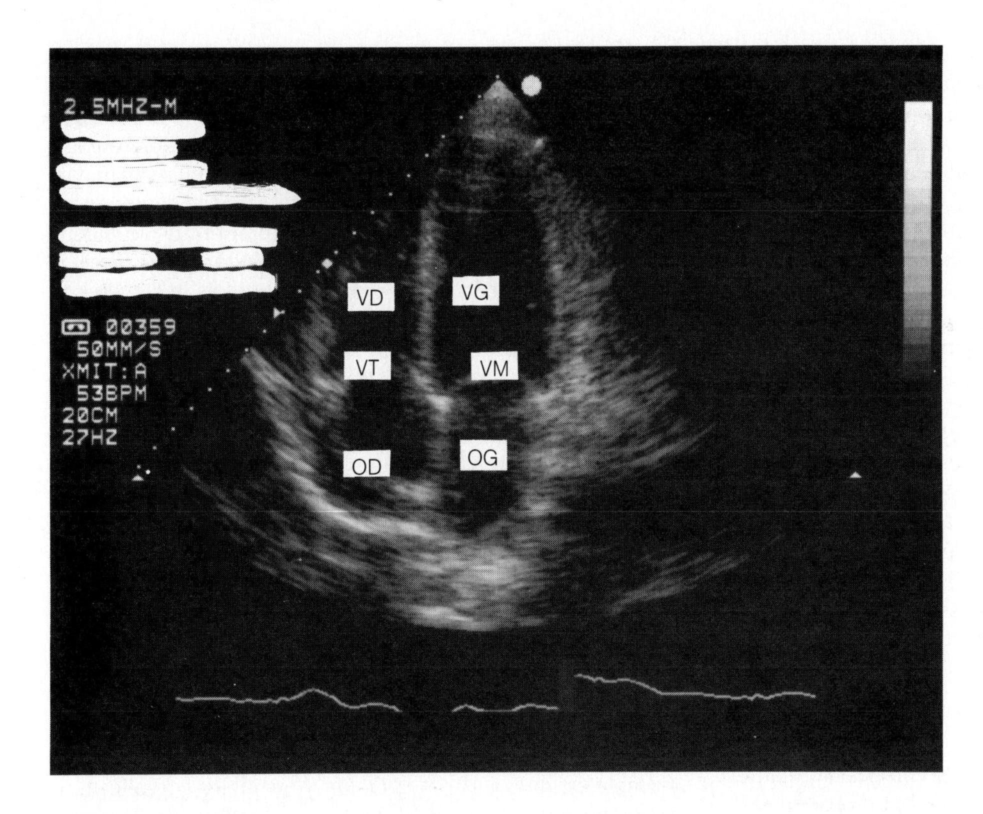

Figure 12-19. Vue échocardiographique bidimensionnelle des quatre cavités du cœur chez un patient normal (VD = ventricule droit; VG = ventricule gauche; VT = valvule tricuspide; VM = valvule mitrale; OD = oreillette droite; OG = oreillette gauche).

temps de la révolution cardiaque. Elle est utilisée pour le diagnostic des troubles valvulaires et autres.

Pour réaliser un phonocardiogramme, on place des microphones contenant des transducteurs miniatures sur la poitrine du patient, à la pointe et à la base du cœur. Les transducteurs captent les bruits, les amplifient, les convertissent en impulsions électriques et les transmettent à un enregistreur qui reproduit un tracé des ondes ainsi produites.

Le patient doit savoir que le phonocardiogramme ne présente aucun danger et ne cause aucune douleur. Il doit rester silencieux et ne changer de position que si on le lui demande. Il doit respirer lentement ou retenir son souffle selon le cas.

SCINTIGRAPHIE (RADIO-ISOTOPES)

La scintigraphie est utile pour le dépistage de l'infarctus du myocarde et de l'altération de la perfusion myocardique, de même que pour l'évaluation du fonctionnement du ventricule gauche. Elle comporte l'injection intraveineuse d'un produit radioactif et la prise de clichés au moyen d'une caméra à scintillation.

Imagerie par fixation au niveau de l'infarctus. Cette technique est basée sur l'accumulation de traceurs marqués au pyrophosphate de Tc^{99m} (technétium) formant des *zones d'hyperactivité* dans les régions où le tissu myocardique présente des lésions. Les isotopes se combinent avec le calcium présent dans les tissus nécrosés et forment des zones brillantes à l'écran. Ces zones apparaissent dans les 12 heures qui suivent un infarctus, sont à leur maximum après 48 et 72 heures, et disparaissent après une semaine s'il n'y a pas de nouvelles lésions.

Le patient doit savoir que la scintigraphie l'expose à moins de radiations que la radiographie thoracique. Il doit demeurer immobile tout au cours de l'examen.

Imagerie par perfusion myocardique. Cette technique utilise le thallium 201 et sert à étudier le débit sanguin dans de petits vaisseaux que l'artériographie coronaire ne permet de voir. Le thallium s'accumule dans le tissu myocardique normal, mais non dans le tissu ischémique ou nécrosé. Par conséquent, les tissus nécrosés apparaissent comme des taches noires à l'écran.

On combine souvent cet examen avec un ECG d'effort pour comparer la perfusion myocardique après l'effort et au repos. Pour ce faire, on injecte une minute avant la fin de l'épreuve d'effort une dose de thallium 201 pour permettre sa répartition dans le cœur avant la fin de l'exercice. On prend des clichés immédiatement après l'épreuve d'effort, puis trois ou quatre heures plus tard. Les régions où le thallium ne s'accumule pas sont appelées «zones lacunaires»; elles indiquent une altération de la perfusion. Les zones lacunaires qui disparaissent au repos indiquent une ischémie provoquée par l'exercice. Celles qui persistent indiquent un infarcissement (nécrose).

L'imagerie au thallium 201 est généralement unidimensionnelle. Il existe toutefois une nouvelle technique appelée tomographie à émetteur gamma (SPECT, abréviation anglaise de Single Photon Emission Tomography) qui permet d'obtenir des images en trois dimensions plus précises grâce à une caméra qui se déplace autour du patient selon un arc de 180 à 360 degrés.

Le patient doit savoir que l'imagerie au thallium l'expose à des doses acceptables de radiations comparables à celles produites par les autres méthodes radiographiques.

Imagerie séquentielle de la masse sanguine. Il s'agit d'une technique informatisée utilisée pour l'étude de la fonction ventriculaire gauche. Elle permet de déduire de nombreux indices, dont la fraction d'éjection, que l'on obtient par le rapport du volume d'éjection systolique sur le volume télédiastolique. Elle peut aussi servir à étudier la fonction ventriculaire gauche au repos et à l'effort.

L'*imagerie séquentielle synchronisée* permet de recueillir plusieurs clichés, entre 14 et 60, d'une même révolution cardiaque. On l'utilise pour évaluer le mouvement de la paroi ventriculaire et déterminer la fraction d'éjection.

Le patient doit savoir que cette technique ne présente pas, à ce que l'on sache, de risques d'irradiation. Il doit rester immobile au cours de l'examen.

Tomographie par émission de positrons. Il s'agit d'une technique relativement nouvelle qui permet d'obtenir de l'information sur la perfusion et le métabolisme du myocarde chez les patients atteints ou que l'on présume atteints d'une coronaropathie. Selon cette technique, le produit radioactif est administré par injection ou inhalation, puis mesuré au moyen d'une caméra spéciale qui offre une image en trois dimensions de sa répartition. La tomographie par émission de positrons est moins utilisée et plus coûteuse que les autres méthode d'imagerie radio-isotopique, mais on s'attend à ce que son usage se répande, à cause de la précision des informations qu'elle permet d'obtenir.

MONITORAGE HÉMODYNAMIQUE

Le monitorage hémodynamique comporte l'insertion de cathéters dans le système vasculaire et a pour but d'observer de près la fonction cardiaque, le volume sanguin et la circulation. Il est surtout utilisé dans les unités de soins intensifs chez des patients généralement souffrant d'une altération de la contractilité ou d'un important trouble circulatoire, et dont l'état est critique. Parfois, des patients des unités de soins intermédiaires dont l'état est stable ont un cathéter de pression veineuse centrale ou un cathéter artériel.

La section ci-dessous contient des explications sur trois types de monitorage hémodynamique: pression veineuse centrale, pression de l'artère pulmonaire et pression artérielle systémique.

Pression veineuse centrale

La pression veineuse centrale (PVC) se mesure dans l'oreillette droite et les grandes veines thoraciques. Elle représente la pression de remplissage du ventricule droit et est une indication de la réponse du cœur droit aux modifications du volume sanguin. Elle peut servir de guide dans le remplacement des liquides chez un patient gravement malade et correspond au volume sanguin circulant réel. On l'obtient, avec d'autres mesures, au moyen d'un cathéter artériel pulmonaire (cathéter Swan-Ganz, par exemple [voir ci-dessous]). Il arrive toutefois qu'un patient d'une unité de soins généraux doive subir une cathétérisation pour la mesure de la PVC uniquement.

La PVC est une mesure variable. Interprétée en corrélation avec l'état clinique du patient, elle donne des renseignements utiles sur le volume veineux et la fonction cardiovasculaire. Elle reflète le fonctionnement du ventricule droit. Comme la plupart des insuffisances ventriculaires droites sont consécutives à une insuffisance ventriculaire gauche, une élévation de la PVC peut être un signe tardif d'insuffisance ventriculaire gauche. Une baisse de la PVC indique une hypovolémie, ce qui se confirme si une perfusion intraveineuse rapide entraîne une amélioration de l'état du patient. Une hypervolémie ou une mauvaise contractilité peuvent entraîner une hausse graduelle de la PVC.

Avant de procéder à l'introduction du cathéter, on rase, si nécessaire, la région de l'insertion, on la nettoie ensuite avec une solution antiseptique, puis on l'insensibilise au moyen d'un anesthésique local. Le cathéter est introduit dans la veine cave supérieure, juste au-dessus ou à l'intérieur de l'oreillette droite, par la voie de la veine jugulaire externe, de la veine antécubitale ou de la veine fémorale. Une fois le cathéter en place, on applique sur le point d'insertion un onguent antiseptique et un pansement stérile sec. On doit changer le pansement, le liquide intraveineux, le manomètre et la tubulure conformément aux directives en vigueur dans l'établissement. Habituellement, on change la solution intraveineuse toutes les 24 heures, la tubulure toutes les 24 à 48 heures et le pansement toutes les 24 à 72 heures.

Pour obtenir la PVC, on mesure la hauteur d'une colonne d'eau sur un manomètre relié au patient par un cathéter installé au niveau de l'oreillette droite. Il est essentiel de régler le zéro du manomètre selon un point de référence normalisé que l'on repère sur la poitrine du patient et que l'on appelle axe phlébostatique (figure 12-20). On doit marquer ce point à l'encre. Une fois ce point repéré et marqué, on peut mesurer avec précision la PVC, peu importe l'inclinaison du tronc du patient, pourvu que l'angle ne dépasse pas 45 degrés. La PVC normale est de 4 à 10 cm H_2O. Les principales complications du monitorage de la PVC sont les infections et l'embolie gazeuse.

Pression de l'artère pulmonaire

La cathétérisation de l'artère pulmonaire est un important instrument d'évaluation. On l'utilise pour la mesure de différentes pressions intracardiaques du côté gauche ou droit du cœur, chez des patients hospitalisés dans les unités de soins intensifs. Elle n'est jamais utilisée dans les unités de soins généraux.

Les cathéters ont un nombre variable de lumières et permettent, selon le modèle utilisé, différentes mesures. Ils sont tous munis d'un ballonnet flottant dégonflable. Il sont insérés dans une grande veine (habituellement la veine sous-clavière ou jugulaire) qui mène à la veine cave supérieure et à l'oreillette droite. Le gonflement du ballonnet permet au cathéter de flotter dans le courant sanguin et d'être ainsi entraîné, à travers la valvule tricuspide, dans le ventricule droit, puis à travers la valvule pulmonaire, dans une branche de l'artère pulmonaire. Quand le cathéter a atteint la position désirée, on le fixe au moyen d'une suture après avoir dégonflé le ballonnet.

Le cathéter artériel pulmonaire permet de mesurer plusieurs paramètres, dont la PVC et la pression de l'oreillette droite, les pressions artérielles systolique et diastolique, la pression artérielle moyenne et la pression capillaire pulmonaire. Certains cathéters à thermodilution permettent de mesurer ou de calculer le débit cardiaque, la résistance vasculaire systémique, la résistance vasculaire pulmonaire et la saturation en oxygène. La description détaillée de tous les paramètres hémodynamiques dépasse la portée de ce chapitre. Pour obtenir de plus amples renseignements, on peut consulter la bibliographie.

Pour mesurer la pression artérielle pulmonaire systolique et diastolique, on se sert d'un transducteur et d'un manomètre.

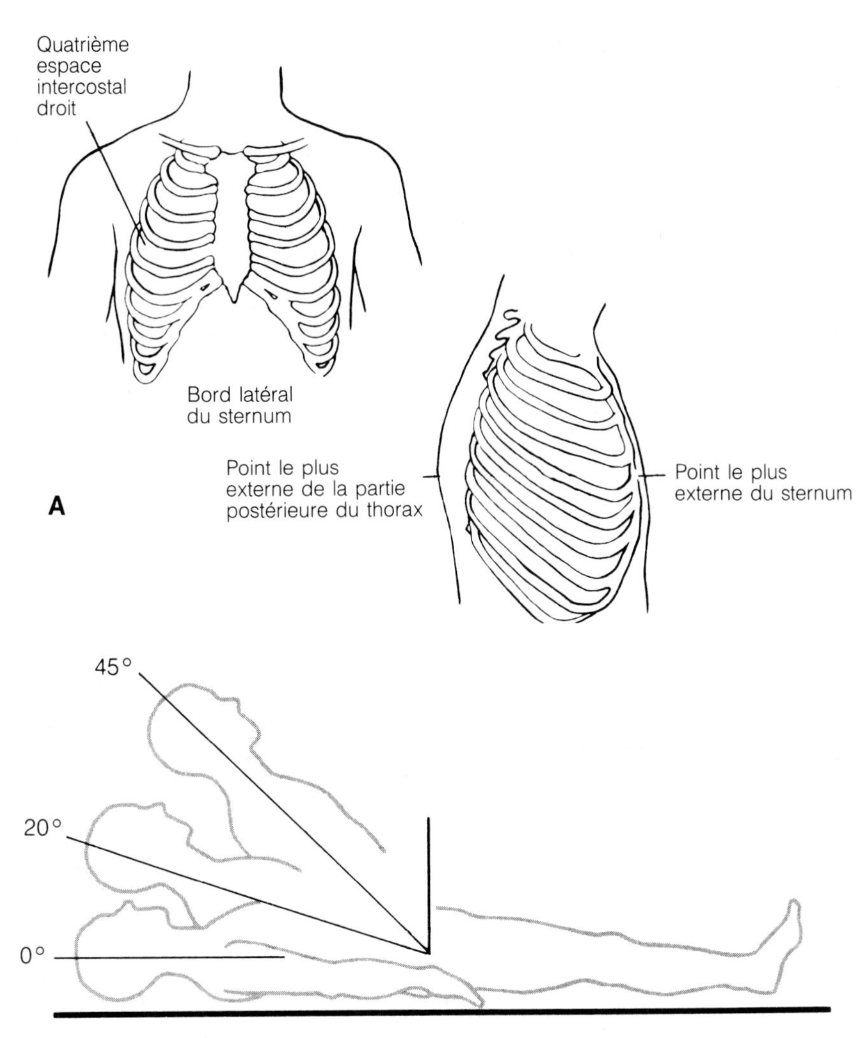

Figure 12-20. Axe et niveau phlébostatiques. (**A**) L'axe phlébostatique se trouve au point de rencontre de deux lignes de référence: (1) une ligne droite qui part du quatrième espace intercostal, au bord latéral du sternum, et va vers le bras, sous l'aisselle; (2) une ligne se situant à mi-chemin entre la surface antérieure et la surface postérieure du thorax. (**B**) Le niveau phlébostatique est une ligne horizontale qui traverse l'axe phlébostatique. Pour obtenir des mesures précises, le transducteur ou le zéro du manomètre doit être à la hauteur de cet axe. Si le patient se déplace de la position couchée à la position assise, le niveau phlébostatique se déplace, mais traverse toujours à l'horizontale un même point de référence.
(Source: J. Shinn et al. *Heart Lung* 8 (2):324.)

La pression artérielle pulmonaire normale est 25/9 mm Hg, et la pression artérielle moyenne de 15 mm Hg.

Quand on gonfle le ballonnet, le cathéter se bloque dans l'artère pulmonaire et la pression transmise est alors équivalente à la pression télédiastolique du ventricule droit. À la fin de la diastole, quand la valvule mitrale est ouverte, la pression capillaire pulmonaire est normalement égale à la pression de l'oreillette et du ventricule gauches. Elle ne l'est pas dans les cas de rétrécissement mitral ou d'hypertension pulmonaire. La pression capillaire pulmonaire est une moyenne et se situe normalement entre 4,5 et 13 mm Hg.

Les soins du point d'insertion d'un cathéter artériel pulmonaire sont essentiellement les mêmes que pour un cathéter de PVC. La solution de rinçage du cathéter se compose de soluté physiologique hépariné. Elle est distribuée en petites quantités au moyen d'un brassard à pression et d'un dispositif de rinçage. Voir le chapitre 14 pour des directives plus précises concernant les soins aux patients munis d'un cathéter de l'artère pulmonaire.

Comme pour la mesure de la PVC, il est essentiel, pour obtenir des lectures précises, de placer le transducteur à l'axe phlébostatique. La cathétérisation de l'artère pulmonaire peut entraîner des complications, dont des infections, une rupture de l'artère pulmonaire, une thrombo-embolie pulmonaire, un infarcissement pulmonaire, des arythmies et une embolie gazeuse. Il arrive également que le cathéter forme des nœuds à l'intérieur de l'oreillette ou du ventricule droits.

Pression artérielle systémique

On utilise le cathéter artériel pour obtenir des mesures directes et continues de la pression artérielle chez des patients atteints d'hypertension ou d'hypotension et dont l'état est critique. Il peut aussi servir au prélèvement d'échantillons pour la mesure des gaz artériels ou autres analyses sanguines. Il n'est généralement utilisé que dans les unités de soins intensifs.

Pour insérer un cathéter artériel, on choisit d'abord une artère (radiale, brachiale, fémorale ou pédieuse), puis on vérifie s'il y a circulation collatérale dans la région choisie. En l'absence de circulation collatérale, une occlusion de l'artère cathétérisée pourrait provoquer une ischémie et un infarcissement de la région qui se trouve en aval. Pour vérifier la circulation collatérale, on utilise le *test d'Allen* pour les artères radiale et cubitale ou un test échographique Doppler pour les autres artères. Pour effectuer le test d'Allen, on comprime simultanément les artères radiale et cubitale et on demande au patient de serrer le poing jusqu'à ce que sa main pâlisse. Puis, on lui demande d'ouvrir la main pendant que l'on relâche la pression sur l'artère cubitale tout en la maintenant sur l'artère radiale. Si l'artère cubitale est perméable, la main reprendra une coloration rose.

La préparation du point d'insertion d'un cathéter artériel et les soins qui suivent sa mise en place sont les mêmes que pour un cathéter de PVC. La solution de rinçage est celle utilisée pour le cathéter artériel pulmonaire. On obtient les pressions en millimètres de mercure à l'aide d'un transducteur. Les complications du cathétérisme artériel sont, notamment, l'ischémie distale, l'hémorragie externe, les ecchymoses massives, la rupture artérielle, l'embolie gazeuse, la douleur, l'artériospasme et les infections.

RÉSUMÉ

L'évaluation de la fonction cardiaque est une tâche délicate qui exige une bonne connaissance de l'anatomie et de la physiologie du cœur, de même que de la physiopathologie des maladies cardiaques. Ce chapitre contient les connaissances fondamentales à la compréhension des chapitres suivants, dans lesquels on traite des soins aux patients atteints de différentes maladies cardiaques.

L'évaluation de la fonction cardiovasculaire sera plus ou moins poussée selon le cadre dans lequel l'infirmière travaille, l'état du patient et la situation. Dans le cas des patients qui se plaignent de douleurs thoraciques, l'examen initial a pour but de déterminer la cause de la douleur et la gravité du problème.

On possède un nombre de plus en plus grand d'instruments destinés à l'évaluation de la fonction cardiovasculaire. Généralement, l'infirmière n'a pas à décider des examens que doit subir un patient, mais elle doit souvent en interpréter les résultats, ce qui exige une bonne connaissance des techniques utilisées. Son rôle le plus important, toutefois, est de donner au patient les renseignements dont il a besoin et de le rassurer, car la haute technologie fait parfois peur. Une infirmière qui possède de solides connaissances de base est davantage en mesure d'aider ses patients.

Bibliographie

Ouvrages

Andreoli KG et al. Comprehensive Cardiac Care, 6th ed. St Louis, CV Mosby, 1987.

Bates B. A Guide to Physical Examination, 5th ed. Philadelphia, JB Lippincott, 1991.

Dubin D. Rapid Interpretation of EKG's, 4th ed. Tampa, Cover Publishing, 1989.

Ellestad MH. Stress Testing Principles and Practice, 3rd ed. Philadelphia, FA Davis, 1986.

Fowler NO. Noninvasive Diagnostic Methods in Cardiology. Philadelphia, FA Davis, 1983.

Grossman W. Cardiac Catheterization and Angiography. Philadelphia, Lea & Febiger, 1986.

Hurst JW et al. The Heart, 7th ed. New York, McGraw-Hill, 1990.

Malasanos L et al. Health Assessment, 4th ed. St Louis, CV Mosby, 1990.

Marriott HJL. Practical Electrocardiography, 8th ed. Baltimore, Williams & Wilkins, 1988.

Price MS and Fox JD. Hemodynamic Monitoring in Critical Care. Rockville, MD, Aspen Publishers, 1987.

Stein E and Delman AJ. Rapid Interpretation of Heart Sounds and Murmurs, 3rd ed. Philadelphia, Lea & Febiger, 1990.

Sweetwood H. Clinical Electrocardiography for Nurses, 2nd ed. Rockville, MD, Aspen Publishers, 1989.

Underhill SL et al. Cardiac Nursing, 2nd ed. Philadelphia, JB Lippincott, 1989.

Wingate S. Cardiac Nursing: A Clinical Management and Patient Care Resource. Rockville, MD, Aspen Publishers, 1991.

Revues

Les articles de recherche en sciences infirmières sont marqués d'un astérisque.

* Anderson KO and Masur FT. Psychologic preparation for cardiac catheterization. Heart Lung 1989 Mar; 18(2): 154-163.

Andrews LK. ECG rhythms made easier with algorithms. Am J Nurs 1989 Mar; 89(3): 365CC-371CC.

Barkett PA. Cardiac M.U.G.A. scan. Taking first-rate pictures of the heart. Nursing 1988 Oct; 18(10): 76-78.

Becker KL and Stevens SA. Get in touch and in tune with cardiac assessment. Part 1. Nursing 1988 Mar; 18(3): 51-55.

Bentley LJ. Radionuclide imaging techniques in the diagnosis and treatment of coronary heart disease. Focus Crit Care 1987 Dec; 14(6): 27-36.

Billiard SJ and Beattie S. A non-traditional approach to cardiac education: The use of cardiac catheterization films. Prog Cardiovasc Nurs 1990 Jan/Mar; 5(1): 21-25.

Billings JH. How to help cardiac patients reduce risk factors. Physician Sports Med 1989 Sep; 17(9): 71-83.

Caine R. Essentials of monitoring the electrocardiagram. Nurs Clin North Am 1987 Mar; 22(1): 77-87.

Calloway CK. Zeroing in on chest pain. Nursing 1990 Apr; 20(4): 44-45.

Caplan M and Ranieri C. What's his ECG telling you? A guide for nurses. RN 1989 Feb; 52(2): 42-52.

Charette AL. Bridging the gap between hemodynamics and monitoring. Crit Care Nurs Clin North Am 1989 Sep; 1(3): 539-546.

Ciaccio JM. Measurements of hemodynamics in side-lying positions: A review of the literature. Focus Crit Care 1990 Jun; 17(3): 250-254.

Clawson SP. Right ventricular infarction. Nursing 1990 Mar; 20(3): 34-39.

Criscitiello MG. Fine-tuning the cardiovascular exam. Patient Care 1990 Jun 15; 24(11): 51-62.

Decker S. Continuous EKG monitoring systems. Nurs Clin North Am 1987 Mar; 22(1): 1-13.

DeLeon AC. Fine-tuning the examination of the heart. Consultant 1989 Apr; 29(4): 51-54, 59-61.

Dennis JW and Greisler HP. Noninvasive cardiac monitoring. Nurs Clin North Am 1987 Mar; 22(1): 111-120.

Dennison RD. Understanding the four determinants of cardiac output. Nursing 1990 Jul; 20(7): 35-41.

* Freed CD et al. Blood pressure, heart rate, and heart rhythm changes in patients with heart disease during talking. Heart Lung 1989 Jan; 18(1): 17-22.

Gardner PE. Cardiac output. Theory, technique, and troubleshooting. Crit Care Nurs Clin North Am 1989 Sep; 1(3): 577-587.

Hill MN and Grim CM. How to take a precise blood pressure. Am J Nurs 1991 Feb; 91(2): 38-42.

Kennedy HL et al. Holter monitors: When and how. Patient Care 1989 Feb 15; 23(3): 90-94.

Kouvaras G et al. Q and non-Q wave myocardial infarction: Current views. Angiology 1988 Apr; 39(4): 333-340.

Kuecherer HF et al. Role of transesophageal echocardiography in diagnosis and management of cardiovascular disease. Cardiol Clin 1990 May; 8(2): 377-387.

Lansdowne LM. Signal-averaged electrocardiograms. Heart Lung 1990 Jul; 19(4): 329-336.

Lewis VC. Monitoring the patient with acute myocardial infarction. Nurs Clin North Am 1987 Mar; 22(1): 15-32.

Lough ME. Introduction to hemodynamic monitoring. Nurs Clin North Am 1987 Mar; 22(1): 89-110.

McConnell EA. Assessing groin pain after an arteriogram. Nursing 1990 Apr; 20(4): 86, 88.

Miracle VA. Get in touch and in tune with cardiac assessment. Part 2. Nursing 1988 Apr; 18(4): 41-47.

Moser DK et al. Noninvasive identification of patients at risk for ventricular tachycardia with the signal-averaged electrocardiogram. AACN Clin Issues Crit Care Nurs 1990 May; 1(1): 79-86.

Naggar CZ et al. Echocardiography: Clinical update. Hospital Med 1987 Aug; 23(8): 102-103, 106, 109-111.

Patterson RE et al. Cardiac imaging: Thallium and beyond. Patient Care 1990 May 15; 24(9): 24-43.

Perdue B. Cardiac catheterization—Before and after. Adv Clin Care 1990 Mar/Apr; 5(2): 16-18.

Reynolds T. Noninvasive hemodynamic assessment of intracardiac pressures and assessment of ventricular function with cardiac doppler. Crit Care Nurs Clin North Am 1989 Sep; 1(3): 629-634.

Roberts R. Enzymatic diagnosis of acute myocardial infarction. Chest 1988 Jan; 93(1): 3S-6S.

Schriner DK. Using hemodynamic waveforms to assess cardiopulmonary pathologies. Crit Care Nurs Clin North Am 1989 Sep; 1(3): 563-575.

Schweisguth D. Setting up a cardiac monitor—Without missing a beat. Nursing 1988 Nov; 18(11): 43-48.

Thompson VL. Chest pain: Your response to a classic warning. RN 1989 Apr; 52(4): 32-38.

Viall CD. Your complete guide to central venous catheters. Nursing 1990 Feb; 20(2): 34-42.

Walton J. Identification of patients at high risk for sudden cardiac death. Focus Crit Care 1987 Dec; 14(6): 70-75.

13
INTERVENTIONS AUPRÈS DES PATIENTS QUI PRÉSENTENT DES PROBLÈMES CARDIAQUES

SOMMAIRE

OBJECTIFS D'APPRENTISSAGE

Après avoir étudié ce chapitre, vous devriez être en mesure de réaliser ce qui suit:

1. *Décrire le rôle de l'athérosclérose coronarienne dans l'angine de poitrine et l'infarctus du myocarde.*
2. *Établir un plan d'enseignement à l'intention des patients atteints d'angine de poitrine ou d'infarctus du myocarde.*
3. *Appliquer la démarche de soins infirmiers pour intervenir auprès des patients souffrant d'une angine de poitrine.*
4. *Appliquer la démarche de soins infirmiers pour intervenir auprès des patients souffrant d'un infarctus du myocarde.*
5. *Faire la comparaison entre les différentes cardites pour ce qui a trait à leurs causes et à leurs manifestations cliniques, aux modifications pathologiques qu'elles entraînent, et aux mesures destinées à les prévenir et à les traiter.*
6. *Décrire les soins à prodiguer aux patients atteints de péricardite, notamment les mesures de prévention des complications.*
7. *Faire la distinction entre les trois différents types de myocardiopathies: congestive, hypertrophique et restrictive.*
8. *Préciser l'importance de l'antibiothérapie préventive dans le cas des patients atteints d'endocardite rhumatismale, d'endocardite infectieuse, de myocardite, de prolapsus valvulaire mitral et de rétrécissement mitral.*
9. *Appliquer la démarche de soins infirmiers pour intervenir auprès des patients souffrant d'une myocardiopathie.*

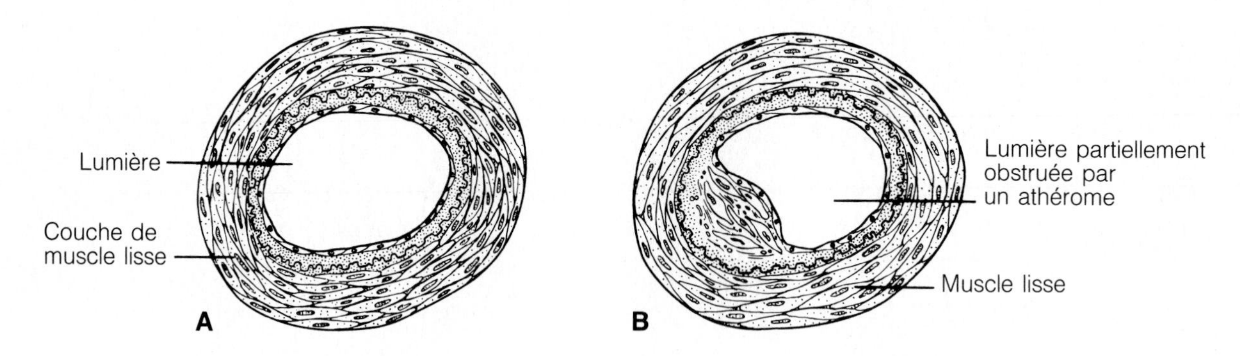

Figure 13-1. (**A**) Coupe d'une artère normale (**B**) Coupe d'une artère avec athérome et lumière diminuée

CORONAROPATHIES

ATHÉROSCLÉROSE CORONARIENNE

Selon Statistique Canada (1989), les maladies cardiovasculaires sont responsables de 45 % des décès au Canada. De ce nombre, 2 % sont attribuables à l'athérosclérose coronarienne. Il s'agit d'une forme d'artériosclérose qui se caractérise par une accumulation anormale de lipides et de tissu fibreux sur les parois d'une artère, provoquant des modifications de la structure de cette artère et une altération de son fonctionnement, de même qu'une réduction de la circulation sanguine dans le myocarde (ischémie). Elle a probablement pour cause une perturbation du métabolisme des lipides, des mécanismes de l'hémostase et des propriétés physiques et biochimiques des parois des artères affectées, ainsi qu'une alimentation riche en gras saturés.

Les spécialistes ne s'entendent pas sur l'origine des lésions athérosclérotiques, mais ils s'accordent pour dire que l'athérosclérose est une maladie évolutive dont on peut retarder, et parfois même renverser, le cours.

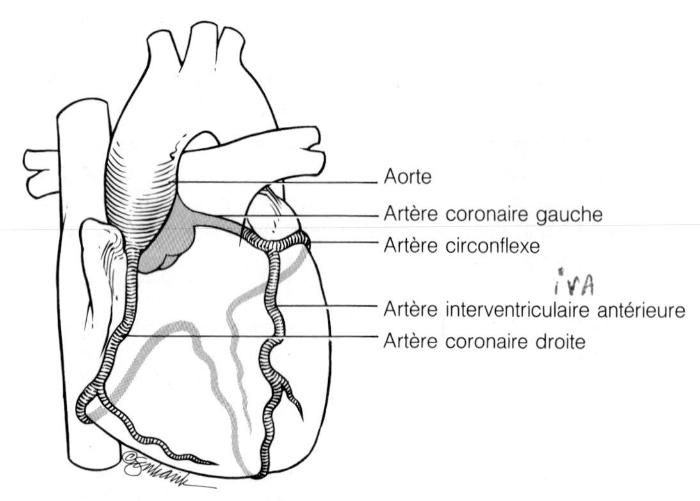

Figure 13-2. Angles formés par les artères coronaires, les rendant vulnérables à la formation de plaques athéromateuses. Les artères antérieures sont plus foncées.

Physiopathologie. On appelle *athérome* la lésion fondamentale de l'athérosclérose. Il s'agit d'un dépôt lipidique jaunâtre et grumeleux qui se forme sur la paroi interne des artères. Ce dépôt perturbe l'absorption des éléments nutritifs par les cellules endothéliales qui composent la paroi du vaisseau affecté, et il obstrue la circulation en rétrécissant la lumière vasculaire (figure 13-1). À la longue, il provoque une nécrose et une lésion de l'endothélium, ce qui rétrécit encore la lumière vasculaire. On note fréquemment la formation de caillots dans les vaisseaux dont la lumière est rétrécie et la paroi rugueuse, ce qui provoque une complication que l'on appelle thromboembolie.

Nous connaissons mal les mécanismes de l'athérogenèse. Il existe bien quelques hypothèses, mais aucune n'a encore été confirmée de façon concluante. Selon une de ces hypothèses, il y a formation d'un thrombus à la surface de la plaque athéromateuse, suivie de l'organisation fibreuse du thrombus, d'une hémorragie à l'intérieur de la plaque et d'une accumulation continuelle de lipides. Quand le bouchon fibreux de la plaque se rupture, le contenu lipidique se vide dans la circulation sanguine, obstruant les artères et les capillaires qui se trouvent en aval.

Les artères coronaires, en raison de leur structure, sont particulièrement vulnérables à l'athérosclérose (figure 13-2). Elles forment en effet de nombreux angles et recoins propices au dépôt d'athéromes.

Manifestations cliniques. Les symptômes et les complications de l'athérosclérose coronarienne découlent du rétrécissement de la lumière des vaisseaux affectés et de l'ischémie du myocarde que ce rétrécissement entraîne progressivement. Cette ischémie provoque des lésions cellulaires plus ou moins importantes et la douleur thoracique en est la principale manifestation. Le terme *angine de poitrine* désigne une douleur thoracique récurrente avec lésions cellulaires réversibles, et le terme *infarctus du myocarde* une ischémie plus grave avec lésions cellulaires irréversibles et nécrose du tissu myocardique affecté. Des lésions myocardiques étendues peuvent provoquer une insuffisance cardiaque, ce qui signifie que le cœur n'est plus capable de remplir adéquatement ses fonctions.

Les coronaropathies peuvent aussi entraîner des changements électrocardiographiques, des anévrismes ventriculaires, des arythmies et une mort subite.

Encadré 13-1
Facteurs de risque d'athérosclérose

Facteurs non modifiables	***Facteurs modifiables***
Antécédents familiaux Âge Sexe — Incidence trois fois plus grande chez les hommes que chez les femmes de moins de 50 ans Race — Plus forte incidence chez les Noirs que chez les Blancs Géographie — Plus forte incidence dans les régions industrialisées	Hyperlipidémie Hypertension (sauf l'hypertension essentielle) Tabagisme Hyperglycémie (diabète) Obésité Sédentarité Stress Usage de contraceptifs oraux Certains traits de la personnalité: compétitivité, agressivité, ambition (personnalité de type A)

Prévention des coronaropathies

Des études épidémiologiques ont démontré que certains facteurs, que l'on appelle facteurs de risque, prédisposent aux coronaropathies. Un facteur de risque est *modifiable* si on peut y faire échec en changeant ses habitudes de vie; il est *non modifiable* si on n'a sur lui aucune influence (voir l'encadré 13-1). La prédisposition aux coronaropathies augmente en fonction du nombre de facteurs de risque. Les personnes qui présentent des facteurs de risque devraient subir périodiquement des examens médicaux et modifier leurs habitudes de vie de façon à réduire les effets des facteurs qui sont modifiables.

La prévention est le principal objectif de la réduction des facteurs de risque. Elle peut être de deux types: primaire ou secondaire. La prévention primaire vise à empêcher l'apparition des symptômes, tandis que la prévention secondaire a pour but de retarder l'évolution de la maladie ou d'empêcher le retour des symptômes.

Il existe cinq facteurs de risques modifiables dont on a beaucoup parlé ces dernières années: le tabagisme, l'hypertension, l'hyperlipidémie, l'hyperglycémie et certains types de comportements. Deux facteurs sont reconnus comme des causes majeures de coronaropathie: le tabagisme et l'hypertension.

Tabagisme. Le tabagisme contribue de trois façons à l'apparition et à l'aggravation des coronaropathies. Premièrement, l'inhalation de fumée augmente le taux de monoxyde de carbone dans le sang et réduit l'apport d'oxygène au cœur, car l'hémoglobine, la protéine responsable du transport de l'oxygène, a 150 fois plus d'affinité pour le monoxyde de carbone que pour l'oxygène. Deuxièmement, l'acide nicotinique contenue dans le tabac déclenche la libération de catécholamines, des hormones qui favorisent la constriction des artères, ce qui gène la circulation sanguine et réduit l'oxygénation. Troisièmement, le tabagisme favorise l'adhésion plaquettaire et, par conséquent, la formation de caillots. On doit donc recommander aux personnes prédisposées aux coronaropathies de cesser de fumer. Un an après avoir cessé de fumer, les risques de coronaropathies sont réduits de 50 % ; ils continuent à baisser par la suite.

Hypertension. L'hypertension est le facteur de risque le plus insidieux, car elle est asymptomatique jusqu'à ce que ses complications se manifestent. Elle contribue à l'apparition des coronaropathies en augmentant le gradient de pression auquel s'oppose le ventricule gauche, créant ainsi un déséquilibre entre l'apport d'oxygène au myocarde et les besoins du cœur en oxygène. C'est à ce phénomène que l'on attribue les douleurs associées aux maladies coronariennes. La détection et le traitement rapides de l'hypertension peuvent en prévenir les conséquences. Pour de plus amples renseignements sur l'hypertension, voir le chapitre 16.

Hyperlipidémie. Des études épidémiologiques ont démontré qu'il existe un lien entre l'hyperlipidémie et les coronaropathies. Les *lipides* sont un groupe de substances biochimiques fabriquées par l'organisme ou dérivées du métabolisme des aliments. Les lipides fabriqués par l'organisme sont appelés *endogènes*; ceux qui sont dérivés du métabolisme des aliments sont appelés *exogènes*.

Les lipides sont insolubles dans l'eau, mais solubles dans les graisses ou les solvants organiques. Les lipides plasmatiques les plus importants sont le cholestérol et les triglycérides. Le terme «hyperlipidémie» désigne une augmentation du taux de lipides. Ils ne circulent pas librement dans le plasma, mais sont liés à différentes protéines sous forme de complexes appelés lipoprotéines. On appelle *lipoprotéinémie* la présence de lipoprotéines dans le sang.

Les lipoprotéines sont classées selon leur densité et ont chacune leur fonction propre dans le métabolisme des lipides endogènes et exogènes. On croit que les lipoprotéines de faible densité (LDL, abréviation anglaise de low density lipoprotein) jouent un rôle dans l'apparition des coronaropathies (voir l'encadré 13-2). Le terme *hyperlipoprotéinémie* est utilisé pour désigner un taux élevé de lipoprotéines dans le sang.

Il existe cinq types d'hyperlipidémies. Le tableau 13-1 présente les caractéristiques de ces cinq types et leurs manifestations cliniques. Dans bien des cas, les hyperlipidémies se traitent par un régime alimentaire approprié. Des analyses sanguines permettent d'en déterminer le type.

L'hyperlipidémie peut être *primaire* ou *secondaire*. L'hyperlipidémie primaire est relativement rare et généralement de nature héréditaire. L'hyperlipidémie secondaire est la conséquence d'autres maladies, dont l'hypothyroïdie, le syndrome néphrotique, le diabète et l'alcoolisme. Il importe dans ce cas de traiter la maladie sous-jacente.

Encadré 13-2
Composition, sources et fonctions des lipoprotéines plasmatiques

Lipoprotéines	*Composition*	*Sources*	*Fonctions*	*Lien avec les coronaropathies*
Lipoprotéines de haute densité (HDL) (α-lipoprotéines)	Protéines 35 à 60 % Phospholipides 34 à 44 % Cholestérol 20 à 28 % Triglycérides 17 %	Foie	Réduction du taux de LDL	Non
Lipoprotéines de basse densité (LDL) (β-lipoprotéines)	Protéines 20 à 25 % Phospholipides 25 % Cholestérol 46 % Triglycérides 14 %	Dégradation des VLDL	Transport du cholestérol du foie vers la périphérie	Oui
Lipoprotéines de densité intermédiaire (ILDL)	Intermédiaire entre les LDL et les VLDL	Endogènes	Intermédiaire dans la transformation des VLDL en LDL	Oui
Lipoprotéines de très basse densité (VLDL) (pré-β)	Protéines 10 % Phospholipides 20 % Cholestérol 5 % Triglycérides 65 %	Alimentation riche en glucides	Transport des triglycérides du foie vers la périphérie et précurseurs des LDL	Oui
Chylomicrons	Protéines 2 % Phospholipides 6 à 9 % Cholestérol 2 % Triglycérides 85 à 95 %	Lipides alimentaires (exogènes)	Élimination du cholestérol du foie	Non

TABLEAU 13-1. *Principaux types d'hyperlipidémies primaires et manifestations cliniques*

Phénotype	*Lipides dominants*	*Lipoprotéines dominantes*	*Manifestations cliniques*
I (rare)	Triglycérides	Chylomicrons	Xanthomes Hypertrophie du foie Pancréatite
II (fréquent)			
A	Cholestérol	LDL	Athérosclérose prématurée Xanthomes
B	Cholestérol Triglycérides	LDL	
III (relativement rare)	Cholestérol Triglycérides	ILDL	Athérosclérose prématurée Xanthomes
IV (relativement rare)	Triglycérides	VLDL	Intolérance au glucose Hyperuricémie Athérosclérose prématurée
V (relativement rare)	Triglycérides	Chylomicrons VLDL	Xanthomes Hypertrophie du foie Pancréatite Intolérance au glucose Hyperuricémie Athérosclérose prématurée

(LDL, ILDL et VLDL sont les abréviations anglaises de low-density lipoprotein, intermediate low-density lipoprotein et de very low-density lipoprotein respectivement.)

Chez certaines personnes, la modification du régime alimentaire est une importante mesure de prévention de l'hyperlipidémie. Cette modification se résume à limiter l'apport total en matières grasses ou l'apport en gras saturés ou les deux. Pour aider le patient à modifier son régime alimentaire, on doit donc connaître la différence entre les gras saturés et polyinsaturés, le cholestérol, les différentes fractions des triglycérides, de même que les fonctions organiques de ces composés.

Dans les cas où il est impossible de ramener la lipidémie à la normale par le régime alimentaire seulement, on peut employer certains médicaments à action synergique. En plus de faire baisser les concentrations sanguines de lipides, ces médicaments font souvent disparaître certaines manifestations de l'hyperlipidémie, comme les xanthomes (dépôts de cholestérol se présentant sous la forme de taches ou nodules jaunâtres). Certaines personnes ayant un taux sanguin de lipides très élevé ne peuvent retrouver un taux normal, ni par le régime alimentaire, ni par les médicaments, mais peuvent la plupart du temps atteindre la limite supérieure de la normale.

Le traitement médicamenteux varie selon le type d'hyperlipidémie. Les médicaments utilisés sont généralement de deux types: ceux qui agissent sur la synthèse des lipoprotéines, comme l'acide nicotinique et le clofibrate, et ceux qui agissent sur le catabolisme des lipoprotéines, comme le cholestyramine.

Ces médicaments peuvent toutefois entraîner des effets indésirables et sont pour cette raison réservés aux patients fortement prédisposés à l'hyperlipidémie chez qui la modification du régime alimentaire est inefficace. Ils ne doivent jamais remplacer les modifications du régime alimentaire. Des études sont présentement en cours pour établir si les médicaments contribuent efficacement à inverser le cours des coronaropathies. Par ailleurs, tout le monde s'entend sur les effets bénéfiques d'un régime alimentaire préventif.

Hyperglycémie. Il existe un lien bien établi entre l'hyperglycémie et les coronaropathies. L'hyperglycémie favorise en effet l'agrégation plaquettaire et, par conséquent, la formation de caillots. De plus, dans certains cas de diabète de l'adulte, un taux d'insuline élevé causerait des lésions aux cellules du muscle lisse qui tapisse les vaisseaux, favorisant la formation d'athéromes.

Dans les cas d'hyperglycémie, il faut non seulement équilibrer le taux de sucre, mais aussi traiter l'hypertension et l'obésité, s'il y a lieu, pour réduire efficacement les risques de coronaropathie.

Comportements qui prédisposent aux coronaropathies. On présume que le stress et certains comportements prédisposent à l'athérosclérose coronarienne. Des études psychobiologiques et épidémiologiques ont permis de cerner ces comportements: esprit de concurrence, sentiment que le temps presse, agressivité et hostilité. Les personnes qui affichent ces comportements sont dites de type A. On recommande à ces personnes de prendre des mesures pour modifier leur mode et leurs habitudes de vie tout en réduisant, s'il y a lieu, les autres facteurs de risque (tabagisme, consommation exagérée de matières grasses, etc.).

Il est largement reconnu que les personnalités de type A sont prédisposées aux coronaropathies mais, selon des études récentes, elle le seraient dans une moindre mesure qu'on ne l'avait cru précédemment.

Gérontologie

Le vieillissement n'est pas directement lié à l'athérosclérose coronarienne, mais il entraîne des altérations des parois artérielles (artériosclérose) qui entravent la circulation du sang et l'irrigation tissulaire. Ces altérations sont souvent assez graves pour réduire l'oxygénation du myocarde et augmenter sa consommation d'oxygène (MVO_2), ce qui peut causer une angine de poitrine et, à plus ou moins longue échéance, une insuffisance cardiaque.

Résumé: Les coronaropathies dues à l'athérosclérose sont les troubles cardiaques les plus fréquents. L'athérome est la lésion fondamentale de l'athérosclérose. Les artères coronaires, de par leur structure, sont particulièrement vulnérables à la formation d'athéromes. L'athérosclérose coronarienne donne naissance à deux types de coronaropathies, l'angine de poitrine et l'infarctus du myocarde.

Certains facteurs, que l'on appelle facteurs de risque, prédisposent aux coronaropathies. Ils sont dits non modifiables si on n'a sur eux aucune influence (l'âge, par exemple). Ils sont dits modifiables si on peut y faire échec (le tabagisme, par exemple). La prévention et le traitement des coronaropathies repose en grande partie sur la connaissance de ces facteurs de risque.

ANGINE DE POITRINE

Définition, causes et physiopathologie

L'angine de poitrine est un syndrome clinique caractérisé par des épisodes de douleur et d'oppression précordiales. Elle a pour cause une ischémie myocardique provoquant une réduction de l'oxygénation du myocarde. En d'autres mots, elle survient quand les besoins en oxygène du myocarde dépassent la capacité d'apport en sang oxygéné des artères coronaires.

L'angine est une conséquence de l'athérosclérose et est associée le plus souvent à une importante obstruction d'une grande artère coronaire. (Voir l'encadré 13-3 pour les caractéristiques des différents types d'angine.)

La douleur de l'angine de poitrine peut être due: 1) à un accroissement des besoins en oxygène causé par un effort physique; 2) à une vasoconstriction et une augmentation de la pression artérielle, avec besoin accru en oxygène, attribuables, par exemple, à une exposition au froid; 3) à une augmentation du débit sanguin dans la région mésentérique et à la réduction consécutive de l'apport de sang dans le myocarde provoquées par la digestion d'un repas lourd, ou même d'un repas normal si la fonction cardiaque est gravement altérée. Le stress et les émotions fortes peuvent aussi déclencher la douleur de l'angine, car ils entraînent une libération d'adrénaline qui augmente la pression artérielle et la fréquence cardiaque.

Le diagnostic de l'angine de poitrine exige un bilan de santé complet. Son traitement repose essentiellement sur l'enseignement au patient et la médication.

Manifestations cliniques

C'est l'ischémie du myocarde qui déclenche la *douleur de l'angine*. Cette douleur est d'intensité variable et presque

Encadré 13-3 *Types d'angine*

Angor stable

Crises prévisibles et régulières déclenchées par l'effort et disparaissant au repos

Angor instable (angine pré-infarctus, angor accéléré)

Crises de plus en plus rapprochées, intenses et prolongées

Angor nocturne

Crises survenant la nuit, habituellement pendant le sommeil; parfois soulagées quand le patient s'assoit en se tenant le dos droit.
Dû généralement à une insuffisance ventriculaire gauche

Angor de décubitus

Crises survenant quand le patient est en position couchée.

État de mal angineux

Angine grave invalidante

Angor de Prinzmetal

Crises spontanées caractérisées par une douleur au repos et un susdécalage du segment ST à l'ECG
Serait due au spasme d'une artère coronaire.
Associé à un risque élevé d'infarctus

Ischémie silencieuse

Patient asymptomatique en dépit de signes manifestes d'ischémie (à l'épreuve d'effort par exemple); fréquente chez les diabétiques à cause de la neuropathie

toujours ressentie dans la région rétrosternale. Elle est parfois vague et peu inquiétante, ou au contraire intolérable et accompagnée du sentiment que la mort est imminente. Elle est souvent localisée, mais elle peut irradier vers le cou, les mâchoires, les épaules et la face interne des bras. Elle se manifeste parfois par une intense sensation d'oppression ou d'étranglement en étau. Elle peut s'accompagner d'une faiblesse et d'un engourdissement dans les bras, les poignets et les mains. Elle cède avec la disparition de sa cause. Le sentiment d'une mort imminente est caractéristique de l'angine au point qu'elle suffit dans certains cas pour poser le diagnostic.

Gérontologie

À cause de l'altération des neurotransmetteurs chez les personnes âgées, la crise d'angine ne s'accompagne pas nécessairement d'une douleur caractéristique, mais se manifeste souvent par une faiblesse ou un évanouissement. Le froid peut provoquer une crise d'angine plus rapidement chez une personne âgée que chez une personne plus jeune, car l'âge entraîne une réduction du tissu adipeux sous-cutané qui procure l'isolation thermique. On doit donc recommander aux personnes âgées qui souffrent d'angine de s'habiller plus chaudement et de se reposer ou de prendre les médicaments prescrits quand elles ressentent de la faiblesse.

Examens diagnostiques

Le diagnostic de l'angine de poitrine repose souvent sur les caractéristiques de la douleur et les antécédents du patient. Dans certains types d'angine, les anomalies de l'ECG d'effort peuvent servir à confirmer le diagnostic.

Traitement médical

Le traitement de l'angine vise à rétablir l'équilibre entre les besoins du cœur en oxygène et l'apport d'oxygène au myocarde. On peut parfois réaliser cet objectif par l'administration de médicaments et une modification des habitudes de vie, mais il arrive que l'on doive avoir recours à une intervention chirurgicale de revascularisation. Les interventions de revascularisation les plus courantes sont le pontage coronarien et l'angioplastie transluminale percutanée (voir le chapitre 15). Souvent, on combine le traitement chirurgical et le traitement médical.

De nouvelles méthodes de revascularisation très prometteuses sont présentement à l'étude: utilisation d'extenseurs (stents), destruction des plaques athéromateuses par le laser, extraction des obstructions par endartériectomie percutanée. Les patients qui souffrent d'angine peuvent donc espérer que la science leur offrira sous peu des moyens encore plus efficaces de soulager leurs symptômes et de retarder l'évolution de la maladie.

Traitement pharmacologique. Les dérivés nitrés sont toujours les médicaments les plus utilisés pour le traitement de l'angine de poitrine. Parmi les dérivés nitrés, citons la nitroglycérine, qui est administrée dans le but de réduire la consommation d'oxygène du myocarde et, par conséquent, de réduire l'ischémie et de soulager la douleur. C'est un vasodilatateur qui agit sur les veines comme sur les artères et a, par le fait même, des effets sur la circulation périphérique. Son action sur la circulation périphérique réduit la pression de remplissage (précharge) en diminuant la quantité de sang qui retourne au cœur. Les dérivés nitrés réduisent aussi la pression artérielle en provoquant un relâchement du lit des artérioles (réduction de la postcharge). Ces effets rétablissent l'équilibre entre les besoins du cœur en oxygène et l'apport d'oxygène au myocarde.

La nitroglycérine est administrée par voie sublinguale. Elle soulage la douleur en trois minutes.

- Le patient ne doit pas bouger la langue ni avaler sa salive jusqu'à ce que le comprimé de nitroglycérine soit dissous. Si la douleur est intense, il peut croquer le comprimé avant de le placer sous la langue pour en accélérer l'absorption.
- Par mesure de précaution, il doit toujours avoir sur lui des comprimés de nitroglycérine. Ce médicament est toutefois très instable. Il se conserve dans un contenant en verre foncé fermé hermétiquement. Il ne doit jamais être placé dans un contenant en métal ou en plastique.
- La nitroglycérine est volatile et est inactivée par la chaleur, l'humidité, l'air, la lumière et le temps. Si elle est efficace, le patient ressent une sensation de brûlure sous la langue et souvent une sensation de lourdeur ou d'élancements dans la tête. Elle doit être achetée en petites quantités et renouvelée tous les six mois.
- Le patient ne prend pas des doses fixes, mais la dose la plus faible qui lui procure un soulagement. À titre préventif, il doit prendre de la nitroglycérine *avant* toute activité susceptible de provoquer de la douleur (exercice, relation sexuelle, etc.), afin d'accroître sa tolérance à l'effort et au stress.
- Il doit noter en combien de temps la douleur est soulagée. Si la prise de trois comprimés de nitroglycérine ne réussit pas à soulager la douleur, on doit considérer qu'un infarctus du myocarde est imminent.

Les effets indésirables de la nitroglycérine sont : rougeur du visage, mal de tête lancinant, hypotension et tachycardie. L'utilisation prolongée de dérivés nitrés est déconseillée par certains spécialistes.

Le dinitrate d'isosorbide (Isordil) est un autre dérivé nitré dont l'action peut se prolonger pendant deux heures quand il est pris par voie sublinguale, mais dont l'effet est incertain s'il est pris par voie buccale.

Pommade de nitroglycérine. On peut aussi obtenir la nitroglycérine sous forme de pommade à base de lanoline et de vaseline. Cette pommade est d'abord appliquée sur un papier calibré spécialement pour la nitroglycérine. Ce papier enduit de pommade est ensuite appliqué sur la peau. La pommade est particulièrement utile pour les patients qui souffrent d'angor nocturne ou qui pratiquent une activité physique prolongée (le golf, par exemple), à cause de son action lente qui peut durer 24 heures. Généralement, le patient prend la dose la plus forte qu'il peut tolérer sans effets secondaires (mal de tête, ou effets excessifs sur la pression artérielle et la fréquence cardiaque). Le mode d'emploi des pommades à la nitroglycérine apparaît sur la notice du fabricant. On doit éviter d'appliquer la pommade toujours au même endroit et faire une rotation afin de prévenir les irritations cutanées. On peut également utiliser un autre dispositif transdermique pour l'administration de la nitroglycérine. On applique une pastille de nitroglycérine contre la peau du patient, ce qui permet une libération lente et continue du médicament.

Bêta-bloquants. Si la nitroglycérine et les modifications du mode de vie n'ont pas les effets escomptés, on recommande l'emploi des bêta-bloquants. Le principal bêta-bloquant est le chlorhydrate de propranolol (Inderal). Ce médicament inhibe de façon compétitive la stimulation des récepteurs bêta-adrénergiques provoquée par les médiateurs adrénergiques ou par les sympathomimétiques. Ils diminuent ainsi la fréquence cardiaque, la pression artérielle et la contractilité myocardique, et réduisent par conséquent le déséquilibre entre les besoins du cœur en oxygène et l'apport d'oxygène au myocarde. Le propanolol peut être administré en association avec le dinitrate d'isosorbide par voie sublinguale pour prévenir les crises d'angine et l'ischémie. Il est métabolisé par le foie à une vitesse qui varie selon les personnes. On l'administre généralement toutes les six heures. Ses principaux effets indésirables sont la faiblesse musculaire, l'hypotension, la bradycardie et la dépression.

Deux heures après l'administration des premières doses de propranolol, on doit prendre la pression artérielle et le pouls du patient alors que le patient est assis avec le dos droit. Si on observe une baisse importante de la pression artérielle, il faut parfois administrer un vasopresseur. L'atropine est l'antidote de choix dans les cas de bradycardie grave. Il importe aussi de se rappeler que le propranolol peut provoquer une insuffisance cardiaque et de l'asthme.

- On ne doit jamais cesser brusquement la prise de propranolol, en raison d'un risque d'aggravation de l'angine ou de l'infarctus du myocarde.

Inhibiteurs calciques. Ces médicaments agissent efficacement sur les besoins du cœur en oxygène et l'apport d'oxygène au myocarde. Ils sont pour cette raison utilisés pour le traitement de l'angine. Du point de vue physiologique, les ions calcium agissent au niveau de la cellule pour favoriser la contraction de tous les types de tissu musculaire, et ils jouent un rôle dans la stimulation électrique du cœur.

Les inhibiteurs calciques augmentent l'apport d'oxygène au myocarde en dilatant le muscle lisse de la paroi des artérioles coronaires, et diminuent les besoins du cœur en oxygène en réduisant la pression artérielle systémique et, par conséquent, le travail du ventricule gauche.

Les inhibiteurs calciques les plus couramment utilisés sont la nifépidine (Adalat), le vérapamil (Isoptin) et le diltiazem (Cardizem). Ils sont utiles dans le traitement de l'*angor de Prinzmetal* à cause de leur effet vasodilatateur qui supprime le spasme coronarien. On doit les utiliser avec prudence chez les personnes qui souffrent d'insuffisance cardiaque parce qu'ils réduisent la contractilité du myocarde. Administrés par voie intraveineuse, ils peuvent provoquer une hypotension. De plus, ils produisent d'autres effets indésirables tels que la constipation, des troubles gastriques et des étourdissements associés ou non à un mal de tête.

Ils sont généralement administrés toutes les quatre à huit heures. La dose thérapeutique varie d'une personne à l'autre.

Modification des habitudes de vie

D'autres mesures sont nécessaires pour réduire les besoins du myocarde en oxygène. Les personnes qui souffrent d'angine doivent cesser de fumer, car la consommation de tabac provoque de la tachycardie et une augmentation de la pression artérielle, ce qui accroît le travail du cœur. Les personnes obèses doivent perdre du poids pour réduire le travail cardiaque.

Angioplastie transluminale percutanée

Dans sa forme stable, l'angine de poitrine peut pendant de nombreuses années ne provoquer que de brèves crises. Il s'agit néanmoins d'une maladie grave. Dans sa forme instable, les crises se rapprochent, s'intensifient et se déclenchent sans cause apparente. Si les médicaments ne suffisent pas à faire disparaître les symptômes de l'angine, on doit procéder à des interventions techniques de revascularisation (voir page 365).

L'*angioplastie transluminale percutanée* est une technique qui fait appel à la radiologie (fluoroscopie) et qui est moins effractive que le pontage coronarien. Il s'agit d'introduire un cathéter à ballonnet au niveau d'une obstruction partielle par lésions athéroscléreuses; dans un deuxième temps, on gonfle le ballonnet pour réduire l'obstruction.

Les patients qui peuvent profiter de cette intervention présentent, de préférence, des lésions non calcifiées, souffrent d'angine depuis moins de six mois et sont candidats à une revascularisation par pontage. On ne peut traiter par angioplastie les lésions du tronc coronaire gauche, car une obstruction complète compromettrait une trop grande quantité de tissu myocardique. Les patients dont la fonction ventriculaire gauche est gravement altérée ne peuvent non plus profiter de l'angioplastie.

L'infarctus du myocarde est une grave complication de cette intervention. Pour cette raison, on ne doit la pratiquer que si une équipe de chirurgie cardiovasculaire peut être mobilisée à brève échéance.

DÉMARCHE DE SOINS INFIRMIERS

PATIENTS SOUFFRANT D'UNE ANGINE DE POITRINE

▷ Collecte des données

L'infirmière doit noter toutes les activités du patient qui souffre d'angine de poitrine, en accordant une attention particulière à celles qui précèdent ou déclenchent les crises. Elle doit lui poser certaines questions, dont les suivantes:

Quand les crises se produisent-elles?
- Après un repas?
- Après certaines activités?
- Après les activités physiques en général?
- Après une visite de membres de la famille ou d'autres personnes?

Comment décrivez-vous la douleur que vous ressentez?
Cette douleur apparaît-elle de façon graduelle ou soudaine?
Combien de temps dure-t-elle? Quelques secondes, quelques minutes, quelques heures?
Change-t-elle d'intensité?
S'accompagne-t-elle d'autres symptômes comme une forte transpiration, une sensation d'étourdissement, des nausées, des palpitations, de l'essoufflement?
Combien de minutes après la prise de nitroglycérine disparaît-elle?
Qu'est-ce qui la soulage?

Les réponses à ces questions servent de base à l'élaboration d'un programme de prévention.

Quand il sent qu'une crise est imminente, le patient doit cesser toute activité pour réduire au maximum les besoins en oxygène du myocarde. De cette façon, ses besoins en oxygène peuvent être satisfaits par les réserves réduites dont il dispose à ce moment-là, ce qui peut prévenir la crise.

▷ Analyse et interprétation des données

Selon les données recueillies, voici les principaux diagnostics infirmiers possibles:

- Altération de l'intégrité physique reliée à la douleur
- Anxiété reliée à la peur de mourir et à l'hospitalisation
- Manque de connaissances sur la nature de la maladie et les moyens d'en prévenir les complications
- Risque de non-observance des modalités du traitement relié au refus d'accepter de modifier son mode de vie

▷ Planification

▷ *Objectifs de soins*: Prévention de la douleur; réduction de l'anxiété; connaissance de la nature de la maladie; connaissance des soins prescrits; observance du programme d'autosoins

▷ Interventions infirmières

▷ *Prévention de la douleur.* Le patient doit connaître les symptômes qui précèdent les crises d'angine. Il doit de plus éviter les activités qui déclenchent ces crises, comme les efforts brusques, l'exposition au froid et les émotions vives. Il lui faut apprendre à modifier ses habitudes de façon à s'adapter à ces agressions. De plus, on recommande aux patients de toujours garder leur bouteille de nitroglycérine près d'eux ou sur eux.

On recommande aux patients dont les crises se produisent surtout le matin de modifier l'horaire de leurs activités quotidiennes. Ces patients doivent d'abord se lever plus tôt afin d'avoir plus de temps pour faire leur toilette et s'habiller. Idéalement, ils devraient conserver tout au cours de la journée un rythme plus lent. Tous les patients qui souffrent d'angine doivent éviter les mouvements brusques, l'exposition au froid et la consommation de tabac. Il leur faut aussi manger régulièrement mais légèrement, et éviter l'embonpoint. Ils ne doivent pas consommer de médicaments en vente libre, particulièrement les comprimés diététiques, les décongestionnants et les autres médicaments qui contiennent des substances qui accélèrent la fréquence cardiaque et augmentent la pression artérielle.

▷ *Réduction de l'anxiété.* Le patient qui souffre d'angine a souvent très peur de la mort. Pour réduire cette peur, il importe qu'il puisse verbaliser ses émotions, ses frustrations et ses craintes. L'infirmière doit donc planifier ses soins de façon à se laisser assez de temps pour établir une relation d'aide afin de lui permettre d'exprimer ses craintes. Elle doit aussi lui transmettre les renseignements essentiels sur sa maladie et lui expliquer pourquoi il est important de se conformer aux directives du médecin.

▷ *Connaissance de la maladie et des mesures destinées à en prévenir les complications.* L'enseignement au patient qui souffre d'angine vise à lui faire comprendre la nature de sa maladie et à lui inculquer les notions dont il a besoin pour modifier ses habitudes de vie de façon à réduire la fréquence et la gravité des crises, retarder les progrès de la maladie sous-jacente et, si possible, prévenir les complications. (L'encadré 13-4 présente les éléments les plus importants à enseigner au patient.)

▷ *Observance du programme d'autosoins.* Le programme d'autosoins est préparé en collaboration avec le patient et la personne clé dans sa vie (voir l'encadré 13-4). Les activités doivent être planifiées de façon à réduire la fréquence des crises. Il importe que le patient sache qu'il doit se présenter à la salle d'urgence la plus proche s'il éprouve une douleur qui ne disparaît pas par l'arrêt des activités et la prise de trois comprimés de nitroglycérine à intervalles de cinq minutes.

▷ *Évaluation*

Résultats escomptés

1. Le patient sait comment soulager la crise d'angine (voir l'encadré 13-4).
2. Le patient éprouve moins d'anxiété.
   a) Il connaît sa maladie et le but du traitement.
   b) Il respecte les modalités du traitement.
   c) Il sait qu'il doit consulter un médecin si la douleur persiste ou devient plus intense.
   d) Il ne reste pas seul pendant les crises.
3. Le patient sait comment éviter les complications et n'en présente pas.
   a) Il connaît le processus de la maladie.
   b) Il sait pourquoi il doit appliquer des mesures de prévention.
   c) Son ECG et ses taux d'enzymes cardiaques sont normaux.
   d) Il ne présente pas de symptômes d'infarctus du myocarde.
4. Le patient se conforme au programme d'autosoins.
   a) Il comprend les modalités du traitement médicamenteux.
   b) Il a modifié ses habitudes de vie (voir l'encadré 13-4).

Résumé : L'angine provoque une douleur attribuable à un déséquilibre entre les besoins du cœur en oxygène et l'apport d'oxygène au myocarde, généralement déclenchée par l'effort et cédant au repos. Elle se traite au moyen de médicaments comme les dérivés nitrés et les inhibiteurs calciques. Si les médicaments n'ont pas les résultats escomptés, on peut dans certains cas avoir recours à une chirurgie de revascularisation (pontage coronarien) ou à une angioplastie transluminale percutanée.

L'infirmière peut aider le patient qui souffre d'angine à tirer le maximum d'effets bénéfiques de son traitement médical par un enseignement approfondi. Le patient sera mieux en mesure de maîtriser ses symptômes si l'infirmière a recueilli des données subjectives et objectives sur sa réaction au traitement. La prise de médicaments et la modification des habitudes de vie peuvent retarder l'évolution de la maladie sous-jacente et prévenir les complications.

INFARCTUS DU MYOCARDE

Définition, causes et physiopathologie

L'infarctus du myocarde désigne une nécrose ischémique du myocarde due habituellement à la réduction brutale de l'irrigation coronaire dans un territoire myocardique. La réduction de l'irrigation peut avoir pour cause le rétrécissement de la lumière d'une artère coronaire dû à l'athérosclérose, l'obstruction complète d'une artère due à une embolie ou à un thrombus, ou encore une hémorragie ou un choc. Dans tous les cas, on observe un déséquilibre entre les besoins du cœur en oxygène et l'apport d'oxygène au myocarde.

Dans le langage populaire, on désigne souvent l'infarctus du myocarde sous le nom de «crise cardiaque». Au Canada, 25 % des décès sont attribuables à l'infarctus du myocarde (Statistique Canada, 1989).

La physiopathologie des coronaropathies et les facteurs de risque qui y sont associés ont été décrits au début de ce chapitre.

Manifestations cliniques

Les personnes les plus susceptibles de faire un infarctus du myocarde sont les hommes de plus de 40 ans qui présentent de l'athérosclérose des artères coronaires et, souvent de l'hypertension, mais des hommes dans la jeune trentaine et même dans la vingtaine sont parfois touchés. Beaucoup de femmes sont aussi victimes d'infarctus, surtout après l'âge de 50 ans ou plus jeunes si elles fument ou prennent des contraceptifs oraux. Le taux d'infarctus est plus grand chez les hommes que chez les femmes dans tous les groupes d'âge.

Le premier symptôme d'infarctus du myocarde est habituellement une douleur viscérale profonde d'apparition soudaine dans la région inférieure du sternum et la partie supérieure de l'abdomen. La douleur peut s'intensifier progressivement jusqu'à devenir insupportable. Elle est souvent décrite comme une sensation d'oppression et peut irradier dans les épaules et les bras, le plus souvent dans le bras gauche, et dans certains cas, dans les mâchoires et le cou. Contrairement à la douleur de l'angine, elle n'est pas provoquée par l'effort (peut survenir au repos), le stress ou une émotion ; elle persiste pendant plusieurs heures ou plusieurs jours et ne peut être soulagée ni par le repos, ni par la nitroglycérine. Elle s'accompagne souvent d'un essoufflement, de pâleur, de transpiration profuse, d'étourdissements ou d'une sensation ébrieuse, de nausées et de vomissements.

Chez les diabétiques, l'infarctus ne provoque pas nécessairement une douleur intense, car la neuropathie qui accompagne le diabète entrave l'action des neurorécepteurs. Cependant la personne diabétique présentera d'autres signes cliniques tels que diaphorèse, pâleur, étourdissements.

Gérontologie

Comme les diabétiques, les personnes âgées n'éprouvent pas nécessairement la douleur caractéristique de l'infarctus du myocarde, car la réponse des neurotransmetteurs diminue avec l'âge. L'infarctus se manifeste souvent par une douleur atypique, notamment à la mâchoire, ou par un évanouissement.

L'artériosclérose due au vieillissement peut augmenter la résistance vasculaire périphérique et altérer ainsi l'irrigation tissulaire. Chez les personnes âgées (en particulier chez les hommes), l'infarctus a moins souvent des conséquences fatales que chez les plus jeunes, parce que leur circulation collatérale est bien établie. (La circulation collatérale est une circulation compensatrice s'établissant à la suite de l'obstruction d'un vaisseau principal.)

Examens diagnostiques

Pour diagnostiquer l'infarctus du myocarde, on se fonde généralement sur les détails de la maladie actuelle, le tracé électrocardiographique et des mesures répétées des concentrations sériques d'enzymes cardiaques. Le pronostic repose sur la

Encadré 13-4
Enseignement au patient qui souffre d'angine

Objectif: Amélioration de la qualité de vie et promotion de la santé

Résultats escomptés

I. Le patient réduit ses risques de crises d'angine.
   A. Il fait preuve de modération dans toutes ses activités.
      1. Il suit un programme quotidien d'activités qui n'entraîne pas de douleurs thoraciques, d'essoufflement ni de fatigue indue.
      2. Il ne fait pas d'exercices qui exigent une dépense brusque d'énergie ni d'exercices isométriques.
      3. Il fait suivre ses périodes d'activités d'une période de repos et il sait qu'il est normal d'être un peu fatigué et que cela est temporaire.
   B. Il fait appel aux personnes ressources appropriées (personnes clés, infirmière, membre du clergé, médecin) lors des périodes où il subit un stress émotionnel.
   C. Il mange en quantité raisonnable.
      1. Il consomme de plus petites portions; il mange plus fréquemment si les petites portions ne satisfont pas son appétit.
      2. Il évite les excès de caféine (café, thé, cola), car cette substance accélère la fréquence cardiaque, ce qui peut provoquer une crise d'angine.
      3. Il n'a pas d'activités physiques dans les deux heures qui suivent les repas.
      4. Il évite les aliments riches en gras saturés.
   D. Il ne prend pas de comprimés diététiques, de décongestionnants, ni aucun autre médicament en vente libre qui accélère la fréquence cardiaque.
   E. Il a cessé de fumer parce que la consommation de tabac augmente la fréquence cardiaque, la pression artérielle et les concentrations sanguines de monoxyde de carbone.
   F. Il évite si possible de sortir au froid, sinon:
      1. Il se couvre le nez et la bouche d'une écharpe.
      2. Il marche plus lentement.
      3. Il s'habille plus chaudement et se couvre la tête, le cou et les mains.

II. Le patient sait comment traiter les crises d'angine.
   A. Il a toujours sur lui de la nitroglycérine.
      1. Il la conserve dans un contenant en verre foncé fermé hermétiquement.
      2. Il retire le tampon d'ouate du contenant pour pouvoir prendre le médicament plus rapidement.
      3. Il n'ouvre pas le contenant inutilement.
      4. Tous les six mois, il se débarrasse des comprimés non utilisés et renouvelle son ordonnance.
      5. Il sait que, lorsqu'ils sont frais, les comprimés provoquent une sensation de brûlure quand ils sont placés sous la langue.
   B. Il place un comprimé de nitroglycérine sous sa langue aux premiers signes de douleur.
      1. Il n'avale pas sa salive jusqu'à ce que le comprimé soit dissous.
      2. Il se repose jusqu'à ce que la douleur soit entièrement disparue.
      3. Il sait que la position verticale et l'alcool potentialisent les effets de la nitroglycérine.
      4. Il sait qu'il peut renouveler deux fois la prise d'un comprimé à intervalles de trois à cinq minutes et que si la douleur ne disparaît pas ou qu'elle revient à brève échéance, il doit se présenter au service d'urgence le plus proche.
   C. Il prend de la nitroglycérine à titre préventif avant certaines activités susceptibles de provoquer une crise (exercice, relation sexuelle, etc.).
   D. Il connaît les effets secondaires de la nitroglycérine: céphalée, rougeur, étourdissement.

gravité de l'obstruction et l'étendue des lésions. L'examen physique doit toujours être effectué, mais il ne suffit pas à confirmer le diagnostic.

Profil du patient. Le profil du patient comporte deux volets: (1) les détails de sa maladie actuelle (apparition et description de la douleur, par exemple) sur lesquels on peut parfois fonder le diagnostic et (2) ses antécédents personnels et familiaux, particulièrement pour ce qui a trait aux maladies cardiaques, qui peuvent fournir des renseignements précieux sur ses facteurs de risque.

L'établissement du profil du patient procure les données subjectives. Les données objectives proviennent du tracé électrocardiographique et des études enzymatiques.

Électrocardiogramme. L'ECG renseigne sur l'électrophysiologie du cœur. Il permet d'établir le siège et l'étendue des lésions et de suivre l'évolution de l'infarctus.

Malgré l'apparition de techniques plus modernes, l'ECG demeure un outil de diagnostic précieux, parce qu'il peut être effectué au chevet du patient et qu'il est non effractif.

Enzymes et iso-enzymes sériques. On procède généralement à des mesures répétées des enzymes suivantes:

La créatine phosphokinase (CPK) et son iso-enzyme (CPK-MB). De toutes les enzymes cardiaques, la CPK (avec son iso-enzyme CPK-MB) est la plus sensible et la plus fiable. La CPK provient de trois sources: muscle squelettique (iso-enzyme MM), cerveau (iso-enzyme BB) et myocarde (iso-enzyme MB). La CPK-MB ne se retrouve que dans les cellules cardiaques et son taux sérique ne s'élève donc que si ces cellules sont atteintes (nécrose, par exemple). Un taux élevé de CPK-MB est donc un signe biochimique très important d'infarctus du myocarde. Il peut aussi indiquer une angine de poitrine grave et une insuffisance coronarienne. Les valeurs normales de CPK se situent entre 38 et 174 U/L pour les hommes, et entre +96 et 140 U/L pour les femmes.

La lacticodéshydrogénase (LDH) et ses iso-enzymes. Le dosage de la LDH peut être utile si l'élévation des CPK n'a pu être observée, car son taux s'élève plus tard et reste élevé plus longtemps que celui des CPK. Il existe cinq iso-enzymes de la LDH, mais deux seulement (LDH_1 et LDH_2) ont de l'importance dans le diagnostic de l'infarctus du myocarde. On retrouve ces iso-enzymes principalement dans le cœur, les reins et le cerveau. Normalement, la proportion de LDH_2 est plus élevée que celle de LDH_1. L'inversion de ces proportions est un signe d'infarctus.

On trouvera au tableau 13-2 la chronologie de l'élévation des taux enzymatiques après un infarctus du myocarde.

TABLEAU 13-2. *Chronologie de l'élévation des taux enzymatiques après un infarctus du myocarde*

Enzyme	*Début de l'élévation*	*Élévation maximale*	*Retour à la normale*
CPK	3 à 6 heures	12 à 24 heures	3 à 5 jours
CPK-MB	2 à 4 heures	12 à 20 heures	48 à 72 heures
LDH	24 heures	48 à 72 heures	7 à 10 jours
LDH_1	4 heures	48 heures	10 jours
LDH_2	4 heures	48 heures	10 jours

CPK, créatine phosphokinase, CPK-MB, iso-enzyme MB de la créatine phosphokinase, LDH, lacticodéshydrogénase

Traitement médical

Le traitement médical de l'infarctus du myocarde a pour but de limiter les lésions myocardiques, qui peuvent s'étendre dans les quelques heures ou les quelques jours suivant l'apparition des signes cliniques, en soulageant la douleur et en favorisant le repos. Il vise également à prévenir les complications comme les arythmies, la fibrillation ventriculaire et le choc cardiogénique. Ces complications, qui menacent immédiatement la vie du patient, surviennent généralement dans les deux à trois jours qui suivent les premières manifestations de l'infarctus.

Lyse du thrombus. L'administration d'agents thrombolytiques permet de diminuer l'étendue de la nécrose du myocarde ischémique. Ces agents dissolvent les thrombi qui se trouvent dans les artères coronaires, réduisant ainsi l'obstruction et l'étendue de l'infarcissement. Ils ne sont efficaces que s'ils sont administrés peu après l'apparition de la douleur thoracique (au maximum dans les six heures suivant l'apparition de la douleur).

Il existe trois agents thrombolytiques dont l'efficacité a fait ses preuves: la streptokinase, l'activateur du plasminogène tissulaire (TPA), et l'anistreplase (APSAC). Pour recevoir un traitement thrombolytique, le patient doit répondre aux critères d'admissibilité et n'avoir aucun critère d'exclusion. Ces critères sont les suivants:

Critères d'admissibilité

- Douleur thoracique (< six heures)
- Modification à l'ECG
- Douleur (DRS) non soulagée par la prise de nitroglycérine
- Âge maximum: 75 ans
- Segment ST (élevé de plus de 1 mm)

Critères d'inadmissibilité

- Ulcère gastro-intestinal
- Accident vasculaire cérébral (< six mois)
- Opération récente
- Trauma récent
- Grossesse
- Menstruation

Streptokinase. La streptokinase agit sur les mécanismes généraux de l'hémostase (effet généralisé). Elle est susceptible de provoquer des hémorragies, ce qui rend son usage peu souhaitable. Elle présente aussi des risques de réactions allergiques. De plus, pour obtenir un maximum d'efficacité, on doit l'injecter directement dans les artères coronaires. Or, l'administration intracoronarienne ne peut se faire que par cathétérisme cardiaque dans les établissements qui possèdent les installations nécessaires.

Activateur du plasminogène tissulaire. L'activateur du plasminogène tissulaire, contrairement à la streptokinase, agit sur des mécanismes spécifiques de l'hémostase (effet localisé), ce qui réduit les risques d'hémorragie. La TPA étant une enzyme que l'on retrouve normalement dans l'organisme, elle provoque peu de réactions allergiques. De plus, des études ont démontré qu'elle est aussi efficace par voie intraveineuse que par voie intracoronarienne.

Anistreplase (APSAC, pour Anisolytated Plasminogen-Striplokinase Activator Complex). Cet agent thrombolytique agit directement sur le thrombus (effet localisé) et a une efficacité comparable à celle de la streptokinase et de la TPA. Son usage se répand de plus en plus à cause de sa facilité d'administration et de son coût peu élevé.

Les agents thrombolytiques ne sont efficaces que s'ils sont administrés dans les six heures qui suivent l'apparition de la douleur thoracique, avant que la nécrose du tissu transmural ne se produise. Dans le cas des patients chez qui la lyse du thrombus est inefficace ou contre-indiquée, le pontage coronarien est une solution valable. (On trouvera au chapitre 15 de plus amples détails sur cette intervention de revascularisation.)

Soins infirmiers aux patients qui reçoivent des agents thrombolytiques

Les soins infirmiers aux patients qui reçoivent des agents thrombolytiques visent la prévention et le dépistage des complications associées à ces médicaments, et une intervention immédiate si ces complications se manifestent.

Les principales complications associées à l'administration de streptokinase sont l'hémorragie généralisée, les arythmies provoquées par le retour de l'irrigation de l'artère coronaire affectée, des réactions allergiques et une récurrence de la thrombose. Étant donné les risques que comporte ce médicament, on peut s'attendre à ce que le patient soit inquiet à l'idée de le recevoir.

Avant d'administrer la streptokinase, l'infirmière doit procéder à un examen cardiovasculaire de base et établir s'il existe des contre-indications au traitement par ce médicament. Au cours du traitement, elle doit observer le rythme cardiaque du patient par monitorage de l'ECG, et intervenir aux premiers signes d'arythmies provoqués par le retour de l'irrigation de l'artère antérieurement obstruée. Pour réduire les risques d'hémorragie, elle doit vérifier les résultats des épreuves de coagulation comme le temps de céphaline activée (APPT, abréviation anglaise de activated partial thromboplastin time).

Les complications associées à l'activateur du plasminogène tissulaire (TPA) sont minimes en comparaison de celles associées à la streptokinase. En effet, le TPA agit directement sur le caillot, ce qui réduit les risques d'hémorragie généralisée. Toutefois, comme avec la streptokinase, des arythmies sont susceptibles de se manifester, ce qui exige que l'on surveille le rythme cardiaque. Il faut également procéder régulièrement à des épreuves de coagulation.

L'infirmière ne doit jamais oublier que le patient qui subit un traitement thrombolytique (quel que soit l'agent utilisé) se rétablit d'un infarctus du myocarde et peut en présenter les complications.

Les patients qui ont subi un infarctus du myocarde sont généralement traités dans une unité de soins intensifs ou de soins coronariens, car les traitements destinés à limiter les lésions sont drastiques. Ces unités sont dotées de matériel de monitorage qui facilitent le dépistage des arythmies et de la circulation. De plus, des infirmières et des médecins spécialisés y sont affectés.

DÉMARCHE DE SOINS INFIRMIERS

PATIENTS SOUFFRANT D'UN INFARCTUS DU MYOCARDE

Collecte des données

La collecte des données est l'un des plus importants aspects des soins infirmiers au patient atteint d'un infarctus du myocarde. Elle sert à l'établissement des informations de base à partir desquelles on peut dépister les variations. Elle doit être complète et se faire de façon méthodique. Elle a pour but de déterminer les besoins du patient par ordre de priorité.

Elle se compose des détails complets de la maladie actuelle, particulièrement pour ce qui a trait aux symptômes: douleur thoracique (qualité), dyspnée, palpitations, évanouissement ou transpiration profuse. Pour chacun des symptômes, on doit noter le moment de son apparition, sa durée et la façon dont il a été soulagé.

La collecte des données comporte aussi un examen physique minutieux et complet visant à dépister les complications. Cet examen doit se faire de façon méthodique et se compose des observations suivantes:

1. *Niveau de conscience*. On doit évaluer l'orientation spatiotemporelle du patient et sa capacité de reconnaître les personnes, car les traitements médicamenteux ou un choc cardiogénique imminent peuvent altérer le niveau de conscience. Une irrigation insuffisante du cerveau par le cœur peut être à l'origine de cette altération.
2. *Volume du cœur*. On peut déterminer par palpation (ou par radiographie) s'il y a augmentation du volume du cœur. Normalement, on perçoit le choc apexien au niveau du cinquième espace intercostal, à la ligne médioclaviculaire. Un déplacement vers la gauche indique une hypertrophie du ventricule gauche.
3. *Bruits du coeur*. Les bruits du cœur sont perçus et interprétés par auscultation au moyen d'un stéthoscope de bonne qualité et bien ajusté. Son pavillon doit comprendre une cupule pour percevoir les sons graves, et un diaphragme pour les sons aigus. La cupule s'appuie légèrement contre la peau, et le diaphragme doit être appuyé fermement.

   Le premier bruit du cœur (B_1) est à son maximum à l'apex et indique le début de la systole. On doit le repérer en premier lieu. Le deuxième bruit du cœur (B_2) est à son maximum à la base du cœur et indique le début de la diastole.

   Certains bruits anormaux peuvent être perçus, dont le troisième bruit du cœur (B_3), que l'on connaît aussi sous le nom de bruit de galop ventriculaire, et le quatrième bruit du cœur (B_4), connu sous le nom de bruit de galop auriculaire ou présystolique. B_1 ressemble au son «boum» et B_2 au son «tac». B_3 suit immédiatement B_2, selon une cadence qui rappelle le galop du cheval, et B_4 précède B_1, selon une cadence semblable. On peut percevoir également des souffles, qui sont des bruits provoqués par le rétrécissement d'un vaisseau ou par un flux rétrograde dû à une insuffisance valvulaire.

   Chez le patient qui vient de subir un infarctus, l'infirmière procède à de fréquentes auscultations afin de dépister B_3, qui apparaît lorsqu'il y a diminution de la compliance du ventricule gauche et hypertension auriculaire gauche. B_3 peut donc indiquer une insuffisance ventriculaire gauche imminente, et un dépistage rapide permet souvent de prévenir un œdème pulmonaire qui pourrait avoir des conséquences fatales.
4. *Rythme cardiaque*. L'incidence des arythmies à la suite d'un infarctus du myocarde est d'environ 90 %. Il importe donc de les dépister rapidement et d'entreprendre sans délai un traitement antiarythmique afin de prévenir leur aggravation, une réduction du débit cardiaque, une hypotension et une altération de l'irrigation des organes vitaux. Seules les infirmières qui travaillent dans les unités de soins intensifs ont besoin de savoir interpréter les différentes anomalies du rythme sinusal, mais toutes les infirmières doivent être en mesure de reconnaître qu'il y a anomalie. Elles doivent aussi être au courant des arythmies les plus fréquentes: extrasystoles ventriculaires, tachycardie ventriculaire, fibrillation ventriculaire et auriculaire et bradycardies (voir le chapitre 14).

   Pour observer continuellement la fréquence, le rythme et l'activité électrique du coeur, on utilise un moniteur cardiaque. L'infirmière doit relever ces données sur le moniteur à intervalles réguliers, de même qu'avant l'administration de médicaments qui agissent sur l'appareil cardiovasculaire. Elle doit ensuite inscrire ces informations au dossier. Si des variations marquées du rythme cardiaque se produisent, il faut obtenir un ECG à 12 dérivations pour déterminer si ces variations proviennent d'un foyer ectopique ou d'un problème de conduction, et pour établir s'il y a eu aggravation des lésions myocardiques.
5. *Pouls périphériques*. On doit prendre les pouls en notant leur fréquence, leur rythme et leur amplitude afin de dépister certains troubles cardiaques. Par exemple, un pouls rapide et

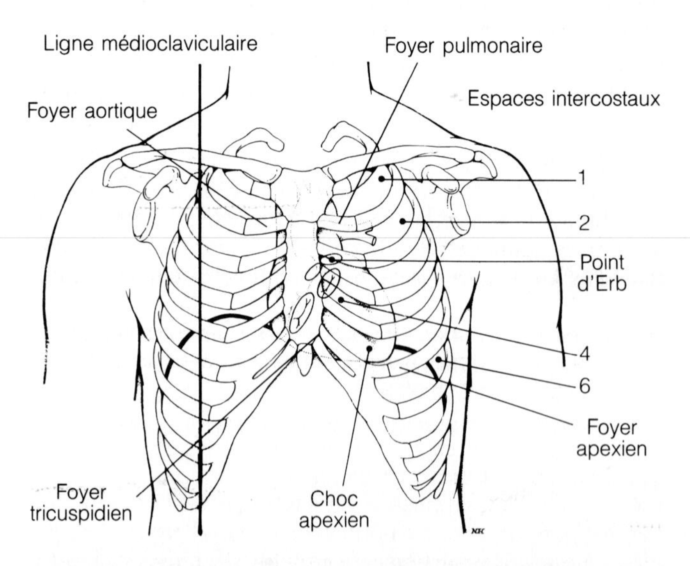

Figure 13-3. Le choc apexien est normalement perçu au niveau du cinquième espace intercostal gauche, à la ligne médioclaviculaire.

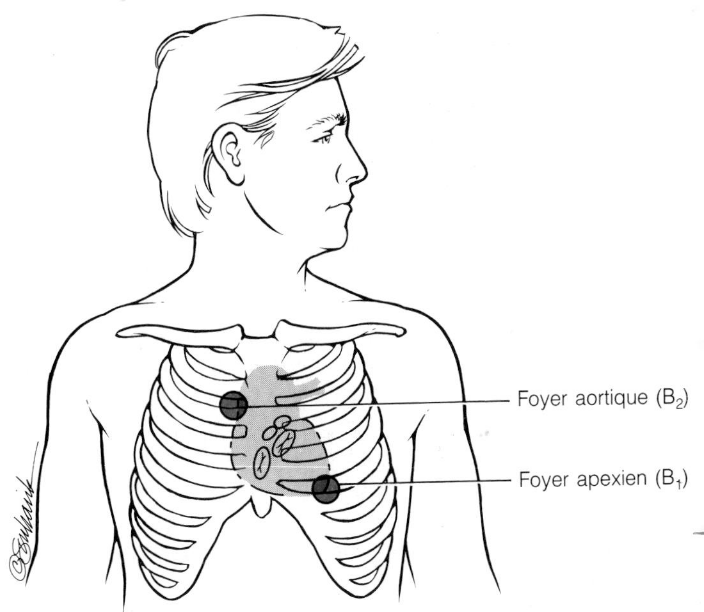

Figure 13-4. Foyers d'auscultation où B_1 et B_2 sont à leur maximum.

régulier, mais faible, peut indiquer une réduction du débit cardiaque et un pouls lent est parfois signe de bloc cardiaque. Un pouls irrégulier indique une arythmie, et un pouls difficilement perceptible ou imperceptible peut révéler l'obstruction d'un vaisseau périphérique par un caillot. Des études statistiques révèlent que les artères fémorales sont souvent le siège d'une embolie.

6. *Volume liquidien*. On doit mesurer et noter le débit urinaire, de préférence en relation avec l'apport liquidien. L'oligurie est l'un des premiers signes de choc cardiogénique. La rétention urinaire se manifeste par de l'œdème et peut également être un signe d'insuffisance cardiaque. Chez les patients alités, l'œdème s'observe dans la région sacrée.
7. *Pression différentielle*. On doit porter une attention particulière à la pression différentielle (écart entre la pression systolique et la pression diastolique). On observe souvent une baisse de la pression différentielle après un infarctus du myocarde. Elle reflète le débit systolique (quantité de sang expulsée à chaque systole par chaque ventricule), puisque l'efficacité de la contraction ventriculaire est fonction de la systole et de la diastole.
8. *Bruits intestinaux*. Il importe d'évaluer la motilité intestinale (péristaltisme) pour dépister une thrombose de l'artère mésentérique, qui pourrait entraîner un infarctus de l'intestin à cause d'une mauvaise irrigation de cet organe. Il s'agit d'une complication qui peut avoir des conséquences fatales.
9. *Bruits respiratoires*. Il est essentiel d'ausculter fréquemment les lobes pulmonaires dans le but de dépister l'insuffisance ventriculaire. Si l'on entend des craquements (ou des crépitements) à l'auscultation de la base des poumons, il peut s'agir d'un début d'insuffisance cardiaque. Non traité, ce trouble peut entraîner un œdème aigu du poumon.

▷ *Analyse et interprétation des données*

Selon les données recueillies, voici les principaux diagnostics infirmiers possibles:

- Altération de l'intégrité physique reliée à la douleur thoracique
- Risque de mode de respiration inefficace relié à une surcharge liquidienne
- Risque d'altération de l'irrigation tissulaire relié à une diminution du débit cardiaque
- Anxiété reliée à la peur de la mort
- Risque de non-observance du programme d'autosoins relié au déni du diagnostic d'infarctus du myocarde

▷ *Planification et exécution*

▷ ***Objectifs de soins***: Soulagement de la douleur thoracique; absence de troubles respiratoires; rétablissement ou maintien d'une irrigation tissulaire adéquate; réduction de l'anxiété; observance du programme d'autosoins

▷ *Interventions infirmières*

▷ ***Soulagement de la douleur thoracique.*** La méthode la plus rapide et la plus appropriée pour soulager la douleur thoracique est l'administration par voie intraveineuse d'un analgésique, habituellement de la morphine, selon l'ordonnance du médecin. L'injection intraveineuse est préférable à l'injection intramusculaire pour deux raisons: 1) elle procure une absorption plus rapide et 2) elle ne provoque pas une fausse élévation des taux plasmatiques des enzymes cardiaques. En plus de son effet analgésique, la morphine a un effet euphorisant qui réduit l'anxiété. De plus, elle diminue la précharge en provoquant une vasodilatation, et la postcharge en diminuant la pression artérielle. À cause de l'action rapide de la morphine administrée par voie intraveineuse, l'infirmière doit observer le patient de près afin de déceler rapidement les signes d'hypotension, de détresse respiratoire et de confusion.

Pour être totalement efficace, le traitement analgésique doit être accompagné d'une oxygénothérapie et de l'administration d'un vasodilatateur (nitroglycérine) afin de réduire l'ischémie.

On doit procéder fréquemment (toutes les 5 à 10 minutes) à la prise des signes vitaux jusqu'à ce que la douleur soit soulagée. Le repos au lit, en position semi-Fowler, contribue à soulager la douleur et la dyspnée. La position semi-Fowler favorise: (1) l'augmentation du volume courant (quantité d'air inspirée ou expirée pendant un mouvement respiratoire normal en réduisant la pression du contenu abdominal sur le diaphragme, ce qui améliore les échanges d'oxygène; (2) le drainage des lobes pulmonaires supérieurs et (3) la réduction du retour veineux (précharge), ce qui réduit le travail cardiaque.

▷ ***Prévention des troubles respiratoires.*** Une évaluation régulière de la fonction respiratoire permet de dépister rapidement les complications pulmonaires. Il importe également de mesurer régulièrement le volume liquidien afin d'éviter de surcharger le cœur et, par conséquent, les poumons. Il faut de plus inciter le patient à prendre souvent de profondes respirations et à changer fréquemment de position pour prévenir l'accumulation de liquide à la base des poumons.

▷ ***Rétablissement ou maintien d'une irrigation tissulaire adéquate.*** Le repos au lit réduit efficacement la consommation d'oxygène du myocarde (MVO_2). Il faut toutefois s'assurer que l'irrigation tissulaire est adéquate en vérifiant fréquemment la température cutanée et les pouls périphériques. Si nécessaire, on peut avoir recours à l'oxygénothérapie pour augmenter le taux d'oxygène circulant.

▷ ***Réduction de l'anxiété.*** Pour réduire l'anxiété chez le patient cardiaque, il importe d'établir avec lui une relation de confiance et de lui offrir souvent l'occasion d'exprimer ses inquiétudes et ses craintes. Plus le patient se sent accepté, plus les sentiments qu'il éprouve lui semblent légitimes et normaux. Il est également important de lui expliquer le but des interventions infirmières.

▷ *Observance du programme d'autosoins.* Pour que le patient se conforme à son programme d'autosoins, il doit connaître la nature de sa maladie et son traitement. De plus, il doit collaborer à la préparation de ce programme pour que celui-ci réponde à ses besoins particuliers.

▷ *Évaluation*

Résultats escomptés

1. La douleur est soulagée.
2. Le patient ne présente pas de signes de problèmes respiratoires.
3. L'irrigation tissulaire est adéquate.
4. Le patient éprouve moins d'anxiété.
5. Le patient se conforme à son programme d'autosoins.

Les soins au patient qui présente un infarctus du myocarde sans complications sont résumés dans le plan de soins 13-1.

Programme de réadaptation du patient cardiaque

On recommande fortement au patient qui se rétablit d'un infarctus du myocarde de participer à un programme visant à améliorer sa qualité de vie en période postinfarctus. Au départ, le programme a pour objectif de permettre au patient de reprendre le plus rapidement possible un mode de vie normal ou presque normal. Il comporte des activités physiques et de l'enseignement au patient et à sa famille.

La réadaptation du patient cardiaque se fait en neuf phases structurées (encadré 13-6). Ces phases, habituellement prescrites par un cardiologue, énumèrent les diverses étapes de

Encadré 13-5
Programme d'autosoins à l'intention des patients atteints d'un infarctus du myocarde

Le patient qui a subi un infarctus du myocarde doit apprendre à adapter ses activités en fonction de ses capacités.

Objectif: Prolongement de la vie et amélioration de la qualité de vie

Résultats escomptés

I. Le patient modifie ses activités au cours de sa convalescence afin de se rétablir complètement.
   A. La cicatrisation du myocarde prend habituellement de six à huit semaines.
   B. Certaines modifications du mode de vie sont nécessaires après un infarctus. Il s'agit d'une adaptation qui se fait de façon progressive.
      1. Le patient évite toutes les activités qui provoquent une douleur thoracique, des problèmes respiratoires ou une fatigue excessive.
      2. Il évite de sortir par temps très chaud ou très froid et de marcher contre le vent.
      3. Il perd du poids si nécessaire.
      4. Il cesse de fumer, s'il y a lieu.
      5. Il fait suivre ses périodes d'activité d'une période de repos et sait qu'une certaine fatigue est normale au cours de la convalescence.
      6. Il utilise ses ressources personnelles pour compenser ses limites.
      7. Il modifie ses habitudes alimentaires.
         a) Il évite les repas copieux et mange lentement.
         b) Il limite sa consommation de caféine pour éviter une accélération de la fréquence et du rythme cardiaques et une hausse de sa pression artérielle.
         c) Il réduit son apport énergétique et sa consommation de sel (sodium) et de matières grasses conformément aux ordonnances.
      8. Il se conforme au traitement médical et respecte l'horaire et la posologie de la pharmacothérapie.
      9. Il s'adonne à des activités qui le détendent.

II. Le patient augmente graduellement ses activités physiques et professionnelles selon son programme de réadaptation.
   A. Il suit un programme progressif d'activités physiques.
      1. Il marche quotidiennement, augmentant la durée de ses marches et la distance parcourue conformément au programme.
      2. Il prend son pouls au cours de sa séance d'exercices pour s'assurer que son degré d'effort est adéquat.
      3. Il évite les exercices qui provoquent une tension musculaire (exercices isométriques, exercices de musculation), et toute activité qui exige une dépense soudaine d'énergie.
      4. Il évite l'exercice physique immédiatement après les repas.
      5. Il reprend graduellement son travail.
   B. Il sait que son programme quotidien d'exercices est un engagement pour la vie.

III. Il connaît les mesures à prendre si des symptômes se manifestent.
      1. Il se présente à la salle d'urgence la plus proche s'il éprouve une douleur thoracique qui n'est pas soulagée en moins de 15 minutes par la prise de nitroglycérine à intervalles de 5 minutes.
      2. Il consulte son médecin s'il a:
         a) des troubles respiratoires
         b) des évanouissements
         c) un ralentissement ou une accélération de sa fréquence cardiaque
         d) un œdème des pieds et des chevilles.

Plan de soins 13-1

Soins aux patients souffrant d'un infarctus du myocarde sans complications

Diagnostic infirmier : Altération de l'intégrité physique reliée à la douleur thoracique

Objectif : Soulagement de la douleur thoracique

Interventions infirmières	Justification	Résultats escomptés
1. Recueillir les données suivantes, les noter au dossier et les communiquer au médecin : a) La description que fait le patient de sa douleur thoracique, notamment le siège de la douleur, l'irradiation, la durée, les facteurs qui la soulagent ou l'aggravent, et à quel moment elle apparaît.	1. Ces données aident à établir les causes et les effets de la douleur thoracique et servent de critères de référence avec lesquels on pourra comparer les symptômes du patient après le traitement. a) La douleur thoracique peut être associée à de nombreux troubles. La douleur due à l'ischémie présente des caractéristiques cliniques précises. b) L'infarctus du myocarde réduit la contractilité myocardique et la compliance ventriculaire et peut provoquer des arythmies. Il réduit également le débit cardiaque et, par conséquent, la pression artérielle et l'irrigation de différents organes. La fréquence cardiaque peut s'accélérer pour compenser la baisse du débit cardiaque.	• La douleur est soulagée. • Il semble à l'aise : Il se repose paisiblement. Son rythme respiratoire, sa fréquence cardiaque et sa pression artérielle sont dans les limites de la normale. Sa peau est sèche et à une température normale. • Son débit cardiaque est adéquat, comme l'indiquent : sa fréquence et son rythme cardiaques ; sa pression artérielle ; son niveau de conscience ; son débit urinaire ; les taux sériques d'azote uréique et de créatinine ; la couleur, la température et le degré d'humidité de la peau.
2. Obtenir un tracé électrocardiographique à 12 dérivations pendant que la douleur se manifeste, selon l'ordonnance du médecin.	2. Un tracé électrocardiographique obtenu quand le patient éprouve une douleur peut être utile pour établir l'étendue de l'ischémie et des lésions et pour diagnostiquer l'angor de Prinzmetal ou l'infarctus du myocarde.	
3. Administrer l'oxygénothérapie selon l'ordonnance.	3. L'oxygénothérapie peut augmenter l'apport d'oxygène au myocarde si la saturation réelle en oxygène est inférieure à la normale.	
4. Administrer un narcotique ou un analgésique selon l'ordonnance et observer la réaction du patient au médicament.	4. Les narcotiques et les analgésiques soulagent la douleur et l'anxiété et procurent une sensation de bien-être. Ils peuvent toutefois avoir des effets indésirables ; on doit déceler les signes de ces effets indésirables par une observation étroite du patient.	
5. Veiller à ce que le patient se repose : l'installer en position semi-Fowler ; l'aider à utiliser la chaise d'aisances ; lui procurer une diète hydrique complète dans la mesure où il la tolère ; lui administrer un laxatif émollient, au besoin, pour lui éviter les efforts de défécation. Restreindre les visites en fonction de l'état du patient. Lui procurer une ambiance calme et soulager ses craintes et son anxiété par une attitude professionnelle qui inspire confiance.	5. Le repos physique réduit la consommation d'oxygène du myocarde. La peur et l'anxiété peuvent déclencher une réaction de stress entraînant une augmentation du taux de catécholamines endogènes. Or, les catécholamines accroissent la consommation d'oxygène du myocarde en plus de diminuer le seuil de tolérance à la douleur, ce qui a également un effet sur la consommation d'oxygène	
6. Favoriser le bien-être physique du patient en lui prodiguant des soins personnalisés.	6. Le bien-être physique réduit l'anxiété, et le repos réduit la consommation d'oxygène du myocarde.	

Plan de soins 13-1 (suite)

Soins aux patients souffrant d'un infarctus du myocarde sans complications

Interventions infirmières	*Justification*	*Résultats escomptés*
Diagnostic infirmier: Risque de mode de respiration inefficace relié à une surcharge liquidienne		
Objectif: Absence de problèmes respiratoires		
1. Au moment de l'arrivée du patient et toutes les quatre heures par la suite, ou quand il éprouve une douleur thoracique, procéder à un examen physique et faire part au médecin de tout bruit du cœur anormal (particulièrement B_3, B_4 et souffle holosystolique de mauvais fonctionnement des muscles papillaires du ventricule gauche), de tout bruit respiratoire anormal (particulièrement les craquements) et de l'intolérance du patient à certaines activités.	1. Ces données sont utiles pour le diagnostic de l'insuffisance ventriculaire gauche. Les bruits de remplissage (B_3 et B_4) sont produits par une baisse de la compliance ventriculaire associée à l'infarctus du myocarde. Le mauvais fonctionnement des muscles papillaires (résultant d'un infarcissement) peut provoquer une régurgitation mitrale et une baisse du débit systolique entraînant une insuffisance ventriculaire gauche. La présence de craquements (surtout à la base des poumons) peut indiquer une congestion pulmonaire due à l'augmentation des pressions dans le ventricule gauche. En connaissant la tolérance du patient aux activités, on pourra mieux planifier les activités physiques et l'enseignement.	• Le patient ne se plaint pas d'essoufflement, de dyspnée d'effort, d'orthopnée ni de dyspnée nocturne paroxystique. • Sa fréquence respiratoire reste inférieure à 20 respirations par minute au cours de l'activité physique, et à 16 respirations par minute au repos. • Sa peau a une couleur normale. • Sa pO_2 et sa pCO_2 sont normales. • Sa fréquence cardiaque est inférieure à 100 battements par minute et sa pression artérielle est dans les limites de la normale. • Ses radiographies thoraciques sont normales. • Il se dit soulagé de sa douleur thoracique. • Il semble à l'aise: Il se repose paisiblement. Sa fréquence respiratoire, sa fréquence cardiaque et sa pression artérielle sont revenues à la normale. Sa peau est sèche et à la température normale.
2. Favoriser le bien-être physique du patient en lui procurant des soins personnalisés. Veiller à ce qu'il se repose.	2. Le bien-être physique réduit l'anxiété.	
3. Enseigner au patient:	3.	
a) comment suivre le régime prescrit (lui expliquer par exemple en quoi consiste un régime à faible teneur en sodium ou à faible teneur énergétique);	a) Un régime à faible teneur en sodium réduit le volume extracellulaire et, par conséquent, la précharge et la postcharge, ce qui provoque une baisse de la consommation d'oxygène du myocarde. Chez les personnes obèses, une perte de poids réduit le travail du cœur et améliore le volume d'éjection systolique.	
b) comment se conformer à son programme d'activités physiques.	b) Le programme d'activité est établi sur une base individuelle de façon à maintenir la fréquence cardiaque et la pression artérielle dans des limites acceptables.	

Plan de soins 13-1 (suite)

Soins aux patients souffrant d'un infarctus du myocarde sans complications

Diagnostic infirmier : Risque d'altération de l'irrigation tissulaire (nécrose) relié à la diminution du débit cardiaque

Objectif : Maintien d'une irrigation tissulaire adéquate

Interventions infirmières	*Justification*	*Résultats escomptés*
1. Procéder à un examen physique au moment de l'arrivée du patient, lorsqu'il éprouve de la douleur et toutes les quatre heures par la suite. On fait part au médecin des anomalies suivantes : a) Hypotension b) Tachycardie et autres arythmies c) Fatigabilité d) Modification de l'état mental (demander à la famille) e) Réduction du débit urinaire (moins de 250 mL / 8 h) f) Baisse de la température, moiteur et cyanose des mains ou des pieds.	1. Ces données servent à déterminer s'il y a diminution du débit cardiaque. Un tracé électrocardiographique obtenu quand le patient éprouve une douleur peut donner des informations complémentaires à l'examen physique sur l'origine de la douleur.	• La pression artérielle est dans les limites de la normale. • Le rythme sinusal est normal, sans arythmies, et se maintient entre 60 et 100 battements par minute. • Le patient ne se plaint pas que les activités prescrites le fatiguent. • Il est conscient, bien orienté et ne présente pas de changements de personnalité. • Il semble à l'aise a) Il se repose paisiblement. b) Sa fréquence respiratoire, sa fréquence cardiaque et sa pression artérielle sont revenues à la normale c) Sa peau est sèche et à une température normale • Son débit urinaire est supérieur à 30 mL / h. • Il ne présente pas de baisse de température, de moiteur ou de cyanose des mains ou des pieds.
2. Favoriser le bien-être physique du patient en lui prodiguant des soins personnalisés.	2. Le bien-être physique réduit l'anxiété, et le repos réduit la consommation d'oxygène du myocarde.	

Diagnostic infirmier : Anxiété reliée à la peur de la mort

Objectif : Réduction de l'anxiété

Interventions infirmières	*Justification*	*Résultats escomptés*
1. Évaluer et noter le degré d'anxiété du patient et de sa famille, de même que leurs mécanismes d'adaptation. Communiquer ces données au médecin.	1. Ces données renseignent sur l'état psychologique du patient et serviront de critères de référence à partir desquels on pourra comparer ses symptômes après le traitement. Les causes de l'anxiété varient selon les patients, mais les plus fréquentes sont : la maladie aiguë, l'hospitalisation, la douleur, l'interruption des activités de la vie quotidienne à la maison et au travail, la perturbation de l'exercice du rôle et de l'image de soi due à une maladie chronique, et les problèmes financiers. L'infirmière doit aussi tenter de rassurer les membres de la famille, car ils peuvent transmettre leur anxiété au patient.	• Le patient dit qu'il se sent moins anxieux. • Le patient et sa famille parlent ouvertement de leurs craintes et de leur peur de la mort. • Il semble paisible ; sa fréquence respiratoire est inférieure à 16 / min ; sa fréquence cardiaque est inférieure à 100 / min sans extrasystoles ; sa pression artérielle est dans les limites de la normale ; sa peau est sèche et à une température normale. • Il participe activement à un programme de réadaptation. • Il applique des techniques de réduction du stress.
2. Demander au patient s'il souhaite rencontrer un conseiller spirituel et demander une consultation, le cas échéant.	2. Si le patient trouve du réconfort dans la religion, un conseiller spirituel peut l'aider à réduire son anxiété et ses craintes.	

Plan de soins 13-1 (suite)

Soins aux patients souffrant d'un infarctus du myocarde sans complications

Interventions infirmières	*Justification*	*Résultats escomptés*
3. Permettre au patient et à sa famille d'exprimer leur anxiété et leurs craintes: a) en leur témoignant un intérêt sincère; b) en facilitant la communication (en utilisant les méthodes d'écoute active, de clarification et de counseling); c) en répondant à leurs questions.	3. La réaction de stress que provoque l'anxiété augmente la consommation d'oxygène du myocarde.	
4. Si les heures de visite sont flexibles, laisser les membres de la famille visiter le patient aussi souvent qu'ils le souhaitent pour le soutenir et le rassurer.	4. La présence d'un membre de la famille peut soulager l'anxiété du patient.	
5. Inciter le patient à s'inscrire à un programme de réadaptation cardiaque.	5. La réadaptation cardiaque contribue à faire disparaître la peur de la mort, réduit l'anxiété et favorise le bien-être.	
6. Enseigner au patient des méthodes de réduction du stress.	6. La réduction du stress contribue à diminuer la consommation d'oxygène du myocarde et favorise le bien-être.	

Diagnostic infirmier: Risque de non-observance du programme d'autosoins relié au déni du diagnostic d'infarctus du myocarde

Objectif: Observance du programme d'autosoins après le retour à domicile

(Voir l'encadré 13-5.)

(Source: S. L. Underhill et coll., *Cardiac Nursing*, Philadelphia, J. B. Lippincott, 1989)

l'évolution clinique du patient. Les objectifs de chacune des phases de la réadaptation sont fixés en fonction de ce que le patient a pu accomplir à l'étape précédente.

Les phases I à VI se déroulent pendant l'hospitalisation. En règle générale, la première phase s'amorce dès le début de la maladie, c'est-à-dire lorsque le patient est encore à l'unité de soins coronariens. Le rôle de l'infirmière est alors de guider le patient vers l'atteinte d'objectifs visant son autonomie. Elle doit l'aider à reconnaître qu'il est important de modifier certaines habitudes de vie de façon progressive. Elle doit éviter de mettre l'accent sur les restrictions, mais plutôt inciter le patient à se fixer des objectifs réalistes à court et à long terme. Elle peut aussi, au besoin, lui expliquer la nature de sa maladie. Elle doit répondre avec franchise à ses questions et l'informer que les personnes qui ont subi un infarctus du myocarde reprennent généralement leurs activités quotidiennes ainsi que leur vie sociale et professionnelle à plus ou moins brève échéance. En adoptant une attitude ouverte et réaliste, l'infirmière peut permettre au patient de mieux récupérer et de bénéficier davantage de cette période de convalescence.

Les phases VII à IX vont du moment où le patient quitte le centre hospitalier jusqu'à la fin de la convalescence. Ces phases ont pour objectif de permettre au patient de reprendre son travail ou les activités qu'il pratiquait avant la maladie. Pendant ces phases, le patient a généralement retrouvé son autonomie et n'a plus besoin d'un programme très structuré.

Au cours des dernières phases du programme de réadaptation, on encourage le patient à faire du conditionnement physique pour qu'il accroisse sa tolérance à l'activité et à l'effort. Le conditionnement physique a pour but d'améliorer la force cardiaque et, par conséquent, de réduire la fréquence cardiaque et la pression artérielle à l'effort. En d'autres termes, il réduit les besoins du myocarde en oxygène de même que le travail du coeur.

Comme il est impossible de traiter de toutes les facettes de la réadaptation cardiaque dans cet ouvrage, nous vous conseillons de consulter les ouvrages spécialisés sur le sujet pour de plus amples renseignements.

Résumé: L'infarctus du myocarde désigne une nécrose du tissu myocardique due à une réduction du débit sanguin coronarien. Son premier symptôme est une douleur thoracique profonde d'apparition soudaine décrite comme une sensation d'oppression. Cette douleur s'accompagne de pâleur, d'essoufflement et de transpiration profuse.

Le diagnostic médical se pose sur la base de l'anamnèse, des résultats de l'ECG et de mesures répétées des taux sériques des enzymes cardiaques. Les antécédents médicaux du patient suffisent souvent pour poser le diagnostic. Le traitement médical a pour but de limiter la gravité des lésions, de préserver le tissu non affecté et de prévenir les complications, dont certaines peuvent être fatales. Pour préserver le tissu myocardique, on doit soulager la douleur, favoriser le repos, réduire le travail cardiaque et, si l'infarctus est pris au tout début, administrer des agents thrombolytiques pour améliorer la circulation sanguine. Dans certains cas, on doit avoir recours à un pontage coronarien. Le patient qui vient de subir un infarctus doit être traité dans une unité où le monitorage cardiaque peut être pratiqué (soins intensifs ou soins coronariens).

L'infirmière qui s'occupe d'un patient ayant subi un infarctus du myocarde doit procéder à des examens physiques minutieux et méthodiques, en accordant une attention particulière aux données associées au bon fonctionnement de l'appareil cardiovasculaire, comme la fréquence et le rythme cardiaques, le débit urinaire et le niveau de conscience. Ses interventions visent à soulager la douleur thoracique et à réduire l'anxiété.

La réadaptation cardiaque a pour but de permettre au patient de reprendre ses activités normales le plus rapidement possible et se fait au moyen d'un programme structuré d'activités et d'exercices.

CARDITES

Endocardite rhumatismale

Physiopathologie. L'endocardite rhumatismale est une complication du rhumatisme articulaire aigu, une maladie due à un streptocoque du groupe A caractérisée par des arthrites aiguës multiples.

Les lésions articulaires et cardiaques du rhumatisme articulaire aigu ne sont pas directement causées par l'agent infectieux, un streptocoque hémolytique, mais plutôt par une réaction inflammatoire de défense contre cet agent, qui se caractérise par une invasion de leucocytes formant des nodules qui seront à plus ou moins brève échéance remplacés par du tissu cicatriciel. Elle affecte à coup sûr le myocarde, provoquant une myocardite qui réduit temporairement la contractilité, de même que le péricarde. La myocardite et la péricardite ne laissent généralement pas de séquelles, contrairement à l'endocardite qui a souvent des conséquences invalidantes.

Du point de vue anatomopathologique, l'endocardite rhumatismale se manifeste par de minuscules végétations translucides, qui ont l'aspect de perles de la dimension de la tête d'une épingle, disposées en rangée le long de la partie libre des feuillets des valvules. Ces végétations disparaissent parfois sans laisser de traces, mais souvent, elles provoquent un épaississement et un raccourcissement des feuillets, ce qui empêche leur fermeture complète et entraîne une *régurgitation valvulaire*. La valvule mitrale est la plus souvent affectée.

Dans d'autre cas, les feuillets deviennent adhérents, causant un *rétrécissement valvulaire*. Un petit pourcentage des patients atteints de rhumatisme articulaire aigu ont des complications extrêmement graves, comme une insuffisance cardiaque réfractaire, des arythmies létales ou une pneumonie, et exigent des soins intensifs.

La plupart des patients atteints d'endocardite rhumatismale guérissent rapidement, et leur guérison semble complète. Toutefois, la maladie laisse parfois certaines séquelles qui évoluent progressivement vers une déformation des valvules. Les examens physiques effectués au cours de la phase aiguë de la maladie ne permettent pas toujours de dépister les lésions cardiaques ou d'en estimer la gravité. À plus ou moins brève échéance, toutefois, on percevra à l'auscultation des souffles de rétrécissement valvulaire ou de régurgitation qui peuvent même prendre la forme de frémissements perçus à la palpation. Pendant un certain temps, le patient reste asymptomatique, car le myocarde réussit à compenser la perte d'efficacité des valvules. Mais tôt ou tard, le myocarde ne suffira plus à la tâche, et le patient présentera une insuffisance cardiaque (voir le chapitre 14).

Manifestations cliniques. Les symptômes dépendent de la valvule affectée. S'il s'agit de la valvule mitrale, comme c'est très souvent le cas, on observera les symptômes pulmonaires d'une insuffisance cardiaque gauche: essoufflement, craquements et wheezing. (Pour connaître la différence entre l'insuffisance cardiaque gauche et l'insuffisance cardiaque droite, consulter le chapitre 14.) La gravité des symptômes dépend de la virulence de l'agent infectieux en cause, de même que de l'étendue et du siège des lésions. L'apparition d'un nouveau souffle chez une personne atteinte d'une infection généralisée est un signe fréquent d'endocardite infectieuse.

Traitement. Le traitement médical, qui comprend une antibiothérapie prolongée, a pour objectif l'élimination de l'organisme causal et la prévention de complications comme la thrombo-embolie. L'antibiotique le plus souvent utilisé est la pénicilline.

Les patients atteints d'endocardite rhumatismale avec altération de la fonction valvulaire, mais dont la maladie est à l'état latent, ne sont généralement traités que si la fonction cardiaque est affectée. Ils présentent néanmoins des risques de récidive du rhumatisme articulaire aigu, d'endocardite infectieuse, d'embolisation des végétations dans des organes vitaux, de formation de thrombi muraux, et d'insuffisance cardiaque. (Pour connaître la relation entre les troubles valvulaires et l'insuffisance cardiaque, de même que le traitement de l'insuffisance cardiaque, consulter le chapitre 14.)

Prévention. Pour prévenir l'endocardite rhumatismale, on doit traiter rapidement et adéquatement les infections à streptocoque et employer les mesures nécessaires pour éviter que ces infections ne se propagent dans la population. Les infirmières doivent connaître les signes et les symptômes de l'angine streptococcique (encadré 13-7).

- Une culture de gorge est absolument nécessaire au diagnostic d'angine streptococcique.

On prescrit aux patients sensibles à cette infection une antibiothérapie prolongée ou, le plus souvent, une antibiothérapie préventive avant toute intervention susceptible de provoquer une infection, comme des soins dentaires ou une cytoscopie.

Encadré 13-6
Programme de réadaptation en cardiologie

PHASE I:
- Vous êtes au repos complet au lit.
- La tête de votre lit peut être levée au besoin.
- Faites-vous aider pour toute activité.
- Vous devez utiliser l'urinal ou le bassin hygiénique.

PHASE II:
- Vous pouvez vous asseoir au bord du lit pour manger.
- Vous pouvez vous brosser les dents, vous laver la figure et manger seul.
- Sous surveillance, vous pourrez utiliser la chaise d'aisances pour la défécation.
- Vous pouvez vous asseoir dans le fauteuil pendant que l'on refait votre lit.

PHASE III:
- Vous pouvez vous asseoir dans le fauteuil pendant 15 à 30 minutes, 3 fois par jour.
- Vous pouvez vous laver et vous raser.
- Vous pouvez aller à la toilette avec de l'aide et sous surveillance.

N.B.: Il faut toujours uriner en position assise.

PHASE IV:
- Vous pouvez circuler dans votre chambre.
- Vous pouvez vous asseoir dans le fauteuil à volonté.
- Vous pouvez prendre vos repas assis dans le fauteuil.

PHASE V:
- Vous pouvez circuler à volonté sur l'étage.
- Vous pouvez prendre un bain ou une douche à l'eau tiède.
- Vous pouvez descendre et monter un escalier sous la surveillance d'une infirmière.

PHASE VI: (Période de départ de l'hôpital)
- Vous faites les mêmes activités qu'à la phase V, mais sous surveillance.

PHASE VII: (Deux premières semaines à domicile)
- Vous faites les mêmes activités qu'au centre hospitalier.
- Vous devez vous reposer au lit ou dans un fauteuil après les repas.
- Marchez lentement à l'extérieur par beau temps, en augmentant progressivement la durée pour parvenir à 10 minutes 3 fois par jour la 3e semaine.

PHASE VIII: (De la 3e à la 6e semaine)
- De légères activités sociales vous sont permises dans la mesure où vous évitez la fatigue.
- Vous pouvez faire des promenades en voiture.

N.B.: Vous ne devez pas conduire avant la 8e semaine postinfarctus.
- Vous continuez de faire des marches d'intensité progressive d'une durée de 15 minutes 4 fois par jour, pour la 4e semaine.
- Par la suite, vous continuez de faire vos marches en augmentant la durée et le rythme, mais sans courir, jusqu'à ce que vous marchiez environ 1,5 km par jour d'un pas normal.
- Parallèlement à la poursuite des activités, il serait important que vous appreniez à vous accorder de brèves périodes de détente complète, espacées tout au long de la journée.

PHASE IX: (De la 6e à la 10e semaine)
- Vous pouvez faire vos activités sociales normales en évitant la fatigue.
- Discutez avec votre médecin des sports auxquels vous pourrez participer.
- N'oubliez pas qu'il vous faut des heures de sommeil normales et des moments de détente et de repos.
- Gardez la bonne habitude de faire vos marches pour rester en forme.

N.B.: Trois mois après votre infarctus, vous pourriez, à moins de contre-indication médicale, marcher 5 km par jour d'un pas normal (5 km à l'heure).

(Source: Hôpital Sacré-Cœur)

Encadré 13-7
Signes et symptômes de l'angine streptococcique

Chez les patients qui présentent une infection à streptocoque, on peut prévenir le rhumatisme articulaire aigu et, par le fait même, l'endocardite rhumatismale, par une antibiothérapie à la pénicilline. L'angine streptococcique se diagnostique nécessairement sur la base d'une culture de gorge. Ses signes et symptômes sont:
- la fièvre (38,9 à 40 °C);
- des frissons;
- un mal de gorge d'apparition soudaine;
- une rougeur diffuse de la gorge et la présence d'un exsudat dans l'oropharynx (n'apparaît pas nécessairement le premier jour);
- une adénite;
- une douleur abdominale (plus fréquente chez les enfants);
- une sinusite aiguë et une otite moyenne aiguë qui peuvent être causées par le streptocoque responsable de l'angine.

Endocardite infectieuse

Physiopathologie. L'endocardite infectieuse est une infection des valvules et de la surface endothéliale du cœur. Elle est causée par une invasion de bactéries ou d'autres microorganismes et provoque une déformation des feuillets valvulaires. Les microorganismes qui peuvent provoquer une endocardite sont certaines souches de streptocoques, dont les plus souvent isolées sont les streptocoques viridans, microaérophiles et anaérobies, les entérocoques, les pneumocoques et les staphylocoques, certains champignons et certaines rickettsies.

L'endocardite infectieuse touche généralement les personnes qui ont des antécédents de valvulopathies, particulièrement celles qui souffrent de cardite rhumatismale ou de prolapsus valvulaire mitral, et celles qui ont subi depuis moins de un an un remplacement valvulaire.

L'endocardite infectieuse est souvent une complication d'un traitement médical ou chirurgical. Elle est plus fréquente chez les personnes âgées, probablement parce que leur système est moins efficace, que le métabolisme s'altère avec l'âge et qu'elles souffrent plus souvent d'infections génito-urinaires qui exigent le recours à des interventions effractives comme la pose d'une sonde. Les endocardites à staphylocoques sont fréquentes chez les toxicomanes qui utilisent des drogues par injection et affectent généralement les valvules normales.

L'endocardite nosocomiale touche habituellement des personnes qui souffrent d'une maladie débilitante, celles qui ont un cathéter à demeure ou celles qui subissent une antibiothérapie ou un traitement intraveineux prolongés. Les patients qui prennent des immunosuppresseurs ou des stéroïdes peuvent présenter une endocardite fongique.

Manifestations cliniques. L'endocardite infectieuse a un début insidieux. Ses signes et symptômes découlent de l'infection, de l'altération du fonctionnement des valvules et de l'embolisation des végétations. Ses premières manifestations sont celles de la grippe: malaise, anorexie, perte de poids, toux et douleurs lombaires et articulaires. La fièvre est généralement intermittente; elle peut être absente chez les personnes prenant des antibiotiques ou des corticostéroïdes, chez les personnes âgées ou chez celles qui sont atteintes d'une insuffisance cardiaque ou rénale. On note parfois des hémorragies linéaires sous les ongles des doigts et des orteils, et la présence de pétéchies sur les conjonctives et les muqueuses. On observe aussi des hémorragies rétiniennes (en particulier des taches de Roth, lésions arrondies ou ovales avec un centre blanchâtre) qui sont causées par des embolies de la fibre nerveuse de l'œil.

Les manifestations cardiaques de l'endocardite infectieuse sont, notamment, l'apparition d'un nouveau souffle ou la modification d'un souffle préexistant due à des végétations ou à la perforation d'une valvule ou d'un cordage tendineux. On peut aussi observer une cardiomégalie ou des signes d'insuffisance cardiaque.

Les signes d'atteinte du système nerveux central sont les suivants: céphalées, ischémie transitoire, lésions focales et accident vasculaire cérébral. Ces symptômes peuvent être attribuables à une embolie des artères cérébrales.

L'embolisation par des végétations dans des organes vitaux peut se produire à n'importe quelle phase de la maladie. Elle peut toucher les poumons (pneumonies; abcès récurrents), les reins (hématurie; insuffisance rénale), la rate (douleur dans le quadrant supérieur droit), le cœur (infarctus du myocarde), le cerveau (crises d'ischémie transitoire), ou des vaisseaux périphériques.

Traitement. Le traitement a pour but d'éliminer complètement l'agent causal par l'administration d'un antibiotique auquel il est sensible. On peut isoler cet agent causal par des hémocultures répétées. On administre généralement l'antibiotique par voie parentérale, en perfusion intraveineuse continue, pendant quatre à six semaines. Pour savoir si l'agent causal est suffisamment sensible à l'antibiotique utilisé, on détermine la concentration minimale inhibitrice de cet antibiotique. Une concentration minimale inhibitrice trop forte indique une résistance. La pénicilline est l'antibiotique le plus souvent utilisé pour le traitement des endocardites infectieuses. On suit l'évolution de l'antibiothérapie par des hémocultures périodiques. Si l'endocardite est d'origine fongique, on la traite généralement par l'amphotéricine B.

Pour savoir si le traitement est efficace, on doit prendre la température du patient à intervalles réguliers. Il faut se rappeler toutefois que l'antibiothérapie peut provoquer une réaction de fièvre. Les bactéries sont généralement détruites rapidement après le début d'une antibiothérapie, de sorte que le patient se sent beaucoup mieux et que son appétit revient à la normale. Il aura alors besoin d'un soutien psychologique pour accepter de rester au lit jusqu'à la fin du traitement même s'il lui semble être guéri.

Complications. L'endocardite infectieuse peut avoir d'importantes complications, même si l'antibiothérapie a été efficace. Elle peut par exemple entraîner une insuffisance cardiaque ou une ischémie cérébrale, qui sont susceptibles de survenir avant, pendant ou après le traitement. Elle provoque parfois un rétrécissement ou une régurgitation valvulaires, une érosion myocardique, un anévrisme mycosique et d'autres troubles cardiaques. Elle peut aussi causer des embolies, des réactions immunitaires ou des troubles circulatoires qui peuvent avoir des effets néfastes sur de nombreux organes vitaux.

Chirurgie valvulaire cardiaque. Il arrive que l'endocardite provoque des lésions valvulaires irréversibles. Or, heureusement, la chirurgie moderne permet le remplacement par des prothèses des valves gravement endommagées. On doit généralement procéder à un débridement et à un remplacement de valve chez les patients: (1) qui présentent une insuffisance cardiaque due à un mauvais fonctionnement de la valvule mitrale ou aortique non corrigé par les traitements médicaux; (2) qui ont fait plus d'une embolie grave; (3) dont l'infection est rebelle ou d'origine fongique. Il arrive qu'une endocardite se constitue sur une prothèse valvulaire (infection de la valvule prothétique), ce qui exige un second remplacement.

Prévention. L'endocardite infectieuse apparaît le plus souvent chez les personnes qui présentent des anomalies structurales du cœur et des grands vaisseaux, particulièrement un trouble valvulaire. Toute intervention susceptible de faire pénétrer des bactéries dans l'organisme peut entraîner une infection des valvules anormales. Les facteurs de risque sont: une prothèse valvulaire, y compris les bioprothèses et les homogreffes, des antécédents d'endocardite infectieuse, même sans troubles cardiaques, la plupart des malformations congénitales, une insuffisance valvulaire due au rhumatisme articulaire aigu ou à d'autres causes, même après remplacement, une myocardiopathie hypertrophique et un prolapsus valvulaire mitral avec régurgitation.

On recommande donc aux personnes qui présentent ces facteurs de risque de suivre une antibiothérapie préventive quand elles ont à subir l'une des interventions suivantes*:

Soins dentaires qui provoquent un saignement des gencives ou des muqueuses, y compris les nettoyages
Amygdalectomie et adénoïdectomie
Interventions chirurgicales qui touchent les muqueuses intestinale ou respiratoire
Bronchoscopie avec bronchoscope rigide
Sclérothérapie pour varices œsophagiennes
Dilatation de l'œsophage
Cholécystectomie
Cytoscopie
Dilatation urétrale
Pose d'une sonde urétrale s'il y a infection urinaire
Intervention chirurgicale touchant les voies urinaires s'il y a infection urinaire
Prostatectomie
Incision et drainage de tissus infectés
Hystérectomie vaginale
Accouchement par voie vaginale s'il y a infection

Myocardite

Physiopathologie. La myocardite aiguë est une atteinte inflammatoire du myocarde. Le cœur étant un muscle, son fonctionnement dépend de l'état de ses fibres. Des fibres musculaires en bon état permettent au cœur de fonctionner en dépit de troubles valvulaires graves; des fibres musculaires lésées compromettent dangereusement l'activité cardiaque.

La myocardite est due généralement à une infection d'origine virale, bactérienne, fongique ou parasitaire. Elle peut aussi être une réaction immunitaire du rhumatisme articulaire aigu. Par conséquent, elle peut apparaître chez les patients atteints d'une infection aiguë généralisée qui reçoivent des immunosuppresseurs ou qui souffrent d'une endocardite infectieuse.

Elle peut provoquer une dilatation du cœur, des thrombi muraux, une infiltration de cellules sanguines autour des vaisseaux coronaires et entre les fibres musculaires et une dégénérescence des fibres musculaires elles-mêmes.

Manifestations cliniques. La myocardite aiguë se manifeste par des symptômes qui varient selon la nature de l'infection et la gravité des lésions myocardiques. Ces symptômes sont de la fatigue, la dyspnée, des palpitations et une douleur précordiale. L'examen physique peut révéler une cardiomégalie, des bruits du cœur faibles, des bruits de galop et un souffle systolique. Si la myocardite se complique d'une péricardite, on perçoit un frottement péricardique. Parfois, le pouls est alternant (alternance régulière de battements faibles et de battements forts) (voir le chapitre 12). On observe souvent de la fièvre et une tachycardie. Dans certains cas, des symptômes d'insuffisance cardiaque peuvent apparaître. Le diagnostic est confirmé par une biopsie de l'endomyocarde.

Traitement. On doit d'abord traiter la cause de la myocardite si elle est connue. Si on sait par exemple qu'elle est consécutive à une infection à streptocoque hémolytique, on pratiquera une antibiothérapie. Le repos au lit est indiqué pour réduire le travail cardiaque, soit la fréquence cardiaque, le volume d'éjection systolique, la pression artérielle et la contractilité, de même que pour limiter les lésions et prévenir les complications. Le traitement de la myocardite comme telle est essentiellement le même que le traitement de l'insuffisance cardiaque (voir le chapitre 14). On doit prendre régulièrement la température et le pouls du patient et ausculter les bruits du cœur pour suivre l'évolution de la maladie et dépister l'insuffisance cardiaque. Si des arythmies se manifestent, on doit placer le patient dans une unité de soins intensifs et procéder à un monitorage cardiaque continu. Le cas échéant, on traite l'insuffisance cardiaque par l'administration d'un cardiotonique pour ralentir le rythme cardiaque et améliorer la contractilité.

- Les patients qui souffrent d'endocardite sont sensibles à la digitaline. L'infirmière doit donc les observer de près afin de déceler les signes de toxicité médicamenteuse (arythmies, anorexie, nausées, vomissements, céphalée, malaise).

Étant donné qu'il y a risque de thrombose veineuse ou murale, il faut faire porter au patient des bas élastiques et lui faire faire des exercices passifs et actifs.

Prévention. Pour réduire la fréquence des myocardites, on doit prévenir les maladies infectieuses par la vaccination et traiter rapidement les infections. La myocardite laisse généralement une hypertrophie du cœur. Le patient doit donc reprendre lentement ses activités physiques et faire part à son médecin de tout symptôme provoqué par l'activité physique, comme des palpitations. Il lui faut éviter les sports de compétition et la consommation d'alcool.

PÉRICARDITE

Définition et causes

La péricardite est une inflammation du péricarde, le sac fibroséreux qui enveloppe le cœur. Elle peut être idiopathique, ou consécutive à:

1. une infection:
   a) bactérienne (streptocoque, staphylocoque, méningocoque, gonocoque, etc.);
   b) virale (virus Coxsackie, virus grippal, etc.);
   c) fongique;
2. une maladie affectant le tissu conjonctif (lupus érythémateux, rhumatisme articulaire aigu, polyarthrite rhumatoïde, polyartérite);
3. une réaction de sensibilisation (réaction immunitaire, réaction allergique, maladie du sérum, etc.);
4. un problème cardiaque ou respiratoire (infarctus du myocarde, anévrisme disséquant, pneumonie ou pleurésie;
5. un cancer (mésothéliome, leucémie, cancer métastatique du poumon ou du sein);
6. la radiothérapie;
7. un traumatisme chirurgical (chirurgie thoracique ou cardiaque, cathétérisation, pose d'un stimulateur cardiaque [pacemaker]);
8. une maladie rénale (urémie);
9. la tuberculose.

* Recommandations à l'intention du personnel médical émises par le Committee on Rheumatic Fever, Endocarditis et Kawasaki Disease du Council on Cardiovascular Disease in the Young de l'American Heart Association, *JAMA*, déc. 1990, 12; 264(22):2919-2922

Manifestations cliniques

Le principal symptôme de la péricardite aiguë est la *douleur* avec fièvre, et son principal signe à l'examen physique est un *frottement péricardique*. La douleur est presque toujours présente et se situe le plus souvent dans la région précordiale. Elle peut irradier dans le cou, les muscles trapèzes et les épaules. Elle est aggravée par la mobilisation du thorax, la toux et les mouvements respiratoires, et elle est soulagée par la position assise ou penchée en avant. Parfois, l'accumulation de liquide péricardique peut provoquer une dyspnée et une diminution du débit cardiaque. Certains patients atteints de péricardite présentent de nombreux symptômes, d'autres ne présentent que de la fièvre et un frottement péricardique.

Examens diagnostiques

Le diagnostic est souvent posé sur la foi des signes et symptômes. Il peut être confirmé par l'ECG.

Traitement

Le traitement a pour objectif d'éliminer la cause de la péricardite (si on la connaît) et de prévenir la *tamponnade*, une compression brutale du cœur due à un épanchement péricardique rapidement constitué (voir le chapitre 15). Si le débit cardiaque est altéré, le repos complet s'impose jusqu'à ce que la fièvre, la douleur et le frottement péricardique aient disparus.

La mépéridine ou la morphine peuvent servir à soulager la douleur au cours de la phase aiguë. Si la péricardite est d'origine rhumatismale, les salicylates peuvent soulager la douleur et accélérer la réabsorption de l'épanchement. Les corticostéroïdes peuvent enrayer les symptômes, accélérer la résolution de l'inflammation et prévenir le retour de l'épanchement.

- On doit être à l'affût des symptômes de la tamponnade qui sont une baisse de la pression artérielle, une augmentation de la pression veineuse et des bruits du cœur faibles.

Si la péricardite est d'origine bactérienne, on doit administrer au patient un agent microbien spécifique. La péricardite consécutive au rhumatisme articulaire aigu répond souvent à la pénicilline. La chimiothérapie (différentes associations d'isoniazide, d'éthambutol, de rifampicine et de streptomycine) est utilisée si la péricardite est associée à la tuberculose; on utilise des corticostéroïdes si elle est consécutive à un lupus érythémateux disséminé. La péricardite d'origine fongique se traite à l'amphotéricine B.

Le patient peut reprendre graduellement ses activités dès que son état s'améliore, mais revenir au repos complet si la douleur, la fièvre ou le frottement péricardique réapparaissent.

DÉMARCHE DE SOINS INFIRMIERS

PATIENTS SOUFFRANT D'UNE PÉRICARDITE

▷ *Collecte des données*

La douleur est le principal symptôme de la péricardite. Pour évaluer cette douleur, l'infirmière doit tenter de déterminer si les mouvements respiratoires, la flexion, l'extension ou la rotation de la colonne et les mouvements du cou, les mouvements des épaules et des bras, de même que la toux ou la déglutition ont un effet sur elle. Le lien entre la douleur et ces facteurs servira à établir le diagnostic.

Le frottement péricardique est causé par une perte des propriétés lubrifiantes de la surface du péricarde due à une inflammation. Il est perçu à l'auscultation et coïncide avec les battements cardiaques. Il est caractéristique de la péricardite et doit être dépisté avec diligence.

- Pour percevoir le frottement péricardique, on appuie fermement le diaphragme du stéthoscope sur le thorax. Ce bruit se situe dans le quatrième espace intercostal au bord gauche du sternum. Il peut ressembler à un grincement ou à un crissement de cuir neuf. Il s'accentue à la fin de l'expiration et est plus facile à percevoir quand le patient est en position assise. Le frottement péricardique se distingue du frottement pleuropéricardique en ce qu'il n'est pas interrompu par l'arrêt de la respiration.

On doit prendre fréquemment la température du patient pour suivre l'évolution de la maladie.

▷ *Analyse et interprétation des données*

Selon les données recueillies, voici les principaux diagnostics infirmiers possibles:

- Altération de l'intégrité physique reliée à la douleur
- Risque de diminution du débit cardiaque relié à une baisse de la contractilité

▷ *Planification et exécution*

▷ ***Objectifs de soins*:** Soulagement de la douleur; augmentation ou maintien du débit cardiaque

▷ *Interventions infirmières*

▷ ***Soulagement de la douleur.*** Le repos complet est le meilleur moyen de soulager la douleur. Le patient est souvent plus à l'aise en position assise, penché vers l'avant. Il peut reprendre graduellement ses activités quotidiennes une fois que la douleur et le frottement péricardique ont disparu, mais revenir au repos complet si les symptômes réapparaissent.

S'il reçoit des médicaments, comme des analgésiques, des antibiotiques ou des corticostéroïdes, il faut vérifier comment il réagit à ces médicaments et noter ses réactions au dossier.

▷ ***Augmentation ou maintien du débit cardiaque.*** Si le traitement médical est inefficace, une accumulation de liquide, que l'on appelle *épanchement*, se constitue entre les feuillets viscéral et pariétal du péricarde ou dans le sac du péricarde (voir le chapitre 14). Ce liquide peut provoquer une constriction du myocarde et en diminuer la contractilité, ce qui entraîne une diminution du débit cardiaque. Une tamponnade cardiaque peut s'ensuivre et mettre la vie du patient en danger.

La tamponnade se manifeste par une baisse de la pression artérielle. Cette baisse ne touchant généralement que la pression systolique, la pression différentielle est abaissée. Les bruits du cœur sont d'abord faibles, puis deviennent imperceptibles. On observe aussi des signes d'augmentation de la pression veineuse centrale, comme une distension des veines du cou. Ces perturbations sont dues au fait que le sang qui est ramené au cœur depuis la périphérie ne peut être entièrement retourné dans la circulation.

Si l'infirmière observe des signes de tamponnade, elle doit immédiatement prévenir le médecin et préparer le matériel nécessaire à une péricardiocentèse (voir le chapitre 14). Elle doit rester au chevet du patient et continuer à évaluer et à noter ses signes et symptômes jusqu'à l'arrivée du médecin.

▷ *Évaluation*

Résultats escomptés

1. Le patient n'éprouve plus de douleur.
   a) Il peut s'adonner à ses activités quotidiennes.
   b) Sa température est revenue à la normale.
   c) Le frottement péricardique a disparu.
2. Le débit cardiaque est augmenté ou maintenu dans la normale.
   a) Sa pression artérielle est dans les limites de la normale.
   b) Les bruits du cœur sont d'intensité normale.
   c) La turgescence des veines du cou a disparu.

Péricardite constrictive chronique

La péricardite constrictive chronique se caractérise par un épaississement inflammatoire du péricarde provoquant une compression du cœur, dont la principale conséquence hémodynamique est une diminution du remplissage ventriculaire.

Souvent, le péricarde devient adhérant et calcifié. Il gêne alors grandement le mouvement du cœur, ce qui provoque de l'œdème, de l'ascite et une hépatomégalie. Parfois, un tirage thoracique accompagne chaque battement.

La péricardite constrictive chronique peut être associée à une infection chronique par des germes pyogènes, à la tuberculose ou à un hémopéricarde. Elle succède parfois à une infection virale.

Elle se manifeste par des signes et symptômes d'insuffisance cardiaque (voir le chapitre 14), et son symptôme le plus caractéristique est la dyspnée d'effort. Elle s'accompagne souvent de fibrillation auriculaire chronique.

Le seul traitement efficace de la péricardite chronique est l'excision du péricarde (péricardiotomie), afin de libérer les deux ventricules. (Voir le chapitre 15 pour les soins aux patients qui ont subi une chirurgie cardiaque.)

Résumé: La structure du cœur (voir le chapitre 12) le rend vulnérable aux réactions inflammatoires. L'inflammation peut provenir d'un microorganisme (endocardite infectieuse, par exemple), mais peut être d'origine auto-immunitaire (endocardite consécutive au rhumatisme articulaire aigu, par exemple).

Les cardites peuvent être le siège d'une formation de fibrine, de pus ou d'amas de plaquettes, puis à plus ou moins brève échéance, de tissu cicatriciel provoquant l'épaississement, le durcissement et la déformation de la structure affectée.

Le pronostic des cardites dépend de la gravité de l'atteinte du muscle cardiaque, et leurs symptômes diffèrent selon le côté du cœur qui est touché. On peut prévenir les cardites. L'infirmière qui possède une bonne connaissance de leurs causes et de leurs conséquences peut jouer un rôle important à cet égard par l'application de mesures de prévention et un enseignement approprié.

VALVULOPATHIES ACQUISES

Prolapsus valvulaire mitral

Physiopathologie. Le prolapsus valvulaire mitral est un syndrome résultant d'une anomalie de fonctionnement d'un ou de deux feuillets de la valvule mitrale provoquant une régurgitation. Il est la plupart du temps asymptomatique, mais peut à l'occasion évoluer rapidement vers une mort subite. Les récents progrès dans les méthodes diagnostiques facilitent son dépistage.

Manifestations cliniques. Souvent, on diagnostique ce syndrome au cours d'un examen physique, à cause de la présence d'un *clic systolique*. Il s'agit de l'un des premiers symptômes traduisant une insuffisance valvulaire avec perturbation du débit sanguin. Le clic peut se transformer en souffle avec l'aggravation de l'insuffisance valvulaire. Le souffle témoigne généralement d'une régurgitation mitrale provoquant des signes et des symptômes d'insuffisance cardiaque.

Traitement. Le traitement médical du prolapsus valvulaire mitral vise la correction des symptômes: arythmies et légère insuffisance cardiaque (voir le chapitre 14 pour de plus amples renseignements sur l'insuffisance cardiaque). Dans les cas graves, un remplacement valvulaire peut être nécessaire.

Les patients atteints de prolapsus valvulaire mitral doivent recevoir une antibiothérapie préventive avant toute intervention susceptible de faire pénétrer dans leur organisme des agents infectieux (soins dentaires, interventions touchant les voies génito-urinaires et gastro-intestinales, thérapie intraveineuse). En cas de doute, ils doivent consulter leur médecin.

Rétrécissement mitral

Physiopathologie. Il s'agit d'un rétrécissement de l'orifice mitral, dû à un épaississement et à une contraction des valves faisant obstacle à la circulation sanguine.

L'orifice mitral normal laisse passer trois doigts, tandis qu'un orifice gravement rétréci laisse à peiner passer un crayon. Le rétrécissement fait obstacle au flux de l'oreillette gauche vers le ventricule gauche, provoquant une dilatation de cette oreillette et une congestion de la circulation pulmonaire par flux rétrograde. Une insuffisance ventriculaire droite peut s'ensuivre à cause de la forte pression artérielle pulmonaire à laquelle ce ventricule doit s'opposer.

Manifestations cliniques. Les patients qui souffrent d'un rétrécissement mitral peuvent présenter une fatigue progressive due à la diminution du débit cardiaque, une hémoptysie et une dyspnée d'effort dus à l'hypertension veineuse pulmonaire, de la toux et des infections respiratoires à répétition.

La dilatation auriculaire peut provoquer une fibrillation auriculaire se manifestant par un pouls faible et irrégulier et une tachycardie auriculaire permanente.

Pour poser un diagnostic de rétrécissement mitral, le cardiologue dispose de l'électrocardiogramme, de l'échocardiographie et du cathétérisme cardiaque avec angiographie qui permet de déterminer l'importance du rétrécissement.

Traitement. Les cardiotoniques et les diurétiques servent à traiter l'insuffisance cardiaque provoquée par le rétrécissement mitral, et l'antibiothérapie sert à prévenir la récurrence des infections. Pour corriger le rétrécissement mitral,

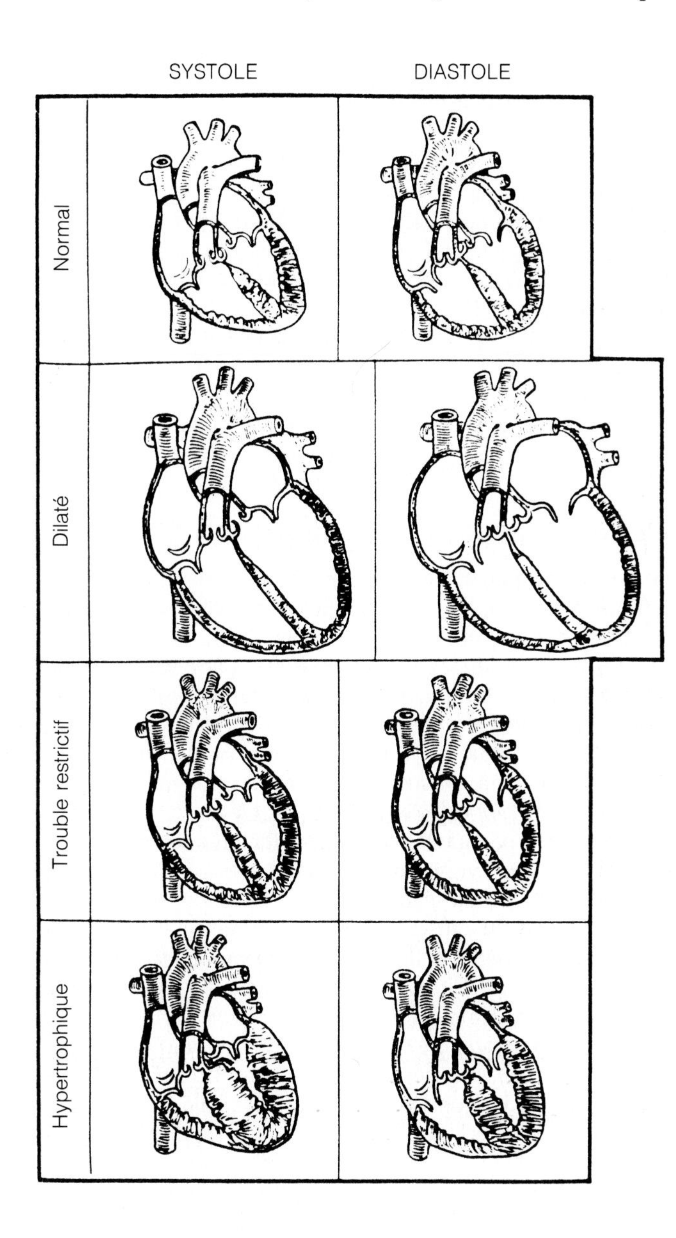

Figure 13-5. Types de cardiopathies
Source: M. M. Canablio. *Cardiovascular disorders*, Toronto, Mosby 1990.

on a recours à la commissurotomie (section des commissures de la valvule mitrale). Toutefois, si la valvule est trop calcifiée, un remplacement valvulaire s'impose (voir le chapitre 15). Dans les cas où l'opération est contre-indiquée et où le traitement médical est inefficace, la valvuloplastie transluminale percutanée peut apporter un certain soulagement des symptômes.

Insuffisance mitrale (régurgitation mitrale)

Physiopathologie. Il s'agit du flux rétrograde du ventricule gauche vers l'oreillette gauche dû à une fermeture incomplète des feuillets de la valvule mitrale, ce qui peut avoir pour cause un raccourcissement des feuillets eux-mêmes, mais aussi des piliers et des cordages tendineux. Chez environ 50 % des personnes atteintes, l'insuffisance mitrale est consécutive à une endocardite rhumatismale chronique. La restriction du mouvement valvulaire est plus importante que dans le rétrécissement mitral. Elle entraîne une dilatation de l'oreillette gauche et une accumulation excessive de sang dans les poumons, provoquant ce que l'on appelle une congestion pulmonaire, qui a pour effet d'augmenter le travail du ventricule droit. Par conséquent, une régurgitation mitrale, même faible, affecte toujours les deux poumons et le ventricule droit.

Manifestations cliniques. L'insuffisance mitrale se manifeste par des palpitations, de la dyspnée d'effort et une toux due à la congestion pulmonaire. Le pouls est parfois irrégulier à cause d'extrasystoles ou d'une fibrillation auriculaire, des complications qui peuvent devenir chroniques.

Traitement. On traite l'insuffisance mitrale de la même façon que l'insuffisance cardiaque. Dans certains cas, un remplacement valvulaire est nécessaire.

Rétrécissement aortique

Physiopathologie. Il s'agit du rétrécissement de l'orifice de la valvule aortique qui se trouve entre le ventricule gauche et l'aorte. Ce rétrécissement peut être congénital, ou consécutif à une endocardite rhumatismale ou à une calcification de la valve d'origine inconnue. Il se fait progressivement, sur plusieurs années ou plusieurs décennies. Il provoque une obstruction de la circulation sanguine que le ventricule gauche compense en se contractant plus lentement et avec plus de force, ce qui retarde de plusieurs années l'apparition de symptômes. La paroi du ventricule gauche s'épaissit à cause du travail supplémentaire imposé par le rétrécissement aortique, et le myocarde augmente de volume en réaction à l'obstruction. Toutefois, si l'obstruction s'aggrave au point que le myocarde ne peut plus suffire à la tâche, une insuffisance cardiaque se manifeste.

Manifestations cliniques. Le premier signe de rétrécissement aortique est la dyspnée d'effort, qui indique une défaillance des mécanismes de compensation du ventricule gauche avec congestion pulmonaire. On observe aussi des étourdissements et des évanouissements, qui traduisent une mauvaise irrigation du cerveau, et des crises d'angine de poitrine dues à l'augmentation des besoins en oxygène créée par le travail supplémentaire imposé au ventricule gauche et par l'hypertrophie du myocarde. La pression artérielle est généralement normale, mais elle est parfois abaissée. La pression différentielle est souvent à 30 mm Hg ou moins à cause de la diminution du débit sanguin.

L'auscultation peut révéler la présence d'un souffle systolique grave, rude et vibrant au niveau du foyer aortique. Il s'agit d'un souffle crescendo-decrescendo qui peut irradier dans les artères carotides et la pointe du ventricule gauche. Il peut être perçu sous la forme d'un frémissement quand on place la main à la base du cœur. C'est le plus intense des frémissements cardiaques et il rappelle le ronronnement du chat. Il est causé par la turbulence du flux sanguin qui traverse la valvule aortique rétrécie. L'ECG de 12 dérivations montre l'hypertrophie du ventricule gauche.

Pour déterminer avec précision la gravité du rétrécissement aortique, on doit avoir recours au cathétérisme du cœur gauche, qui permettra de connaître le gradient de pression transvalvulaire.

Traitement. Le seul traitement efficace du rétrécissement aortique est le remplacement de la valvule défectueuse. La correction chirurgicale évite au patient des risques de mort subite et d'insuffisance cardiaque réfractaire au traitement médical.

Insuffisance aortique (régurgitation aortique)

Physiopathologie. Il s'agit du flux rétrograde de l'aorte vers le ventricule gauche dû à la fermeture incomplète de la valvule aortique. Cette insuffisance valvulaire peut être consécutive à une endocardite, à une anomalie congénitale, à un anévrisme disséquant qui provoque une dilatation ou une rupture de la branche ascendante de l'aorte.

Elle affecte le ventricule gauche qui doit recevoir le volume de sang régurgité par l'aorte en plus du sang provenant des veines pulmonaires et de l'oreillette gauche. Le ventricule gauche se dilate pour recevoir le volume de sang supplémentaire et s'hypertrophie pour l'expulser avec une force plus grande que la normale, ce qui provoque une hausse de la pression systolique. Il s'ensuit une vasodilatation réflexe et une diminution de la résistance périphérique entraînant une importante baisse de la pression diastolique. La pression différentielle s'en trouve donc augmentée.

Manifestations cliniques. L'insuffisance aortique peut rester silencieuse pendant plusieurs années. Sa première manifestation est souvent une augmentation de la force du battement cardiaque. On peut observer dans la région précordiale et dans le cou des pulsations artérielles visibles à l'œil nu ou palpables, ce qui est dû à l'augmentation du volume de sang dans le ventricule gauche et de la force nécessaire pour éjecter ce volume supplémentaire. Par la suite, une dyspnée d'effort et une fatigabilité se manifestent. Une régurgitation de modérée à grave se traduit par des symptômes d'insuffisance cardiaque (orthopnée et dyspnée paroxystique nocturne).

Les patients atteints d'insuffisance aortique ont une pression différentielle considérablement augmentée, comme on l'a vu précédemment, et un pouls à montée et à descente rapide (pouls en marteau à eau) qui est très caractéristique de la maladie.

Les principaux outils de diagnostic de l'insuffisance aortique sont l'ECG, l'échocardiographie et le cathétérisme cardiaque.

Traitement. Le remplacement de la valvule aortique est le traitement de choix, mais le meilleur moment pour effectuer ce remplacement fait l'objet de controverse. On recommande ce traitement chirurgical chez tous les patients qui présentent une hypertrophie ventriculaire gauche, même en l'absence d'autres signes ou symptômes. Les patients qui présentent une insuffisance cardiaque doivent subir un traitement médicamenteux en attendant l'intervention chirurgicale. (Voir le chapitre 15 pour connaître les interventions à effectuer auprès des patients qui ont subi une chirurgie cardiaque.)

Résumé: Les valvules cardiaques ont pour fonction d'empêcher le reflux du sang vers les ventricules. Un mauvais fonctionnement de ces valvules dû à un rétrécissement ou à une obstruction permet ce reflux (insuffisance, régurgitation ou insuffisance valvulaires).

Les valvulopathies acquises sont souvent consécutives à une endocardite rhumatismale. La valvule la plus souvent touchée est la valvule mitrale, suivie de la valvule aortique, puis des valvules tricuspides et pulmonaires. Si le muscle cardiaque conserve sa force, le cœur peut compenser l'insuffisance valvulaire. Les mécanismes de compensation en cause sont notamment une modification de la fréquence et des caractéristiques des battements cardiaques, une hypertrophie du myocarde et une redistribution du débit sanguin dans l'organisme.

MYOCARDIOPATHIES

Définition, causes et physiopathologie

Le terme myopathie désigne une maladie des muscles et le terme myocardiopathie une maladie qui affecte la structure et le fonctionnement du muscle cardiaque.

Les myocardiopathies se caractérisent par différents signes physiologiques, cliniques et histopathologiques. Elles existent sous trois formes: congestive dilatée, hypertrophique et restrictive. Elles entraînent toujours une grave insuffisance cardiaque et leurs conséquences sont parfois fatales.

La *myocardiopathie congestive dilatée* est la forme la plus fréquente. Elle se caractérise par une dilatation et un amincissement des parois ventriculaires, une hypertrophie de l'oreillette gauche et une stase du sang dans le ventricule. L'examen microscopique du muscle cardiaque révèle une diminution de la fibre contractile. Cette forme évolue vers une insuffisance cardiaque globale et irréductible. L'alcoolisme est souvent la cause de cette forme de myocardiopathie.

La *myocardiopathie hypertrophique* est moins fréquente. Elle est souvent associée au rétrécissement aortique sous-valvulaire idiopathique. Elle provoque une réelle augmentation du poids du muscle cardiaque, et cette hypertrophie est généralement plus marquée au niveau du septum interventriculaire. Elle peut provoquer une obstruction du débit sanguin entre les oreillettes et les ventricules. On parle alors de myocardiopathie hypertrophique obstructive. La forme non obstructive de la maladie est souvent héréditaire.

La forme la plus rare de myocardiopathie est la *myocardiopathie restrictive*. Elle se caractérise par une rigidité des parois du ventricule (diminution de la compliance ventriculaire) qui en gêne le remplissage. Elle peut être associée à une amylose.

Toutes les formes de myocardiopathies évoluent vers une altération de la contractilité du myocarde. Elles entraînent graduellement une baisse du débit systolique accompagnée d'une stimulation du système nerveux sympathique menant à une augmentation de la résistance vasculaire générale. Comme dans tous les troubles qui aboutissent à une insuffisance cardiaque, on observe une hypertrophie de compensation du ventricule gauche, accompagnée généralement d'une insuffisance du ventricule droit.

Manifestations cliniques

Les myocardiopathies peuvent toucher des personnes de tous les âges, aussi bien des femmes que des hommes. Elles se manifestent presque toujours par des symptômes d'insuffisance cardiaque: dyspnée d'effort, dyspnée paroxystique nocturne, toux et fatigabilité. L'examen physique révèle habituellement une congestion veineuse, une distension des veines jugulaires, un œdème périphérique qui prend le godet, une hépatomégalie et de la tachycardie.

Examens diagnostiques

Le diagnostic se fonde généralement sur les antécédents du patient, une fois qu'on a éliminé les autres causes d'insuffisance cardiaque, comme l'infarctus du myocarde. L'examen diagnostique le plus utile est sans doute l'échocardiographie, parce qu'il permet d'observer le fonctionnement du ventricule gauche. L'ECG révèle des anomalies qui ressemblent à celles d'une hypertrophie du ventricule gauche. On utilise parfois le cathétérisme cardiaque pour s'assurer qu'il ne s'agit pas d'une coronaropathie.

Traitement

Le traitement médical vise à corriger l'insuffisance cardiaque. Il repose, en particulier, sur la pharmacothérapie (cardiotoniques, diurétiques, vasodilatateurs). Si l'insuffisance cardiaque ne répond pas au traitement médical, la greffe cardiaque est le seul espoir. Dans certains cas, on doit utiliser un dispositif d'assistance cardiaque temporaire (pacemaker) en attendant un donneur compatible (voir le chapitre 15).

▷ *DÉMARCHE DE SOINS INFIRMIERS*

PATIENTS SOUFFRANT D'UNE MYOCARDIOPATHIE

▷ *Collecte des données*

La collecte des données doit se composer d'un profil complet du patient incluant ses signes et symptômes. Étant donné la nature chronique de la maladie, il importe également de procéder à un bilan psychosocial. Il faut évaluer le plus tôt possible si le patient dispose d'un réseau de soutien familial, et faire participer la famille au traitement.

L'examen physique doit porter sur la recherche des signes et symptômes d'insuffisance cardiaque. Il est extrêmement important de procéder avec minutie à un bilan des ingesta et excreta, à la mesure des signes vitaux (y compris le calcul de la pression différentielle) et à une auscultation pour le dépistage de B_3. Le médecin peut vouloir que le patient soit placé sous moniteur cardiaque. Toutefois, le moniteur ne sera plus nécessaire lorsque le diagnostic sera posé si le patient ne présente pas d'arythmies. L'insuffisance cardiaque peut être assez grave pour exiger des soins intensifs.

▷ *Analyse et interprétation des données*

Selon les données recueillies, voici les principaux diagnostics infirmiers possibles:

- Risque d'œdème aigu du poumon relié à un trouble de la fonction myocardique
- Intolérance à l'activité et dyspnée reliées à un excès de volume liquidien et à la fatigue
- Anxiété reliée au processus morbide et à la peur de mourir
- Risque de non-observance du programme d'autosoins relié au manque de connaissances sur l'insuffisance cardiaque

▷ *Planification et exécution*

▷ *Objectifs de soins*: Absence de problèmes respiratoires; meilleure tolérance à l'activité; réduction de l'anxiété; observance du programme d'autosoins

▷ *Interventions infirmières*

▷ *Absence de problèmes respiratoires.* Plusieurs signes et symptômes de myocardiopathie sont corrigés par des médicaments. Il est essentiel d'administrer ces médicaments au moment opportun et de noter soigneusement toutes les réactions du patient. L'administration d'oxygène est indiquée pour favoriser les échanges gazeux.

Souvent, le patient est plus à l'aise en position assise. Cette position favorise l'accumulation de sang en périphérie, ce qui réduit la précharge. On doit aussi le garder au chaud et voir à ce qu'il change fréquemment de position pour stimuler sa circulation et réduire les risques d'atteinte à l'intégrité de la peau. Pour faciliter sa respiration, l'atmosphère doit être exempte de poussières, de charpies et d'odeurs comme celles des fleurs et des parfums.

▷ *Meilleure tolérance à l'activité.* L'infirmière doit planifier ses soins de façon à permettre au patient de participer souvent à des activités de courte durée. Le patient qui est capable d'atteindre un but, si modeste soit-il, en retire de la satisfaction. L'infirmière se doit de le féliciter pour les activités qu'il peut effectuer et l'encourager. Par exemple, elle peut le laisser effectuer seul la première partie de sa toilette, lui accorder ensuite une période de repos, puis l'aider à terminer sa toilette. En procédant de cette façon, elle lui permet d'utiliser judicieusement ses faibles réserves d'énergie. Les activités qui le fatiguent outre mesure sont à éviter.

▷ *Réduction de l'anxiété.* Le patient doit être informé de façon réaliste sur les signes et symptômes de sa maladie ainsi que sur ses conséquences. Il doit aussi recevoir l'aide nécessaire pour effectuer les activités qu'il ne peut accomplir seul. L'infirmière doit créer un climat qui l'incite à verbaliser ses craintes et lui assurer qu'elles sont légitimes, particulièrement s'il attend une greffe ou s'il fait face à la mort. Une aide spirituelle ou psychologique est parfois nécessaire au patient et à sa famille.

▷ *Observance du programme d'autosoins.* Le patient qui souffre d'une myocardiopathie doit apprendre certaines techniques d'autosoins qu'il devra pratiquer à la maison. S'il est candidat à une greffe, il doit éviter dans toute la mesure du possible que son état de santé général ne se détériore en se conformant rigoureusement à son programme thérapeutique. Ce programme comporte généralement la prise de médicaments destinés à prévenir l'insuffisance cardiaque.

L'infirmière peut aider le patient à faire en sorte que son programme thérapeutique perturbe le moins possible son mode de vie. Elle peut aussi l'aider à accepter sa maladie afin de réduire le risque de non-observance du programme.

Le patient qui souffre d'une maladie chronique débilitante a besoin de se sentir en confiance. Il a aussi besoin de garder espoir en attendant qu'une greffe soit possible. Quand il n'y a plus d'espoir, il faut l'aider à accepter la mort et permettre à sa famille d'exprimer sa douleur.

▷ *Évaluation*

Résultats escomptés

1. Le patient a un mode de respiration efficace.
   a) La fréquence respiratoire est dans les limites de la normale.
   b) Les gaz artériels sont dans les limites de la normale.
   c) Le patient dit que la dyspnée a diminué.
   d) Il utilise l'oxygène selon l'ordonnance.
2. Le patient tolère mieux l'activité.
   a) Il effectue seul les activités de la vie quotidienne, comme se laver les dents et s'alimenter.
   b) Il peut passer sans aide du fauteuil au lit.
   c) Il dit mieux tolérer l'activité.
3. Le patient se sent moins anxieux.
   a) Il parle librement du pronostic de sa maladie.
   b) Il exprime ses craintes et ses inquiétudes.
   c) Il fait partie d'un groupe de soutien s'il en a besoin.
4. Le patient se conforme à son programme d'autosoins.
   a) Il prend ses médicaments conformément aux ordonnances.
   b) Il modifie son mode de vie en tenant compte de ses limites.
   c) Il connaît les signes et symptômes dont il doit faire part à son médecin.

Résumé: Les myocardiopathies sont des maladies qui affectent la structure et la fonction du myocarde. On les classe en trois catégories selon leurs signes cliniques, physiologiques et histopathologiques. Elles ont pour conséquence une grave insuffisance cardiaque et peuvent être fatales.

Le traitement vise à stabiliser les symptômes associés à l'insuffisance cardiaque pour que le patient ait une meilleure qualité de vie. Dans certains cas, le traitement médical est impuissant et la greffe est le seul espoir de survie. On doit parfois avoir recours à des dispositifs d'assistance ventriculaire en attendant un donneur compatible.

L'infirmière peut faire beaucoup pour aider le patient et sa famille à garder espoir. Elle peut aussi favoriser son bien-être en s'assurant qu'il se conforme à son traitement.

Bibliographie

Ouvrages et brochures

Abels L. Critical Care Nursing. St Louis, CV Mosby, 1986.
Ahumada G. Cardiovascular Pathophysiology. New York, Oxford University Press, 1987.
An Older Person's Guide to Cardiovascular Health (pamphlet). American Heart Association, 1989.
Andreoli K et al. Comprehensive Cardiac Care. St Louis, CV Mosby, 1987.
Bates B. A Guide to Physical Examination. Philadelphia, JB Lippincott, 1991.
Brandenburg RO et al. Cardiology: Fundamentals and Practice. Chicago, Year Book Medical Publishers, 1987.
Braunwald E. Heart Disease: A Textbook of Cardiovascular Medicine. Philadelphia, WB Saunders, 1988.
Cheng T. The International Textbook of Cardiology. New York, Pergamon Press, 1986.
Chernow B. The Pharmacologic Approach to the Critically Ill Patient. Baltimore, Williams & Wilkins, 1988.
Cholesterol and Your Heart (pamphlet). American Heart Association, 1989.
Chung E. Principles of Cardiac Arrhythmias. Baltimore, Williams & Wilkins, 1989.
Chung EK. Manual of Acute Cardiac Disorders. Boston, Butterworths, 1988.
Coodley EL (ed). Geriatric Heart Disease, Littleton, MA, PSG Publishing, 1985.
Coronary Risk Factor Statement for the American Public (pamphlet). American Heart Association, 1987.
Dental Care for Adults With Heart Disease (pamphlet). American Heart Association, 1987.
Douglas MK and Shinn JA. Advances in Cardiovascular Nursing. Rockville, MD, Aspen Systems, 1985.
Eagle KA et al (eds). The Practice of Cardiology, Vols 1 and 2. Boston, Little, Brown, 1989.
Fozzard HA et al (eds). The Heart and Cardiovascular System. New York, Raven Press, 1986.
Harris R. Clinical Geriatric Cardiology. Philadelphia, JB Lippincott, 1986.
Heart Facts 1989 (pamphlet). American Heart Association, 1988.
Henning RJ and Grenvik A. Critical Care Cardiology. New York, Churchill Livingstone, 1989.
Hillis LD et al. Manual of Clinical Problems in Cardiology. Boston, Little, Brown, 1988.
Hojnacki LH and Halfman-Franey M. Handbook of Cardiac Rehabilitation for Nurses and Other Health Professionals. Englewood Cliffs, NJ, Prentice-Hall, 1985.
Holloway N. Nursing the Critically Ill Adult. Menlo Park, CA, Addison-Wesley, 1988.
Hunyor SN. Cardiovascular Drug Therapy. Baltimore, Williams & Wilkins, 1987.
Hurst JW (ed). The Heart. New York, McGraw-Hill, 1990.
Jillings CR. Cardiac Rehabilitation Nursing. Rockville, MD, Aspen, 1988.
Kern L. Cardiac Critical Care Nursing. Rockville, MD, Aspen, 1988.
Khan MG. Manual of Cardiac Drug Therapy. Philadelphia, WB Saunders, 1988.
King SB and Douglas SJ. Coronary Arteriography and Angioplasty. New York, McGraw-Hill, 1985.
Kinny M et al. AACN's Clinical Reference Manual. New York, McGraw-Hill, 1989.
Messerli FH. Cardiovascular Disease in the Elderly. Boston, Martinus Nijhoff, 1988.
Ornato JP. Cardiovascular Emergencies. New York, Churchill Livingstone, 1986.
Physician's Cholesterol Education Handbook (pamphlet). American Heart Association, 1988.
Price S and Wilson L. Pathophysiology—Clinical Concepts of Disease Process. New York, McGraw-Hill, 1986.
Sex and Heart Disease (pamphlet). American Heart Association, 1989.
Silber EN. Heart Disease. New York, Macmillan, 1987.
Smoking and Heart Disease (pamphlet). American Heart Association, 1989.
Sokolow M and McIlroy M. Clinical Cardiology. Los Altos, CA, Lange Medical Publications, 1986.
Suddarth DS. Lippincott Manual of Nursing Practice. Philadelphia, JB Lippincott, 1991.
Underhill SL et al. Cardiac Nursing. Philadelphia, JB Lippincott, 1989.
Understanding Angina (pamphlet). American Heart Association, 1989.
Warren JV and Lewis RP. Diagnostic Procedures in Cardiology. Chicago, Year Book Medical Publishers, 1985.
Wasserthel-Smoller S et al. Cardiovascular Health and Risk Management, Littleton, MA, PSG Publishing, 1989.
Webb WR and Kerstein MD. Cardiovascular Emergencies. Rockville, MD, Aspen, 1987.
Yee BH and Zorb SL. Cardiac Critical Care Nursing. Boston, Little, Brown, 1986.

Revues

Les articles de recherche en sciences infirmières sont marqués d'un astérisque.

Coronaropathies

Becker DM et al. Cholesterol: Interpreting the new guidelines. Am J Nurs 1989 Dec; 89(12): 1622-1625.
Becker DM and Wilder LB. Nutritional and pharmacologic approaches to hypercholesterolemia. Cardiovasc Nurs 1987 May/Jun; 23(3): 12-16.

Braddy PK. Cardiac assessment tool. Crit Care Nurs 1989 Oct; 9(9):71-81.

Brenner ZR. Nursing elderly cardiac clients. Crit Care Nurs 1987 Mar/Apr; 7(2): 78-87.

Cohen J. Reducing cholesterol: Strategies for increasing patient awareness. Crit Care Nurs 1989 Mar; 9(3): 25-35.

Stoy DB. Controlling cholesterol with diet. Am J Nurs 1989 Dec; 89(12): 1625-1628.

Stoy DB. Controlling cholesterol with drugs. Am J Nurs 1989 Dec; 89(12): 1628-1631.

Stoy DB. Helping patients take cholesterol lowering drugs. Am J Nurs 1989 Dec; 89(12): 1631-1635.

* Thomas SA and Friedman E. Type A behavior and cardiovascular response during verbalization in cardiac patients. Nurs Res 1990 Jan/Feb; 39(1): 48-53.

Angine

Amsterdam E. Unstable angina: Ischemic chest pain that mimics MI. Consultant 1988 Apr; 28(4): 127-130.

Enger EL et al. Mechanisms of myocardial ischemia. J Cardiovasc Nurs 1989 Aug; 3(4): 1-15.

Hayward JM. Living with angina. Prof Nurs 1988 Oct; 4(1): 33-36.

Klein DM. Angina: Pathophysiology and the resulting signs and symptoms. Nursing 1988 Jul; 18(7): 44-46.

Maseri A. Clinical syndromes of angina pectoris. Hosp Prac 1989 Mar 15; 24(3): 65-69.

Miller C. Medications in angina. Focus Crit Care 1988 Jul/Aug; 15(4): 23-29.

Parker JO. Pharmacologic treatment of angina: Nitrate tolerance. Hosp Prac 1988 Nov 15; 23(11): 63-71.

Sakallaris B. Laser therapy for cardiovascular disease. Heart Lung 1987 Oct; 16(5): 506-518.

Schakenbach L. Prinzmetal's angina; Current perceptions and treatment. Crit Care Nurs 1987 Mar/Apr; 7(2): 90-99.

Shapiro W. Calcium channel blockers: Update on uses in ischemic heart disease. Consultant 1989 Aug; 29(8): 132-136.

Thompson VL. Chest pain: Your response to a classic warning. RN 1989 Apr; 52(4): 32-38.

Infarctus du myocarde

Bauer W and Dracup K. Physiologic effects of back massage in patients with acute myocardial infarction. Focus Crit Care 1987 Nov; 14(6): 42-46.

Braun A. Drugs that dissolve clots. RN 1991 Jun; 54(6): 52-56.

Briones TL. Tissue-plasminogen activator: Nursing implications. Dimens Crit Care Nurs 1989 Jul/Aug; 8(4): 200-209.

* Cronin SN and Harrison B. Importance of nurse caring behaviors as perceived by patients after myocardial infarction. Heart Lung 1988 Aug; 17(4): 374-380.

Dillon J et al. Rapid initiation of thrombolytic therapy for acute MI. Crit Care Nurs 1989 Feb; 9(2): 55-61.

Finesilver C and Metzler DJ. Right ventricular infarction: The critically different MI. Am J Nurs 1991 Apr; 91(4): 32-36.

* Garding BS et al. Effectiveness of a program of information and support for myocardial infarction patients recovering at home. Heart Lung 1988 Jul/Aug; 17(4): 355-362.

Hilenberg C and Crowley C. Changes in family patterns after a myocardial infarction. Home Healthcare Nurs 1987 5(3): 26-32.

Kleven M. Comparison of thrombolytic agents: Mechanism of action, efficacy, and safety. Part 2. Heart Lung 1988 Nov/Dec; 17(6): 750-755.

Lewis V. Monitoring the patient with acute myocardial infarction. Nurs Clin North Am 1987 Mar; 22(1): 15-32.

Liddy Kg. Myocardial Infarction: Assessing the patient in the family setting. Home Healthcare Nurs 1989 7(3): 28-31.

Littrell K and Schumann LL. Promoting sleep for the patient with a myocardial infarction. Crit Care Nurs 1989 Mar; 9(3): 44-49.

Lowery BJ. Psychological stress, denial, and myocardial infarction. Image: Journal of Nursing Scholarship. 1991 Spring; 23(1): 51-55.

McGlashan R. Strategies for rebuilding self-esteem for the cardiac patient. Dimens Crit Care Nurs 1988 Jan/Feb; 7(1): 28-38.

Milligan KS. Tissue-type plasminogen activator: A new fibrinolytic agent. Heart Lung 1987 Jan/Feb; 16(1): 69-73.

Misinski M. Pathophysiology of acute myocardial infarction: A rationale for thrombolytic therapy. Part 2. Heart Lung 1988 Nov; 17(6): 743-750.

Moore HS. Preventing coronary artery reocclusion following t-PA. Crit Care Nurs 1990 Nov/Dec; 10(10): 52-58.

Mutnik A et al. Update on cardiac drugs: Inotropic and chronotropic agents. Nursing 1987 Oct; 17(10): 58-61.

Olson AR. What you should know about thrombolytic therapy. Nursing 1987 Dec; 17(12): 52-55.

* Raleigh E and Odtohan B. The effect of a cardiac teaching program on patient rehabilitation. Heart Lung 1987 May/Jun; 16(3): 311-317.

Rodriguez SW and Reed RL. Thrombolytic therapy for MI. Am J Nurs 1987 May; 87(5): 632-640.

Sipperly M. Expanding role of coronary angioplasty: Current implications, limitations and nursing considerations. Heart Lung 1989 Sep/Oct; 18(5): 507-513.

* Steele J and Ruzicki D. An evaluation of the effectiveness of cardiac teaching during hospitalization. Heart Lung 1987 May/Jun; 16(3): 306-310.

Vitello CJ. Thrombolytic therapy: Urokinase. J Cardiovasc Nurs 1987 Feb; 1(2): 59-64.

Cardites et valvulopathies

Bisno AL. Antimicrobial prophylaxis for infective endocarditis. Hosp Pract 1989 Mar 15; 24(3): 209-226.

Blaisdell MW et al. Percutaneous transluminal valvuloplasty. Crit Care Nurs 1989 Mar; 9(3): 62-68.

Grady K. Myocarditis: Review of a clinical enigma. Heart Lung 1989 Jul/Aug; 18(4): 347-353.

Mauie TJ. Infective endocarditis: A serious and changing disease. Crit Care Nurs 1987 Mar/Apr; 7(2): 31-46.

Ohler L et al. Aortic valvuloplasty: Medical and critical care nursing perspectives. Focus Crit Care 1989 Jul/Aug; 16(4): 275-287.

Owens-Jones S and Hopp L. Viral myocarditis. Focus Crit Care 1988 Jan/Feb; 15(1): 25-37.

Russell AC and Blake SM. Aortic valvuloplasty: Potential nursing diagnoses. Dimens Crit Care Nurs 1989 Mar/Apr; 8(2): 72-82.

Schactman M. A case study of atrial fibrillation and mitral stenosis. Focus Crit Care 1987 May; 14(3): 13-20.

Scrima D. Infective endocarditis: Nursing considerations. Crit Care Nurs 1987 Mar/Apr; 7(2): 47-56.

Serwer G. Acute rheumatic fever. Hosp Med 1989 Jan; 25(1): 25-42.

Utz S and Grass S. Mitral valve prolapse: Self-care needs, nursing diagnoses and interventions. Heart Lung 1987 Jan/Feb; 16(1): 77-83.

Myocardiopathies

Casey P. Pathophysiology of dilated cardiomyopathy: Nursing implications. J Cardiovasc Nurs 1987 Nov; 2(1): 1-12.

Courtney-Jenkins A. The patient with hypertrophic cardiomyopathy. J Cardiovasc Nurs 1987 Nov; 2(1): 33-47.

Cragin P. Peripartum cardiomyopathy. Focus Crit Care 1988 Nov/Dec; 15(6): 39-44.

Geary CB. The patient with viral cardiomyopathy. J Cardiovasc Nurs 1987 Nov; 2(1): 48-52.

McHugh M. The patient with alcoholic cardiomyopathy. J Cardiovasc Nurs 1987 Nov; 2(1): 13-23.

Miracle V. Idiopathic hypertrophic subaortic stenosis. Crit Care Nurs 1988 Mar; 8(3): 102-111.

Purcell JA and Holder CK. Cardiomyopathy. Am J Nurs 1989 Jan; 89(1): 57-75.

Information/Ressources

Organismes gouvernementaux et paragouvernementaux

Conseil canadien des infirmières (iers)
en nursing cardiovasculaire (CCINC)
160 rue George, bureau 200
Ottawa (Ontario)
K1N 9M2
Tél.: (613) 237-4361
Fax: (613) 234-3278

National Heart, Lung, and Blood Institute
National Institutes of Health Building 31, Room 5A52, Bethesda, MD 20892

Organismes privés

American Heart Association
7220 Greenville Ave, Dallas, TX 75231

Coronary Club
3659 Green Rd, Cleveland, OH 44122

Heartlife
PO Box 54305, Atlanta, GA 30308

14

INTERVENTIONS AUPRÈS DES PATIENTS QUI PRÉSENTENT DES COMPLICATIONS DE PROBLÈMES CARDIAQUES

SOMMAIRE

OBJECTIFS D'APPRENTISSAGE

Après avoir étudié ce chapitre, vous devriez être en mesure de réaliser ce qui suit:

1. *Interpréter un tracé électrocardiographique: fréquence cardiaque, présence ou absence d'onde P, d'intervalle PR, d'intervalle QRS, présence ou absence d'arythmies, origine des arythmies.*
2. *Appliquer la démarche de soins infirmiers pour intervenir auprès des patients présentant des arythmies.*
3. *Comparer les différents types de stimulateurs cardiaques en ce qui a trait à leur utilisation ainsi qu'aux interventions infirmières et aux complications qui s'y rapportent.*
4. *Appliquer la démarche de soins infirmiers pour intervenir auprès des patients portant un stimulateur cardiaque.*
5. *Faire la comparaison entre les soins à prodiguer au patient présentant une insuffisance cardiaque et les soins à prodiguer au patient présentant un oedème aigu du poumon.*
6. *Appliquer la démarche de soins infirmiers pour intervenir auprès des patients présentant une insuffisance cardiaque.*
7. *Faire la démonstration de la technique de réanimation cardiorespiratoire.*

COMPLICATIONS DES PROBLÈMES CARDIAQUES

Les complications des problèmes cardiaques sont la cause de nombreux décès. Les plus fréquents sont les arythmies, l'oedème aigu du poumon, l'insuffisance cardiaque, le choc cardiogénique, les thrombo-embolies et la rupture myocardique. Le dépistage rapide de ces complications est donc l'un des plus importants objectifs des soins médicaux et infirmiers.

Les arythmies sont les complications les plus fréquentes des problèmes cardiaques. Les plus bénignes d'entre elles (les extrasystoles isolées, par exemple) ont peu de conséquences, mais les plus graves (comme la fibrillation ventriculaire) peuvent être fatales. Mais on dispose maintenant d'unités de soins intensifs mobiles, de nouveaux traitements médicamenteux, de stimulateurs cardiaques de plus en plus perfectionnés et de défibrillateurs internes qui permettent de réduire les arythmies graves.

L'insuffisance cardiaque, qui entraîne des complications allant de l'œdème pulmonaire au choc cardiogénique, est la plus importante cause de morbidité et de mortalité chez les cardiaques. La gravité de l'insuffisance cardiaque est directement proportionnelle à l'étendue des lésions myocardiques.

Les thrombo-embolies peuvent affecter les artères cérébrales, rénales, fémorales, mésentériques et pulmonaires. Elles sont toutefois moins fréquentes de nos jours parce que les patients cardiaques sont soumis à des programmes d'activité postopératoires bien structurés.

La rupture myocardique est relativement rare, mais suffisamment fréquente pour qu'il soit important de vérifier si les patients à risque élevé en présentent les signes et symptômes.

Toutes les complications des problèmes cardiaques peuvent provoquer un arrêt cardiaque, ce qui exige une réanimation cardiorespiratoire. Il est donc essentiel que tous les professionnels de la santé soient capables de la pratiquer.

Pour réduire la fréquence et la gravité des complications des problèmes cardiaques, l'infirmière doit être en mesure d'en dépister rapidement les principaux signes et symptômes.

ARYTHMIES

Les arythmies affectent la fréquence ou le rythme cardiaque, ou les deux. Elles sont dues à une perturbation du système de conduction, et non à un trouble de la structure du cœur. On les dépiste au moyen de l'ECG, et on les désigne d'après leur origine (nœud SA, oreillettes, nœud et jonction auriculoventriculaires [AV] ventricules), et le mécanisme de conduction en cause (voir l'encadré 14-1). Par exemple, on appelle bradycardie sinusale l'arythmie qui provient du nœud SA et se caractérise par un ralentissement de l'activité du sinus.

Propriétés du myocarde

Le myocarde est doté de quatre propriétés physiologiques: l'excitabilité, l'automaticité, la conductivité et la contractilité.

L'*excitabilité* est la capacité du myocarde de répondre à un stimulus et l'*automaticité* est la propriété qui permet à la cellule d'atteindre un seuil de potentiel et de créer une impulsion sans stimulation externe. La *conductivité* est la capacité de déplacer une impulsion d'une cellule à une autre, tandis que la *contractilité* permet au muscle de réduire sa longueur quand il est stimulé.

Si toutes ces propriétés sont intactes, le muscle cardiaque est stimulé par des impulsions provenant du nœud SA que l'on appelle pour cette raison *stimulateur cardiaque* (le terme anglais *pacemaker* est d'usage courant en français). Par contre, une perturbation de l'une ou l'autre de ces propriétés peut provoquer une arythmie. Ces perturbations peuvent avoir pour cause une activité normale, comme l'exercice, ou une maladie comme l'infarctus du myocarde. Dans l'infarctus du myocarde, la diminution de l'oxygénation et de la perfusion tissulaire peut accroître l'excitabilité, de sorte que le myocarde est plus sensible aux stimuli. C'est là une des causes les plus fréquentes d'arythmies.

Voie de conduction normale. Les impulsions sont émises par le nœud SA et dirigées dans les oreillettes vers le nœud ou la jonction AV, qui comprend le faisceau de His. Elles sont alors ralenties pour permettre aux ventricules de se remplir de sang, puis dirigées très rapidement dans les branches du faisceau de His vers le réseau de Purkinje pour déclencher la systole. Il importe de se rappeler que chaque stimulus électrique est suivi d'un temps de la révolution cardiaque (voir le chapitre 27).

Système nerveux autonome. Le muscle cardiaque est commandé par le système nerveux autonome, qui se compose des systèmes sympathique et parasympathique. Le système *sympathique* est aussi appelé *adrénergique*, qui signifie «agissant par libération d'adrénaline». Par conséquent, la stimulation du système sympathique provoque une accélération de la fréquence cardiaque, une hausse de la pression artérielle et une augmentation de la contractilité du myocarde. A l'inverse, la stimulation du système *parasympathique* ralentit la fréquence cardiaque, fait baisser la pression artérielle et réduit la contractilité.

Un grand nombre des médicaments utilisés dans le traitement des arythmies (comme les inhibiteurs bêta-adrénergiques) agissent sur le système nerveux autonome.

ARYTHMIES PROVENANT DU NŒUD SINOAURICULAIRE (SA)

Bradycardie sinusale

La bradycardie sinusale peut être due à une hypertonie vagale, aux effets toxiques de la digitaline, à une hypertension intracrânienne ou à un infarctus du myocarde. On l'observe également chez les athlètes de haut calibre. Elle peut être associée à une douleur intense, à la prise de certains médicaments (propanolol, réserpine, méthyldopa), à une insuffisance de sécrétion hormonale (myxoedème, maladie d'Addison,

Encadré 14-1
Origines des arythmies cardiaques

Origine	***Mécanismes de conduction***
Nœud SA	Bradycardie
Oreillettes	Tachycardie
Nœud ou jonction AV	Flutter
Ventricules	Fibrillation
	Extrasystoles
	Blocs

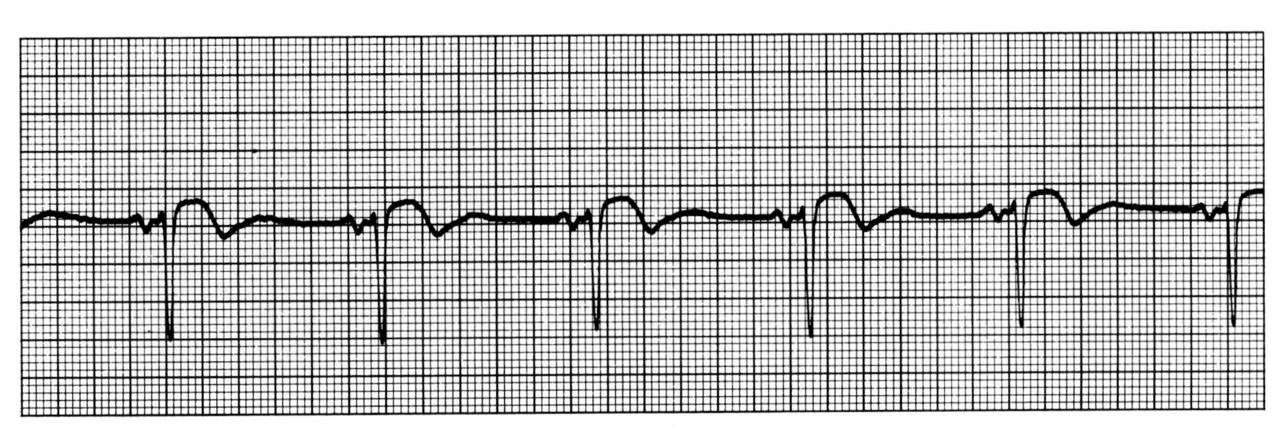

Figure 14-1. Bradycardie sinusale

panhypopituitarisme), à l'anorexie mentale, à l'hypothermie ou à des lésions chirurgicales au nœud SA.

Elle présente les caractéristiques suivantes (voir figure 14-1):

Fréquence: 40 à 60 battements par minute
Onde P: Précède chaque complexe QRS; intervalle PR normal
Complexe QRS: Habituellement normal, mais plus lent
Conduction: Habituellement normale
Rythme: Régulier

On constate donc que la bradycardie sinusale se caractérise essentiellement par un ralentissement de la fréquence cardiaque. On doit traiter ce ralentissement s'il provoque d'importants changements hémodynamiques entraînant des syncopes, de l'angine ou des extrasystoles. S'il est dû à une hypertonie vagale associée à des troubles digestifs, le traitement doit viser à faire disparaître les troubles digestifs. S'il est causé par les effets toxiques de la digitaline, le patient doit cesser de prendre ce médicament. L'atropine (minimum 0,6 mg) est le médicament le plus utilisé dans le traitement de la bradycardie sinusale, car elle a pour effet de bloquer l'hypertonie vagale, ce qui rétablit le rythme sinusal.

Tachycardie sinusale

La tachycardie sinusale peut avoir de nombreuses causes: fièvre, hémorragie, anémie, choc, exercice, insuffisance cardiaque globale, douleur, trouble provoquant une accélération du métabolisme, anxiété, médicaments sympathomimétiques ou parasympatholytiques. Cette arythmie présente les caractéristiques suivantes (figure 14-2):

Fréquence: 100 à 180 battements par minute
Onde P: Précède chaque complexe QRS; peut chevaucher l'onde T précédente; intervalle PR normal
Complexe QRS: Habituellement normal, mais rapide
Conduction: Habituellement normale
Rythme: Régulier

On voit donc que ces caractéristiques correspondent à celles du rythme sinusal normal, sauf pour ce qui est de l'accélération de la fréquence cardiaque.

Pour ralentir temporairement la fréquence cardiaque, on peut pratiquer le massage du sinus carotidien, un côté à la fois, ce qui contribuera en outre à s'assurer qu'il n'y ait pas d'autres arythmies. L'accélération de la fréquence cardiaque provoque une diminution du temps de remplissage diastolique et, par conséquent, du débit cardiaque, ce qui entraîne des syncopes, des évanouissements et une baisse de la pression artérielle. Un œdème aigu du poumon peut se constituer si cette accélération se prolonge et que le cœur est incapable de compenser la diminution du remplissage ventriculaire.

Le traitement de la tachycardie sinusale vise généralement à en éliminer la cause. S'il est nécessaire de faire baisser rapidement la fréquence cardiaque, on peut administrer du propanolol (Indéral), qui a pour effet de bloquer les fibres adrénergiques.

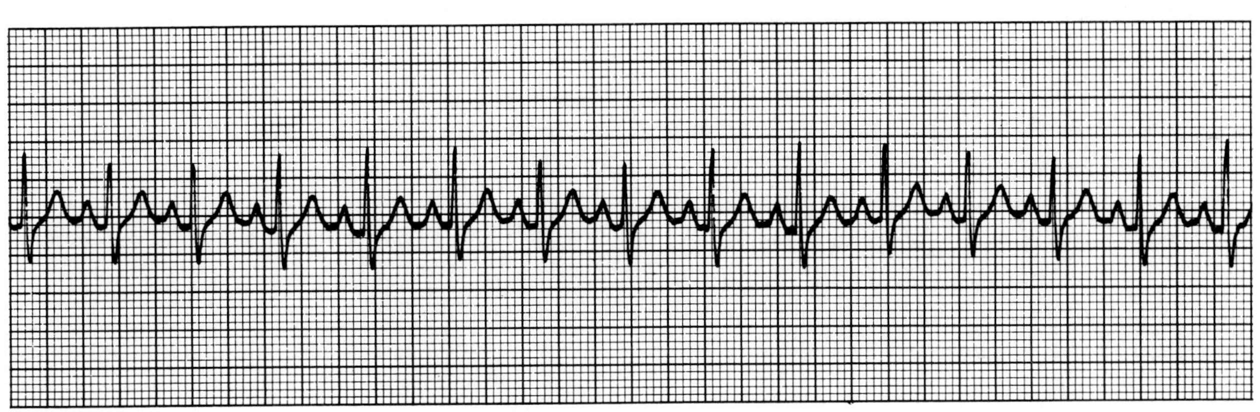

Figure 14-2. Tachycardie sinusale

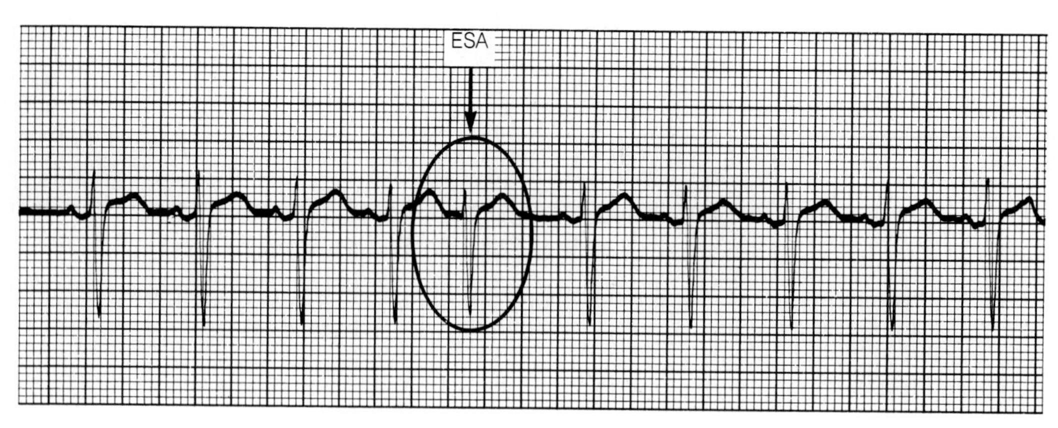

Figure 14-3. Extrasystole auriculaire

ARYTHMIES PROVENANT DES OREILLETTES

Extrasystoles auriculaires

Les extrasystoles auriculaires peuvent avoir pour cause une hyperexcitabilité du muscle auriculaire due à la caféine, à l'alcool ou à la nicotine, à un étirement du myocarde auriculaire, comme dans l'insuffisance cardiaque globale, au stress ou à l'anxiété, à l'hypokaliémie, à une ischémie, à des lésions ou à un infarctus du myocarde ou à un trouble provoquant une accélération du métabolisme.

Elles présentent les caractéristiques suivantes (voir figure 14-3):

Fréquence: 60 à 100 battements par minute
Onde P: Elle est prématurée et sa forme est généralement différente de celle de l'onde P qui provient du nœud SA, puisqu'elle est émise par un foyer d'excitation dans les oreillettes. L'intervalle PR peut aussi différer de l'intervalle PR des impulsions provenant du nœud SA.
Complexe QRS: Peut être normal, anormal ou absent. Si la repolarisation des ventricules est complète, ceux-ci peuvent réagir au stimulus prématuré provenant des oreillettes.
Conduction: Habituellement normale
Rythme: Régulier, sauf au moment de l'extrasystole. À l'ECG, cela se manifeste par la prématurité de l'onde P avec repos non exactement compensateur (temps entre le complexe QRS précédent et le complexe QRS suivant inférieur au temps entre deux intervalles RR).

Les extrasystoles auriculaires sont fréquentes chez les personnes dont le cœur est normal. Ces personnes diront parfois que leur cœur a «sauté un battement». Dans certains cas, on note un pouls déficitaire, soit une différence entre le pouls apexien et le pouls radial. On ne traite généralement pas les extrasystoles isolées. Toutefois, si elles dépassent six par minute ou surviennent au cours de la repolarisation auriculaire, elles peuvent annoncer une fibrillation auriculaire. Le traitement vise à éliminer la cause.

Tachycardie auriculaire paroxystique

La tachycardie auriculaire paroxystique apparaît et disparaît rapidement. Elle peut être déclenchée par les émotions, le tabac, la caféine, la fatigue, les médicaments sympathomimétiques ou l'alcool. Elle n'est généralement pas associée à un problème cardiaque fonctionnel. La fréquence rapide peut provoquer une crise d'angine due à une diminution du remplissage de l'artère coronaire ou une insuffisance cardiaque due à une baisse du débit cardiaque. Souvent, le patient ne peut tolérer ce rythme très longtemps.

La tachycardie auriculaire paroxystique présente les caractéristiques suivantes (figure 14-4):

Fréquence: 150 à 250 battements par minute
Onde P: Prématurée et déformée; peut chevaucher l'onde T précédente. L'intervalle PR est court (moins de 0,12 secondes)
Complexe QRS: Habituellement normal, mais peut être anormal si la conduction est anormale
Conduction: Habituellement normale
Rythme: Régulier

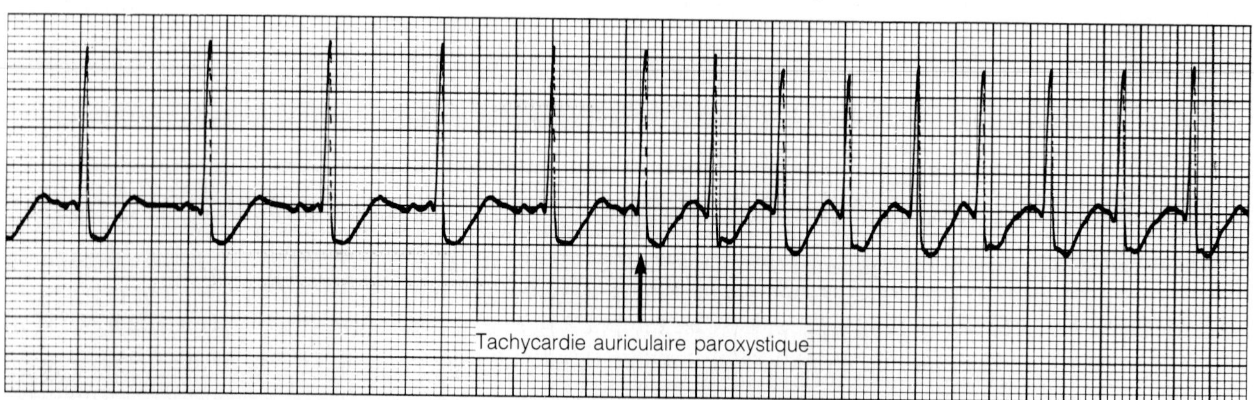

Figure 14-4. Tachycardie auriculaire paroxystique

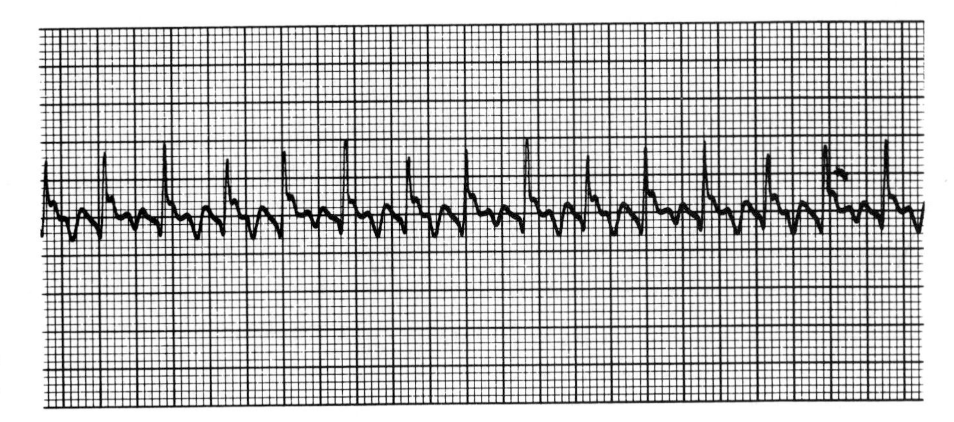

Figure 14-5. Flutter auriculaire
(Source: D. S. Suddhart, *Lippincott Manual of Nursing Practice,* 5e édition, Philadephia, J. B. Lippincott, 1991)

Il est possible qu'une crise de tachycardie auriculaire paroxystique passe inaperçue. Le traitement vise généralement à éliminer la cause et à ralentir la fréquence cardiaque. Le massage du sinus carotidien, un côté à la fois, peut aussi ralentir la fréquence cardiaque et faire céder la crise, mais il est souvent plus efficace après l'administration de digitaline. On peut aussi utiliser un vasopresseur, car il provoque une hausse de la pression artérielle par un effet réflexe sur le sinus carotidien, ou de la digitaline à action rapide. Si celle-ci n'a pas les effets escomptés, on peut utiliser du propanolol. La quinidine est parfois efficace, de même que le vérapamil (Isoptin), un inhibiteur calcique. Si le patient ne supporte pas la fréquence rapide, on doit avoir recours à la cardioversion.

Flutter auriculaire

Le flutter auriculaire se produit quand un foyer ectopique auriculaire décharge à la fréquence de 250 à 350 par minute, entraînant une succession rapide de dépolarisations auriculaires.

Comme il n'existe qu'un foyer ectopique qui décharge, chaque onde P est identique aux autres. Les dépolarisations auriculaires prennent naissance de façon ectopique: il ne s'agit donc pas d'ondes P véritables, et on les appelle pour cette raison ondes de flutter. Une importante caractéristique de cette arythmie est la constitution d'un bloc qui prévient la transmission de certaines impulsions. La conduction est par ailleurs normale, de sorte que le complexe QRS n'est pas affecté. Ce bloc ralentit la conduction AV au rythme de 2:1, (2 ondes P pour 1 QRS) 4:1 et, moins souvent, de 3:1 ou 5:1. C'est seulement par hasard que le stimulus auriculaire va stimuler le nœud AV. Il se produit donc une petite série d'ondes P avant que le complexe QRS apparaisse. En l'absence de ce bloc, la conduction 1:1 d'impulsions auriculaires à une fréquence de 250 à 400 battements par minute peut entraîner une fibrillation ventriculaire pouvant s'avérer fatale.

Le flutter auriculaire présente les caractéristiques suivantes (figure 14-5):

Fréquence: Fréquence auriculaire entre 250 et 350 battements par minute
Rythme: Régulier ou irrégulier selon le degré de bloc AV (2:1, 3:1, ou un mélange)
Onde P: Absente; le tracé ECG peut avoir un aspect en dents de scie à cause de l'excitation rapide du foyer auriculaire anormal. On appelle ondes de flutter ou ondes F les ondes ainsi produites
Complexe QRS: Forme normale et temps de conduction normal
Onde T: Présente, mais peut être masquée par l'onde de flutter.

On traite généralement le flutter auriculaire par l'administration de digitaline, qui a pour effet de ralentir la conduction AV et, par conséquent, la fréquence cardiaque. On peut aussi administrer de la quinidine pour supprimer le foyer auriculaire ectopique. L'association digitaline et quinidine convertit habituellement le flutter en rythme sinusal. Les inhibiteurs calciques et les inhibiteurs bêta-adrénergiques peuvent aussi être efficaces.

Si le traitement médicamenteux ne donne pas les résultats escomptés, on peut avoir recours à la cardioversion.

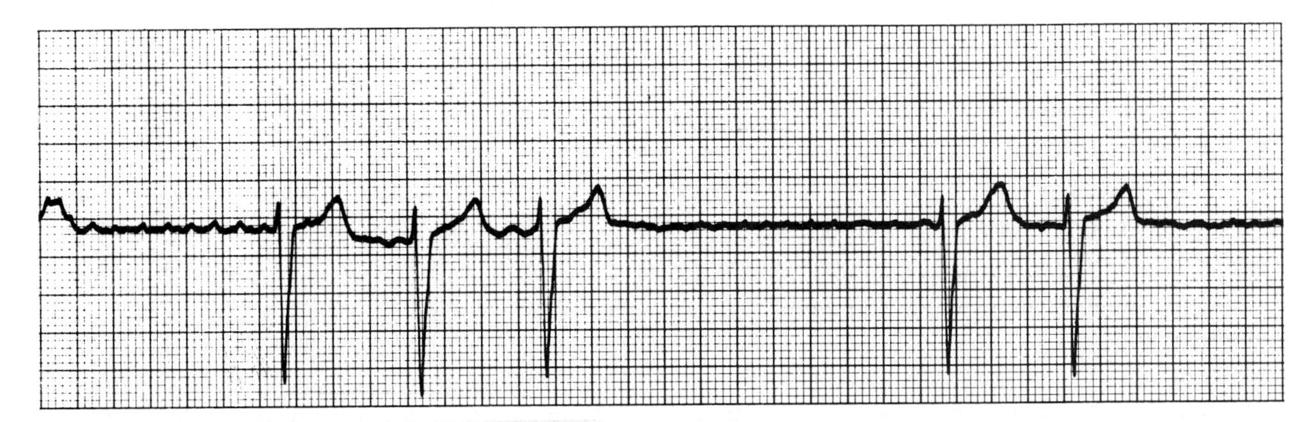

Figure 14-6. Fibrillation auriculaire

Fibrillation auriculaire

La fibrillation auriculaire est due à de nombreux foyers auriculaires ectopiques déchargeant à des fréquences différentes, ce qui entraîne un rythme auriculaire chaotique et irrégulier. Elle est habituellement associée aux coronaropathies, aux valvulopathies, à l'insuffisance cardiaque globale, à la thyrotoxicose, au cœur pulmonaire et aux cardiopathies congénitales.

Elle présente les caractéristiques suivantes (figure 14-6):

Fréquence: Fréquence auriculaire de 350 à 600 battements par minute; réponse ventriculaire de 120 à 200 battements par minute

Onde P: Absente; présence d'ondulations irrégulières appelée ondes de fibrillation ou ondes f; l'intervalle PR ne peut être mesuré

Complexe QRS: Habituellement normal

Conduction: Habituellement normale dans les ventricules. Se caractérise par une réponse ventriculaire irrégulière; le rythme est toujours totalement irrégulier, puisque ce n'est qu'au hasard que les impulsions atteignent le nœud AV pour déclencher un complexe QRS.

Rythme: Irrégulier et habituellement rapide

Une réponse ventriculaire rapide réduit le temps de remplissage ventriculaire et, par conséquent, le débit systolique. On observe également une baisse de la stimulation auriculaire (atrial kick), qui représente entre 25 et 30 % du débit cardiaque. Il s'ensuit souvent une insuffisance cardiaque globale. On observe habituellement un pouls déficitaire, soit une différence entre le pouls apexien et le pouls radial.

Le traitement vise principalement à réduire l'excitabilité auriculaire et à ralentir la réponse ventriculaire. Chez les patients qui présentent une fibrillation auriculaire chronique, l'administration d'un anticoagulant peut prévenir la formation de caillots dans les oreillettes.

Certains patients présentent un mélange de flutter et de fibrillation auriculaires que l'on appelle fibrillation auriculaire à ondulations amples ou fibrilloflutter. Ce type d'arythmie est classé dans les fibrillations auriculaires parce que les caractéristiques du flutter ne sont pas toutes présentes.

Le traitement de la fibrillation auriculaire est semblable à celui de la tachycardie ventriculaire paroxystique, soit l'utilisation de digitaline pour ralentir la fréquence cardiaque et d'un antiarythmique comme la quinidine pour rétablir le rythme sinusal.

Arythmies provenant des ventricules

Extrasystoles ventriculaires

Les extrasystoles ventriculaires sont dues à l'augmentation de l'automaticité des cellules du myocarde. Elles peuvent avoir de nombreuses causes: intoxication à la digitaline, hypoxie, hypokaliémie, fièvre, acidose, exercice, augmentation du taux de catécholamines circulantes.

Les extrasystoles ventriculaires isolées ne sont pas graves en soi et ne provoquent généralement qu'une sensation de palpitation. Elles peuvent toutefois entraîner des arythmies plus graves.

Chez les patients ayant un infarctus du myocarde, on considère que les extrasystoles ventriculaires sont des signes avant-coureurs de tachycardie ventriculaire et de fibrillation ventriculaire quand (1) leur fréquence est supérieure à 6 par minute, (2) elles sont polymorphes ou multifocales, (3) elles surviennent en paires (salves de 2) ou en triplés (salves de 3) et, (4) elles surviennent dans la période vulnérable de la conduction, soit celle qui correspond à l'onde T. C'est la période au cours de laquelle le cœur est le plus sensible aux battements prématurés.

Les extrasystoles ventriculaires présentent les caractéristiques suivantes (figure 14-7):

Fréquence: 60 à 100 battements par minute

Onde P: Absente, car l'impulsion provient des ventricules

Complexe QRS: Large et de forme anormale; sa durée est habituellement de plus de 0,10 seconde. Peut provenir d'un seul foyer ou de multiples foyers ectopiques; dans ce dernier cas, elles sont de forme variable

Conduction: Parfois rétrograde dans le tissu jonctionnel et les oreillettes

Rythme: Irrégulier au moment de l'extrasystole

Pour réduire l'excitabilité du myocarde, on doit d'abord en établir la cause et l'éliminer si possible. Pour traiter directement les extrasystoles ventriculaires, on peut utiliser des antiarythmiques. Dans les cas aigus, on administre généralement de la lidocaïne. La procaïnamide (Pronestyl) ou la quinidine peuvent être efficaces pour le traitement à long terme.

Bigéminisme ventriculaire

Le bigéminisme ventriculaire est fréquemment associé à une surdose de digitaline, aux coronaropathies et à l'insuffisance

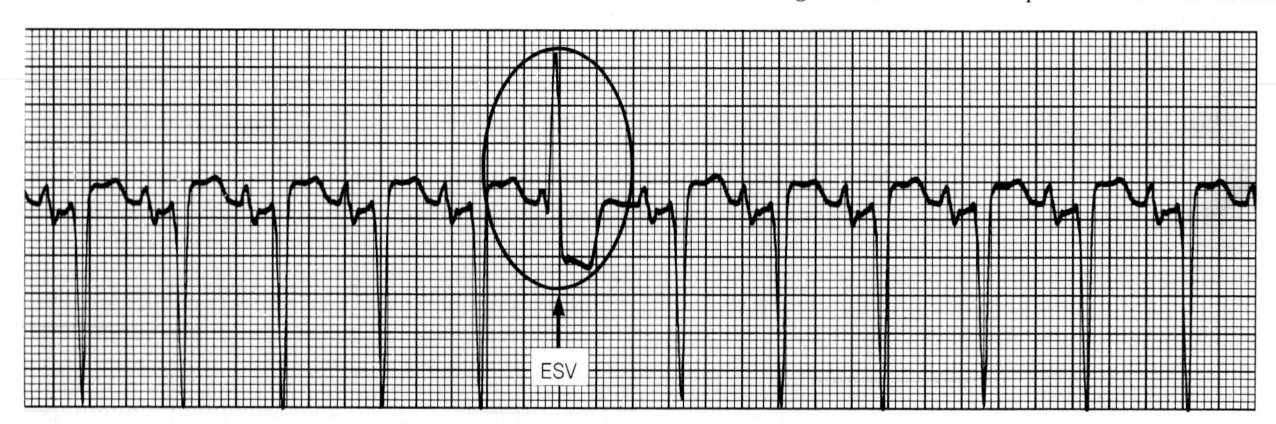

Figure 14-7. Extrasystole ventriculaire

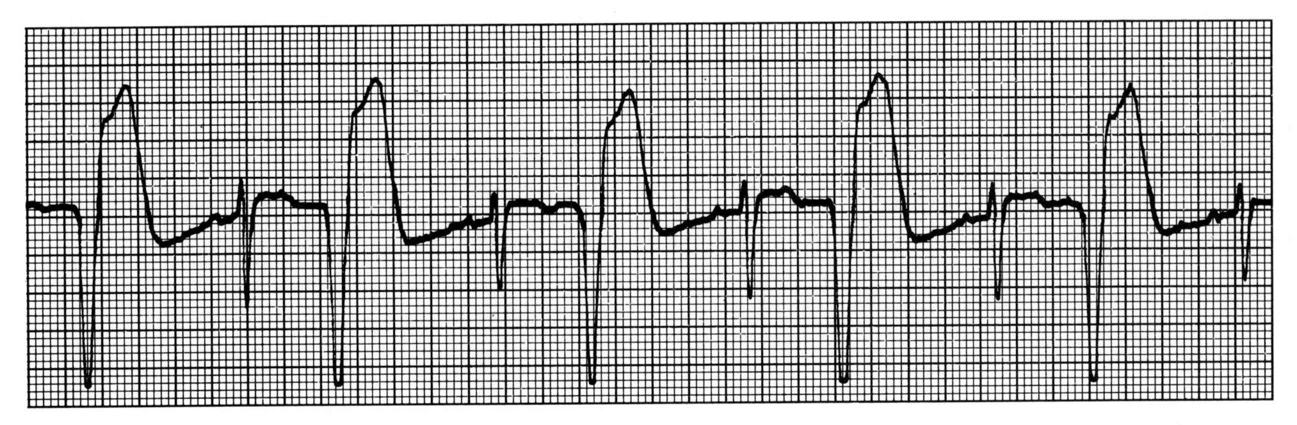

Figure 14-8. Bigéminisme ventriculaire

cardiaque globale. Le terme *bigéminisme* désigne des extrasystoles interpolées entre deux battements sinusaux normaux.

Le bigéminisme ventriculaire présente les caractéristiques suivantes (figure 14-8):

Fréquence: Habituellement inférieure à 90 battements par minute
Onde P: Semblable à l'onde P observée dans l'extrasystole ventriculaire; peut être masquée par le complexe QRS
Complexe QRS: Tous les deux battements, complexe large, déformé, pause compensatrice
Conduction: La conduction des battements sinusaux depuis le nœud SA se fait de façon normale, mais celle des extrasystoles interpolées qui proviennent des ventricules, peut être rétrograde dans le tissu jonctionnel et les oreillettes.
Rythme: Irrégulier

Si les extrasystoles surviennent tous les trois battements, on parle de *trigéminisme*. S'ils surviennent tous les quatre battements, on parle de *quadrigéminisme*.

On traite le bigéminisme ventriculaire de la même façon que les extrasystoles ventriculaires. Il est souvent attribuable aux effets toxiques de la digitaline. Dans ce cas, on procède à un traitement médicamenteux en utilisant la phénytoïne (Dilantin).

Tachycardie ventriculaire

Comme les extrasystoles ventriculaires, cette arythmie est due à une hyperexcitabilité du myocarde. Elle est généralement associée à une coronaropathie et peut précéder la fibrillation ventriculaire. Elle est extrêmement grave et doit être considérée comme une urgence. Le patient est généralement conscient de l'accélération de son rythme cardiaque et en éprouve de l'anxiété. La tachycardie ventriculaire présente les caractéristiques suivantes (figure 14-9):

Fréquence: 150 à 200 battements par minute
Onde P: Chevauche habituellement le complexe QRS; parfois visible, mais d'aspect anormal. Les contractions ventriculaires sont dissociées des contractions auriculaires.
Complexe QRS: Même forme que dans l'extrasystole ventriculaire, soit large et anormal avec onde T dans la direction opposée. On peut observer un complexe de fusion témoignant de la réunion d'un battement ventriculaire et d'un complexe QRS normal
Conduction: Prend naissance dans le ventricule; peut être rétrograde dans le tissu jonctionnel et les oreillettes
Rythme: Habituellement régulier, mais les irrégularités sont possibles.

La façon dont le patient supporte cette accélération de la fréquence cardiaque dicte son traitement. On doit établir la cause de l'hyperexcitabilité du myocarde et l'éliminer si possible. On peut utiliser des antiarythmiques tels que la lidocaïne et la procaïnamide. Si le débit cardiaque est faible, on peut avoir recours à la cardioversion (50 à 360 kJ).

Fibrillation ventriculaire

La fibrillation ventriculaire est une trémulation rapide et désordonnée des ventricules avec bruits du cœur inaudibles, pouls imperceptible et respiration absente. On ne peut la

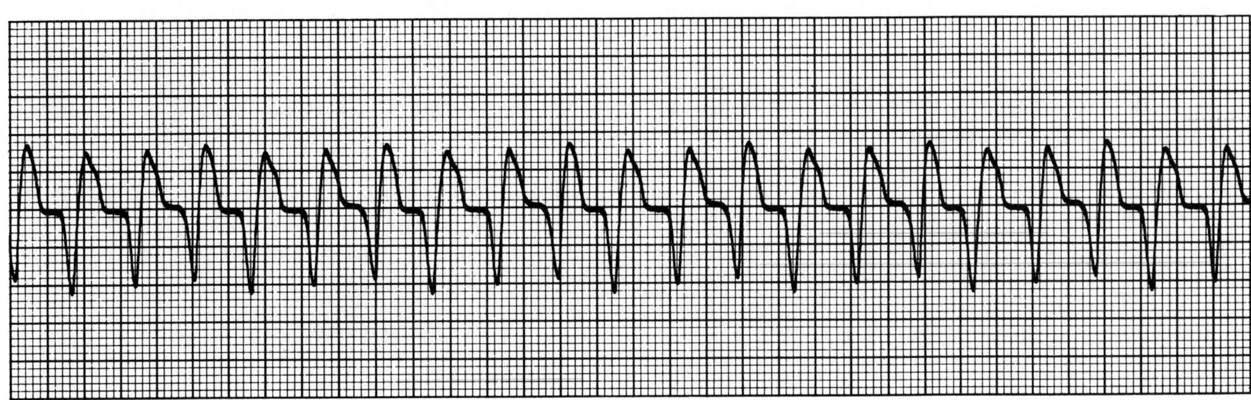

Figure 14-9. Tachycardie ventriculaire

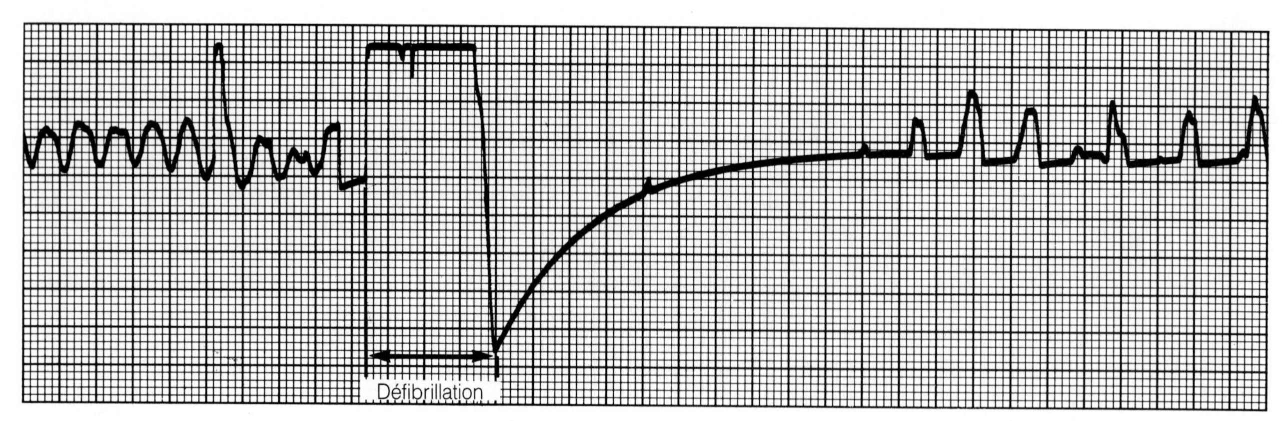

Figure 14-10. Fibrillation ventriculaire suivie d'une défibrillation

confondre avec une autre arythmie, car elle se manifeste par une extrême irrégularité.

La fibrillation ventriculaire présente les caractéristiques suivantes (figure 14-10):

Fréquence: Rapide, non coordonnée, inefficace
Onde P: Non visible
Complexe QRS: Rapide avec ondulations irrégulières sans forme spécifique (multifocales); les ventricules n'ont qu'un mouvement de trémulation
Conduction: Désorganisée par l'excitation d'un trop grand nombre de foyers ventriculaires ectopiques au même moment; absence de contraction ventriculaire
Rythme: Extrêmement irrégulier et non coordonné

Le traitement immédiat de la fibrillation ventriculaire est la défibrillation.

Examens diagnostiques

Études électrophysiologiques. Elles se font au moyen d'un cathéter cardiaque contenant des électrodes dont la stimulation provoque différentes arythmies. Elles sont utilisées pour établir la réponse de ces arythmies à différents médicaments. Il s'agit d'une nouvelle technique dont on connaît encore mal les possibilités.

Électrocardiogramme. C'est la méthode de diagnostic la plus précise des arythmies.

Traitement médical

Les arythmies sont généralement traitées au moyen de médicaments. Si les médicaments ne donnent pas les résultats escomptés, on peut avoir recours à certains traitements mécaniques, dont la cardioversion, la défibrillation ou la pose d'un stimulateur cardiaque interne.

Cardioversion

La cardioversion est un choc électrique externe (50 à 360 kJ) envoyé au moyen d'un appareil à défibrillation muni d'un moniteur cardiaque. Il est utilisé pour faire céder les arythmies supraventriculaires qui comportent des QRS discernables. Il s'agit généralement d'une technique élective qui exige le consentement éclairé du patient. Elle se fait sous anesthésie, la plupart du temps avec intubation et après injection de diazépam (Valium) par voie intraveineuse. On utilise un voltage de 25 à 360 kJ. Généralement, le patient doit cesser de prendre de la digoxine 48 heures avant l'intervention pour éviter les arythmies postcardioversion.

Le défibrillateur comprend un synchronisateur qui a pour fonction de régler son action en fonction de la dépolarisation ventriculaire, de façon à ce que l'impulsion électrique coïncide avec le complexe QRS. Un défibrillateur non synchronisé pourrait émettre les impulsions au cours de la période vulnérable (onde T) et provoquer une tachycardie ventriculaire ou une fibrillation ventriculaire.

Comme le complexe QRS est absent dans la fibrillation ventriculaire, le défibrillateur ne peut fonctionner avec le synchronisateur sous tension. Si une fibrillation ventriculaire se produit après une cardioversion, on doit recharger immédiatement le défibrillateur, mettre le synchronisateur hors tension et reprendre la défibrillation à un voltage de 200 à 360 kJ.

Après usage, il faut mettre le défibrillateur hors tension pour éviter une décharge accidentelle des électrodes. On doit cesser d'administrer de l'oxygénothérapie pendant la cardioversion à cause du risque d'incendie.

La réussite de la cardioversion se manifeste par le rétablissement du rythme sinusal, l'augmentation de l'intensité des pouls périphériques et une pression artérielle adéquate. Après la cardioversion, il faut assurer la perméabilité des voies respiratoires du patient et évaluer son niveau de conscience. On doit prendre et noter ses signes vitaux jusqu'à ce que son état se soit stabilisé. Comme le monitorage cardiaque est essentiel pendant et après la cardioversion, le patient doit être placé dans une unité de soins intensifs.

Défibrillation

La défibrillation est une cardioversion asynchrone utilisée dans les situations d'urgence. Elle est généralement réservée au traitement de l'asystolie ou de la fibrillation ventriculaire quand le rythme cardiaque est complètement anarchique. Elle provoque une dépolarisation de toutes les cellules myocardiques, permettant au nœud sinoauriculaire de reprendre son rôle de stimulateur cardiaque. On utilise un voltage beaucoup plus élevé que dans la cardioversion.

Lorsque l'on collabore à une cardioversion ou à une défibrillation, il faut se rappeler ce qui suit:

- Utiliser un bon agent conducteur, comme des compresses de soluté physiologique ou une pâte conductrice entre la peau et les électrodes (ou palettes) pour éviter que la peau du patient ne soit brûlée par le choc électrique.

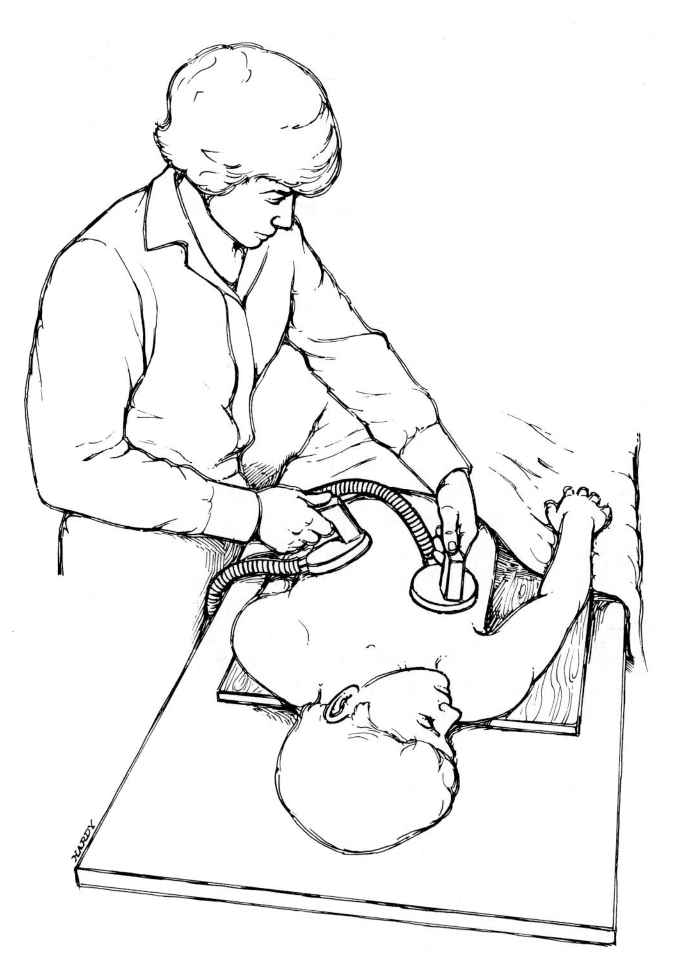

Figure 14-11. Position des électrodes pour la cardioversion

- Placer les électrodes de façon suivante: appliquer une électrode à la région sous-claviculaire droite et l'autre sous le mamelon gauche ou au niveau du 5e espace intercostal gauche à la ligne axillaire antérieure (figure 14-11).
- Exercer une pression de 10 kg environ sur chacune des électrodes pour assurer un bon contact avec la peau.
- Veiller à ce que personne ne touche (directement ou indirectement) le lit ou le patient au moment de la décharge électrique.
- Dans les cas de fibrillation ventriculaire, pratiquer la réanimation cardiorespiratoire en attendant d'obtenir un appareil à défibrillation.

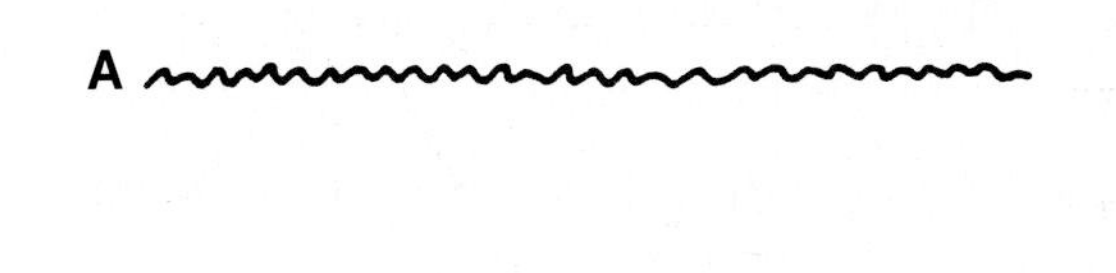

Figure 14-12. Ondulations de fibrillation très fines (**A**) dont on peut parfois augmenter l'amplitude (**B**) par l'administration d'épinéphrine.

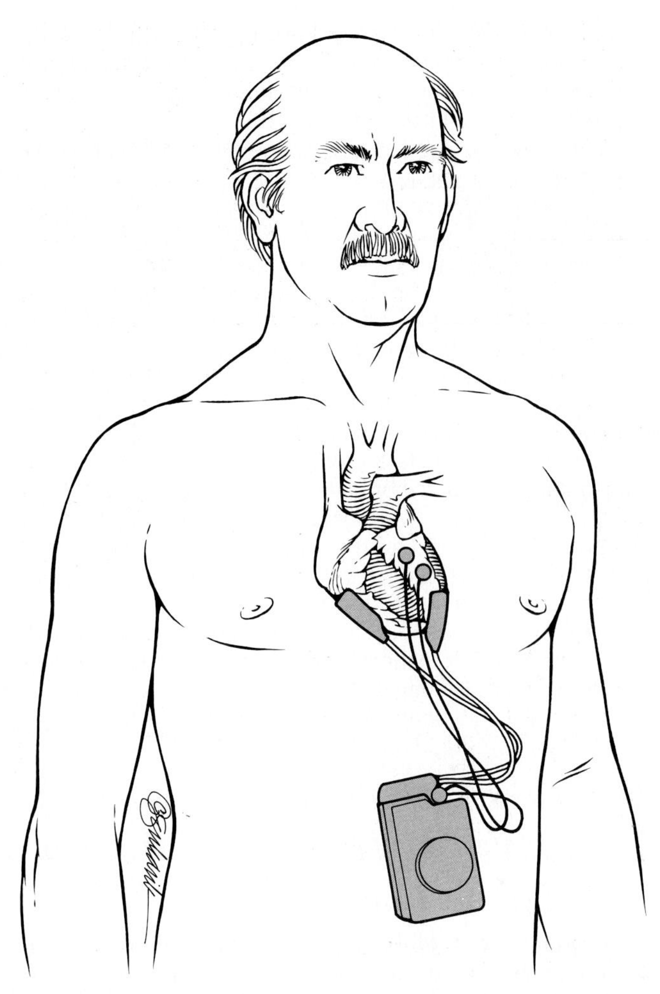

Figure 14-13. Le défibrillateur interne est un dispositif mécanique composé d'un générateur d'impulsions, de deux électrodes de détection de fréquence et de deux plaques épicardiques.

Si la défibrillation a échoué, on doit reprendre la réanimation cardiorespiratoire immédiatement. Si la fibrillation ventriculaire est à ondulations fines (figure 14-12A), on peut administrer de l'adrénaline afin d'augmenter l'amplitude des ondulations, qui seront ainsi plus faciles à convertir par défibrillation (figure 14-12B). Au cours d'une réanimation cardiorespiratoire, il ne faut jamais interrompre le massage cardiaque et la ventilation assistée pendant plus de cinq secondes.

Défibrillateur interne. Le défibrillateur interne est un appareil utilisé pour détecter et arrêter les épisodes de tachycardie ventriculaire ou de fibrillation ventriculaire chez les patients à risque élevé, soit ceux qui ont survécu à un arrêt cardiaque, qui souffrent d'une tachycardie ventriculaire soutenue ou qui présentent des syncopes dues à une tachycardie ventriculaire. Chez la plupart de ces patients, les médicaments ou l'excision chirurgicale du tissu myocardique d'hyperexcitation n'ont pas d'effets.

Il s'agit d'un dispositif mécanique composé d'un générateur d'impulsions, de deux électrodes de détection de fréquence et de deux électrodes qui ont pour fonction de transmettre le choc électrique directement au myocarde (figure 14-13). Les électrodes de détection répondent à la fois aux variations de fréquence et aux modifications de la longueur des segments de la ligne isoélectrique. Les arythmies sont détectées en

5 à 10 secondes et le choc électrique est envoyé 5 à 7 secondes plus tard. Trois chocs peuvent être émis au besoin. Il faut procéder à une intervention chirurgicale pour mettre en place un défibrillateur interne.

L'utilisation d'un défibrillateur interne n'exclut pas l'emploi d'un antiarythmique.

Les principales complications associées au défibrillateur interne touchent les poumons. Les deux plus fréquentes sont les infections chirurgicales et les altérations de la fonction pulmonaire consécutives à la thoracotomie pratiquée pour insérer le défibrillateur. On observe aussi, quoique moins souvent, des complications d'ordre technique comme l'usure prématurée des piles ou le bris des électrodes. Toutefois, les spécialistes s'entendent pour dire que les bénéfices de ce traitement en excèdent les risques.

Les soins infirmiers à prodiguer aux patients subissant l'implantation d'un défibrillateur interne comportent trois phases: avant et après l'opération, et avant le congé. À la phase préopératoire, il se peut que l'infirmière doive intervenir pour soigner un épisode aigu d'arythmie en plus de donner au patient et à sa famille des explications sur la mise en place du défibrillateur. En phase postopératoire, l'infirmière doit observer de près le patient et évaluer sa réaction au défibrillateur. Avant le congé, elle doit prodiguer au patient un enseignement qui sera d'une importance vitale pour le recouvrement de son autonomie (encadré 14-2).

DÉMARCHE DE SOINS INFIRMIERS

PATIENTS PRÉSENTANT DE L'ARYTHMIE

▷ *Collecte des données*

Pour recueillir des données sur les patients présentant de l'arythmie, on dresse son profil initial et on procède à une évaluation physique et psychosociale. À l'examen physique, il faut mettre l'accent sur l'évaluation de l'arythmie et de ses effets sur le débit cardiaque (fréquence cardiaque x volume d'éjection systolique), car une réduction du débit cardiaque entraîne une diminution de l'oxygénation des tissus et des organes vitaux. Il faut noter les antécédents du patient et lui demander s'il présente les signes associés à une réduction du débit cardiaque: syncope, sensation ébrieuse, étourdissements, fatigue, douleur thoracique et palpitations.

L'examen physique vise à confirmer les données recueillies dans le profil initial du patient et à établir s'il présente des signes de diminution du débit cardiaque. L'infirmière doit également procéder à un examen de la peau, qui peut être pâle et froide, et rechercher les signes de rétention liquidienne, comme une distension des veines du cou et des bruits adventices (craquements et sifflements). Elle évalue la fréquence et le rythme des pouls apexien et périphériques, et note s'il y a présence ou absence de pouls déficitaire. Il lui faut également ausculter le patient à la recherche de bruits anormaux comme B_3 et B_4, qui témoignent d'une réduction de la compliance du myocarde, qui constitue un signe de réduction du débit cardiaque. Les mesures de la pression artérielle et de la pression différentielle font également partie de l'examen physique, car la baisse de la pression différentielle est aussi un signe de réduction du débit cardiaque.

Un seul examen ne permet pas de noter des changements significatifs dans le débit cardiaque; l'infirmière devra donc faire plusieurs examens de façon à pouvoir comparer entre elles les données recueillies sur une certaine période de temps, ce qui lui permettra de déceler les variations subtiles qui indiquent une baisse du débit cardiaque.

▷ *Analyse et interprétation des données*

Selon les données recueillies, voici les principaux diagnostics infirmiers possibles:

- Diminution du débit cardiaque reliée à l'arythmie
- Anxiété reliée à la peur de l'inconnu
- Manque de connaissance sur l'arythmie et son traitement

▷ *Planification et exécution*

▷ ***Objectifs de soins***: Maintien du débit cardiaque dans les limites de la normale; réduction de l'anxiété; connaissance de l'arythmie et de son traitement

Encadré 14-2
Enseignement au patient porteur d'un défibrillateur interne

1. Prévenir l'infection de la région de l'incision chirurgicale.
   a) Observer l'incision tous les jours afin de déceler toute rougeur, tuméfaction ou chaleur.
   b) Éviter le port de vêtements serrés qui pourraient faire une friction sur la plaie.
2. Éviter la proximité des champs magnétiques, comme ceux engendrés par les appareils de détection du métal dans les aéroports, les appareils de résonnance magnétique nucléaire et les fours à micro-ondes.
   a) Les champs magnétiques peuvent désactiver le défibrillateur.
3. Noter dans un carnet les circonstances qui provoquent un choc, ce qui peut fournir au médecin d'importants renseignements quand viendra le temps de rectifier le traitement.
4. Éviter les risques pour lui-même et son entourage.
   a) Décider, en collaboration avec son médecin, s'il peut conduire un véhicule automobile sans danger.
   b) Se présenter aux rendez-vous fixés pour évaluer le fonctionnement du défibrillateur.
   c) Appeler le 911 s'il éprouve un étourdissement et porter un bracelet ou un médaillon Medic-Alert.
5. Avertir les membres de la famille et les amis qu'ils peuvent sentir le choc émis par l'appareil lorsqu'ils touchent le patient. Il est donc particulièrement important que les partenaires sexuels soient avertis de cette possibilité.

▷ *Interventions infirmières*

▷ *Maintien du débit cardiaque.* Le meilleur moyen d'assurer le maintien du débit cardiaque est la prévention des arythmies. Il faut administrer les médicaments avec prudence en veillant à ce qu'un taux sérique constant soit maintenu. On doit procéder souvent à des ECG pour dépister les arythmies bénignes qui pourraient être le signe avant-coureur d'une arythmie plus grave (par exemple, les extrasystoles ventriculaires peuvent annoncer une tachycardie ventriculaire). Il importe de favoriser le repos pour réduire les besoins en oxygène du myocarde.

▷ *Réduction de l'anxiété.* Il faut expliquer au patient le lien entre l'arythmie et le débit cardiaque pour qu'il comprenne bien pourquoi il doit prendre des médicaments. Il faut aussi bien lui expliquer les effets d'une augmentation ou d'une diminution des besoins en oxygène du myocarde sur le débit cardiaque.

Lorsqu'un patient a un épisode d'arythmie, l'infirmière se montre calme et rassurante afin d'établir un climat de confiance et de réduire son anxiété. Elle doit lui faire part de toute amélioration, si minime soit-elle, afin de l'aider à garder espoir. Par exemple, si le nombre de battements ectopiques commence à baisser après la prise d'un antiarythmique, l'infirmière en informe le patient. Elle lui donne ainsi le sentiment d'avoir une certaine maîtrise de la situation et le rassure en levant le voile sur le mystère qui entoure les traitements.

▷ *Connaissance de l'arythmie et de son traitement.* L'infirmière a pour rôle de donner au patient l'information qu'il est en droit de recevoir, en termes simples, et sans l'effrayer indûment. Elle doit par exemple lui expliquer pourquoi il est important de maintenir des taux sériques constants de médicament antiarythmique, et non pas se contenter de lui dire de les prendre à heures fixes tous les jours.

L'établissement d'un plan d'action en cas d'urgence est un bon moyen d'accroître les connaissances du patient. Il est fortement recommandé de conseiller au patient de décider à l'avance à quel centre hospitalier il devra être transporté en cas d'urgence.

▷ *Évaluation*

Résultats escomptés

1. Le patient maintient un débit cardiaque normal.
   a) Les arythmies sont peu fréquentes.
   b) La pression artérielle et le pouls sont dans les limites de la normale et ne présentent pas d'importantes fluctuations.
2. Le patient est moins anxieux.
   a) Il accepte sa maladie.
   b) Il sait quoi faire en cas d'urgence.
3. Il a acquis les connaissances nécessaires sur la maladie et le traitement.
   a) Il peut donner des explications sur l'arythmie et ses effets sur le débit cardiaque.
   b) Il sait pourquoi il doit prendre des médicaments et pourquoi il doit maintenir des taux sériques constants de médicaments.
   c) Il connaît les mesures à prendre en cas d'urgence.

ARYTHMIES DE CONDUCTION

Bloc du premier degré

Le bloc du premier degré est généralement associé à un trouble cardiaque fonctionnel ou aux effets de la digitaline. Il est fréquent chez les patients atteints d'un infarctus de la paroi inférieure du myocarde.

Le bloc du premier degré présente les caractéristiques suivantes (figure 14-14):

Fréquence: Variable, habituellement entre 60 et 100 battements par minute
Onde P: Précède chaque complexe QRS. L'intervalle PR dure plus de 0,20 seconde.
Complexe QRS: Suit chaque onde P; habituellement normal
Conduction: Retardée, habituellement entre le tissu jonctionnel et le réseau de Purkinje, ce qui allonge l'intervalle PR. Conduction ventriculaire généralement normale
Rythme: Habituellement régulier

Ce trouble de la conduction est important parce qu'il peut évoluer vers un bloc de plus haut degré, dont il est souvent un signe avant-coureur.

Bloc du deuxième degré

Le bloc du deuxième degré (figure 14-15) est aussi provoqué par un problème cardiaque fonctionnel, un infarctus du myocarde ou une intoxication à la digitaline. Il a pour effet de réduire la fréquence cardiaque et, habituellement, le débit cardiaque (fréquence cardiaque x volume d'éjection systolique). Il se divise en deux types, soit le bloc de Mobitz de type I (périodes de Luciani-Wenckebach) et le bloc de Mobitz de type II.

Les caractéristiques du bloc de Mobitz de type I sont les suivantes:

Fréquence: La fréquence auriculaire peut être de deux ou trois fois la fréquence ventriculaire.
Onde P: Chaque onde P précède un complexe QRS, à l'exception de l'onde P bloquée. L'intervalle PR s'allonge progressivement jusqu'à ce qu'une onde P soit bloquée.
Complexe QRS: Habituellement normal

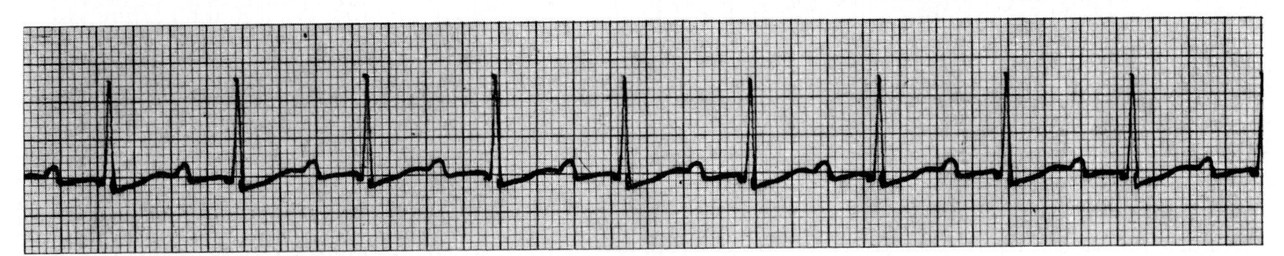

Figure 14-14. Bloc du premier degré
(Source: M. B. Conover, *Understanding electrocardiography,* Toronto, Mosby, 1988)

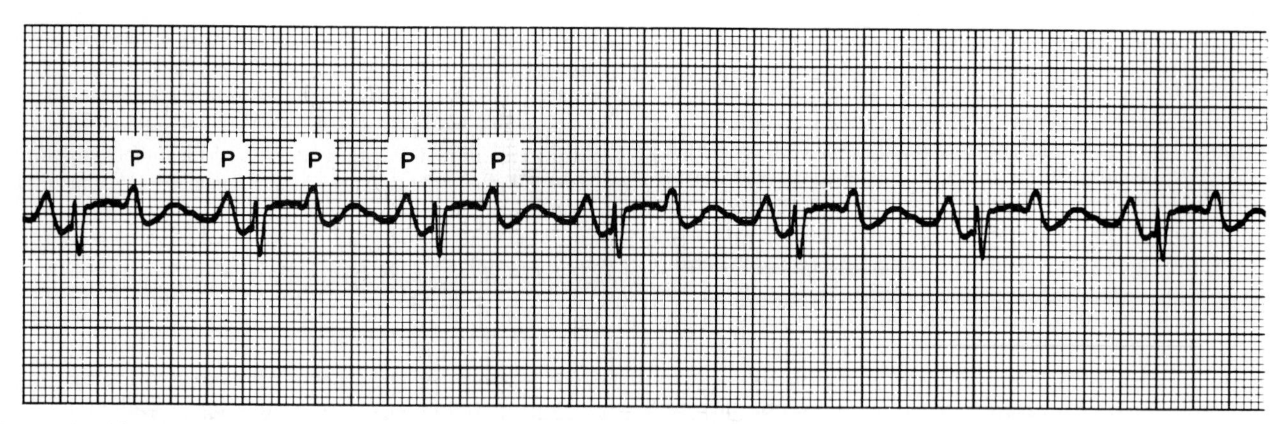

Figure 14-15. Bloc du deuxième degré

Conduction: Une impulsion ou plus n'est pas conduite dans les ventricules.
Rythme: Le rythme auriculaire est habituellement réguiier jusqu'à l'onde P bloquée. Le rythme ventriculaire est irrégulier.

Les caractéristiques du bloc de Mobitz de type II sont les suivantes:

Fréquence: Fréquence auriculaire non affectée, mais la fréquence ventriculaire est moindre que l'auriculaire.
Onde P: Chaque onde P est suivie d'un complexe QRS, à l'exception de l'onde P bloquée. L'intervalle PR est constant, il peut parfois être plus court après une pause.
Complexe QRS: Habituellement normal, mais peut être élargi si le bloc de conduction se situe au niveau d'une des branches du faisceau de His.
Conduction: Une impulsion ou plus n'est pas conduite dans les ventricules.
Rythme: Le rythme auriculaire est régulier, mais le rythme ventriculaire est souvent irrégulier avec des pauses de conduction.

Le traitement vise à accélérer la fréquence cardiaque pour assurer un débit cardiaque normal. Il faut s'assurer qu'il ne s'agit pas d'une intoxication à la digitaline et suspendre l'administration des médicaments qui ont un effet dépresseur sur le myocarde.

Bloc du troisième degré

Le bloc du troisième degré (bloc complet) est aussi associé à des problèmes cardiaques fonctionnels, à l'intoxication à la digitaline et à l'infarctus du myocarde. Il peut provoquer un ralentissement marqué de la fréquence cardiaque entraînant une baisse de l'irrigation des organes vitaux (cerveau, cœur, reins, poumons ou peau).

Les caractéristiques du bloc du troisième degré (figure 14-16) sont les suivantes:

Origine: Les impulsions sont émises par le nœud sinoauriculaire, mais ne sont pas conduites dans le réseau de Purkinje parce qu'elles sont complètement bloquées. Un rythme d'échappement provenant de la jonction sinoauriculaire des ventricules prend le relais en tant que stimulateur cardiaque.
Fréquence: La fréquence auriculaire est de 60 à 100 battements par minute et la fréquence ventriculaire est de 40 à 60 battements par minute si le rythme d'échappement provient de la jonction et de 20 à 40 battements par minute si le rythme d'échappement provient du ventricule.
Onde P: On observe des ondes P provenant du nœud sinoauriculaire tout au cours du rythme, mais elles sont dissociées des complexes QRS. Étant donné cette dissociation, la durée de l'intervalle PR varie.
Complexe QRS: Si le rythme d'échappement provient de la jonction, le complexe QRS a une forme supraventriculaire normale et apparaît régulièrement, mais est dissocié des ondes P. Si le rythme d'échappement provient des ventricules, le complexe QRS est allongé à plus de 0,10 seconde et est habituellement large et empâté. Il a la même forme que dans les extrasystoles ventriculaires.
Conduction: Le nœud sinoauriculaire émet des impulsions et les ondes P sont visibles. Elles sont toutefois complètement

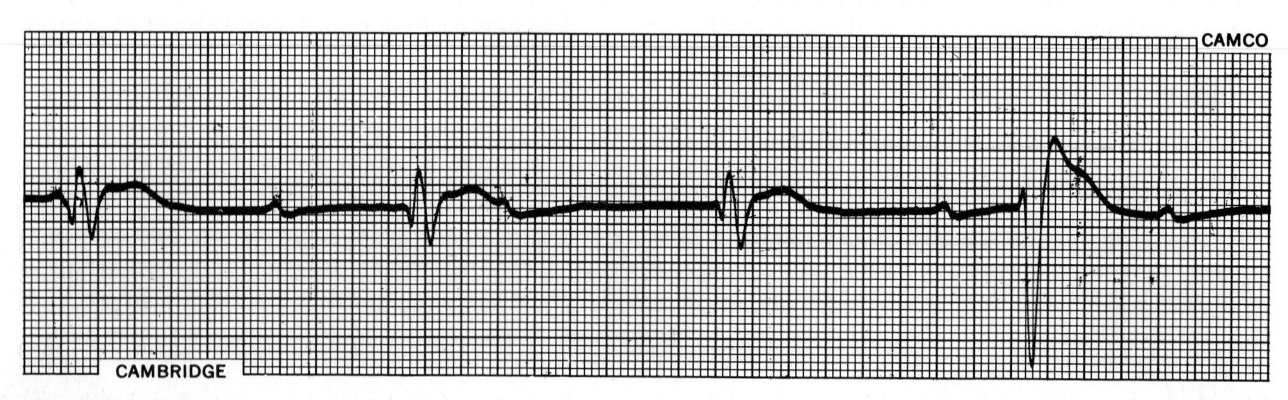

Figure 14-16. Bloc du troisième degré

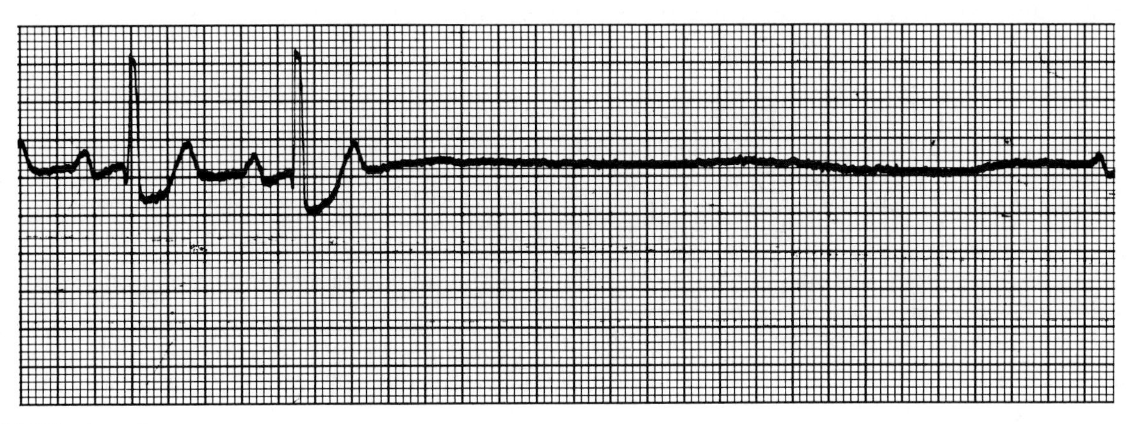

Figure 14-17. Asystole

bloquées et ne sont pas conduites dans les ventricules. Le rythme d'échappement provient généralement des ventricules; il est prématuré et de forme anormale.

Rythme: Le rythme ventriculaire est plus lent que le rythme auriculaire. Il est d'environ 40 à 60 pulsations par minute.

Le traitement vise à améliorer l'irrigation des organes vitaux généralement par la pose d'un stimulateur cardiaque transveineux temporaire. Si le bloc persiste, on doit avoir recours à un stimulateur cardiaque permanent.

Asystole

L'asystole se manifeste par l'absence de complexe QRS, de battements cardiaques, de pouls et de respiration. Elle est fatale si non traitée immédiatement.
Les caractéristiques de l'asystole (figure 14-17) sont les suivantes:

Fréquence: Absente

Onde P: Parfois visible, mais avec absence de conduction dans le noeud auriculoventriculaire et les ventricules

Complexe QRS: Absent

Conduction: Peut être présente, mais dans les oreillettes seulement

Rythme: Absent

On doit utiliser la réanimation cardiorespiratoire pour maintenir le patient en vie. Pour réduire l'hypertonie vagale, on administre de l'atropine par voie intraveineuse. Il faut aussi administrer de l'adrénaline par voie intracardiaque toutes les cinq minutes. Il faut souvent avoir recours à la pose d'un stimulateur cardiaque.

Stimulateur cardiaque

Définition et indications

Les stimulateurs cardiaques sont des appareils électroniques qui émettent des stimuli électriques pour régulariser le rythme cardiaque lorsque le mécanisme naturel est défaillant. Ils sont généralement utilisés chez les patients présentant un trouble de conduction provoquant une baisse du débit cardiaque. Ils peuvent être temporaires ou permanents. On utilise les stimulateurs cardiaques permanents surtout dans les cas de bloc complet irréversible, et on utilise les stimulateurs cardiaques temporaires comme traitement d'appoint chez les patients présentant un bloc à la suite d'un infarctus du myocarde ou d'une opération à cœur ouvert. On peut aussi utiliser les stimulateurs cardiaques pour traiter les tachycardies qui ne répondent pas aux médicaments.

Composantes d'un stimulateur cardiaque

Les stimulateurs cardiaques se composent: (1) d'un générateur d'impulsions électronique, contenant un circuit et une batterie, qui produit la stimulation électrique; (2) d'électrodes qui transmettent les impulsions à travers le cœur. Les électrodes peuvent être placées dans le cœur au moyen d'un cathéter introduit par voie intraveineuse ou par pénétration directe de

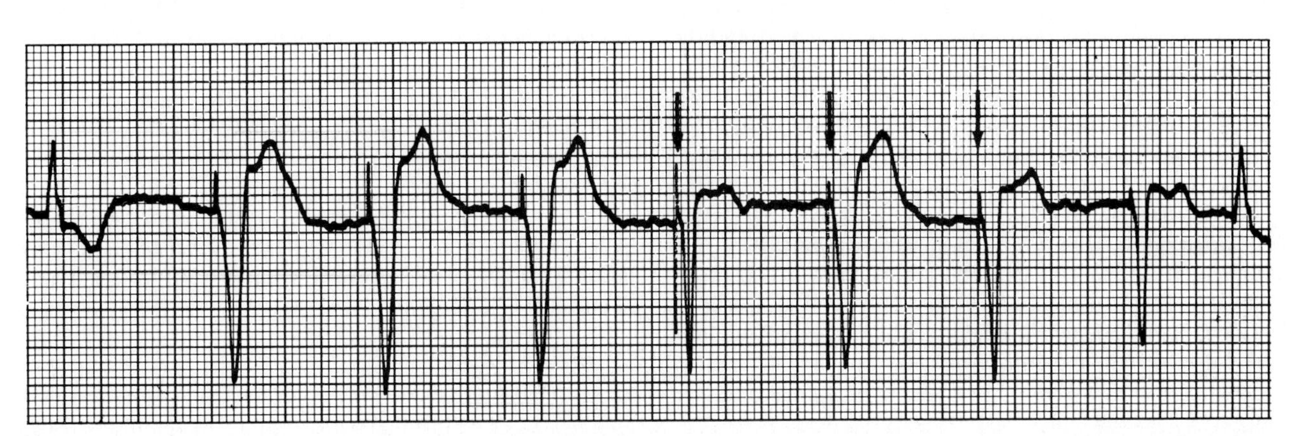

Figure 14-18. Fréquence synchronisée d'un stimulateur cardiaque. Les flèches indiquent les spicules qui sont des artefacts de stimulation visibles sur l'électrocardiogramme.

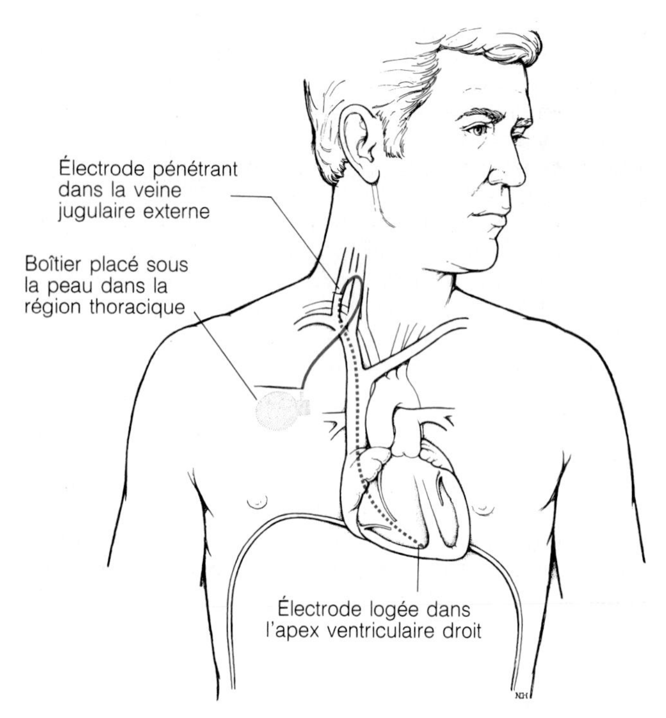

Figure 14-19. Implantation d'un stimulateur cardiaque transveineux

la paroi thoracique. Le générateur d'impulsions est habituellement implanté dans une poche sous-cutanée de la région thoracique, région axillaire ou, plus rarement, de la région abdominale.

Un boîtier protège le générateur d'impulsions de l'humidité et de la chaleur du corps. Le générateur d'impulsion peut être alimenté par des piles au mercure-zinc (qui durent de trois à quatre ans), au lithium (qui durent jusqu'à dix ans) ou à l'énergie nucléaire — plutonium^{238} (qui durent 20 ans ou plus). Certaines piles peuvent être rechargées de l'extérieur. Le boîtier doit être changé quand les piles sont épuisées.

Catégories de stimulateurs cardiaques

Le stimulateur cardiaque le plus couramment utilisé est le stimulateur *à la demande* appelé aussi sentinelle ou relais, qui détecte l'activité ventriculaire spontanée et n'émet aucun stimulus lorsque le cœur fonctionne normalement (figure 14-18). Il produit une impulsion uniquement quand le rythme cardiaque naturel ralentit sous un certain niveau déterminé à l'avance. Par contre, le stimulateur cardiaque *à rythme fixe*, aussi appelé asynchrone, envoie des stimuli électriques de fréquence et d'intensité réglables, mais indépendants de l'activité cardiaque spontanée. Il est peu utilisé, son emploi se limitant aux patients ayant un bloc cardiaque complet non variable.

Stimulateur cardiaque temporaire. Le stimulateur cardiaque temporaire, ou cardiostimulateur externe, est généralement utilisé en cas d'urgence. Il permet d'observer les effets de la stimulation sur le fonctionnement du cœur et d'établir la fréquence de stimulation optimale avant l'implantation d'un stimulateur cardiaque permanent. On l'utilise chez les patients souffrant d'un infarctus du myocarde compliqué d'un bloc et chez ceux qui ont subi un arrêt cardiaque avec bradycardie ou asystolie. On l'emploie également après certaines chirurgies cardiaques. La stimulation cardiaque temporaire peut durer quelques heures, quelques jours ou quelques semaines. On la poursuit généralement jusqu'à ce que l'état du patient s'améliore ou qu'un stimulateur permanent soit implanté.

La stimulation temporaire peut se faire par voie transveineuse ou par voie transthoracique. Si la voie transveineuse est utilisée, l'électrode est introduite par cathéter par une veine périphérique (veine médiane de l'avant-bras, brachiale, jugulaire, sous-claviaire ou fémorale), et placée dans l'apex ventriculaire droit. L'insertion d'un stimulateur cardiaque peut provoquer certaines complications, dont la plus fréquente est l'arythmie ventriculaire. La perforation du cœur est possible quoique rare. Un défibrillateur doit être gardé à portée de la main.

Stimulateur cardiaque permanent. Il existe différentes méthodes d'implantation du stimulateur permanent. L'une d'entre elles consiste à introduire l'électrode par voie veineuse jusqu'au ventricule droit et à placer le générateur d'impulsions sous la peau, dans la région thoracique droite ou gauche, sous la clavicule (figure 14-19). Cette méthode est appelée endocavitaire ou transveineuse, et elle se fait généralement sous anesthésie locale. On peut aussi placer le générateur d'impulsions dans la paroi abdominale et l'électrode sur l'épicarde ou le myocarde. L'implantation se fait alors par thoracotomie et on l'appelle *épicardique* ou *myocardique*.

Stimulateurs cardiaques auriculoventriculaires (stimulateurs physiologiques). Les stimulateurs cardiaques auriculoventriculaires permettent de traiter de façon sûre et efficace de nombreux troubles cardiaques complexes. Leur emploi comporte des avantages incontestables parce qu'ils peuvent reproduire la fonction cardiaque intrinsèque du patient. C'est d'ailleurs pourquoi on les appelle *stimulateurs physiologiques*.

À cause du haut degré de raffinement de ces stimulateurs, on a adopté pour les désigner un code international à cinq lettres, dont trois seulement servent dans la pratique courante. La première lettre désigne toujours la cavité stimulée (cavité dans laquelle est placée l'électrode de stimulation), soit A pour oreillette, V pour ventricule et D pour double cavité. La deuxième lettre désigne la cavité détectée (cavité depuis laquelle l'information est envoyée au générateur d'impulsions), soit A pour oreillette, V pour ventricule, D pour double cavité et O pour aucune détection. La troisième lettre désigne le mode de réponse, soit I pour inhibé, T pour synchronisé, O pour asynchrone et D pour synchrone de P utilisé par QRS. Les deux modes de réponse les plus utilisés sont I et T. Une réponse inhibée est une réponse commandée par l'activité normale du cœur, ce qui signifie que le stimulateur cardiaque ne fonctionne pas quand le cœur bat normalement. Par contre, une réponse synchronisée est une réponse fixe basée sur l'activité intrinsèque du cœur.

Par exemple, un stimulateur DVI stimule deux cavités (D), soit l'oreillette et le ventricule, détecte l'activité du ventricule seulement (V) et sa réponse est inhibée (I) par l'activité du ventricule du patient.

Complications

Les complications associées aux stimulateurs cardiaques découlent (1) de leur présence même dans l'organisme et (2) d'un mauvais fonctionnement. La présence d'un stimulateur dans l'organisme peut provoquer:

- une infection localisée (ou la formation d'un hématome) au point de dénudation de la veine ou d'insertion du boîtier;
- des arythmies, comme des extrasystoles ventriculaires dues à l'irritation de la paroi ventriculaire par l'électrode;
- une perforation du myocarde ou du ventricule droit par le cathéter;
- un défaut de stimulation causé par un seuil de stimulation ventriculaire élevé.

Le mauvais fonctionnement d'un stimulateur cardiaque peut être causé par une défaillance de l'une ou l'autre de ses composantes. Les défaillances du générateur d'impulsions sont presque toujours dues à l'épuisement de la source d'énergie, c'est-à-dire des piles. Le patient doit savoir qu'il devra subir une nouvelle intervention chirurgicale quand les piles seront épuisées, car celles-ci sont scellées à l'intérieur du boîtier contenant le générateur d'impulsions. On remplace donc tout le boîtier, que l'on raccorde aux électrodes déjà en place. Cette intervention se fait généralement sous anesthésie locale. Parmi les autres complications, notons le bris ou le déplacement de l'électrode et les défaillances électroniques.

L'exposition à un champ magnétique peut aussi entraîner le mauvais fonctionnement d'un stimulateur. Les champs magnétiques proviennent par exemple des fours à micro-ondes, des appareils de résonnance magnétique nucléaire et des appareils de détection du métal que l'on trouve dans les contrôles de sécurité des aéroports. On doit donc recommander au patient d'éviter l'exposition aux champs magnétiques et de porter une carte, un médaillon ou un bracelet indiquant qu'il a un stimulateur cardiaque.

Les complications dues au mauvais fonctionnement d'un stimulateur se manifestent par des variations brusques de la fréquence et du rythme cardiaques, qui seront plus ou moins marquées selon la dépendance du patient envers le stimulateur. Le diagnostic de ces complications se fait au moyen de l'ECG. Il est parfois nécessaire de replacer les électrodes ou de changer le générateur d'impulsions.

Suivi du patient portant un stimulateur cardiaque

Il existe des cliniques spécialisées où les patients qui ont un stimulateur cardiaque peuvent faire vérifier le fonctionnement du générateur d'impulsions. Ces cliniques sont dotées d'oscilloscopes permettant d'étudier l'amplitude, la morphologie et la durée de l'impulsion produite par le stimulateur et possèdent des appareils grâce auxquels on peut dépister le bris des fils des électrodes ou de leur matériel isolant. On procède à un électrocardiogramme de 12 dérivations lors de chaque visite du patient à la clinique.

On peut aussi étudier le fonctionnement d'un stimulateur cardiaque par transmission téléphonique de la tonalité qu'il émet. Les sons sont convertis en un signal électronique enregistré sur tracé ECG, ce qui permet au cardiologue d'observer la fréquence du stimulateur et d'autres données concernant son fonctionnement. Cette méthode facilite le diagnostic des défaillances, rassure le patient et a l'avantage d'être accessible aux personnes qui sont éloignées des centres spécialisés.

Recherche dans le domaine des stimulateurs cardiaques

Stimulateur de réponse à l'effort. On procède présentement à l'étude d'un stimulateur cardiaque capable de modifier la fréquence cardiaque en fonction de l'effort, selon des paramètres comme l'activité physique, les variations de l'équilibre acidobasique et la saturation en oxygène, contrairement aux stimulateurs classiques qui dépendent du fonctionnement du nœud SA. Ce stimulateur sera donc capable d'améliorer le débit cardiaque à l'effort.

DÉMARCHE DE SOINS INFIRMIERS
PATIENTS PORTEURS D'UN STIMULATEUR CARDIAQUE

Collecte des données

Après la pose d'un stimulateur cardiaque temporaire ou permanent, on doit surveiller la fréquence et le rythme cardiaques du patient sur ECG (monitorage continu), car la fréquence ne doit pas être inférieure ou supérieure de plus de cinq battements à la fréquence préétablie. S'il y a des arythmies, l'infirmière doit noter leurs caractéristiques et le nombre de fois où elles se produisent et en informer le médecin.

On doit observer régulièrement la région de l'implantation du générateur d'impulsions (ou de l'insertion de l'électrode s'il s'agit d'un stimulateur temporaire) pour y dépister la présence de saignements, d'un hématome ou de signes d'infection. L'infection est fréquente à la suite de l'implantation d'un stimulateur et ses principaux signes sont une tuméfaction, une sensibilité excessive et la chaleur. Certains patients se plaignent aussi d'élancements et de douleur. Il faut faire part au médecin de tout écoulement suspect.

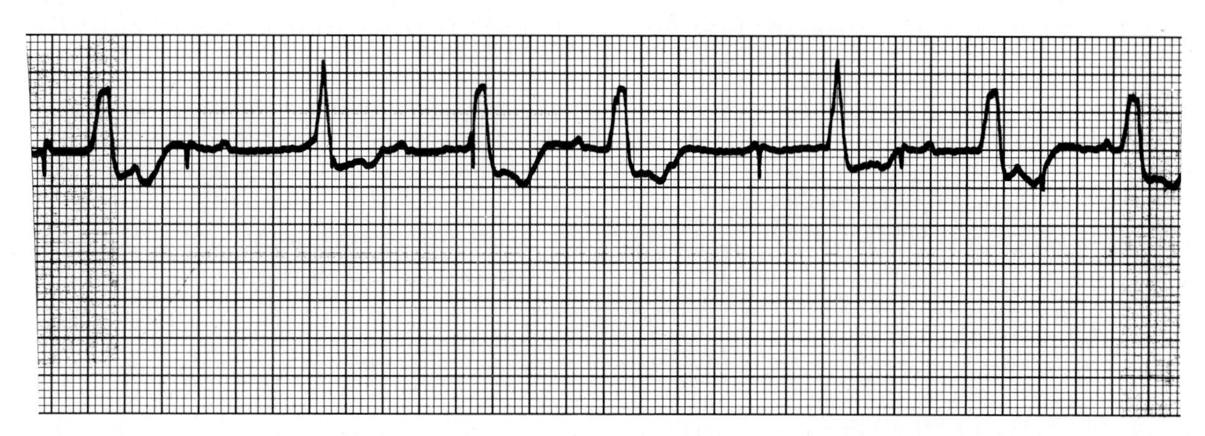

Figure 14-20. Défaut de stimulation. On note la présence de spicules, sans QRS (pas de réponse ventriculaire).

Tout le matériel électrique utilisé à proximité du patient doit être mis à la terre pour éviter les fuites de courant qui pourraient provoquer une fibrillation ventriculaire. Pour la même raison, on doit également s'assurer que toutes les pièces de métal et tous les fils sont isolés avec du ruban non conducteur. On recommande de faire appel à un spécialiste en ingénierie biomédicale, à un électricien ou à une autre personne qualifiée pour assurer la sécurité du patient à cet égard.

▷ *Complications*

La complication la plus fréquente dans les heures qui suivent la pose d'un stimulateur cardiaque est le déplacement de l'électrode de stimulation. On la décèle par un asynchronisme entre le spicule de stimulation et le complexe QRS à l'ECG (figure 14-20).

L'infirmière peut aider à prévenir cette complication en limitant les activités du patient. Si l'électrode a été insérée par voie transveineuse, elle doit immobiliser le membre affecté. Il lui faut de plus s'assurer constamment de la présence de spicules de stimulation à l'ECG. Pour cette raison, il est préférable que le patient soit dans une unité de soins intensifs.

Le modèle du stimulateur, la date et l'heure de son implantation, l'emplacement du générateur d'impulsions, le seuil de stimulation et la fréquence de stimulation doivent figurer au dossier du patient. Cette information a de l'importance en cas d'arythmie.

▷ *Analyse et interprétation des données*

Selon les données recueillies, voici les principaux diagnostics infirmiers possibles:

- Risque élevé d'infection relié à l'insertion d'un cathéter ou d'un générateur d'impulsions
- Manque de connaissance sur le programme d'autosoins
- Risque de diminution du débit cardiaque relié à un mauvais fonctionnement du stimulateur cardiaque

▷ *Planification et exécution*

▷ ***Objectifs de soins***: Absence d'infection; observance du programme d'autosoins; maintien du bon fonctionnement du stimulateur cardiaque

▷ *Interventions infirmières*

▷ ***Prévention des infections.*** On doit procéder tous les jours à un examen de la plaie chirurgicale afin d'y déceler une rougeur, de l'œdème, de la douleur ou des saignements. Le premier changement du pansement est fait par le médecin, mais les changements quotidiens subséquents sont la responsabilité de l'infirmière. Il faut faire part au médecin de toute modification de l'aspect de la plaie. De plus, une asepsie stricte doit être observée lors des changements de pansement.

▷ ***Observance du programme d'autosoins.*** À cause de la nature des troubles dont ils souffrent, la plupart des patients qui ont un stimulateur cardiaque adhèrent très bien à leur programme d'autosoins. Voir l'encadré 14-3 pour plus de détails concernant l'enseignement au patient.

▷ ***Maintien du bon fonctionnement du stimulateur cardiaque.*** Le patient doit prendre régulièrement son pouls et noter les chiffres qu'il obtient. Voir l'encadré 14-3 pour plus de détails à ce sujet.

▷ *Évaluation*

Résultats escomptés

1. Le patient ne présente pas d'infection.
   a) La température est normale.

Encadré 14-3
Enseignement au patient portant un stimulateur cardiaque

1. Respecter les rendez-vous fixés par le médecin ou la clinique externe spécialisée pour une vérification de la fréquence de stimulation du stimulateur cardiaque et de son fonctionnement, ce qui est particulièrement important dans le mois qui suit l'implantation.
   a) Se présenter toutes les semaines dans le mois qui suit l'implantation.
   b) Prendre son pouls quotidiennement et appeler *immédiatement* son médecin, la clinique externe ou le service d'urgence si on note un ralentissement ou une accélération brusques de la fréquence, ce qui pourrait indiquer un mauvais fonctionnement du stimulateur cardiaque.
   c) Se présenter toutes les semaines quand l'épuisement des piles est imminent. (La durée des piles dépend de leur type.)
2. Porter des vêtements amples sur la région de l'implantation du boîtier.
   a) Savoir pourquoi il y a une petite saillie sur la peau dans la région de l'implantation du boîtier.
   b) Appeler son médecin, la clinique externe ou le service d'urgence si cette région devient rouge ou douloureuse.
   c) Éviter les traumas dans cette région du corps.
3. Étudier les instructions du fabricant et se familiariser avec le fonctionnement du stimulateur cardiaque.
4. Poursuivre ses activités physiques, mais éviter les sports de contact.
5. Porter une carte ou un bracelet mentionnant le nom de son médecin, le type et le modèle du stimulateur cardiaque, le nom du fabricant, la fréquence de stimulation et le nom du centre hospitalier où l'implantation a été faite.
6. Éviter l'exposition aux champs magnétiques (fours à micro-ondes, appareils de résonnance magnétique nucléaire, etc.).
7. Exiger l'emploi d'un détecteur d'armes manuel au contrôle de sécurité des aéroports.
8. Se rappeler qu'il faut être hospitalisé pour remplacer le stimulateur quand les piles sont épuisées.

b) La numération leucocytaire est normale (5 à 10 × 10^9/L).
c) Il ne présente pas de rougeur ni de tuméfaction dans la zone d'insertion du stimulateur cardiaque.

2. Le patient adhère à son programme d'autosoins.
   a) Il connaît les signes et symptômes d'infection.
   b) Il sait quand consulter son médecin.
3. Le patient veille au bon fonctionnement de son stimulateur.
   a) Il prend son pouls à intervalles réguliers et note les chiffres qu'il obtient.
   b) La fréquence et le rythme du pouls ne présentent pas de fluctuations brusques.
   c) L'encadré 14-3 présente d'autres moyens d'assurer le bon fonctionnement d'un pacemaker.

Résumé: Les arythmies cardiaques sont les complications les plus fréquentes des maladies cardiaques. Elles peuvent avoir pour cause une perturbation dans la formation ou la conduction des impulsions. Certaines sont bénignes, comme les arythmies sinusales, mais d'autres peuvent avoir des conséquences fatales, comme la fibrillation ventriculaire. Les signes et symptômes présentés par le patient de même que leur traitement sont fonction des effets des arythmies sur le débit cardiaque.

On décèle les arythmies au moyen de l'ECG. Il est essentiel de bien connaître les propriétés du myocarde et du système de conduction pour poser un diagnostic précis.

Les arythmies se traitent par des médicaments et, pour certaines, par l'implantation d'un stimulateur cardiaque ou d'un défibrillateur interne. Les unités mobiles de soins intensifs ont contribué à réduire les taux de morbidité et de mortalité attribuables aux arythmies graves, parce qu'elles permettent un diagnostic et un traitement immédiats.

ŒDÈME AIGU DU POUMON

Définition, étiologie et physiopathologie

L'*œdème aigu du poumon* est une accumulation anormale de sérosités dans les poumons, soit dans les espaces interstitiels, soit dans les alvéoles. Ces sérosités proviennent, par transsudation, des capillaires pulmonaires. Il s'agit de la phase finale de la congestion pulmonaire, qui se traduit par une grande difficulté respiratoire.

La congestion pulmonaire se produit quand les lits vasculaires pulmonaires reçoivent du sang du ventricule droit en quantité excédant la capacité du ventricule gauche. Le moindre déséquilibre entre l'arrivée de sang dans le cœur droit et la sortie du sang du coeur gauche peut avoir des conséquences dramatiques, car une seule goutte de sang en excès dans le ventricule droit accroît le volume pulmonaire de 500 mL en trois heures seulement.

L'oedème pulmonaire peut avoir différentes causes, dont les intoxications, les surdoses de médicaments et certaines maladies nerveuses, mais il est surtout associé aux maladies cardiaques (coronaropathies, hypertension, valvulopathies, myocardiopathie, insuffisance cardiaque). Il survient la plupart du temps chez des patients souffrant d'une maladie cardiaque chronique qui impose un effort supplémentaire au ventricule gauche (comme l'hypertension artérielle ou l'insuffisance aortique) ou ayant été victime d'un infarctus du myocarde. Il traduit en fait une grave altération de la fonction cardiaque, car la transsudation de sérosités a pour cause une élévation de la pression hydrostatique résultant d'une élévation de la pression télédiastolique du ventricule gauche et de la pression veineuse pulmonaire. L'altération du drainage lymphatique contribue également à l'accumulation de sérosités dans les poumons.

Ces sérosités pénètrent dans les alvéoles par les bronchioles et les bronches, se mélangent à l'air, et sont entraînées par les mouvements respiratoires pour être expulsées par la bouche et le nez. Elles provoquent une rigidité des poumons, qui ne peuvent plus se dilater pour laisser pénétrer l'air, ce qui entraîne un hypoxie grave.

Les conséquences fatales de l'œdème aigu du poumon ne sont pas inévitables si les mesures nécessaires sont prises sans délai pour arrêter la crise et empêcher sa réapparition. Heureusement, l'œdème aigu du poumon n'apparaît pas de façon soudaine, mais il est précédé d'une congestion pulmonaire.

Manifestations cliniques

Les crises d'œdème aigu du poumon surviennent généralement la nuit, car la position couchée favorise le retour veineux et la réabsorption de sérosités provenant des jambes, ce qui provoque une dilution du sang circulant et une expansion de son volume. Conséquemment, la pression veineuse augmente et le remplissage de l'oreillette droite s'accélère, ce qui provoque une augmentation du débit ventriculaire droit qui excédera à plus ou moins brève échéance le débit ventriculaire gauche. Un engorgement des vaisseaux pulmonaires avec transsudation des sérosités s'ensuit.

Les signes de l'œdème aigu du poumon sont une agitation et une anxiété croissantes, une difficulté respiratoire grave et soudaine avec suffocation, toux constante et expectorations spumeuses et rosées. Les mains deviennent froides et moites, les ongles sont cyanosés et la peau est grise. Le pouls est faible et rapide, et les veines du cou sont distendues. La progression de l'œdème aigu du poumon accroît l'anxiété jusqu'à la panique, puis celle-ci est suivie de confusion et ensuite de stupeur. La respiration devient de plus en plus bruyante et humide, et le patient se noie littéralement dans ses sécrétions, car les sérosités maintenant tachées de sang se déversent dans les bronches et la trachée. Une intervention immédiate s'impose.

Examens diagnostiques

Le diagnostic se fonde sur l'évaluation des manifestations cliniques de la congestion pulmonaire. On doit parfois procéder à l'insertion d'un cathéter artériel pulmonaire (Swan-Ganz) pour faciliter le monitorage des données hémodynamiques (encadré 14-4), essentielles au diagnostic et au traitement.

Traitement

Le traitement de l'œdème aigu du poumon vise la réduction du volume sanguin circulant total et l'amélioration des échanges gazeux par l'administration d'oxygène et de médicaments, de même que par des interventions infirmières appropriées.

Oxygénothérapie. On administre les concentrations d'oxygène nécessaires pour soulager l'hypoxie et les difficultés respiratoires. Si les signes d'hypoxie persistent, on peut pratiquer une ventilation à pression positive continue ou

Encadré 14-4
Directives concernant le monitorage hémodynamique au moyen d'un cathéter artériel pulmonaire à plusieurs voies (Swan-Ganz)

Interventions infirmières	***Commentaires/justification***
Préparation	
1. Expliquer la technique au patient et à sa famille ou à la personne clé dans sa vie.	1. Le patient doit savoir qu'il sentira le cathéter se déplacer dans la veine.
2. Prendre les signes vitaux et mettre les électrodes ECG en place.	2. L'examen préliminaire permet d'obtenir les données initiales qui serviront pour comparaisons ultérieures.
3. Placer le patient dans une position où il se sent à l'aise; il s'agit de la position de base (la position couchée à plat est souvent utilisée).	3. Noter l'angle du tronc du patient, parce que les lectures subséquentes devront être prises dans cette même position.
4. Préparer le matériel conformément aux directives du fabricant.	4.
a) Le cathéter artériel pulmonaire doit être accompagné d'un transducteur et de dispositifs d'enregistrement, d'amplification et de rinçage.	a) Les systèmes de monitorage peuvent être très différents l'un de l'autre. Il importe donc de bien connaître celui que l'on utilise.
b) Le matériel destiné à prendre les pressions doit être étalonné et nettoyé conformément aux directives du fabricant.	b) Le rinçage du cathéter en assure la perméabilité et élimine les bulles d'air.
c) Il faut gonfler le ballonnet à l'air, à l'eau stérile ou au soluté physiologique pour en vérifier l'étanchéité (absence de bulles).	c) Cette vérification permet de s'assurer que le ballonnet n'est pas défectueux.
5. Raser la région de l'insertion et nettoyer la peau.	5. La préparation du point d'insertion réduit les risques d'infection.
Mise en place du cathéter (par le médecin)	
1. On insère le cathéter par la veine jugulaire interne, la veine sous-claviaire ou une autre veine de gros calibre facilement accessible, par ponction percutanée ou phlébotomie.	1. Le trajet vers le système veineux central est plus court à partir de la veine jugulaire.
2. On le dirige ensuite vers la veine cave supérieure, en se guidant sur les oscillations des ondes de pression pour déterminer l'emplacement de son extrémité. On demande parfois au patient de tousser.	2. La position de l'extrémité du cathéter est déterminée par les oscillations de pression. La toux provoque des déflexions dans le tracé des pressions quand l'extrémité du cathéter est dans le cœur.
3. Quand le ballonnet est dans la veine cave supérieure, on le gonfle à l'air.	3. La quantité d'air nécessaire est indiquée sur le cathéter.
4. Le ballonnet gonflé flotte dans le courant sanguin et se dirige, par la voie de l'oreillette droite et de la valvule tricuspide, dans le ventricule droit. De là, il se dirige, toujours porté par le courant sanguin, vers l'artère pulmonaire principale. Les pressions sont enregistrées continuellement sous forme d'ondes tout au cours de la progression du cathéter dans les différentes cavités du cœur.	4. Observer le moniteur cardiaque à la recherche de signes d'hyperexcitabilité ventriculaire quand le cathéter pénètre dans le ventricule droit. Faire part au médecin de tout signe d'arythmie.
5. Le ballonnet finit enfin par s'immobiliser dans une artère pulmonaire distale de petit calibre. Il s'agit de la position dite «bloquée», où on obtient la pression capillaire pulmonaire (wedge).	5. Quand le cathéter est en position bloquée, la circulation du sang entre le cœur droit et les poumons ne peut se faire. La pression capillaire pulmonaire est par conséquent égale à la pression auriculaire gauche moyenne.
6. Une pression capillaire pulmonaire de 6 à 12 mm Hg indique que le ventricule gauche fonctionne bien.	6. En l'absence de rétrécissement mitral, la pression capillaire pulmonaire indique le degré de congestion pulmonaire et est équivalente à la pression auriculaire gauche et à la pression télédiastolique du ventricule gauche. Elle donne donc des indications précieuses sur la fonction cardiaque. Par exemple, si elle se situe à moins de 6 mm Hg chez un patient ayant subi des lésions cardiaques aiguës, on peut soupçonner une réduction du débit cardiaque, de l'hypotension et de la tachycardie. Si elle dépasse 18 mm Hg, elle indique une congestion pulmonaire.

Encadré 14-4 (suite)

Interventions infirmières	***Commentaires/justification***
Mise en place du cathéter (par le médecin)	
7. On dégonfle ensuite le ballonnet, ce qui provoque la rétraction spontanée du cathéter dans une artère pulmonaire de plus gros calibre. C'est dans cette position que l'on obtient les mesures continues des pressions pulmonaires systolique, diastolique et moyenne.	7. La pression pulmonaire systolique normale se situe entre 20 et 30 mm Hg, et la pression diastolique entre 8 et 12 mm Hg. La normale de la pression artérielle pulmonaire moyenne (moyenne des pressions dans l'artère pulmonaire au cours du cycle cardiaque complet) se situe entre 10 et 20 mm Hg.
8. On fixe alors le cathéter en place.	8. On peut appliquer un onguent antibiotique autour du point d'insertion et le recouvrir d'un pansement stérile.
9. Sa perméabilité est assurée par la perfusion lente d'héparine en solution dans du soluté physiologique.	9. On doit vérifier la position du cathéter après l'insertion par une radiographie thoracique.
Mesure de la pression capillaire pulmonaire	
1. Fermer le robinet de la tubulure du dispositif intraveineux.	1. Le transducteur convertit les ondes de pression en ondes électriques qui peuvent être affichées sur l'écran du moniteur.
2. Gonfler lentement le ballonnet jusqu'à ce que l'on obtienne des ondes de pression capillaire pulmonaire. Cesser alors immédiatement de gonfler le ballonnet et prendre la lecture de la pression au moniteur.	*Attention: Un infarctus pulmonaire peut apparaître si le cathéter est laissé en position bloquée pendant plusieurs minutes.*
3. Dégonfler tout de suite le ballonnet.	
Mesure de la pression veineuse centrale	
1. Tourner le robinet de façon à ce que la lumière de la pression veineuse centrale soit reliée au transducteur.	1. S'assurer que l'oscillation est bien celle de la pression de l'oreillette droite.
2. Prendre la lecture de la PVC au moniteur.	2. Rincer la tubulure pour en assurer la perméabilité et replacer le robinet dans la position de perfusion continue.
Suivi	
1. Examiner la région de l'insertion tous les jours à la recherche de signes d'infection. S'assurer aussi de l'absence de tuméfaction et de saignement (hématome).	1. Le cathéter est un corps étranger, ce qui accroît les risques de septicémie.
2. Changer régulièrement le pansement et la tubulure (en général toutes les 72 heures) et noter au dossier les données observées de même que l'heure du changement.	2. Un débit artériel insuffisant peut provoquer une ischémie susceptible d'entraîner la perte de doigts.
3. Si l'insertion a été faite par la voie d'un vaisseau périphérique, vérifier périodiquement la couleur, la température, le remplissage capillaire et la sensibilité du membre en cause.	3. On doit s'assurer périodiquement qu'il n'y a pas de saignements au point d'insertion.
4. Prendre les signes vitaux au besoin (jusqu'à ce que l'état du patient soit stable) et toutes les heures par la suite.	
5. Observer le patient à la recherche de signes de complications: embolie pulmonaire, arythmies, lésions à la valvule tricuspide, thrombophlébite, infection, rupture de l'artère pulmonaire, présence de nœuds dans le cathéter ou rupture du ballonnet.	
Retrait du cathéter	
1. S'assurer que le ballonnet est dégonflé.	
2. Retirer le cathéter en évitant de tirer avec trop de force; appliquer un pansement compressif sur le point d'insertion.	

intermittente. Si ces traitements ne suffisent pas à éviter l'insuffisance respiratoire, une intubation trachéale et une ventilation mécanique s'imposent. L'utilisation d'une pression positive expiratoire (PEEP) réduit efficacement le retour veineux et la pression capillaire pulmonaire, ce qui améliore l'oxygénation. Le dosage des gaz du sang artériel permet de vérifier l'oxygénation.

Traitement médicamenteux: morphine. On administre la morphine à petites doses par voie intraveineuse pour soulager l'anxiété et les difficultés respiratoires, de même que pour réduire la résistance périphérique et améliorer ainsi l'irrigation (diminution du retour veineux). La morphine provoque également une baisse de la pression capillaire pulmonaire et de la transsudation des sérosités, en plus de diminuer la fréquence respiratoire.

- On n'administre généralement pas de morphine quand l'œdème pulmonaire est dû à un accident vasculaire cérébral ou si le patient souffre d'une maladie pulmonaire chronique ou d'un choc cardiogénique.
- On doit observer le patient à la recherche de signes de détresse respiratoire et, le cas échéant, administrer sans délai un antagoniste de la morphine (chlorhydrate de naloxone [Narcan]).

Diurétiques. Pour obtenir une action diurétique rapide, on administre du furosémide (Lasix) ou de l'acide éthacrynique (Edecrin) par voie intraveineuse (tableau 14-1). En plus de son action diurétique, le furosémide provoque une vasodilatation et une accumulation périphérique de sang, ce qui a pour effet de réduire le retour veineux. Cette action est même plus rapide que l'action diurétique de sorte que l'on observe rapidement un soulagement des difficultés respiratoires et une réduction de la congestion pulmonaire. Parce qu'un grand volume d'urine se forme dans les minutes qui suivent l'administration d'un diurétique à action rapide, on doit insérer une sonde urétrale à demeure.

- Les signes d'intolérance aux diurétiques sont une baisse de la pression artérielle, une accélération de la fréquence cardiaque et une diminution du débit urinaire.
- Chez les patients qui souffrent d'hyperplasie de la prostate, les diurétiques à action rapide peuvent provoquer une rétention urinaire.

Digitaline. Les préparations de digitaline à action rapide améliorent la contractilité du myocarde, ce qui augmente le débit ventriculaire gauche, favorise la diurèse et réduit la pression diastolique. On obtient une baisse de la pression capillaire pulmonaire et une réduction de la transsudation des sérosités.

- On doit administrer la digitaline avec la plus grande prudence aux patients qui souffrent d'un infarctus du myocarde, parce que ce médicament peut provoquer chez eux des arythmies.
- On doit procéder périodiquement à la mesure des concentrations sériques de potassium, parce que l'augmentation de l'excrétion urinaire peut provoquer une hypokaliémie. Or, l'hypokaliémie peut accroître les effets de la digitaline, ce qui peut entraîner un surdosage.
- Si on observe une hypokaliémie, on doit suspendre l'administration de la digitaline, jusqu'à ce que l'on ait exclu la possibilité d'intoxication à la digitaline (encadré 14-5).

Aminophylline. Pour soulager la respiration sifflante (wheezing) et le bronchospasme, s'il y a lieu, on peut administrer de l'aminophylline.

- L'aminophylline s'administre par perfusion intraveineuse et la dose est fonction du poids corporel.

Position. On peut réduire le retour veineux en plaçant le patient dans une position appropriée.

- On place le patient en position Fowler élevée, les jambes pendantes, ce qui réduit immédiatement le retour veineux, le débit du ventricule droit et la congestion pulmonaire (réduction de la précharge).
- Si le patient ne supporte pas d'avoir les jambes pendantes, on peut l'asseoir dans le lit.

Garrots alternés et phlébotomie. Auparavant, la méthode des garrots alternés était le traitement de choix pour réduire mécaniquement le retour veineux (précharge) dans les cas d'œdème aigu du poumon. On appliquait alors un garrot sur trois des quatre membres en le serrant suffisamment pour entraver le retour veineux sans gêner la circulation artérielle. Pour ne pas perturber l'oxygénation des membres, on alternait les garrots toutes les 15 minutes, dans le sens des aiguilles d'une montre. Ce traitement avait toutefois l'inconvénient d'être désagréable pour le patient, qui respire déjà avec peine, et de favoriser la formation de caillots.

La méthode des garrots est aujourd'hui désuète grâce à l'apparition de médicaments plus efficaces et à l'usage du cathéter artériel pulmonaire à plusieurs voies, qui permet de vérifier le volume liquidien (encadré 14-4).

La phlébotomie, qui est l'évacuation provoquée d'une certaine quantité de sang, était autrefois utilisée pour le traitement de l'œdème pulmonaire grave. Elle n'est plus utilisée à cette fin, mais réservée au traitement de certains troubles hématologiques, dont la polyglobulie essentielle.

Soutien psychologique. L'œdème aigu du poumon se caractérise par une extrême anxiété et une peur de la mort qui peuvent aggraver l'état du patient. L'infirmière doit donc rassurer celui-ci et prévoir ses besoins. Comme une présence lui est bénéfique, elle doit planifier ses soins de façon à passer le plus de temps possible à son chevet. Elle peut le toucher pour rendre sa présence plus concrète. Il importe qu'elle lui donne souvent des explications simples et concises sur les traitements et sur l'interprétation de sa réponse à ces traitements.

Prévention

Comme la plupart des complications, l'œdème aigu du poumon peut facilement être prévenu. Pour le dépister rapidement, au stade de la simple congestion, l'infirmière doit procéder tous les jours à l'auscultation des poumons chez les malades cardiaques afin de dépister le précurseur de l'œdème pulmonaire, la congestion pulmonaire. Ses premiers signes sont souvent un toussotement et la présence d'un B_3 pathologique (galop ventriculaire), qui est à son maximum au niveau de l'apex quand le patient est placé en décubitus latéral gauche.

Des mesures simples peuvent corriger la congestion pulmonaire dans les premiers stades, soit: (1) placer le patient en position fowler élevée, les jambes pendantes; (2) éliminer les sources de fatigue et de stress pour réduire la charge

TABLEAU 14-1. *Diurétiques courants*

Définition: Les diurétiques sont des médicaments qui augmentent le débit urinaire.

Action: Ils agissent sur les reins fonctionnellement actifs, le plus souvent en réduisant la réabsorption des électrolytes (surtout le sodium), ce qui favorise une perte de liquide. Dans l'hypertension, c'est l'effet natriurétique (excrétion de sodium) qui a le plus d'importance, mais dans les cas d'œdème, l'élimination de l'eau a autant d'importance que celle du sodium.

Précautions: Certains diurétiques peuvent provoquer une déplétion des électrolytes, dont le potassium, ce qui risque d'entraîner de la faiblesse et des arythmies. Une diurèse trop rapide peut avoir pour résultat une hypovolémie suivie d'une hypotension grave.

Posologie: Elle est fonction (1) de la variation quotidienne du poids du patient; (2) des signes et symptômes cliniques; (3) de l'état de la fonction rénale.

Diurétiques	*Action*	*Interventions infirmières et commentaires*
THIAZIDES ET AGENTS APPARENTÉS		
Hydrochlorothiazide (HydroDiuril, Apo-hydro) Méthyclothiazide (Duretic) Chlorthalidone (Hygroton)	Augmentent l'excrétion rénale de sodium (natriurèse), de potassium, de chlore et de bicarbonate (urine alcaline), et provoquent une perte osmotique d'eau. Utilisés principalement dans les cas d'œdème et d'hypertension Utilisés surtout pour usage prolongé	Observer le patient à la recherche de signes de déplétion électrolytique: hyponatrémie, hypokaliémie, alcalose hypochlorémique. Observer le patient à la recherche des signes et symptômes de déséquilibre électrolytique: étourdissements, sensation ébrieuse. Observer le patient à la recherche des signes et symptômes de réactions indésirables sur les plans gastro-intestinal, neurologique, hématologique et cardiovasculaire. Administrer des suppléments de potassium selon l'ordonnance.
DIURÉTIQUES D'ÉPARGNE POTASSIQUE		
Spironolactone (Aldactone) Triamtérène (Dyrenium)	Inhibe l'action de l'aldostérone dans le tube distal et réduit la réabsorption du sodium et du chlore. A un effet graduel. Utilisé dans le traitement de la cirrhose et de l'œdème, quand les autres diurétiques sont inefficaces ou ont des effets toxiques. Inhibe de façon compétitive les effets de l'aldostérone au niveau du tube distal, où les ions sodium sont réabsorbés et où se produit en échange une sécrétion d'ions potassium et hydrogène.	Observer le patient à la recherche de signes de déplétion électrolytique. Habituellement utilisé en association avec un thiazide Peut provoquer des éruptions cutanées et une gynécomastie Habituellement utilisé en association avec un thiazide Peut provoquer une élévation du taux d'acide urique Peut provoquer des nausées, des vomissements, de la diarrhée, de la faiblesse, des céphalées et des éruptions cutanées
DIURÉTIQUES À ACTION RAPIDE		
Furosémide (Lasix) Acide éthacrynique (Edecrin)	Habituellement réservés aux patients qui ne répondent pas aux thiazides. Bloquent la réabsorption du sodium et de l'eau au niveau du tube proximal, de même que de la branche ascendante de l'anse de Henle et de la portion la plus proximale du tube distal. Associés à des pertes d'ions sodium, potassium, chlore et hydrogène (urine acide). Ont une action presque immédiate (dans les cinq minutes qui suivent leur administration) s'ils sont administrés par voie intraveineuse.	Observer le patient à la recherche de signes de déplétion électrolytique, car ces diurétiques peuvent provoquer une *diurèse excessive* avec hyponatrémie, hypokaliémie, alcalose hypochlorémique et collapsus cardiovasculaire. Il s'agit d'un puissant diurétique à action rapide. Particulièrement utile dans le traitement de l'œdème aigu du poumon. Peut provoquer des nausées, des vomissements, de la diarrhée, des éruptions cutanées, un prurit, une vision trouble, une hypotension orthostatique, des vertiges et une perte auditive Le furosémide étant chimiquement apparenté aux sulfamides, on peut observer une allergie croisée. Administrer tôt dans la journée pour éviter la nycturie et la perte de sommeil qu'elle entraîne. Chez certains patients, on peut éviter la dyspnée nocturne paroxystique en administrant les diurétiques au coucher.

Encadré 14-5 *Cardiotoniques*

Actions

Augmentent la contractilité du myocarde
- Augmentent le débit cardiaque en améliorant la contractilité du ventricule.
- Ralentissent la fréquence cardiaque.
- Réduisent l'hypertrophie du cœur.
- Réduisent la pression veineuse.
- Favorisent la diurèse.
- Ralentissent la fréquence ventriculaire dans les cas d'arythmies supraventriculaires.

Usages cliniques

- Insuffisance cardiaque globale
- Fibrillation auriculaire, flutter auriculaire
- Tachycardies supraventriculaires
- Avant certaines chirurgies cardiaques

Préparations

Le choix de la préparation dépend de la rapidité et de la durée d'action désirées, de même que de la réponse du patient. Les doses varient considérablement.

Préparations orales	*Préparation parentérale*
Digitaline	
Digoxin (Lanoxin)	Digoxin (Lanoxin)

Interventions infirmières

Précautions spéciales: La digitaline a souvent des effets toxiques peu prévisibles.
- Être à l'affût des signes d'effets toxiques: arythmies (le plus fréquent), anorexie, nausées, vomissements, bradycardie, céphalées, malaise général.
- Observer si le médicament a les effets escomptés (soulagement des difficultés respiratoires, de l'orthopnée, des craquements, de l'hépatomégalie et de l'œdème périphérique; ralentissement et régularisation du pouls).
- Se rappeler que les personnes âgées tolèrent souvent mal la digitaline; vérifier si elles présentent une bradycardie et une altération de la fonction rénale.
- Vérifier souvent les concentrations sériques de potassium, surtout si le patient prend aussi des diurétiques, car l'hypokaliémie peut causer des arythmies.
- Observer le patient à la recherche de signes de déplétion électrolytique: fatigue, apathie, confusion, anorexie, réduction du débit urinaire, azotémie.
- La sensibilité à la digitaline peut être augmentée par un infarctus du myocarde, une myocardite, une hypokaliémie, un trouble hépatique ou rénal, la prise de diurétiques, la diarrhée, l'anorexie, le vieillissement, l'hypoxie et l'hypercapnie, l'acidose et l'alcalose.
- Prendre le pouls apexien avant l'administration de chaque dose de digitaline. Une fréquence de 60 ou plus, sans arythmies, est souhaitable. Vérifier les directives du médecin à cet égard.

ventriculaire gauche; (3) administrer de la morphine pour réduire l'anxiété, de même que la dyspnée et la précharge.

Les mesures préventives à long terme doivent viser le problème précurseur de l'œdème pulmonaire, soit l'insuffisance cardiaque. Ces mesures ainsi que l'enseignement à prodiguer sont expliqués dans la section suivante.

Pour prévenir les crises d'œdème aigu du poumon, les personnes a risque peuvent surélever la tête de leur lit au moyen de blocs de 25 cm. Les perfusions et les transfusions doivent être administrées avec prudence aux cardiaques et aux personnes âgées.

- Pour prévenir une surcharge circulatoire qui pourrait déclencher un œdème aigu du poumon, on doit administrer les liquides intraveineux lentement, après avoir placé le patient en position Fowler élevée dans son lit. Il importe que l'infirmière garde le patient en observation tout au cours de la perfusion.
- On doit utiliser des dispositifs destinés à limiter le volume de liquide administré (un dispositif de perfusion intermittente [heparine loch], par exemple).

Il est parfois nécessaire d'avoir recours à la chirurgie pour corriger une valvulopathie qui gêne la circulation du sang dans le ventricule gauche, car la baisse du débit cardiaque ainsi provoquée prédispose à la congestion pulmonaire et à l'œdème pulmonaire.

INSUFFISANCE CARDIAQUE

Définition, étiologie et physiopathologie

L'insuffisance cardiaque est une diminution de la contractilité du myocarde qui rend le cœur incapable d'assurer le débit nécessaire aux besoins en oxygène et en éléments nutritifs de l'organisme. Elle peut atteindre le cœur gauche, le cœur droit, ou les deux. On l'appelle alors *insuffisance cardiaque globale*. Le débit cardiaque est le produit de la fréquence cardiaque par le volume d'éjection systolique.

La fréquence cardiaque est régie par le système nerveux autonome, qui commande une accélération de la fréquence cardiaque dès qu'il y a baisse du débit cardiaque. Si ce mécanisme de compensation ne réussit pas à maintenir un débit cardiaque suffisant, c'est le volume d'éjection systolique qui augmente.

Dans l'insuffisance cardiaque toutefois, le débit cardiaque ne peut être maintenu, le volume d'éjection systolique étant altéré en raison de la baisse de la contractilité du myocarde. Le *volume d'éjection systolique* est la quantité de sang expulsé à chaque contraction; il est fonction de la précharge, de la contractilité et de la postcharge.

La *précharge* est régie par la loi de Starling selon laquelle l'énergie de la contraction est directement proportionnelle à la longueur de la fibre musculaire avant l'excitation. La *contractilité* est la force avec laquelle le myocarde se contracte;

un raccourcissement de la fibre myocardique entraîne une faiblesse de la contractilité. La *postcharge* est la tension supplémentaire que doit développer le ventricule, pendant sa contraction, pour évacuer son contenu. C'est donc l'altération d'au moins un de ces mécanismes qui provoque une baisse du débit cardiaque et, par conséquent, une insuffisance cardiaque.

L'insuffisance cardiaque est le plus souvent une complication d'atteintes myocardiques qui en réduisent la contractilité, comme les coronaropathies, l'hypertension artérielle et les myopathies dégénératives ou inflammatoires.

Dans le cas des coronaropathies, l'insuffisance cardiaque est due à une réduction de l'apport d'oxygène au myocarde, ce qui se manifeste par une hypoxie et une acidose (due à l'accumulation d'acide lactique) entraînant à plus ou moins brève échéance une nécrose du tissu myocardique (infarctus).

Dans l'hypertension artérielle ou pulmonaire (augmentation de la postcharge), l'insuffisance cardiaque découle d'une augmentation du travail du cœur et d'une hypertrophie des fibres myocardiques, un mécanisme de compensation destiné à améliorer la force de contraction. Or, pour des raisons encore obscures, le myocarde hypertrophié ne peut fonctionner normalement.

Dans le cas des maladies inflammatoires ou dégénératives du myocarde, c'est la baisse de la contractilité due à des lésions directes aux fibres myocardiques qui provoque l'insuffisance cardiaque.

Certains problèmes cardiaques qui affectent le myocarde peuvent aussi se compliquer d'une insuffisance cardiaque. Ce sont par exemple le rétrécissement aortique, qui provoque une obstruction du débit sanguin; la tamponnade, la péricardite constrictive ou le rétrécissement mitral, qui gênent le remplissage du cœur; et l'insuffisance mitrale, qui gêne l'expulsion du sang. L'hypertension maligne, qui se manifeste par une augmentation soudaine de la postcharge due à une hausse de la pression artérielle systolique, peut provoquer une insuffisance cardiaque même en l'absence d'hypertrophie myocardique.

Un certain nombre de facteurs contribuent à l'apparition de l'insuffisance cardiaque et en déterminent la gravité. Ainsi, l'accélération du métabolisme (due par exemple à la fièvre ou à une thyrotoxicose), l'hypoxie et l'anémie exigent une augmentation du débit cardiaque pour satisfaire une demande accrue en oxygène. L'hypoxie et l'anémie peuvent aussi provoquer une baisse de l'apport myocardique en oxygène. L'acidose (respiratoire et métabolique) et les déséquilibres électrolytiques peuvent diminuer la contractilité, et les arythmies affectent le fonctionnement global du myocarde.

Manifestations cliniques

L'insuffisance cardiaque se caractérise principalement par une augmentation du volume intravasculaire ayant pour cause une hausse des pressions artérielle et veineuse résultant d'une baisse du débit cardiaque. La hausse de la pression veineuse pulmonaire peut provoquer une transsudation de sérosités des capillaires pulmonaires aux alvéoles (œdème aigu du poumon) se manifestant par de la toux et un essoufflement. La hausse de la pression veineuse générale peut avoir pour résultat un œdème périphérique et un gain de poids.

Défaillance ventriculaire gauche et droite. Les ventricules gauche et droit peuvent être affectés indépendamment l'un de l'autre. La défaillance du ventricule gauche précède généralement celle du ventricule droit. L'insuffisance ventriculaire gauche s'aggrave toujours d'œdème aigu du poumon. La défaillance de l'un ou l'autre des ventricules peut provoquer une diminution de l'irrigation tissulaire, parce que leurs débits sont en relation étroite. Toutefois les manifestations de la congestion peuvent différer selon le ventricule affecté.

Défaillance ventriculaire gauche. L'insuffisance ventriculaire gauche se manifeste principalement par une accumulation de liquide dans les poumons (congestion) causée par une augmentation de pression due au fait que le ventricule défaillant ne peut accueillir le sang provenant des poumons. Les signes de congestion pulmonaire sont notamment de la dyspnée, de la toux, de la fatigue, de la tachycardie avec présence de B_3, de l'anxiété et de l'agitation.

La dyspnée est due à une perturbation des échanges gazeux causée par l'accumulation de liquide dans les poumons. Elle se manifeste généralement à l'effort, mais peut survenir au repos. On observe parfois une *orthopnée* (difficulté de respirer en position couchée). Le patient qui souffre d'orthopnée doit dormir en position assise, soit dans son lit supporté par une pile d'oreillers, soit sur une chaise. L'orthopnée apparaît souvent quand le patient se couche après avoir été longtemps en position assise, les jambes pendantes. Elle est due, dans ce cas, à une réabsorption dans les poumons du surplus de liquide accumulé dans les membres inférieurs. On appelle *dyspnée nocturne paroxystique*, l'orthopnée qui se manifeste la nuit seulement.

La toux associée à une défaillance du ventricule gauche peut être sèche et non productive, mais elle est généralement humide et s'accompagne dans certains cas de grandes quantités d'expectorations spumeuses, souvent teintées de sang.

La fatigue est aussi un signe d'insuffisance ventriculaire gauche. Elle est due à la diminution du débit cardiaque, qui provoque une altération de l'irrigation des tissus et une accumulation de déchets du métabolisme. Les difficultés respiratoires et l'insomnie qui en résulte contribuent aussi à la fatigue.

L'agitation et l'anxiété observées dans la défaillance du ventricule gauche sont causées par la mauvaise oxygénation des tissus, les difficultés respiratoires et la crainte de mourir. L'anxiété engendre un cercle vicieux en aggravant les difficultés respiratoires.

Défaillance du ventricule droit. L'insuffisance ventriculaire droite se caractérise principalement par une congestion des viscères et un œdème périphérique dus au fait que le ventricule défaillant ne peut recevoir tout le sang provenant de la circulation veineuse. Elle se manifeste notamment par un œdème déclive, qui prend habituellement le godet, un gain de poids, une hépatomégalie, une distension des veines du cou, de l'ascite, de l'anorexie, des nausées, une nycturie et de la faiblesse.

L'œdème déclive touche d'abord les pieds et les chevilles, puis les jambes et les cuisses, et peut atteindre les organes génitaux externes et la partie inférieure du tronc. Chez les patients alités, l'œdème touche la région sacrée. *L'œdème qui prend le godet* (sous une légère compression des doigts) apparaît après une rétention d'au moins 4,5 kg de liquide.

L'engorgement des veines du foie provoque une hépatomégalie et une sensibilité dans le quadrant abdominal supérieur droit. Il peut mener à une *ascite*, qui est une accumulation de liquide dans la cavité abdominale pouvant comprimer le

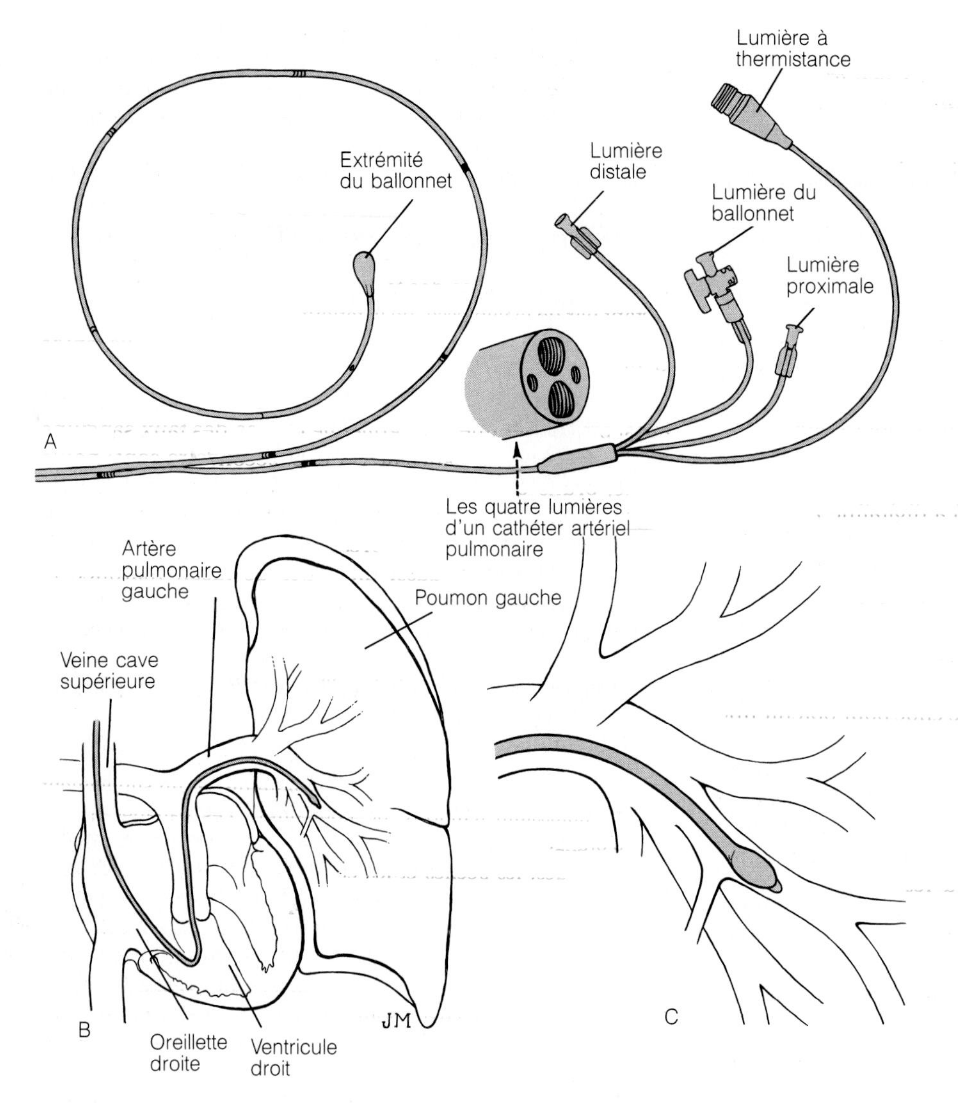

Figure 14-21. (**A**) Cathéter artériel pulmonaire à plusieurs voies (**B**) Insertion du cathéter dans le cœur. Le cathéter est inséré par une veine périphérique ou centrale, puis poussé dans la veine cave supérieure en direction de l'oreillette droite. On gonfle alors le ballonnet, ce qui permet au cathéter de flotter dans le courant sanguin et de se diriger vers le ventricule droit, puis vers l'artère pulmonaire principale. Tout au cours de l'insertion, la position de l'extrémité du cathéter est déterminée par le relevé des pressions. Quand le cathéter a atteint l'artère pulmonaire, on dégonfle le ballonnet et on le fixe en place. (**C**) Mesure de la pression capillaire pulmonaire. On gonfle le ballonnet qui est dirigé par le courant sanguin vers une artère pulmonaire plus petite où il est bloqué. On prend à ce moment la lecture de la pression, puis on dégonfle immédiatement le ballonnet, ce qui provoque la rétraction du cathéter vers l'artère pulmonaire principale.

(Source: D. S. Suddarth, *The Lippincott Manual of Nursing Practice*, 5e édition, Philadelphia, J. B. Lippincott, 1991)

diaphragme et entraîner ainsi une détresse respiratoire. Une anorexie et des nausées s'ensuivent.

La nycturie que l'on observe dans l'insuffisance ventriculaire droite est due au fait que le repos favorise l'irrigation rénale et l'augmentation du débit cardiaque. Par ailleurs, la diminution du débit cardiaque, la perturbation de la circulation et l'accumulation de déchets du métabolisme dans les tissus provoquent de la fatigue.

Examens Diagnostiques

On pose généralement un diagnostic d'insuffisance cardiaque à partir des manifestations cliniques de la congestion pulmonaire et veineuse. Grâce aux progrès de la médecine, on peut maintenant utiliser un cathéter artériel pulmonaire à plusieurs voies (Swan-Ganz) permettant la mesure du volume d'éjection systolique réel et d'autres paramètres hémodynamiques. L'insertion du cathéter peut se faire au chevet du patient. On l'introduit par une veine périphérique ou centrale, puis on le pousse dans la veine cave supérieure en direction de l'oreillette droite. On gonfle alors le ballonnet, ce qui permet au cathéter de flotter dans le courant sanguin et de se diriger vers le ventricule droit, puis vers l'artère pulmonaire principale. Tout au cours de l'insertion, la position de l'extrémité du cathéter est déterminée par le relevé des pressions. Quand le cathéter a atteint l'artère pulmonaire, on le fixe en place après avoir dégonflé la ballonnet (figure 14-21).

Le cathéter artériel pulmonaire permet d'obtenir des mesures précises de la précharge, de la postcharge et du débit cardiaque. Il est doté de lumières, dont l'une, appelée lumière proximale, se situe au niveau de l'oreillette droite et sert à la mesure de la pression veineuse centrale qui est équivalente à la précharge (quantité de sang qui retourne au cœur par les veines). La postcharge (résistance à laquelle doit s'opposer le ventricule gauche) se traduit par la pression télédiastolique du ventricule gauche, qui est équivalente à la pression capillaire pulmonaire. On mesure cette dernière en plaçant le cathéter en position bloquée. Pour obtenir cette position, on gonfle le ballonnet qui est alors entraîné par le courant sanguin vers une artère pulmonaire plus petite où il est arrêté. La mesure du débit cardiaque se fait au moyen d'une lumière à thermistance reliée à un ordinateur.

On doit mesurer périodiquement les pressions, conformément à l'ordonnance du médecin, qui modifie en conséquence le traitement médicamenteux.

Les soins infirmiers au patient ayant un cathéter artériel pulmonaire sont hautement spécialisés et relèvent des soins intensifs ou coronariens. L'encadré 14-4 fournit des renseignements à ce sujet.

Traitement médical

Le traitement des patients présentant une insuffisance cardiaque vise essentiellement les objectifs suivants:

1. Réduire le travail du cœur en favorisant le repos.
2. Améliorer la contractilité du myocarde par des médicaments.
3. Réduire l'accumulation de liquide au moyen de diurétiques et d'un régime alimentaire approprié.

Traitement médicamenteux

Les cardiotoniques glucosides, les diurétiques et les vasodilatateurs forment la base du traitement médicamenteux de l'insuffisance cardiaque. On trouvera à l'encadré 14-5 l'action et l'usage clinique des principaux cardiotoniques glucosides, de même que les interventions infirmières à prodiguer aux patients qui prennent ces médicaments.

Digitaline (cardiotonique). La digitaline augmente la contractilité du myocarde et ralentit la fréquence cardiaque, ce qui a pour effet d'augmenter le débit cardiaque, de diminuer la pression veineuse et le volume sanguin et d'augmenter la diurèse pour soulager l'œdème. La dose administrée dépend de l'état du myocarde, de l'équilibre hydroélectrolytique et du fonctionnement du foie et des reins.

Il faut parfois administrer une dose choc pour obtenir une action thérapeutique, surtout dans les cas d'insuffisance cardiaque. Généralement toutefois, on administre simplement une première dose normale suivie d'une dose d'entretien quotidienne. Toutefois, peu importe la dose qu'il reçoit, le patient digitalisé doit être observé de près. La dose quotidienne idéale assure un taux sérique constant et a les effets escomptés (soulagement des difficultés respiratoires avec diminution des craquements et de l'œdème périphérique), *sans provoquer d'intoxication*.

Intoxication digitalique. Les premiers signes d'une intoxication digitalique sont l'anorexie, les nausées et les vomissements. On observe parfois des arythmies: bradycardie, extrasystole ventriculaire, bigéminisme ventriculaire (alternance d'un battement normal et d'une extrasystole ventriculaire), tachycardie ventriculaire paroxystique.

- Il faut prendre le pouls apexien avant d'administrer de la digitaline et ne pas l'administrer si on note un ralentissement marqué, à moins d'avoir obtenu l'autorisation du médecin. On évite généralement de donner de la digitaline quand la fréquence cardiaque est à 60 ou moins.
- Si des mesures des taux sériques de digitaline ont été effectuées, en vérifier les résultats avant d'administrer le médicament.

Diurétiques. Les diurétiques favorisent l'excrétion du sodium et de l'eau par les reins. Ils ne sont pas nécessaires si les cardiotoniques et un régime à faible teneur en sodium ont les effets escomptés.

- Les diurétiques doivent être administrés tôt le matin pour éviter que le sommeil du patient ne soit perturbé par la nycturie.
- On doit noter les ingesta et les excreta, car une seule dose de diurétique peut provoquer une forte excrétion urinaire.
- Pour vérifier l'efficacité d'un traitement aux diurétiques, on doit peser le patient tous les jours à la même heure. On doit de plus s'assurer qu'il n'y a pas d'œdème ou de déshydratation en recherchant le signe du pli cutané. Il faut aussi prendre régulièrement le pouls.

La posologie des diurétiques est fonction du poids du patient, des résultats de l'examen physique et des symptômes. Voir le tableau 14-1 pour des renseignements sur les diurétiques les plus couramment utilisés. Le furosémide (Lasix) est particulièrement utile dans le traitement de l'insuffisance cardiaque, car il provoque une dilatation des veinules et, par conséquent, une réduction de la précharge (retour veineux).

Effets secondaires des diurétiques. Utilisés pendant une longue période, les diurétiques peuvent entraîner une *hyponatrémie* (baisse des taux sanguins de sodium) se manifestant par de la faiblesse, de la fatigue, un malaise, des crampes et des spasmes musculaires, de même que par un pouls rapide et filant.

L'augmentation prolongée de l'excrétion urinaire peut aussi provoquer une *hypokaliémie* (baisse des taux sanguins de potassium). Les signes de cet effet secondaire sont: pouls faible, bruits du cœur peu audibles, hypotension, faiblesse musculaire, baisse du réflexe tendineux et faiblesse généralisée. On note également la présence d'une onde U à l'ECG. L'hypokaliémie peut aussi diminuer de façon marquée la contractilité du myocarde et déclencher une intoxication digitalique, ce qui peut entraîner des arythmies graves.

- Pour dépister l'hyponatrémie et l'hypokaliémie, on doit procéder régulièrement à la mesure des électrolytes.
- Pour réduire les risques d'hypokaliémie chez les patients qui reçoivent des diurétiques, on peut administrer un supplément de potassium (chlorure de potassium). Les bananes, le jus d'orange, les pruneaux, les raisins secs, les abricots, les dates, les figues, les pêches et les épinards sont de bonnes sources alimentaires de potassium.

Les diurétiques peuvent aussi entraîner une hyperuricémie, un déficit de volume liquidien et une hyperglycémie. Comme les hommes âgés souffrant d'une hypertrophie de la prostate ont souvent une obstruction urétrale, les diurétiques peuvent provoquer une distension de la vessie.

Vasodilatateurs. Les vasodilatateurs jouent un rôle particulièrement important dans le traitement de l'insuffisance cardiaque. Ils réduisent l'impédance à l'éjection du sang par le ventricule gauche, permettant une meilleure expulsion du contenu de ce ventricule et une augmentation de la capacité veineuse. Cette action a pour résultat une baisse de la pression de remplissage du ventricule gauche et une diminution spectaculaire de la congestion pulmonaire.

Le nitroprussiate de sodium peut être administré par perfusion intraveineuse, mais avec la plus grande prudence. On doit ajuster la posologie de façon à maintenir la pression systolique au niveau désiré et procéder régulièrement à la mesure des pressions artérielles pulmonaires et du débit cardiaque tout au cours de la perfusion. La nitroglycérine est un autre vasodilatateur couramment utilisé.

Régime alimentaire

Le régime alimentaire du patient qui souffre d'insuffisance cardiaque ne doit pas imposer au muscle cardiaque un effort indu. Il doit par ailleurs lui assurer un bon état nutritionnel et respecter ses goûts et ses préférences culturelles.

Régime hyposodé. Une restriction de l'apport en sodium est indiquée pour la prévention et le traitement de l'œdème que l'on observe dans l'hypertension et l'insuffisance cardiaque. On doit indiquer en milligrammes la quantité de sodium permise et non pas se contenter d'indiquer «régime à faible teneur en sel» ou «sans sel» pour éviter les erreurs, car il y a une différence entre sel et sodium. Il est important de savoir que le sel n'est pas du sodium à 100 % et que 1 g (1000 mg) de sel contient environ 400 mg de sodium.

La principale source de sodium dans le régime alimentaire du Nord-Américain moyen est le sel de table, mais il ne faut pas oublier que de nombreux aliments naturels contiennent du sodium. Par conséquent, même si on évite l'emploi du sel de table, le régime alimentaire quotidien peut contenir un à deux grammes de sodium.

Les aliments préparés sont aussi une importante source de sodium, car ils peuvent contenir des additifs comme l'alginate de sodium, qui améliore la texture des aliments, le benzoate de sodium, un agent de conservation, ou le phosphate de sodium, qui améliore la qualité de certains aliments cuits. Par conséquent, on doit conseiller aux patients qui ont un régime hyposodé d'éviter les aliments préparés ou, du moins, de vérifier sur les étiquettes s'ils contiennent du «sel» ou du «sodium». Dans le cas des régimes à teneur en sodium inférieure à un gramme, on recommande l'emploi de lait et de pain à faible teneur en sodium et de beurre sans sel.

Certains médicaments en vente libre (comme les antiacides, les sirops antitussifs, les laxatifs et les sédatifs) peuvent aussi contenir d'importantes quantités de sodium. Les substituts du sel doivent être évités à cause de leur forte teneur en potassium. Les patients qui ont un régime hyposodé doivent consulter leur médecin avant de prendre un médicament en vente libre.

Les régimes à faible teneur en gras et en sodium sont souvent mal acceptés à cause du peu de goût des aliments qui les composent. On peut toutefois en rehausser la saveur par l'emploi d'assaisonnements tels que le jus de citron et les fines herbes. Il importe également de respecter les préférences alimentaires du patient dans toute la mesure du possible.

DÉMARCHE DE SOINS INFIRMIERS
PATIENTS PRÉSENTANT UNE INSUFFISANCE CARDIAQUE

Collecte des données

La collecte des données chez le patient souffrant d'insuffisance cardiaque vise le dépistage des signes et symptômes reliés à cette maladie ainsi que les signes d'aggravation tels que l'œdème aigu du poumon ou l'œdème généralisé. Toutes les anomalies doivent être notées et signalées au médecin.

Appareil respiratoire. On doit ausculter fréquemment les poumons pour dépister la présence de craquements et de wheezing. Les craquements indiquent une accumulation de liquide dans les poumons, car ils sont produits par le mouvement de l'air à travers le liquide. Il faut aussi noter la fréquence et l'amplitude respiratoires.

Cœur. On ausculte le cœur pour rechercher la présence de B_3 et de B_4, qui peut indiquer un début de défaillance de la fonction pompe du cœur et, par conséquent, une augmentation avec chaque battement du volume de sang qui reste dans le ventricule. On doit aussi noter la fréquence et le rythme cardiaques. Une accélération de la fréquence indique une réduction du temps de remplissage du ventricule qui entraîne une stagnation de sang dans l'oreillette et le ventricule et, à plus ou moins brève échéance, dans les poumons.

Niveau de conscience. L'augmentation du volume intravasculaire provoque une dilution du sang, ce qui compromet le transport de l'oxygène et entraîne une diminution du volume d'éjection systolique. Il en résulte une diminution de l'apport d'oxygène au cerveau causant de la confusion.

Œdème périphérique. On doit procéder à l'examen des parties déclives du corps pour y dépister les signes d'œdème. Si le patient est en position assise, on procède à l'examen des pieds et des jambes. S'il est en position couchée, on recherche les signes d'œdème dans la région sacrée et le dos. Les mains peuvent aussi être œdémateuses, de même que les paupières (œdème périorbital). Dans les cas extrêmes d'insuffisance cardiaque, celles-ci sont parfois enflées jusqu'à être fermées.

On doit aussi vérifier s'il y a présence de reflux hépatojugulaire, un symptôme d'élévation de la pression veineuse. Il se manifeste par une augmentation de plus de 1 cm de la distension de la veine jugulaire quand on comprime le foie avec la main pendant 30 à 60 secondes. Le patient doit respirer normalement au cours de cet examen.

Pour mesurer la distension de la veine jugulaire, on élève la tête du lit à un angle de 45 degrés et on mesure la distance entre l'angle de Louis (qui se trouve à la ligne d'union du manubrium et du corps du sternum) et le point le plus haut où l'on peut voir les pulsations de la veine. On considère élevée une distance de plus de 3 à 4 cm. Il faut se rappeler que cette mesure est approximative.

Débit urinaire. Le patient qui souffre d'insuffisance cardiaque présente des risques d'oligurie ou d'anurie. Il importe donc de mesurer fréquemment son débit urinaire. Ces mesures pourront aussi servir de point de comparaison pour vérifier l'efficacité des diurétiques, le cas échéant. On doit aussi tenir un bilan rigoureux des ingesta et des excreta et peser le patient tous les jours, à la même heure et sur le même pèse-personne.

Analyse et interprétation des données

Selon les données recueillies, voici les principaux diagnostics infirmiers possibles:

- Intolérance à l'activité reliée à la fatigue et à la dyspnée consécutives à une diminution du débit cardiaque
- Anxiété reliée aux difficultés respiratoires et à l'agitation consécutives à une oxygénation inadéquate
- Diminution de l'irrigation tissulaire périphérique reliée à une stase veineuse
- Risque de non-observance du programme d'autosoins relié à un refus d'apporter à son mode de vie les modifications qui s'imposent et à un manque de connaissances sur l'insuffisance cardiaque

Planification et exécution

Objectifs de soins: Réduction de la fatigue; réduction de l'anxiété; rétablissement d'une irrigation tissulaire normale; observance du programme d'autosoins

Interventions infirmières

Réduction de la fatigue. Il est essentiel que le patient prenne du repos, tant physiquement que psychologiquement. Le repos réduit le travail du cœur, augmente la réserve cardiaque et fait baisser la pression artérielle. Il diminue

Encadré 14-6
Enseignement au patient présentant une insuffisance cardiaque

Le patient qui souffre d'une insuffisance cardiaque peut apprendre à adapter ses activités à ses capacités.

Objectif: Arrêter la progression de la maladie et prévenir l'insuffisance cardiaque.

Pour atteindre cet objectif, le patient devra faire ce qui suit:

I. Le patient respecte ses limites.
  A. Il se repose suffisamment.
    1. Il s'accorde tous les jours une période de repos.
    2. Il écourte ses heures de travail si possible.
    3. Il évite les situations qui provoquent un stress émotionnel.
  B. Il accepte le fait qu'il devra probablement prendre de la digitaline et suivre un régime hyposodé pour le reste de ses jours.
    1. Il prend de la digitaline tous les jours, en se conformant exactement à l'ordonnance de son médecin.
      a) Il prend la marque de digitaline prescrite.
      b) Il prend son pouls tous les jours, et surtout avant de prendre la digitaline.
      c) Il utilise une méthode de vérification pour s'assurer qu'il a bien pris son médicament.
    2. Il prend des diurétiques conformément à l'ordonnance de son médecin.
      a) Il se pèse à la même heure et avec le même pèse-personne tous les jours pour déceler toute accumulation de liquide.
      b) Il consulte son médecin s'il prend entre 0,9 et 1,4 kg en quelques jours.
      c) Il connaît les signes et les symptômes de l'hypokaliémie. S'il prend un supplément de potassium, il utilise une méthode de vérification pour s'assurer qu'il a pris son supplément en même temps que son médicament.
    3. Il prend un vasodilatateur conformément à l'ordonnance de son médecin.
      a) Il sait comment prendre sa pression artérielle et la prend à la fréquence prescrite (avant l'administration du vasodilatateur).
      b) Il connaît les signes et symptômes d'hypotension orthostatique et sait comment les prévenir.
  C. Il se conforme au régime hyposodé prescrit.
    1. Il consulte son régime écrit et la liste des aliments permis et prohibés.
    2. Il lit les étiquettes pour vérifier la teneur en sodium des médicaments en vente libre (antiacides, laxatifs, sirops antitussifs, etc.).
    3. Il n'utilise pas de sel de table.
    4. Il ne fait pas d'excès de nourriture ni de boissons.
    5. Il ne consomme pas de mets préparés car ceux-ci ont une teneur élevée en sodium.
  D. Il se conforme à son programme d'activités.
    1. Il augmente graduellement les marches et autres activités physiques, à moins d'éprouver de la fatigue et de la dyspnée.
    2. Il pratique ses activités à un niveau d'intensité qui ne provoque pas l'apparition de symptômes.
    3. Il évite la chaleur et le froid extrêmes, qui augmentent le travail du cœur. L'air climatisé peut être essentiel dans un climat chaud et humide.
    4. Il se présente à ses rendez-vous au cabinet du médecin ou à la clinique externe.

II. Le patient connaît les symptômes pouvant indiquer une récurrence.
  A. Il se rappelle les symptômes qu'il a eus au début de sa première crise.
  B. Il se présente au cabinet du médecin ou à la clinique externe s'il note:
    1. un gain de poids;
    2. une perte d'appétit;
    3. de la dyspnée à l'effort;
    4. un œdème aux chevilles, aux pieds ou à l'abdomen;
    5. un toux persistante;
    6. de la nycturie.

aussi le travail des muscles respiratoires et l'utilisation de l'oxygène. Il ralentit la fréquence cardiaque, ce qui prolonge la diastole et, par conséquent, améliore l'efficacité de la contraction.

▷ *Position.* Pour réduire le retour veineux, la congestion pulmonaire et la compression du foie sur le diaphragme, on élève la tête du lit de 20 à 30 cm, ou on installe le patient dans un fauteuil confortable. Pour réduire la fatigue causée par le poids des bras sur les épaules, on place les avant-bras sur des oreillers. Le patient souffrant d'orthopnée peut s'asseoir sur le bord de son lit, les pieds reposant sur une chaise, la tête et les mains appuyées sur la table de lit et le dos supporté par des oreillers.

▷ *Réduction de l'anxiété.* Les patients souffrant d'insuffisance cardiaque ont une forte dyspnée qui peut provoquer de l'anxiété et de l'agitation, surtout la nuit.

Pour sécuriser le patient pendant la nuit, on peut laisser une veilleuse allumée. Chez certaines personnes, la présence d'un membre de la famille a un effet rassurant. On doit surélever la tête du lit pour soulager la dyspnée. Au stade aigu de la congestion, on administre souvent de l'oxygène pour réduire le travail respiratoire et améliorer le bien-être du patient. Dans les cas de dyspnée très grave, le médecin prescrit parfois de faibles doses de morphine. Un hypnotique, comme l'hydrate de chloral, peut être administré au besoin pour favoriser le sommeil.

- Quand on administre des médicaments aux patients présentant un insuffisance cardiaque, on doit se rappeler que la congestion hépatique provoque un ralentissement du métabolisme, et que l'hypoxie cérébrale accompagnée d'une rétention d'azote peut provoquer des réactions indésirables aux sédatifs et aux hypnotiques, se manifestant par de la confusion et de l'agitation. Dans ce cas, on doit éviter, dans toute la mesure du possible, l'emploi de dispositifs de contention, car le patient pourrait s'y opposer violemment, ce qui provoquerait une augmentation du travail cardiaque.

Le patient qui éprouve de la difficulté à dormir à cause de dyspnée peut dormir dans un fauteuil, s'il y est placé de façon à être à l'aise. Cette position améliore généralement la circulation et la respiration.

▷ *Réduction du stress.* Le patient très anxieux ne peut se reposer. Le stress émotionnel provoque une vasoconstriction, une hausse de la pression artérielle et une accélération de la fréquence cardiaque. Pour réduire le stress, on doit assurer le bien-être physique du patient et éviter les situations qui provoquent de l'anxiété.

▷ *Irrigation tissulaire.* L'irrigation tissulaire inadéquate observée dans l'insuffisance cardiaque est due à une baisse du taux d'oxygène circulant et à une stagnation du sang dans les tissus périphériques. Pour favoriser la circulation, on a recours à des exercices quotidiens et à des mesures destinées à améliorer l'oxygénation et l'excrétion urinaire. Une excrétion urinaire adéquate favorise la concentration du sang et, par conséquent, le transport de l'oxygène. Le repos est également essentiel à une bonne irrigation tissulaire.

- L'immobilité entraîne des complications, comme les escarres de décubitus (surtout chez les patients souffrant d'œdème), la thrombophlébite et l'embolie pulmonaire. Les changements fréquents de position, les respirations profondes, les exercices pour les jambes et le port de bas élastiques peuvent éviter ces complications en améliorant le tonus musculaire et le retour veineux.

▷ *Programme d'autosoins.* On prépare le programme d'autosoins en collaboration avec le patient et la personne clé dans sa vie (voir encadré 14-6). Les activités de la vie quotidienne doivent être planifiées de façon à réduire l'essoufflement et la fatigue. On doit recommander au patient de consulter son médecin si ses activités normales entraînent un essoufflement ou une fatigue intolérables.

▷ *Enseignement au patient.* Le patient qui se rétablit d'une insuffisance cardiaque doit reprendre graduellement ses activités normales. Son mode de vie peut rester sensiblement le même, mais il devra apporter certaines modifications dans ses habitudes de travail et ses relations interpersonnelles. Les activités qui provoquent l'apparition de symptômes doivent être restreintes ou modifiées. Le patient doit apprendre à reconnaître les situations qui engendrent du stress et trouver des moyens de réduire ce stress.

On voit trop souvent des patients qui font régulièrement des crises répétées d'insuffisance cardiaque, avec les problèmes psychologiques, sociaux et financiers qui s'ajoutent à de graves troubles physiques: fibrose pulmonaire, cirrhose du foie, hypertrophie de la rate et des reins, et même troubles neurologiques dus à un manque d'oxygène.

Il faut donc s'assurer que le patient respectera son programme thérapeutique par un enseignement approprié. Il semble que les récidives peuvent être évitées dans une large mesure si le patient prend ses médicaments comme il se doit, suit son régime alimentaire, se présente à ses rendez-vous au cabinet du médecin ou à la clinique externe, fait de l'exercice physique avec modération et sait reconnaître les symptômes de la maladie. Les principaux éléments à enseigner au patient présentant une insuffisance cardiaque sont exposés dans l'encadré 14-6.

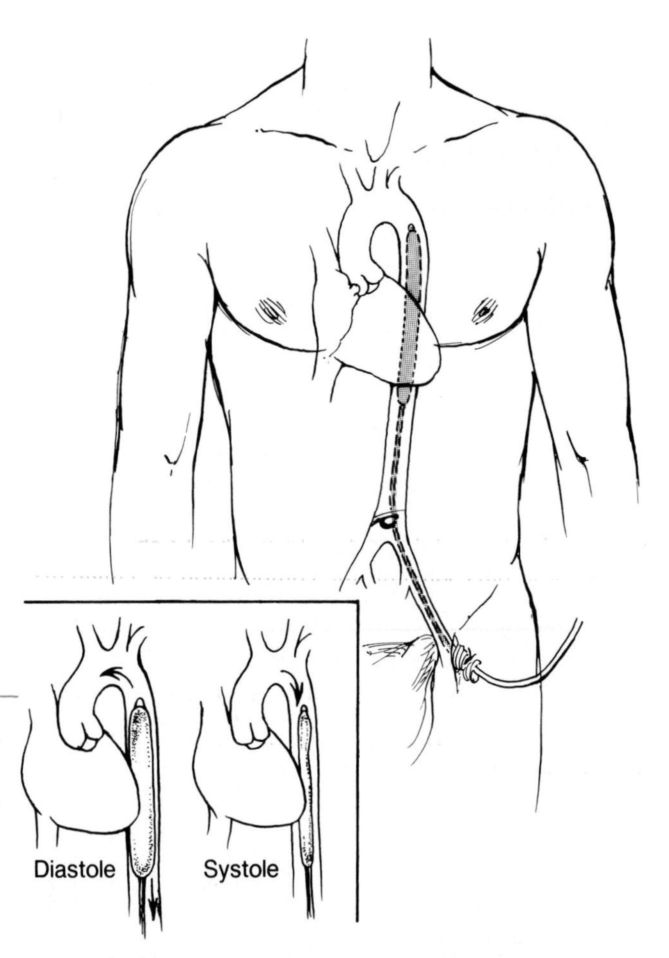

Figure 14-22. La pompe à ballonnet intra-aortique, ou ballon intra-aortique, a pour fonction d'accroître le remplissage des cavités du cœur, ce qui augmente l'irrigation des artères coronaires et du myocarde, et diminue le travail du ventricule gauche.

Il faut donc expliquer au patient qu'il peut prévenir les récurrences de l'insuffisance cardiaque en voyant régulièrement son médecin, en évitant l'embonpoint, en suivant un régime alimentaire hyposodé, en respectant l'horaire et la posologie des médicaments prescrits, en prévenant les infections, en évitant la consommation de certaines substances, comme la caféine et le tabac, et en appliquant un programme d'exercices appropriés. Chez les personnes présentant une valvulopathie, un remplacement de la valvule défectueuse peut prévenir l'insuffisance cardiaque.

▷ *Évaluation*

Résultats escomptés

1. Le patient présente moins de fatigue et de dyspnée.
   a) Il prend suffisamment de repos, tant physiquement que psychologiquement.
   b) Il adopte des positions qui réduisent la fatigue et la dyspnée.
   c) Il suit son traitement médicamenteux.
2. Le patient éprouve moins d'anxiété.
   a) Il évite les situations qui lui causent du stress.
   b) Il dort bien.
   c) Il se dit moins anxieux.
3. L'irrigation tissulaire est meilleure.
   a) Le patient prend suffisamment de repos.

b) Il pratique des activités qui favorisent le retour veineux: activité physique quotidienne modérée, exercices actifs d'amplitude des mouvements articulaires s'il est alité, port de bas élastiques.
c) La peau a un aspect normal (température, hydratation, couleur).
d) Il ne présente pas d'œdème périphérique.

4. Il se conforme à son programme d'autosoins (encadré 14-6).

CHOC CARDIOGÉNIQUE

Le choc cardiogénique se manifeste par une perte de contractilité qui provoque une baisse marquée du débit cardiaque avec irrigation inadéquate des organes vitaux (cœur, cerveau, reins). La gravité du choc est fonction de l'importance du dysfonctionnement du ventricule gauche. Le choc cardiogénique est le plus souvent une complication de l'infarctus du myocarde, mais il peut aussi être consécutif à une tamponnade, à une embolie pulmonaire, à une myocardiopathie ou à des arythmies.

Physiopathologie. Les signes et symptômes du choc cardiogénique créent le même cercle vicieux que la défaillance cardiaque. Les lésions myocardiques provoquent une baisse du débit cardiaque et de la pression artérielle, qui à son tour réduit l'irrigation des organes vitaux. On observe aussi une baisse de la circulation sanguine dans les artères coronaires et une réduction consécutive de l'apport d'oxygène au myocarde, qui aggrave encore l'ischémie et la perte de contractilité.

- Le choc cardiogénique se caractérise par une hypotension, un pouls rapide et faible et une hypoxie cérébrale, qui se manifeste par de la confusion et de l'agitation suivies rapidement d'une perte de conscience, une réduction du débit urinaire et une peau froide et moite.

Comme dans l'insuffisance cardiaque, on utilise le cathéter artériel pulmonaire pour mesurer la pression du ventricule gauche; on évalue ainsi la gravité de l'atteinte et on détermine le traitement. Une élévation persistante de la pression télédiastolique du ventricule gauche, accompagnée d'une chute de la pression artérielle, indique une défaillance de la contractilité du cœur.

Traitement médical. La conduite à tenir dans les cas de choc cardiogénique est variable. Si d'importantes arythmies sont présentes, on doit les corriger parce qu'elles peuvent être la cause ou une des causes du choc. Si les relevés de pression indiquent une baisse du volume intravasculaire (hypovolémie), on doit administrer une solution isotonique ou hypertonique afin d'augmenter le volume intravasculaire. Pour corriger l'hypoxie, on administre de l'oxygène sous pression positive (ventilateur) si le débit n'est pas suffisant pour combler les besoins des tissus.

Le traitement médicamenteux est fonction du débit cardiaque et de la pression artérielle moyenne. Pour augmenter la pression artérielle et le débit cardiaque, on utilise souvent les catécholamines. Toutefois, ces médicaments peuvent accroître le travail du cœur en augmentant les besoins en oxygène. Les vasodilatateurs (comme le nitroprussiate de sodium et la nitroglycérine) réduisent efficacement la pression artérielle et, par conséquent, le travail du cœur. Comme leur nom l'indique, ils provoquent une dilatation des veines et des artères, qui peuvent ainsi amener vers la périphérie une grande partie de l'excès du volume intravasculaire, d'où une réduction de la précharge et de la postcharge. On administre généralement les vasodilatateurs en association avec de la dopamine (un vasopresseur) pour maintenir une pression artérielle adéquate.

On peut aussi avoir recours à un dispositif d'assistance circulatoire, comme la pompe à ballonnet intra-aortique (ballon intra-aortique), un instrument utilisé pour obtenir une contrepulsion diastolique intra-aortique. Le ballonnet, qui se trouve dans l'aorte descendante thoracique (figure 14-22), est gonflé pendant la diastole et dégonflé pendant la systole à une fréquence analogue à la fréquence cardiaque normale. L'instrument est relié à une console qui synchronise son action en fonction de l'électrocardiogramme. Il a pour effet d'accroître le remplissage des cavités du cœur et d'augmenter ainsi l'irrigation des artères coronaires et du myocarde, ainsi que de diminuer le travail du ventricule gauche. Le monitorage hémodynamique est essentiel pour suivre de près l'état de la circulation au cours de l'utilisation de la pompe à ballonnet intra-aortique (ballon intra-aortique).

Soins infirmiers. Le patient atteint d'un choc cardiogénique a besoin de soins infirmiers intensifs. L'infirmière doit donc procéder régulièrement à des examens physiques et à des mesures des paramètres hémodynamiques. Elle doit également noter les ingesta et les excreta et être à l'affût des signes d'arythmie.

Le traitement du choc cardiogénique exige du matériel hautement perfectionné et se fait, pour cette raison, dans une unité de soins intensifs ou coronariens par des infirmières spécialisées.

Résumé: Le terme insuffisance cardiaque englobe toutes les complications des maladies cardiaques qui se caractérisent par une surcharge en liquide provoquée par une défaillance du cœur. Elle peut aller jusqu'à l'œdème aigu du poumon et le choc cardiogénique, deux des plus importantes causes de morbidité et de mortalité chez les cardiaques. La gravité de l'insuffisance cardiaque est directement proportionnelle à l'étendue des lésions au myocarde.

L'atteinte du muscle cardiaque altère le débit cardiaque principalement par une perturbation du volume d'éjection systolique. Comme le volume d'éjection systolique est fonction de la précharge, de la postcharge et de la contractilité, le traitement de l'insuffisance cardiaque vise à modifier ces paramètres. Ainsi, on utilise des médicaments qui augmentent la contractilité et réduisent par conséquent la surcharge liquidienne.

On peut diminuer le nombre d'épisodes aigus d'insuffisance cardiaque par un enseignement approprié. L'enseignement sur la pharmacothérapie, le régime alimentaire et la perte de poids constitue une part importante des responsabilités de l'infirmière auprès de ces patients.

Si l'insuffisance cardiaque évolue vers un choc cardiogénique, le risque de mortalité augmente de façon importante.

THROMBO-EMBOLIES

Les patients qui souffrent de problèmes cardiovasculaires sont souvent plus susceptibles de présenter des caillots au niveau du cœur et des vaisseaux. Une augmentation de l'activité peut ensuite provoquer le déplacement d'un caillot vers le cerveau, les reins, les intestins ou les poumons. On appelle *embole* le caillot ainsi déplacé et *embolie* l'obstruction d'un vaisseau par ce caillot.

L'embolie pulmonaire est la plus fréquente des embolies. Elle se manifeste par une douleur thoracique «en coup de poignard», une cyanose, de la dyspnée, une accélération de la respiration et l'hémoptysie. L'obstruction de la circulation provoque parfois l'infarcissement du poumon. La douleur est habituellement de nature pleurétique, car elle est intensifiée par les mouvements respiratoires et disparaît quand le patient retient son souffle (contrairement à la douleur cardiaque, qui est constante et n'est pas influencée par les mouvements respiratoires). Voir le chapitre 4 pour le traitement de l'embolie pulmonaire.

L'embolie générale peut provenir d'un caillot qui s'est délogé du ventricule gauche; elle se manifeste par un accident vasculaire cérébral ou un infarctus rénal. Elle peut aussi compromettre l'apport sanguin dans un membre. L'infirmière doit être en mesure de reconnaître les signes et les symptômes de ces complications.

ÉPANCHEMENT PÉRICARDIQUE

Physiopathologie. L'épanchement péricardique est la présence d'une quantité anormale de liquide dans le sac fibreux péricardique. Il peut être un signe de péricardite et d'insuffisance cardiaque globale. Il peut aussi se manifester à la suite d'une chirurgie cardiaque.

Le signe caractéristique de l'épanchement péricardique est une matité à la percussion le long de la partie antérieure de la paroi thoracique. Le patient éprouve parfois une sensation de plénitude dans la poitrine ou une douleur rétrosternale ou mal définie.

Normalement, le sac péricardique contient moins de 50 mL de liquide. L'accumulation peut être lente et ne provoquer aucun symptôme. Elle peut aussi être *rapide* et causer une *tamponnade*, une compression du cœur due à l'accumulation de liquide se manifestant par une baisse du débit cardiaque et du retour veineux (figure 14-23).

Manifestations cliniques. L'épanchement cardiaque se manifeste par une sensation d'oppression précordiale due à l'étirement du sac péricardique, de la dyspnée et des fluctuations de la pression artérielle. Celle-ci est à son minimum au moment de l'inspiration, et le pouls est alors imperceptible (*pouls paradoxal*). La pression veineuse est généralement augmentée, comme en témoigne la distension des veines du cou.

Les signes caractéristiques de l'épanchement péricardique sont une baisse de la pression artérielle, une diminution de la pression différentielle, une augmentation de la pression veineuse et des bruits cardiaques distants. *Cette complication peut avoir des conséquences fatales et exige une intervention immédiate.*

Diagnostic. Le diagnostic de l'épanchement pleural repose généralement sur les signes et symptômes cliniques. Si la situation le permet, le médecin peut choisir de confirmer le diagnostic par un échocardiogramme.

Traitement: Péricardiocentèse (ponction du péricarde). Si la fonction cardiaque est gravement altérée et que l'on craint la tamponnade, on procède à une

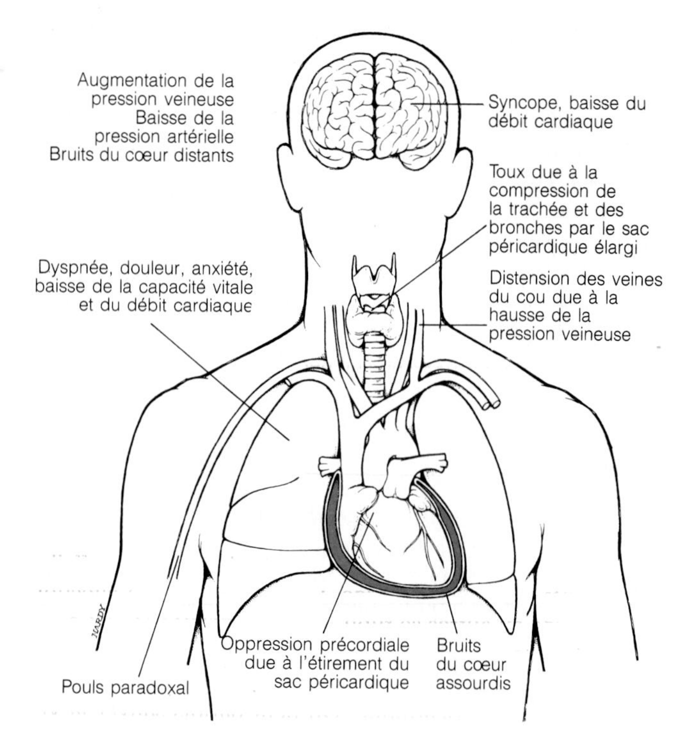

Figure 14-23. Signes de tamponnade cardiaque due à un épanchement péricardique

péricardiocentèse, c'est-à-dire à la ponction du péricarde dans le but d'en évacuer l'épanchement.

Cette intervention se fait sous monitorage cardiaque, avec mesures régulières de la pression veineuse centrale. On doit avoir à portée de la main du matériel de réanimation cardiorespiratoire.

La tête du lit doit être inclinée à un angle de 45 à 60 degrés. Cette position rapproche le cœur de la paroi thoracique et facilite l'insertion de l'aiguille dans le sac péricardique. Si elle n'est pas déjà en place, il faut installer une perfusion intraveineuse à faible débit au cas où il serait nécessaire d'administrer d'urgence des médicaments ou des dérivés sanguins.

L'aiguille de ponction péricardique est reliée à une seringue de 50 mL par un robinet à trois voies. On peut relier l'électrode V (électrode précordiale) de l'ECG à la garde de l'aiguille au moyen de pinces de contact, ce qui permet de déceler les oscillations (élévation du segment ST ou extrasystoles) indiquant une ponction accidentelle du myocarde.

On peut effectuer la ponction à partir de l'angle costoxiphoïdien, ou de l'extrémité de l'appendice xiphoïde. L'aiguille peut aussi être introduite au niveau du cinquième ou du sixième espace intercostal au bord gauche du sternum ou du côté droit du quatrième espace intercostal. On avance l'aiguille lentement, en pratiquant une aspiration continue, jusqu'à ce que l'on obtienne du liquide.

Une baisse de la pression veineuse centrale associée à une hausse de la pression artérielle indique un soulagement de la tamponnade, ce que le patient ressent presque toujours immédiatement. S'il reste une quantité importante de liquide péricardique, on peut l'évacuer grâce à un petit cathéter introduit à travers l'aiguille de ponction et laissé à demeure.

Au cours de la péricardiocentèse, il importe d'examiner le liquide obtenu pour déceler la présence de sang. Le sang provenant du péricarde ne coagule pas facilement, contrairement au sang provenant d'une ponction accidentelle du cœur.

On doit faire parvenir le liquide péricardique au laboratoire pour recherche de cellules néoplasiques, cultures bactériennes, analyses biochimiques et sérologiques et numération globulaire.

- Après une péricardiocentèse, on doit mesurer régulièrement la pression artérielle, la pression veineuse et les bruits du cœur pour déceler une récurrence de la tamponnade. Si cela se produit, on doit procéder à une nouvelle ponction. Parfois, une péricardiectomie (résection du péricarde fibreux) est nécessaire. Le patient souffrant de tamponnade cardiaque est idéalement placé dans une unité de soins intensifs.

RUPTURE MYOCARDIQUE

Il arrive, quoique rarement, que le muscle cardiaque affaibli par un infarctus du myocarde, une infection, une affection du péricarde ou autres se rupture, ce qui provoque une mort subite dans la plupart des cas.

La mort est causée par une tamponnade, le sang s'écoulant dans le sac péricardique. On peut parfois sauver la vie du patient par une péricardiocentèse et une réfection chirurgicale du myocarde.

ARRÊT CARDIAQUE

L'arrêt cardiaque est la cessation des contractions du cœur entraînant un arrêt de la circulation et une disparition de la presssion artérielle. On observe soit une absence complète d'activité électrique (asystolie), soit une fibrillation ventriculaire.

La victime d'un arrêt cardiaque perd immédiatement conscience. Le pouls est imperceptible et les bruits du cœur inaudibles. On observe une dilatation des pupilles (mydriase) dans les 45 secondes qui suivent et, parfois, des convulsions.

- Il y a un intervalle de quatre minutes environ entre l'arrêt de la circulation et l'apparition de lésions irréversibles au cerveau. Cet intervalle peut être plus ou moins long selon l'âge du patient. Il faut donc diagnostiquer l'arrêt cardiaque et rétablir la circulation sans délai.
- *L'absence de pouls carotidien est le signe le plus sûr de l'arrêt cardiaque.* On ne doit pas perdre de temps à ausculter le patient ou à prendre sa pression artérielle.

RÉANIMATION CARDIORESPIRATOIRE RCR

La réanimation cardiorespiratoire comporte trois points importants que l'on peut retenir par les lettres ABC, soit A pour voies aériennes, B pour «breathing» (respiration) et C pour circulation (figure 14-24). On doit donc d'abord ouvrir les voies aériennes, puis maintenir artificiellement la respiration en insufflant de l'air dans les poumons et, enfin, assurer une circulation artificielle par massage cardiaque externe.

Pour ouvrir les voies aériennes, on doit tout d'abord retirer tout corps étranger causant une obstruction, puis renverser la tête de la victime vers l'arrière, déplacer sa mâchoire vers l'avant et lui ouvrir la bouche. On insuffle ensuite lentement deux bouffées d'air dans les poumons par la méthode du bouche-à-bouche. Si possible, on procède à l'insertion d'une canule oropharyngée et on insuffle de l'air à raison de 12 respirations par minute au moyen d'un masque abouté à un ballon (sac Ambu).

On commence ensuite immédiatement le massage cardiaque externe. Le patient doit être placé sur une surface dure. Pour procéder correctement au massage, on s'agenouille à côté du thorax du patient, les épaules directement au-dessus du sternum. On glisse l'index et le majeur d'une main le long du rebord costal jusqu'à l'appendice xiphoïde. On place ensuite la partie inférieure de la paume de l'autre main sur la partie inférieure du sternum, à environ 4 cm de l'appendice xiphoïde. On place la main située près de l'appendice xiphoïde au-dessus de l'autre main. Les doigts ne doivent pas toucher le thorax. En gardant les bras droits et les coudes bloqués, on comprime le sternum à une profondeur de 4 à 5 cm. Le relâchement doit suivre la compression et être d'égale durée. Le rythme des compressions est de 80 à 100 par minute. Le rapport compressions-insufflations idéal est de 15:2, (pour la réanimation à un secouriste) soit 2 insufflations lentes et complètes après chaque série de 15 compressions.

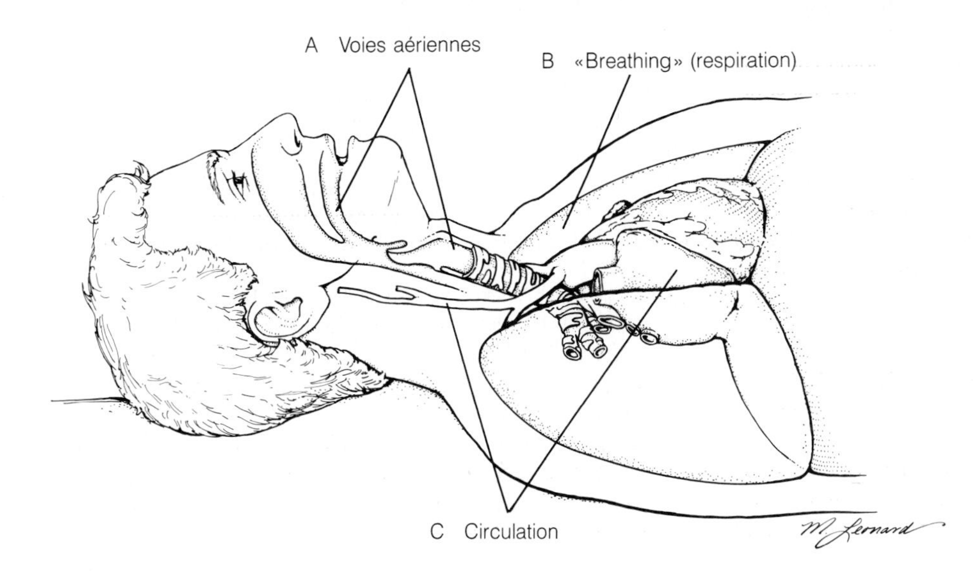

Figure 14-24. «ABC» de la réanimation cardiorespiratoire

TABLEAU 14-2. *Traitement médicamenteux dans les cas d'arrêt cardiaque*

Médicament	*Action*	*Effets secondaires et commentaires*
OXYGÈNE	Corrige l'hypoxémie.	Ne provoque pas de lésions pulmonaires s'il est utilisé pendant moins de 24 heures.
LIDOCAÏNE	Supprime les arythmies ventriculaires; élévation du seuil de fibrillation ventriculaire.	Provoque une dépression myocardique et circulatoire. Agit sur le système nerveux central: somnolence, désorientation, perte auditive, paresthésies, contractions musculaires et agitation. Provoque des crises épileptiques focales ou cloniques.
CHLORHYDRATE DE PROCAÏNAMIDE	Supprime les arythmies ventriculaires dans les cas où la lidocaïne est inefficace.	Peut provoquer une asystolie ou une fibrillation ventriculaire s'il est administré par voie intraveineuse.
ATROPINE	Accélère la fréquence cardiaque grâce à une action parasympatholytique (réduction du tonus vagal) créant un effet chronotrope positif; accélère la conduction AV par effet dromotrope positif.	L'accélération de la fréquence cardiaque peut avoir des effets nocifs chez les patients atteints d'un infarctus du myocarde; on ne doit donc administrer de l'atropine à ces patients que si la bradycardie a des effets hémodynamiques.
ADRÉNALINE	Améliore la pression d'irrigation au cours du massage cardiaque. Améliore la contractilité. Stimule des contractions spontanées (dans l'asystolie). Corrige la fibrillation ventriculaire.	

On peut pratiquer la réanimation cardiorespiratoire à deux secouristes, le premier pratiquant les compressions et le second la ventilation. Le rapport compressions-ventilation est alors de 5:1.

La décision de cesser la réanimation cardiorespiratoire appartient au médecin, qui se fonde sur l'état cardiaque et cérébrovasculaire du patient.

Après la réanimation, l'infirmière doit surveiller de près le patient qui a subi un arrêt cardiaque, parce que les risques de récidive sont grands. On doit poursuivre le monitorage cardiaque et corriger les arythmies s'il y a lieu. Il importe aussi de rétablir et de maintenir l'équilibre électrolytique et acidobasique. Le monitorage hémodynamique est essentiel. On doit toujours avoir à portée de la main les médicaments utilisés au cours de la réanimation (tableau 14-2).

Résumé: Les thrombo-embolies, l'épanchement péricardique et la rupture du myocarde sont des complications moins fréquentes que les arythmies et l'insuffisance cardiaque, mais elles n'en sont pas moins graves. L'infirmière doit donc connaître les signes et symptômes des complications cardiaques moins fréquentes pour prodiguer à ses patients les meilleurs soins possibles.

La réanimation cardiorespiratoire est le traitement immédiat de l'arrêt cardiaque et doit être entreprise sans délai quand le pouls et la respiration sont imperceptibles. On doit toutefois bien savoir la pratiquer tant pour sa propre sécurité que pour celle de la victime.

Bibliographie

Ouvrages

Abels L. Critical Care Nursing. St Louis, CV Mosby, 1986.

Ahumada G. Cardiovascular Pathophysiology. New York, Oxford University Press, 1987.

Andreoli K et al. Comprehensive Cardiac Care. St Louis, CV Mosby, 1987.

Brandenburg RO et al. Cardiology: Fundamentals and Practice. Chicago, Year Book Medical Publishers, 1987.

Braunwald E. Heart Disease: A Textbook of Cardiovascular Medicine. Philadelphia, WB Saunders, 1988.

Bustin D. Hemodynamic Monitoring for Critical Care. Norwalk, CT, Appleton-Century-Crofts, 1986.

Cardiopulmonary Resuscitation (CPR) (pamphlet). American Heart Association, 1986.

Cheng T. The International Textbook of Cardiology. New York, Pergamon Press, 1986.

Chernow B. The Pharmacologic Approach to the Critically Ill Patient. Baltimore, Williams & Wilkins, 1988.

Chung E. Principles of Cardiac Arrhythmias. Baltimore, Williams & Wilkins, 1989.

Chung E. Cardiac Emergency Care. Philadelphia, Lea & Febiger, 1985.

Chung E. Manual of Acute Cardiac Disorders. Boston, Butterworths, 1988.

Comerota AJ. Thrombolytic Therapy. New York, Grune & Stratton, 1988.

Conover MB. Understanding Electrocardiography. St Louis, CV Mosby, 1988.

Coodley EL (ed). Geriatric Heart Disease. Littleton, MA, PSG Publishing, 1985.

Daily ED and Schroeder JS. Techniques in Bedside Hemodynamic Monitoring. St Louis, CV Mosby, 1989.

Darovic GO. Hemodynamic Monitoring. Philadelphia, WB Saunders Company, 1987.
Douglas MK and Shinn JA. Advances in Cardiovascular Nursing. Rockville, MD, Aspen Systems, 1985.
Dublin D. Lecture accélérée de l'ECG. Paris, Maloine, 1991.
Dunn MI and Lipman BS. Lipman–Massie Clinical Electrocardiography. Chicago, Year Book Medical Publishers, 1989.
Eagle KA et al (eds). The Practice of Cardiology, Vols 1 and 2. Boston, Little, Brown, 1989.
Edmonds JH. ECG STAT! Hospital Electrocardiography in Urgent Situations. Philadelphia, Lea & Febiger, 1988.
Facts About Congestive Heart Failure (pamphlet). American Heart Association, 1987.
Fozzard HA et al (eds). The Heart and Cardiovascular System. New York, Raven Press, 1986.
Frye SJ and Lounsbury P. Cardiac Rhythm Disorders: An Introduction Using the Nursing Process. Baltimore, Williams & Wilkins, 1988.
Grauer K and Curry WR. Clinical Electrocardiography: A Primary Care Approach. Oradell, NJ, Medical Economics, 1987.
Harris R. Clinical Geriatric Cardiology. Philadelphia, JB Lippincott, 1986.
Henning RJ and Grenvik A. Critical Care Cardiology. New York, Churchill Livingstone, 1989.
Hillis LD et al. Manual of Clinical Problems in Cardiology. Boston, Little, Brown, 1988.
Holloway N. Nursing the Critically Ill Adult. Menlo Park, CA, Addison-Wesley, 1988.
Hunyor SN. Cardiovascular Drug Therapy. Baltimore, Williams & Wilkins, 1987.
Hurst JW. The Heart. New York, McGraw–Hill, 1990.
Josephson ME. Sudden Cardiac Death. Philadelphia, FA Davis, 1985.
Julian DG and Wenger NK. Management of Heart Failure. Boston, Butterworths, 1986.
Kern L. Cardiac Critical Care Nursing. Rockville, MD, Aspen Systems, 1988.
Khan MG. Manual of Cardiac Drug Therapy. Philadelphia, WB Saunders, 1988.
Mandel WJ. Cardiac Arrhythmias: Their Mechanisms, Diagnosis, and Management. Philadelphia, JB Lippincott, 1987.
Marriott HJL. Practical Electrocardiography. Baltimore, Williams & Wilkins, 1988.
Marriott HL and Conover MR. Advanced Concepts in Arrhythmias. St Louis, CV Mosby, 1989.
Messerli F. Cardiovascular Disease in the Elderly. Boston, Martinus Nijhoff, 1988.
Norman AE. Rapid ECG Interpretation. New York, Macmillan, 1989.
Ornato JP. Cardiovascular Emergencies. New York, Churchill Livingstone, 1986.
Price S and Wilson L. Pathophysiology: Clinical Concepts of Disease Process. New York, McGraw–Hill, 1986.
Riegel B et al (eds). Dreifus' pacemaker therapy: An interprofessional approach. Philadelphia, FA Davis, 1986.
Silber EN. Heart Disease. New York, Macmillan, 1987.
Sokolow M and McIlroy M. Clinical Cardiology. Los Altos, CA, Lange Medical Publications, 1986.
Suddarth DS. Lippincott Manual of Nursing Practice. Philadelphia, JB Lippincott, 1991.
Underhill SL et al. Cardiac Nursing. Philadelphia, JB Lippincott, 1989.
Warren JV and Lewis RP. Diagnostic Procedures in Cardiology. Chicago, Year Book Medical Publishers, 1985.
Webb WR and Kerstein MD. Cardiovascular Emergencies. Rockville, MD, Aspen Sysems, 1987.
Yee BH and Zorb SL. Cardiac Critical Care Nursing. Boston, Little, Brown, 1986.

Revues

Les articles de recherche en sciences infirmières sont marqués d'un astérique.

Arythmies

Andrews LK. ECG rhythms made easier with algorithms. Am J Nurs 1989 Mar; 89(3): 365-369.
Andrews LK. Tracking electrical impulses. Am J Nurs 1989 Mar; 89(3): 370-371.
Arrhythmias. Med Times 1989 Jan; 117(1): 89-92.
Cheny R. Defibrillation. Crit Care Nurs Q 1988; 10(4): 9-15.
Conner RP. The Wenckebach phenomenon. Heart Lung 1987 Sep; 16(5): 506-518.
Conover M. A common arrhythmia. Crit Care Nurs 1988 May; 8(5): 112.
Cook JR and Nieminski K. Ventricular tachycardia. Crit Care Nurs 1988 Oct; 8(7): 15-17.
Crisp CB. Calcium channel blockers in emergency medicine. Emerg Care Q 1987 Aug; 3(2): 38-48.
Decker S. Continuous EKG monitoring systems. Nurs Clin North Am 1987 Mar; 22(1): 1-13.
*Dunnington CC et al. Patients with heart rhythm disturbances: Variables associated with increased psychologic stress. Heart Lung 1988 Jul/Aug; 17(4): 381-389.
Erickson SL. Wolff–Parkinson–White syndrome: A review and update. Crit Care Nurs 1989 May; 9(5): 28-35.
Geddes L. Monitoring the patient with conduction disturbances and blocks. Nurs Clin North Am 1987 Mar; 22(1): 33-47.
Lazarus M et al. Cardiac arrhythmias: Diagnosis and treatment. Crit Care Nurs 1988 Jul; 8(7): 57-65.
Lunger DG. Potassium supplementations: How and why? Focus Crit Care 1988 Oct; 15(5): 56-60.
Marden S and Chulay M. Esmolol HCL. Crit Care Nurs 1989 Nov/Dec; 9(10): 12-14.
Meola DR and Walker V. Responding quickly to tachydysrhythmias. Nursing 1987 Nov; 17(11): 34-41.
Mercer M The electrophysiology study: A nursing concern. Crit Care Nurs 1987 Mar/Apr; 7(2): 58-65.
Parker BM. Electrocardiography: Identifying diagnostic pitfalls. Consultant 1987 Aug; 27(8): 34-38.
Petrie JR. Distinguishing supraventricular aberrancies from ventricular ectopy. Focus Crit Care 1988 Jul; 15(4): 15-21.
Reyes A. Monitoring and treating life-threatening dysrhythmias. Nurs Clin North Am 1987 Mar; 22(1): 61-75.
Rhynsvurger J. Action stat! Third degree heart block. Nursing 1988 Oct; 18(10): 33.
Sargent RK. Advances in the treatment of ventricular dysrhythmias. Emerg Care Q 1987 Aug; 3(2): 18-26.
Schactman M. A case study of atrial fibrillation and mitral stenosis. Focus Crit Care 1987 May; 14(3): 13-20.
Stevens LL and Redd RM. Bedside electrophysiology study. Crit Care Nurs 1987 Jul/Aug; 7(4): 36-41.
Stevens L et al. Emergency catheter ablation of refractory ventricular tachycardia. Crit Car Nurs 1989 May; 9(5): 36-40.
Valle GA and Lemberg L. Electrolyte imbalances in cardiovascular disease: The forgotten factor. Heart Lung 1988 May; 17(3): 324-329.
Weller Dm and Noone J. Mechanisms of arrhythmias: Enhanced automaticity and reentry. Crit Care Nurs 1989 May; 9(5): 42-62.
Zimmaro DM. Catheter ablation of ventricular tachycardia and related nursing interventions. Crit Care Nurs 1987 Jul/Aug; 7(4): 20-29.

Stimulateurs cardiaques et défibrillateurs internes

* Badger JM and Morris P. Observations of a support group for automatic implantable cardioverter-defibrillator recipients and their spouses. Heart Lung 1989 May; 18(3): 238-243.
Bayless WA. The elements of cardiac pacing. Crit Care Nurs 1988 Aug; 8(7): 31-41.
Catania SL. A simplified method for the interpretation of DDD pacemaker ECG's. Crit Care Nurs Q 1987; 9(4): 31-39.

Cooper D et al. Care of the patient with the automatic implantable defibrillator: A guide for nurses. Heart Lung 1987 Nov; 16(6) part 1: 640-648.
Featherston RG. Care of sudden cardiac death survivors: The aberrant cardiac patient. Heart Lung 1988 May; 17(3): 242-246.
Living with your pacemaker (pamphlet). American Heart Association, 1986.
Manolis AS et al. Automatic implantable cardioverter defibrillator. JAMA 1989 Sep 8; 262(10): 1362-1367.
McCrum AE and Tyndall A. Nursing care of patients with implantable defibrillators. Crit Care Nurs 1989 Sep; 9(9): 48-68.
Moser S et al. Caring for patients with implantable cardioverter-defibrillators. Crit Care Nurs 1988 Nov/Dec; 8(2): 52-65.
Nottingham A and Camp V. Remote cardiac monitoring nursing collaboration is the key. Dimens Crit Care Nurs 1987 May/Jun; 6(3): 176-178.
Persons CB. Transcutaneous pacing: Meeting the challenge. Focus Crit Care 1987 Feb; 14(1): 13-19.
Stevens L et al. Ventricular burst pacing. Crit Care Nurs 1989 Mar; 9(3): 38-43.
Stevens L and Buckingham T. Late potentials: A method for screening patients at risk for sudden cardiac death. Crit Care Nurs 1989 May; 9(5): 68-73.
Walton J. Identification of patients at high risk for sudden cardiac death. Focus Crit Care 1987 Nov/Dec; 14(6): 70-75.

Insuffisance cardiaque, oedème aigu du poumon, choc

Ardire L. IV NTG: Monitoring vital signs hourly versus every two hours. Crit Care Nurs 1990 Oct; 10(9): 52-56.
Bumann R and Speltz M. Decreased cardiac output: A nursing diagnosis. Dimens Crit Care Nurs 1989 Jan/Feb; 8(1): 6-15.
Contrades S. Altered cardiac output: An assessment tool. Dimens Crit Care Nurs 1987 Sep/Oct; 6(5): 274-282.
Jefferies PR and Whelan SK. Cardiogenic shock: Current management. Crit Care Nurs Q 1988; 11(1): 48-56.
Joseph DL and Bates S. Intra-aortic balloon pumping: How to stay on course. Am J Nurs 1990 Sep; 90(9): 42-47.
Lambert CE and Lambert V. Psychosocial impacts created by chronic illness. Nurs Clin North Am 1987 Sep; 22(3): 527-533.
Lough ME. Introduction to hemodynamic monitoring. Nurs Clin North Am 1987 Mar; 22(1): 89-110.
Masters S. Complications of pulmonary artery catheters. Crit Care Nurs 1989 Sep; 9(9): 82-91.
Moore J. Intravenous amrinone therapy at home for the patient with chronic congestive heart failure. Focus Crit Care 1988 Nov/Dec; 15(6): 32-37.
Mutnik A et al. Update on cardiac drugs: Inotropic and chronotropic agents. Nursing 1987 Oct; 17(10): 58-61.
Roberts S. Cardiogenic shock: Decreased coronary artery tissue perfusion. Dimens Crit Care Nurs 1988 Jul/Aug; 7(4): 196-208.
Schreiber TL et al. Management of myocardial infarction shock: Current status. Am Heart J 1989 Feb; 117(2): 435-443.
Schwertz D and Piano M. New inotropic drugs for treatment of congestive heart failure. Cardiovasc Nurs 1990 Mar/Apr; 26(2): 7-12.
Walter PJ (ed). Treatment of end-stage coronary artery disease. Adv Cardiol 1988; 36: 71-73.

Thrombo-embolie

Consensus Conference: Prevention of venous thrombosis and pulmonary emboli. JAMA 1986 Aug 8; 256(6): 744-749.
Daeschner SA. Action STAT! Pulmonary embolism. Nursing 1988 Sep; 18(9): 33.
Dickinson SP and Bury G. Pulmonary embolism—Anatomy of a crisis. Nursing 1989 Apr; 19(4): 34-42.
Gerdes L. Recognizing the multisystem effect of embolism. Nursing 1987 Dec; 17(12): 34-42.

Péricardite, rupture du myocarde

Fraley MA. Differential diagnosis of chest pain. Physician Assist 1988 Jun; 12(6): 69, 73, 75.
Khan AH. Pericarditis: Diagnosis and treatment. Hosp Med 1987 Nov; 23(11): 43, 46, 48-50.
Kite JH. Cardiac and great vessel trauma: Assessment, pathophysiology and intervention. J Emerg Nurs 1987 Nov/Dec; 13(6): 346-351.
Mayberry-Toth B et al. Complications associated with acute myocardial infarction. Crit Care Nurs Q 1989 Sep; 12(2): 49-63.
Muirhead J. Constriction pericarditis: A review. Prog Cardiovasc Nurs 1988 Oct/Dec; 3(4): 122-127.
Truett L et al. Pericardial effusion with tamponade: Relief for the symptomatic patient. Dimens Oncol Nurs 1988 Fall; 2(3): 18-20.
Turk M. Acute pericarditis in the post-myocardial infarction patient. Crit Care Nurs Q 1989; 12(3): 34-38.
Unreliable enzymes in myocardial contusion. Emerg Med 1989 Mar 15; 21(5): 47-48.

Arrêt cardiaque et réanimation cardiorespiratoire

Feeney-Stewart F. The sodium bicarbonate controversy. Dimens Crit Care Nurs 1990 Jan/Feb; 9(1): 22-28.
Jones S and Bagg A. L-E-A-D drugs for cardiac arrest. Nursing 1988 Jan; 18(1): 34-42.
Levy DB. Update on lidocaine. Emergency 1988 Sep; 20(9): 15-18.
Middaugh RE et al. Current considerations in respiratory and acid-base management during cardiopulmonary resuscitation. Crit Care Nurs Q 1988; 10(4): 25-33.
Standards for CPR and ECC. JAMA 1986 Jun 6; 255(21): 2915-2989.
Teplitz L. Clinical close-up on atropine. Nursing 1989 Nov; 19(11): 44-47.
Teplitz L. Clinical close-up on lidocaine. Nursing 1989 Sep; 19(9): 44-47.
Teplitz L. Clinical close-up on epinephrine. Nursing 1989 Oct; 19(10): 50-53.

Information/Ressources

Organismes gouvernementaux

National Heart, Lung, and Blood Institute
National Institutes of Health Building 31, Room 5A52,
Bethesda, MD 20892

Organismes privés

American Heart Association
7220 Greenville Ave, Dallas, TX 75231
Coronary Club
3659 Green Rd, Cleveland, OH 44122
Heartlife
PO Box 54305, Atlanta, GA 30308

15

INTERVENTIONS AUPRÈS DES PATIENTS SUBISSANT UNE CHIRURGIE CARDIAQUE

SOMMAIRE

OBJECTIFS D'APPRENTISSAGE

Après avoir étudié ce chapitre, vous devriez être en mesure de réaliser ce qui suit:

1. *Comparer les diverses interventions chirurgicales visant le traitement des problèmes cardiaques.*
2. *Expliquer le but de la collecte des données.*
3. *Prodiguer de l'enseignement et offrir du soutien psychologique au patient au cours de la préparation à la chirurgie cardiaque.*
4. *Appliquer la démarche de soins infirmiers pour intervenir auprès des patients devant subir une chirurgie cardiaque.*
5. *Préciser le but des différents éléments des soins postopératoires donnés au patient ayant subi une chirurgie cardiaque.*
6. *Reconnaître les complications reliées à la chirurgie cardiaque, savoir quelles mesures prendre afin de les prévenir et employer les paramètres d'évaluation pour les déceler.*
7. *Appliquer la démarche de soins infirmiers pour intervenir auprès des patients ayant subi une chirurgie cardiaque.*

De nos jours, le patient souffrant d'une maladie cardiaque peut avoir une bien meilleure qualité de vie qu'il y a environ une décennie. Grâce à des techniques perfectionnées qui permettent d'obtenir plus rapidement un diagnostic plus précis, on peut commencer le traitement de la maladie bien avant qu'elle n'ait eu sur l'organisme des effets débilitants. Les techniques thérapeutiques et la pharmacothérapie évoluent rapidement et présentent moins de risques que par le passé. Un grand nombre des techniques thérapeutiques de pointe sont abordées dans les deux chapitres précédents.

La chirurgie cardiaque est sans doute le traitement qui a le plus contribué à améliorer la qualité de vie des patients souffrant de maladies du cœur.

La première chirurgie cardiaque réussie (la fermeture d'une plaie par arme blanche au ventricule gauche) a été pratiquée en 1895 par le chirurgien italien de Vecchi. Aux États-Unis, ce n'est qu'en 1902 qu'on a effectué avec succès cette même intervention. En 1923 et 1925, on a pratiqué pour les premières chirurgies valvulaires, en 1937 et 1938, les premières fermetures d'un canal artériel persistant, en 1944, une résection d'une coarctation de l'aorte, et en 1954, un pontage coronarien par greffe.

Le progrès le plus marquant de toute l'histoire de la chirurgie cardiaque est la circulation extracorporelle. Elle a été utilisée pour la première fois chez un humain en 1951, et en 1989, on l'a employée dans plus de 250 000 interventions (dont plus de 200 000 en Amérique du Nord). Ces interventions sont pour la plupart des pontages coronariens par greffe, des valvuloplasties ou des remplacements valvulaires.

Les maladies du cœur peuvent être d'origine circulatoire (coronaropathies, anévrismes de l'aorte ascendante) ou d'origine structurale (régurgitation ou rétrécissement valvulaire, communication interventriculaire ou interauriculaire, myocardiopathie, traumatismes), ou avoir pour cause un trouble de conduction (bradycardies, arythmies létales). Les causes des maladies cardiaques peuvent être congénitales, acquises ou idiopathiques. Avec les progrès réalisés dans les domaines du diagnostic, des traitements médicaux, des techniques de chirurgie et d'anesthésie et des techniques et services connexes (circulation extracorporelle, unités de soins intensifs et programmes de réadaptation), les patients souffrant de maladies cardiaques peuvent maintenant être assurés que l'intervention chirurgicale a de grandes chances de succès. Le présent chapitre décrit les diverses chirurgies cardiaques et les soins à apporter aux adultes subissant ces interventions pour une maladie du cœur acquise.

CIRCULATION EXTRACORPORELLE

La circulation extracorporelle a rendu possible de nombreuses opérations cardiaques. Il s'agit d'une technique qui assure la circulation et l'oxygénation du sang dans l'organisme, sans qu'il ne passe par le cœur et les poumons. Elle se fait au moyen d'un appareil appelé cœur-poumon artificiel.

Pour assurer la circulation extracorporelle, on insère dans l'oreillette droite, la veine cave ou la veine fémorale une canule qui entraîne le sang hors de l'organisme. On relie la canule à un tube rempli d'une solution cristalloïde isotonique (habituellement du dextrose à 5 % dans un lactate Ringer). Le sang veineux qui passe par cette canule est filtré, oxygéné, refroidi ou réchauffé, pour ensuite retourner dans l'organisme par une autre canule placée habituellement dans l'aorte ascendante, ou parfois dans l'artère fémorale (figure 15-1).

Même si la circulation extracorporelle est utilisée couramment en chirurgie cardiaque, elle est très complexe. Le patient doit recevoir de l'héparine pour empêcher la formation de caillots qui pourraient provoquer une embolie quand le sang est retourné dans l'organisme par la pompe qui remplace le cœur, après avoir été en contact avec le circuit de circulation extracorporelle. Après avoir débranché le patient du cœur-poumon artificiel, il faut lui injecter du sulfate de protamine pour neutraliser les effets de l'héparine.

Pendant l'opération, on garde l'organisme en hypothermie à une température de 28 à 32 °C. Le sang est refroidi au cours de la circulation extracorporelle avant de retourner dans l'organisme, ce qui ralentit le métabolisme basal, et réduit par le fait même les besoins en oxygène. Le sang refroidi serait normalement plus visqueux, mais il est dilué par la solution cristalloïde utilisée pour amorcer le tube de dérivation. Une fois l'intervention chirurgicale terminée, le sang se réchauffe en passant dans le circuit de circulation extracorporelle. Durant toute l'opération, on surveille l'état général du patient en vérifiant régulièrement le débit urinaire, la pression artérielle, les gaz du sang artériel, les électrolytes, les épreuves de coagulation et le tracé électrocardiographique.

La circulation extracorporelle et le cœur-poumon artificiel font toujours l'objet de recherches. On tente par exemple de prolonger la période pendant laquelle le patient peut rester branché au cœur-poumon artificiel, et de réduire, voire d'éliminer, les complications de cette technique: hémolyse, augmentation de la perméabilité capillaire, déséquilibres hydroélectrolytiques, hypoxie et anoxie, formation de caillots

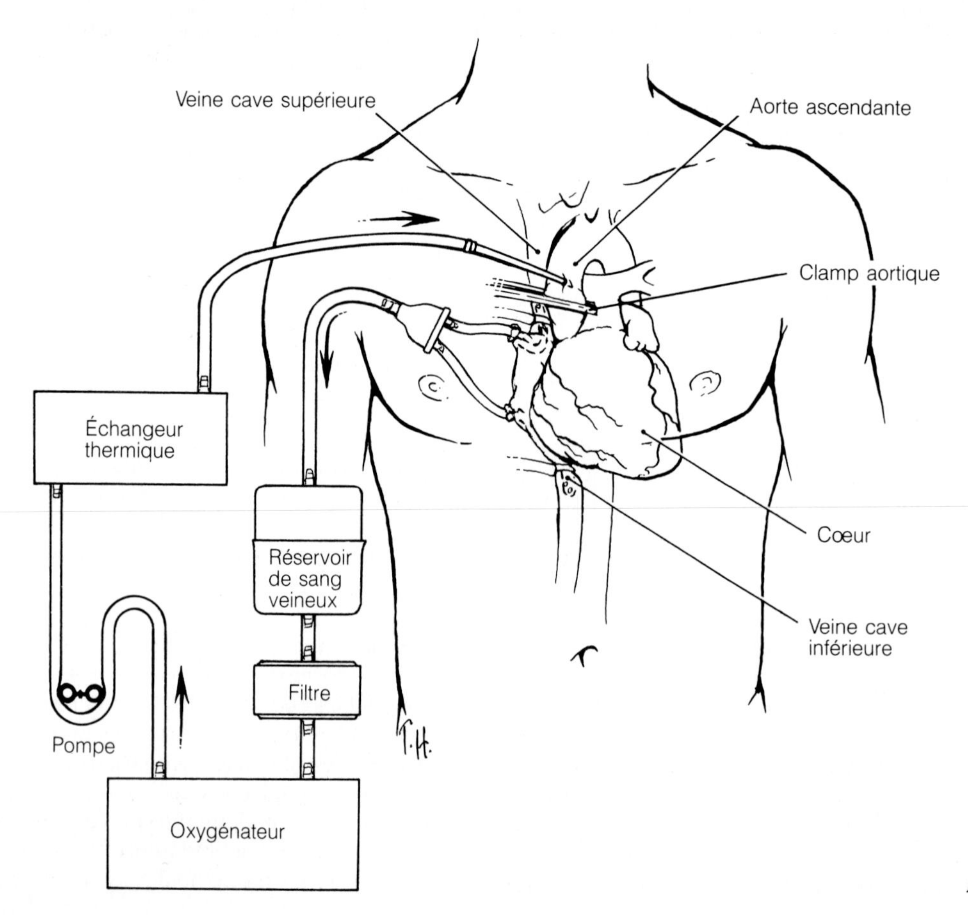

Figure 15-1. Circulation extracorporelle

et embolies, dissection cardiaque et vasculaire, augmentation des taux de catécholamines et d'hormone antidiurétique et réactions inflammatoires généralisées.

Résumé: La circulation extracorporelle est utilisée au cours des chirurgies cardiaques pour assurer la circulation sanguine et l'irrigation des tissus, sans passage du sang dans le cœur et les poumons. Elle se fait au moyen d'un cœur-poumon artificiel qui oxygène le sang et en règle la température. Les principales complications de cette technique sont l'altération de la coagulation, l'augmentation de la viscosité du sang, l'embolie, la surcharge liquidienne, les troubles de l'oxygénation et l'augmentation de la perméabilité capillaire provoquant un œdème.

CORRECTION CHIRURGICALE DES TROUBLES CIRCULATOIRES

ANGIOPLASTIE TRANSLUMINALE PERCUTANÉE

Les coronaropathies sont au nombre des principales causes de morbidité et de mortalité chez les Nord-Américains (voir le chapitre 13). Auparavant, on traitait ces maladies soit médicalement, soit chirurgicalement, mais il existe aujourd'hui des interventions effractives qui ne sont pas chirurgicales techniquement parlant, comme l'angioplastie transluminale percutanée (ATP).

L'ATP s'adresse habituellement aux patients présentant des lésions athérosclérotiques, une sténose d'un pontage ou une angine instable, avec obstruction de la lumière d'une artère coronaire dans une proportion d'au moins 70 % exposant une partie du myocarde à l'ischémie, qui ne répondent pas aux traitements pharmacologiques, et qui sont candidats à un pontage coronarien.

Le cardiologue pratique une ATP lorsqu'il croit que cette intervention peut améliorer la circulation sanguine dans une section du myocarde menacée d'ischémie. Cependant, elle est contre-indiquée dans les cas suivants: obstruction de l'artère coronaire gauche sans circulation collatérale dans les artères interventriculaires antérieures et circonflexes, sténose au niveau de l'origine de l'artère coronaire droite et de l'aorte, anévrisme d'une artère coronaire en amont ou en aval de la sténose, greffe veineuse saphène avec atteintes diffuses ou datant de plus de cinq ans, ou lorsqu'il y a possibilité d'une insuffisance ventriculaire gauche.

L'ATP se fait dans un laboratoire de cathétérisme cardiaque. On examine d'abord les artères coronaires par angiographie pour vérifier le siège, l'étendue et la calcification des lésions. On introduit ensuite un mandrin dans l'artère jusqu'au-delà de la lésion et on enfile un cathéter-guide sur le mandrin jusqu'à la lésion. Un cathéter de dilatation à ballonnet est ensuite introduit dans le cathéter-guide et placé sur la lésion. Une fois le cathéter de dilatation bien placé, on remplit le ballonnet d'air comprimé pendant 30 à 60 secondes, ce qui a pour effet de fissurer et de comprimer la plaque athéroscléreuse (figure 15-2). L'obstruction temporaire de l'artère coronaire par le ballonnet provoque de vives douleurs similaires à celles occasionnées par l'infarctus du myocarde. On note également un étirement de la média et de l'adventice de l'artère coronaire. Il arrive que l'on doive répéter le gonflement du ballonnet plusieurs fois pour obtenir le résultat escompté, c'est-à-dire une augmentation du diamètre de la lumière artérielle de l'ordre de 20 % ou plus. La réussite de l'ATP se traduit

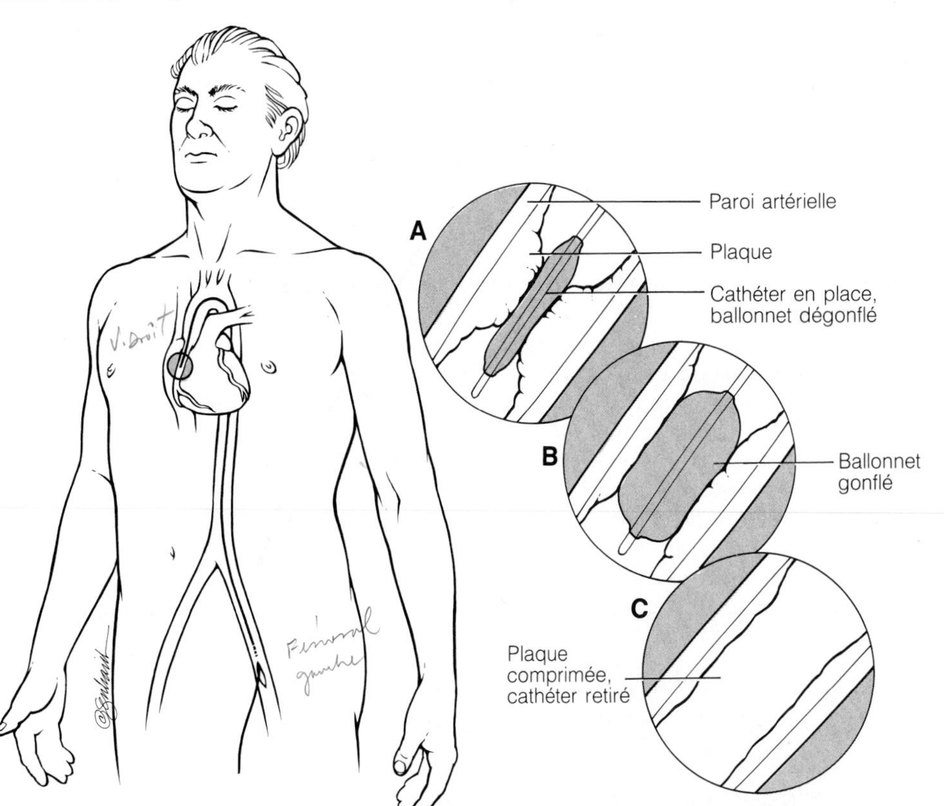

Figure 15-2. L'angioplastie transluminale percutanée est une intervention moins effractive que le pontage coronarien qui peut être effectuée chez des patients correctement sélectionnés. (**A**) Un cathéter muni d'un ballonnet est introduit dans l'artère coronaire et placé dans la lésion athéroscléreuse. (**B**) Le ballonnet est gonflé et dégonflé à un rythme rapide sous une pression réglée. (**C**) Une fois la plaque comprimée, le cathéter est retiré.

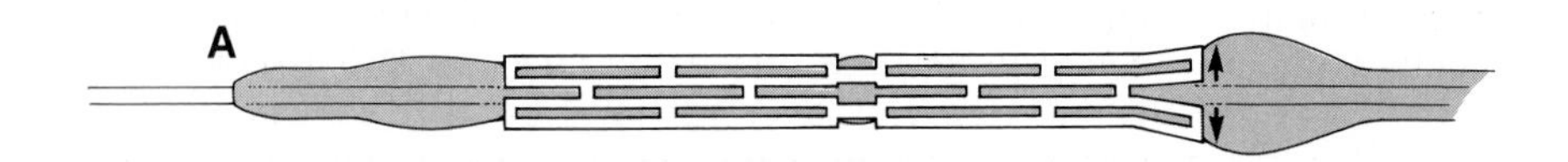

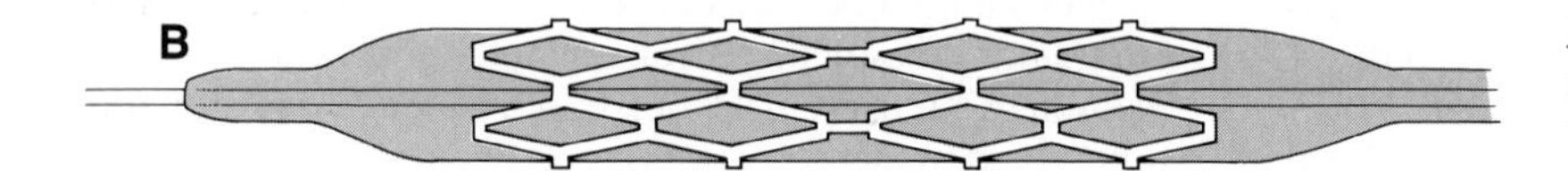

Figure 15-3. Extenseur intracoronarien: (**A**) fermé, avant le gonflement du ballonnet; (**B**) ouvert, après le gonflement du ballonnet

traduit également par une sténose résiduelle inférieure à 50 %, ou une différence de moins de 20 mm Hg de la pression artérielle entre les deux côtés de la lésion, et aucune lésion artérielle manifeste.

Certaines complications de l'ATP (dissection, occlusion abrupte et spasme de l'artère coronaire) peuvent exiger une intervention chirurgicale urgente. C'est pour cette raison que tous les candidats à l'ATP doivent également être admissibles au pontage coronarien. Une équipe chirurgicale doit toujours être disponible quand on pratique une ATP.

On peut dans certains cas remplacer le pontage d'urgence par une redilatation par ATP, avec ou sans introduction d'un extenseur placé sur le ballonnet. L'extenseur reste dans l'artère et la garde ouverte (figure 15-3). Il se recouvre d'épithélium avec le temps et s'incorpore à la paroi du vaisseau. On a aussi utilisé le laser, mais les résultats obtenus sont peu concluants. Les risques (perforation coronaire) sont élevés et le pourcentage d'ouverture n'est pas meilleur que celui obtenu par l'ATP.

On peut aussi réduire les risques de chirurgie urgente en utilisant un cathéter de dérivation que l'on passe à travers l'artère coronaire resténosée (figure 15-4). Ce cathéter spécial comporte à son extrémité distale une série d'orifices qui s'étendent d'un point situé avant l'occlusion de la coronaire jusqu'à l'extrémité du cathéter. Les orifices situés en amont de la lésion laissent pénétrer le sang artériel dans le cathéter, tandis que les orifices situés en aval le laissent s'échapper, ce qui assure la circulation du sang en aval de l'occlusion et permet de retarder le pontage. Le cathéter est retiré pendant le pontage.

De nombreux patients sont admis au centre hospitalier le jour même de l'ATP, et ceux qui ne présentent aucune complication peuvent rentrer à la maison dès le lendemain. Durant l'ATP, on administre au patient une grande quantité d'héparine, et on laisse souvent en place une canule d'accès vasculaire périphérique. On observe étroitement le patient afin de déceler tout signe d'hémorragie. On retire la canule quand les résultats des épreuves de coagulation sont de 1,5 à 2 fois plus élevés que la valeur normale définie par le laboratoire. Dans la plupart des cas, on administre de l'héparine et de la nitroglycérine par voie intraveineuse pendant une certaine période après l'intervention afin de prévenir la formation de caillots et le spasme artériel. Vingt-quatre heures après l'intervention, on peut généralement cesser l'administration intraveineuse de médicaments et permettre au patient d'effectuer ses autosoins et de marcher sans aide.

Résumé: L'ATP est une technique effractive permettant de réduire l'obstruction causée par les lésions athéroscléreuses localisées dans les artères coronaires. Elle permet souvent de diminuer l'ampleur de l'obstruction sans provoquer de complications, ce qui en fait une bonne solution de rechange au pontage coronarien. Cependant, elle ne réussit pas toujours et peut entraîner des complications exigeant une chirurgie cardiaque d'urgence. L'ATP se raffine sans cesse et permet maintenant de traiter des lésions plus étendues, plus nombreuses et moins bien localisées. Selon le cas, on peut aussi utiliser des extenseurs et des cathéters de dérivation.

PONTAGE CORONARIEN

Depuis une trentaine d'années, les coronaropathies sont traitées par revascularisation du myocarde. Les techniques actuelles de pontage coronarien par greffe (PCG) datent d'environ 25 ans. Les candidats habituels au PCG présentent les indications suivantes: (1) angine ne répondant pas au traitement médical, (2) angine instable, (3) épreuve d'effort positive et lésions non traitables par ATP, (4) lésion touchant plus de 60 % de l'artère coronaire gauche et (5) complication ou échec de l'ATP.

On ne pratique un PCG que si l'obstruction est de l'ordre de 70 % ou plus (60 % dans le cas de l'artère coronaire gauche). Dans les cas d'obstruction moins importante, le débit sanguin parcourant le greffon serait insuffisant, ce qui provoquerait la formation d'un caillot annulant l'effet de l'intervention.

Le pontage coronarien par greffe est pratiqué sous anesthésie générale. Après avoir pratiqué une médiasternotomie, on place le patient sous circulation extracorporelle. Un vaisseau sanguin prélevé sur une autre partie du corps (par exemple, la veine saphène) est greffé en aval de la lésion artérielle, créant ainsi une voie parallèle à l'artère obstruée (figure 15-5).

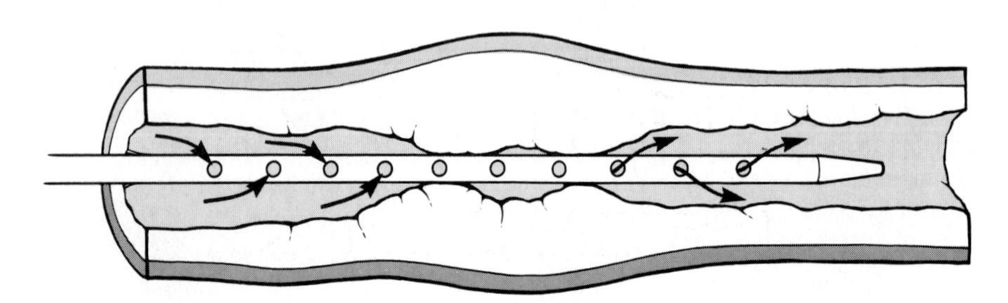

Figure 15-4. Cathéter de dérivation

L'intervention se termine par le rétablissement de la circulation normale et la suture de l'incision. Le patient passe ensuite à l'unité des soins intensifs.

Au début de la période postopératoire, les soins visent principalement à rétablir et à maintenir la circulation sanguine et à prévenir les complications de l'anesthésie. Dans les 48 heures suivant l'intervention, le patient peut quitter les soins intensifs et réintégrer l'unité de chirurgie. L'infirmière voit alors aux soins de la plaie, à rétablir progressivement l'activité et l'alimentation normales, et à renseigner le patient sur les médicaments et les facteurs de risque. Celui-ci peut s'attendre à quitter le centre hospitalier 5 à 10 jours après le PCG. Les symptômes de sa coronaropathie auront diminué et il pourra reprendre une vie plus normale. Cependant, il n'est pas prouvé que le PCG prolonge l'espérance de vie.

Les plus récentes découvertes sur le pontage coronarien ont trait aux vaisseaux sanguins pouvant servir à cette intervention. Par ordre d'importance, on utilise le plus souvent la grande veine saphène, suivie de la petite veine saphène, puis des veines céphalique et basilique. La technique consiste à prélever la veine de la jambe ou du bras et à la greffer d'une part à l'aorte ascendante et d'autre part à l'artère coronaire, en aval de la lésion. En cas de pontage urgent, on choisit les veines saphènes, car elles peuvent être prélevées par une équipe chirurgicale pendant qu'une autre équipe procède à la thoracotomie. Toutefois, le prélèvement d'une grande veine peut se compliquer d'un œdème plus ou moins grave du membre affecté. Cet œdème se résorbe généralement avec le temps. Des changements athéroscléreux symptomatiques peuvent apparaître dans les greffons de veines saphènes environ 5 à 10 ans après le PCG, et dans les greffons de veines du bras après 3 à 6 ans.

On a utilisé auparavant les artères thoraciques internes gauche et droite, mais leur dissection prolongeait trop l'anesthésie et la circulation extracorporelle. Depuis, on a réussi à réduire la durée de l'induction de l'anesthésie et de l'opération, ce qui a renouvelé l'intérêt pour les greffons artériels. Des recherches ont aussi démontré que les greffons artériels sont moins rapidement obstrués par l'athérosclérose que les greffons veineux. Pour greffer l'artère thoracique, on laisse intacte son extrémité proximale et on détache son extrémité distale de la paroi thoracique pour la greffer à l'artère coronaire, en aval de la lésion.

Cependant, les artères thoraciques internes ne sont pas toujours assez longues ou de diamètre suffisant pour servir de greffon. Leur greffe provoque parfois une atteinte du nerf cubital (temporaire ou permanente).

Les artères gastroépiploïques (qui entourent la grande courbure de l'estomac; voir la figure 15-5) ont aussi été utilisées pour le PCG, mais avec moins de succès, car leur paroi est plus irriguée que celle des artères thoraciques internes. Mentionnons aussi que pour prélever une artère gastroépiploïque, l'incision thoracique doit s'étendre jusqu'à l'abdomen, ce qui expose le patient aux risques additionnels d'une incision abdominale et à une infection du champ opératoire consécutive à une contamination provenant du tractus gastro-intestinal.

Les complications reliées au pontage coronarien par greffe sont notamment l'infarctus du myocarde, les arythmies et l'hémorragie. La coronaropathie persiste, de sorte que le patient peut souffrir d'angine, d'intolérance à l'effort ou de tout autre

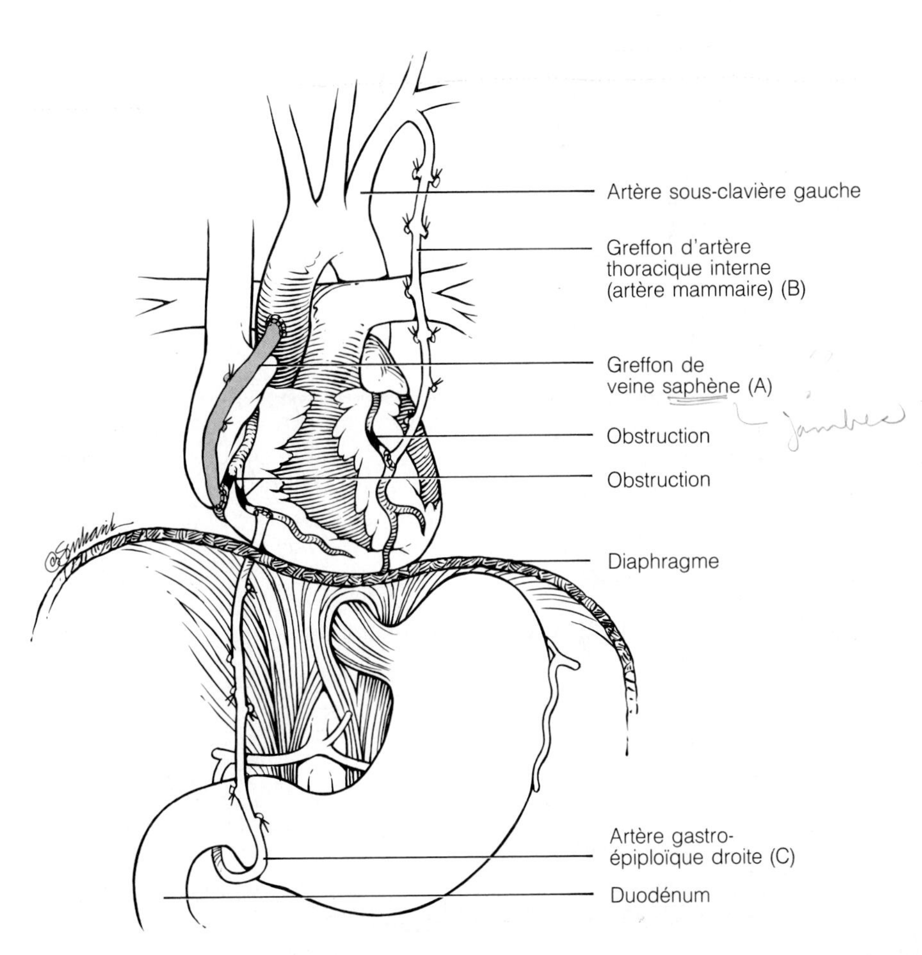

Figure 15-5. Trois types de pontage coronarien par greffe. On peut pratiquer un ou plusieurs pontages. **(A)** Veine saphène (le greffon le plus souvent utilisé). **(B)** Artère thoracique interne gauche (artère mammaire; très utilisée en raison de sa durée). **(C)** Artère gastroépiploïque droite (rarement utilisée en raison de l'irrigation sanguine élevée de sa paroi et des risques de contamination de la plaie abdominale et/ou médiastinale par des bactéries des voies digestives).

symptôme qu'il a connu avant le PCG, et qu'il devra peut-être prendre les mêmes médicaments qu'avant l'intervention. Il importe aussi qu'il se conforme aux modifications des habitudes de vie recommandées avant l'intervention, autant à cause de sa maladie que pour assurer la survie du greffon.

Résumé: Le PCG est une intervention chirurgicale importante nécessitant une circulation extracorporelle. Aujourd'hui, on utilise comme greffons surtout les veines saphènes et les artères thoraciques internes. Le greffon est anastomosé à l'artère coronaire en aval de la lésion, ce qui a pour effet d'augmenter le débit de sang oxygéné vers le myocarde. Les patients doivent maintenir le régime alimentaire, le niveau d'activité et les modifications aux facteurs de risque qu'ils observaient avant l'intervention, et poursuivre la médication prescrite pour leur pathologie initiale afin de réduire au maximum leurs symptômes et de prolonger la perméabilité du PCG.

Résection d'anévrisme de l'aorte ascendante

Les anévrismes de l'aorte ascendante appellent une intervention chirurgicale sous circulation extracorporelle. On clampe l'aorte en amont et en aval de l'anévrisme, en prenant soin d'assurer l'irrigation de toutes les branches de l'aorte ainsi occluses. L'anévrisme est alors ouvert et un greffon en Dacron est cousu en place jusqu'au-delà des extrémités de la lésion. On referme ensuite l'aorte par-dessus le greffon, en s'assurant de maintenir le débit sanguin dans les artères coronaires.

L'anévrisme peut également être localisé dans les sinus coronaires ou la valvule aortique. La même technique d'intervention s'impose, sauf que le greffon en Dacron est anastomosé aux artères coronaires et est muni d'une prothèse valvulaire. On procède donc à un remplacement de la valvule aortique, en plus d'une réparation de l'anévrisme (figure 15-6).

Les soins infirmiers aux patients opérés pour un anévrisme sont les mêmes que pour les autres opérations à cœur ouvert. Après l'opération, le patient est admis à l'unité des soins intensifs où il reste au moins 24 heures. Il faut veiller au cours de cette période à dissiper les effets de l'anesthésie et à assurer l'irrigation sanguine des tissus. Une fois que la pression artérielle et les fonctions neurovasculaires sont stables, on peut transférer le patient à l'unité de chirurgie. À partir de ce moment jusqu'au congé, on assure le soin de la plaie, et on prodigue de l'enseignement sur le régime alimentaire, la reprise des activités et la médication, et on est à l'affût des signes d'infection (rougeur, œdème, sensibilité, écoulements, hausse de température ou augmentation du nombre des globules blancs).

Correction chirurgicale des anomalies structurales

Valvuloplastie

La valvuloplastie vise la réparation plutôt que le remplacement d'une valvule cardiaque. Il existe différents types de valvuloplastie que l'on utilise selon la cause et la nature de la dysfonction valvulaire. La réparation peut toucher soit les commissures situées entre les valves (commissurotomie), soit l'anneau de la valvule (annuloplastie), soit les valves (plastie valvulaire) et les cordages tendineux (réparation ou plastie des cordages tendineux). La plupart de ces interventions sont faites sous anesthésie générale et circulation extracorporelle, mais certaines peuvent se faire sans circulation extracorporelle. Notons l'utilisation récente d'une nouvelle technique de circulation extracorporelle partielle percutanée dans certaines salles de cathétérisme cardiaque.

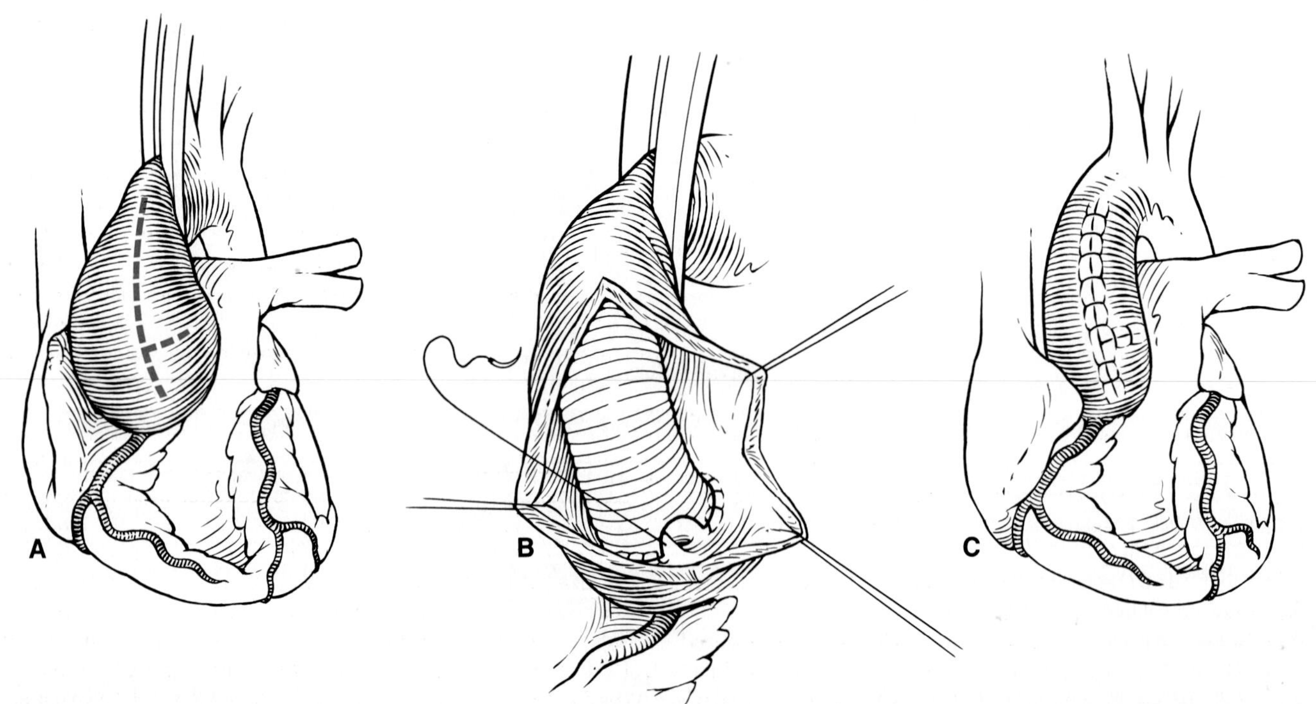

Figure 15-6. Chirurgie d'un anévrisme de l'aorte ascendante avec remplacement de la valvule aortique (**A**) Incision dans l'anévrisme aortique (**B**) Remplacement valvulaire et implantation d'un greffon aortique (**C**) Résection de l'anévrisme aortique et fermeture par-dessus le greffon

Après l'intervention, le patient reste à l'unité des soins intensifs pendant 24 à 72 heures. Il reçoit des soins visant la stabilisation de la circulation et la prévention des complications de l'anesthésie. Il passe ensuite à l'unité de chirurgie ou de soins intermédiaires où il reçoit des soins infirmiers postopératoires et de l'enseignement. Il peut généralement quitter le centre hospitalier 8 à 10 jours après la chirurgie. En général, les valvules réparées fonctionnent plus longtemps que les valvules remplacées; la prise chronique d'anticoagulants n'est pas nécessaire.

Commissurotomie

La commissurotomie est la technique de valvuloplastie la plus souvent pratiquée. Chaque valvule comporte des feuillets qui communiquent entre eux; leur jonction est appelée commissure. Il peut arriver que deux feuillets adhèrent l'un à l'autre, ce qui provoque un rétrécissement à la commissure. Il peut aussi survenir une soudure des feuillets qui, en plus de provoquer un rétrécissement à la commissure, empêche leur fermeture complète. Ce phénomène est appelé régurgitation (reflux rétrograde du sang). La commissurotomie a pour but de séparer les feuillets soudés.

La commissurotomie à cœur fermé est réalisée sans circulation extracorporelle, sous anesthésie générale. On pratique une médiasternotomie et on perce un petit trou dans le cœur, puis on ouvre la commissure avec le doigt ou un dilatateur. La valvule n'est pas directement mise en évidence. Ce genre d'intervention convient aux atteintes des valvules mitrale, aortique, tricuspide et pulmonaire.

La valvuloplastie avec cathéter à ballonnet (figure 15-7) s'est révélée efficace pour traiter les rétrécissements de la valvule mitrale chez des patients jeunes, ainsi que les rétrécissements de la valvule aortique chez des patients plus âgés ou des personnes qui, en raison de problèmes de santé complexes, ne peuvent supporter les risques d'une intervention chirurgicale majeure. On peut aussi l'utiliser dans les cas de rétrécissement des valvules tricuspide et pulmonaire. Elle se fait en salle de cathétérisme cardiaque sous anesthésie locale, et n'exige qu'un séjour de 24 à 48 heures au centre hospitalier.

Lors de la valvuloplastie mitrale, on introduit par l'oreillette droite un ou deux cathéters, qu'on passe ensuite à travers le septum auriculoventriculaire jusqu'à l'oreillette gauche, puis à travers la valvule mitrale jusqu'au ventricule gauche, et finalement dans l'aorte. On insère un cathéter-guide dans chacun des cathéters, qui sont ensuite retirés. On fait coulisser un grand cathéter à ballonnet sur le cathéter-guide, en plaçant le ballonnet en travers de la valvule mitrale. Celui-ci est gonflé avec une solution angiographique diluée. Si on choisit d'utiliser deux ballonnets, ils sont gonflés simultanément; l'avantage de ce choix est que les ballonnets étant plus petits, les éventuelles communications interauriculaires sont moins importantes. De plus, les ballonnets n'obstruent pas complètement la valvule mitrale durant le gonflement, ce qui permet une certaine circulation sanguine pendant l'intervention. Tous les opérés connaîtront une régurgitation mitrale plus ou moins importante après l'intervention. Les complications de la valvuloplastie mitrale avec cathéter à ballonnet sont l'hémorragie au point d'insertion du cathéter, de la dyspnée, des embolies pouvant amener d'autres complications comme un accident vasculaire cérébral et, plus rarement, un shunt auriculaire gauche-droit consécutif à une communication interauriculaire causée par l'intervention.

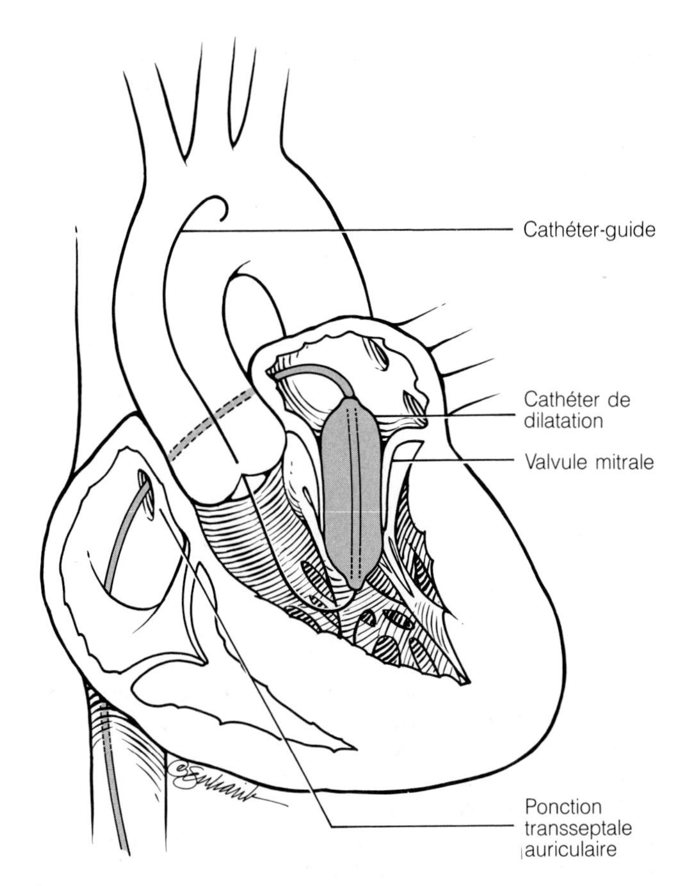

Figure 15-7. Valvuloplastie avec cathéter à ballonnet: vue en coupe du cœur illustrant le cathéter-guide et le cathéter de dilatation introduits dans une ponction transseptale auriculaire puis à travers la valvule mitrale. Le cathéter-guide va de l'extérieur de la valvule aortique jusqu'à l'intérieur de l'aorte afin d'offrir un bon soutien au cathéter de dilatation.

Pour les cas de rétrécissement de la valvule aortique, on peut également insérer le cathéter par le septum auriculoventriculaire, bien que l'on préfère habituellement l'introduction rétrograde par la voie de l'aorte, à travers la valvule aortique et le ventricule gauche. Le chirurgien peut utiliser un ou deux ballonnets. Malheureusement, la valvule aortique se prête moins bien à la dilatation que la valvule mitrale, et le taux de resténose 12 à 15 mois après l'intervention approche de 50 %. Parmi les complications possibles, mentionnons la régurgitation aortique, les embolies, la perforation ventriculaire, la rupture de l'anneau de la valvule aortique, les arythmies ventriculaires, les atteintes à la valvule mitrale et l'hémorragie au point d'insertion du cathéter.

Quant aux commissurotomies à cœur ouvert, elles sont pratiquées avec visualisation directe de la valvule, sous anesthésie générale. Le chirurgien effectue d'abord une médiasternotomie ou une thoracotomie gauche, puis branche le patient sur l'appareil de circulation extracorporelle avant de pratiquer une incision dans le cœur. Les commissures sont ouvertes avec le doigt, un scalpel, un ballonnet ou un dilatateur. En visualisant directement la valvule, on peut plus facilement repérer et retirer les caillots, détecter les calcifications et, s'il y a lieu, réparer les cordages tendineux ou les muscles papillaires, (voir la section sur la plastie des cordages tendineux). Après l'intervention, le patient est admis à l'unité des soins intensifs, où les soins visent à dissiper les effets de l'anesthésie et à stabiliser la circulation. Dans les 48 heures suivantes, il passe à l'unité de chirurgie, où on veille aux soins de la plaie et à l'enseignement sur le régime alimentaire, la reprise des activités, les médicaments et les autosoins. Il obtient généralement son congé 7 à 10 jours après l'opération.

Résumé: La réparation des rétrécissements aux commissures d'une valvule cardiaque entraîne peu de complications et de décès. Les commissurotomies à cœur ouvert ou fermé nécessitent une médiasternotomie et une hospitalisation de 7 à 10 jours, tandis que les valvuloplasties avec cathéter à ballonnet n'en exigent que un ou deux. Les soins infirmiers visent à dissiper les effets de l'anesthésie et à prodiguer au patient l'enseignement dont il a besoin. Les valvuloplasties mitrales ont un meilleur taux de réussite que les valvuloplasties aortiques, dont le taux de resténose après 12 à 15 mois est relativement élevé. Les interventions aux valvules tricuspide et pulmonaire sont peu fréquentes.

Annuloplastie

L'annuloplastie est la réparation de l'anneau de la valvule, c'est-à-dire de la frontière périphérique entre les valves et la paroi myocardique. L'anesthésie générale et la circulation extracorporelle sont nécessaires dans tous les cas. Cette intervention, qui consiste à réduire le diamètre de l'orifice valvulaire, est indiquée dans les cas de régurgitation.

On distingue deux techniques d'annuloplastie. La première consiste à suturer un anneau prothétique (figure 15-8) aux valves de la valvule afin de reconstruire un anneau de la taille désirée. Une fois la prothèse en place, la pression que créent le flux sanguin et les contractions cardiaques est supportée par la prothèse annulaire plutôt que par la valvule ou la ligne de suture. La réparation prévient donc toute régurgitation progressive. Dans la seconde technique, on fixe les valves à l'oreillette par des points de suture ou des attaches, afin de resserrer l'anneau. Cependant, les valves et les sutures étant soumises aux pressions exercées par le sang et les contractions cardiaques, cette correction est moins durable que l'annuloplastie avec prothèse.

Réparation des valves

Les valves cardiaques défectueuses peuvent être étirées (ou ballonnées), rétrécies ou perforées. Dans les cas d'étirement ou de ballonnement, on excise l'excès de tissu, ou on pratique une plicature, technique qui consiste à replier l'excès de tissu sur lui-même. On peut aussi disséquer une section de tissu au centre de la valve et refermer l'ouverture par une suture (résection cunéiforme, figure 15-9). Pour les valves rétrécies, on a habituellement recours à une plastie des cordages tendineux (voir la section suivante). Une fois les cordages réparés, les valves se «déploient» et reprennent leur fonction normale, qui est de fermer la valvule pendant la systole. Finalement, on répare le plus souvent les perforations au moyen d'une pièce de péricarde.

Plastie des cordages tendineux

La plastie des cordages tendineux se pratique le plus souvent sur la valvule mitrale et rarement sur la valvule tricuspide. Les cordages peuvent être étirés, déchirés ou raccourcis, ce qui provoque dans tous les cas une régurgitation. Les cordages étirés sont raccourcis (figure 15-10), ceux qui sont déchirés sont rattachés à la valve, et ceux qui sont raccourcis sont étirés. Notons que la régurgitation peut aussi provenir d'un étirement des muscles papillaires; on peut les raccourcir par chirurgie.

Remplacement valvulaire

Le remplacement des valvules par des prothèses se fait depuis les années 60. Lorsque la valvuloplastie n'est pas possible, notamment en raison d'une immobilisation de l'anneau ou des valves causée par des calcifications, on a recours au remplacement valvulaire. L'anesthésie générale et la circulation extracorporelle sont nécessaires dans tous les cas. La majorité des remplacements exigent une médiasternotomie, mais

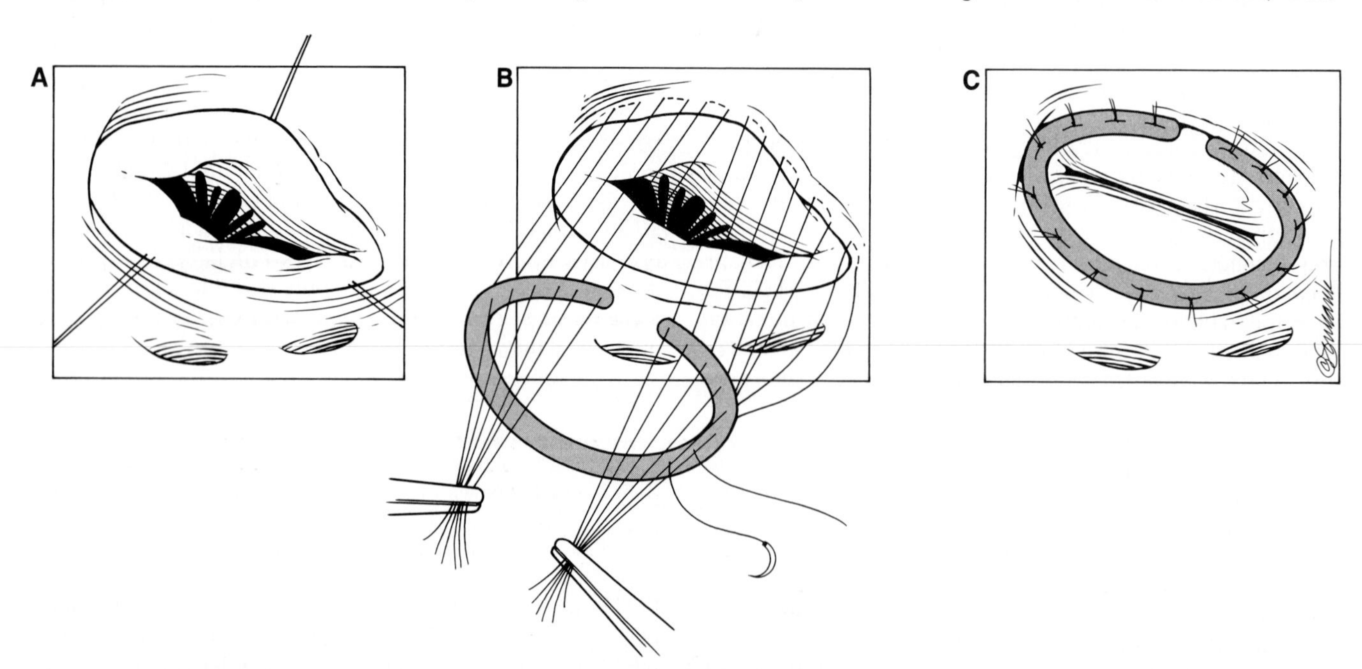

Figure 15-8. Pose d'un anneau prothétique (**A**) Régurgitation de la valvule mitrale: les valves ne se referment pas complètement (**B**) Pose de l'anneau prothétique (**C**) Valvuloplastie terminée: les valves se referment normalement

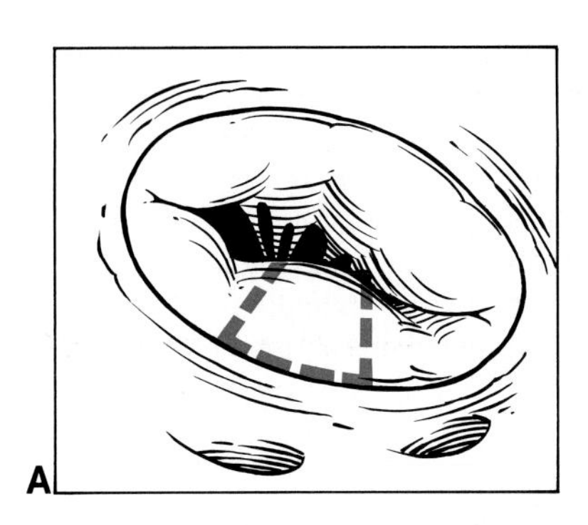

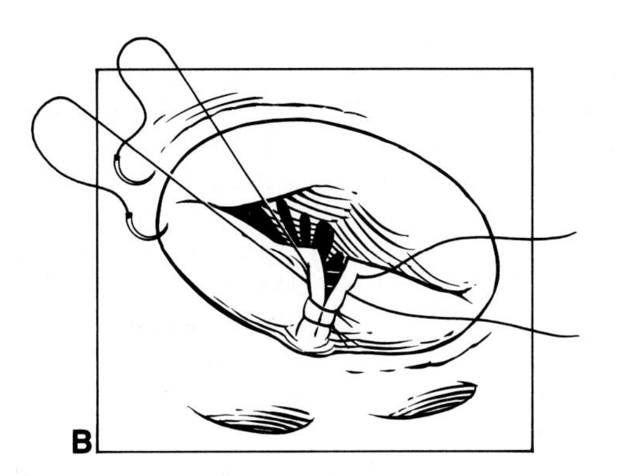

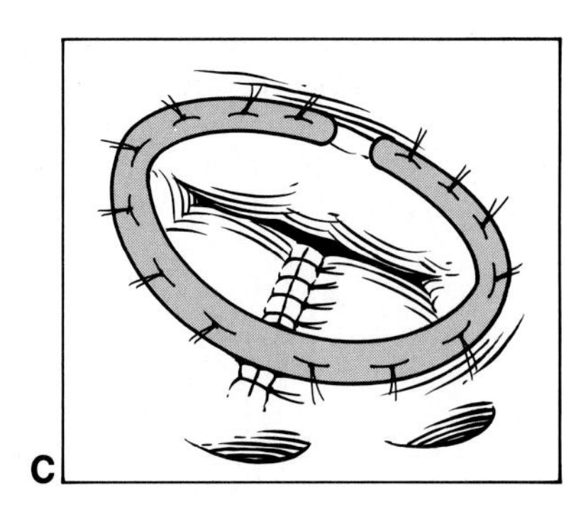

Figure 15-9. Résection cunéiforme et pose d'un anneau prothétique (**A**) Régurgitation au niveau de la valvule mitrale: la section en pointillé sera excisée (**B**) Rapprochement des lèvres de la plaie et suture (**C**) Valvuloplastie terminée: la valve est réparée et l'anneau est en place

on peut avoir accès à la valvule mitrale par une thoracotomie droite.

Après avoir mis la valvule en évidence, on procède à l'excision des valves et des autres structures telles que les cordages tendineux et les muscles papillaires. (Certains suggèrent de laisser en place la valve mitrale postérieure ainsi que ses cordages et ses muscles papillaires afin de maintenir la forme et la fonction du ventricule gauche.) On relie l'anneau à la prothèse par des fils de suture, puis on glisse celle-ci sur les fils et on la fixe (figure 15-11). On referme ensuite l'incision et on évalue le fonctionnement du cœur et de la prothèse. On rétablit ensuite la circulation normale. Le remplacement valvulaire entraîne des complications précises, reliées au rétablissement soudain de la circulation sanguine normale, le cœur s'étant progressivement adapté à une circulation anormale.

On emploie trois types de prothèses valvulaires: les valvules mécaniques, les hétérogreffes et les homogreffes (figure 15-12). Il existe des prothèses mécaniques à bille ou à disque. Elles s'adressent surtout aux patients jeunes, car on les croit plus durables que les autres types de prothèses. La thrombo-embolie est une complication grave des valvules mécaniques, ce qui exige la prise prolongée de warfarine, un anticoagulant.

Les hétérogreffes (aussi appelées bioprothèses ou xénogreffes) sont des valvules animales, le plus souvent porcines, mais parfois bovines. Elles durent de 7 à 10 ans. Elles ne favorisent pas la formation de caillots et n'exigent donc pas un traitement anticoagulant prolongé. Les femmes en âge de procréer sont les candidates idéales pour ce genre de prothèses, car la prise de warfarine peut provoquer des complications

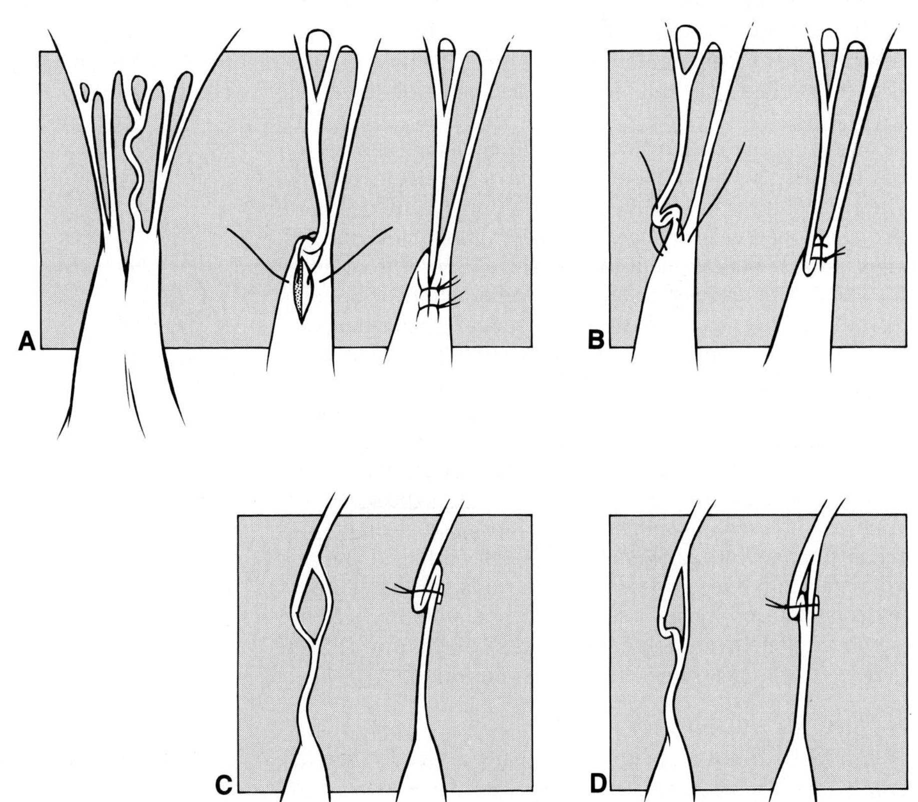

Figure 15-10. Raccourcissement des cordages étirés (**A**) Technique d'enfouissement et de tranchée (**B-D**) Plis formés afin de raccourcir un cordage

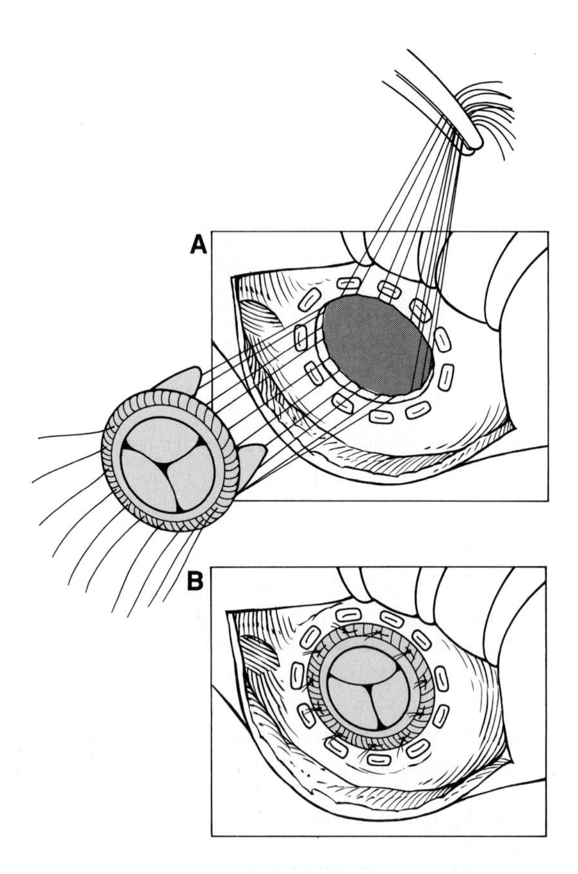

Figure 15-11. Remplacement valvulaire (**A**) Excision de la valvule et pose de la prothèse (**B**) Remplacement valvulaire terminé

lors des menstruations, de la grossesse et de l'accouchement. Les hétérogreffes conviennent aussi aux patients âgés de plus de 70 ans, à ceux ayant souffert d'un ulcère gastroduodénal et à ceux ne tolérant pas la prise prolongée d'anticoagulants. On les emploie pour tous les remplacements de la valvule tricuspide.

Les homogreffes (ou valvules humaines), prélevées sur des cadavres, servent au remplacement de la valvule aortique. On prélève donc la valvule aortique et une partie de l'aorte et on les conserve par congélation. Les homogreffes sont difficiles à obtenir et leur coût est très élevé. Elles durent de 10 à 15 ans, soit plus longtemps que les hétérogreffes. Elles sont non thrombogènes et résistent aux endocardites subaiguës.

Le patient ayant subi un remplacement valvulaire est admis à l'unité des soins intensifs, où on veille à ce qu'il se rétablisse de l'anesthésie et à ce que sa circulation se stabilise. Vingt-quatre à 72 heures après l'intervention, il passe à l'unité de chirurgie. Comme chez tout autre opéré, l'infirmière procède au soin de la plaie et prodigue de l'enseignement concernant le régime alimentaire, la reprise des activités, les médicaments et les autosoins. Le patient porteur d'une valvule mécanique reçoit des renseignements sur le traitement anticoagulant prolongé et sur la prise d'antibiotiques à titre prophylactique avant toute intervention dentaire ou chirurgicale, afin de prévenir l'endocardite bactérienne.

Résumé: Le remplacement valvulaire est indiqué pour les cas de rétrécissement et de régurgitation qui ne sont pas admissibles à la valvuloplastie. Une prothèse mécanique, une hétérogreffe ou une homogreffe remplace la valvule excisée. Le rétablissement soudain d'une circulation sanguine normale et l'intervention elle-même exposent le patient à de nombreuses complications postopératoires: hémorragie, thrombo-embolie, infection, insuffisance cardiaque, hypertension, arythmies, hémolyse et obstruction mécanique. Les soins infirmiers visent la prévention des complications de l'anesthésie, le maintien de la circulation et l'enseignement au patient.

Réparation septale

Lorsque le septum interauriculaire ou interventriculaire présente une ouverture anormale entre le cœur droit et le cœur gauche, on est en présence d'une communication. La plupart de ces anomalies sont congénitales et réparées au cours de l'enfance. Chez les adultes, s'il ne s'agit pas d'une anomalie congénitale non réparée dans l'enfance, elle peut avoir pour origine un infarctus du myocarde, un examen diagnostique ou un traitement. La correction se fait sous anesthésie générale et circulation extracorporelle. On ouvre le cœur et on oblitère la communication avec une pièce de péricarde ou de Dacron. Les taux de morbidité et de mortalité sont faibles pour les corrections des communications interauriculaires, sauf si les valvules mitrale ou tricuspide sont atteintes. Les communications interventriculaires sont généralement traitées sans complications, sauf si l'ouverture se trouve à proximité du système de conduction intraventriculaire et des valvules.

Anévrismectomie du ventricule gauche

Les anévrismes symptomatiques du ventricule gauche sont habituellement corrigés par résection, sous anesthésie générale et circulation extracorporelle. La plicature, qui consiste à replier l'anévrisme sur lui-même et à fixer les plis par des points de suture, est une autre technique utilisée plus rarement. Les arythmies ventriculaires, l'insuffisance cardiaque, les thrombo-embolies, l'hémorragie et l'infection en sont les complications possibles.

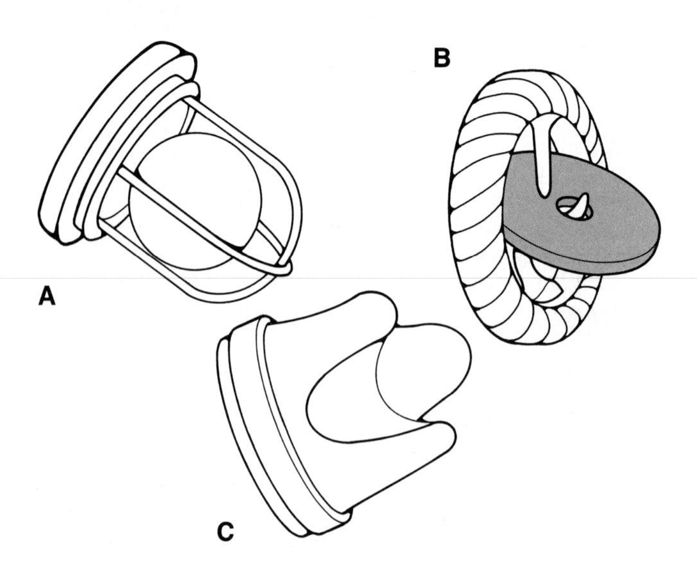

Figure 15-12. Prothèses valvulaires mécaniques et biologiques (**A**) Valvule mécanique à bille (Starr-Edwards) (**B**) Valvule mécanique à disque (Medtronic-Hall) (**C**) Hétérogreffe porcine (Carpenter-Edwards)

Correction des myocardiopathies

La myocardiopathie hypertrophique peut provoquer une obstruction de l'écoulement du sang entre le ventricule gauche et l'aorte. Des symptômes invalidants, malgré le traitement médical et un gradient de pression supérieur à 50 mm Hg entre le ventricule gauche et l'aorte, justifient la chirurgie. L'intervention chirurgicale la plus courante est la myotomie (ou myomectomie), au cours de laquelle on prélève sous la valvule aortique une section de tissu septal de 1 cm de largeur et de 1 cm d'épaisseur, la longueur étant fonction de l'ampleur de l'obstruction.

On peut aussi rétablir la circulation entre le ventricule gauche et l'aorte en remplaçant la valvule mitrale par une prothèse à disque surbaissée, qui occupe moins d'espace et laisse circuler le sang autour du septum hypertrophié jusqu'à la valvule aortique.

La principale complication de ces deux interventions est l'arythmie. Les complications chirurgicales habituelles décrites dans le présent chapitre peuvent aussi survenir.

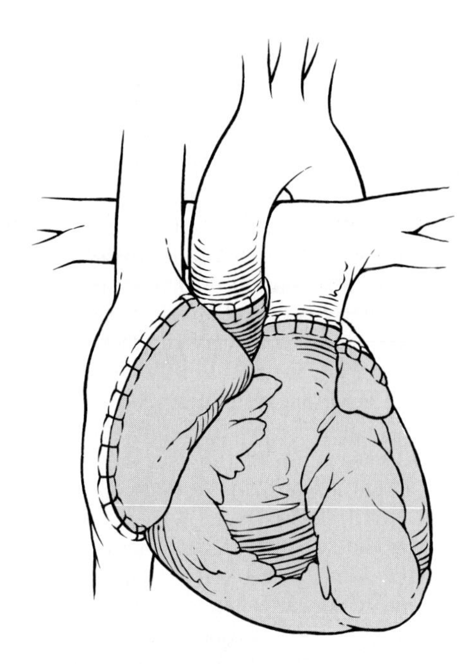

Figure 15-13. Greffe orthotopique

Greffe cardiaque

La première homogreffe cardiaque humaine date de 1967. Depuis, les techniques, l'équipement et la médication se sont constamment améliorés. En 1983, on a commencé à administrer aux receveurs de greffe de la cyclosporine, un agent immunosuppresseur qui prévient le rejet dû aux différences antigéniques entre le donneur et le receveur. Malheureusement, ce médicament affaiblit aussi la résistance de l'organisme aux infections. On doit donc l'administrer à des doses qui évitent le rejet sans trop exposer le patient à des infections. Grâce à la cyclosporine, les personnes atteintes d'une maladie cardiaque mortelle ne sont plus irrémédiablement condamnées, ayant la possibilité de subir une greffe.

La greffe cardiaque est indiquée pour les myocardiopathies, les troubles ischémiques, les malformations congénitales, les valvulopathies et le rejet d'une greffe précédente. Les candidats souffrent habituellement de graves symptômes rebelles au traitement médical et aux autres traitements chirurgicaux et ont une espérance de vie de 12 mois. Une équipe multidisciplinaire étudie chaque candidat en tenant compte de son âge, de sa fonction respiratoire, de ses autres maladies chroniques, de ses antécédents d'infections et de greffes, de son observance des traitements et de son état de santé actuel.

Dès qu'un cœur est disponible, un ordinateur produit une liste des receveurs possibles en tenant compte non seulement de la compatibilité des groupes sanguins ABO et de la taille du cœur, mais aussi de la distance qui sépare le donneur du receveur (le fonctionnement du cœur du donneur ne peut être maintenu plus de 4 heures après le prélèvement).

La technique de greffe la plus courante est la greffe orthotopique (figure 15-13). Selon cette technique, on conserve chez le receveur une section des oreillettes, la veine cave et les veines pulmonaires, et on excise le reste du cœur. On prépare le cœur du donneur, habituellement conservé dans la glace, en coupant une petite section des oreillettes de la même taille que la section laissée en place chez le receveur. On implante ensuite le nouveau cœur en anastomosant les sections d'oreillettes, puis les artères pulmonaires et l'aorte.

Employée plus rarement, la greffe hétérotopique (figure 15-14) consiste à placer le cœur du donneur à droite du cœur du receveur, légèrement en avant. On a d'abord cru que le fait de laisser le cœur en place protégerait le patient advenant le rejet du cœur greffé, mais cela n'a jamais été prouvé. D'autres raisons ont ensuite motivé ce choix: la petite taille ou un délai d'ischémie prolongé du cœur greffé ou l'utilisation dans un cas d'urgence d'un cœur dont le fonctionnement est compromis pour différentes raisons.

Le cœur greffé n'ayant aucun lien nerveux avec l'organisme receveur, on dit qu'il est «énervé», les nerfs sympathiques et vagues ne pouvant l'affecter. La fréquence cardiaque au repos est de 70 à 90 battements / minute, mais augmente graduellement en présence de catécholamines. Les patients doivent augmenter et diminuer très progressivement l'intensité de l'exercice en prolongeant les périodes d'échauffement et de récupération, car 20 à 30 minutes peuvent être nécessaires pour atteindre la fréquence cardiaque désirée. L'atropine n'a aucune incidence sur leur fréquence cardiaque.

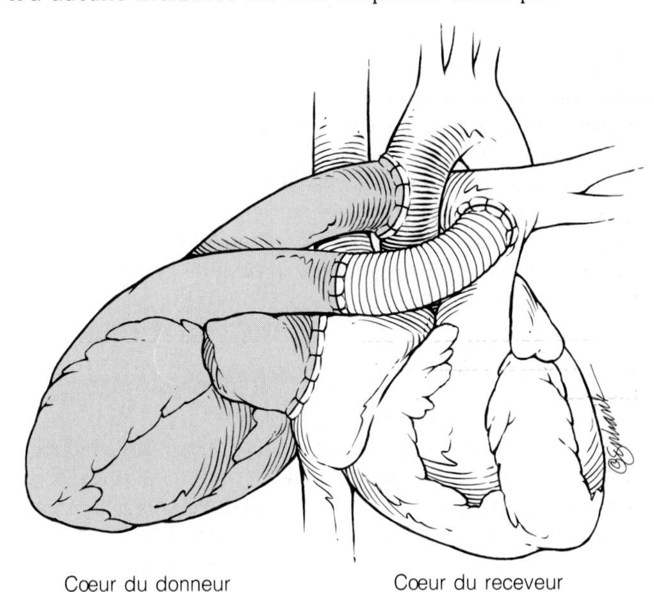

Figure 15-14. Greffe hétérotopique

Pour les receveurs d'une greffe cardiaque, l'important est de toujours maintenir un équilibre entre les risques de rejet et les risques d'infection en observant à la lettre le programme prescrit: régime alimentaire, médicaments, exercice, examens de laboratoire périodiques, biopsies pour dépister le rejet et visites à la clinique. Ils reçoivent habituellement de la cyclosporine et des corticostéroïdes pour prévenir le rejet. Les complications suivantes sont à surveiller: athérosclérose des artères coronaires, hypertension et hypotension, troubles neurologiques, respiratoires et digestifs, insuffisance rénale et réactions aux contraintes psychosociales imposées par la greffe.

Résumé: La greffe cardiaque est indiquée pour les patients souffrant d'une maladie cardiaque fatale. Les principaux immunosuppresseurs administrés après l'intervention sont la cyclosporine et les corticostéroïdes, dont un dosage précis est essentiel pour prévenir les infections. Les opérés reprennent vite des forces et voient les symptômes de leur maladie s'atténuer, mais doivent quand même se conformer à leur régime alimentaire, à leur programme d'exercice, à leur médication et aux visites d'observation. Le taux de survie un an après la greffe est de 80 à 90 %, et de 60 à 70 % après cinq ans.

Excision d'une tumeur

Les tumeurs cardiaques sont peu fréquentes, les tumeurs primitives touchant moins de 1 % de la population et les tumeurs métastatiques entre 1,5 et 35 % des patients cancéreux. La plupart des tumeurs cardiaques sont bénignes, mais peuvent provoquer la formation de caillots menant à une embolie, et à des arythmies dues à une atteinte du myocarde ou du système de conduction. L'excision d'une tumeur est indiquée pour prévenir l'obstruction d'une cavité ou d'une valvule. La circulation extracorporelle s'impose alors, sauf pour les tumeurs épicardiques. Selon le siège de la tumeur, l'excision peut exiger un remplacement valvulaire, une réparation du myocarde ou l'implantation d'un pacemaker. Les soins infirmiers sont les mêmes que pour toute autre chirurgie cardiaque.

Péricardiotomie

L'épanchement péricardique chronique est associé aux néoplasies et peut être traité par une péricardiotomie (incision du péricarde), sous anesthésie générale (rarement sous circulation extracorporelle). Cette opération permet l'écoulement du liquide péricardique à travers le système lymphatique jusqu'à la cavité abdominale. On peut aussi permettre l'écoulement en insérant un cathéter entre le péricarde et la cavité abdominale, une méthode rarement utilisée. Les soins infirmiers sont similaires à ceux prodigués pour les autres chirurgies cardiaques.

Correction des traumatismes

La correction des traumatismes cardiaques se fait chez les victimes de contusion, ou de plaie par balle ou par arme blanche. Les contusions touchent généralement les valvules ou le septum, et les plaies pénétrantes, les parois ventriculaires et auriculaires. On se limite à débrider et suturer la plaie, à moins qu'une valvuloplastie, un remplacement valvulaire, ou une réparation du septum et des parois auriculaires ou ventriculaires ne soit nécessaire. L'opération est souvent urgente, avec des risques élevés de complications. L'infirmière prodigue les soins habituels requis pour une chirurgie cardiaque.

Dispositifs d'assistance cardiaque et cœur artificiel

La circulation extracorporelle et la greffe cardiaque ont amené les dispositifs d'assistance cardiaque. On y a recours quand il est impossible de sevrer un patient de la circulation extracorporelle ou en cas de choc cardiogénique. Le plus utilisé de ces dispositifs est la pompe à ballonnet intra-aortique, qui réduit le travail du cœur pendant la systole.

Il existe des dispositifs plus complexes, les dispositifs d'assistance ventriculaire, capables de suppléer totalement ou partiellement à la fonction pompe du cœur, assurant un débit sanguin égal ou supérieur à celui assuré par un cœur normal. Un dispositif peut assister un seul ventricule. Aujourd'hui, on fait aussi beaucoup usage des pompes centrifuges. Des mécanismes à entraînement pneumatique sont actuellement à l'étude, avec des résultats très prometteurs (figure 15-15). Certains dispositifs d'assistance ventriculaire peuvent être combinés à un oxygénateur à membrane pour relayer le cœur quand il ne peut acheminer le sang vers les poumons ou le reste de l'organisme.

On tente également de perfectionner le cœur artificiel, un appareil qui remplace les deux ventricules et dont l'implantation exige l'ablation du cœur. Les expériences menées entre autres sur le modèle Jarvik-7 ont donné des résultats satisfaisants à court terme, mais moins concluants à long terme. Les chercheurs espèrent un jour mettre au point un cœur artificiel permanent qui remplacerait la greffe cardiaque dans le traitement des maladies du cœur mortelles.

Actuellement les dispositifs d'assistance ventriculaire et le cœur artificiel sont surtout utilisés chez les patients en attente d'une greffe ou dont le cœur doit se remettre d'une intervention chirurgicale. Ils entraînent des complications comme des hémorragies, la formation de caillots, des embolies, l'hémolyse et l'infection. Ils ne sont pas à l'abri des défaillances mécaniques. Les soins infirmiers visent non seulement à évaluer et prévenir ces complications, mais aussi à soutenir et renseigner le patient sur les appareils utilisés.

Correction chirurgicale des troubles de conduction

Correction des tachycardies

Les tachycardies auriculaires et ventriculaires qui ne peuvent être corrigées par les médicaments ou un pacemaker doivent l'être par chirurgie, sous anesthésie générale. Cinq techniques sont employées. La première, l'isolation endocardique consiste à faire une incision dans l'endocarde afin de séparer le siège de l'arythmie du reste de l'endocarde, et à suturer les lèvres de la plaie. L'incision et la cicatrice qui en résultent forment une barrière empêchant l'arythmie d'affecter le reste du cœur. La seconde est l'extraction du siège de l'arythmie sans reconstruction ou réparation, une technique appelée résection endocardique. On peut aussi procéder par cryoexérèse,

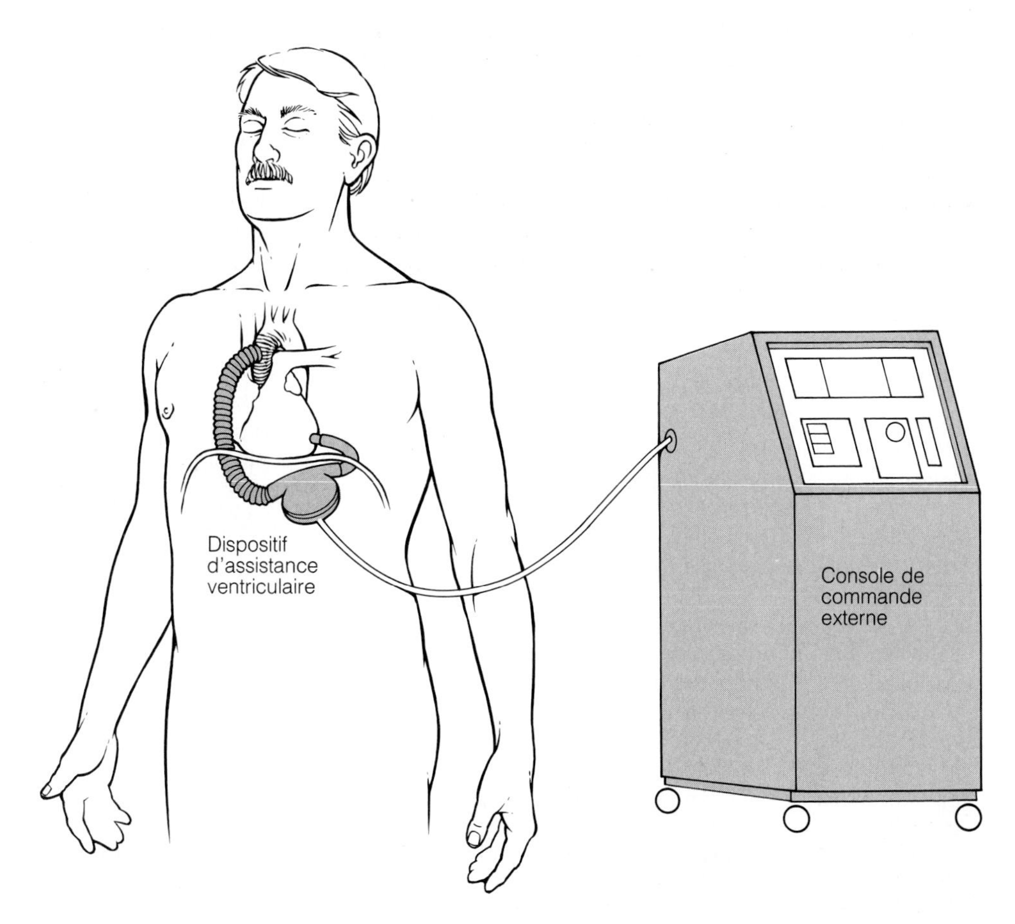

Figure 15-15.

en plaçant pendant 2 minutes sur le siège de l'arythmie une sonde spéciale refroidie à une température de – 60 °C, ce qui laisse une petite cicatrice. La quatrième technique est la fulguration qui est une méthode de destruction des tissus responsables de l'arythmie au moyen d'un cathéter-électrode émettant des étincelles de haute fréquence. La cinquième technique est plus récente. Il s'agit de l'excision par radiofréquences, qui se fait au moyen d'un cathéter spécial placé sur le siège de l'arythmie ou à proximité, émettant des ondes sonores de haute fréquence qui détruisent le tissu lésé. Cette technique est plus précise et provoque moins de traumatismes au tissu cardiaque environnant que les deux précédentes.

S'il y a risque d'arythmie fatale, on ajoute aux interventions décrites ci-dessus l'implantation d'un défibrillateur interne (figure 15-13), qui se fait par voie thoracique ou sous-costale. Un défibrillateur se compose de deux électrodes de détection du rythme cardiaque et de deux électrodes d'induction du choc électrique, reliés à un boîtier (contenant la source d'énergie et un système électronique) que l'on place dans une poche sous-cutanée dans le quadrant supérieur gauche de l'abdomen. Chaque fois qu'une arythmie se produit, elle est détectée par l'appareil qui émet un choc électrique pour l'arrêter. La plupart des défibrillateurs peuvent émettre entre deux et six chocs supplémentaires au besoin. Si l'arythmie persiste, le défibrillateur cesse d'émettre des chocs.

Le défibrillateur est surtout indiqué pour les tachycardies rapides qui résistent aux médicaments et qui répondent bien à la stimulation électrique selon les études électrophysiologiques. Il n'est pas recommandé pour les arythmies fréquentes, car il doit être remplacé après avoir émis entre 100 et 200 chocs. On encourage les membres de la famille et les amis du patient à apprendre la réanimation cardiorespiratoire et les mesures d'urgence. Il y a peu de risques à toucher une personne subissant une défibrillation, car les chocs sont faibles et se dissipent dans le tissu abdominal avant d'atteindre la peau.

Résumé: On envisage la chirurgie pour les tachycardies symptomatiques qui ne peuvent être corrigées par les médicaments ou un pacemaker. Les principales méthodes utilisées sont l'isolation, la résection et la destruction du siège de l'arythmie, ainsi que l'implantation d'un défibrillateur. Les défibrillateurs sont utilisés avec succès en cas d'arythmie fatale. La famille et les amis du patient sont fortement encouragés à apprendre la réanimation cardiorespiratoire et les mesures d'urgence.

SOINS OPÉRATOIRES

Le patient qui subit une chirurgie cardiaque a les mêmes besoins et exige les mêmes soins que tout autre opéré (voir les chapitres 32, 33 et 34). Il est toutefois, de même que sa famille, exposé à de graves perturbations psychologiques dues au fait que le cœur est étroitement associé à la vie. Il est souvent admis au centre hospitalier la veille de l'opération seulement, de sorte que l'infirmière doit planifier soigneusement ses soins selon un ordre de priorité.

Avant l'opération, on procède à des évaluations physiques et psychologiques et à des épreuves de laboratoire pour obtenir des données de base qui serviront par la suite de points de comparaison. On doit aussi évaluer les connaissances du patient sur l'opération et son observance du traitement, et obtenir un consentement éclairé. Il importe également de faciliter son adaptation, d'améliorer ses connaissances sur l'opération et d'assurer le maintien de sa dignité et de sa sécurité au cours de l'opération. Après l'intervention, il faut surveiller étroitement l'état de l'opéré et lui prodiguer des soins spécialisés à l'unité des soins intensifs. L'infirmière a aussi un rôle à jouer durant toute la convalescence et la réadaptation du patient, c'est-à-dire jusqu'à ce que ce dernier et sa famille puissent assurer les soins eux-mêmes.

SOINS PRÉOPÉRATOIRES

La phase préopératoire d'une chirurgie cardiaque débute avant l'hospitalisation par la stabilisation d'autres maladies comme le diabète, l'hypertension artérielle, la maladie respiratoire obstructive chronique, et le traitement des troubles respiratoires, endocriniens, gastro-intestinaux, génito-urinaires, tégumentaires et hématologiques. On doit aussi traiter l'insuffisance cardiaque, les arythmies et les déséquilibres hydroélectrolytiques pour assurer le meilleur fonctionnement possible du cœur. Il importe, de plus, de dépister et de traiter les infections (dentaires, périodontiques, cutanées et gastrointestinales).

Les patients doivent parfois modifier leur médication avant l'opération, par exemple en réduisant progressivement leurs doses de stéroïdes et de dixogine, ou en diminuant ou en interrompant leur prise d'anticoagulants. Par contre, ils continuent généralement les médicaments servant à contrer l'hypertension artérielle, l'angine, le diabète et l'arythmie. Le patient doit maintenir ses activités, son régime alimentaire et ses habitudes de sommeil, et cesser de fumer afin de réduire au maximum les risques de l'intervention. Avant l'opération, il reçoit généralement des anxiolytiques pour prévenir les effets de la tension (augmentation de la fréquence cardiaque et de la pression artérielle) pouvant aggraver ses symptômes.

DÉMARCHE DE SOINS INFIRMIERS PATIENTS EN ATTENTE D'UNE CHIRURGIE CARDIAQUE

▷ *Collecte des données*

Les patients souffrant d'une maladie cardiaque non aiguë sont admis au centre hospitalier un à deux jours avant l'intervention. Ils ont déjà subi les examens préopératoires.

Le personnel infirmier et médical établit le profil du patient et procède à un examen physique. On effectue généralement des radiographies thoraciques, un électrocardiogramme (ECG) et des analyses de laboratoire, en plus de mettre du sang en réserve. Un bilan de santé est dressé à partir de données physiologiques, psychologiques et sociales. L'infirmière évalue les connaissances du patient et de sa famille, et les informe au besoin. Il faut attacher une importance particulière aux capacités fonctionnelles, aux mécanismes d'adaptation et au réseau de soutien du patient, de même qu'au réseau de soutien et aux mécanismes d'adaptation de la famille. On doit aussi évaluer le milieu dans lequel le patient poursuivra sa convalescence. Toutes ces données ont beaucoup d'influence sur la convalescence et la réadaptation. Le plan de congé tiendra compte des contraintes engendrées par la situation familiale et le milieu physique.

▷ *Bilan de santé*

Le profil du patient et son bilan de santé préopératoires doivent être complets et les données soigneusement notées au dossier, car elles serviront de points de comparaison à l'étape postopératoire. L'infirmière aborde tous les appareils et systèmes du patient, en se concentrant surtout sur l'appareil cardiovasculaire, dont l'évaluation est établie sur la base de symptômes comme les douleurs thoraciques, l'hypertension, les palpitations, la dyspnée, la cyanose, l'orthopnée, la dyspnée nocturne paroxystique, l'œdème périphérique et la claudication intermittente. Elle note aussi avec soin les altérations du débit cardiaque, qui peuvent affecter les fonctions rénale, respiratoire, gastro-intestinale, tégumentaire, hématologique et neurologique. Enfin, elle consigne les antécédents de maladies graves, d'interventions chirurgicales et de traitements médicamenteux, ainsi que de consommation de drogues, d'alcool et de tabac. Elle procède aussi à un examen physique complet en accordant une importance particulière aux éléments suivants :

- Apparence générale et comportements
- Signes vitaux
- État nutritionnel et liquidien, poids et taille
- Examen et palpation du cœur : choc apexien, pulsations anormales et frémissements
- Auscultation du cœur : fréquence, rythme et caractéristiques du pouls, présence de B_3 ou B_4, claquements, clics, souffles et frottements
- Pression veineuse jugulaire
- Pouls périphériques
- Œdème périphérique

▷ *Évaluation psychosociale*

L'évaluation des facteurs psychosociaux et des besoins d'information du patient et de sa famille sont aussi importants que l'examen physique, car la perspective d'une chirurgie cardiaque provoque toujours beaucoup de stress. Les patients sont inquiets et posent de nombreuses questions. Leur anxiété augmente généralement au moment de l'admission et à mesure que l'opération approche. L'infirmière doit d'abord en évaluer le degré. Une faible anxiété peut signifier un déni ; une forte anxiété peut nuire à l'efficacité des mécanismes d'adaptation et de l'enseignement préopératoire. L'infirmière doit poser au patient et à sa famille des questions sur les aspects suivants :

- Signification de l'opération
- Mécanismes d'adaptation généralement utilisés
- Mesures antérieures pour combattre le stress
- Changements prévus dans le mode de vie
- Présence d'un réseau de soutien
- Craintes à l'égard du présent et de l'avenir
- Connaissance du déroulement de l'opération, des soins postopératoires et des mesures de réadaptation

Il faut laisser au patient et à sa famille suffisamment de temps pour exprimer leurs craintes face à l'inconnu, à la douleur, aux changements de l'image corporelle et à la mort.

La peur de l'inconnu. Elle est difficile à définir. Si le patient n'a pas subi antérieurement une chirurgie cardiaque, il ne sait pas exactement de quoi il a peur. Il ne s'agit pas de craintes précises qui peuvent être atténuées au moyen de mécanismes d'adaptation, mais plutôt d'une peur généralisée.

La peur de la douleur. Le patient peut exprimer directement sa peur de la douleur et son incapacité à la tolérer, ou indirectement, en posant des questions sur la douleur elle-même, sur les analgésiques et sur le réveil après l'anesthésie. De son côté, la famille peut craindre de mal réagir devant la souffrance du patient.

La peur de l'altération de l'image corporelle. Bien des patients ont peur des cicatrices laissées par l'opération. Cette peur est généralement exagérée à cause d'un manque d'information. Les patients en parlent souvent ouvertement, ou l'expriment indirectement en parlant de l'affection de leurs proches ou en accordant une importance exagérée aux douleurs postopératoires.

La peur de la mort. Certains patients verbalisent leur peur de la mort. D'autres l'expriment indirectement en disant qu'il est inutile de se renseigner sur l'opération et la période postopératoire, en insistant pour que quelqu'un soutienne leur famille le jour de l'opération, en devenant subitement émotifs en présence des membres de leur famille ou en demandant à ces derniers de rester à la maison le jour de l'opération. Les mêmes comportements chez les membres de la famille traduisent aussi la peur de la mort.

Lors de la collecte des données, l'infirmière détermine ce que le patient et son entourage savent de l'opération et de la période postopératoire. Elle les invite à poser des questions afin d'établir ce qu'ils veulent savoir. Certains patients préfèrent ne pas connaître les détails, et d'autres veulent qu'on leur explique tout. L'infirmière doit donc adapter son enseignement selon les besoins de chaque patient et sa capacité d'apprentissage, de même que son niveau de compréhension.

Les patients dont l'état exige une chirurgie cardiaque d'urgence doivent parfois subir un cathétérisme cardiaque et l'opération dans les heures qui suivent leur admission au centre hospitalier. Étant donné que l'infirmière dispose de peu de temps pour évaluer et combler leurs besoins d'apprentissage et de soutien avant l'opération, elle devra compenser pour ce manque après l'intervention.

▷ *Analyse et interprétation des données*

Les diagnostics infirmiers s'appliquant aux patients en attente d'une chirurgie cardiaque varient en fonction de l'évolution de la maladie cardiaque, de la nature de l'anomalie et des symptômes. La plupart des patients présenteront une diminution du débit cardiaque (voir la section portant sur l'insuffisance cardiaque au chapitre 14). Les autres diagnostics infirmiers possibles sont les suivants:

- Peur reliée à l'intervention chirurgicale, à son issue incertaine et à la menace qu'elle représente pour le bien-être
- Manque de connaissances sur l'intervention chirurgicale et l'étape postopératoire

▷ *Planification et exécution*

▷ ***Objectifs de soins:*** Réduction de la peur; acquisition de connaissances sur l'intervention chirurgicale et l'étape postopératoire avant le jour de l'intervention

▷ *Interventions infirmières*

Avant une chirurgie cardiaque, l'infirmière dresse son plan de soins en tenant compte du soutien émotionnel et de l'enseignement dont le patient et sa famille ont besoin. Ses interventions visent à établir une relation avec eux, à répondre à leurs questions, à les laisser exprimer leurs craintes et leurs inquiétudes, à corriger leurs idées fausses et à leur décrire ce à quoi ils doivent s'attendre.

▷ ***Réduction de la peur.*** L'infirmière laisse au patient et à sa famille suffisamment de temps et d'occasions pour exprimer leurs craintes. Si le patient a peur de l'inconnu, mais a déjà subi d'autres opérations, elle peut le rassurer par des comparaisons avec ses expériences antérieures, et par une description des sensations qu'il éprouvera. Le cathétérisme cardiaque est un bon point de comparaison si le patient y a été soumis. L'infirmière doit aussi encourager le patient à parler de toute inquiétude reliée à des interventions chirurgicales subies antérieurement.

La peur de la douleur doit également être abordée. L'infirmière peut comparer la douleur ressentie lors de la chirurgie cardiaque à d'autres types de douleur. Elle doit expliquer au patient la sédation préopératoire, l'anesthésie et l'analgésie postopératoire. Elle doit aussi lui faire comprendre que sa peur de la douleur est normale et qu'il éprouvera sans doute une certaine douleur qui sera soulagée par des médicaments ainsi que par des changements de position et des techniques de relaxation.

Pour certains patients, la présence d'une cicatrice est une grave atteinte à l'intégrité corporelle. L'infirmière les incite à exprimer leurs craintes à ce sujet et corrige leurs idées fausses au besoin. Il est parfois utile de dire au patient qu'il sera tenu au courant des progrès de la cicatrisation.

Il faut aussi encourager le patient et sa famille à exprimer leur peur de la mort, et leur faire comprendre que cette crainte est normale. Si le patient refuse d'exprimer sa crainte, l'infirmière doit tenter d'établir un dialogue par des questions et des remarques comme: «Avez-vous peur de ne pas vous en sortir? Vous savez, la plupart des gens qui subissent une chirurgie cardiaque pensent à la mort.» Une fois que la peur de la mort sera exprimée, l'infirmière pourra plus facilement explorer les sentiments qu'elle engendre.

En atténuant l'anxiété et les craintes du patient et en le préparant psychologiquement à la chirurgie, l'infirmière réduit les risques de complications postopératoires, facilite l'anesthésie et favorise la participation du patient aux soins postopératoires. Les membres de la famille doivent aussi subir une bonne préparation pour être en mesure de faire face à la situation, d'offrir leur aide à l'opéré et de participer aux soins postopératoires et à la réadaptation.

▷ ***Enseignement sur l'intervention chirurgicale et l'étape postopératoire.*** L'enseignement au patient se base sur ses besoins d'apprentissage. L'information porte normalement sur l'hospitalisation, l'intervention (soins préopératoires, durée de l'intervention, sensations auxquelles le patient doit s'attendre, visites et déroulement des soins à l'unité des soins intensifs) et la convalescence (durée de l'hospitalisation, reprise des activités normales comme les travaux domestiques, les courses et le travail). Tout changement apporté au traitement médical et aux soins préopératoires doit être expliqué clairement au patient.

Le patient soit savoir que la préparation physique inclut habituellement plusieurs douches ou lavages chirurgicaux avec une solution antiseptique, de même que l'administration d'un somnifère la veille de l'opération et d'un sédatif juste avant. La plupart des chirurgiens cardiaques préconisent une antibiothérapie prophylactique qui débute avant l'intervention.

Si la période d'hospitalisation préopératoire est très courte, l'enseignement au patient et à sa famille doit être prodigué de façon efficace. De plus, le patient est souvent anxieux et son anxiété augmente à l'approche de l'opération. Comme l'infirmière a peu de temps pour établir avec le patient une relation qui favorise l'apprentissage, elle peut prodiguer son enseignement en présence des membres de sa famille, pour tirer profit de leur relation de soutien. À cette étape, l'enseignement se limite à répondre aux questions, car trop de détails peuvent accroître l'anxiété. L'infirmière peut faire visiter au patient l'unité des soins intensifs et la salle de réveil pour le familiariser avec ces endroits et lui faire connaître le personnel qui y travaille. Elle indique au patient et à sa famille le matériel, les tubes et les lignes de perfusion qui seront en place après l'intervention. Ils doivent s'attendre notamment à voir plusieurs lignes de perfusion intraveineuse, des drains thoraciques et une sonde urétrale. Il faut les rassurer en leur expliquant à quoi servent ces dispositifs et combien de temps ils resteront en place. Le patient est généralement intubé et sous ventilation assistée pendant 12 à 48 heures après l'opération. Il doit savoir qu'il ne pourra pas parler pendant cette période, mais que le personnel infirmier est entièrement qualifié pour voir à tous ses besoins.

Les questions que le patient pose sur les soins postopératoires doivent trouver réponse. Avant l'intervention, on doit lui enseigner les exercices de respiration profonde à l'aide du spiromètre d'incitation ainsi que les exercices d'amplitude de mouvement. Les membres de la famille voudront surtout connaître la durée de l'opération, où, quand et par qui ils seront informés des résultats de l'opération, les modalités des visites à l'unité des soins intensifs et les moyens qu'ils peuvent prendre pour aider le patient avant et après l'intervention.

▷ *Évaluation*

Résultats escomptés

1. Le patient a moins de craintes.
   a) Il connaît ses craintes.
   b) Il parle de ses craintes avec sa famille.
   c) Il fait des comparaisons avec ses expériences passées.
   d) Il est confiant au sujet des résultats de l'opération.
   e) Il a confiance dans les mesures de soulagement de la douleur.
2. Le patient améliore ses connaissances sur l'intervention chirurgicale et l'étape postopératoire.
   a) Il connaît le but des interventions préopératoires.
   b) Il visite l'unité des soins intensifs s'il le désire et si cela peut lui être utile.
   c) Il connaît les contraintes auxquelles il sera soumis après l'opération.
   d) Il parle du matériel qui sera en place après l'opération par exemple les sondes et les appareils de monitorage.
   e) Il fait la démonstration des exercices postopératoires (par exemple, respiration profonde et toux, exercices d'amplitude de mouvement et exercices de spirométrie).

SOINS OPÉRATOIRES

La plupart des interventions chirurgicales décrites au présent chapitre exigent une sternotomie médiane. Il faut donc préparer le patient pour un monitorage en continu en mettant en place les électrodes, les cathéters à demeure et les sondes nécessaires. On aura aussi besoin de lignes de perfusion intraveineuse pour l'administration de liquides, de médicaments, de sang et de dérivés sanguins. Finalement, il faut intuber le patient et mettre en place la ventilation assistée.

Avant la fermeture de l'incision thoracique, on pose des drains thoraciques pour faciliter l'évacuation de l'air et la vidange du médiastin et du thorax. On met aussi en place un pacemaker avec électrodes épicardiques à la surface de l'oreillette et du ventricule droits afin de stimuler le cœur après l'intervention ou de surveiller les arythmies postopératoires.

En plus d'apporter son aide lors de la chirurgie, de l'anesthésie et de la circulation extracorporelle, l'infirmière veille au bien-être et à la sécurité du patient. Ses tâches incluent aussi le soutien émotionnel à la famille.

Les complications possibles au cours de l'opération sont notamment l'hémorragie, l'infarctus du myocarde, l'accident vasculaire cérébral, l'embolie et l'insuffisance organique due au choc ou à une réaction aux médicaments. L'infirmière doit être à l'affût des signes de ces complications, car elles exigent un traitement immédiat.

SOINS POSTOPÉRATOIRES

La période qui suit immédiatement une chirurgie cardiaque pose de nombreux défis à l'équipe soignante. Pour que la transition entre la salle d'opération et l'unité des soins intensifs se fasse avec le minimum de risques, l'équipe chirurgicale et le personnel de la salle de réveil doivent donner à l'équipe des soins intensifs des renseignements sur le déroulement de l'opération et les éléments importants à surveiller lors de l'étape postopératoire (figure 15-16).

DÉMARCHE DE SOINS INFIRMIERS
PATIENTS AYANT SUBI UNE CHIRURGIE CARDIAQUE

▷ *Collecte des données*

Après l'admission du patient à l'unité des soins intensifs, l'infirmière effectue une collecte de données systématique et complète à intervalles de 4 à 12 heures, en comparant les données recueillies aux données préopératoires et en tenant compte des changements prévus après l'opération. Elle recueille les données suivantes:

- *Fonctions neurologiques:* niveau de conscience et orientation (temps, lieu, personnes), diamètre pupillaire et réaction à la lumière, réflexes, mobilité des membres et force de préhension
- *Bilan cardiaque:* fréquence et rythme cardiaques, bruits du cœur, pression artérielle, pression veineuse centrale (PVC), pression artérielle pulmonaire (PAP), pression capillaire pulmonaire (PCP), pression auriculaire gauche (PAG), courbe de pression artérielle, débit et index cardiaques, résistances vasculaires systémique

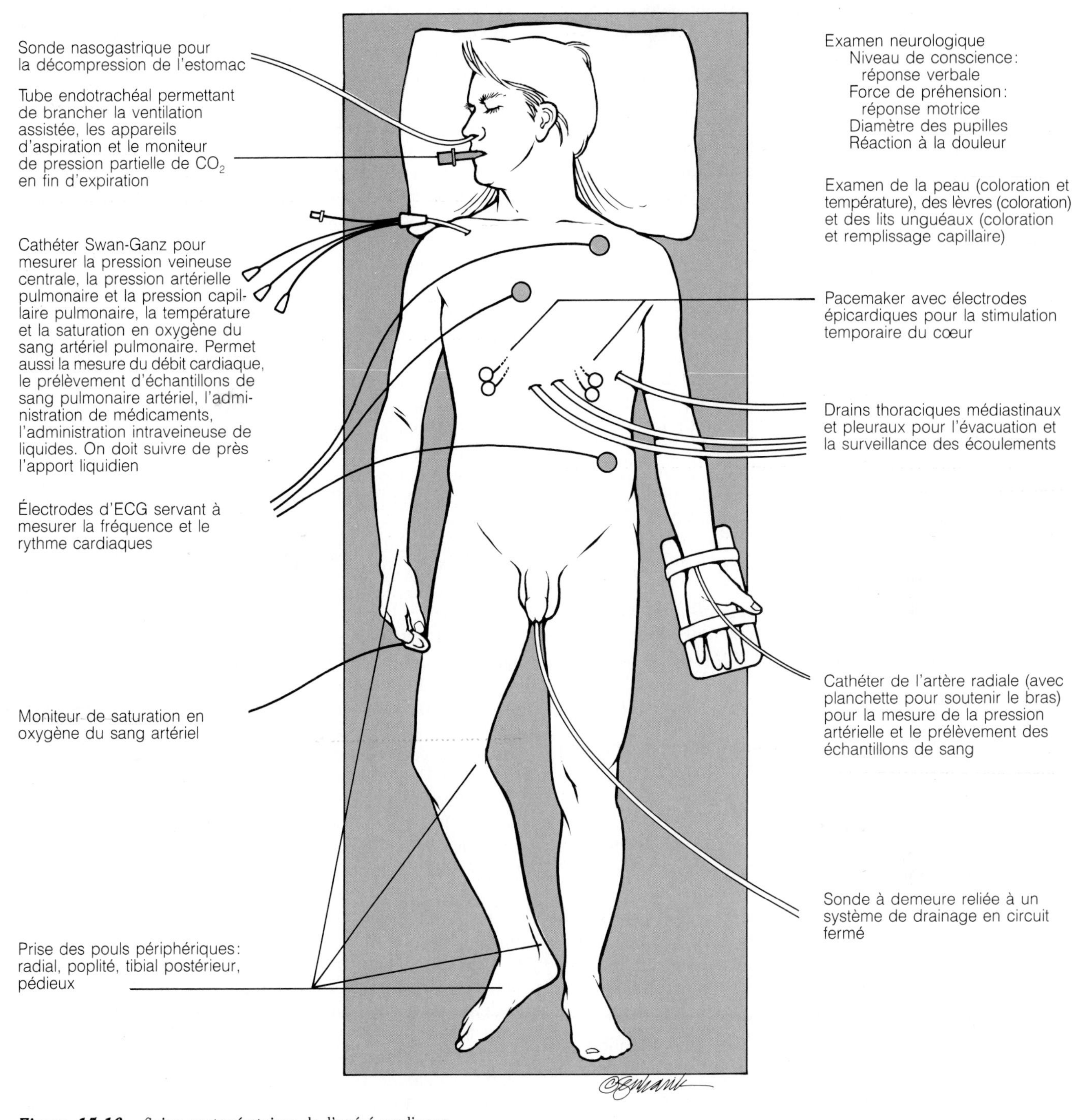

Figure 15-16. Soins postopératoires de l'opéré cardiaque

et pulmonaire, saturation en oxygène du sang artériel pulmonaire (SvO_2) (si possible), drainage thoracique, et fonctionnement du pacemaker

- *Respiration:* mouvement du thorax, bruits respiratoires, réglages de la ventilation (débit, volume courant, concentration en oxygène, mode (par exemple, IMV*, pression positive en fin d'expiration [PPFE]), fréquence respiratoire, pression ventilatoire, saturation en oxygène du sang artériel (SaO_2), pression partielle de CO_2 en fin d'expiration, drainage thoracique, gaz du sang artériel

- *Circulation périphérique:* pouls périphériques; couleur de la peau, des lits unguéaux, des muqueuses, des lèvres et des lobes des oreilles; température de la peau; œdème; état des pansements et des cathéters
- *Fonction rénale:* débit, densité et osmolarité des urines
- *Bilan hydroélectrolytique:* apport liquidien; écoulements de tous les drains; tous les paramètres de débit cardiaque et les symptômes de déséquilibre hydroélectrolytique suivants:

Hypokaliémie: intoxication digitalique, arythmies (onde U, bloc auriculoventriculaire (AV), ondes T plates ou inversées)

Hyperkaliémie: confusion mentale, agitation, nausées, faiblesse, paresthésies, arythmies (ondes T hautes et pointues;

Tr. Sensibilité! Perception sensations anormales (fourmillements, picotements, brûlures)

* Abréviation de Intermittent Mandatory Ventilation

augmentation de l'amplitude; élargissement du complexe QRS; intervalle QT normal ou raccourci au début de l'hyperkaliémie et allongé par la suite

Hyponatrémie: faiblesse, fatigue, confusion, convulsions, coma

Hypocalcémie: paresthésies, spasme carpopédal, crampes musculaires, tétanie

Hypercalcémie: intoxication digitalique, asystole

- *Douleur:* nature, type, siège, durée (on doit distinguer la douleur provenant de la région de l'incision de la douleur angineuse); appréhension; réaction aux analgésiques

Remarque: Certains patients ayant subi un pontage coronarien avec greffe d'une artère thoracique interne (comme l'artère mammaire) présentent une paresthésie du nerf cubital du côté de la greffe. Cette paresthésie peut être temporaire ou permanente. Chez les patients ayant subi un pontage coronarien par greffe d'une artère gastroépiploïque, l'iléus postopératoire est parfois de plus longue durée et des douleurs abdominales s'ajoutent aux douleurs thoraciques.

L'infirmière vérifie aussi le fonctionnement du matériel: tube endotrachéal, ventilateur, moniteur de saturation en oxygène du sang artériel, cathéter artériel pulmonaire, cathéters artériels et veineux, matériel et lignes de perfusion intraveineuse, moniteur cardiaque, pacemaker, drains thoraciques et sonde urétrale.

Quand le patient a repris conscience, l'infirmière doit aussi noter les indicateurs de l'état psychologique. Certains comportements révèlent un refus ou un état dépressif, ou encore une psychose postopératoire, qui se caractérise par (1) des illusions perceptives transitoires, (2) des hallucinations visuelles et auditives et (3) une désorientation et des délires paranoïdes. L'état de psychose est souvent provoqué par des micro-embolies gazeuses reliées à la circulation extracorporelle durant la chirurgie.

L'infirmière doit aussi évaluer les besoins de la famille du patient, en vérifiant s'ils s'adaptent bien à la situation, quels sont leurs besoins psychologiques, émotifs et spirituels et s'ils sont bien informés sur l'état du patient.

▷ ***Dépistage des complications.*** On surveille continuellement le patient pour dépister tout signe de complication. L'infirmière et le médecin travaillent ensemble afin de déceler ces signes et de prendre les mesures visant à freiner leur progression.

▷ ***Diminution du débit cardiaque.*** La diminution du débit cardiaque représente toujours une menace pour l'opéré cardiaque. Les causes en sont multiples:

- Altération de la précharge: le volume du sang retournant au cœur est trop faible ou trop élevé, en raison d'une hypovolémie, d'une hémorragie persistante, d'une tamponnade cardiaque ou d'une surcharge liquidienne
- Altération de la postcharge: les artérioles et les capillaires sont trop contractés ou dilatés suite à des changements de la température corporelle ou à de l'hypertension
- Altération de la fréquence cardiaque: accélération, ralentissement, ou arythmies
- Altération de la contractilité: insuffisance cardiaque, infarctus du myocarde, déséquilibres hydroélectrolytiques, hypoxie

Altération de la précharge. L'hypovolémie est la principale cause de la diminution du débit cardiaque après une chirurgie cardiaque. L'opération provoque souvent des pertes sanguines, qui doivent être partiellement remplacées afin que le taux d'hémoglobine soit suffisant pour assurer le transport de l'oxygène vers les tissus. Quand la température corporelle du patient hypothermique augmente, les vaisseaux sanguins se dilatent et ont besoin pour se remplir d'un plus grand volume sanguin. Les lits capillaires étant plus perméables à la suite de la circulation extracorporelle, une partie du sang veineux passe dans les espaces interstitiels. On observe souvent une hypotension artérielle et une chute de la PCP et de la PVC avec une élévation de la fréquence cardiaque. Le médecin recommande généralement l'administration d'une solution colloïde (albumine ou protéines), de globules rouges concentrés ou d'une solution cristalloïde (solution physiologique, lactate Ringer) pour augmenter le volume liquidien.

Des saignements persistants peuvent aussi provoquer une hypovolémie. La circulation extracorporelle peut entraîner des anomalies de la fonction plaquettaire qui empêchent la coagulation normale du sang. Les mécanismes de la coagulation peuvent aussi être perturbés par l'hypothermie, la prise d'anticoagulants et par l'héparine utilisée lors de l'intervention et après pour maintenir l'irrigation de la ligne de perfusion artérielle. De plus, les tissus et les vaisseaux sanguins lésés par la chirurgie présentent souvent un suintement hémorragique. Il est essentiel de mesurer avec précision les pertes sanguines en provenance de la plaie et du tube de drainage, car il importe qu'elles n'excèdent pas 200 mL/h dans les quatre à six heures qui suivent l'opération, pour diminuer progressivement et cesser après quelques jours. (Le liquide de drainage est d'abord sanguinolent, puis sérosanguinolent, puis séreux.) L'hémorragie est maîtrisée par l'administration de sulfate de protamine, qui neutralise l'héparine, et les facteurs de coagulation sont remplacés par l'administration de vitamine K et de dérivés sanguins. Habituellement, le drainage thoracique diminue graduellement. Une diminution brusque suggère une obstruction de l'évacuation au niveau du médiastin. Il faut alors s'assurer que la tubulure est perméable. L'infirmière peut tenter d'en rétablir la perméabilité en la comprimant et en la relâchant à plusieurs reprises (il faut toutefois prendre soin de ne pas la déplacer, car cela entraînerait une forte pression négative dans le thorax pouvant affecter la réparation chirurgicale ou provoquer une arythmie). Les radiographies du thorax peuvent indiquer un élargissement du médiastin. Si l'hémorragie persiste, le patient doit retourner à la salle d'opération pour une exploration.

La tamponnade cardiaque peut aussi diminuer la précharge en empêchant le sang de pénétrer dans le cœur. Elle est due à une compression du cœur provoquée par une accumulation de liquide dans le sac péricardique. Elle se manifeste par une hypotension artérielle, une tachycardie, des bruits du cœur sourds, une diminution du débit urinaire, de même qu'une PCP, une PVC et une pression artérielle pulmonaire diastolique identiques. Les courbes de la PA et de la PAP peuvent aussi indiquer un pouls paradoxal (diminution supérieure à 10 mm Hg pendant l'inspiration). La tamponnade cardiaque est une urgence médicale que l'on traite généralement par une péricardiocentèse (voir le chapitre 14).

La surcharge liquidienne est une complication moins fréquente de la chirurgie cardiaque. Elle se manifeste par une hausse de la PCP, de la PVC et de la pression artérielle pulmonaire diastolique, ainsi que par des craquements. On la traite généralement par l'administration de diurétiques. Il faut également ralentir le débit des perfusions intraveineuses de liquide. Le patient est parfois contraint de réduire son apport liquidien et sodique. L'hémofiltration, la dialyse et la phlébotomie sont aussi des traitements possibles.

Altération de la postcharge. La postcharge est la pression s'opposant à l'expulsion du sang par le ventricule. Elle se mesure par la résistance vasculaire, qui fournit aussi de l'information sur les effets des traitements vasoactifs. Après une chirurgie cardiaque, c'est la température corporelle qui est la principale cause de l'altération de la postcharge. En hyperthermie, le contraction des vaisseaux sanguins provoque une élévation de la postcharge. Le traitement consiste alors à réchauffer graduellement le patient, ou à administrer des vasodilatateurs si une action rapide est nécessaire. À l'opposé, une hyperthermie entraîne une dilatation des vaisseaux sanguins, et par conséquent une réduction de la postcharge. On s'applique dans ce cas à rétablir une température normale. Si la gravité de la vasodilatation l'exige, on doit administrer un vasopresseur ou une solution de remplissage vasculaire.

L'hypertension est également un facteur d'augmentation de la postcharge. On peut la prévoir à la lumière des antécédents du patient. Elle n'est parfois que transitoire. On peut la traiter par l'administration d'un vasodilatateur (nitroglycérine, nitroprussiate). Si le patient prenait des antihypertenseurs avant l'opération, on en reprend l'administration dès que possible.

Arythmies. On évalue d'abord la tachycardie pour établir si elle est consécutive à une altération de la précharge ou de la postcharge. Sinon, il faut mesurer le rythme cardiaque et recourir à un traitement médicamenteux (digoxine, quinidine, vérapamil, chlorhydrate d'esmolol, propanolol, lidocaïne, procaïnamide, brétylium). Le médecin peut pratiquer un massage du sinus carotidien pour ralentir la fréquence ou traiter l'arythmie. Les tachycardies symptomatiques peuvent aussi être traitées par cardioversion et défibrillation.

Des symptômes de bradycardie sont aussi à prévoir. Après l'opération, les patients portent souvent un stimulateur cardiaque temporaire pour accélérer le rythme cardiaque. On a aussi recours à des médicaments comme l'atropine, l'épinéphrine et l'isoprotérénol pour accélérer le rythme cardiaque, quoique moins fréquemment.

Les arythmies peuvent affecter le débit cardiaque. Si tel est le cas, on vise à rétablir le rythme sinusal par des médicaments, un stimulateur cardiaque, un massage du sinus carotidien, une cardioversion ou une défibrillation. Si on ne peut rétablir le rythme sinusal, on cherchera à maintenir un rythme stable procurant un débit cardiaque suffisant.

Troubles de la contractilité. L'insuffisance cardiaque est le résultat d'une défaillance de la pompe cardiaque et d'une vidange inadéquate des cavités (voir le chapitre 14). L'infirmière doit être à l'affût des symptômes suivants: chute de la pression artérielle moyenne, augmentation de la PCP, de la PAP et de la PVC, tachycardie, agitation, cyanose périphérique, distension des jugulaires, dyspnée et œdème. Le traitement médical comprend l'administration de diurétiques et de digitaline.

Un infarctus du myocarde peut survenir pendant ou après l'opération; il provoque la nécrose d'une partie du muscle cardiaque, et conséquemment une diminution de la contractilité. Avant que la région lésée ne devienne œdémateuse, on observe un mouvement paradoxal de la paroi ventriculaire durant les contractions, ce qui diminue encore davantage le débit cardiaque. Les symptômes de l'infarctus peuvent être masqués par la douleur postopératoire ou les effets des anesthésiques et des analgésiques. L'infirmière doit donc prendre soin de bien définir les caractéristiques des douleurs. L'infarctus du myocarde se manifeste par une pression artérielle moyenne faible et une précharge normale. Une augmentation de la résistance vasculaire systémique (postcharge) et de la fréquence cardiaque peut compenser pour la baisse de la contractilité. Des ECG et des mesures répétées des enzymes cardiaques servent à établir le diagnostic. On administre au patient de faibles doses d'analgésiques et on surveille de près sa pression artérielle et sa fréquence respiratoire (une vasodilatation due aux analgésiques ou à une diminution de la douleur peut survenir et aggraver l'hypotension). La progression des activités est établie en fonction de la tolérance du patient.

L'hypoxie et les déséquilibres électrolytiques tels que l'hypokaliémie (voir la section suivante) réduisent la contractilité du muscle cardiaque. La contractilité est reflétée par l'index de travail systolique*.

▷ *Déséquilibres hydroélectrolytiques.* Des déséquilibres hydroélectrolytiques peuvent survenir à la suite d'une chirurgie cardiaque. L'infirmière peut les dépister par la surveillance des paramètres suivants: ingesta et excréta; poids; valeurs des PCP, PAP, et PVC; hématocrite; distension des jugulaires; œdème tissulaire; volume du foie; bruits respiratoires (petits bruits secs, sifflements); taux sériques d'électrolytes.

L'infirmière doit informer immédiatement le médecin de toute variation des taux sériques d'électrolytes, surtout du potassium, du sodium et du calcium, pour que des mesures destinées à les corriger soient prises sans délai.

Hypokaliémie. La baisse du taux de potassium peut être causée par une diminution de l'apport nutritionnel de cet électrolyte, la prise de diurétiques, les vomissements, la diarrhée, des pertes nasogastriques excessives et le stress postchirurgical (toute augmentation de la sécrétion d'aldostérone entraîne une baisse de la rétention de potassium [K^+] et une hausse de la rétention de sodium [Na^+]). Le patient dont le taux de potassium est à l'extérieur des limites de la normale, qui se situent entre 3,5 à 5,0 mmol / L, doit être suivi de près. Certains cardiologues croient que le taux de K^+ doit être maintenu à 4,0 mmol / L ou plus dans le but d'éviter les arythmies lors de la phase postopératoire. Une carence en potassium peut se manifester par une intoxication digitalique, des arythmies, une alcalose métabolique, une baisse de la contractilité et un arrêt cardiaque. Les modifications de l'ECG sont une augmentation de l'amplitude de l'onde U à plus de 1 mm (l'onde U est une déflexion positive suivant l'onde T), un bloc auriculoventriculaire, des ondes T plates ou inversées et un bas voltage. Si nécessaire, le médecin prescrit un remplacement du potassium par voie intraveineuse.

Hyperkaliémie. L'augmentation du taux sérique de potassium peut avoir pour cause un apport potassique excessif, une hémolyse due aux appareils de circulation extracorporelle ou d'assistance circulatoire, une acidose, l'insuffisance rénale, la nécrose des tissus et l'insuffisance surrénalienne. Les effets de l'hyperkaliémie sont la confusion mentale, l'agitation, des nausées, une faiblesse et des paresthésies. Sur le tracé ECG, on constate de grandes ondes T pointues, une amplitude accrue, un élargissement du complexe QRS.

* Ventricular stroke work index

L'intervalle QT reste normal ou est raccourci au début de l'hyperkaliémie. Il s'allonge par la suite étant donné l'élargissement des QRS.

L'administration (par voie intrarectale) d'une résine échangeuse d'ions, le kayexalate (sulfonate de polystyrène de sodium), a pour effet de diminuer la concentration sérique de potassium en assurant sa liaison dans le tube digestif. Les autres traitements possibles comprennent l'injection intraveineuse de bicarbonate de sodium, ou de glucose et d'insuline afin de stimuler temporairement le passage du potassium dans le liquide intracellulaire.

Hypernatrémie et hyponatrémie. On observe parfois une hypernatrémie (élévation du taux de sodium) ou une hyponatrémie (baisse du taux de sodium) après une chirurgie cardiaque. L'hyponatrémie, qui est plus courante, peut résulter d'une dilution du sodium due à un excès d'eau. Il faut donc s'assurer que le taux sérique de sodium de l'opéré cardiaque est à l'intérieur des limites de la normale qui se situent entre 135 et 145 mmol / L. L'infirmière doit être à l'affût des symptômes d'hyponatrémie suivants : faiblesse, fatigue, confusion, convulsions et coma. En cas d'hyponatrémie grave, on procède à un remplacement du sodium ; si la carence est due à un excès d'eau, on administre des diurétiques.

Hypocalcémie. L'hypocalcémie (diminution du taux de calcium) est souvent consécutive à une alcalose, qui réduit la concentration du calcium dans le liquide extracellulaire. Les transfusions importantes de sang citraté en sont une autre cause. Le citrate se liant au calcium, il réduit la concentration de calcium ionisé circulant.

On doit donc vérifier si le taux de calcium du patient se maintient dans les limites de la normale, soit entre 2,2 et 2,58 mmol / L. Les symptômes d'hypocalcémie sont : engourdissements et fourmillements dans les doigts, les orteils, les oreilles et le nez, spasme carpopédal, spasmes musculaires et tétanie. L'infirmière informe immédiatement le médecin de l'apparition de ces symptômes afin qu'il puisse administrer sans tarder du calcium.

Hypercalcémie. Il s'agit d'une augmentation du taux de calcium pouvant provoquer des arythmies semblables à celles causées par l'intoxication digitalique. De plus, le calcium a la propriété de potentialiser l'effet des digitaliques. L'infirmière doit donc être à l'affût des symptômes d'intoxication digitalique et faire part immédiatement au médecin de leur apparition, car ils peuvent provoquer une asystole et même la mort.

Perturbation des échanges gazeux. Une perturbation des échanges gazeux peut apparaître après une chirurgie cardiaque. Tous les tissus de l'organisme ont besoin pour leur survie d'un apport adéquat d'oxygène et de matières nutritives. Pour assurer un apport suffisant d'oxygène après l'opération, on a recours à la ventilation assistée avec tube endotrachéal pendant 12 à 48 heures, soit jusqu'à ce que les gaz du sang artériel aient atteint des valeurs acceptables et que le patient respire spontanément. Les patients dont l'état est stable sont extubés dans les 9 à 12 heures suivant l'intervention, ce qui réduit l'anxiété causée par l'incapacité de communiquer verbalement.

La perturbation des échanges gazeux se manifeste par de l'agitation, de l'anxiété, une cyanose des muqueuses et des tissus périphériques, une tachycardie ; le patient lutte contre le ventilateur. L'auscultation des bruits respiratoires permet de dépister la présence de liquide dans les poumons et la distension des poumons. Les gaz du sang artériel peuvent aussi donner des renseignements utiles sur l'oxygénation du client.

▷ ***Altération de l'irrigation cérébrale.*** La fonction cérébrale repose sur un apport constant de sang oxygéné. Le cerveau ne pouvant emmagasiner lui-même de l'oxygène, il s'appuie sur une irrigation suffisante provenant du cœur. Il faut donc surveiller de près tous les symptômes d'hypoxie : agitation, céphalées, confusion, dyspnée, hypotension et cyanose. Les gaz du sang artériel, la teneur en oxygène du sang artériel (SaO_2) et du sang artériel pulmonaire (SvO_2) ainsi que la pression partielle de CO_2 en fin d'expiration permettent de dépister une baisse du taux d'oxygène et une augmentation du taux de gaz carbonique. Toutes les heures, l'infirmière évalue la fonction neurologique du patient : niveau de conscience, réaction aux ordres donnés à haute voix et aux stimuli douloureux, diamètre pupillaire et réaction à la lumière, mobilité des membres, force de préhension, présence des pouls pédieux et poplité, température et couleur des membres. Elle inscrit au dossier tous les changements notés et en informe immédiatement le chirurgien, car ils peuvent être signe de complications postopératoires. Une hypoperfusion et une micro-embolie survenant après une chirurgie cardiaque peuvent causer des lésions au système nerveux central.

▷ *Analyse et interprétation des données*

Selon les données recueillies et le type de chirurgie pratiquée, voici les principaux diagnostics infirmiers possibles :

- Diminution du débit cardiaque
- Perturbation des échanges gazeux reliée à un mode respiratoire inefficace (diminution de l'apport en oxygène)
- Altération du volume liquidien et de l'équilibre électrolytique
- Risque d'altération de la perception reliée à une surcharge sensorielle (ambiance des soins intensifs, expérience de la chirurgie)
- Altération de l'intégrité physique reliée à la douleur
- Risque d'altération de l'irrigation tissulaire relié à l'immobilité prolongée
- Risque d'altération de l'irrigation rénale
- Risque d'hyperthermie relié à l'infection ou au syndrome post-péricardiotomie
- Manque de connaissances au sujet des autosoins

▷ *Planification et exécution*

▷ ***Objectifs de soins :*** Rétablissement du débit cardiaque, des échanges gazeux et de l'équilibre hydroélectrolytique ; soulagement des symptômes de surcharge sensorielle ; soulagement de la douleur ; repos ; maintien d'une irrigation tissulaire et rénale adéquate ; rétablissement de la température corporelle normale ; acquisition de connaissances sur les autosoins

▷ *Interventions infirmières*

Les soins à prodiguer au patient ayant subi une chirurgie cardiaque sont décrits dans le plan de soins infirmiers 15-1.

▷ ***Rétablissement du débit cardiaque.*** L'infirmière doit observer constamment la fonction cardiaque du patient et informer le chirurgien de tout symptôme indiquant une diminution du débit cardiaque. Elle doit ensuite collaborer avec le médecin pour corriger le problème.

Plan de soins infirmiers 15-1

Soins postopératoires au patient ayant subi une chirurgie cardiaque

Diagnostic infirmier: Diminution du débit cardiaque

Objectif: Rétablissement du débit cardiaque dans le but de maintenir ou d'atteindre une irrigation tissulaire normale

Interventions infirmières	*Justification*	*Résultats escomptés*
1. Surveiller la fonction cardiovasculaire. Évaluer fréquemment les pressions sanguines (pressions artérielle, artérielle pulmonaire, capillaire pulmonaire, veineuse centrale), débit / index cardiaque, résistance vasculaire systémique et pulmonaire, rythme et fréquence cardiaques. Consigner les données et faire la corrélation avec l'état du patient.	1. Le débit cardiaque est reflété par les paramètres hémodynamiques.	Les paramètres suivants sont dans les limites de la normale: • Pression artérielle • Pression auriculaire gauche • Pression capillaire pulmonaire • Pression artérielle pulmonaire • Pression veineuse centrale • Bruits du cœur • Résistance pulmonaire et vasculaire générale • Débit et index cardiaques • Pouls périphériques • Fréquence et rythme cardiaques • Enzymes cardiaques • Débit urinaire • Couleur de la peau et des muqueuses • Température de la peau
a) Prendre la pression artérielle toutes les 15 minutes jusqu'à ce qu'elle se stabilise, puis selon la fréquence recommandée par le médecin.	a) La pression artérielle a une importance particulière; si la circulation extracorporelle a provoqué une vasoconstriction, il sera difficile de prendre la pression artérielle par auscultation.	
b) Ausculter le patient pour dépister les bruits du cœur et mesurer le rythme cardiaque.	b) L'auscultation permet de dépister les signes de tamponnade cardiaque (assourdissement des bruits du cœur) et de péricardite (frottement précordial), de même que les arythmies.	
c) Prendre tous les pouls périphériques (pédieux, tibial, poplité, fémoral, radial, brachial, carotidien).	c) Les caractéristiques des pouls donnent des indices sur le débit cardiaque et les lésions obstructives.	
d) Mesurer la PAG, la pression artérielle pulmonaire diastolique (PAPD) et la pression capillaire pulmonaire (PCP) pour évaluer le volume ventriculaire gauche en fin de diastole et le débit cardiaque (voir l'encadré 14-4).	d) Toute augmentation des pressions peut indiquer une insuffisance cardiaque ou un œdème pulmonaire.	
e) Prendre la PCP, la PAPD, la PAG et la PVC pour évaluer le volume sanguin, le tonus vasculaire et l'efficacité de la fonction cardiaque. *Remarque: Il faut toujours accorder plus d'importance aux variations des valeurs qu'aux valeurs isolées.* L'usage d'un ventilateur mécanique peut augmenter la PVC.	e) Les augmentations de la PCP, de la PAPD, de la PAG ou de la PVC peuvent indiquer un hypervolémie, une insuffisance cardiaque ou une tamponnade cardiaque. Si une diminution du volume sanguin entraîne une baisse de la pression artérielle, on notera une baisse correspondante des pressions.	
f) Observer le tracé ECG pour dépister les arythmies (voir le chapitre 14 pour de plus amples renseignements sur les arythmies).	f) Des arythmies peuvent résulter des troubles suivants: ischémie des coronaires, hypoxie, altération du taux de potassium, œdème, hémorragie, déséquilibres acidobasiques ou électrolytiques, intoxication digitalique et insuffisance cardiaque. Tout changement du segment ST peut indiquer une ischémie du myocarde ou l'occlusion d'une artère coronaire. Le pacemaker et les antiarythmiques servent à maintenir la fréquence et le rythme cardiaques, ce qui stabilise les pressions sanguines.	

Plan de soins infirmiers 15-1 (suite)

Soins postopératoires au patient ayant subi une chirurgie cardiaque

Interventions infirmières	*Justification*	*Résultats escomptés*
g) Vérifier quotidiennement les taux des enzymes cardiaques (s'il y a lieu).	g) Toute élévation du taux des enzymes cardiaques peut indiquer un infarctus du myocarde.	
h) Mesurer le débit urinaire d'abord toutes les 30 minutes ou toutes les heures, puis au même rythme que les signes vitaux.	h) Un débit urinaire inférieur à 30 mL/h indique une diminution du débit cardiaque et de l'irrigation rénale.	
i) Examiner les muqueuses buccales, les lits unguéaux, les lèvres, les lobes des oreilles et les membres.	i) Une coloration foncée et une cyanose sont des signes de diminution du débit cardiaque.	
j) Examiner la peau, en notant sa température et sa couleur.	j) Une peau froide et moite est un signe de vasoconstriction et de diminution du débit cardiaque.	
2. Dépister les signes de saignements persistants: écoulement sanguin constant, hypotension, PVC faible, tachycardie. Se préparer à administrer du sang ou des solutions intraveineuses.	2. L'hémorragie peut avoir pour cause l'incision, une fragilité des tissus, des lésions tissulaires et des troubles de coagulation.	• Le volume des écoulements thoraciques est inférieur à 300 mL/h au cours des 4 à 6 premières heures. • Les signes vitaux sont stables.
3. Rechercher les symptômes de tamponnade cardiaque: hypotension, hausse des PCP, PAPD, PVC ou PAG, assourdissement des bruits du cœur, pouls faible et filant, distension des veines du cou et diminution du débit urinaire. Vérifier si la quantité de sang dans le liquide de drainage thoracique diminue de façon brusque. Se préparer pour une péricardiocentèse (voir le chapitre 14). Vérifier s'il y a présence d'un pouls paradoxal.	3. La tamponnade cardiaque est le résultat d'une accumulation de sang ou de liquide dans le sac péricardique, ce qui a pour effet de comprimer le cœur et d'entraver le remplissage des ventricules. Une baisse du volume des écoulements thoraciques peut témoigner d'une accumulation de liquide dans le sac péricardique.	• Les signes vitaux sont stables. • Le volume des écoulements thoraciques est normal. • La PVC et la PAG sont normales. • Le débit urinaire est normal.
4. Dépister les signes d'insuffisance cardiaque: hypotension, hausse des PCP, PAPD, PVC ou PAG, tachycardie, agitation, cyanose, distension veineuse, dyspnée et ascite. Se préparer à administrer des diurétiques et des digitaliques.	4. L'insuffisance cardiaque résulte d'une baisse de la contractilité; elle peut entraver l'irrigation sanguine des organes vitaux.	• Les signes vitaux sont sables. • La PVC et la PAG sont normales. • La peau a une couleur normale. • La respiration est facile et les bruits respiratoires sont clairs.
5. Rechercher les signes d'infarctus du myocarde: douleur caractéristique, élévations du segment ST, modification de l'onde T, et diminution du débit cardiaque avec volume sanguin circulant et pressions de remplissage normaux. Obtenir à intervalles réguliers des tracés ECG et des mesures des iso-enzymes.	5. Une baisse du niveau de conscience et les analgésiques peuvent masquer les symptômes.	• Les signes vitaux sont stables. • Il n'y a aucune douleur autre que celle causée par l'incision. • L'ECG et le taux des iso-enzymes cardiaques n'indiquent pas d'ischémie.

Plan de soins infirmiers 15-1 (suite)

Soins postopératoires au patient ayant subi une chirurgie cardiaque

Interventions infirmières	*Justification*	*Résultats escomptés*
Diagnostic infirmier: Perturbation des échanges gazeux reliée à un mode respiratoire inefficace (diminution de l'apport en oxygène)		
Objectif: Rétablissement des échanges gazeux		
Évaluer la fonction respiratoire et rétablir la ventilation et l'oxygénation adéquates des tissus.		
1. Assurer une ventilation spontanée assistée ou une ventilation assistée contrôlée intermittente.	1. Maintenir la ventilation assistée pendant 12 à 48 heures après l'opération afin de diminuer le travail du cœur, de favoriser une ventilation efficace et de libérer les voies respiratoires en cas d'arrêt cardiaque.	• Les voies respiratoires sont perméables. • Les gaz du sang artériel sont dans les limites de la normale. • Le tube endotrachéal est bien placé, comme en témoignent les radiographies. • L'entrée d'air est adéquate, sans obstruction. • La ventilation est synchronisée avec les respirations. • Les bruits respiratoires sont clairs après l'aspiration. • Les lits unguéaux et les muqueuses sont de couleur rosée. • L'acuité mentale est adéquate compte tenu des doses de sédatifs et d'analgésiques administrées • Le patient reconnaît les personnes qui l'entourent et est capable de répondre par oui et par non de façon appropriée.
2. Observer les valeurs des gaz du sang artériel, les volumes courants, les pressions inspiratoires de pointe et les critères d'extubation.	2. Les gaz du sang artériel et le volume courant témoignent de l'efficacité du ventilateur et indiquent les changements nécessaires pour améliorer les échanges gazeux.	
3. Ausculter le thorax pour dépister les bruits respiratoires.	3. Les craquements sont un signe de congestion pulmonaire, tandis qu'une entrée d'air faible ou inexistante indique un pneumothorax.	
4. Administrer les sédatifs, selon l'ordonnance du médecin, et surveiller la fréquence et l'amplitude respiratoires si la ventilation n'est pas «contrôlée».	4. Les sédatifs, en plus d'aider le patient à tolérer le tube endotrachéal et les sensations que provoque le ventilateur, ont pour effet de diminuer la fréquence et l'amplitude respiratoires.	
5. Effectuer la physiothérapie respiratoire, selon l'ordonnance.	5. Cette mesure aide à prévenir la rétention de sécrétions et l'atélectasie.	
6. Faire effectuer au patient des exercices de toux et de respiration profonde et des changements de position. Encourager l'utilisation du spiromètre et s'assurer de l'observance des traitements. Enseigner comment maintenir l'incision avec un oreiller afin de diminuer la douleur au cours des exercices de respiration profonde et de toux.	6. Ces exercices aident à prévenir l'obstruction des voies respiratoires et l'atélectasie et à faciliter la distension des poumons.	
7. Au besoin, aspirer les sécrétions trachéobronchiques en respectant rigoureusement les règles de l'asepsie.	7. La rétention des sécrétions peut provoquer une infection et une hypoxie avec possibilité d'arrêt cardiaque.	
8. Voir le chapitre 3 pour le sevrage et le retrait du tube endotrachéal.		

Plan de soins infirmiers 15-1 (suite)

Soins postopératoires au patient ayant subi une chirurgie cardiaque

Interventions infirmières	*Justification*	*Résultats escomptés*
Diagnostic infirmier: Altération du volume liquidien et de l'équilibre électrolytique		
Objectif: Rétablissement de l'équilibre hydroélectrolytique		
1. Maintenir l'équilibre hydroélectrolytique.	1. Un volume sanguin circulant adéquat est nécessaire à l'activité cellulaire; la circulation extracorporelle peut entraîner une acidose métabolique et des déséquilibres électrolytiques.	• Le bilan des ingesta et excreta est normal. • Le patient ne présente pas de surcharge liquidienne ou de déshydratation comme en témoignent ses paramètres hémodynamiques. • Le patient ne présente pas d'hypotension orthostatique • Le patient ne présente pas d'arythmies.
a) Noter les ingesta et les excreta sur la feuille réservée à cette fin; mesurer le volume urinaire à intervalles réguliers (entre 30 minutes et 2 heures) pendant le séjour à l'unité des soins intensifs, et toutes les 4 heures par la suite.	a) L'infirmière peut ainsi vérifier l'équilibre hydrique et évaluer les besoins en liquides.	
b) Vérifier les paramètres suivants: pression sanguine, PAP, PAG, PVC, PCP, poids, taux d'électrolytes, hématocrite, pression veineuse jugulaire, turgescence cutanée, bruits respiratoires, débit urinaire et écoulements de la sonde nasogastrique.	b) Ces paramètres fournissent des renseignements sur l'hydratation du patient.	
c) Mesurer les écoulements thoraciques postopératoires (le débit doit se maintenir en deçà de 300 mL/h pendant les 4 à 6 premières heures); si l'écoulement s'interrompt, on doit soupçonner que le drain est noué ou bloqué. Assurer la perméabilité et l'intégrité du système de drainage. S'il y a lieu, veiller au bon déroulement de la transfusion.	c) Des pertes excessives de sang en provenance de la cavité thoracique peuvent causer une hypovolémie.	
2. Être à l'affût des signes de variations des taux sériques d'électrolytes.	2. Des taux précis des différents électrolytes dans les liquides extracellulaire et intracellulaire sont nécessaires à la survie.	• Le pH sanguin se situe entre 7,35 et 7,45 • Le taux sérique de potassium est entre 3,5 et 5,0 mmol/L • Le taux sérique de sodium est entre 135 et 145 mmol/L • Le taux sérique de calcium est entre 2,20 et 2,58 mmol/L
a) Hypokaliémie (faible taux de potassium) *Effets:* arythmies, intoxication digitalique, acidose métabolique, diminution de la contractilité, arrêt cardiaque Surveiller les changements à l'ECG. Procéder au remplacement du potassium par voie intraveineuse selon l'ordonnance du médecin.	a) *Causes:* diminution de l'apport en potassium, diurétiques, vomissements, pertes nasogastriques excessives, stress de l'opération	

Plan de soins infirmiers 15-1 (suite)

Soins postopératoires au patient ayant subi une chirurgie cardiaque

Interventions infirmières	*Justification*	*Résultats escomptés*
b) Hyperkaliémie (taux élevé de potassium) *Effets:* confusion, agitation, nausées, faiblesse, paresthésies Se préparer à administrer une résine échangeuse d'ions, le kayexalate (sulfonate de polystyrène de sodium), ou du bicarbonate de sodium ou encore du glucose et de l'insuline par voie intraveineuse.	b) *Causes:* augmentation de l'apport en potassium, hémolyse causée par les appareils de circulation extracorporelle ou d'assistance cardiaque, acidose, insuffisance rénale, nécrose tissulaire et insuffisance surrénalienne La résine a pour effet de lier le potassium et d'en faciliter l'excrétion par voie intestinale. Le bicarbonate de sodium administré par voie intraveineuse favorise le passage du potassium du liquide extracellulaire dans le liquide intracellulaire. L'insuline favorise l'absorption du glucose par les cellules, et le glucose fournit l'énergie nécessaire pour activer la pompe à sodium, qui est responsable de la captation des ions potassium dans la cellule et du rejet des ions sodium hors de la cellule.	
c) Hyponatrémie (faible taux de sodium) *Effets:* faiblesse, fatigue, confusion, convulsions, coma Administrer du sodium ou des diurétiques selon l'ordonnance du médecin.	c) *Causes:* réduction du taux de sodium total ou dilution du sodium par un excès d'eau	
d) Hypocalcémie (faible taux de calcium) *Effets:* engourdissements et fourmillements dans les doigts, les orteils, les oreilles et le nez, spasme carpopédal, crampes musculaires, tétanie Procéder au remplacement du calcium selon l'ordonnance du médecin.	d) *Causes:* alcalose, transfusions multiples de dérivés sanguins citratés	
e) Hypercalcémie (taux élevé de calcium) *Effets:* arythmies, intoxication digitalique, asystole Administrer le traitement, selon l'ordonnance du médecin.	e) *Cause:* immobilisation prolongée	

Soins postopératoires au patient ayant subi une chirurgie cardiaque

Interventions infirmières	*Justification*	*Résultats escomptés*
Diagnostic infirmier: Altération de la perception reliée à une surcharge sensorielle		
Objectif: Soulagement des symptômes de surcharge sensorielle; prévention de la psychose postopératoire		
1. Prévenir la psychose postopératoire de la façon suivante: a) Expliquer au patient toutes les interventions et insister sur l'importance de sa collaboration. b) Planifier les soins de façon à respecter le rythme veille-sommeil du patient. c) Éviter dans toute la mesure du possible les stimuli extérieurs susceptibles de perturber le sommeil du patient. d) Veiller à assurer la continuité des soins. e) Orienter fréquemment le patient dans le temps et dans l'espace. Inciter la famille à visiter le patient à des heures régulières. f) Noter les médicaments qui peuvent contribuer au délire. g) Enseigner au patient des techniques de relaxation et de diversion. h) Inciter le patient à participer aux soins, en tenant compte de ses capacités, afin d'améliorer son autonomie. Évaluer les réseaux de soutien et les mécanismes d'adaptation.	1. La psychose postopératoire peut avoir pour cause l'anxiété, la privation de sommeil MOR (mouvements oculaires rapides), une augmentation de l'influx sensoriel, une perturbation du rythme circadien, de même que la circulation extracorporelle (suite à des micro-embolies gazeuses). Un cycle de sommeil normal dure au moins 50 minutes. Le premier cycle peut durer entre 90 et 120 minutes, et les cycles suivants sont plus courts. On observe une privation de sommeil MOR quand un cycle est interrompu ou qu'il n'y a pas assez de cycles.	• Le patient participe aux soins. • Il dort un nombre d'heures suffisant. • Il reconnaît les personnes qui l'entourent et est orienté dans le temps et dans l'espace. • Il ne présente aucun signe de déformations perceptives, d'hallucinations, de désorientation ou de délires.
2. Être à l'affût des symptômes suivants: déformations perceptives, hallucinations, désorientation, délires paranoïdes.		
Diagnostic infirmier: Altération de l'intégrité physique reliée à la douleur		
Objectif: Soulagement de la douleur		
1. Noter la nature, le type, le siège et la durée de la douleur.	1. La douleur et l'anxiété provoquent une augmentation de la fréquence du pouls, de la consommation d'oxygène et du travail cardiaque.	• Le patient dit que la douleur est moins intense. • Il dit ne plus éprouver de douleur. • Il est moins agité. • Ses signes vitaux sont stables. • Il pratique ses exercices de respiration profonde et de toux. • Il dit que les douleurs sont moins fréquentes de jour en jour. • Il change de position sans aide et participe aux soins. • Il reprend graduellement ses activités.
2. Enseigner au patient à différencier une douleur postchirurgicale d'une douleur angineuse.	2. Les douleurs angineuses exigent une intervention immédiate.	
3. Recommander la prise régulière d'analgésiques pendant les 24 à 72 premières heures, en surveillant les effets secondaires suivants: léthargie, hypotension, tachycardie et dépression respiratoire.	3. L'analgésie favorise le repos, diminue la consommation d'oxygène et aide le patient à faire ses exercices de respiration profonde et de toux.	

Plan de soins infirmiers 15-1 (suite)

Soins postopératoires au patient ayant subi une chirurgie cardiaque

Interventions infirmières	*Justification*	*Résultats escomptés*
Diagnostic infirmier: Risque d'altération de l'irrigation rénale		
Objectif: Maintien de l'irrigation rénale		
1. Évaluer la fonction rénale.	1. Les troubles rénaux ont notamment pour cause une mauvaise irrigation rénale, une hémolyse, une baisse du débit cardiaque et l'utilisation de vasopresseurs.	• Le débit urinaire est satisfaisant (supérieur à 30 mL/h) compte tenu de l'apport hydrique. • La densité urinaire se situe entre 1,015 et 1,025. • L'azote uréique, la créatinine et les électrolytes urinaires et sériques sont dans les limites de la normale.
a) Mesurer le débit urinaire toutes les 30 minutes ou toutes les heures.	a) Un débit urinaire inférieur à 30 mL/h indique une altération de la fonction rénale.	
b) Mesurer la densité urinaire.	b) La densité témoigne de la capacité de concentration des reins.	
c) Noter les résultats des épreuves de laboratoire suivantes: azote uréique, créatinine, électrolytes urinaires et sériques.	c) Ces épreuves témoignent de la capacité d'excrétion des reins.	
2. Se préparer à administrer des diurétiques à action rapide ou des médicaments à action inotrope (dopamine, dobutamine).	2. Ces mesures favorisent le fonctionnement des reins et augmentent le débit cardiaque et l'irrigation rénale.	
3. Préparer le patient pour une dialyse péritonéale ou une hémodialyse si son état l'exige.		
Diagnostic infirmier: Risque d'altération de l'irrigation tissulaire		
Objectif: Maintien de l'irrigation tissulaire		
1. Évaluer l'irrigation tissulaire.	1. Le maintien de l'irrigation tissulaire est reflété par les paramètres hémodynamiques ainsi que par une observation et une évaluation de la peau et des phanères du patient.	Les paramètres suivants sont dans les limites de la normale: • Couleur et texture de la peau et des phanères • Température de la peau • Pression artérielle et fréquence cardiaque des membres supérieurs et inférieurs
a) Noter la coloration, la texture et la température de la peau et des phanères.	a) L'évaluation de la peau et des phanères permet de déterminer s'ils sont bien vascularisés.	
b) Noter la pression artérielle et le pouls à intervalles réguliers.	b) Des valeurs de pression artérielle et de pouls dans les limites de la normale reflètent une irrigation adéquate des tissus et des phanères.	
c) Noter s'il y a présence de changements importants de la pression artérielle des membres supérieurs et inférieurs.	c) Un écart important (plus de 10 mm Hg) de la pression artérielle entre les membres peuvent refléter une obstruction artérielle.	

Plan de soins infirmiers 15-1 (suite)

Soins postopératoires au patient ayant subi une chirurgie cardiaque

Diagnostic infirmier: Risque d'hyperthermie relié à une infection ou au syndrome postpéricardiotomie

Objectif: Maintien de la température corporelle dans les limites de la normale

Interventions infirmières	Justification	Résultats escomptés
1. Prendre la température rectale toutes les deux heures.	1. La fièvre peut indiquer une infection ou un syndrome postpéricardiotomie.	• La température corporelle est normale. • Les incisions ne sont pas infectées et cicatrisent normalement. • Le patient ne présente aucun symptôme du syndrome postpéricardiotomie.
2. Respecter les règles de l'asepsie lors du changement des pansements et de l'aspiration par le tube endotrachéal. L'entretien des lignes intraveineuses et artérielles, de même que du cathéter à demeure doit se faire en circuit fermé.	2. L'asepsie réduit les risques d'infection.	
3. Être à l'affût des symptômes du syndrome postpéricardiotomie: fièvre, malaise, épanchement péricardique, frottement péricardique, arthralgie.	3. Ce syndrome atteint 10 à 40 % des opérés cardiaques.	
4. Administrer des agents anti-inflammatoires selon l'ordonnance du médecin.	4. Ces médicaments soulagent les symptômes d'inflammation (par exemple, la sensation de chaleur ou de fièvre, la tuméfaction, la raideur et l'endolorissement, et la fatigue).	

Diagnostic infirmier: Manque de connaissances au sujet des autosoins

Objectif: Acquisition de connaissances au sujet des autosoins

Interventions infirmières	Justification	Résultats escomptés
1. Mettre au point un plan d'enseignement à l'intention du patient et de sa famille, en y incluant des directives précises sur les sujets suivants: • Régime alimentaire • Reprise graduelle des activités (retour au travail) • Exercice • Exercices de toux, de respiration profonde et de spirométrie • Surveillance de la température • Médication • Prise du pouls • Cours de réanimation cardiorespiratoire pour la famille • Connaissance du réseau d'urgence médicale • Sexualité • Suivi postchirurgical • Modification des facteurs de risque • Soins des plaies • Bracelet Medic Alert	1. Chaque patient doit recevoir un enseignement adapté à ses besoins.	• Le patient et sa famille comprennent bien le plan de réadaptation et l'observent à la lettre. • Le patient et sa famille connaissent les changements au mode de vie exigés par la réadaptation. • Le patient possède un exemplaire du plan de réadaptation. • Il fait ses appels de suivi toutes les semaines. • Il respecte les visites de suivi auprès du chirurgien.

Plan de soins infirmiers 15-1 (suite)

Soins postopératoires au patient ayant subi une chirurgie cardiaque

Interventions infirmières	*Justification*	*Résultats escomptés*
2. Donner l'information verbalement et par écrit; prévoir de nombreuses séances d'enseignement pour assurer l'assimilation de l'information et répondre aux questions.	2. La répétition de l'information permet à l'infirmière d'éclaircir et de renforcer son enseignement. Après une chirurgie cardiaque, le patient présente des troubles de la mémoire à court terme. De l'information écrite lui sera donc utile car il pourra l'utiliser après sa sortie du centre hospitalier. Plus l'information est nouvelle et abondante, plus il faudra de temps pour l'assimiler.	
3. Faire participer la famille à toutes les séances d'enseignement.	3. Le membre de la famille responsable des soins à domicile est souvent inquiet; on doit lui laisser le temps d'apprendre.	
4. Renseigner le patient sur les appels téléphoniques de suivi au chirurgien, au cardiologue ou à l'infirmière responsable du suivi; la première visite de suivi chez le chirurgien a lieu six semaines après la sortie du centre hospitalier.	4. Pour calmer l'inquiétude du patient, l'infirmière organise des appels téléphoniques de suivi avec des membres du personnel soignant.	
5. Diriger le patient vers les ressources appropriées: service d'infirmières visiteuses, groupes de soutien et programmes de rééducation pour coronariens.		

Pour évaluer la fonction cardiaque, l'infirmière s'assure que le débit cardiaque est suffisant par des observations cliniques et des mesures régulières de la pression artérielle, de la fréquence cardiaque, de la pression veineuse centrale (PVC), de la pression auriculaire gauche (PAG) ou de la pression artérielle pulmonaire (PAP).

La fonction rénale étant reliée à la fonction cardiaque (la pression artérielle et la fréquence cardiaque ont un effet sur la filtration glomérulaire), il faut aussi mesurer le débit urinaire. Un débit urinaire inférieur à 30 mL/h peut indiquer une diminution du débit cardiaque.

On mesure également la densité (valeur normale: 1,010 à 1,025) et l'osmolarité des urines. Le déficit de volume liquidien se manifeste par un débit urinaire faible et une densité élevée, tandis que l'excès de volume liquidien se traduit par un débit urinaire élevé et une densité faible.

Pour assurer la croissance et le fonctionnement adéquat des cellules corporelles, on doit maintenir un débit cardiaque qui favorisera un apport continu de sang oxygéné dans les différents organes et systèmes. Un débit cardiaque insuffisant se manifeste notamment par une cyanose ou une coloration foncée de la muqueuse orale, des lits unguéaux, des lèvres et des lobes des oreilles qui sont des régions riches en capillaires. Une peau moite peut témoigner d'une vasodilatation, une peau sèche d'une vasoconstriction. La distension des veines du cou ou de la face postérieure de la main levée au niveau du cœur peut indiquer un changement des besoins du cœur ou une diminution de sa capacité. Lorsque le débit cardiaque baisse, la peau devient froide, moite et cyanosée (ou tachetée).

Les arythmies découlant d'une irrigation inadéquate du cœur sont aussi d'importants indicateurs de la fonction cardiaque. En phase postopératoire, les arythmies les plus fréquentes sont les bradycardies, les tachycardies et les extrasystoles. L'observation du moniteur cardiaque à la recherche d'arythmies fait essentiellement partie des soins aux patients ayant subi une chirurgie cardiaque.

On communique immédiatement avec le médecin si des données révèlent une diminution du débit cardiaque. À partir de ces données et des résultats d'autres examens diagnostiques, il peut déterminer la cause du problème et poser un diagnostic. Ensuite, avec l'aide de l'infirmière, il veille à rétablir le débit cardiaque et à prévenir d'autres complications. Au besoin, il peut prescrire des dérivés sanguins, des liquides, des digitaliques, des diurétiques, des vasodilatateurs ou des vasopresseurs. Si une autre intervention chirurgicale s'impose, il faut y préparer le patient et sa famille.

▷ *Perturbations des échanges gazeux.* Pour assurer des échanges gazeux adéquats, l'infirmière doit évaluer et maintenir la perméabilité du tube endotrachéal. Si l'auscultation révèle la présence de sibilances ou de ronchus, elle peut aspirer les sécrétions du patient. De plus, afin de prévenir l'hypoxie, il est important d'augmenter la concentration d'oxygène dans l'air inspiré (FiO_2) pendant trois ou quatre respirations avant de pratiquer l'aspiration. On peut aussi à cette fin administrer de l'oxygène à 100 % au moyen d'un ballon Ambu avant et après l'aspiration. L'infirmière compare les valeurs des gaz du sang artériel avec les valeurs de base et fait part de ses observations au médecin.

Étant donné l'importance de maintenir les voies respiratoires libres pour permettre les échanges d'O_2 et de CO_2, le tube endotrachéal doit être bien fixé pour éviter qu'il ne glisse dans le tronc bronchique droit, où il bloquerait la respiration. Les changements de position fréquents améliorent la ventilation et l'irrigation des poumons, car ils favorisent leur expansion. Lorsque l'état du patient se stabilise, l'infirmière le change de position toutes les heures ou les deux heures, et procède à des auscultations pour dépister les rôles fins, les sibilances et la présence de liquide. Elle encourage aussi les exercices de respiration profonde et de toux, qui aident à ouvrir les sacs alvéolaires et à améliorer l'oxygénation. Le patient apprend à soutenir son incision thoracique avec un oreiller pendant les exercices de toux afin de réduire la douleur.

Le patient peut être extubé quand il a des nausées et qu'il lutte contre le ventilateur. Les critères qui indiquent que le patient peut être extubé sans risques sont la présence d'un réflexe pharyngé/tussigène, des signes vitaux stables, la capacité de lever la tête ou de serrer la main, une capacité vitale, une pression inspiratoire négative et un débit-volume adéquats, et des gaz du sang artériel acceptables quand on administre de l'oxygène humidifié et réchauffé sans l'aide du ventilateur. L'infirmière peut apporter son aide lors du sevrage et de l'extubation.

▷ *Maintien de l'équilibre hydroélectrolytique.* Pour assurer l'équilibre hydroélectrolytique, l'infirmière tient un bilan rigoureux des ingesta et des excreta. Pour ce faire, elle inscrit sur la feuille réservée à cette fin, toutes les absorptions de liquides (liquides intraveineux, liquides d'irrigation des cathéters artériel et veineux et de la sonde nasogastrique, et liquides pris par voie orale, de même que les liquides éliminés, dont les urines et les écoulements nasogastriques et thoraciques).

Elle fait ensuite la corrélation entre les valeurs hémodynamiques (pressions artérielle, de l'artère pulmonaire, capillaire pulmonaire, auriculaire gauche et veineuse centrale), le bilan des ingesta et des excreta et le poids, afin d'évaluer l'hydratation et le débit cardiaque. Elle surveille aussi les taux sériques d'électrolytes et est à l'affût des symptômes d'hypokaliémie, d'hyperkaliémie, d'hyponatrémie et d'hypocalcémie.

Elle doit faire part immédiatement au médecin de tous les signes de déshydratation, de surcharge liquidienne et de déséquilibre électrolytique, puis collabore avec lui à rétablir l'équilibre hydroélectrolytique. Elle doit aussi surveiller de près les réactions du patient aux liquides de remplacement ou aux restrictions liquidiennes.

▷ *Soulagement des symptômes de surcharge sensorielle.* Des symptômes de surcharge sensorielle apparaissent souvent après une chirurgie cardiaque, pendant le séjour à l'unité des soins intensifs. C'est ce que l'on appelle une psychose postopératoire. Ce trouble se manifeste par un ensemble de comportements anormaux dont l'intensité et la durée peuvent varier. Il est moins fréquent aujourd'hui grâce aux progrès qui ont permis de maintenir l'irrigation cérébrale pendant l'opération, de prévenir les micro-embolies et de réduire la durée de la circulation extracorporelle. On l'attribue maintenant à l'anxiété, à la privation de sommeil, à l'augmentation de l'influx sensoriel et à la perturbation du rythme circadien qui fait perdre la notion du temps. On a aussi observé que les patients qui n'ont pu exprimer leur anxiété avant la chirurgie sont plus vulnérables à la psychose postopératoire, et que cette psychose peut se manifester après une brève période de lucidité.

Avant l'opération, l'infirmière observe si le patient montre des signes de déni, et l'encourage à exprimer ses émotions. Après l'opération, elle l'oriente en lui expliquant toutes les interventions et en l'invitant à y collaborer. Il importe aussi d'assurer l'uniformité des soins, pour que le patient se sente en confiance. Un plan de soins personnalisé et soigneusement établi permettra à l'équipe de soins infirmiers de coordonner son travail pour assurer le bien-être émotif du patient.

▷ *Soulagement de la douleur.* La douleur est parfois diffuse. Les opérés cardiaques peuvent ressentir une douleur causée par la section des nerfs intercostaux sur le trajet de l'incision, ou par une irritation pleurale due aux drains thoraciques. (Certains patients ayant subi un pontage coronarien avec greffe d'une artère thoracique interne (artère mammaire) se plaignent de paresthésie du nerf cubital du même côté que la greffe.)

Il faut observer et écouter le patient pour recueillir des indices verbaux et non verbaux sur la douleur et les noter soigneusement. (La douleur causée par l'incision doit être différenciée de la douleur angineuse.) On incite le patient à prendre les médicaments destinés à soulager la douleur aussi souvent que le médecin le recommande, ce qui facilitera l'exécution des exercices de respiration profonde et de toux et la participation graduelle aux soins.

La douleur génère une tension, ce qui peut stimuler la libération d'adrénaline par le système nerveux central. Il en résulte une constriction des artérioles qui provoque une augmentation de la postcharge et une diminution du débit cardiaque. On peut administrer du sulfate de morphine pour soulager l'anxiété et la douleur et favoriser le sommeil, ce qui permet le ralentissement du métabolisme et la diminution des besoins en oxygène. Après l'administration de narcotiques, on note au dossier du patient tous les signes de réduction de l'anxiété et de la douleur. Les narcotiques peuvent provoquer une dépression respiratoire, qui peut être corrigée par l'administration d'un antagoniste des narcotiques comme la naloxone (Narcan).

▷ *Repos.* Toutes les mesures visant à assurer le bien-être du patient potentialisent les effets des analgésiques et favorisent le repos. L'infirmière aide le patient à changer de position toutes les heures ou toutes les deux heures en évitant les tensions sur l'incision et les drains thoraciques. Pour diminuer la douleur pendant les exercices de toux et de respiration profonde, le patient maintient l'incision avec un oreiller. On planifie les interventions infirmières de façon à procurer au patient des périodes de repos, qui seront de plus en plus longues à mesure que son état se stabilise et que les vérifications et les traitements s'espacent.

▷ *Maintien de l'irrigation tissulaire.* On prend régulièrement les pouls périphériques (pédieux, tibial, poplité, fémoral, radial, brachial et cubital [du côté de la perfusion artérielle]) pour dépister une obstruction artérielle. Une absence de pouls dans un membre peut être consécutive à l'insertion d'un cathéter. L'infirmière doit en informer immédiatement le médecin.

Après l'opération, il est essentiel de prévenir une stase veineuse pour éviter la formation de caillots menant à une embolie. Pour prévenir la thrombo-embolie on doit: (1) faire porter au patient des bas élastiques (antiembolie), (2) lui recommander de ne pas croiser les jambes, (3) éviter de placer un oreiller sous le creux poplité et (4) utiliser des exercices passifs, puis des exercices actifs afin de stimuler la circulation et de maintenir le tonus musculaire.

Les thrombo-embolies ont aussi pour cause des lésions à l'intima des vaisseaux sanguins, un caillot se détachant d'une valvule endommagée, la libération de thrombi muraux et des troubles de coagulation. La circulation extracorporelle peut provoquer une embolie gazeuse. Les principaux sièges des embolies sont les poumons, les artères coronaires, le mésentère, les membres, les reins, la rate et le cerveau.

Les symptômes d'embolie, qui varient selon le siège, sont les suivants: (1) douleur abdominale ou dorsale, (2) douleur, absence de pouls, blêmissement, engourdissement ou froideur dans un membre, (3) douleur thoracique et détresse respiratoire (dans les cas d'embole pulmonaire ou d'infarctus du myocarde) et (4) faiblesse unilatérale, perte de conscience et changements pupillaires évoquant l'accident vasculaire cérébral. L'infirmière doit informer immédiatement le médecin de l'apparition de ces symptômes.

▷ *Maintien d'une irrigation rénale adéquate.* L'altération de l'irrigation rénale est une des complications de la chirurgie à cœur ouvert. Elle est souvent causée par une diminution du débit cardiaque, ou par une destruction des globules rouges (hémolyse) due à la circulation extracorporelle. Dans le cas de l'hémolyse, les débris des globules rouges détruits obstruent les glomérules, ce qui provoque une accumulation de substances toxiques. Les agents vasopresseurs utilisés pour augmenter la pression sanguine peuvent aussi occasionner une diminution de l'irrigation rénale. Pour évaluer l'irrigation rénale, il faut mesurer avec précision le débit urinaire (un débit inférieur à 30 mL/h est un indice d'hypovolémie). On doit aussi mesurer la densité des urines afin de déterminer la capacité de concentration des reins. Les diurétiques à action rapide ou les médicaments à action inotrope (digitaliques, isoprotérénol) peuvent contribuer à améliorer le débit cardiaque et l'irrigation rénale. L'infirmière doit vérifier les taux d'azote uréique et de créatinine, de même que les taux d'électrolytes urinaires et sériques et faire part immédiatement au médecin des valeurs anormales, car un mauvais fonctionnement des reins peut exiger que l'on restreigne sans délai les liquides et l'administration des médicaments normalement excrétés par les reins.

Si les mesures destinées à maintenir l'irrigation rénale sont infructueuses, on doit avoir recours à la dialyse péritonéale ou à l'hémodialyse (voir le chapitre 36).

▷ ***Rétablissement de la température corporelle normale.*** Le patient admis à l'unité des soins intensifs après une chirurgie cardiaque est généralement en hypothermie. Le rétablissement graduel de la température normale se fait spontanément avec l'aide de ventilateurs à air chaud, de couvertures chaudes ou de lampes chauffantes. Chez le patient hypothermique, les mécanismes de la coagulation sont moins efficaces, les arythmies sont fréquentes et le transport de l'oxygène par l'hémoglobine est ralenti. Toutefois, comme le métabolisme a aussi été ralenti par l'anesthésie, l'apport d'oxygène suffit habituellement à combler les besoins.

L'opéré cardiaque est aussi vulnérable à l'hyperthermie causée par une infection ou le syndrome postpéricardiotomie. L'hyperthermie a pour conséquence une accélération du métabolisme entraînant une augmentation des besoins en oxygène des tissus et de la charge cardiaque. Il importe donc de la prévenir ou de la faire céder sans délai.

Les foyers d'infection possibles sont les poumons, les voies urinaires, les incisions et le point d'insertion des cathéters intravasculaires. L'infirmière doit éviter la contamination des points d'insertion, en respectant rigoureusement les règles de l'asepsie lors du changement des pansements et de l'entretien des tubulures. Pour favoriser l'expulsion des sécrétions, elle aide le patient à changer fréquemment de position, et pratique les aspirations nécessaires. On recommande l'utilisation de systèmes en circuit fermé pour l'entretien des cathéters artériels et veineux.

Le *syndrome postpéricardiotomie* atteint environ 10 à 40 % des patients opérés pour un problème cardiaque. On n'en connaît pas exactement la cause, mais l'accumulation de sang dans le péricarde au cours de l'opération y contribuerait. Il se caractérise par de la fièvre, une douleur péricardique, une douleur pleurale, une dyspnée, un épanchement pleural, un frottement péricardique et une arthralgie. On observe aussi une hyperleucocytose et une accélération de la vitesse de sédimentation. Ces symptômes apparaissent souvent après que le patient ait quitté le centre hospitalier.

On doit distinguer le syndrome postpéricardiotomie des autres complications postopératoires (douleur dans la région de l'incision, infarctus du myocarde, embolie pulmonaire, endocardite bactérienne, pneumonie ou atélectasie). Le choix du traitement se fait en fonction de la gravité des symptômes. Le repos au lit et l'administration d'agents anti-inflammatoires, comme les salicylates et les stéroïdes, donnent de bons résultats.

▷ *Enseignement au patient et soins à domicile.* La durée du séjour au centre hospitalier dépend de l'opération pratiquée et des progrès du patient dans la phase postopératoire. On accorde parfois le congé assez rapidement, soit entre 5 et 10 jours après l'opération. Le patient et sa famille appréhendent souvent le retour à la maison. La famille craint d'être incapable de prendre soin du patient et d'être mal préparée à faire face aux complications.

L'infirmière aide le patient et sa famille à se fixer des objectifs réalistes et dresse un plan d'enseignement qui tient compte de leurs besoins particuliers. L'enseignement doit être prodigué plusieurs jours avant le congé afin de donner au patient le temps de revoir l'information et de poser des questions. Il doit porter notamment sur le régime alimentaire, la reprise graduelle des activités et l'exercice, les exercices de toux et de respiration profonde, l'utilisation du spiromètre de stimulation, la surveillance du poids et de la température, la médication, les visites de suivi auprès du chirurgien, du cardiologue ou de l'interniste.

L'infirmière constatera peut-être que le patient a de la difficulté à assimiler et à retenir l'information. Or, des études ont démontré que la chirurgie cardiaque entraîne des troubles cognitifs (perte de la mémoire à court terme, réduction du champ d'attention, incapacité à résoudre des problèmes mathématiques simples, troubles d'écriture et troubles de la vue) qu'on ne retrouve pas après d'autres types d'intervention chirurgicale. Ces troubles provoquent chez le patient de la frustration quand il essaie de reprendre ses activités habituelles et d'effectuer ses soins personnels. Ils disparaissent toutefois après six à huit semaines, ce dont l'infirmière doit faire part au patient pour le rassurer.

En attendant la disparition des troubles cognitifs, l'enseignement doit se faire à un rythme plutôt lent; un membre de la famille est chargé de veiller à ce que le patient se conforme au traitement. Si nécessaire, on peut obtenir les services d'une infirmière visiteuse pour changer les pansements, prendre les signes vitaux, surveiller le régime alimentaire, vérifier la compréhension de l'enseignement postopératoire et apporter un soutien à toute la famille.

L'enseignement postopératoire ne se termine pas au moment où le patient obtient son congé, parce que celui-ci peut rester en contact par téléphone avec le chirurgien, le cardiologue et l'infirmière. Cela le rassure car il sait qu'on pourra répondre à ses questions et l'aider à résoudre ses problèmes. De nombreux centres hospitaliers organisent des groupes de soutien afin d'aider les membres de la famille à s'adapter à leur nouvelle situation. Normalement, la visite de suivi chez le chirurgien a lieu entre quatre à six semaines après la sortie du centre hospitalier.

Bien des centres hospitaliers offrent des programmes de réadaptation tels que le programme d'éducation pour coronariens de la Cité de la Santé à Laval. Le patient et sa famille y reçoivent des renseignements sur l'exercice, le régime alimentaire et l'adaptation au stress, et peuvent se joindre à un groupe de soutien. L'institut de cardiologie de Montréal offre également un programme de réadaptation et le centre EPIC (Étude pilote de l'Institut de cardiologie), des programmes spécialisés (sous surveillance) de conditionnement physique pour les patients ayant eu des problèmes cardiaques.

▷ *Évaluation*

Résultats escomptés. Voir le plan de soins infirmiers 15-1.

1. Le patient présente un débit cardiaque normal.
2. Le patient maintient des échanges gazeux adéquats.
3. Le patient maintient son équilibre hydroélectrolytique.
4. Le patient obtient un soulagement des symptômes de surcharge sensorielle, et est orienté dans le temps et dans l'espace.
5. Le patient éprouve un soulagement de la douleur.
6. Le patient maintient une irrigation adéquate des tissus.
7. Le patient se repose suffisamment.
8. Le patient maintient une irrigation rénale adéquate.
9. Le patient présente une température corporelle normale.
10. Le patient est capable d'effectuer seul ses soins.

RÉSUMÉ

Le patient subissant une chirurgie cardiaque reçoit des soins infirmiers complets, adaptés en fonction de ses besoins physiques et psychosociaux, de sa situation familiale ou de son réseau de soutien. Avant l'opération, l'infirmière procède à l'évaluation des craintes et des connaissances du patient et lui prodigue l'enseignement dont il a besoin. Pendant l'opération, elle assure la sécurité du patient et prévient les infections et les complications. Après l'opération, ses soins visent à combler les besoins physiologiques et psychologiques du patient, à prévenir les complications et à le préparer, de même que sa famille, pour son retour à domicile. Les diagnostics infirmiers postopératoires sont les suivants: diminution du débit cardiaque, perturbation des échanges gazeux, déséquilibre hydroélectrolytique, altération de la perception, atteinte à l'intégrité physique, risque d'altération de l'irrigation tissulaire et rénale, risque d'hyperthermie et manque de connaissances.

La démarche de soins infirmiers est un guide permettant de combler les besoins du patient et de sa famille. L'infirmière fixe avec le patient des objectifs réalistes et enseigne à la famille comment l'aider à atteindre ces objectifs et à progresser jusqu'à ce qu'il puisse effectuer lui-même ses soins et quitter le centre hospitalier. Pendant sa convalescence, le patient doit respecter ses visites de suivi et peut participer à des programmes de réadaptation et de soutien.

Bibliographie

Ouvrages

Braunwald E. Heart Disease: A Textbook of Cardiovascular Medicine, 3rd ed. Philadelphia, WB Saunders, 1988.

Clark DA. Coronary Angioplasty. New York, Alan R Liss, 1987.

Cohn LH et al. Decision Making in Cardiothoracic Surgery. Toronto, BC Decker, 1987.

Hudak CM et al. Critical Care Nursing, 5th ed. Philadelphia, JB Lippincott, 1990.

Hurst JW. The Heart, Arteries and Veins, 7th ed. New York, McGraw-Hill, 1990.

Reed CC and Stafford TB. Cardiopulmonary Bypass. The Woodlands, TX, Surgimedics/TMP, 1989.

Roberts AJ and Conti CR. Current Surgery of the Heart. Philadelphia, JB Lippincott, 1987.

Sigardson-Poor KM and Haggerty LM. Nursing Care of the Transplant Recipient. Philadelphia, WB Saunders, 1990.

Smith SL (Ed). Tissue and Organ Transplantation: Implications for Nursing Practice. St Louis, CV Mosby, 1990.

Sokolow M et al. Clinical Cardiology, 5th ed. Norwalk, CT, Appleton & Lange, 1990.

Revues

Les articles de recherche en sciences infirmières sont marqués d'un astérisque.

Généralités

* Gortner SR et al. Improving recovery following cardiac surgery: A randomized clinical trial. J Adv Nurs 1988 Sep; 13(5): 649-661.

Goulart DT. Educating the cardiac surgery patient and family. J Cardiovasc Nurs 1989 May; 3(3): 1-9

Kronick-Mest C. Postpericardiotomy syndrome: Etiology, manifestations, and interventions. Heart Lung 1989 Mar; 18(2): 192-198.

* Ley SJ et al. Crystalloid versus colloid fluid therapy after cardiac surgery. Heart Lung 1990 Jan; 19(1): 31-40.

* Miller KM and Perry PA. Relaxation technique and postoperative pain in patients undergoing cardiac surgery. Heart Lung 1990 Mar; 19(2): 136-146.

Pierce WS et al. Cardiac surgery: A glimpse into the future. J Am Coll Cardiol 1989 Aug; 14(2): 265-175.

* Stovsky B et al. Comparison of two types of communication methods used after cardiac surgery with patients with endotracheal tubes. Heart Lung 1988 May; 17(3): 281-289.

Circulation extracorporelle

Furst E. Cardiovascular technology. J Cardiovasc Nurs 1989 May; 3(3): 71-86.

Murkin JM. Pathophysiology of cardiopulmonary bypass. Can J Anaesth 1989 May; 36(3): S41-S44.

Angioplastie transluminale percutanée

Goldberg S (ed). Coronary angioplasty. Cardiovasc Clin 1988; 19(2): 1-285.

Halfman-Franey M and Levine S. Intracoronary stents. Crit Care Nurs Clin North Am 1989 Jun; 1(2): 327-337.

Lynn-McHale DJ. Interventions for acute myocardial infarction: PTCA and CABGS. Crit Care Nurs Q 1989 Sep; 12(2): 38-48.

* Murphy MC et al. Education of patients undergoing coronary angioplasty: Factors affecting learning during a structured education program. Heart Lung 1989 Jan; 18(1): 36-45.

Sigwart U et al. Emergency stenting for acute occlusion after coronary balloon angioplasty. Circulation 1988 Nov; 78(5): 1121-1127.

Sipperly ME. Expanding role of coronary angioplasty: Current implications, limitations, and nursing considerations. Heart Lung 1989 Sep; 18(5): 507-513.

Pontage coronarien

Acinapura AJ et al. Internal mammary artery bypass grafting: Influence on recurrent angina and survival in 2100 patients. Ann Thorac Surg 1989 Aug; 48(2): 186-191.

* Allen JK et al. Factors related to functional status after coronary artery bypass surgery. Heart Lung 1990 Jul; 19(4): 337-343.

* Allen JK. Physical and psychosocial outcomes after coronary artery bypass surgery: Review of the literature. Heart Lung 1990 Jan; 19(1): 49-55.

* Artinian NT. Family member perceptions of a cardiac surgery event. Focus Crit Care 1989 Aug; (16)4: 301-308.

* Bartz C. An exploratory study of the coronary artery bypass graft surgery experience. Heart Lung 1988 Mar; 17(2): 179-183.

* Beckie T. A supportive-educative telephone program: Impact on knowledge and anxiety after coronary artery bypass graft surgery. Heart Lung 1989 Jan; 18(1): 46-55.

Calgar G. Future nursing: Coronary artery bypass with right gastroepiploic artery grafts. Cardiovasc Nurs 1988 Jul/Aug; 1(2): 8-9.

Foster ED and Kranc MAT. Alternative conduits for aortocoronary bypass grafting. Circulation [Suppl] 1989 Jun; 79(6): I-34-I-39.

Gersh BJ et al. Coronary bypass surgery in chronic stable angina. Circulation [Suppl] 1989 Jun; 79(6): I-46-I-57.

* Grady KL et al. Patient perception of cardiovascular surgical patient education. Heart Lung 1988 Jul; 17(4): 349-355.

Illes RW and Levitsky S. Review of invasive treatment of coronary artery disease. Surg Gynecol Obstet 1989 May; 168(5): 461-467.

* King KB and Parrinello KA. Patient perceptions of recovery from coronary artery bypass grafting after discharge from the hospital. Heart Lung 1988 Nov; 17(6): 708-715.

Lynn-McHale DJ. Interventions for acute myocardial infarction: PTCA and CABGS. Crit Care Nurs Q 1989 Sep; 12(2): 38-48.

McGoon DC (ed). Cardiac surgery. Cardiovasc Clin 1987; 17(3): 1-446.

* Mailis A et al. Chest wall pain after aortocoronary bypass surgery using internal mammary graft: A new pain syndrome? Heart Lung 1989 Nov; 18(6): 553-558.

Marker L. Coronary artery bypass. AORN 1989 Jun; 49(6): 1533-1548.

* Miller SP et al. Marital functioning after surgery. Heart Lung 1990 Jan; 19(1): 55-61.

* Newton KM and Killien MG. Patient and spouse learning needs during recovery from coronary artery bypass. Prog Cardiovasc Nurs 1988 Apr/Jun; 3(2): 62-69.

* Noll ML and Fountain RL. Effect of backrest position on mixed venous oxygen saturation in patients with mechanical ventilation after coronary artery bypass surgery. Heart Lung 1998 May; 19(3): 243-251.

* Norheim C. Family needs of patients having coronary artery bypass graft surgery during the intraoperative period. Heart Lung 1989 Nov; 18(6): 622-626.

* Penckofer S and Llewellyn J. Adherence to risk-factor instructions one year following coronary artery bypass surgery. J Cardiovasc Nurs 1989 May; 3(3): 10-24.

Pierce WS et al. Cardiac surgery: A glimpse into the future. J Am Coll Cardiol 1989 Aug; 14(2): 265-275.

* Shaw DK et al. Efficacy of shoulder range of motion exercises in hospitalized patients after coronary artery bypass graft surgery. Heart Lung 1989 Jul; 18(4): 364-369.

* Shively M. Effect of position change on mixed venous oxygen saturation in coronary artery bypass surgery patients. Heart Lung 1988 Jan; 17(1): 51-59.

* Stanley MJB and Frantz RA. Adjustment problems of spouses of patients undergoing coronary artery bypass graft surgery during early convalescence. Heart Lung 1988 Nov; 17(6 Part 1): 677-682.

Anévrisme de l'aorte ascendante

Sweeney MS et al. Cardiac surgical emergencies. Crit Care Clin 1989 Jul; 5(3): 659-678.

Valvuloplastie/remplacement valvulaire

Barden C et al. Balloon aortic valvuloplasty: Nursing care implications. Crit Care Nurs 1990 Jun; 10(6): 22-30, 86.

Blaisdell MW et al. Percutaneous transluminal valvuloplasty. Crit Care Nurs 1989 Mar; (9)3: 62-68.

Cooley DA. Technical problems in mitral valve repair and replacement. Ann Thorac Surg 1989 Sep; 48(3 Suppl): S91-2.

Cribier A and Letac B. Balloon catheter therapy and cardiac valvular disease. Annu Rev Med 1989; 40: 61-70.

Daily EK. Percutaneous balloon valvuloplasty in adult patients with valvular heart disease. Crit Care Nurs Clin North Am 1989 Jun; 1(2): 339-357.

* Finkelmeier BA et al. Implications of prosthetic valve implantation: An 8-year follow-up of patients with porcine bioprostheses. Heart Lung 1989 Nov; 18(6): 565-574.

Galloway AC et al. Current concepts of mitral valve reconstruction for mitral insufficiency. Circulation 1988 Nov; 78(5): 1087-1098.

Jones EL. Freehand homograft aortic valve replacement: The learning curve: A technical analysis of the first 31 patients. Ann Thorac Surg 1989 Jul; 48(1): 26-32.

Nichols L et al. Percutaneous aortic valvuloplasty procedure and implications for nursing. Heart Lung 1989 Jul; 18(4): 356-363.

Ohler L et al. Aortic valvuloplasty: Medical and critical care nursing perspectives. Focus Crit Care 1989 Aug; 16(4): 275-287.

Rahimtoola SH. Perspectives on valvular heart disease: An update. J Am Coll Cardiol 1989 Jul; 14(1): 1-23.

Russell AC and Blake SM. Aortic valvuloplasty: Potential nursing diagnoses. Dimens Crit Care Nurs 1989 Mar/Apr; 8(2): 72-82.

Safian RD et al. Improvement in symptoms and left ventricular performance after balloon aortic valvuloplasty in patients with aortic stenosis and depressed left ventricular ejection fraction. Circulation 1988 Nov; 78(5): 1181-1191.

* Tedesco C et al. Functional assessment of elderly patients after percutaneous aortic balloon valvuloplasty: New York Heart Association classification versus functional status questionnaire. Heart Lung 1990 Mar; 19(2): 118-125.

Anévrisme ventriculaire

Magovern GJ et al. Surgical therapy for left ventricular aneurysms. Circulation 1989 Jun; 79(6): I-102-I-107.

Myocardiopathie hypertrophique

McIntosh CL and Maron BJ. Current operative treatment of obstructive hypertrophic cardiomyopathy. Circulation 1988 Sep; 78(3): 487-495.

Surgical treatment of hypertrophic obstructive cardiomyopathy. Lancet 1989 Feb 18; 1(8634): 358-360.

Greffe cardiaque

Copeland JG. Cardiac transplantation. Curr Probl Surg 1988 Sep; 25(9): 607-672.

Futterman LG. Cardiac transplantation: A comprehensive nursing perspective. Part 2. Heart Lung 1988 Nov; 17(1): 631-638.

Imperial FA et al. Cardiac transplantation. Crit Care Nurs Clin North Am 1989 Jun; 1(2): 399-415.

* Packa DR. Quality of life of adults after heart transplant. J Cardiovasc Nurs 1989 Feb; 3(2): 12-22.

Stevenson LW et al. Cardiac transplantation: Selection, immunosuppression and survival. West J Med 1988 Nov; 149(5): 572-582.

* Walden JA et al. Heart transplantation may not improve quality of life for patients with stable heart failure. Heat Lung 1989 Sep; 18(5): 497-506.

Excision des tumeurs

Larsson S et al. Atrial myxomas: Results of 25 years' experience and review of the literature. Surgery 1989 Jun; 105(6): 695-698.

McRae ME. Care plan for the patient undergoing intracardiac myxoma excision. Crit Care Nurs 1990 Oct; 10(9): 58-63.

Correction chirurgicale des traumatismes

Ivatury RR and Rohman M. The injured heart. Surg Clin North Am 1989 Feb; 69(1): 93-110.

Pevec WC et al. Blunt rupture of the myocardium. Ann Thorac Surg 1989 Jul; 48(1): 139-142.

Sweeney MS et al. Cardiac surgical emergencies. Crit Care Clin 1989 Jul; 5(3): 659-678.

Dispositifs d'assistance cardiaque et cœur artificiel

Berron K. Role of the ventricular assist device in acute myocardial infarction. Crit Care Nurs Q 1989 Sep; 12(2): 25-27.

Boley T et al. Last hope for the failing heart. Am J Nurs 1989 May; 89(5): 672-677.

Bolman RM et al. Circulatory support with a centrifugal pump as a bridge to transplantation. Ann Thorac Surg 1989 Jan; 47(1): 108-112.

Hill JD. Bridging to cardiac transplantation. Ann Thorac Surg 1989 Jan; 47(1):167-171.

Muneretto C et al. Total artificial heart: Survival and complications. Ann Thorac Surg 1989 Jan; 47(1): 151-157.

Portner PM et al. Implantable electrical left ventricular assist system: Bridge to transplantation and the future. Ann Thorac Surg 1989 Jan; 47(1): 142-150.

* Ruzevich SA et al. Nursing care of the patient with a pneumatic ventricular assist device. Heart Lung 1988 Jul; 17(4): 399-407.

Teplitz L. Patients with ventricular assist devices. Dimens Crit Care Nurs 1990 Mar/Apr; 9(2): 82-87.

Trafford AC and Gunter M. The left ventricular assist device. Nursing 1988 Nov; 18(11): 64B-64J.

Correction chirurgicale des tachycardies

* Badger JM and Morris PL. Observations of a support group for automatic implantable cardioverter-defibrillator recipients and their spouses. Heart Lung 1989 May; 18(3): 238-243.

Cox JL. Patient selection criteria and results of surgery for refractory ischemic ventricular tachycardia. Circulation 1989 Jun; 79(6 Suppl I): I-163-I-177.

Furst E. Automatic implantable cardioverter-defibrillator. J Cardiovasc Nurs 1988 Nov; 3(1): 77-81.

Hargrove WC and Miller JM. Risk stratification and management of patients with recurrent ventricular tachycardia and other malignant ventricular arrythmias. Circulation 1989 Jun; 79(6 Supp I): I-178-I-181.

Moser SA et al. Caring for patients with implantable cardioverter defibrillators. Crit Care Nurs 1988 Mar/Apr; 8(2): 52-65.

Teplitz L et al. Life after sudden death: The development of a support group for automatic implantable cardioverter-defibrillator patients. J Cardiovasc Nurs 1990 Feb; 4(2): 20-32.

Veseth-Rogers J. A practical approach to teaching the automatic cardioverter-defibrillator patient. J Cardiovasc Nurs 1990 Feb; 4(2): 7-19.

Vitello-Cicciu J. AICD implantation: Treatment for malignant ventricular dysrhytmias. J Cardiovasc Nurs 1988 Nov; 3(1): 82-87

Zipes DP. Cardiac electrophysiology: Promises and contributions. J Am Coll Cardiol 1989 May; 13(6): 1329-1349.

Information/Ressources

Organismes

American Heart Association
7320 Greenville Ave, Dallas, TX 75231

International Society for Heart Transplantation, Thoracic and Cardiovascular Surgery
Newark Beth Israel Hospital, 201 Lyons Ave, Newark, NJ 07112

Mended Hearts
7320 Greenville Ave, Dallas, TX 75231

16
ÉVALUATION ET TRAITEMENT DES PATIENTS QUI PRÉSENTENT DES PROBLÈMES VASCULAIRES ET CIRCULATOIRES

SOMMAIRE

OBJECTIFS D'APPRENTISSAGE

Après avoir étudié ce chapitre, vous devriez être en mesure de réaliser ce qui suit:

1. *Indiquer les facteurs anatomiques et physiologiques affectant la circulation sanguine périphérique et l'oxygénation des tissus.*
2. *Utiliser les paramètres appropriés pour évaluer la circulation périphérique.*
3. *Appliquer la démarche de soins infirmiers pour intervenir auprès des patients atteints d'une maladie des vaisseaux périphériques.*
4. *Comparer les diverses maladies des artères: causes, signes et symptômes, manifestations cliniques, traitement et prévention.*
5. *Décrire le traitement médicamenteux progressif de l'hypertension et les objectifs d'apprentissage pour les patients atteints d'hypertension.*
6. *Appliquer la démarche de soins infirmiers pour intervenir auprès des patients atteints d'hypertension.*
7. *Décrire les techniques de prévention et de traitement des thromboses veineuses.*
8. *Comparer le traitement préventif de l'insuffisance veineuse à celui des ulcères de jambe et des varices.*
9. *Appliquer la démarche de soins infirmiers pour intervenir auprès des patients atteints d'ulcères de jambe.*
10. *Décrire le rapport entre la lymphangite et le lymphoedème.*

NOTIONS GÉNÉRALES

L'irrigation des tissus corporels, et par conséquent leur oxygénation et leur nutrition, repose en grande partie sur l'intégrité de l'appareil cardiovasculaire: cœur, vaisseaux sanguins et volume de sang circulant. De plus, la vitesse du débit sanguin dépend de l'activité du système nerveux, de la viscosité du sang et des besoins métaboliques des tissus.

Il existe deux circulations qui sont interdépendantes: la petite circulation (circulation pulmonaire), dans laquelle le sang est pompé vers les poumons, et la grande circulation (circulation générale), dans laquelle le sang est dirigé vers tous les tissus et organes. Dans les deux circulations, les vaisseaux sanguins sont des canaux capables de se dilater pour recevoir le sang des ventricules et le faire circuler entre le cœur et les tissus. Ce sont les *artères* qui amènent le sang oxygéné du cœur gauche jusqu'aux tissus, et les *veines* qui assurent le transport du sang désoxygéné des tissus jusqu'au cœur droit. Les *capillaires* sont des vaisseaux de très fin calibre qui se trouvent à l'intérieur des tissus et qui relient le système artériel au système veineux. C'est à leur niveau que se font les échanges d'éléments nutritifs et de déchets métaboliques entre le sang et les tissus. Ils sont reliés aux artères par les *artérioles* et aux veines par les *veinules*. On appelle *microcirculation* la circulation à travers les artérioles, les veinules et les capillaires. Voir le diagramme de la circulation à la figure 16-1.

Le *système lymphatique* joue un rôle complémentaire dans la circulation. Les vaisseaux lymphatiques transportent la lymphe (un liquide semblable au plasma) et le liquide interstitiel (composé de petites protéines, de cellules et de débris cellulaires) depuis l'espace interstitiel jusqu'aux veines.

Anatomie et physiologie du système vasculaire

Artères et artérioles. Les artères sont des vaisseaux à paroi épaisse qui transportent le sang du cœur jusqu'aux tissus. L'aorte, qui a un diamètre d'environ 25 mm, donne naissance à de nombreuses ramifications, les artères, dont le diamètre est de près de 4 mm. Les artères se divisent à leur tour pour former les artérioles dont le diamètre n'est que de 30 μm.

Les parois des artères et des artérioles sont formées de trois tuniques: l'*intima*, la tunique interne formée de cellules endothéliales, qui est en contact avec le sang circulant, la *média*, la tunique moyenne, et l'*adventice*, la tunique externe. L'intima a une surface lisse qui favorise l'écoulement du sang.

Dans l'aorte et les autres grandes artères, la média occupe la majeure partie de la paroi. Elle est constituée de fibres élastiques et de tissu conjonctif qui donnent au vaisseau une grande force et lui permettent de se contracter et de se dilater en fonction du volume systolique pour assurer la régularité de la circulation. L'adventice est faite de tissu conjonctif qui relie le vaisseau aux structures voisines.

Les artères de fin calibre et les artérioles contiennent peu de tissu conjonctif et leur média se compose principalement de fibres musculaires lisses, qui régissent le diamètre du vaisseau par des contractions et des dilatations sous l'action de facteurs chimiques, hormonaux et neurologiques. Étant donné que les artérioles, en changeant de diamètre, opposent une résistance au sang circulant, on leur donne parfois le nom de *vaisseaux résistifs*. Elles régularisent le volume et la pression du sang artériel et la vitesse du débit sanguin capillaire.

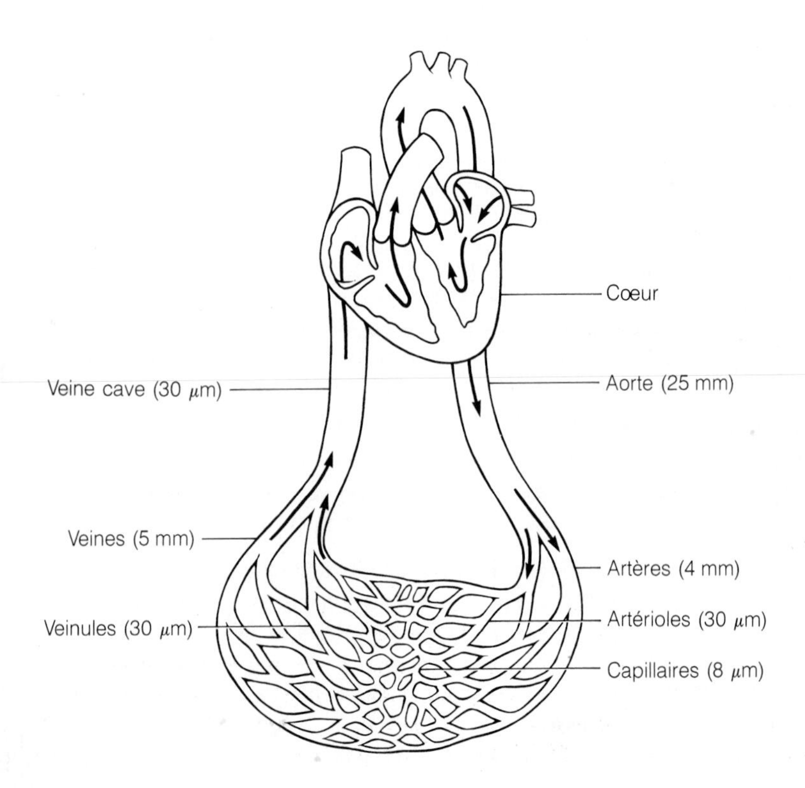

Figure 16-1. Grande circulation. Le sang oxygéné quitte le cœur, traverse l'aorte, passe dans les artères et se dirige vers les capillaires, où se font les échanges d'éléments nutritifs. Une fois désoxygéné, le sang emprunte les veines pour retourner au cœur. Le diamètre des vaisseaux est fourni à titre comparatif.

La forte concentration de tissu musculaire dans les artères et les artérioles fait que leur paroi est assez épaisse, représentant environ 25 % du diamètre total des artères et 67 % du diamètre total des artérioles.

L'intima et la couche interne de la média ont un contact si étroit avec le sang qu'elles se nourrissent par diffusion directe. L'adventice et la couche externe de la média contiennent un nombre limité de vaisseaux nourriciers, tandis que le tissu musculaire et la couche externe de l'adventice ont un réseau complet de vaisseaux nourriciers.

Capillaires. La paroi des capillaires n'est constituée que d'une couche de cellules endothéliales. Elle est donc mince pour permettre le transport rapide et efficace des éléments nutritifs vers les cellules et l'évacuation des déchets métaboliques. Le diamètre des capillaires variant de 5 à 10 μm, les érythrocytes doivent changer de forme pour y pénétrer. Les variations du diamètre des capillaires sont passives et régies par les contractions des vaisseaux précapillaires et postcapillaires et par des stimuli chimiques. Dans certains tissus, on trouve une collerette de muscles lisses, située au segment artériel du capillaire, que l'on appelle le sphincter précapillaire et qui régit avec l'artériole le débit sanguin dans le capillaire.

Certains lits capillaires, notamment ceux du bout des doigts, contiennent des *anastomoses artérioveineuses* permettant au sang de passer directement des artères aux veines. C'est au niveau de ces lits capillaires que seraient régularisés les échanges thermiques entre l'organisme et le milieu externe.

L'ampleur du réseau capillaire varie en fonction du type de tissu. Par exemple, le tissu squelettique, dont le métabolisme est rapide, a un réseau capillaire plus dense que le cartilage, dont le métabolisme est plus lent.

Veines et veinules. Les capillaires se rejoignent pour donner naissance aux veinules, qui se fusionnent pour former les veines. Les systèmes veineux et artériel ont donc une structure analogue, les veinules correspondant aux artérioles, les veines aux artères et la veine cave à l'aorte. Dans les deux systèmes, le diamètre des vaisseaux suit le même ordre de grandeur (voir la figure 16-1).

Cependant, les veines ont des parois plus minces et moins riches en fibres musculaires que les artères. En moyenne, la paroi d'une veine représente seulement 10 % de son diamètre, comparativement à 25 % pour une artère. La paroi veineuse est constituée des trois mêmes couches que la paroi artérielle, mais elles sont toutefois moins nettement définies.

Parce qu'elle est mince et pauvre en fibres musculaires, la paroi veineuse se dilate plus facilement que la paroi artérielle. Sa grande capacité de dilatation permet à la veine d'emmagasiner de grandes quantités de sang à faible pression, soit environ 75 % du volume sanguin total. C'est pourquoi on appelle les veines les *vaisseaux capacitifs*. Le système nerveux sympathique, qui innerve les muscles des veines, peut stimuler leur constriction pour réduire le volume veineux et augmenter par le fait même le volume circulant général.

Contrairement aux artères, certaines veines sont munies de valvules. Généralement, les veines qui transportent le sang dans le sens contraire de la gravité, notamment celles des membres inférieurs, ont une valvule à sens unique qui prévient le reflux du sang lors de la propulsion vers le cœur. Ces valvules se composent de valves qui sont étanches dans la mesure où la paroi veineuse est intacte.

Vaisseaux lymphatiques. Le système lymphatique est un réseau complexe de vaisseaux à paroi mince similaires aux capillaires. Les vaisseaux lymphatiques transportent la lymphe depuis les tissus et les organes jusqu'à la circulation veineuse. Ils confluent pour former des troncs, dont les deux principaux sont le canal thoracique et la grande veine lymphatique, qui se jettent dans la jonction formée par les veines sous-clavière et jugulaire interne. La grande veine lymphatique transporte la lymphe du côté droit de la tête, du cou, du thorax et des avant-bras. Les vaisseaux lymphatiques périphériques rejoignent des vaisseaux lymphatiques de plus gros calibre, passent dans les ganglions lymphatiques régionaux et rejoignent la circulation veineuse. Les ganglions jouent un rôle important dans la filtration des particules étrangères.

Perméables aux grosses molécules, les vaisseaux lymphatiques permettent aux protéines interstitielles de regagner le système veineux. Des contractions musculaires provoquent une distorsion des vaisseaux lymphatiques pour permettre l'entrée des protéines et des particules, et favorisent la propulsion de la lymphe vers les points de retour veineux.

Irrigation tissulaire

Les besoins en sang des tissus changent constamment. Le pourcentage de sang qu'un organe ou un tissu reçoit dépend de la vitesse du métabolisme, de la fonction de l'organe ou du tissu et de la disponibilité de l'oxygène (voir le tableau 16-1). Quand les besoins métaboliques des tissus augmentent, les vaisseaux sanguins se dilatent pour augmenter l'apport d'oxygène et d'éléments nutritifs; quand ils diminuent, les vaisseaux se contractent pour réduire cet apport. Le métabolisme des tissus est accéléré par une augmentation de l'activité physique, les applications locales de chaleur, la fièvre et l'infection. Il est ralenti par le repos, une baisse de l'activité physique, les applications locales de froid ou l'hypothermie. Si les vaisseaux sanguins ne réussissent pas à combler les demandes des tissus, il y a ischémie (insuffisance de l'irrigation). Les mécanismes qui régissent la dilatation et la contraction des vaisseaux sanguins en fonction des changements métaboliques exigent une pression artérielle normale.

C'est au niveau des capillaires que se font les échanges d'oxygène et de gaz carbonique. La quantité d'oxygène extrait varie selon les tissus. Par exemple, le muscle cardiaque retire environ la moitié de l'oxygène du sang artériel lors d'un seul passage dans le lit capillaire, tandis que les reins n'en retirent que 7 %. Les tissus extraient en moyenne 25 % de l'oxygène du sang artériel, ce qui signifie que le sang circulant dans la veine cave contient environ 25 % moins d'oxygène que le sang circulant dans l'aorte. C'est ce que l'on appelle la *différence artérioveineuse en oxygène*. Cette variable augmente quand l'oxygénation des tissus est faible par rapport à leurs besoins métaboliques. Voir le tableau 16-1 pour le débit sanguin et la consommation d'oxygène dans divers organes.

Circulation sanguine

Le sang circule toujours dans la même direction, soit du cœur gauche au cœur droit, en passant par l'aorte, les artères, les artérioles, les veinules, les veines et la veine cave. Cette direction est dictée par la différence de pression (gradient) qui existe entre les systèmes artériel et veineux. La pression artérielle (environ 100 mm Hg) étant plus élevée que la pression veineuse (environ 4 mm Hg), et les liquides se déplaçant toujours d'une région où la pression est forte vers une région où la pression est plus faible, le sang circule toujours du système artériel au système veineux.

TABLEAU 16-1. *Débit sanguin et consommation d'oxygène dans divers organes*

Organe	**Poids (kg)**	*Débit sanguin au repos*		*Consommation d'oxygène au repos*	
		Débit sanguin (mL/min)	*% du débit cardiaque total*	*Consommation d'O_2 (mL/min)*	*% de la consommation totale d'O_2*
Cerveau	1,4	750	14	45	1818
Cœur	0,3	250	5	25	10
Foie	1,5	1300	23	75	30
Voies digestives	2,5	1000			
Reins	0,3	1200	22	155	6
Muscles	35,0	1000	18	50	20
Peau	2,0	200	4	5	2
Autres (os, moelle osseuse, tissu adipeux, tissu conjonctif)	27,0	800	14	35	14
TOTAL	70,0	6500	100	250	100

(Source: B. Folkow et E. Neil, *Circulation*, New York, Oxford University Press)

Le gradient (ΔP) entre les deux extrémités d'un vaisseau stimule la propulsion du sang. On appelle résistance (R) tout ce qui s'oppose à la circulation. Le débit sanguin se calcule donc en divisant le gradient par la résistance:

$$\text{Débit sanguin} = \Delta P/R$$

On voit d'après cette équation que si la résistance augmente il faut une plus grande force de propulsion pour maintenir le débit sanguin. Donc, du point de vue physiologique, une augmentation de la force de propulsion exige une augmentation de la contractilité du cœur. Si la résistance artérielle est constamment trop élevée, le muscle cardiaque doit s'hypertrophier pour augmenter sa contractilité.

Dans la plupart des vaisseaux sanguins longs et lisses, la circulation est laminaire et le flux est un peu plus rapide au centre du vaisseau que le long des parois. La circulation laminaire est silencieuse, sauf si elle s'accélère, si le sang devient plus visqueux et si le diamètre d'un vaisseau s'accroît ou se rétrécit anormalement. On entend alors à l'auscultation au stéthoscope des turbulences que l'on appelle *bruits*.

Pression artérielle. Voir le chapitre 12, pour la physiologie et la mesure de la pression artérielle.

Filtration et réabsorption capillaire

La paroi capillaire est le siège des échanges continuels d'un liquide, appelé liquide interstitiel, qui ressemble au plasma, mais ne contient pas de protéines. L'équilibre entre les pressions hydrostatique et oncotique, ainsi que la perméabilité des capillaires sont les facteurs qui déterminent le volume du liquide qui circule dans les capillaires et la direction dans laquelle il circule. La pression hydrostatique est une force de propulsion générée par la pression artérielle, tandis que la pression oncotique est une force de traction générée par les protéines plasmatiques. Dans le segment artériel du capillaire, la pression hydrostatique est plus élevée que la pression oncotique de sorte que le liquide sort du capillaire. À l'opposé, dans le segment veineux, la pression oncotique prédomine sur la pression hydrostatique, ce qui favorise la rentrée du liquide dans le capillaire. Le liquide filtré dans le segment artériel est réabsorbé dans le segment veineux, sauf pour une petite quantité, qui entre dans la circulation lymphatique. La filtration, la réabsorption et la formation de la lymphe sont des mécanismes qui permettent de maintenir le volume liquidien dans les tissus et d'éliminer les déchets. La perméabilité capillaire est constante dans des conditions normales.

Toutefois, il arrive que la quantité de liquide filtré excède la quantité de liquide réabsorbé, ce qui peut provoquer des lésions aux parois des capillaires qui réduisent leur perméabilité. Il s'ensuit une obstruction du drainage lymphatique, une augmentation de la pression hydrostatique ou une diminution de la pression oncotique provoquant une accumulation de liquide dans les tissus interstitiels connue sous le nom d'*œdème*.

Résistance hémodynamique

La résistance d'un vaisseau est fonction de son rayon. Une faible variation dans le rayon du vaisseau entraîne une grande variation de sa résistance. Les variations de rayon se produisent surtout au niveau des artérioles et du sphincter précapillaire.

La *résistance vasculaire périphérique* se définit comme la force qu'oppose le vaisseau à la circulation sanguine. On la calcule selon la loi de Poiseuille:

$$R = \frac{8nL}{\pi r^4}$$

si:

R = résistance
r = rayon du vaisseau
L = longueur du vaisseau
n = viscosité du sang
$8/\pi$ = une constante

On voit d'après cette équation que la résistance est proportionnelle à la viscosité du sang et à la longueur du vaisseau, mais inversement proportionnelle au rayon du vaisseau à la quatrième puissance.

Dans des conditions physiologiques normales, la viscosité du sang et la longueur des vaisseaux sont relativement constantes. Par ailleurs, une forte augmentation de l'hématocrite peut augmenter la viscosité du sang et ralentir la circulation capillaire.

Mécanismes régissant la circulation vasculaire périphérique

On a déjà dit que les besoins métaboliques des tissus corporels changent constamment, même au repos. Des mécanismes de régulation qui adaptent la circulation sanguine à ces besoins sont donc essentiels. Ces mécanismes sont complexes et font intervenir le système nerveux central, des hormones et des composés chimiques circulants, et les parois artérielles.

L'activité du système nerveux sympathique (adrénergique), qui dépend de l'hypothalamus, est le principal facteur régissant le calibre des vaisseaux sanguins périphériques, et par conséquent la vitesse de l'écoulement sanguin. Le système nerveux sympathique innerve tous les vaisseaux, sauf les capillaires et les sphincters précapillaires. La stimulation des nerfs sympathiques cause une vasoconstriction, sous l'action d'un neurotransmetteur, la noradrénaline. Cette stimulation se fait en réaction à certains facteurs de stress physiologiques et psychologiques. L'inhibition de l'activité adrénergique par des médicaments ou une sympathectomie entraînera une vasodilatation.

La résistance vasculaire périphérique est aussi influencée par d'autres substances hormonales. L'*adrénaline*, qui est libérée par la médullosurrénale, a, comme la noradrénaline, un effet vasoconstricteur sur les vaisseaux périphériques. À faible concentration, elle peut toutefois causer une vasodilatation des muscles squelettiques, du cœur et du cerveau. L'*angiotensine*, une substance libérée sous l'action de la rénine (une enzyme d'origine rénale) et d'une protéine sérique circulante, stimule la constriction artérielle. Même si la concentration sanguine de l'angiotensine est généralement faible, son puissant effet vasoconstricteur prend de l'importance dans certains troubles comme l'insuffisance cardiaque et l'hypovolémie.

La circulation sanguine subit localement l'influence de certaines substances circulantes aux propriétés vasomotrices: l'histamine, la bradykinine, les prostaglandines et certains métabolites musculaires. La circulation peut aussi être affectée par un manque d'oxygène et d'éléments nutritifs et des changements du pH. La sérotonine, une substance libérée par les plaquettes qui s'agrègent au siège de lésions de la paroi vasculaire, provoque la constriction des artérioles. L'application locale de chaleur cause une vasodilatation, et l'application de froid une vasoconstriction.

Résumé: L'apport d'oxygène et d'éléments nutritifs dans les cellules et les tissus repose sur l'intégrité de différentes structures et fonctions. Il se fait par la voie du système vasculaire périphérique et est fonction des besoins métaboliques. Le système vasculaire se compose des artères, des capillaires, des veines et des vaisseaux lymphatiques. Son fonctionnement est régi par les besoins des cellules, la régulation neuronale et hormonale des vaisseaux et la disponibilité de l'oxygène et des éléments nutritifs. Toute altération d'un de ces mécanismes peut provoquer une ischémie des tissus.

PHYSIOPATHOLOGIE DU SYSTÈME VASCULAIRE

Toutes les maladies des vaisseaux périphériques se caractérisent par une réduction du débit sanguin dans ces vaisseaux. Les effets physiologiques de cette réduction sont fonction de l'écart entre la demande et l'apport d'oxygène et d'éléments nutritifs dans les tissus. Si la demande est grande, même une faible diminution du débit sanguin affectera l'intégrité des tissus, qui deviendront *ischémiques*, et se nécroseront si le débit sanguin normal n'est pas rétabli.

Insuffisance cardiaque. Une altération de la fonction pompe du cœur entraîne nécessairement une altération de l'irrigation périphérique. S'il y a insuffisance cardiaque gauche, l'accumulation de sang dans les poumons et la réduction du débit cardiaque auront pour effet de perturber la circulation artérielle. S'il y a insuffisance cardiaque droite, il se produira une congestion veineuse générale et une réduction de la propulsion du sang (voir le chapitre 14).

Altérations des vaisseaux sanguins et lymphatiques. Pour assurer l'oxygénation adéquate des tissus et l'élimination des déchets métaboliques, les vaisseaux sanguins doivent être intacts et libres de toute obstruction. Les artères peuvent être obstruées par une plaque athéroscléreuse, un caillot ou une embolie. Les agressions chimiques ou mécaniques, les infections, les inflammations, les troubles angiospastiques et les malformations congénitales sont aussi des causes d'obstruction. L'occlusion soudaine d'une artère peut causer une ischémie tissulaire grave et souvent irréversible, et éventuellement une nécrose. Si l'occlusion est graduelle, les risques de nécrose sont moins élevés, car des vaisseaux secondaires se dilatent pour remplacer les vaisseaux lésés (circulation collatérale).

La diminution du débit veineux est habituellement causée par l'obstruction d'une veine par un caillot, une incompétence valvulaire ou une baisse de la contractibilité des muscles voisins. Elle provoque une hausse de la pression veineuse avec augmentation subséquente de la pression hydrostatique dans les capillaires et une accumulation de liquide dans l'espace interstitiel (œdème). Les tissus œdématiés reçoivent du sang moins d'éléments nutritifs et sont par conséquent plus vulnérables aux lésions et aux infections.

L'obstruction des vaisseaux lymphatiques peut aussi provoquer un œdème. Ils peuvent être obstrués soit par une tumeur, soit par des lésions dues à une agression mécanique ou à une inflammation.

Gérontologie. Le vieillissement entraîne des modifications des parois des vaisseaux sanguins qui affectent le transport de l'oxygène et des éléments nutritifs. L'intima s'épaissit sous l'effet de la prolifération cellulaire et de la fibrose. Les fibres élastiques de la média se calcifient, s'amincissent et se fragmentent et on observe une accumulation de collagène dans l'intima et la média. Les vaisseaux perdent de leur souplesse, ce qui augmente la résistance périphérique, perturbe la circulation et augmente le travail du ventricule gauche.

Démarche de soins infirmiers
Patients atteints d'une maladie des vaisseaux périphériques

▷ *Collecte des données*

Toutes les maladies des vaisseaux périphériques se manifestent par de l'ischémie et, conséquemment, par des symptômes semblables. Les caractéristiques et la gravité de ces symptômes varient selon la nature, l'étendue et la progression de la maladie. Voir le tableau 16-2 pour les symptômes caractéristiques des maladies veineuses et des maladies artérielles.

▷ *Douleur.* Après une activité ou un exercice, les patients souffrant d'une maladie des artères périphériques ressentent dans les membres inférieurs une douleur aiguë à type de crampe. C'est ce que l'on appelle la *claudication intermittente.* Ce trouble est dû à l'incapacité des artères de répondre aux besoins nutritifs accrus des muscles pendant l'exercice, ce qui provoque une accumulation de métabolites et d'acide lactique. La douleur est imputable à une irritation des terminaisons nerveuses par les métabolites. La claudication intermittente traduit généralement une occlusion d'au moins 75 % de l'artère. Elle est soulagée par le repos qui réduit les besoins métaboliques des muscles. On peut évaluer la progression de la maladie vasculaire par la distance de marche parcourue avant l'apparition de la douleur. Une douleur qui persiste au repos (*douleur de repos*) témoigne d'une insuffisance artérielle et d'une ischémie graves. Elle s'intensifie souvent la nuit au point de gêner le sommeil.

Le siège de la douleur indique le siège de l'occlusion artérielle. Ainsi, une réduction du débit sanguin dans l'artère fémorale ou poplitée superficielle se traduit par une douleur au mollet, tandis qu'une occlusion de l'aorte abdominale ou l'artère iliaque commune se manifeste par une douleur à la hanche ou à la fesse.

▷ *Changement de l'aspect et de la température de la peau.* La peau des membres bien irrigués est chaude et a une coloration rosée; elle devient froide et pâle sous l'effet d'une mauvaise irrigation. L'élévation du membre fera pâlir la peau encore davantage. Une coloration rouge violacé 20 secondes à 2 minutes après le retour du membre en position déclive indique des lésions graves des artères périphériques qui empêchent la contraction des vaisseaux. La *cyanose* est une coloration bleutée de la peau apparaissant quand la concentration d'oxyhémoglobine dans le sang est réduite.

Une réduction chronique de l'apport aux tissus d'éléments nutritifs se manifeste notamment par la chute des poils, des ongles cassants, une peau sèche ou squameuse, de l'atrophie et des ulcères. On observe parfois un œdème bilatéral ou unilatéral. Une ischémie grave et prolongée entraîne une nécrose tissulaire qui se manifeste par la gangrène.

▷ *Pouls.* Les pouls périphériques ont de l'importance dans l'évaluation des atteintes artérielles périphériques (figure 16-2), car une occlusion se traduit par des pouls diminués ou absents en aval de l'artère obstruée. Si on ne peut palper un pouls, on peut évaluer la vélocité du sang à l'aide d'un appareil Doppler (figure 16-3).

▷ *Gérontologie.* Chez les personnes âgées, les symptômes des maladies des vaisseaux périphériques sont souvent plus prononcés, parce que l'atteinte est à un stade plus avancé et s'accompagne d'une autre maladie chronique. La claudication intermittente peut apparaître après quelques minutes de marche ou un faible effort. Une pression prolongée sur le pied peut provoquer des ulcères, une infection et une nécrose.

TABLEAU 16-2. *Manifestations cliniques des maladies des vaisseaux périphériques*

Artères	*Veines*
AIGUË	
1. Symptômes asymétriques (affectant une seule jambe)	1. Symptômes symétriques ou asymétriques
2. Douleur aiguë irréductible	2. Douleur musculaire vive et profonde pouvant être soulagée par l'élévation du membre
3. Peau froide et pâle	3. Peau tiède, rouge ou violacée; œdème grave: peau froide et cyanosée
4. Perte de sensibilité dans le membre	4. Pouls normaux ou affaiblis
5. Perte de mobilité du membre	5. Dilatation des veines superficielles
6. Absence de pouls en aval de l'occlusion	6. Œdème moyen à grave
7. Œdème au stade avancé seulement	
CHRONIQUE	
1. Claudication intermittente, généralement causée par une douleur à type de crampe, évoluant vers une douleur au repos généralement décrite comme une sensation de brûlure	1. Malaise se manifestant par une douleur, des crampes et une fatigue musculaire; aggravation du malaise en fin de journée
2. Peau froide et pâle	2. Changements de la pigmentation de la peau traduisant une mauvaise nutrition des tissus; ulcères de la jambe et des chevilles
3. Diminution ou absence de pouls en aval de l'occlusion	3. Veines superficielles proéminentes
4. Atrophie de la peau, épaississement des ongles, chute de poils	4. Œdème moyen à grave
5. Antécédents de cicatrisation lente	5. Paresthésies (brûlure, démangeaison) – fourmillements
6. Coloration violacée du membre en position déclive	6. Ulcères autour de la cheville
7. Ulcères, gangrène superficielle	

Les ulcères peuvent aussi avoir pour cause une insuffisance veineuse chronique. L'insuffisance artérielle ou veineuse réduit la mobilité et l'autonomie des personnes âgées.

▷ *Analyse et interprétation des données*

Selon les données recueillies, voici les principaux diagnostics infirmiers possibles:

- Diminution de l'irrigation tissulaire périphérique
- Altération du bien-être physique reliée à une douleur aux membres inférieurs
- Risque élevé d'atteinte à l'intégrité de la peau relié à une diminution de l'irrigation tissulaire
- Manque de connaissances sur le programme d'autosoins

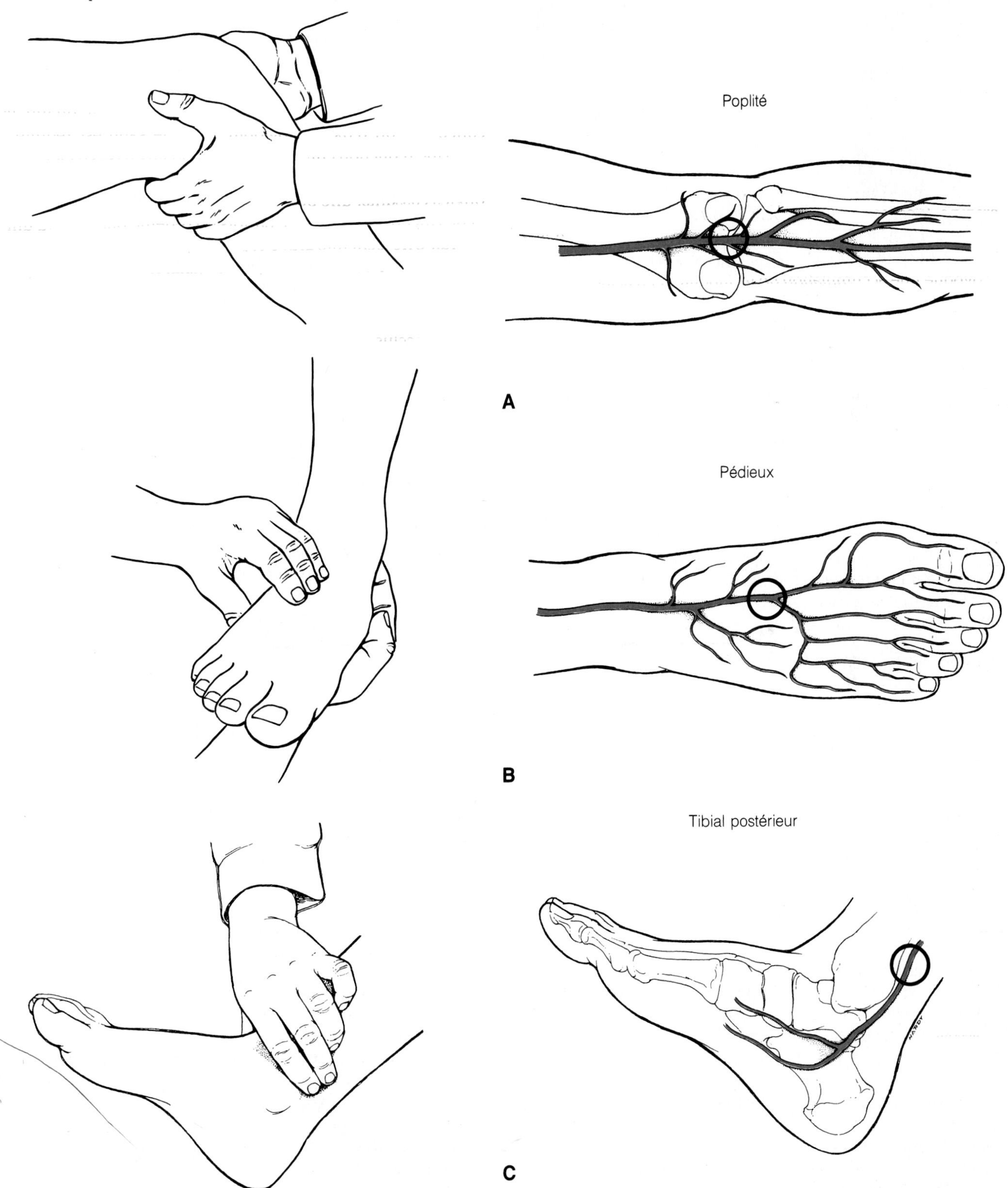

Figure 16-2. Prise des pouls périphériques (**A**) Pouls poplité (**B**) Pouls pédieux (**C**) Pouls tibial postérieur

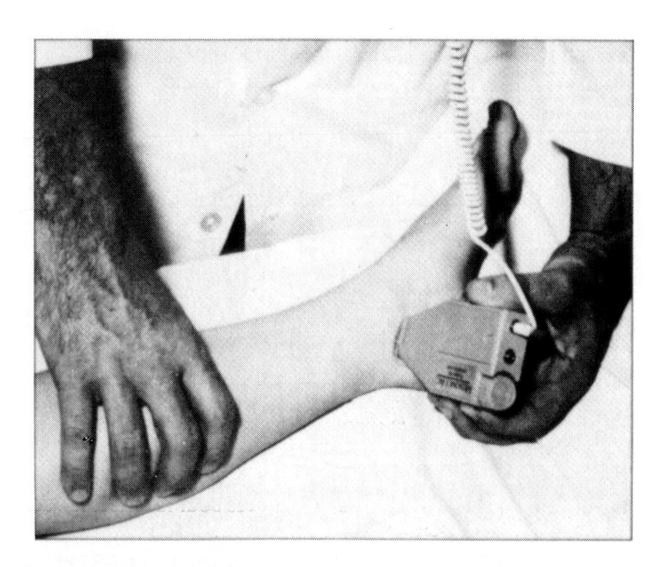

Figure 16-3. Appareil ultrasonique Doppler servant à dépister la thrombose veineuse profonde

(Source: D. S. Suddarth, *The Lippincott Manual of Nursing Practice,* 5e éd., Philadelphie, J. B. Lippincott, 1991)

▷ *Planification et exécution*

▷ *Objectifs de soins:* Amélioration de l'irrigation périphérique; diminution de la congestion veineuse; vasodilatation; prévention de la compression vasculaire; soulagement de la douleur; maintien ou rétablissement de l'intégrité des tissus; acquisition de connaissances sur les autosoins

On doit évaluer les mesures destinées à atteindre un objectif donné en fonction de leurs effets positifs et négatifs sur les autres objectifs.

▷ *Amélioration de l'irrigation périphérique et diminution de la congestion veineuse.* On peut améliorer l'irrigation par les artères en plaçant le membre affecté sous le niveau du coeur. S'il s'agit d'un membre inférieur, on surélève la tête du lit en la plaçant sur des blocs de 15 cm ou on demande au patient de s'asseoir en déposant les pieds au sol. La marche et des exercices isométriques modérés augmentent le débit sanguin, ce qui stimule la circulation collatérale. On doit arrêter l'exercice quand une douleur apparaît et attendre qu'elle soit disparue avant de le reprendre.

Les exercices posturaux comme les exercices de *Buerger-Allen* sont indiqués pour les patients souffrant d'insuffisance artérielle des membres inférieurs. Ils consistent à placer le membre dans trois positions: en élévation, en position déclive et à l'horizontale. Le patient se place d'abord en décubitus dorsal et surélève ses jambes pendant deux à trois minutes. Il s'assoit ensuite sur le bord du lit, les jambes pendantes et détendues, et fait des exercices des pieds et des orteils (flexions plantaires et dorsales, inversion et éversion) pendant trois minutes environ. Enfin, il se recouche, couvre ses jambes et les maintient à l'horizontale pendant cinq minutes environ (figure 16-4). Il doit répéter six fois cette séquence d'exercices, à raison de quatre fois par jour. Si une douleur ou un changement brusque de la coloration de la peau apparaît, il doit s'arrêter et se reposer.

Chez les patients atteints d'insuffisance veineuse, il faut au contraire surélever les jambes, car la position déclive entrave le retour veineux, ce qui favorise la stase. Ces patients doivent donc éviter les stations debout ou assises prolongées et surélever le pied de leur lit au moyen de blocs. La marche favorise le retour veineux, car elle active la contraction musculaire. On recommande également aux patientes qui prennent des contraceptifs oraux d'envisager une autre méthode contraceptive, car les anovulants peuvent provoquer une stase veineuse.

L'exercice n'est pas indiqué pour tous les patients souffrant d'une maladie des vaisseaux périphériques. Il est donc important de consulter le médecin avant de leur recommander un programme d'exercice. Les patients souffrant d'ulcères de jambe, de cellulite, de gangrène ou d'une thrombose aiguë doivent garder le lit, car l'activité peut aggraver leur état.

▷ *Vasodilatation et prévention de la compression vasculaire.* La dilatation des artères favorise l'irrigation des membres et est donc indiquée chez les patients souffrant d'une maladie des artères périphériques. Toutefois, les artères gravement sclérosées ne peuvent être dilatées ni par les médicaments, ni par une intervention chirurgicale.

La chaleur stimule la circulation artérielle, car elle empêche les frissons qui causent une vasoconstriction. Il faut donc recommander au patient de se vêtir de façon appropriée et de garder chaude la température ambiante. En cas de refroidissement, un bain chaud ou une boisson chaude peuvent être utiles. Quand on applique de la chaleur sur un membre ischémique, la température de la source de chaleur ne doit pas dépasser la température corporelle, car un membre ischémique est plus sensible aux brûlures qu'un membre normal. De plus, une chaleur excessive peut accélérer le métabolisme dans le membre de sorte que la demande d'oxygène des tissus excédera l'apport. Les patients doivent donc vérifier la température de l'eau du bain, des bouillottes ou des coussins chauffants avant de les utiliser. L'utilisation d'un coussin chauffant sur l'abdomen peut permettre une vasodilatation réflexe dans les membres et présente moins de risque que les applications locales.

La nicotine cause des vasospasmes qui réduisent considérablement la circulation dans les membres. Il faut donc informer les fumeurs atteints d'insuffisance artérielle des conséquences de cette habitude et leur recommander de l'abandonner. Le stress stimule le système nerveux sympathique et cause une vasoconstriction périphérique. On ne peut éviter le stress, mais on peut l'atténuer par certaines mesures, comme la participation à un programme de lutte contre le stress et de maîtrise des émotions. Les patients atteints d'une maladie des vaisseaux périphériques doivent donc éviter les émotions fortes et le stress dans toute la mesure du possible et consulter un spécialiste ou suivre des cours de relaxation, au besoin.

Ils doivent aussi éviter le port de vêtements et d'accessoires constrictifs comme les jarretières, les ceintures, les gaines et les lacets, qui entravent la circulation dans les membres et provoquent une stase veineuse. On leur recommande de plus de ne pas croiser les jambes, ce qui comprime les vaisseaux. Le mécanisme d'élévation des genoux n'est pas indiqué pour les mêmes raisons.

Le médecin peut prescrire des vasodilatateurs et des adrénolytiques comme traitement d'appoint. Les vasodilatateurs ont pour action de détendre les muscles lisses, et les adrénolytiques de bloquer les récepteurs sympathiques. L'efficacité des vasodilatateurs n'a pas été démontrée;

ils peuvent par ailleurs entraîner une chute de la pression artérielle qui aggrave la diminution de l'irrigation tissulaire.

▷ *Soulagement de la douleur.* La douleur accompagnant une maladie des vaisseaux périphériques est souvent chronique. Elle limite l'activité du patient, perturbe son travail et l'exercice de ses responsabilités, gêne son sommeil et altère son bien-être, de sorte qu'il est déprimé et irritable, en plus de manquer de l'énergie nécessaire pour se conformer aux mesures destinées à améliorer la circulation et à soulager par conséquent la douleur. Pour éviter ce cercle vicieux, les analgésiques peuvent être très utiles.

▷ *Maintien de l'intégrité des tissus.* Un apport nutritif insuffisant rend les tissus vulnérables aux lésions et aux infections. Les lésions sont aussi plus longues à guérir en raison de la diminution de l'irrigation tissulaire. Des ulcères infectés des membres peuvent affaiblir le patient, et exiger une longue hospitalisation et des traitements coûteux. On doit même parfois amputer le membre affecté. Il est donc essentiel de mettre tout en œuvre pour prévenir les atteintes à l'intégrité de la peau.

Le patient doit protéger ses pieds des blessures et des lésions, notamment en portant des chaussures ou des pantoufles robustes et bien ajustées. Il doit utiliser des savons et des lotions neutres pour prévenir le dessèchement et le fendillement de la peau. Il doit de plus éviter de gratter ou de frotter vigoureusement la peau, ce qui pourrait causer des éraflures favorisant l'entrée des bactéries. Il lui faut donc sécher ses pieds par tapotements, et porter des bas propres et secs. Il doit tailler en ligne droite les ongles de ses doigts et de ses orteils après les avoir fait tremper dans de l'eau savonneuse tiède. Si ses ongles sont épais, cassants et difficiles à tailler, il doit consulter un podologue. Le port de coussinets protecteurs sur les cors et les callosités prévient les ruptures et atténue la pression sur le pied. Le patient doit examiner périodiquement ses pieds et consulter sans délai son médecin s'il note la présence de lésions cutanées ou d'un ongle incarné. Les personnes qui ont des troubles de la vue peuvent avoir besoin d'aide pour procéder à cet examen.

De bonnes habitudes alimentaires préviennent les lésions cutanées ou en accélèrent la cicatrisation. Les personnes atteintes d'une maladie des vaisseaux périphériques doivent donc avoir un régime alimentaire équilibré ayant une teneur suffisante en vitamines B et C et en protéines. Elles doivent aussi perdre du poids si nécessaire, car l'obésité augmente le travail du cœur, favorise la congestion veineuse et ralentit la circulation. Un régime à faible teneur en lipides est recommandé dans les cas d'athérosclérose. Le régime alimentaire doit toujours être établi en collaboration avec un médecin et une diététicienne.

▷ *Enseignement au patient.* On doit préparer le programme d'autosoins visant l'amélioration de la circulation artérielle et veineuse, le soulagement de la douleur et le maintien de l'intégrité des tissus, en collaboration avec le patient afin de s'assurer qu'il lui convient. On doit expliquer au patient et à sa famille chaque aspect du programme et leur faire comprendre l'importance de s'y conformer. Les soins des pieds et des jambes sont nécessaires à la prévention des blessures, des ulcères et de la gangrène. Voir l'encadré 16-1 pour de plus amples explications sur les soins des pieds et des jambes.

▷ *Évaluation*

Résultats escomptés

1. Le patient présente une amélioration de l'irrigation tissulaire périphérique.
   a) La température de ses membres est normale au toucher.
   b) La coloration de ses membres est normale (absence de rougeur ou de cyanose).
   c) Il éprouve moins de douleur musculaire à l'exercice.
   d) Ses pouls périphériques sont palpables.
2. Le patient présente une diminution de la congestion veineuse.
   a) Il surélève ses jambes conformément à l'ordonnance du médecin.
   b) Il évite les stations debout ou assises prolongées.
   c) L'œdème de ses membres a diminué.
   d) Il marche de plus en plus longtemps.
3. Le patient prend les mesures nécessaires pour favoriser la vasodilatation et prévenir la vasoconstriction.
   a) Il protège ses membres du froid.
   b) Il a cessé de fumer.
   c) Il suit des programmes de lutte contre le stress, et de maîtrise des émotions.
   d) Il ne porte jamais de vêtements ou d'accessoires constrictifs (ceinture trop serrée par exemple).
   e) Il évite de croiser les jambes.
   f) Il prend les médicaments prescrits.
4. Le patient ne ressent plus de douleur.
   a) Il se conforme aux mesures visant l'augmentation de l'irrigation tissulaire périphérique.
   b) Il prend des analgésiques selon l'ordonnance du médecin.
5. Le patient a rétabli l'intégrité de sa peau et la maintient.
   a) Il examine sa peau tous les jours pour dépister les lésions.
   b) Il protège sa peau des blessures et des irritations.
   c) Il porte des chaussures protectrices.
   d) Il observe une hygiène stricte.
   e) Il suit un régime alimentaire équilibré ayant une teneur suffisante en protéines et en vitamines B et C.
   f) Il consulte un podologue ou son médecin de famille pour le traitement des cors, des ampoules, des blessures et des ongles incarnés.
6. Le patient se conforme au programme d'autosoins.
   a) Il change fréquemment de position conformément à l'ordonnance du médecin.
   b) Il fait les exercices posturaux actifs selon l'ordonnance du médecin.
   c) Il prend ses médicaments selon l'ordonnance du médecin.
   d) Il prévient la vasoconstriction (en évitant de porter des vêtements serrés et de croiser les jambes, et en cessant de fumer).
   e) Il prend des précautions pour prévenir les blessures.
   f) Il suit des programmes de lutte contre le stress, et de maîtrise des émotions.
   g) Il accepte le caractère chronique de sa maladie et observe les traitements visant à en soulager les symptômes.

MALADIES DES ARTÈRES

ARTÉRIOSCLÉROSE ET ATHÉROSCLÉROSE

L'artériosclérose désigne les maladies provoquant l'épaississement et le durcissement de la paroi des petites artères et

(suite à la page 407)

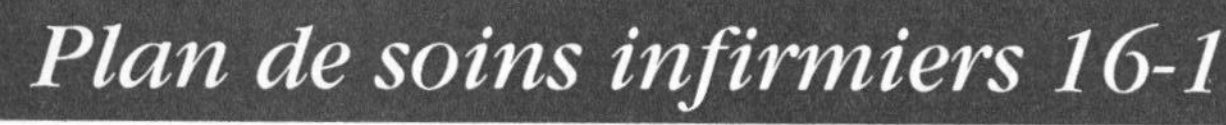

Patients atteints d'une maladie des vaisseaux périphériques

Interventions infirmières	*Justification*	*Résultats escomptés*
Diagnostic infirmier: Diminution de l'irrigation tissulaire périphérique		
Objectif: Amélioration de l'irrigation tissulaire périphérique		
1. Placer les jambes sous le niveau du cœur. 2. Encourager les marches de durée moyenne ou les exercices musculaires progressifs. 3. Enseigner les exercices posturaux actifs (Buerger-Allen).	1. La position déclive favorise l'irrigation par les artères. 2. Les exercices musculaires favorisent la circulation sanguine et stimulent la circulation collatérale. 3. Pendant ces exercices, les vaisseaux se remplissent et se vident successivement par gravité.	• La température des membres est normale au toucher. • La coloration des membres s'est améliorée. • Le patient obtient un soulagement de la douleur musculaire par l'exercice. • Il effectue la séquence des exercices Buerger-Allen à raison de six répétitions quatre fois par jour, ou selon sa tolérance.
Objectif: Diminution de la congestion veineuse		
1. Surélever les jambes au-dessus du niveau du cœur. 2. Déconseiller au patient les stations debout ou assises prolongées. 3. Encourager la marche.	1. On surélève ses jambes pour s'opposer à la gravité, favoriser le retour veineux et prévenir la stase veineuse. 2. Ces positions favorisent la stase veineuse. 3. La marche favorise le retour veineux par l'activation des contractions musculaires.	• Le patient surélève les jambes conformément à l'ordonnance du médecin. • Il présente une réduction de l'œdème. • Il évite les stations debout ou assises prolongées. • Il prolonge graduellement ses marches quotidiennes.
Objectif: Vasodilatation et prévention de la compression vasculaire		
1. Garder le patient au chaud et prévenir les frissons. 2. Exhorter le patient à cesser de fumer. 3. Donner au patient des conseils qui l'aideront à maîtriser ses émotions et à lutter contre le stress. 4. Déconseiller le port de vêtements et d'accessoires gênant la circulation (les ceintures trop serrées par exemple). 5. Déconseiller au patient de croiser les jambes. 6. Administrer les vasodilatateurs et les adrénolytiques conformément à l'ordonnance du médecin et aux pratiques infirmières.	1. La chaleur favorise la circulation artérielle (en dilatant les artères) et prévient la vasoconstriction. 2. La nicotine provoque des vasospasmes qui entravent la circulation périphérique. 3. Les émotions et le stress peuvent entraîner une vasoconstriction par stimulation du système nerveux sympathique. 4. Les vêtements et les accessoires qui gênent la circulation provoquent une stase veineuse. 5. Cette position comprime les vaisseaux, gêne la circulation et provoque une stase veineuse. 6. Les vasodilatateurs permettent le relâchement des muscles lisses; les adrénolytiques bloquent la réaction aux impulsions du système sympathique ou aux catécholamines circulantes.	• Le patient se protège du froid. • Il a cessé de fumer. • Il suit un programme de lutte contre le stress. • Il évite les vêtements et les accessoires constrictifs. • Il évite de croiser les jambes. • Il prend ses médicaments conformément à l'ordonnance du médecin.
Diagnostic infirmier: Altération du confort physique reliée à une douleur aux membres inférieurs		
Objectif: Soulagement de la douleur		
1. Favoriser l'amélioration de la circulation. 2. Administrer les analgésiques conformément à l'ordonnance du médecin et aux pratiques infirmières.	1. L'amélioration de la circulation périphérique augmente l'apport d'oxygène aux muscles et freine l'accumulation des métabolites causant des spasmes musculaires. 2. Les analgésiques aident à soulager la douleur et permettent au patient de participer aux activités et exercices visant l'amélioration de la circulation.	• Le patient prend les mesures nécessaires pour favoriser l'irrigation tissulaire périphérique. • Il prend des analgésiques conformément à l'ordonnance du médecin.

Plan de soins infirmiers 16-1 (suite)

Patients atteints d'une maladie des vaisseaux périphériques

Interventions infirmières	*Justification*	*Résultats escomptés*
Diagnostic infirmier: Risque élevé d'atteinte à l'intégrité de la peau relié à une diminution de l'irrigation tissulaire		
Objectif: Maintien de l'intégrité des tissus		
1. Enseigner au patient comment protéger ses membres des blessures.	1. Les tissus mal irrigués sont plus vulnérables aux blessures et aux infections; la guérison des lésions est aussi plus lente.	• Le patient examine sa peau tous les jours pour dépister les lésions. • Il prévient les blessures et les irritations. • Il porte des chaussures protectrices. • Il observe des mesures d'hygiène strictes. • Il a un régime alimentaire équilibré ayant une teneur suffisante en protéines et en vitamines B et C.
2. Recommander le port de chaussures protectrices et de coussinets de protection sur les points de pression.	2. Les chaussures et les coussinets de protection préviennent les blessures et les ampoules.	
3. Recommander une hygiène stricte: bains avec des savons neutres, application de lotions, précautions pour la taille des ongles.	3. Les savons neutres et les lotions préviennent le dessèchement et le fendillement de la peau.	
4. Déconseiller au patient de gratter ou de frotter vigoureusement la peau.	4. Gratter ou frotter la peau peut causer des éraflures qui favorisent l'invasion des bactéries.	
5. Favoriser une bonne alimentation: apport adéquat en vitamines B et C et en protéines; traiter l'obésité (encourager le patient à perdre du poids).	5. Une bonne alimentation accélère la guérison et prévient la rupture des tissus.	
Diagnostic infirmier: Manque de connaissances sur le programme d'autosoins		
Objectif: Acquisition de connaissances sur le programme d'autosoins		
1. Faire participer la famille et les proches au programme d'enseignement. 2. Donner des directives écrites sur le soin des pieds et des jambes. 3. Aider le patient à enfiler des vêtements, des chaussures et des bas bien ajustés. 4. Orienter les patients vers des programmes d'aide: abandon du tabac, lutte contre le stress, etc.	1-4. L'aide de la famille et les programmes de soutien favorisent l'observance du programme d'autosoins.	• Le patient change fréquemment de position conformément à l'ordonnance du médecin. • Il effectue les exercices posturaux actifs conformément à l'ordonnance du médecin. • Il prend ses médicaments selon l'ordonnance du médecin. • Il prévient la vasoconstriction. • Il protège ses membres des blessures. • Il suit un programme de lutte contre le stress. • Il accepte le caractère chronique de sa maladie et les traitements visant à en soulager les symptômes.

des artérioles. Elle se distribue de façon diffuse. L'athérosclérose est une altération dégénérative de l'intima des grandes et moyennes artères due à une accumulation de lipides, de calcium, de composés du sang, de glucides et de tissu fibreux (athérome ou plaque). Même si elles diffèrent du point de vue pathologique, l'artériosclérose et l'athérosclérose sont généralement indissociables, de sorte qu'on les confond souvent. Des lésions athéroscléreuses des artères périphériques s'accompagnent habituellement d'autres lésions ailleurs dans l'organisme.

Physiopathologie et causes. Les principales conséquences directes de l'athérosclérose sont le rétrécissement de la lumière artérielle, l'obstruction due à une thrombose, la formation d'un anévrisme (dilatation anormale d'une artère), la formation d'ulcères et une rupture de l'artère affectée. Ses conséquences indirectes sont une irrigation insuffisante des tissus alimentés par les artères sclérosées entraînant une fibrose. La diminution de l'irrigation entraîne une baisse de l'apport d'éléments nutritifs et d'oxygène. Si cette baisse est marquée et prolongée, il en résulte une nécrose

POSITION 1
Mettre les jambes sur le dossier (recouvert d'un oreiller) d'une chaise placée à l'envers. Garder cette position pendant une minute pour favoriser l'écoulement du sang, des pieds vers le tronc.

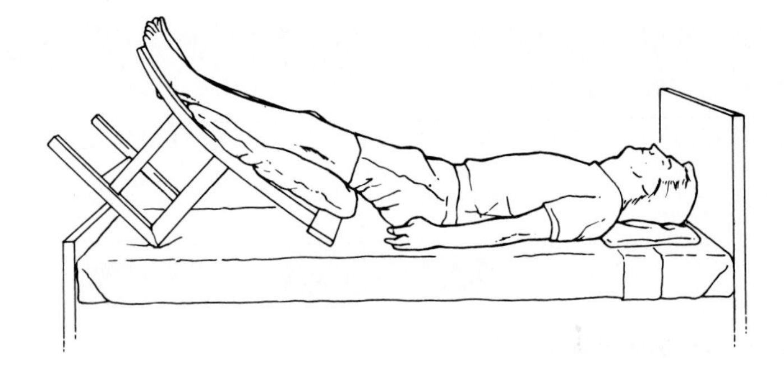

POSITION 2
Garder chacune des trois positions d'étirement des pieds pendant 30 secondes pour améliorer le retour veineux.

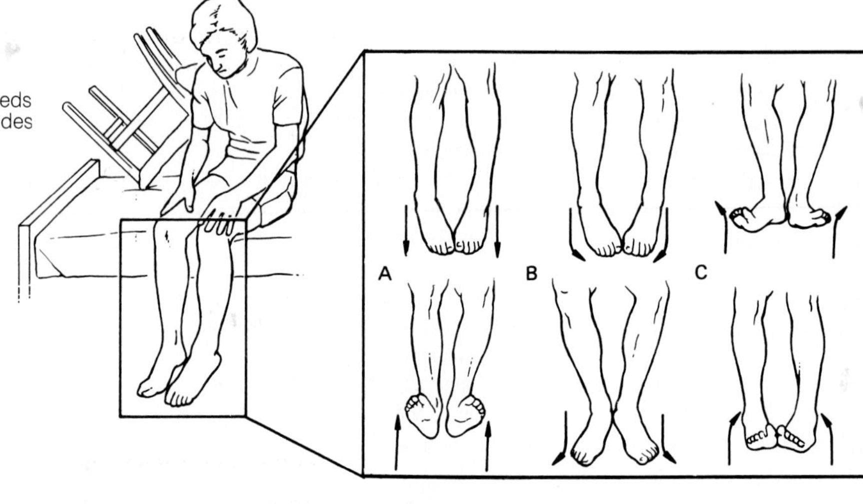

POSITION 3
Se coucher à plat sur le dos, les jambes à l'horizontale. Garder cette position pendant une minute.

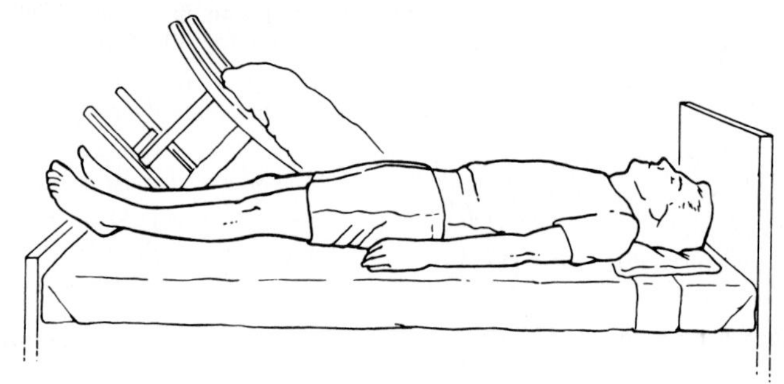

Figure 16-4. Exercices de Buerger-Allen. Cette séquence d'exercices est effectuée à raison de six répétitions quatre fois par jour.
(Source: T. Forshee et B. Minckley, *Lumbar Sympathectomy,* RN; 39[2])

ischémique des tissus qui sont remplacés par du tissu fibreux aux besoins nutritifs plus modestes.

L'athérosclérose touche surtout les grandes artères, à des degrés différents et souvent de façon segmentaire. En général, les branches des artères sont affectées uniquement à leur bifurcation.

Il existe de nombreuses théories sur les causes et le développement de l'athérosclérose. La lésion fondamentale, appelée athérome, est une plaque composée en majeure partie de lipides et recouverte de tissus fibreux. Il semblerait que les cellules endothéliales des vaisseaux subissent des lésions dues à des agressions prolongées (cisaillement et turbulences, substances chimiques ou hyperlipidémie chronique). Ces lésions entraîneraient la formation d'amas de plaquettes et de monocytes au siège de la lésion, et une prolifération et une migration de cellules musculaires lisses formant un tissu composé de collagène et de fibres élastiques. Il ne s'agit toutefois que d'une théorie parmi tant d'autres et il est possible que de multiples causes et mécanismes entrent en jeu.

Les lésions athéroscléreuses se divisent en deux classes morphologiques: les stries lipidiques et les plaques athéromateuses. Jaunes et lisses, les stries lipidiques sont composées de lipides et de cellules musculaires lisses allongées; elles font légèrement saillie dans la lumière de l'artère.

On observe des stries lipidiques dans tous les groupes d'âge, même chez les enfants. On ignore si elles stimulent la formation de plaques athéromateuses ou si elles sont réversibles. Elles sont asymptomatiques dans la plupart des cas.

Pour leur part, les plaques athéromateuses se composent de cellules musculaires lisses, de fibres de collagène, de composants du plasma et de lipides. De couleur blanche ou jaunâtre, elles font plus ou moins saillie dans la lumière artérielle, l'obstruant parfois complètement. On les retrouve surtout dans l'aorte abdominale et dans les artères coronaires,

Encadré 16-1
Enseignement au patient: Soins des pieds et des jambes pour les personnes atteintes d'une maladie des vaisseaux périphériques

Hygiène corporelle

1. Se laver les pieds au moins une fois par jour.
2. Utiliser de l'eau chaude et un savon neutre.
3. Se sécher les pieds complètement, surtout entre les orteils, en les épongeant délicatement avec une serviette; éviter de frotter.

Chaleur

1. Porter des bas de coton propres, qui sont confortables et absorbent bien l'humidité.
2. Protéger ses pieds du froid, qui ralentit la circulation sanguine.
3. Éviter l'application directe de chaleur sur les pieds ou les jambes, sauf si un médecin ou une infirmière le recommande.
4. Éviter de se baigner dans l'eau froide.
5. Éviter les coups de soleil.

Sécurité

1. Protéger ses pieds quand on effectue des exercices au sol.
2. Éviter les foules.
3. Prendre les précautions suivantes pour tailler ses ongles:
   a) Faire tremper les pieds dans l'eau chaude pendant 10 minutes pour ramollir les ongles.
   b) Tailler chaque ongle en ligne droite; éviter de les couper trop près de la peau.
4. Ne jamais marcher pieds nus.
5. Examiner ses pieds tous les jours pour dépister les lésions.
6. Consulter un podologue ou son médecin de famille pour le traitement des cors, des ampoules, des blessures et des ongles incarnés.

Bien-être

1. Porter des chaussures confortables qui offrent un bon support plantaire et assez d'espace pour les orteils.
2. Utiliser de la poudre si la peau des pieds a tendance à devenir moite.
3. Appliquer une mince couche de crème à base de lanoline si la peau est sèche et écailleuse.

Prévention de la constriction des vaisseaux sanguins

1. Éviter de porter des vêtements et accessoires qui entravent la circulation vers les jambes et les pieds.
2. Ne jamais croiser les jambes.
3. Placer un oreiller au pied du lit sous les couvertures pour éviter que celles-ci n'exercent une pression sur les orteils.
4. Placer de la laine d'agneau entre les orteils pour éviter les frictions.

Exercice

Pratiquer la marche pour stimuler la circulation et favoriser la régénération des tissus.

Examen et soins de la peau

1. Examiner la peau périodiquement à la recherche de rougeurs, d'ampoules, d'œdème et de régions sensibles; consulter immédiatement son médecin si on décèle une anomalie.
2. Consulter son médecin si on souffre du pied d'athlète ou si on observe une desquamation entre les orteils causant des démangeaisons.
3. Ne jamais utiliser de produits médicamenteux sur les pieds ou les jambes, autres que ceux prescrits par le médecin.

Tabagisme

Cesser de fumer, car le tabagisme aggrave les maladies des vaisseaux périphériques.

poplitées et carotide interne, et on croit qu'elles sont irréversibles (voir la figure 16-5).

Le rétrécissement graduel de la lumière artérielle provoque une circulation collatérale (voir la figure 16-6) qui permet l'irrigation des tissus entourant l'obstruction. Cependant, la circulation collatérale ne suffit pas toujours à combler les besoins métaboliques.

Facteurs de risque. On a associé à l'athérosclérose différents facteurs, à partir d'observations systématiques de leur influence sur la progression de cette maladie. On ne peut affirmer avec certitude que la modification de ces facteurs, que l'on appelle facteurs de risque, suffise à prévenir les maladies cardiovasculaires, mais on sait qu'elle peut en ralentir la progression. Certains de ces facteurs, comme l'âge et le sexe, ne peuvent être modifiés, contrairement à d'autres, comme le régime alimentaire, la pression artérielle, le diabète et le tabagisme.

Il existe un lien direct entre la consommation élevée de matières grasses et l'athérosclérose. En effet, environ 39 % de l'apport énergétique des Nord-Américains provient des matières grasses. Voir le chapitre 13 pour plus de détails sur la relation entre l'hyperlipidémie et les maladies cardiovasculaires. Pour réduire les risques de maladie cardiovasculaire, la Fondation des maladies du cœur recommande de réduire la consommation totale de matières grasses, de remplacer les graisses saturées par des graisses insaturées et de garder son taux de cholestérol en deçà de 5,2 mmol/L.

Pour réduire le taux sanguin de lipides, on peut ajouter aux modifications du régime alimentaire la prise de médicaments (clofibrate, cholestyramine, colestipol, probucol et simvastatine). Il importe toutefois de suivre de près les patients qui prennent ces médicaments.

L'hypertension accélère la formation de lésions athéroscléreuses. Les antihypertenseurs peuvent aider à prévenir

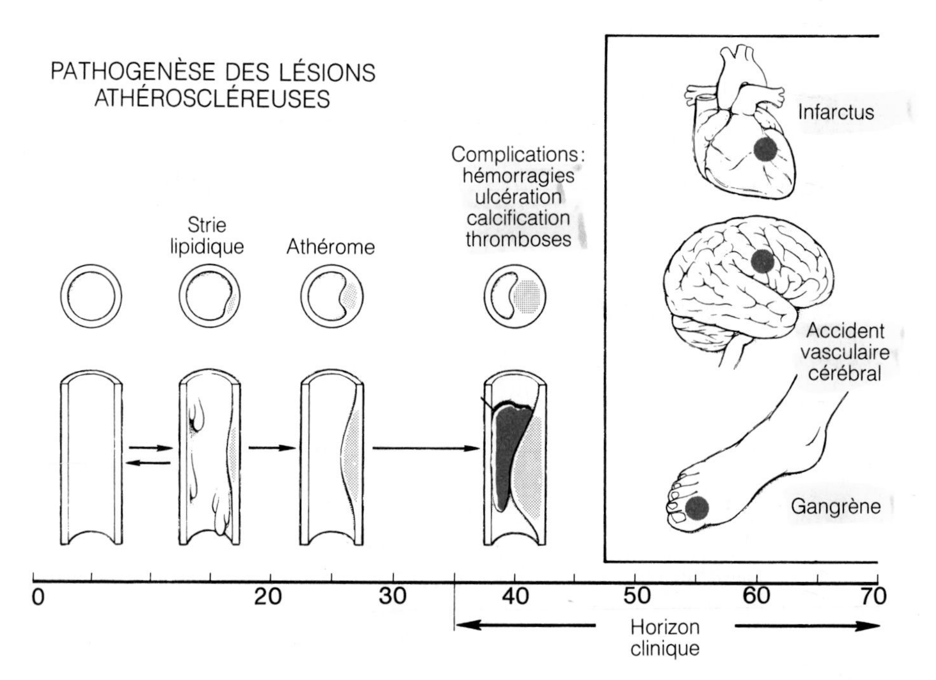

Figure 16-5. Progression de l'athérosclérose. Il se forme d'abord des stries lipidiques qui peuvent éventuellement régresser ou évoluer vers la formation d'athéromes et l'athéromatose. Ses complications sont les hémorragies, la formation d'ulcères et de calcifications, les thromboses, l'accident vasculaire cérébral et l'infarctus du myocarde.
(Source: J. W. Hurst et R. B. Logue, *The Heart*, New York, McGraw-Hill)

l'accident vasculaire cérébral. Le diabète accélère aussi la formation des lésions athéroscléreuses parce qu'il se complique d'un épaississement des membranes basales des grands et des petits vaisseaux.

Le tabagisme est étroitement associé à l'athérosclérose, car la nicotine produit une vasoconstriction des vaisseaux, ce qui réduit l'irrigation tissulaire périphérique et augmente le rythme cardiaque et la pression artérielle en stimulant le système nerveux sympathique. De plus, il provoque une augmentation de l'agrégation plaquettaire, ce qui favorise la formation de caillots. En outre, la fumée de tabac contient du monoxyde de carbone qui dispute à l'oxygène les sites de liaison de l'hémoglobine, privant ainsi les tissus d'un apport qui leur est essentiel. Les risques sont proportionnels à la consommation de tabac et diminuent dès qu'on en cesse l'usage.

Il existe aussi d'autres facteurs de risque, comme l'obésité, le stress et la sédentarité.

Les études faites jusqu'ici permettent d'affirmer que plus ces facteurs sont nombreux, plus grands sont les risques d'athérosclérose. L'éducation de la population doit donc porter essentiellement sur leur modification.

Manifestations cliniques. Les signes et les symptômes cliniques de l'athérosclérose varient selon les organes ou les tissus affectés. Les coronaropathies, dont l'angine de poitrine et l'infarctus du myocarde sont décrites au chapitre 13. Les maladies vasculaires cérébrales, notamment l'ischémie cérébrale transitoire et les accidents vasculaires cérébraux, sont décrites au chapitre 58. Les maladies de l'aorte (incluant l'anévrisme) et l'artériosclérose périphérique sont décrites ci-dessous.

Traitement. Habituellement, le traitement de l'athérosclérose comprend la modification des facteurs de risque, l'administration de médicaments et les interventions infirmières déjà décrites dans ce manuel. Des techniques chirurgicales récentes ont donné de bons résultats. L'angioplastie laser est une technique selon laquelle des ondes lumineuses amplifiées sont transmises par un cathéter fibroscopique pour détruire la plaque athéromateuse. Une autre technique récente, l'athérectomie, permet l'excision de la plaque athéromateuse au moyen d'un instrument muni d'une lame rotative à haute vitesse; ses résultats sont prometteurs, car elle affecte peu les tissus sains et présente peu de complications.

Gérontologie. L'athérosclérose touche 80 % des personnes âgées de plus de 65 ans et est la maladie des artères la plus répandue dans cette population. Les facteurs de risque sont les mêmes que dans les autres groupes d'âge.

ARTÉRIOSCLÉROSE PÉRIPHÉRIQUE

L'artériosclérose périphérique atteint surtout les hommes de plus de 50 ans, et s'attaque principalement aux membres inférieurs. L'âge du patient à son apparition, de même que sa gravité, dépendent de la nature et du nombre de facteurs de risque présents. Les lésions occlusives touchent surtout les segments du système artériel qui partent de l'aorte, en dessous des artères rénales, et s'étendent jusqu'à l'artère poplitée (voir la figure 16-7).

Manifestations cliniques. Le signe distinctif de l'artériosclérose périphérique est la *claudication intermittente*; il s'agit d'une douleur, d'une crampe ou d'une faiblesse musculaire survenant à la marche. Elle peut évoluer vers une *douleur de repos*, qui peut être persistante, constante et térébrante, ressentie dans la partie distale du membre. Elle s'intensifie quand le membre est surélevé ou en position horizontale, et diminue quand il est en position déclive. Pour soulager cette douleur, certains patients dorment en laissant pendre la jambe affectée sur le côté du lit.

La claudication intermittente peut s'accompagner d'une sensation de froid ou d'un engourdissement. À l'examen, les membres sont froids, pâlissent en position surélevée, et rougissent en position déclive. On observe parfois des modifications de la peau et des ongles, des ulcères, de la gangrène et une atrophie musculaire. L'auscultation au stéthoscope peut révéler des bruits (sons produits par la turbulence du sang

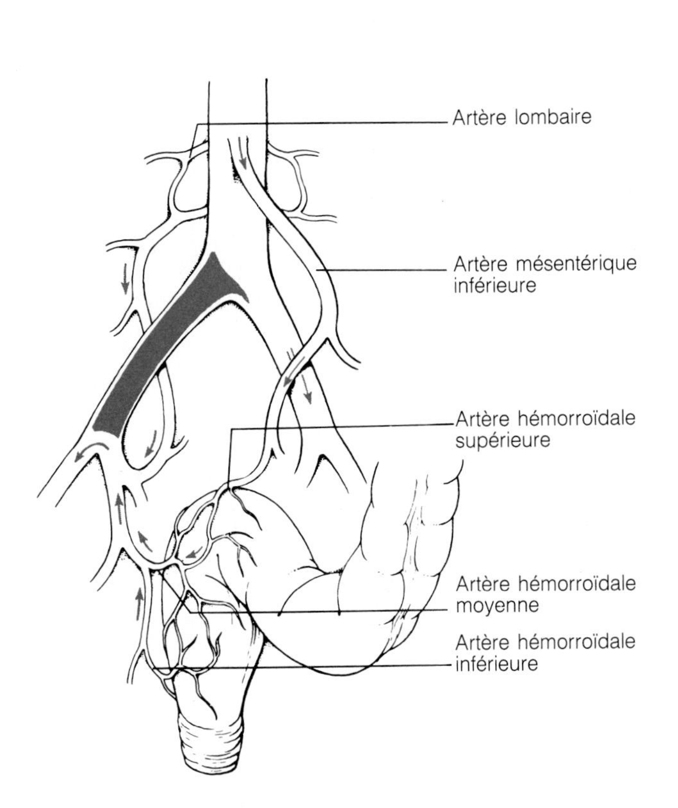

Figure 16-6. Circulation collatérale s'établissant à la suite d'une occlusion à la bifurcation de l'artère iliaque commune droite et de l'aorte abdominale

circulant dans une lumière artérielle irrégulière et rétrécie ou traversant un anévrisme). Les pouls périphériques peuvent être faibles, voire absents.

La prise des pouls périphériques est une importante partie de l'examen du patient atteint d'artériosclérose périphérique, car leur disparition indique une occlusion. Les pouls les plus faciles à palper sont le pouls fémoral, au niveau de l'aine, et le pouls tibial postérieur, derrière la malléole interne. Le pouls poplité derrière le genou est parfois difficile à palper chez les personnes obèses. On notera que le pouls pédieux, palpable à divers endroits sur le dos du pied, est absent chez environ 7 % de la population.

Collecte des données. Pour dépister l'artériosclérose périphérique et en établir la gravité, il faut dresser le profil du patient et procéder à un examen physique. On note la coloration et la température des membres et on palpe les pouls. Parfois, les ongles sont épais et opaques et la peau est luisante, atrophiée et sèche, avec pousse réduite des poils. Il importe de comparer les données obtenues pour chacun des deux membres.

Examens diagnostiques. L'examen Doppler est utile pour établir les aspects qualitatifs et quantitatifs de la maladie. Il se fait au moyen d'un appareil ultrasonique qui détecte le flux sanguin, même quand les pouls sont absents. De plus, on peut aussi prendre la pression artérielle dans les membres inférieurs en ajoutant à l'appareil Doppler un brassard à pression. L'index jambe-bras est le rapport de la pression dans la jambe sur la pression dans le bras. Puisque la pression systolique dans les jambes est normalement identique ou plus élevée que la pression systolique dans les bras, l'index jambe-bras normal doit être de 1 ou plus. Un index jambe-bras plus bas que 1 suggère la présence d'une obstruction artérielle.

D'autres examens peuvent servir au diagnostic de l'artériosclérose périphérique. On peut par exemple utiliser l'*oscillométrie* pour mesurer les changements d'amplitude des pouls périphériques à différents niveaux. L'*épreuve d'effort* peut servir à déterminer le périmètre de marche asymptomatique (distance de marche avant l'apparition de la claudication intermittente), et la *pléthysmographie* renseigne sur les variations de pouls et du volume de la jambe à chaque pulsation cardiaque. Le *bloc sympathique lombaire* est utile pour évaluer la circulation périphérique. Il s'agit de l'injection d'un anesthésique local dans l'espace épidural pour bloquer les nerfs sympathiques. Étant donné que les nerfs sympathiques régissent la tension des muscles vasculaires, le bloc sympathique devrait provoquer une vasodilatation et augmenter la température des jambes. Si les vaisseaux ne peuvent se dilater en raison d'une sclérose, on ne notera aucune augmentation de la température des jambes ou une augmentation très faible. On utilise souvent cet examen pour déterminer si une sympathectomie (exérèse chirurgicale d'un ganglion ou d'une chaîne sympathique) est indiquée. La sympathectomie supprime la vasoconstriction neurogène et améliore la circulation périphérique.

Si on envisage un traitement plus effractif, on peut confirmer le diagnostic par une angiographie. Il s'agit d'une radiographie des vaisseaux après injection d'une substance de contraste qui permet de repérer les obstructions ou les anévrismes et de vérifier s'il y a circulation collatérale. Habituellement, la substance de contraste provoque une sensation de chaleur temporaire, une irritation au point d'injection et, plus rarement, une réaction allergique à l'iode qu'elle contient. Cette réaction peut être immédiate ou retardée. Elle se manifeste par une dyspnée, des nausées et des vomissements, une sudation, une tachycardie et un engourdissement

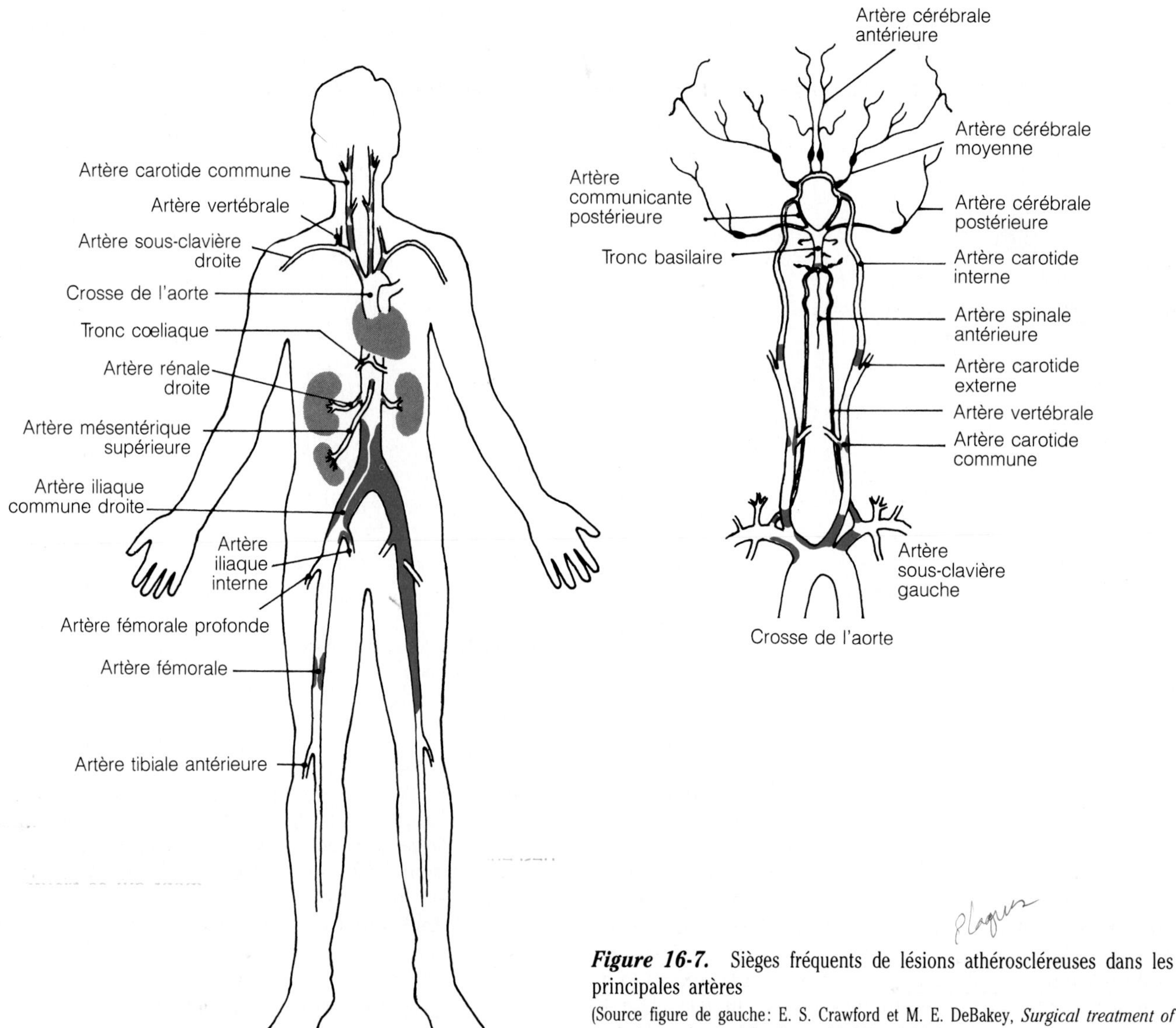

Figure 16-7. Sièges fréquents de lésions athéroscléreuses dans les principales artères

(Source figure de gauche: E. S. Crawford et M. E. DeBakey, *Surgical treatment of occlusive cerebrovascular disease,* Mod Treat 2:36. Source figure de droite: P. B. Beeson et W. McDermott, *Textbook of Medicine,* Philadelphia, W.B. Saunders)

des membres. Elle exige un traitement immédiat notamment par de l'épinéphrine, des antihistaminiques ou des stéroïdes. Les lésions vasculaires et l'accident vasculaire cérébral sont d'autres complications de l'angiographie.

L'*angiographie numérique* est une méthode d'examen radiologique qui fait appel à l'informatique. L'angiographie ordinaire exige une hospitalisation d'au moins 48 heures et présente des risques de complications graves. L'angiographie numérique est un examen non effractif qui peut se faire en externe et présente peu de risques de complications. Il s'agit d'une méthode de renforcement du contraste et d'interprétation numérisée des images permettant une meilleure visualisation des vaisseaux en effaçant de l'image les autres tissus mous.

Traitement. Les mesures générales destinées à soulager les symptômes des maladies des vaisseaux périphériques ont déjà été abordées dans ce chapitre et sont résumées dans l'encadré 16-1. Généralement, les patients améliorent leur bien-être et leur tolérance à l'effort par un programme d'exercice, un régime amaigrissant et l'abandon du tabac. Le patient doit toutefois savoir que l'abandon du tabac ne fera pas nécessairement disparaître tous ses symptômes.

La sympathectomie permet parfois de stimuler l'établissement d'une circulation collatérale chez les patients souffrant de claudication intermittente. Si la claudication intermittente s'aggrave au point de devenir débilitante, ou s'il y a risque d'amputation, un pontage ou une endartériectomie sont indiqués. Le pontage consiste soit à remplacer la partie lésée de l'artère par un greffon synthétique, soit à dériver la circulation au moyen d'un greffon autologue en conservant la partie lésée. Les greffons artériels peuvent donc être synthétiques (en Dacron ou en Teflon) ou autologues (par exemple, la veine saphène). D'autre part, l'endartériectomie est une intervention selon laquelle on dégage l'obstruction pour rétablir le courant artériel.

L'*angioplastie transluminale percutanée* (ATP) se pratique de plus en plus sur les artères des membres inférieurs, surtout dans le cas des patients chez qui une intervention chirurgicale risque d'entraîner des complications. Elle se fait sous anesthésie locale, au moyen d'un cathéter à ballonnet que l'on amène dans la région rétrécie ou obstruée. On gonfle ensuite le ballonnet pour comprimer la lésion. L'ATP peut entraîner des complications comme les hématomes, les embolies, les dissections de l'artère et les réactions allergiques. Elle permet toutefois d'éviter l'opération et l'anesthésie générale, ce qui réduit les risques de morbidité, de même que la durée et les coûts de l'hospitalisation. Si une resténose se produit, on peut pratiquer une autre ATP, ou avoir recours à la chirurgie vasculaire.

Soins postopératoires. Les soins postopératoires au patient qui a subi une chirurgie vasculaire visent surtout à assurer une bonne circulation dans la région opérée. L'infirmière doit prendre régulièrement les pouls du membre affecté et les comparer aux pouls du membre sain. La disparition d'un pouls peut traduire une thrombose du greffon exigeant une intervention chirurgicale immédiate. De plus, elle doit mesurer fréquemment la circonférence du membre opéré afin d'évaluer la progression de l'œdème. Il faut aussi inscrire au dossier la coloration et la température des membres, et prendre les mesures nécessaires pour rétablir ou maintenir le volume sanguin circulant. Il faut régulièrement mesurer le débit urinaire, observer le niveau de conscience et prendre la fréquence et l'amplitude du pouls pour dépister rapidement les déséquilibres hydriques. Afin de prévenir la formation de caillots, le patient doit éviter de croiser les jambes et de les laisser en position déclive. Il doit surélever les jambes pour réduire l'œdème.

THROMBOANGÉITE OBLITÉRANTE (MALADIE DE BUERGER)

La thromboangéite oblitérante se caractérise par une inflammation récurrente des artères et des veines périphériques de moyen et de petit calibre, causée par un caillot et une occlusion subséquente. Contrairement à l'athérosclérose, elle n'entraîne pas la formation d'amas de lipides dans l'intima, ni de nécrose de la paroi; elle affecte davantage l'adventice et se manifeste par un thrombus contenant des abcès microscopiques, ce qui en est le signe distinctif. Chez les personnes âgées, elle évolue souvent vers l'athérosclérose.

Causes et manifestations cliniques. La thromboangéite oblitérante touche surtout les hommes de 20 à 35 ans, de toutes les races. On n'en connaît pas les causes, mais on sait qu'elle est étroitement associée au tabagisme. Elle affecte le plus souvent les membres inférieurs, mais aussi parfois les membres supérieurs et les viscères; elle peut s'accompagner d'une thrombophlébite superficielle. Une artériographie permet de confirmer la présence d'une occlusion.

La douleur est le principal symptôme de cette maladie. Le patient se plaint de crampes dans les pieds (généralement au niveau du tarse) et dans les jambes, qui apparaissent à l'exercice et disparaissent au repos (claudication intermittente). Souvent, il ressent une douleur à type de brûlure exacerbée par les problèmes émotifs, le tabagisme et le froid. Une douleur au repos dans les doigts et les orteils, une sensation de froideur ou une sensibilité au froid apparaissent souvent au début de la maladie. On peut aussi observer des paresthésies ainsi que la disparition ou la faiblesse de pouls périphériques.

Au stade avancé, les membres affectés prennent une coloration rouge ou bleutée en position déclive. Ce changement de coloration est parfois très partiel, n'apparaissant que sur un doigt ou un orteil, ou sur une partie seulement d'un doigt ou d'un orteil. Les ulcérations et la gangrène sont des complications possibles de cette maladie.

Traitement et interventions infirmières. Le traitement de la thromboangéite oblitérante est semblable à celui de l'athérosclérose. Il vise surtout à améliorer la circulation périphérique, à prévenir la progression de la maladie et à protéger les membres des blessures et des infections. Le patient doit s'abstenir de fumer pour éviter l'aggravation de sa maladie et en soulager les symptômes.

Les vasodilatateurs sont rarement utilisés, car ils ne dilatent que les vaisseaux sains, et peuvent même aggraver l'ischémie en dérivant le sang du vaisseau partiellement obstrué. Dans certains cas, un bloc sympathique ou une adénectomie régionale peut stimuler la vasodilatation et améliorer la circulation.

Pronostic. Si l'occlusion d'une artère de la jambe s'aggrave au point de causer la gangrène d'un orteil, il est rare que l'on puisse se limiter à l'amputation de l'orteil ou à une amputation transmétatarsienne. Il faut souvent amputer la jambe en dessous et parfois au-dessus du genou. Les indications de l'amputation sont une gangrène qui s'aggrave, surtout s'il s'agit d'une gangrène humide ou compliquée d'une surinfection, et une douleur de repos intense, dans les cas où le pontage est impossible.

MALADIES DE L'AORTE

L'aorte, principal tronc du système artériel, est composée de l'aorte ascendante (section de 5 cm située dans le péricarde), la crosse aortique (qui forme un arc tourné vers le bas) et l'aorte descendante. Le segment de l'aorte situé sous le diaphragme est appelé aorte thoracique et le segment qui se trouve au-dessus du diaphragme est appelé aorte abdominale.

Aortite

L'aortite est une inflammation touchant surtout la crosse de l'aorte. On distingue deux types d'aortite: la maladie de Takayashu (appelée aussi maladie des femmes sans pouls), qui est rare, et l'aortite syphilitique, qui a pratiquement disparu.

Maladie de Takayashu. Il s'agit d'une inflammation chronique de la crosse aortique et de ses artères afférentes atteignant surtout les femmes âgées de 15 à 30 ans. Elle se manifeste par des signes d'ischémie au niveau des membres supérieurs, du cerveau et des yeux. Quand la maladie est à ses tout débuts, il arrive que les corticostéroïdes donnent des résultats.

Aortite syphilitique. L'aortite syphilitique survient habituellement avant l'âge de 50 ans. Elle prend naissance à la racine de l'aorte et se propage sur l'intima sous la forme de plaques dispersées. Généralement, l'inflammation provoque une dilatation modérée de l'aorte, mais peut aussi entraîner des complications plus graves comme une insuffisance aortique, un anévrisme ou une coronarite ostiale. Ses symptômes sont une sensation de lourdeur sous-sternale, une douleur en étau dans la poitrine, des accès de douleur atroce et des crises de dyspnée soudaines et brèves.

Résumé: L'athérosclérose est une maladie généralisée touchant l'intima des artères. L'athérome est la lésion fondamentale de l'athérosclérose. Elle se compose de fibres de

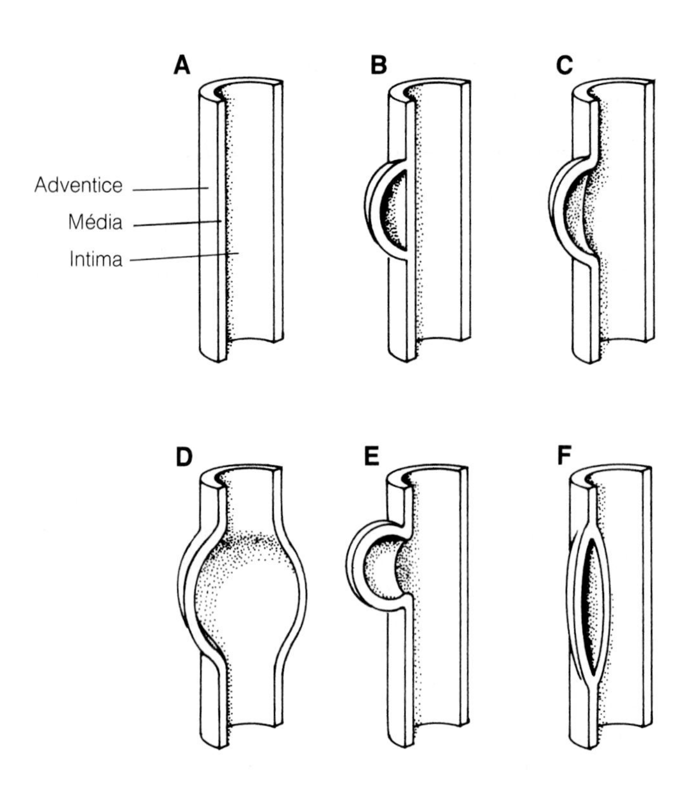

Figure 16-8. Anévrismes (**A**) Artère normale (**B**) Faux anévrisme, en réalité un hématome pulsatile; le caillot et le tissu conjonctif sont à l'extérieur de la paroi artérielle. (**C**) Anévrisme vrai pouvant toucher une, deux ou les trois tuniques de l'artère. (**D**) Anévrisme fusiforme: expansion symétrique en forme de fuseau touchant la circonférence totale du vaisseau (**E**) Anévrisme sacciforme: saillie bulbeuse sur un côté de la paroi artérielle (**F**) Anévrisme disséquant: déchirure longitudinale de la paroi artérielle habituellement causée par un hématome

collagène, de lipides et de composants du sang et entrave l'irrigation des tissus situés en aval. Elle se forme principalement dans les artères coronaires, l'appareil vasculaire cérébral, l'aorte et les membres. L'athérosclérose se manifeste différemment selon l'organe ou le tissu affecté. On en ignore encore la cause, même s'il existe quelques théories à ce sujet, mais on sait que certains facteurs en augmentent les risques.

Anévrismes de l'aorte

Classification des anévrismes. Un anévrisme est une dilatation se formant dans une région où la paroi artérielle est faible (voir la figure 16-8). L'*anévrisme mycosique* est très petit et dû à une infection locale, l'*anévrisme sacciforme* est plus grand et fait saillie d'un seul côté de la paroi artérielle, et l'*anévrisme fusiforme* touche la totalité de la circonférence du vaisseau. Les anévrismes sont toujours graves parce qu'ils peuvent se rompre et provoquer une hémorragie qui peut avoir des conséquences fatales.

Ils sont le plus souvent dus à l'athérosclérose, mais ils peuvent aussi avoir pour cause des lésions de la paroi artérielle, une infection pyogénique ou syphilitique ou une malformation congénitale de la paroi artérielle.

Anévrisme de l'aorte thoracique

L'anévrisme de l'aorte thoracique est dû à l'athérosclérose dans 85 % des cas environ. Il touche surtout les hommes de 40 à 70 ans. L'aorte thoracique est en fait le principal siège des anévrismes disséquants. Environ un tiers des personnes atteintes meurent des suites d'une rupture de l'anévrisme.

Manifestations cliniques. Les symptômes de l'anévrisme dépendent de la vitesse de dilatation ou des effets de l'hématome pulsatile sur les structures intrathoraciques environnantes. Il peut être asymptomatique. Son principal symptôme est une douleur constante et sourde associée dans bien des cas au décubitus dorsal. On observe aussi une dyspnée (causée par la pression qu'exerce la poche sur la trachée, le tronc bronchique ou le poumon), des quintes de toux rauque, un enrouement, un stridor et une faiblesse de la voix, une aphonie complète (due à une pression sur le nerf laryngé inférieur gauche), et une dysphagie consécutive à une compression de l'œsophage.

Si l'anévrisme comprime les grandes veines thoraciques, on observe une dilatation des veines superficielles du thorax, du cou et des bras, des tuméfactions sur la paroi thoracique et une cyanose. On note parfois une différence dans la dilatation des pupilles due à une pression exercée sur la chaîne sympathique cervicale. On établit généralement le diagnostic d'anévrisme de l'aorte thoracique par des examens radiographiques et fluoroscopiques du thorax.

Traitement. On peut traiter les anévrismes par des médicaments ou une intervention chirurgicale, selon leur type. Le traitement chirurgical consiste à réséquer le segment portant l'anévrisme et à rétablir l'intégrité du vaisseau au moyen d'un greffon (voir la figure 16-9). Après l'opération, le patient doit être gardé dans une unité de soins intensifs.

Si le choix se porte sur le traitement médical, il faut stabiliser la pression artérielle et réduire l'écoulement pulsatile dans l'aorte. On administre des antihypertenseurs (réserpine, guanéthidine) pour maintenir la pression systolique entre 100 et 120 mm Hg, et des médicaments comme le propranolol pour réduire l'écoulement pulsatile.

Anévrisme de l'aorte abdominale

L'anévrisme de l'aorte abdominale a pour principale cause l'athérosclérose; il est dû à la syphilis dans moins de 1 % des cas. Il atteint quatre fois plus d'hommes que de femmes, et est plus fréquent dans la population blanche de plus de 60 ans. Il se situe généralement sous les artères rénales. Il peut entraîner une rupture de l'artère pouvant avoir des conséquences fatales.

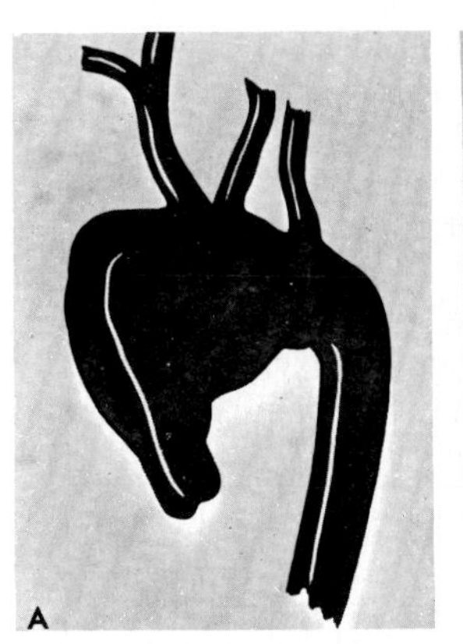

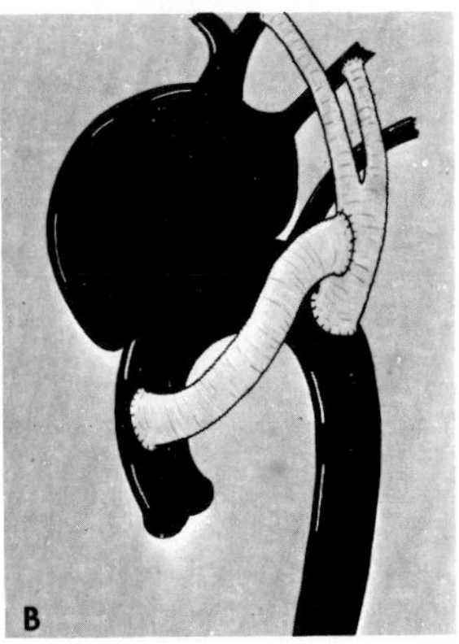

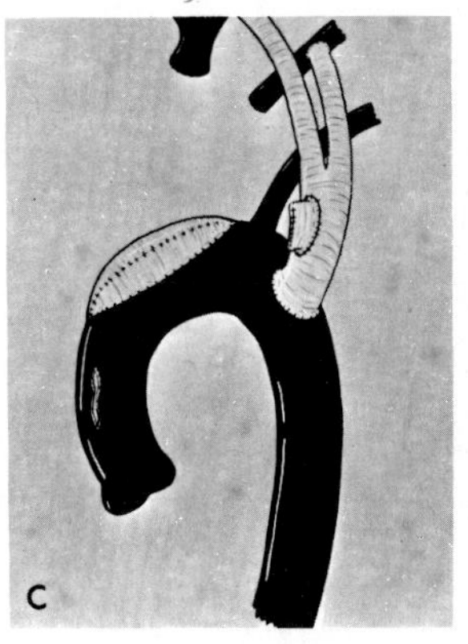

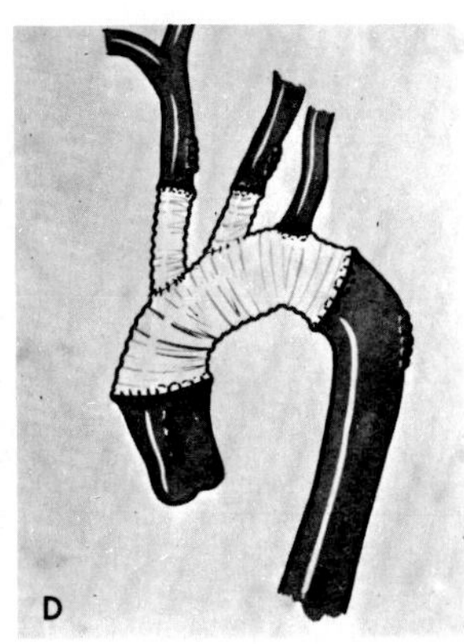

Figure 16-9. Correction chirurgicale d'un anévrisme aortique (**A**) Siège de l'anévrisme (**B**) Pontage temporaire assurant la circulation dans l'aorte pendant la résection de l'anévrisme (**C**) Angioplastie au moyen d'une plaque pour réparer le segment réséqué de la crosse aortique et remplacement du greffon temporaire reliant le tronc artériel brachiocéphalique et l'artère carotide primitive gauche par un greffon permanent (**D**) Opération complète après la pose du greffon aortique

(Source: M. E. DeBakey, «Changing concepts in vascular surgery», *J Cardiovasc Surg*, 1:3-44)

Physiopathologie. Tous les anévrismes ont en commun une atteinte de la média du vaisseau causée par une faiblesse congénitale, une maladie ou une lésion. Ils sont généralement expansifs. Les principaux facteurs de risque de l'anévrisme de l'aorte abdominale sont la prédisposition génétique, le tabagisme et l'hypertension.

Manifestations cliniques et diagnostic. L'anévrisme de l'aorte abdominale est symptomatique dans deux cas sur cinq. Certains patients se plaignent de palpitations quand ils sont en position couchée, mais le symptôme le plus répandu est une douleur abdominale intense, persistante ou intermittente, souvent localisée au milieu de l'abdomen ou dans la région inférieure gauche. De plus, on peut observer une douleur au bas du dos causée par la compression des nerfs lombaires; il s'agit d'un important symptôme indiquant l'expansion rapide ou la rupture imminente de l'anévrisme. Certains patients se plaignent d'une sensation de lourdeur ou de pulsations dans l'abdomen. La moitié de ces patients présentent de l'hypertension. La comparaison de la pression systolique de la cuisse à celle du bras peut être révélatrice. Normalement, la pression de la cuisse dépasse de 15 mm Hg celle du bras. Dans 75 % des cas d'anévrisme, elle est plus basse que celle du bras.

Le principal signe diagnostique de ce type d'anévrisme est la présence d'une masse pulsatile dans la région centrale supérieure de l'abdomen. Environ 80 % des anévrismes de l'aorte abdominale sont palpables. L'auscultation peut révéler la présence d'un bruit systolique au niveau de cette masse. Si l'anévrisme est calcifié, les radiographies abdominales peuvent confirmer sa présence. L'aortographie, l'échographie et l'angiographie numérique peuvent aussi donner des renseignements utiles.

Traitement. Les anévrismes de l'aorte abdominale présentent des risques d'expansion rapide et de rupture quand leur diamètre dépasse 6 cm. Une correction chirurgicale s'impose alors. L'intervention chirurgicale comprend la résection de l'anévrisme et le rétablissement de la continuité de l'artère au moyen d'un greffon synthétique (voir la figure 16-10). Il s'agit d'une opération majeure qui a des conséquences fatales dans 5 % des cas. La rupture d'un anévrisme est de mauvais pronostic et exige une opération d'urgence.

La collecte des données préopératoire doit porter principalement sur les risques de rupture de l'anévrisme et sur les possibilités d'insuffisance cardiovasculaire, cérébrale et respiratoire due à l'athérosclérose. Il importe donc d'évaluer le fonctionnement de tous les organes. Il faut entreprendre sans délai les traitements médicaux qui visent à stabiliser les fonctions. Après l'opération, il faut observer de près les fonctions respiratoire, cardiovasculaire, rénale et neurologique. Les complications de l'opération sont l'obstruction artérielle, une hémorragie ou une infection au niveau du greffon, une ischémie du côlon et une incapacité fonctionnelle. Une fois que le patient est hors de danger, il peut entreprendre un programme d'exercice. Il doit éviter de rester assis pendant trop longtemps.

La rupture d'un anévrisme de l'aorte abdominale se manifeste par une douleur dorsale constante et intense, une baisse de la pression artérielle, une baisse du nombre des érythrocytes et une augmentation du nombre des leucocytes, de même que par un relâchement de l'abdomen. Dans certains cas de rupture rétropéritonéale, on a observé la présence d'hématomes dans le scrotum, le périnée ou le pénis. Une rupture au niveau de la veine cave peut se manifester par une insuffisance cardiaque ou un bruit clangoreux. Une rupture dans la cavité péritonéale entraîne rapidement la mort. Le taux de mortalité des opérations pour anévrisme rupturé est de 50 à 75 %.

Anévrisme disséquant de l'aorte

Physiopathologie. L'anévrisme disséquant de l'aorte est une déchirure de l'intima consécutive à une dégénérescence de la média due à l'artériosclérose. Il est souvent associé à une hypertension non stabilisée et atteint trois fois plus d'hommes que de femmes s'il survient entre 50 et 70 ans. Les anévrismes disséquants sont très dangereux et exigent un traitement immédiat.

La rupture de l'intima permet l'infiltration de sang dans la paroi de l'aorte. Il en résulte la formation d'un gros hématome qui crée une séparation entre l'intima et l'adventice. L'expansion de cette séparation peut causer une douleur aiguë et persistante. La mort est généralement due à une rupture.

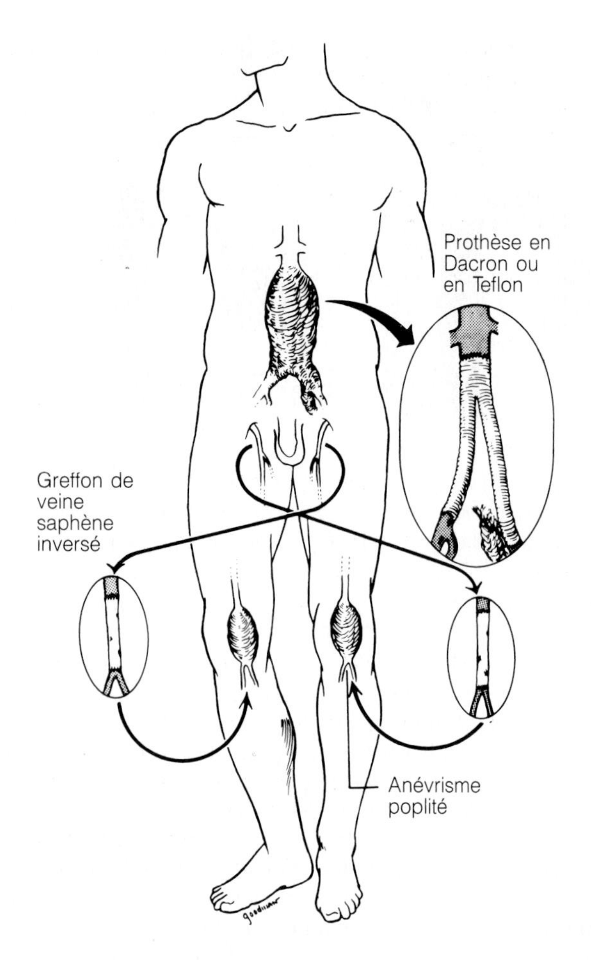

Figure 16-10. Correction chirurgicale d'un large anévrisme abdominal touchant les artères iliaques avec anévrismes symptomatiques des deux artères poplitées. On résèque l'anévrisme et on rétablit la continuité de l'artère au moyen d'une prothèse en Dacron ou en Teflon. Les anévrismes poplités sont corrigés à l'aide de greffons de veine saphène, qui s'adaptent mieux au mécanisme de flexion du genou que les greffons synthétiques. (Source: J. D. Hardy et coll., «Aneurysms of the popliteal artery», *Surg Gynecol Obstet Mar*; 140:402, avec la permission de Surgery, Gynecology & Obstetrics)

Manifestations cliniques et collecte des données. L'anévrisme disséquant, qui touche le plus souvent la région de la crosse aortique, a pour effet de déchirer et d'obstruer les branches de l'aorte dans la région atteinte. L'anévrisme de l'aorte ascendante a le taux de mortalité le plus élevé. La dissection peut progresser vers l'arrière en direction du cœur, causant l'obstruction des artères coronaires, un hémopéricarde (épanchement de sang dans la cavité péricardique) ou une insuffisance aortique. Elle peut aussi progresser vers l'avant et provoquer l'obstruction des artères irriguant les voies digestives, les reins, la moelle épinière et les jambes.

Les symptômes de l'anévrisme disséquant apparaissent de façon soudaine. On note souvent une douleur violente et persistante (décrite comme une «déchirure») dans l'abdomen, la région épigastrique, le dos ou les épaules. Les autres symptômes sont d'origine cardiovasculaire, neurologique et gastro-intestinale. Ils varient selon le type de l'anévrisme. On observe aussi une pâleur, une sudation et une tachycardie. La pression artérielle peut être élevée, impossible à mesurer ou très différente d'un bras à l'autre. Les anévrismes disséquants se manifestent de façon variable, et sont pour cette raison difficiles à diagnostiquer à leur début.

L'angiographie, la tomodensitométrie, l'échographie et la résonance magnétique nucléaire sont des examens qui facilitent le diagnostic.

On choisit entre le traitement médical ou le traitement chirurgical en fonction du type d'anévrisme disséquant, selon les mêmes principes que pour le traitement des anévrismes de l'aorte thoracique (page 414).

Autres anévrismes

Les anévrismes peuvent aussi toucher les vaisseaux périphériques, notamment l'artère rénale, l'artère sous-clavière et (le plus souvent) l'artère poplitée du genou. Ils sont parfois bilatéraux et généralement causés par l'athérosclérose.

L'anévrisme provoque la formation d'une masse pulsatile et perturbe la circulation périphérique en aval. La pression exercée sur les veines et les nerfs adjacents cause des douleurs et de l'œdème. On corrige ces anévrismes à l'aide de greffons.

Gérontologie. La plupart des anévrismes abdominaux surviennent entre l'âge de 60 et 90 ans. Ils présentent des risques de rupture si leur diamètre dépasse 6 cm et si le patient est hypertendu.

EMBOLIE ARTÉRIELLE

Physiopathologie. L'embolie artérielle est habituellement provoquée par des caillots se formant dans les cavités du cœur suite à une fibrillation auriculaire, un infarctus du myocarde, une endocardite infectieuse ou une insuffisance cardiaque chronique. Ces caillots se détachent et migrent dans le système artériel, où ils obstruent une artère de petit calibre. Les embolies sont aussi associées à l'athérosclérose aortique au stade avancé. Les séquelles de l'embolie artérielle sont fonction de la taille du caillot, de l'organe touché et de l'état des vaisseaux collatéraux. Elle a pour effet immédiat d'obstruer la circulation en aval de la lésion. Le caillot peut migrer au-dessus et en-dessous de l'obstruction. Un vasospasme secondaire peut contribuer à l'ischémie. Sa fragmentation peut entraîner d'autres obstructions dans les vaisseaux situés en aval.

Les caillots se logent souvent dans les bifurcations des artères et les rétrécissements dus à l'athérosclérose. On les retrouve surtout dans les artères cérébrales, mésentériques, rénales et coronaires, ainsi que dans les grandes artères périphériques.

Manifestations cliniques. L'embolie aiguë des artères périphériques avec faible circulation collatérale se manifeste par une douleur aiguë intense et une perte progressive des fonctions sensorielles et motrices. Les mouvements du membre affecté et les pressions sur ce membre peuvent exacerber la douleur. Les pouls en aval de la lésion sont absents et le membre est pâle, marbré et engourdi. Les veines superficielles sont souvent affaissées. On remarque parfois, en aval de l'occlusion, une différence de température et de coloration nettement délimitée.

Traitement. Le traitement médical de l'embolie aiguë comprend l'administration intraveineuse d'héparine afin de prévenir l'expansion du caillot et de réduire la nécrose musculaire, et l'administration d'agents thrombolytiques, comme la streptokinase, l'urokinase ou l'activateur tissulaire du plasminogène (tPA), afin d'accélérer la lyse du caillot. Les agents thrombolytiques sont souvent administrés par un cathéter que l'on amène jusqu'au caillot sous contrôle radiographique. Ce traitement est contre-indiqué si l'irrigation doit être rapidement rétablie pour éviter l'amputation. Les autres contre-indications sont, notamment, l'hémorragie interne, l'accident vasculaire cérébral, une opération majeure récente, l'hypertension non stabilisée et la grossesse. On opte alors pour l'embolectomie.

L'embolectomie est l'ablation chirurgicale du caillot. Avant l'opération, le patient doit garder le lit. Le membre affecté est placé à l'horizontale ou en position légèrement déclive (15 degrés), maintenu à la température ambiante et protégé des blessures.

Soins postopératoires. Après l'opération, il faut mettre tout en œuvre pour stimuler la circulation et prévenir la stase. L'infirmière doit collaborer avec le chirurgien pour établir le niveau d'activité souhaitable. On poursuit généralement le traitement anticoagulant pour prévenir une nouvelle occlusion par un caillot de l'artère affectée. L'infirmière doit observer la plaie à la recherche de signes de saignements, car les anticoagulants augmentent les risques d'hémorragie.

THROMBOSE ARTÉRIELLE

Les artères peuvent aussi être obstruées par une thrombose. Un caillot peut en effet se former lentement, soit sur le siège d'une lésion (le plus souvent athéroscléreuse), soit sur un anévrisme. Les manifestations cliniques de la thrombose sont semblables à celles de l'embolie, mais le traitement médical en est plus difficile, car l'occlusion touche un vaisseau lésé, ce qui exige une chirurgie reconstructive importante.

MALADIE DE RAYNAUD

La maladie de Raynaud est une forme de vasoconstriction intermittente des artérioles se manifestant par une pâleur, suivie d'une cyanose, puis d'une rougeur des doigts, des orteils ou du bout du nez. On n'en connaît pas la cause, mais elle est associée dans de nombreux cas à des troubles immunitaires. Selon des études récentes, les symptômes découleraient d'une anomalie de la production de chaleur basale inhibant la capacité de dilatation des vaisseaux cutanés. Les crises de vasospasme sont parfois provoquées par des perturbations émotives ou une sensibilité anormale au froid. La maladie de Raynaud frappe surtout les femmes de 16 à 40 ans et est beaucoup plus fréquente dans les climats froids au cours de la saison hivernale. Selon le tableau clinique habituel, on observe une pâleur de la peau due à une vasoconstriction soudaine, suivie d'une cyanose causée par la pénétration de petites quantités de sang dans les capillaires. Une vasodilatation provoque ensuite une rougeur de la peau. Par conséquent, on dit que les variations de coloration sont triphasiques (pâleur, cyanose, rougeur). Ces phases s'accompagnent respectivement d'une sensation d'engourdissement, de picotement et de brûlure. Ces manifestations sont souvent bilatérales et symétriques.

On appelle phénomène de Raynaud les crises paroxystiques de pâleur et de cyanose, généralement unilatérales et n'affectant que un ou deux doigts, qui sont associées à une maladie comme la sclérodermie, le lupus érythémateux disséminé, la polyarthrite rhumatoïde, une maladie artérielle occlusive ou un traumatisme.

La maladie de Raynaud peut évoluer lentement vers une amélioration ou une aggravation. Elle reste parfois stable. Les ulcérations et la gangrène sont rares. Au stade avancé, on peut observer une atrophie de la peau et des muscles.

Soins infirmiers. Le patient doit avant tout éviter les stimuli qui provoquent la vasoconstriction, comme les perturbations émotives, les températures froides et le tabac. De plus, il doit éviter de prendre certains médicaments tels que les anovulants, les bêta-bloquants et les préparations contenant de l'ergotamine. L'infirmière doit rassurer le patient en lui expliquant que les complications graves comme la gangrène et l'amputation, sont rares dans la maladie de Raynaud. En outre, elle doit lui conseiller fortement de cesser de fumer.

Le patient doit éviter l'exposition au froid dans toute la mesure du possible et porter des vêtements faits de tissus (comme le Thinsulate) qui protègent efficacement du froid. Il doit aussi manier avec précaution les objets tranchants afin d'éviter les blessures aux doigts. Le médecin peut prescrire des vasodilatateurs et des adrénolytiques comme la réserpine ou d'autres dérivés de la rauwolfia. Ces agents ont toutefois une efficacité variable. Ils peuvent causer une hypotension orthostatique qui peut être exacerbée par l'alcool, l'exercice et la chaleur, ce dont on doit informer le patient.

Dans certains cas, une sympathectomie (résection d'un ganglion ou d'une chaîne sympathique) peut améliorer l'état du patient.

HYPERTENSION

Définition, incidence et étiologie

On définit arbitrairement l'hypertension comme une élévation de la pression systolique à plus de 130 mm Hg et de la pression diastolique à plus de 85 mm Hg (chez les personnes âgées, la limite supérieure de la normale se situe à 160 mm Hg pour la pression systolique et à 95 mm Hg pour la pression diastolique). L'hypertension est une importante cause d'insuffisance cardiaque, d'accident vasculaire cérébral et d'insuffisance rénale. Elle est souvent asymptomatique. On estime que la moitié des personnes hypertendues ignorent qu'elles le sont. Il est important que les hypertendus fassent vérifier régulièrement leur pression artérielle.

Environ un adulte sur cinq présente de l'hypertension artérielle. Dans 90 % des cas, l'hypertension est dite *essentielle*, ce qui veut dire qu'on ne peut la relier à une cause pathologique et dans 10 % des cas, elle est dite secondaire, ce qui signifie qu'elle est consécutive à une pathologie comme un rétrécissement rénovasculaire, une néphropathie parenchymateuse, une dysfonction organique ou une tumeur, ou encore à des médicaments ou à une grossesse.

L'hypertension entraîne des risques de mortalité et de morbidité qui sont directement proportionnels à l'augmentation des pressions systolique et diastolique. Dans le rapport de 1992 du Joint National Committee on Detection, Evaluation and Treatment of High Blood Pressure, on recommande une classification des pressions artérielles pour les personnes de 18 ans et plus (voir le tableau 16-3). Cette classification

TABLEAU 16-3. ***Classification de l'hypertension artérielle***

Le Joint National Committee (JNC) on Detection, Evaluation and Treatment of high blood pressure (1992) a établi une nouvelle classification de l'hypertension en quatre stades:

Stade 1: Systolique 140 à 159 mm Hg
Diastolique 90 à 99 mm Hg

Stade 2: Systolique 160 à 179 mm Hg
Diastolique 100 à 109 mm Hg

Stade 3: Systolique 180 à 209 mm Hg
Diastolique 110 à 119 mm Hg

Stade 4: Systolique 210 mm Hg
Diastolique 120 mm Hg

Le JNC mentionne que cette nouvelle classification a été rendue nécessaire parce que l'ancienne classification utilisait les termes «légère» et «modérée» qui ne rendaient pas bien la portée d'une élévation de 10 mm Hg.

Les critères de suivi ont également été modifiés selon de nouvelles normes:

- Systolique 180 à 209 mm Hg
  Diastolique 110 à 119 mm Hg
  Évaluation ou orientation vers un spécialiste en moins d'une semaine
- Systolique 160 à 179 mm Hg
  Diastolique 100 à 109 mm Hg
  Évaluation ou orientation vers un spécialiste dans un délai d'un mois
- Systolique 140 à 159 mm Hg
  Diastolique 90 à 99 mm Hg
  Évaluation ou orientation vers un spécialiste dans un délai de 2 mois
- Systolique 130 à 139 mm Hg
  Diastolique 85 à 89 mm Hg
  Évaluation tous les ans
- Systolique < 130
  Diastolique < 85
  Évaluation tous les deux ans

permet d'établir des critères de suivi, à condition que le diagnostic soit fondé sur une moyenne d'au moins deux résultats obtenus lors d'au moins deux examens différents, à intervalle d'un mois (voir le tableau 16-3).

L'hypertension essentielle apparaît généralement de façon intermittente entre la fin de la trentaine et le début de la cinquantaine, puis elle s'installe progressivement. À l'occasion, elle apparaît soudainement et de façon marquée et évolue rapidement, causant une détérioration rapide de l'état de santé du patient.

L'hypertension est un trouble familial auquel contribuent les problèmes émotifs, l'obésité et la consommation excessive d'alcool, de caféine, de tabac et de stimulants. Elle touche plus de femmes que d'hommes, mais est moins bien tolérée par les hommes, surtout les Noirs. En général, son incidence augmente avec l'âge, et est considérablement plus élevée chez les Noirs que chez les Blancs.

Une augmentation prolongée de la pression artérielle peut provoquer des lésions aux vaisseaux sanguins, surtout dans les yeux, le cœur, les reins et le cerveau. Elle peut donc se manifester par une baisse de la vue, une occlusion coronarienne, une insuffisance rénale ou un accident vasculaire cérébral. On observe aussi une hypertrophie du muscle cardiaque causée par une augmentation du travail du cœur.

L'augmentation de la résistance périphérique au niveau des artérioles est la principale cause de l'hypertension artérielle. Le traitement médicamenteux vise donc à réduire la résistance périphérique.

Physiopathologie de l'hypertension artérielle essentielle

Les centres vasomoteurs, situés dans la moelle du cerveau, donnent naissance aux rameaux du système nerveux sympathique qui traversent la moelle épinière et émergent de la colonne vertébrale au niveau des ganglions sympathiques thoraciques et abdominaux. La stimulation des centres vasomoteurs produit des impulsions qui atteignent les ganglions sympathiques par la voie du système nerveux sympathique. Les neurones préganglionnaires libèrent alors de l'acétylcholine, une substance qui stimule les fibres postganglionnaires dans les vaisseaux sanguins et provoque la libération de noradrénaline amenant une constriction des vaisseaux. Chez les hypertendus, on observe une forte sensibilité à la noradrénaline, dont on ne connaît pas l'origine.

De nombreux facteurs, notamment l'anxiété et la peur, influencent les réactions vasomotrices et vasoconstrictrices. Une stimulation des vaisseaux sanguins par le système nerveux sympathique en réponse à un stimuli émotif s'accompagne d'une stimulation des glandes surrénales. La médullosurrénale secrète alors de l'adrénaline, qui provoque une vasoconstriction, à laquelle contribuent le cortisol et d'autres stéroïdes sécrétés par la corticosurrénale. Cette vasoconstriction diminue l'irrigation rénale, ce qui provoque la libération de rénine, une enzyme sous l'action de laquelle se forme un autre vasoconstricteur, l'angiotensine. Cette substance stimule la sécrétion d'une hormone, l'aldostérone, par la corticosurrénale; cette hormone favorise la rétention de sodium et d'eau dans les tubules rénaux, ce qui augmente le volume intravasculaire. Cette chaîne de réactions contribue à l'hypertension.

Gérontologie. Chez les personnes âgées, des modifications structurales et fonctionnelles du système vasculaire périphérique provoquent des modifications de la pression artérielle. Le vieillissement entraîne de l'artériosclérose, une perte d'élasticité des tissus conjonctifs, une baisse de la capacité de relâchement des muscles lisses vasculaires, et de la capacité de dilatation des vaisseaux sanguins. De ce fait, l'aorte et les grandes artères ne peuvent plus recevoir la totalité du volume systolique, ce qui provoque une diminution du débit cardiaque et une augmentation de la résistance périphérique.

On attribue l'augmentation de l'incidence de l'hypertension chez les personnes de 65 ans et plus à une augmentation de l'hypertension systolique. Les facteurs de risque pour la population générale valent aussi pour la population âgée des deux sexes.

Manifestations cliniques

L'examen physique peut ne révéler qu'une pression artérielle élevée. À un stade plus avancé, on peut observer des troubles

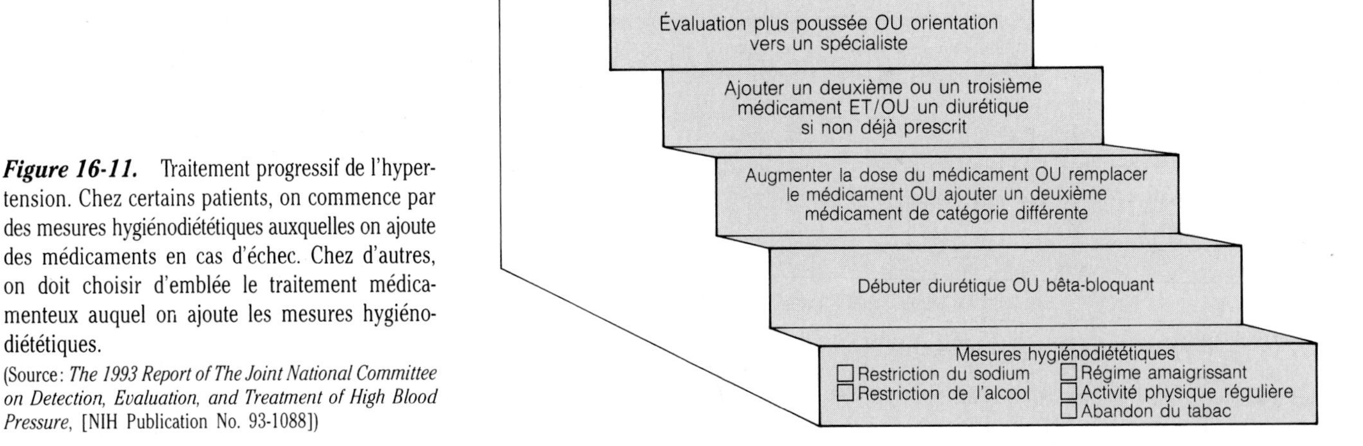

Figure 16-11. Traitement progressif de l'hypertension. Chez certains patients, on commence par des mesures hygiénodiététiques auxquelles on ajoute des médicaments en cas d'échec. Chez d'autres, on doit choisir d'emblée le traitement médicamenteux auquel on ajoute les mesures hygiénodiététiques.

(Source: *The 1993 Report of The Joint National Committee on Detection, Evaluation, and Treatment of High Blood Pressure,* [NIH Publication No. 93-1088])

rétiniens: hémorragies, exsudats (accumulation de liquide), rétrécissement des artérioles et, dans les cas graves, œdème papillaire (œdème de la papille optique).

L'hypertension peut être asymptomatique pendant de nombreuses années. L'apparition de symptômes dans un organe témoigne habituellement de lésions aux vaisseaux qui irriguent cet organe. L'angine de poitrine est une des principales complications de l'hypertension. On peut aussi observer une insuffisance ventriculaire gauche due au travail accru qu'exige l'augmentation de la pression, de même que des lésions rénales se manifestant par une nycturie et une augmentation des taux d'azote uréique et de créatinine. L'hypertension peut aussi causer un accident vasculaire cérébral ou un accident ischémique transitoire dont les symptômes sont une hémiplégie temporaire, un voile noir ou des troubles visuels. Dans 80 % des cas, c'est un infarctus cérébral qui provoque ces accidents.

Examens diagnostiques

Après avoir dressé un bilan de santé et procédé à un examen physique complet, on dépiste les lésions oculaires par un examen de la rétine et les lésions aux autres organes par des analyses de laboratoire. L'électrocardiogramme permet de déceler l'hypertrophie du ventricule gauche. L'analyse d'urines peut révéler la présence de protéines. On observe parfois une perte du pouvoir de concentration du rein et une augmentation du taux sanguin d'azote uréique. Certaines épreuves spéciales, notamment le rénogramme, le pyélogramme intraveineux, l'artériogramme rénal, l'exploration fonctionnelle séparée et la mesure du taux de rénine, peuvent aider à dépister l'atteinte rénovasculaire. On doit également évaluer les facteurs de risque additionnels.

Traitement

Le traitement de l'hypertension vise surtout à en prévenir les complications en maintenant autant que possible la pression artérielle en deçà de 130/85 mm Hg. On choisit le traitement en fonction de la gravité de l'hypertension, des complications et de son coût, de même que sur la qualité de vie escomptée.

Selon de récentes études, des mesures hygiénodiététiques comme un régime amaigrissant, la restriction de la consommation d'alcool, de sodium et de tabac, l'exercice et la relaxation doivent être à la base de tout programme visant à combattre l'hypertension. On ajoute à ces mesures un traitement médicamenteux dans le cas des personnes hypertendues qui présentent d'importants facteurs de risque (sexe masculin, hérédité, tabagisme), ou dont la pression diastolique dépasse 90 mm Hg.

Chez les patients dont l'hypertension est légère, on peut adopter un traitement médicamenteux à diminution progressive. Selon ce traitement, on choisit le médicament qui offre la plus grande efficacité avec le moins d'effets secondaires, en tenant compte des préférences du patient. Le choix se porte généralement sur les diurétiques thiazidiques et les bêta-bloquants, car des études ont prouvé qu'ils réduisent la morbidité et la mortalité. Les antagonistes calciques, les inhibiteurs de l'enzyme de conversion de l'angiotensine (ECA), les alpha-bloquants et les bêta-bloquants n'ont pas fait l'objet d'études contrôlées à long terme. On ne connaît donc pas leur efficacité dans la réduction de la morbidité et de la mortalité. Si l'hypertension est maîtrisée après un an, on peut réduire progressivement l'administration du médicament.

Afin d'assurer l'observance du traitement médicamenteux, on doit éviter les schémas thérapeutiques compliqués. On trouve au tableau 16-4 les antihypertenseurs couramment utilisés.

Résumé: L'hypertension se définit comme une élévation de la pression artérielle au-delà de 130/85 mm Hg. On doit fonder le diagnostic sur au moins deux résultats obtenus lors d'au moins deux examens différents à intervalle d'un mois. On ne connaît pas la cause exacte de l'hypertension, mais on sait qu'elle est associée à une augmentation de la résistance vasculaire des artérioles provoquant des lésions aux vaisseaux des yeux, du cœur et des reins. Elle provoque à la longue une hypertrophie du ventricule gauche.

À ses débuts, elle est souvent asymptomatique, mais un examen physique peut révéler des lésions aux vaisseaux ou aux organes qu'ils irriguent. Le traitement vise essentiellement à prévenir les complications. Il se limite si possible à des mesures hygiénodiététiques.

TABLEAU 16-4. ***Traitement médicamenteux de l'hypertension***

Objectif: Maintenir la pression artérielle à l'intérieur des limites de la normale de la façon la plus simple et la plus sûre, avec le moins d'effets secondaires possible

Médicament	*Action principale*	*Avantages*	*Contre-indications*	*Effets secondaires et soins infirmiers*
DIURÉTIQUES ET MÉDICAMENTS APPARENTÉS				
Diurétiques thiazidiques				
Chlorthalidone (Hygroton) Méthydothiazide (Duretic) Indapamide (Lozide) Hydrochlorothiazide (Serpasil, Hydro Diuril)	Diminution du volume sanguin, du débit rénal et du débit cardiaque Diminution du volume de liquide extracellulaire Hyponatrémie (due à une natriurie) et légère hypokaliémie Action directe sur les muscles lisses vasculaires	Efficace par voie orale Efficace à long terme Effets secondaires mineurs Potentialisation d'autres antihypertenseurs Réduction de la rétention de sodium causée par d'autres antihypertenseurs	Goutte Allergie aux sulfamides Grave altération de la fonction rénale	Sécheresse de la bouche, soif, faiblesse, somnolence, léthargie, douleurs musculaires, fatigue musculaire, tachycardie, troubles gastro-intestinaux Exacerbation de l'hypotension orthostatique par l'alcool, les barbituriques et les narcotiques Perte de sodium pouvant causer de l'hypotension orthostatique surtout pendant l'été (le patient peut manger des bretzels salés pour contrer cet effet). Administration de suppléments de potassium Gérontologie: Le déficit liquidien augmente les risques d'hypotension orthostatique. On doit prendre la pression artérielle en position couchée, assise et debout.
Diurétiques de l'anse				
Furosémide (Lasix) Acide éthacrynique (Edecrin)	Diminution de volume liquidien Inhibition de la réabsorption de sodium et d'eau par les reins Inhibition de l'action de l'aldostérone	Action rapide Puissant Utilisé quand les thiazidiques sont inefficaces	Voir les thiazidiques	Diminution rapide du volume liquidien; forte augmentation du débit urinaire Pertes électrolytiques nécessitant un remplacement Soif, nausées, vomissements, éruptions cutanées, hypotension orthostatique Goût sucré dans la bouche; sensation de brûlure dans la bouche et l'estomac Gérontologie: voir les thiazidiques
Diurétiques d'épargne potassique				
Spironolactone (Aldactone) Triamtérène (Dyrenium)	Inhibition compétitive de l'aldostérone Action sur le tube contourné distal, indépendamment de l'aldostérone	Traitement efficace de l'hypertension accompagnant l'hyperaldostéronisme primaire Rétention de potassium	Insuffisance rénale Azotémie Maladie hépatique grave	Somnolence, léthargie et céphalées: diminuer la dose. Diarrhée et autres symptômes gastro-intestinaux: prendre le médicament après les repas. Éruptions cutanées et urticaire Confusion mentale et ataxie: envisager une réduction de la dose. Gynécomastie (spironolactone seulement)

TABLEAU 16-4. (suite)

Médicament	*Action principale*	*Avantages*	*Contre-indications*	*Effets secondaires et soins infirmiers*
INHIBITEURS ADRÉNERGIQUES				
Réserpine (alcaloïde de *Rauwolfia serpentina*)	Inhibition de la synthèse et du recaptage de la noradrénaline	Ralentissement du pouls et diminution subséquente de la tachycardie causée par l'hydralazine	Antécédents de dépression Psychose Obésité Sinusite chronique Ulcère gastroduodénal	Dépression aiguë: envisager d'interrompre le traitement Congestion nasale pouvant exiger un vasoconstricteur nasal Augmentation de l'appétit exigeant un régime plus strict Récurrence d'ulcères gastroduodénaux: prévenir en prenant le médicament avec de la nourriture ou du lait Gérontologie: dépression et hypotension orthostatique fréquentes
Méthyldopa (Aldomet)	Inhibition de la dopadécarboxylase Déplacement de la noradrénaline des sites de stockage	Efficace chez les patients ne répondant pas aux thiazidiques associés à la réserpine (avec ou sans hydralazine) Utiles chez les patients atteints d'insuffisance rénale Aucun effet sur le débit cardiaque ou rénal Absence d'oligurie	Maladies hépatiques	Somnolence et étourdissements Sécheresse de la bouche et congestion nasale (s'atténuant graduellement) Anémie hémolytique (réaction d'hypersensibilité) et test de Coombs positif: l'arrêt du traitement n'est pas toujours nécessaire. Gérontologie: possibilité de troubles mentaux et de comportement
Propanolol (Indéral)	Inhibition de l'action du système nerveux sympathique (blocage des récepteurs bêta-adrénergiques)	Ralentissement du pouls chez les patients souffrant de tachycardie et d'hypertension; utile comme médicament d'appoint dans le traitement par un médicament ayant un effet de blocage neuro-effecteur	Asthme bronchique Rhinites allergiques Insuffisance ventriculaire droite due à une hypertension pulmonaire Insuffisance cardiaque	Dépression mentale se manifestant par de l'insomnie, de la lassitude et de la faiblesse Sensation de tête légère, nausées occasionnelles, vomissements et épigastralgie Faible risque de dyscrasies, comme l'agranulocytose et le purpura thrombocytopénique Gérontologie: augmentation du risque d'effets toniques s'il y a altération des fonctions rénale et hépatique. On doit prendre la pression artérielle en position couchée, assise et debout et surveiller les signes d'hypotension.
Chlorhydrate de prazosine (Minipress)	Vasodilatation périphérique directe sur les vaisseaux sanguins Action similaire à celle de l'hydralazine	Action directe sur les vaisseaux sanguins Efficace chez les patients réagissant mal à l'hydralazine	Angine de poitrine et maladie coronarienne Provoque de la tachycardie, à moins d'être administré après du propanolol et un diurétique	Vomissements et diarrhées occasionnels, mictions fréquentes et collapsus cardiovasculaire, surtout si associé à de l'hydralazine dont la dose n'a pas été réduite Possibilité de somnolence, manque d'énergie et faiblesse

TABLEAU 16-4. (suite)

Médicament	*Action principale*	*Avantages*	*Contre-indications*	*Effets secondaires et soins infirmiers*
INHIBITEURS ADRÉNERGIQUES (suite)				
Chlorhydrate de clonidine (Catapres)	Mode d'action mal connu; stimulerait l'inhibition des centres vasomoteurs sympathiques par les récepteurs alpha-adrénergiques du système nerveux central. La clonidine peut provoquer une hausse momentanée de la pression artérielle suivie d'une baisse prolongée. Il a été démontré que la phase hypertensive est le résultat de l'action directe de la clonidine sur les alpha-récepteurs périphériques, et qu'elle peut être inversée par les inhibiteurs des alpha-récepteurs, tout comme la baisse de la pression artérielle qui la suit. Par conséquent, l'on soutient que la clonidine exercerait une action analogue sur des alpha-récepteurs centraux. Son effet hypotenseur découlerait donc de deux effets opposés, transmis par les alpha-récepteurs.	Hypotension orthostatique rare Puissance modérée Parfois efficace quand les autres antihypertenseurs ne le sont pas	Grave coronaropathie Grossesse NE peut être administré aux enfants	Principaux effets secondaires: sécheresse de la bouche, somnolence, sédation, céphalées et fatigue. Effets moins fréquents: anorexie, malaise et vomissements accompagnés d'une légère altération de la fonction hépatique. Effets rares: éruptions cutanées, rêves agités et cauchemars, insomnie et anxiété
Métoprolol (Lopressor)	Blocage de l'accès de la noradrénaline aux récepteurs bêta-adrénergiques (surtout dans le myocarde) et diminution du débit cardiaque et de la résistance périphérique	Absorption rapide	Insuffisance cardiaque Bradycardie sinusale Troubles de la conduction auriculo-ventriculaire Diabète	Bradycardie, insuffisance cardiaque et aggravation du bloc cardiaque: prendre le pouls apexien avant l'administration. Dépression aiguë: peut exiger l'arrêt du traitement. Le patient doit prendre son pouls radial avant chaque dose et informer son médecin s'il note un pouls lent ou irrégulier.
Nadolol (Corgard)	Blocage des récepteurs bêta-adrénergiques Réduction de la fréquence et du débit cardiaques, de même que de l'automaticité Mode d'action inconnu dans la diminution de la pression artérielle en position debout et en décubitus dorsal	Utilisé seul ou associé à un diurétique Longue demi-vie Prise quotidienne unique	Insuffisance cardiaque Bradycardie sinusale Asthme bronchique Bronchopneumopathie chronique obstructive	Bradycardie: le patient doit prendre son pouls avant chaque administration et informer le médecin si le pouls est lent. Étourdissements, sédation, changements comportementaux et dépression: recommander au patient d'éviter de conduire et de pratiquer d'autres activités qui exigent de la vigilance jusqu'à ce qu'on connaisse sa réaction au médicament.

TABLEAU 16-4. (suite)

Médicament	*Action principale*	*Avantages*	*Contre-indications*	*Effets secondaires et soins infirmiers*
INHIBITEURS ADRÉNERGIQUES (suite)				
Guanéthidine (Ismelin)	Inhibition de la libération de noradrénaline Dépression de l'activité adrénergique Déplétion des réserves tissulaires Stase veineuse, diminution du retour veineux et du débit cardiaque Ralentissement du pouls et du débit rénal	Puissant	Phéochromocytome (ce médicament exagère l'effet vasopresseur des catécholamines)	Hypotension orthostatique grave, exacerbée par l'alcool, l'exercice et la chaleur Le patient doit éviter de se lever trop rapidement et de rester debout longtemps. Diarrhées, nausées et nycturie Trouble de l'éjaculation: informer le patient de la possibilité de troubles sexuels. Fatigue, vertiges et perte de conscience
VASODILATATEURS				
Chlorhydrate d'hydralazine (Apresoline)	Diminution de la résistance périphérique, mais augmentation du débit cardiaque Action directe sur les muscles lisses des vaisseaux sanguins	Utilisé comme troisième médicament en cas d'échec des associations thiazidiques / réserpine, thiazidiques / méthyldopa ou thiazidiques / guanéthidine	Angine ou maladie coronarienne Insuffisance cardiaque Hypersensibilité	Céphalées, tachycardie, rougeur et dyspnée: prévenir ces effets par l'administration préalable de réserpine. Œdème périphérique exigeant l'administration de diurétiques Syndrome imitant le lupus érythémateux
Minoxidil	Vasodilatation directe des artérioles diminuant la résistance vasculaire périphérique; réduit aussi bien la pression systolique que la pression diastolique	Hypotenseur plus puissant que l'hydralazine Aucun effet sur les réflexes vasomoteurs: ne cause donc pas d'hypotension orthostatique.	Phéochromocytome	Tachycardie, angine de poitrine, modifications de l'ECG et œdème: prendre la pression artérielle et le pouls apexien avant l'administration. Tenir le bilan des ingesta et excreta et surveiller les variations de poids.
INHIBITEURS DE L'ENZYME DE CONVERSION DE L'ANGIOTENSINE				
Captopril (Capoten)	Inhibition de la conversion de l'angiotensine I en angiotensine II Réduction de la résistance périphérique totale	Faibles effets secondaires cardiovasculaires Peut être utilisé en association avec les diurétiques thiazidiques et les digitaliques Hypotension corrigée par une modification du volume liquidien	Insuffisance rénale	Gérontologie: en cas d'insuffisance rénale, réduire la dose et utiliser en association avec un diurétique de l'anse.
INHIBITEURS CALCIQUES				
Chlorhydrate de diltiazem (Cardizem)	Inhibition de l'entrée des ions calcium Réduction de la postcharge	Inhibition du spasme coronarien non maîtrisé par les bêtabloquants ou les nitrates	Maladie du sinus Blocs auriculo-ventriculaires du 2e et du 3e degré Hypotension Insuffisance cardiaque	Ne pas interrompre brusquement le traitement. Surveiller les signes d'hypotension. Pouls irrégulier, étourdissements et œdème: consulter le médecin. Une bonne hygiène dentaire est nécessaire pour prévenir la gingivite.

TABLEAU 16-4. (suite)

Médicament	*Action principale*	*Avantages*	*Contre-indications*	*Effets secondaires et soins infirmiers*
INHIBITEURS CALCIQUES (suite)				
Nifédipine (Apo-Nifed, Adalat)	Inhibition de l'entrée des ions calcium dans les membranes Dilatation des artérioles coronaires et périphériques Réduction du travail cardiaque et de la consommation d'énergie, et augmentation de l'apport d'oxygène dans le myocarde	Action rapide Administration par voie orale ou sublinguale Ne ralentit pas l'activité nodale sino-auriculaire et ne prolonge pas la conduction nodale auriculoventriculaire	Aucune	Administrer le médicament à jeun. Utiliser avec précaution chez les diabétiques. Nausées: le patient doit prendre de petits repas fréquents. Crampes musculaires, raideur articulaire et troubles sexuels: réduire la dose. Pouls irrégulier, constipation, essoufflement et œdème: consulter le médecin. Possibilité d'étourdissements
Vérapamil (Isoptin)	Inhibition de l'entrée des ions calcium Ralentissement de la vitesse de conduction auriculoventriculaire	Antiarythmique efficace Délai d'action rapide par voie intraveineuse Blocage des nœuds sino-auriculaire et auriculoventriculaire	Bloc sinoauriculaire ou auriculoventriculaire et insuffisance cardiaque grave Hypotension grave	Prise du médicament à jeun ou avant les repas Ne pas interrompre brusquement le traitement. Dépression: interrompre progressivement le traitement. Céphalées: éviter le bruit et mesurer régulièrement les taux d'électrolytes. Insuffisance hépatique ou rénale: réduire la dose. Gérontologie: réduire la dose.

Démarche de soins infirmiers
Patients atteints d'hypertension

▷ *Collecte des données*

Chez le patient hypertendu, il importe de prendre souvent la pression artérielle. Dans une mise à jour du rapport de 1988 du Joint National Committee on Detection, Evaluation and Treatment of High Blood Pressure, on émet des recommandations sur les conditions de mesure de la pression artérielle: préparation du patient, spécifications concernant les appareils et les méthodes de mesure (voir le tableau 16-5). Si le patient prend des antihypertenseurs, il est essentiel de prendre régulièrement sa pression artérielle pour déterminer l'efficacité du traitement et dépister les baisses de pression exigeant une modification de la posologie.

L'examen physique comprend également la prise des pouls apexiens et périphériques, qui renseigne sur les effets de l'hypertension sur le cœur et les vaisseaux périphériques. On doit aussi rechercher les signes témoignant de complications de l'hypertension: saignements de nez, douleur angineuse, difficultés respiratoires, altération de la vue, vertiges, céphalées, nycturie, etc. Un examen approfondi peut fournir des données précieuses sur l'étendue des effets de l'hypertension et sur les facteurs psychologiques qui sont en jeu.

▷ *Analyse et interprétation des données*

Selon les données recueillies, voici les principaux diagnostics infirmiers possibles:

- Manque de connaissances sur la relation entre le traitement et la maîtrise de la maladie
- Risque de non-observance du traitement relié aux effets secondaires du traitement ainsi qu'aux croyances et valeurs personnelles et culturelles concernant la santé

▷ *Planification et exécution*

▷ *Objectifs de soins:* Acquisition de connaissances sur la maladie et son traitement et observance du traitement

▷ *Interventions infirmières*

▷ *Enseignement au patient sur la prévention des complications vasculaires.* L'objectif du traitement de l'hypertension est de maintenir la pression artérielle le plus près possible des valeurs normales sans provoquer d'effets secondaires.

Le traitement se compose de l'administration d'antihypertenseurs, d'une restriction de la consommation de sodium et de matières grasses, d'un régime amaigrissant,

TABLEAU 16-5. ***Conditions, matériel et évaluation des résultats recommandés pour la mesure de la pression artérielle***

AVANT L'EXAMEN

Le patient ne doit consommer ni tabac, ni alcool, ni caféine dans les 30 minutes qui précèdent la mesure.

Il doit se reposer pendant cinq minutes avant la mesure.

Dans la salle d'examen, on fait asseoir le patient, on place son bras nu à la hauteur du cœur, bien appuyé.

Le patient ne doit pas parler au téléphone durant la mesure.

MATÉRIEL

Médecin ou infirmière: manomètre à mercure, manomètre anéroïde récemment étalonné ou tout autre appareil de mesure électronique approuvé

Patient (usage à domicile): appareil acoustique ou oscillométrique automatique ou semi-automatique; appareil acoustique ou oscillométrique avec affichage numérique des données

Vérifier si le matériel a reçu une homologation écrite du fabricant, et s'assurer que l'étalonnage et l'entretien sont faits régulièrement.

Le brassard doit être de taille appropriée, de sorte que la partie gonflable recouvre les deux tiers du bras (chez les enfants, la partie gonflable doit entourer le bras). De plus, il doit être appliqué directement sur la peau et non sur les vêtements (chandail ou peignoir) car cela fausserait les résultats; il ne doit pas non plus être appliqué sur une tubulure d'intraveineuse.

ÉVALUATION DES RÉSULTATS

Obtenir au moins deux résultats et en faire la moyenne (si on note une différence de plus de 5 mm Hg entre deux résultats, on calcule la pression sur la moyenne de trois résultats).

APRÈS L'EXAMEN

Informer le patient des résultats obtenus et lui expliquer qu'il faut répéter régulièrement la mesure de la pression selon des critères de suivi établis (on peut lui remettre à cette fin une carte aide-mémoire de format porte-feuille).

(Source: «How to take a precise blood pressure». *American Journal of Nursing*, fév. 1991, 91(2),38-41

de modifications au mode de vie et d'un suivi médical régulier. Il faut assurer au patient un accès permanent à des renseignements et des conseils, car c'est lui-même ou un de ses proches qui a la responsabilité du traitement. De nombreux patients assistent à des séminaires sur l'hypertension ou font partie de groupes de soutien qui leur permettent de partager leurs inquiétudes et les aident à modifier leurs habitudes de vie. On doit recommander aux membres de la famille de participer à ces programmes afin qu'ils soient mieux en mesure d'apporter au patient leur soutien.

Il est important d'assurer un suivi régulier afin de surveiller l'évolution de la maladie et de modifier le traitement en conséquence. Il faut aussi dépister rapidement tous les symptômes de complication.

▷ *Observance du traitement.* La non-observance du traitement est un important problème chez les patients hypertendus. En effet, on estime que 50 % d'entre eux ne se conforment plus à leur traitement après un an, et que 20 % seulement maintiennent une pression artérielle acceptable. Les patients qui participent activement à leur traitement en prenant eux-mêmes leur pression artérielle et en surveillant leur alimentation ont plus de chances de s'y conformer car ils en observent les résultats et se sentent moins impuissants face à leur maladie.

Les modifications du mode de vie, du régime alimentaire et de l'activité exigent du patient beaucoup de volonté. Ces mesures lui semblent parfois exagérées, surtout s'il ne présente aucun symptôme et que le traitement entraîne des effets secondaires. Il a souvent besoin de beaucoup de surveillance, d'enseignement et d'encouragement pour se conformer à la lettre au traitement. Dans certains cas, on peut faire des compromis sur des aspects moins importants du traitement pour s'assurer de la conformité aux aspects prioritaires.

Le patient doit bien comprendre la maladie, de même que l'importance des médicaments et des habitudes de vie sur son évolution. Il faut lui expliquer que le traitement vise à maîtriser et non à guérir l'hypertension, et que les effets secondaires sont temporaires. Une diététicienne peut l'aider à réduire sa consommation de sodium et de matières grasses en lui fournissant une liste des aliments et des boissons à faible teneur en sodium. Il existe de nombreux succédanés du sel qui sont peu coûteux. Le patient doit éviter les boissons contenant de la caféine. Il doit aussi éviter l'alcool qui peut exacerber les effets secondaires des médicaments. De plus, il faut l'encourager fortement à cesser de fumer puisque la nicotine produit une vasoconstriction. Certains patients ressentiront le besoin de s'inscrire à des programmes de perte de poids, d'abandon du tabac ou de lutte contre le stress, tandis que d'autres se tourneront plutôt vers leurs parents et amis.

Il faut procurer au patient de la documentation écrite sur les effets escomptés et les effets secondaires de ses médicaments afin qu'il puisse se les administrer en toute sécurité. On doit aussi lui indiquer où et à qui s'adresser s'il éprouve des effets secondaires, et lui expliquer qu'un arrêt brusque du traitement peut entraîner une hypertension réactionnelle. Si ses médicaments risquent de provoquer des troubles sexuels, on doit l'en informer.

On doit enseigner au patient comment prendre sa pression artérielle. En participant activement à son traitement, il sera plus conscient des effets néfastes d'une interruption brusque des médicaments et apprendra que la pression artérielle peut varier.

Gérontologie. Au Québec, les personnes âgées n'ont qu'à débourser des frais modérateurs minimes pour chaque médicament obtenu sur ordonnance médicale, le gouvernement assurant le reste des coûts. Cependant, ce ne sont pas tous les médicaments qui sont payés (en partie) par le gouvernement. En effet, les médicaments en vente libre non prescrits par un médecin et ceux qui sont récents doivent être payés en entier par les personnes âgées qui en font usage. Comme les personnes âgées ont souvent un revenu peu élevé, on doit tenir compte de ce qui précède quand on leur prescrit un traitement contre l'hypertension.

Il faut bien s'assurer que le patient comprend le traitement et qu'il est capable de lire les directives et de faire exécuter son ordonnance. Des membres de sa famille doivent assister aux séances d'enseignement afin de mieux comprendre ses besoins, de l'aider à observer son traitement et de connaître les situations où une aide professionnelle est requise.

On doit informer le patient et sa famille que les antihypertenseurs peuvent entraîner une hypotension dont il faut immédiatement faire part au médecin. Chez les personnes âgées on observe une altération de la fonction cardiovasculaire, ce qui les rend plus vulnérables au déficit de volume liquidien causé par les diurétiques et aux effets sur le système nerveux sympathique des inhibiteurs adrénergiques. Pour prévenir l'hypotension orthostatique, le patient doit changer de position lentement et utiliser une aide à la marche pour prévenir les chutes causées par un étourdissement ou une syncope.

▷ *Évaluation*

Résultats escomptés

1. Le patient maintient une irrigation tissulaire adéquate.
   a) Il maintient sa pression artérielle à l'intérieur des limites acceptables en suivant un traitement médicamenteux ou un traitement hygiénodiététique.
   b) Il ne présente pas de symptômes d'angine, ni de palpitations.
   c) Il ne présente aucun changement à l'ECG indiquant une hypertrophie du ventricule gauche.
   d) Ses taux d'azote uréique et de créatinine sont normaux.
   e) Il ne présente pas d'aggravation de ses atteintes rétiniennes.
   f) Il ne présente aucun symptôme d'infarctus cérébral et aucune altération de son état mental.
   g) Ses pouls périphériques sont palpables.
   h) Sa peau est chaude et sèche au toucher.
2. Le patient observe son programme d'autosoins.
   a) Il connaît les justifications de tous les aspects de son traitement.
   b) Il consulte sa famille avant de prendre des décisions concernant les modifications au mode de vie exigées par le traitement.
   c) Il observe un régime alimentaire pauvre en sodium et cholestérol et à faible teneur énergétique.
   d) Il perd du poids, conformément aux recommandations.
   e) Il suit un programme d'exercice régulier.
   f) Il prend sa pression artérielle quotidiennement (ou selon les recommandations).
   g) Il prend ses médicaments, conformément à l'ordonnance.
   h) S'il a des effets secondaires, il consulte son médecin avant de modifier ou d'arrêter son traitement.
   i) Il s'abstient de fumer et de consommer de la caféine et de l'alcool.
   j) Il fait appel aux ressources offertes dans sa communauté pour lutter contre le stress.
   k) Il est capable d'expliquer pourquoi il doit poursuivre son traitement même s'il n'a aucun symptôme.
   l) Il se conforme à ses rendez-vous chez son médecin ou à la clinique.

Urgences

On parle d'urgence quand on doit faire baisser la pression artérielle en moins d'une heure pour éviter des graves lésions aux organes irrigués par les vaisseaux sanguins. Les crises d'hypertension surviennent quand la maladie n'est pas maîtrisée ou quand le patient a cessé brusquement le traitement médicamenteux. Une baisse rapide de la pression artérielle est toujours nécessaire en cas d'insuffisance ventriculaire gauche ou d'atteinte neurologique liées à l'hypertension.

Dans les situations d'urgence, on utilise des antihypertenseurs à action rapide, comme le nitroprussiate par voie intraveineuse qui provoque une vasodilatation immédiate mais éphémère. Mentionnons aussi des médicaments comme la réserpine (Serpasil), le méthyldopa (Aldomet), la phentolamine (Rogitine), le diazoxide (Hyperstat) et l'hydralazine (Apresoline), qui sont pour la plupart potentialisés par les diurétiques. Leur utilisation exige une surveillance étroite de la pression artérielle et de la fonction cardiovasculaire. Si la pression artérielle chute brusquement, il faut prendre des mesures immédiates pour prévenir le choc.

Maladies des veines

Thrombose veineuse, thrombophlébite, phlébothrombose et thrombose veineuse profonde

Physiopathologie et étiologie

On ne connaît pas la cause exacte de la thrombose veineuse, mais on en connaît les trois principaux facteurs de risque, soit la stase veineuse, des lésions à la paroi vasculaire et les troubles de coagulation. La présence d'au moins deux de ces facteurs semble nécessaire pour provoquer une thrombose.

La stase veineuse a pour cause un ralentissement du flux sanguin dû à une insuffisance cardiaque ou un choc, une dilatation des veines causée par des médicaments, une réduction de la contraction des muscles squelettiques causée par l'immobilité, et une paralysie des membres ou une anesthésie. Des études ont démontré que l'alitement prolongé réduisait d'au moins 50 % la circulation sanguine dans les jambes.

Les lésions de l'intima des veines créent un milieu favorable à la formation de caillots. Ces lésions peuvent avoir pour cause une agression directe lors d'une fracture ou d'une luxation, ou une irritation suite à l'administration intraveineuse de médicaments ou de solutions.

L'hypercoagulabilité contribue aussi à la formation de caillots. Elle se manifeste surtout chez les patients qui ont cessé brusquement la prise d'anticoagulants. Elle est aussi associée à certaines dyscrasies et à la prise de contraceptifs oraux.

La *thrombophlébite* est une inflammation des parois veineuses souvent accompagnée de la formation d'un caillot, tandis que la *phlébothrombose* désigne la formation d'un caillot sans inflammation, causée par une stase veineuse ou une hypercoagulabilité. On peut observer des thromboses veineuses dans toutes les veines, mais surtout dans les veines des membres inférieurs. Parmi les veines superficielles de la jambe, la veine saphène est la plus fréquemment touchée, et parmi les veines profondes, ce sont les veines iliofémorales et poplitées et les petites veines du mollet.

Les caillots veineux se composent d'un amas de plaquettes rattaché à la paroi du vaisseau et d'un appendice en forme de queue de serpent contenant de la fibrine, des leucocytes et de nombreux érythrocytes. L'appendice peut prendre du volume ou se prolonger dans la direction du flux sanguin.

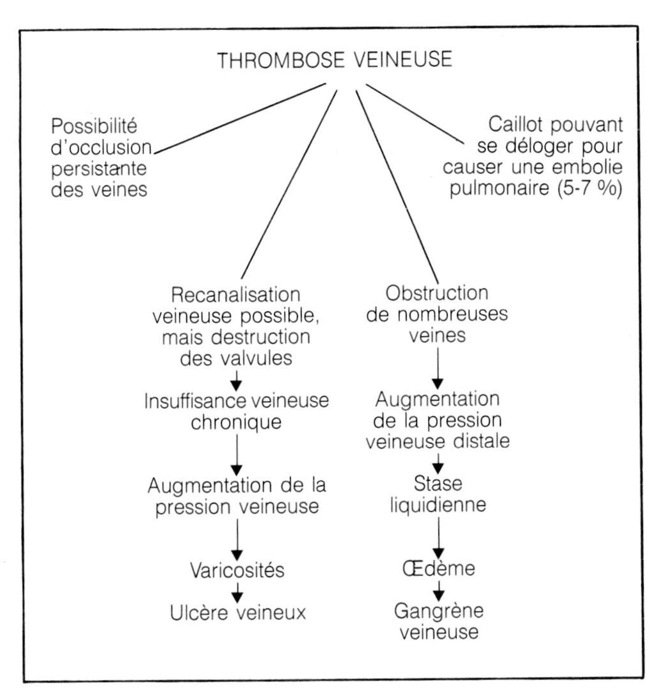

Figure 16-12. Complications de la thrombose veineuse

Le plus grave danger de la formation de caillots est l'embolie pulmonaire due à la migration d'un fragment de caillot. La fragmentation d'un caillot peut se produire spontanément ou être provoquée par une augmentation de la pression veineuse due par exemple à un passage brusque en station debout ou à un effort musculaire après une longue période d'inactivité. Voir la figure 16-12 pour les autres complications de la thrombose veineuse.

Manifestations cliniques

Environ 50 % des personnes présentant une thrombose veineuse des membres inférieurs sont asymptomatiques. Quand les symptômes se manifestent, ils ne sont pas nécessairement spécifiques, c'est pourquoi il ne faut négliger aucun signe clinique.

L'obstruction des veines profondes de la jambe entrave le retour veineux du sang et provoque un œdème. On peut évaluer l'importance de l'œdème en mesurant la circonférence des deux jambes à différents niveaux, puis en comparant les résultats. Si l'œdème est bilatéral, il est parfois difficile de le dépister. Sur la jambe affectée, la peau est souvent plus chaude au toucher et les veines superficielles sont plus proéminentes. On observe parfois, généralement plus tard dans l'évolution de la thrombose, une sensibilité à la palpation qui témoigne d'une inflammation de la paroi veineuse. Le signe de Homans, une douleur à la dorsiflexion brusque du pied, se manifeste parfois dans la thrombose veineuse, mais n'est pas un signe fiable, car il apparaît dans n'importe quelle affection douloureuse du mollet. Chez certains patients, des symptômes d'embolie pulmonaire sont les premiers indicateurs d'une thrombose veineuse profonde (TVP).

D'autre part, la thrombose des veines superficielles provoque dans le membre atteint une douleur ou une sensibilité, une rougeur et de la chaleur. Les risques d'embolie sont peu élevés, car la majorité des caillots se dissolvent spontanément. Ce type de thrombose peut donc se traiter à domicile par du repos, une surélévation du membre affecté, des analgésiques et parfois des agents anti-inflammatoires.

Collecte des données

Pour dépister les premiers signes d'une maladie des veines des jambes, rien ne peut remplacer une collecte des données minutieuse. Les personnes prédisposées à ce type de maladies sont celles qui ont des antécédents de varices, d'hypercoagulabilité, de cancer et de maladie cardiovasculaire, celles qui ont subi récemment une opération ou une blessure, ainsi que les obèses, les personnes âgées et les femmes prenant des contraceptifs oraux (voir l'encadré 16-2).

La collecte des données doit porter sur les points suivants:

- Antécédents de douleurs, lourdeurs, incapacité fonctionnelle et œdèmes dans les jambes
- Examen des jambes de l'aine jusqu'aux pieds, en notant les asymétries; mesure de la circonférence des mollets (Un des premiers signes d'œdème est l'engorgement de la concavité située derrière la malléole interne.)
- Augmentation de la température de la peau de la jambe affectée (Pour déterminer les différences de température entre les deux jambes, l'infirmière doit passer ses mains sous l'eau froide, les assécher et placer une main sur chaque cheville, puis sur chaque mollet.)
- Dépistage des régions sensibles et des thromboses superficielles (se manifestant par une induration de segments veineux), par palpation de la jambe avec trois ou quatre doigts, selon un mouvement de va-et-vient, depuis la cheville jusqu'au genou, et depuis le genou jusqu'à l'aine

Examens diagnostiques

Il existe un grand nombre d'examens effractifs et non effractifs permettant de dépister, de définir et de localiser les thromboses veineuses. Parmi les examens non effractifs, on note l'échographie Doppler et la pléthysmographie par impédance.

L'*échographie Doppler* se fait au moyen d'une sonde qui dépiste la vitesse d'écoulement du sang. Dans les veines obstruées, on note un ralentissement ou un arrêt de l'écoulement. Il s'agit d'une méthode peu coûteuse, simple et rapide qui peut se faire avec du matériel portatif.

Encadré 16-2
Facteurs de risque de la thrombophlébite

Alitement prolongé: infarctus du myocarde, insuffisance cardiaque, infection et traction
Intervention chirurgicale chez les patients de 40 ans et plus
Blessures aux jambes, surtout les fractures exigeant un plâtre
Antécédents d'insuffisance veineuse
Obésité
Contraceptifs oraux
Cancer

On utilise la *pléthysmographie par impédance* pour mesurer les variations du volume veineux. On place un brassard à pression autour de la cuisse du patient et on le gonfle à 50 ou 60 mm Hg, de façon à entraver l'écoulement veineux sans entraver l'écoulement artériel. Des électrodes placées sur les mollets mesurent la résistance électrique que produisent les variations de volume veineux. S'il y a thrombose veineuse profonde, l'augmentation du volume veineux causée par la pression du brassard sera plus faible. Cependant, on peut obtenir des résultats faussement positifs quand il y a vasoconstriction, augmentation de la pression veineuse, diminution du débit cardiaque ou compression veineuse externe, et des résultats faussement négatifs s'il y a présence d'un caillot ancien avec établissement d'une circulation collatérale ou phlébite superficielle. Pour obtenir des résultats plus sûrs, on peut combiner la pléthysmographie par impédance et l'échographie Doppler.

Des examens effractifs sont aussi utilisés pour le diagnostic des thromboses. Parmi ces examens, on note la phlébographie de contraste et la scintigraphie après injection de fibrinogène I^{125}.

Découverte récemment, la *scintigraphie après injection de fibrinogène* I^{125} est un examen très sensible permettant de dépister les thromboses veineuses à leur début. Le fibrinogène I^{125} injecté par voie intraveineuse se concentre dans le caillot. On procède ensuite à des mesures en série du taux de radioactivité pour suivre la progression du caillot. Cet examen est coûteux, et ne révèle pas les caillots entièrement formés ou les caillots situés dans l'aine ou le bassin.

Dans la *phlébographie de contraste*, on injecte une substance de contraste dans le système veineux par une veine dorsale du pied. On base le diagnostic sur la mise en évidence d'un segment veineux non rempli par opposition à une veine complètement remplie avec ses collatérales. L'injection intraveineuse peut causer une inflammation veineuse brève mais douloureuse. La phlébographie de contraste est le critère de comparaison dans le diagnostic de la thrombose veineuse.

Prévention

On peut réduire la fréquence des maladies des veines par l'enseignement de mesures de prévention aux personnes qui y sont prédisposées.

Bas élastiques (bas anti-embolie). On utilise les bas élastiques chez les patients dont l'activité est réduite, surtout chez ceux qui sont alités. Ces bas exercent une pression continue et uniforme sur toute la surface du mollet, ce qui réduit le calibre des veines superficielles et augmente le flux sanguin dans les veines profondes. Il importe de noter que les bas élastiques peuvent provoquer une stase veineuse au lieu de la prévenir s'ils sont mal appliqués. En effet, il est important de rester en décubitus dorsal pendant 20 minutes avant d'enfiler les bas et de le faire dans cette position en relevant une jambe à la fois. Il faut retirer les bas élastiques brièvement au moins deux fois par jour, et en profiter pour examiner la peau afin de dépister les irritations, et les régions sensibles dans les mollets. Il faut informer le médecin si on note des changements cutanés ou une sensibilité.

On peut utiliser un appareil de compression pneumatique en plus des bas élastiques. Il s'agit d'un dispositif composé d'une commande électrique reliée par des tubes à air à un manchon en plastique que l'on place autour de la jambe. Ces manchons sont divisés en compartiments qui se gonflent successivement sur la cheville, le mollet et la cuisse pour exercer une pression de 35 à 55 mm Hg qui augmente le débit sanguin. L'infirmière doit s'assurer qu'on ne dépasse pas la pression prescrite et veiller au bien-être du patient.

Gérontologie. Les personnes âgées ayant moins de force et de dextérité manuelle, elles ont souvent de la difficulté à mettre elles-mêmes leurs bas élastiques. On doit donc enseigner à un membre de la famille comment appliquer les bas afin qu'ils n'exercent pas une pression excessive sur les pieds ou les jambes, ce qui entraînerait une stase veineuse.

Position du corps et exercice. Quand le patient est en position couchée, il doit surélever régulièrement les pieds et les jambes au-dessus du niveau du cœur pour permettre aux veines superficielles et tibiales de se vider et de rester collabées. On conseille aussi de pratiquer avant et après une opération des exercices passifs et actifs des muscles du mollet afin d'augmenter le retour veineux. Les exercices de respiration profonde sont également bénéfiques, car ils augmentent la pression négative dans le thorax, ce qui facilite la vidange des grandes veines. Après une opération, la marche est encore le meilleur moyen de prévenir la stase veineuse.

Traitement

Le traitement médical vise à prévenir l'extension du caillot et une embolie pulmonaire subséquente, ainsi que les récidives.

On peut atteindre ces deux objectifs par l'administration d'anticoagulants. L'administration d'héparine par perfusion intraveineuse continue ou injection intermittente pendant 10 à 12 jours peut prévenir l'extension des caillots et la formation de nouveaux caillots. On détermine la dose d'héparine en fonction du temps de céphaline activé (APTT).

Quatre à sept jours avant la fin du traitement à l'héparine, on commence l'administration d'un anticoagulant oral comme la warfarine (Coumadin). On poursuit la prise de l'anticoagulant oral pendant trois mois ou plus à titre préventif.

Chez certains patients choisis selon des critères précis, on peut aussi lyser et dissoudre le caillot par l'administration d'un agent thrombolytique. On obtient une dissolution complète dans la moitié des cas. On doit commencer le traitement dans les trois jours suivant une occlusion aiguë. Les principaux agents thrombolytiques sont la streptokinase, l'urokinase et l'activateur tissulaire du plasminogène. Le traitement thrombolytique a l'avantage de préserver les valvules veineuses et de réduire l'incidence du syndrome postphlébitique et de l'insuffisance veineuse chronique. Toutefois, les risques d'hémorragie sont trois fois plus élevés qu'avec l'héparinothérapie.

Lors de ces traitements, il faut obtenir régulièrement des mesures du temps de céphaline activé, du temps de prothrombine, du taux d'hémoglobine et de l'hématocrite. S'il se produit une hémorragie qu'il est impossible de réprimer, il faut cesser le traitement. Pendant le traitement et au cours des 24 heures qui suivent, il faut éviter les injections parentérales en raison de risques élevés de saignements au point d'injection, et protéger le patient des blessures.

Correction chirurgicale. Une correction chirurgicale de la thrombose veineuse profonde est indiquée si: (1) le traitement anticoagulant ou fibrinolytique est contre-indiqué, (2) le risque d'embolie pulmonaire est extrêmement élevé, (3) le retour veineux est compromis au point de provoquer des lésions permanentes au membre atteint. L'intervention chirurgicale de choix est la thrombectomie, parfois avec implantation d'un filtre en ombrelle dans la veine cave. Ce filtre a pour fonction de retenir les gros caillots et de prévenir ainsi l'embolie pulmonaire.

Soins infirmiers. Le repos au lit, l'élévation du membre affecté, les bas élastiques (anti-embolie) et les analgésiques sont les mesures d'appoint. Habituellement, le patient qui présente une thrombose veineuse profonde doit garder le lit pendant cinq à sept jours afin de permettre au caillot d'adhérer à la paroi de la veine, ce qui prévient l'embolie. Quand il recommence à marcher, il doit porter des bas élastiques. La marche est beaucoup plus efficace pour prévenir les thromboses que la station debout ou assise prolongée. On recommande aussi des exercices au lit, comme des dorsiflexions du pied contre un appui-pied.

Des applications de chaleur humide sur le membre affecté ainsi que la prise d'analgésiques faibles peuvent soulager les malaises qui accompagnent la thrombose. On trouve un condensé de la conduite à tenir dans les cas de thrombophlébite au tableau 16-6.

Résumé: Les facteurs qui contribuent aux maladies des veines sont la stase veineuse, l'hypercoagulabilité et les lésions de la paroi des veines. La formation d'un caillot peut provoquer une inflammation de la paroi veineuse. Des caillots peuvent se loger dans toutes les veines, mais ils privilégient généralement les veines des membres inférieurs. Les maladies des veines peuvent se manifester par de l'œdème, une douleur et de la chaleur dans le membre affecté, mais leurs symptômes sont variables. Le traitement vise à éliminer le caillot et à prévenir les récidives. Pour ce faire, on a recours à des anticoagulants et à des agents thrombolytiques. Dans certains cas, une correction chirurgicale est nécessaire. On peut réduire la fréquence des maladies des veines en enseignant des mesures de prévention aux personnes qui y sont prédisposées.

Traitement anticoagulant des thrombo-embolies

Les anticoagulants ont pour effet de retarder la coagulation, de prévenir la formation d'un caillot après une opération et de freiner l'extension d'un caillot déjà formé. Ils ne sont toutefois pas efficaces pour dissoudre un caillot déjà formé.

Il faut retarder la coagulation et prévenir la formation de caillots chez les patients souffrant de thrombophlébite, chez ceux qui ont des antécédents de thrombophlébites récidivantes ou chez ceux qui présentent un œdème des jambes persistant dû à une insuffisance cardiaque, de même que chez les personnes âgées immobilisées pendant une longue période suite

TABLEAU 16-6. ***Tableau comparatif de la thrombophlébite superficielle et de la thrombophlébite profonde***

Superficielle	*Profonde*
MANIFESTATIONS CLINIQUES	
Œdème localisé	Sensation de «lourdeur» en station debout
Induration de segments veineux avec rougeur et sensibilité	Douleur à type de crampe dans la jambe
	Œdème: Veines du mollet: aucun Veine fémorale: léger à modéré Veine iliofémorale: grave Signe de Homans positif
EXAMEN DIAGNOSTIQUE	
Phlébographie pour éliminer la possibilité de thrombose veineuse profonde	Échographie Doppler et pléthysmographie par impédance pour vérifier l'écoulement sanguin et le remplissage veineux
	Phlébographie pour dépister la phlébite et la recanalisation, et vérifier l'étendue de l'occlusion
TRAITEMENT	
Repos au lit	Repos au lit
Applications de chaleur humide	Applications de chaleur humide
Élévation des jambes; port de bas élastiques après la phase aiguë	Élévation du pied du lit d'environ 15 cm
	Correction chirurgicale pour prévenir l'embolie
Administration d'héparine par perfusion intraveineuse continue ou injection intermittente	
Acétaminophène pour soulager la douleur	
Antibiotiques au besoin	
Si les veines profondes sont perméables, on peut réséquer les veines superficielles atteintes.	

Héparine éliminé ds 4 hr. –
Coumadin arrêter 1 semaine avant op.

à une fracture de la hanche. Le traitement anticoagulant comprend habituellement l'administration d'héparine, associée ou non à un dérivé coumarinique (voir le tableau 16-7).

Traitement à l'héparine. Le plus souvent, on administre l'héparine par *perfusion intraveineuse continue* à l'aide d'une pompe, ce qui permet de contrôler le débit de la perfusion; on réduit ainsi les risques d'hémorragie. On calcule la dose selon le poids du patient. Avant de commencer l'administration d'héparine, on obtient un coagulogramme pour s'assurer qu'il y a absence d'anomalies des facteurs de coagulation qui pourraient augmenter les risques de saignement. Il faut réduire la dose d'héparine chez les patients en insuffisance rénale. Pendant le traitement, on procède régulièrement à des épreuves de coagulation et à des mesures de l'hématocrite. La dose d'héparine est efficace quand le temps de céphaline activé est 1,5 fois plus élevé que le témoin.

On peut aussi administrer l'héparine par *injection intraveineuse intermittente.* Selon cette méthode, on injecte toutes les 4 heures, une dose d'héparine en solution aqueuse. On peut faciliter l'injection en utilisant un dispositif à système de blocage de l'héparine (heparin lock). Ce dispositif se compose d'une petite aiguille pour veine épicrânienne de type papillon ou d'un cathéter intraveineux et d'une tubulure terminée par une membrane de caoutchouc (voir le chapitre 46).

L'effet de la warfarine ne se manifestant qu'après trois à cinq jours, on doit l'associer à de l'héparine jusqu'à ce l'effet anticoagulant désiré soit obtenu. On mesure l'effet anticoagulant selon un rapport international normalisé (INR) du temps de prothrombine dont la valeur normale est de 1,0 ± 0,1. Chez les personnes recevant du Coumadin, l'INR doit se maintenir entre deux et quatre fois l'INR normal.

Précautions et soins infirmiers. *La principale complication de la prise d'anticoagulants est l'apparition spontanée de saignements dans diverses régions de l'organisme.* Les saignements dans les reins, qui se manifestent par une hématurie microscopique, sont souvent le premier signe de surdosage. Les ecchymoses et les saignements de nez et des gencives laissent présager des saignements internes. Pour neutraliser rapidement les effets de l'héparine, le médecin peut prescrire du sulfate de protamine par voie intraveineuse. Il est plus difficile de contrer les effets des dérivés coumariniques, mais l'administration de vitamine K ou de plasma peut donner des résultats.

L'héparine peut aussi entraîner une thrombopénie (diminution du nombre des plaquettes) entre 7 et 10 jours après le début du traitement. Il s'agit d'une complication grave provoquant des thrombo-embolies et qui peut avoir des conséquences fatales. On croit que cette thrombopénie serait due à une réaction immunitaire causant une agrégation des plaquettes. On peut la prévenir en vérifiant régulièrement la numération plaquettaire. Si des signes de thrombopénie se manifestent, on doit procéder à une épreuve d'agrégation plaquettaire, cesser l'héparinothérapie et administrer du sulfate de protamine.

Les anticoagulants oraux ayant une interaction avec de nombreux autres médicaments, il faut surveiller de près le patient pendant le traitement. Les médicaments qui potentialisent les effets des anticoagulants oraux sont les salicylates, les stéroïdes anabolisants, le chloral hydrate, le glucagon, le chloramphénicol, la néomycine, la quinidine et le phénylbutazone (Butazolidine). Les inhibiteurs de l'effet anticoagulant sont la phénytoïne, les barbituriques, les diurétiques et les œstrogènes. Il convient donc d'étudier les interactions médicamenteuses chez les patients qui prennent des anticoagulants.

On trouvera à l'encadré 16-3 les contre-indications des anticoagulants.

Enseignement au patient sur les anticoagulants oraux. On doit bien informer le patient sur les médicaments et leurs effets escomptés en insistant sur l'importance de prendre la bonne dose au moment indiqué. Il faut aussi lui expliquer que des épreuves sanguines régulières sont nécessaires pour ajuster la posologie. Si le patient est incapable de suivre le traitement ou ne veut pas y collaborer, il faut envisager d'autres solutions. Voici les directives que l'on doit donner au patient:

- Prendre l'anticoagulant oral à la même heure tous les jours, habituellement entre 8 h et 9 h.
- Porter toujours sur soi une carte indiquant les anticoagulants que l'on prend.
- Respecter ses rendez-vous pour les épreuves sanguines.
- Consulter son médecin avant de prendre des médicaments modifiant les effets des anticoagulants: vitamines, médicaments contre le rhume, antibiotiques, aspirine, huile minérale et anti-inflammatoires.
- Éviter de consommer de l'alcool, car l'alcool peut altérer la réaction de l'organisme aux anticoagulants.
- Éviter les régimes à la mode, les régimes de famine et les changements brusques dans les habitudes alimentaires.
- Ne jamais prendre de Coumadin sans une ordonnance du médecin.

Encadré 16-3
Contre-indications des anticoagulants

Manque de collaboration du patient
Saignements
- gastro-intestinaux
- génito-urinaires
- respiratoires

Dyscrasies hémorragiques
Anévrismes
Blessures graves
Alcoolisme
Toxicomanie
Opération récente ou prochaine:
- aux yeux
- à la moelle épinière
- au cerveau

Maladie hépatique ou rénale grave
Hémorragie vasculaire cérébrale récente
Infections
Plaie ulcérée ouverte
Travail présentant des risques élevés de blessure
Grossesse (risques d'hémorragie et de malformations congénitales)

TABLEAU 16-7. *Tableau comparatif de l'héparine et des dérivés coumariniques*

Héparine sodique	*Dérivés coumariniques*
ACTION PHYSIOLOGIQUE	
L'héparine joue un rôle dans différentes réactions de coagulation, mais agit surtout comme un antagoniste de la thrombine et prévient la conversion du fibrinogène en fibrine.	Les dérivés coumariniques bloquent la conversion de la vitamine K en prothrombine, une réaction se produisant normalement dans le foie.
ACTION THÉRAPEUTIQUE	
Avantages:	
Utilisée principalement pour les traitements de courte durée (parfois utilisée de façon prolongée) Action rapide et prévisible	Utilisés pour les traitements prolongés S'administrent par voie orale et sont bien absorbés dans les voies digestives. Puissance uniforme en raison de leur nature synthétique Moins coûteux que l'héparine Permettent une meilleure stabilisation que l'héparine La warfarine sodique s'absorbe mieux que le dicoumarol (non vendu au Canada).
Inconvénients:	
Doit être administrée par voie parentérale, intraveineuse ou sous-cutanée. Peut provoquer une réaction allergique, une chute de poils ou une ostéoporose transitoire (après plusieurs mois de traitement).	Effets retardés (2 à 3 jours) Durée imprévisible de l'effet anticoagulant (pouvant aller jusqu'à trois semaines)
ADMINISTRATION	
Obtenir un coagulogramme avant le traitement. Obtenir le temps de céphaline activé toutes les 4 à 6 heures, selon la fréquence de l'administration de l'héparine. Viser un temps de céphaline activé de 1,5 à 2,5 fois plus élevé que le témoin. L'administration par voie sous-cutanée est peu recommandée à cause d'une absorption variable, de risques de rupture des vaisseaux et de malaises. La dose moyenne est de 30 000 à 35 000 unités/24 h par perfusion intraveineuse continue; on peut aussi administrer des doses fractionnées par injection intraveineuse intermittente en donnant un bolus initial de 10 000 unités suivi d'injection de 5000 à 10 000 unités aux 4 à 6 heures. Traitement prolongé: administrer par voie sous-cutanée profonde dans le bas de l'abdomen. Utiliser une aiguille fine, courte et affilée (calibre n° 25 à 27, 1,27 à 1,6 cm). Tirer délicatement la peau et insérer l'aiguille énergiquement, à angle droit avec la surface de la peau; ne pas retirer le piston de la seringue. Après l'injection, ne pas frotter le point d'injection, mais exercer une pression ferme avec un tampon d'alcool. Choisir un point d'injection différent pour chaque injection. Remarque: on doit éviter d'administrer l'héparine par voie intramusculaire en raison des risques d'hématome et d'irritation des tissus.	Obtenir d'abord l'INR (voir ci-dessous). Warfarine: la dose initiale moyenne est de 15 à 25 mg. La deuxième dose, généralement plus faible (10 mg), est administrée le lendemain. Ajuster les doses subséquentes chaque jour en fonction de l'INR. La dose quotidienne moyenne est d'environ 5 mg. On atteint l'INR désiré en 2 à 5 jours.
MESURES EN CAS D'HÉMORRAGIE	
Cesser le traitement. Injecter du sulfate de protamine (pour neutraliser l'héparine). Administrer des transfusions de sang en cas d'hémorragie.	Administrer de la vitamine K: *Saignement léger:* Phytonadione (vitamine K_1) par voie orale (Konakion) *Saignement modéré à abondant:* Phytonadione en solution (Konakion) par voie intramusculaire (une transfusion de sang entier peut être nécessaire)

Le temps de prothrombine s'exprime selon un rapport international normalisé (INR)
Normale: 1,0 ± 0,1
Objectif du traitement: 2 à 4 fois l'INR normal

- Si on prend du Coumadin, ne jamais interrompre le traitement sans avoir consulté un médecin ou une infirmière.
- Quand on consulte un autre médecin, un dentiste ou un podologue, lui indiquer que l'on prend des anticoagulants.
- Communiquer avec son médecin avant de subir l'extraction d'une dent ou une intervention chirurgicale élective.
- Si l'un des symptômes suivants apparaît, en informer immédiatement son médecin:
  - Étourdissements ou faiblesse progressive
  - Graves céphalées ou douleurs gastriques intenses
  - Urines rouges ou brunes
  - Saignements, par exemple saignement persistant après une coupure, saignement de nez
  - Ecchymoses prenant de l'expansion
  - Selles rouges ou noires
  - Irritations cutanées
- Éviter les blessures susceptibles de causer des saignements.
- Les femmes qui croient être enceinte doivent consulter leur médecin.

INSUFFISANCE VEINEUSE CHRONIQUE

Physiopathologie et manifestations cliniques

L'insuffisance veineuse est causée par une obstruction ou un reflux au niveau des valvules des veines des jambes. Elle touche aussi bien les veines superficielles que les veines profondes. Elle est causée par une augmentation prolongée de la pression veineuse, comme par exemple dans les cas de thrombose veineuse profonde.

Les parois des veines étant plus minces et plus élastiques que celles des artères, elles se distendent facilement quand la pression veineuse est élevée. Les valves des valvules s'étirent et ne peuvent plus se refermer complètement, ce qui provoque un reflux du sang dans les veines. Une veinographie peut aider à confirmer le diagnostic d'obstruction et à évaluer l'étendue de l'incompétence des valvules.

On appelle *syndrome postphlébitique* l'incompétence des valvules des veines profondes des jambes due à une thrombose. Ce syndrome se caractérise par une stase veineuse chronique pouvant causer un œdème, une altération de la pigmentation cutanée, des douleurs, une dermatite, des ulcères et une dilatation des veines superficielles. Il est difficile à traiter et souvent invalidant.

Les ulcères de stase sont dus à la rupture de capillaires superficiels. On observe alors dans les tissus environnants une libération de globules rouges qui, en se dégénérant, laissent dans les tissus une coloration brunâtre. Les ulcères apparaissent habituellement dans la partie inférieure de la jambe, dans la région de la malléole interne de la cheville. La peau s'assèche, se fendille et démange. Les tissus sous-cutanés deviennent fibreux et s'atrophient. Les risques de blessure et d'infection augmentent.

L'ulcération est la plus grave complication de l'insuffisance veineuse chronique, et est aussi associée à d'autres troubles de la circulation périphérique (voir la figure 16-13). Les complications sont les mêmes dans tous les cas, de même que la conduite à tenir.

Traitement et enseignement au patient

Le traitement de l'insuffisance veineuse vise surtout à réduire la stase veineuse et à prévenir l'ulcération, ce qui se fait en augmentant le flux sanguin dans les veines, notamment par l'élévation des jambes et la compression des veines superficielles au moyen de bas élastiques (anti-embolie).

L'élévation des jambes diminue l'œdème, favorise le retour veineux et soulage les symptômes. Le patient doit donc surélever ses jambes pendant 30 minutes toutes les deux heures, et surélever le pied de son lit de 15 cm. Il doit éviter les stations debout et assises prolongées, mais il peut marcher autant qu'il le désire. Il doit en outre éviter d'exercer une pression sur les espaces poplités en croisant les jambes ou en les laissant pendre. Le port de vêtements serrés, comme les jarretières et les gaines est déconseillé.

La compression des jambes réduit l'accumulation de sang veineux et augmente le retour veineux. Le port de bas élastiques (anti-embolie) est donc indiqué dans l'insuffisance veineuse. La pression exercée par les bas élastiques doit être forte sur le pied et la cheville, et puis diminuer progressivement en allant vers le genou, puis vers l'aine. Un bas trop serré sur le haut de la jambe favorisera la stase plutôt que de la réduire. On applique les bas après une période d'élévation des jambes, car le volume veineux est plus faible. Voir la figure 16-14 pour l'application des bas élastiques.

On doit veiller à protéger des blessures les membres affectés par l'insuffisance veineuse. Il faut aussi garder la peau propre et bien hydratée. Le patient doit informer une infirmière ou un médecin s'il note des signes d'ulcération.

ULCÈRES DE JAMBE

Définition et étiologie

Un ulcère de jambe est une perte de substance cutanée causée par une nécrose tissulaire. Ses causes les plus fréquentes sont l'insuffisance veineuse et artériolaire. Les ulcères postphlébitiques et variqueux représentent 70 % de tous les ulcères de jambe. Les autres ulcères, causés par des brulûres, une drépanocytose ou des troubles neurogènes, ne sont pas d'origine veineuse.

Physiopathologie

Les ulcères de jambe sont dus à un apport tissulaire insuffisant en oxygène et en éléments nutritifs, entraînant une nécrose. Les maladies des vaisseaux périphériques réduisent l'apport d'oxygène et d'éléments nutritifs et favorisent par conséquent la formation d'ulcères (voir la figure 16-13).

Manifestations cliniques

Le patient souffrant d'un ulcère de jambe se plaint généralement d'une douleur constante, de fatigue, de lourdeur et d'œdème dans la jambe. Les symptômes varient selon que l'ulcère est d'origine artérielle ou veineuse (voir le tableau 16-2), et leur gravité dépend de l'importance et de la durée de l'insuffisance vasculaire. L'ulcère se présente sous la forme d'une plaie ouverte et inflammée; elle peut être suintante ou recouverte d'une croûte de couleur foncée.

Examens diagnostiques

Il importe avant tout d'établir la cause de l'ulcère. Pour déterminer si l'insuffisance est d'origine veineuse ou artérielle,

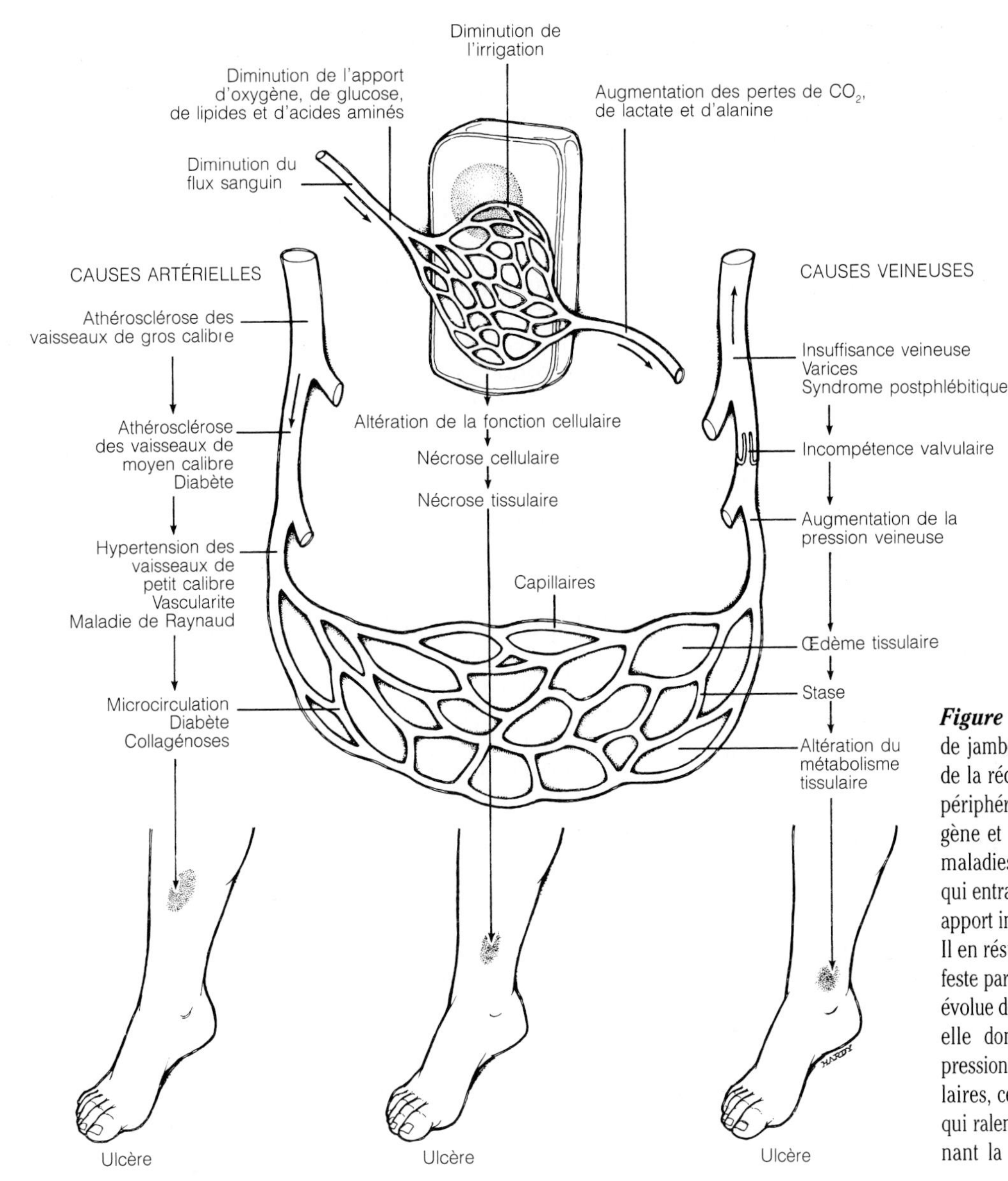

Figure 16-13. Physiopathologie des ulcères de jambe. À gauche, les facteurs responsables de la réduction du flux sanguin dans les tissus périphériques. La diminution de l'apport d'oxygène et d'énergie est très importante dans les maladies comme le diabète et les collagénoses qui entraînent une altération des capillaires. Cet apport insuffisant perturbe la fonction cellulaire. Il en résulte une nécrose tissulaire qui se manifeste par une ulcération. L'insuffisance veineuse évolue de façon semblable peu importe sa cause; elle donne lieu à une augmentation de la pression veineuse réduisant l'irrigation des capillaires, ce qui provoque un œdème et une stase qui ralentissent le métabolisme cellulaire entraînant la formation d'ulcères.

il faut dresser le profil du patient et prendre les pouls périphériques (fémoral, poplité, tibial postérieur et pédieux). L'échographie Doppler, l'artériographie et la veinographie sont des examens utiles pour confirmer le diagnostic d'ulcère. S'il y a présence d'écoulements, il faut faire des prélèvements pour culture afin de déterminer si l'ulcère est d'origine infectieuse.

Traitement

La plupart des ulcères sont infectés. Donc, si les cultures sont positives, une antibiothérapie s'impose. On administre généralement les antibiotiques par voie générale, car on doute de l'efficacité de l'administration locale dans les cas d'infection d'ulcères de jambe.

Pour favoriser la cicatrisation, il faut débarrasser la plaie des écoulements et du tissu nécrosé en la purgeant avec du soluté physiologique. Si ce traitement ne suffit pas, on procède au parage de la plaie, soit en excisant les tissus dévitalisés, soit en appliquant des pansements de gaze fine imbibés de soluté physiologique. On retire les pansements quand ils sont secs, avec les débris qui y ont adhéré.

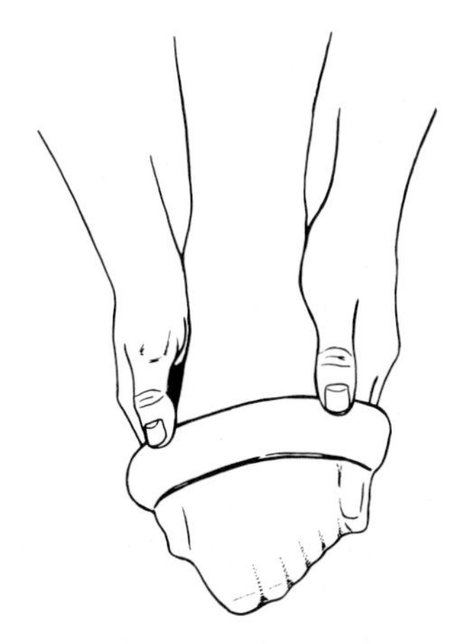

Figure 16-14. Application des bas élastiques. Rouler le bas, l'écarter avec les deux mains et l'enfiler sur la jambe en le déroulant, d'abord du pied jusqu'à la cheville, puis sur le mollet. Le patient doit être en position couchée depuis au moins 20 minutes avant l'application et rester dans cette position pendant l'application.

Il existe différentes préparations à action locale qui peuvent accélérer la guérison des ulcères, en gardant la plaie propre et humide. Chez les patients atteints d'un ulcère veineux, le traitement local doit s'accompagner d'une diétothérapie.

Certains médecins ont recours au traitement fibrinolytique par des enzymes. Selon ce traitement, on applique un onguent à base d'enzymes sur la lésion, mais non sur la peau saine qui l'entoure. On recouvre ensuite la lésion d'une compresse préalablement trempée dans du soluté physiologique et bien essorée, puis d'un pansement de gaze et d'un bandage lâche. On change le pansement toutes les quatre heures pendant les trois à quatre premiers jours, puis toutes les huit heures. Quand du tissu de granulation commence à se former, on utilise uniquement des pansements humides au soluté physiologique.

On peut aussi parer les ulcères de jambe au moyen de perles hydrophiles (Debrisan), des petites perles très poreuses ayant un diamètre de 0,1 à 0,3 mm qui absorbent les écoulements des plaies. Ces perles retiennent les bactéries, de même que les produits de dégradation des tissus et des protéines. Quand elles sont complètement saturées, elles prennent une coloration jaune grisâtre. Il faut alors les retirer et les remplacer.

L'oxygénothérapie hyperbare peut accélérer les effets du traitement local. L'augmentation de la pression d'oxygène à 30 mm Hg accélère la prolifération des fibroblastes et du collagène.

Chez les patients atteints d'insuffisance artérielle, dont l'ulcère ne répond pas aux antibiotiques, aux nettoyages et aux parages, un traitement plus énergique est nécessaire, par exemple une revascularisation aorto-iliaque, aortofémorale ou fémoropoplitée.

Résumé: L'insuffisance veineuse ou artérielle provoque souvent une nécrose tissulaire se manifestant par un ulcère de jambe, ce qui est dû à un apport inadéquat en oxygène et en éléments nutritifs dans les tissus. Les ulcères de jambe se manifestent généralement par une plaie ouverte, de l'œdème et une douleur, mais leurs signes cliniques varient selon le type, la durée et l'importance de l'insuffisance. Le traitement vise la prévention de l'infection et la cicatrisation de la plaie.

Démarche de soins infirmiers

Patients présentant des ulcères de jambe

▷ *Collecte des données*

Il importe d'abord de dresser minutieusement le profil du patient et de relever ses symptômes pour déterminer si une insuffisance veineuse ou artérielle est en cause. Il faut noter les caractéristiques de la douleur, de même que l'apparence et la température de la peau des deux jambes. On doit aussi prendre tous les pouls périphériques et comparer les résultats obtenus pour chacune des jambes. S'il y a présence d'œdème, on doit en déterminer la gravité. On doit aussi vérifier s'il y a perte de la mobilité et intolérance à l'activité reliées à l'insuffisance vasculaire. Il faut enfin dresser un bilan nutritionnel et noter les antécédents de diabète, de collagénose et de varices.

▷ *Analyse et interprétation des données*

Selon les données recueillies, voici les principaux diagnostics infirmiers possibles:

- Atteinte à l'intégrité de la peau
- Altération de la mobilité physique reliée à la restriction de l'activité imposée par le traitement et la douleur
- Altération du processus de cicatrisation reliée à un déficit nutritionnel

▷ *Planification et exécution*

▷ *Objectifs de soins:* Rétablissement de l'intégrité de la peau, amélioration de la mobilité physique et atteinte d'un état nutritionnel adéquat

L'infirmière qui traite un patient atteint d'un ulcère de jambe fait face à un important défi, que ce soit dans un centre hospitalier ou à domicile. En effet, ces ulcères mettent du temps à guérir et épuisent les ressources physiques, émotives et financières du patient.

▷ *Interventions infirmières*

▷ *Rétablissement de l'intégrité de la peau.* Pour favoriser la cicatrisation, la plaie doit être propre. Une désinfection doit être effectuée au moins deux fois par jour. Elle doit se faire délicatement avec un savon doux et de l'eau tiède, en respectant rigoureusement les règles de l'asepsie pour prévenir toute contamination. Il faut aussi appliquer les onguents et les pansements selon l'ordonnance du médecin.

On doit déterminer la position des jambes en se basant sur l'origine de l'insuffisance vasculaire. Dans le cas d'une insuffisance artérielle, on améliore le débit sanguin en élevant la tête du lit au moyen de blocs de 7,5 à 15 cm, ce qui favorise l'oxygénation des tissus et accélère la cicatrisation de la plaie. S'il s'agit d'une insuffisance veineuse, on réduit l'œdème en élevant les jambes, ce qui favorise les échanges d'éléments nutritifs et de déchets cellulaires dans la région ulcérée.

Il est essentiel d'éviter les blessures aux jambes. Si le patient se déplace, il faut écarter tous les obstacles auxquels il est susceptible de se heurter. S'il est alité, on doit utiliser un arceau de lit pour éviter que la literie ne touche les jambes. Il faut aussi éviter les coussins chauffants, les bouillottes et les bains chauds, car la chaleur augmente les besoins nutritifs des tissus, qui sont déjà difficiles à combler.

▷ *Amélioration de la mobilité physique.* Au début, il faut restreindre l'activité physique pour favoriser la cicatrisation de la plaie. Puis, quand l'infection diminue et que la cicatrisation est amorcée, le patient doit recommencer progressivement à marcher, car l'activité physique favorise la circulation artérielle et le retour veineux.

Au cours de la période de reprise progressive des activités, on doit inciter le patient à se retourner fréquemment d'un côté à l'autre, à faire des exercices pour les bras afin de conserver le tonus et la force musculaires, et à pratiquer des activités récréatives. Si la période de restriction des activités et de la mobilité doit être prolongée, il faut avoir recours aux services d'un ergothérapeute.

Si la douleur limite l'activité, le médecin prescrit souvent des analgésiques. La douleur causée par une maladie vasculaire périphérique étant souvent chronique, il faut choisir de préférence des analgésiques non narcotiques qui ne présentent pas de risques d'accoutumance. On recommande d'administrer un analgésique avant une période d'activité pour améliorer le bien-être du patient.

▷ ***Atteinte d'un état nutritionnel adéquat et amélioration du processus de cicatrisation.*** On doit déterminer si le patient présente un déficit nutritionnel d'après ses habitudes alimentaires normales. Il faut ensuite modifier son régime pour combler les carences. Pour favoriser la cicatrisation, le régime alimentaire doit être riche en protéines, en vitamine C et en fer.

Les maladies des vaisseaux périphériques touchent beaucoup de personnes âgées, chez qui le métabolisme est ralenti et l'activité réduite. Il faut donc adapter leur apport énergétique en conséquence. On doit aussi accorder une grande importance au fer, car de nombreuses personnes âgées sont anémiques. Le régime alimentaire doit combler les besoins nutritionnels du patient, tout en tenant compte de son mode de vie, de ses préférences et du contexte familial. Il doit être bien expliqué au patient et à sa famille.

▷ *Évaluation*

Résultats escomptés

1. Le patient a retrouvé l'intégrité de sa peau.
   a) Il ne présente plus d'inflammation.
   b) Sa plaie ne présente plus d'écoulements et les cultures sont négatives.
   c) Il prend des mesures pour éviter les blessures aux jambes.
   d) Il adopte la position qu'on lui a recommandée afin de favoriser la circulation (élévation de la tête ou des pieds).
2. Le patient améliore sa mobilité physique.
   a) Il reprend graduellement ses activités.
   b) Il dit que la douleur ne l'empêche plus de pratiquer ses activités.
3. Le patient atteint un état nutritionnel adéquat.
   a) Il choisit des aliments riches en protéines, en vitamines et en fer.
   b) Il explique à sa famille les modifications qu'il doit apporter à son régime alimentaire lors du retour à la maison.
   c) Il planifie avec sa famille un régime alimentaire sain.
   d) Sa plaie se cicatrise de façon normale, sans complications et dans un délai approprié.

VARICES

Incidence

Les varices sont des veines superficielles allongées, dilatées et sinueuses dont les valvules sont absentes ou incompétentes (voir la figure 16-15). Ce sont les veines des jambes, les veines saphènes et les veines de la partie inférieure du tronc qui sont les plus souvent touchées (voir le chapitre 29 pour une description des varices œsophagiennes).

On estime qu'une personne sur cinq souffre de varices des jambes. Cette affection touche surtout des personnes dont le travail exige de longues stations debout, comme les vendeurs, les coiffeurs, les esthéticiennes, les préposés aux ascenseurs, les infirmières et les dentistes. Une faiblesse héréditaire de la paroi veineuse peut contribuer à la formation des varices; il arrive souvent que plusieurs membres d'une même famille en souffrent.

Physiopathologie et manifestations

On distingue les varices *primaires* (qui touchent uniquement les veines superficielles) et les varices *secondaires* (qui touchent les veines profondes). L'incompétence des valvules se manifeste par une stase due au reflux du sang dans la veine. Si les varices ne touchent que des veines superficielles, elle sont souvent asymptomatiques, bien que peu esthétiques. Elles peuvent provoquer une douleur sourde, des crampes musculaires et une augmentation de la fatigue musculaire dans les jambes. Un œdème de la cheville et une sensation de lourdeur dans les jambes peuvent aussi se manifester; les crampes nocturnes sont fréquentes.

Dans les cas de varices des veines profondes dues à une obstruction veineuse profonde, le patient peut présenter des symptômes d'insuffisance chronique comme l'œdème, la douleur, une altération de la pigmentation cutanée et des ulcères; il est plus vulnérable aux blessures et à l'infection.

Examens diagnostiques

Pour diagnostiquer les varices des jambes, on utilise couramment le *test de Trendelenburg*, qui met en évidence le flux sanguin rétrograde à travers des valvules incompétentes localisées dans les veines superficielles et dans les veines perforantes qui rejoignent les veines profondes. Pour effectuer ce test, on place le patient en position couchée, les jambes surélevées pour permettre aux veines de se vider. On applique ensuite un garrot de caoutchouc souple autour du haut de la cuisse pour obstruer les veines et on demande au patient de se lever. Si les valvules des veines perforantes sont incompétentes, le sang circulera des veines superficielles aux veines profondes. Si un afflux rapide de sang vers les veines superficielles se produit quand on relâche le garrot, on peut déduire que les valvules des veines superficielles sont aussi touchées. Ce test permet de choisir le traitement le plus approprié.

L'épreuve de *Perthes-Barone* est un autre examen diagnostic qui permet de déterminer la compétence des valvules des veines profondes et des veines perforantes. On applique le garrot juste sous le genou et on demande au patient de marcher. Si les varices disparaissent, c'est que les veines profondes et les veines perforantes sont intactes. Par contre, si les varices ne disparaissent pas et se dilatent davantage, on doit soupçonner une incompétence des valvules ou une obstruction des veines profondes.

On peut aussi confirmer le diagnostic de varices au moyen du *débitmètre Doppler*, de la phlébographie et de la pléthysmographie. Le débitmètre Doppler permet de dépister le flux

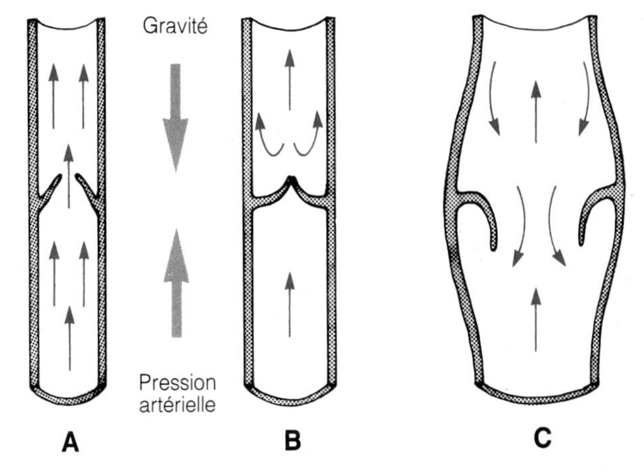

Figure 16-15. Direction de la circulation sanguine quand les valvules fonctionnent normalement (**A**) Valvules ouvertes (**B**) Valvules fermées (**C**) L'incompétence des valvules empêche le sang de se diriger vers le cœur.

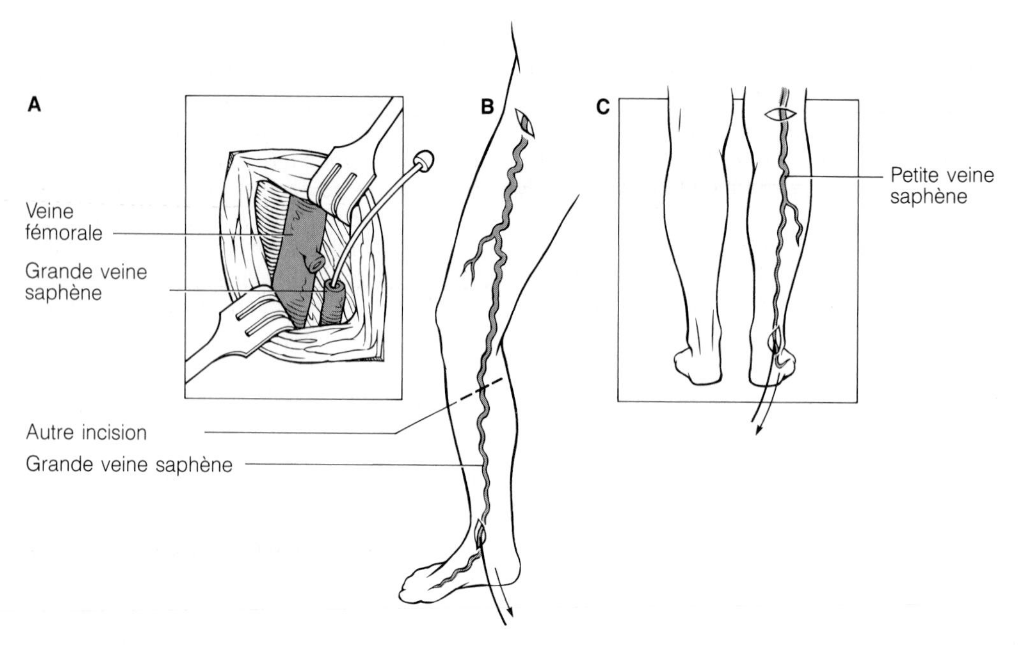

Figure 16-16. Ligature et éveinage de la grande et de la petite veine saphène (**A**) Après avoir ligaturé ses collatérales, on ligature la veine saphène à son point de rencontre avec la veine fémorale. (**B**) On insère une tringle par la cheville et on la glisse jusqu'à la partie supérieure de l'aine. L'éveinage se fait de haut en bas. Des incisions supplémentaires sont parfois nécessaires pour retirer d'autres segments variqueux. (**C**) La petite veine saphène est éveinée à partir de son point de rencontre avec la veine poplitée jusqu'à un point postérieur à la malléole externe.
(Source: Rhoads et coll., *Surgery,* Philadelphia, J. B. Lippincott)

sanguin rétrograde dans les veines superficielles dont les valvules sont incompétentes. La *phlébographie* permet de visualiser les veines grâce à l'injection d'une substance de contraste et la pléthysmographie, de mesurer les variations du volume veineux.

Prévention et enseignement au patient

Le patient doit éviter tout ce qui est susceptible de causer une stase veineuse: porter des jarretières serrées ou une gaine, croiser les jambes, et s'asseoir ou rester debout trop longtemps. Pour favoriser la circulation, il peut changer fréquemment de position, surélever ses jambes lorsqu'elles sont fatiguées, et se lever toutes les heures pour marcher quelques minutes. On doit aussi l'inciter à marcher 1,5 à 3 km par jour, sauf contre-indication. Il doit aussi prendre les escaliers plutôt que les ascenseurs et les escaliers roulants. La natation est un bon exercice pour les jambes.

On recommande souvent le port de bas élastiques (anti-embolie). Les personnes obèses doivent suivre un régime amaigrissant.

Correction chirurgicale

Il faut établir la perméabilité des veines profondes avant d'envisager une correction chirurgicale des varices par stripping saphénien. Il s'agit d'une intervention qui se fait sous anesthésie générale. On ligature la veine saphène à son point de rencontre avec la veine fémorale, c'est-à-dire dans la partie supérieure de l'aine. On pratique ensuite une incision dans la cheville et on introduit une tringle de métal ou de plastique sur toute la longueur de la veine pour en faire l'extraction (voir la figure 16-16). La compression et l'élévation du membre réduisent les pertes sanguines pendant l'opération.

Soins postopératoires. La correction chirurgicale des varices peut se pratiquer en externe; sinon l'hospitalisation est de 24 heures. On recommande le repos au lit pendant les 24 heures suivant l'opération, puis une marche de 5 à 10 minutes toutes les 2 heures. Il faut exercer une pression continue sur la jambe au cours de la première semaine. On recommande aussi de pratiquer des exercices musculaires et d'amplitude des mouvements articulaires et d'élever la tête du lit. Les stations debout et assise prolongées sont contre-indiquées.

Les analgésiques aideront le patient à bouger plus facilement le membre opéré. Il faut examiner les pansements pour détecter les saignements, qui sont plus fréquents dans la région de l'aine. Des picotements ou une sensibilité au toucher sur le membre opéré peuvent témoigner d'une lésion opératoire, temporaire ou permanente, au nerf saphène qui est à proximité de la veine saphène.

Le patient doit se procurer des bas élastiques (anti-embolie) qu'il lui faudra porter pendant une longue période après l'opération. Un programme d'exercices personnalisé, préparé en collaboration avec le médecin, est également nécessaire.

Sclérothérapie. La sclérothérapie consiste à injecter dans les varices un produit chimique (par exemple du tétradécylsulfate dont la concentration est habituellement de 1 à 3 %) qui provoque une phlébite et une fibrose localisées qui oblitèrent complètement la veine. On l'utilise généralement pour les petites varices, parfois en association avec le stripping. Il faut noter cependant que la sclérothérapie a des effets palliatifs, et non curatifs. Après l'injection de l'agent sclérosant, on applique sur la jambe des bandages élastiques qu'on laisse en place pendant environ cinq jours, après quoi le patient doit porter des bas élastiques pendant cinq semaines. On doit aussi lui recommander fortement de marcher le plus possible afin de favoriser la circulation.

Si le patient ressent dans la jambe traitée une sensation de brûlure qui persiste pendant un à deux jours, il faut lui prescrire un sédatif léger et lui recommander la marche. Le médecin doit être présent quand on retire pour la première fois les bandages de compression. Pour prendre une douche, le patient peut recouvrir les bandages de compression d'un sac de plastique en s'assurant de son étanchéité.

La sclérothérapie a perdu de sa popularité pendant un certain temps, à cause de sérieuses complications: thromboses, nécrose tissulaire au point d'injection, vasospasmes, hémolyse et réactions allergiques. Elle l'a regagnée depuis grâce à l'utilisation de solutions sclérosantes moins concentrées.

SYSTÈME LYMPHATIQUE

Le système lymphatique se compose de vaisseaux répartis dans tout l'organisme. Ces vaisseaux naissent d'un réseau de capillaires lymphatiques qui a pour fonction de drainer des espaces tissulaires le plasma qui n'est pas réabsorbé dans le segment veineux des capillaires sanguins. Ils traversent les ganglions lymphatiques et se déversent dans les troncs lymphatiques. Le liquide qui se trouve à l'intérieur des vaisseaux lymphatiques s'appelle la *lymphe*, et celui qui circule à l'intérieur, dans l'espace extracellulaire, se nomme *liquide tissulaire*. Les vaisseaux lymphatiques de la cavité abdominale absorbent une grande partie du chyle, un liquide résultant de la transformation des aliments, qu'ils transportent jusqu'au canal thoracique. Les vaisseaux lymphatiques de la tête aboutissent aux ganglions du cou, et ceux des membres inférieurs, au ganglions des aisselles et de l'aine. Le débit de la lymphe dépend des contractions des vaisseaux lymphatiques, des contractions musculaires, des mouvements respiratoires et de la gravité.

Lymphangiographie

La lymphangiographie permet de mettre en évidence le système lymphatique par l'injection directe d'une substance de contraste dans les vaisseaux lymphatiques des mains et des pieds. On peut ainsi dépister les affections des ganglions lymphatiques: métastases, lymphomes ou infections.

Pour effectuer cet examen, on injecte d'abord du bleu Evans par voie intradermique entre le premier et le deuxième orteil, afin de repérer un vaisseau lymphatique. On isole ensuite un segment de vaisseau dans lequel on introduit une canule de calibre 25 à 30 pour injecter très lentement une substance de contraste à base d'iode et d'huile. On prend des clichés tout de suite après l'injection, 24 heures plus tard, et à intervalles réguliers par la suite. Dans les cas de lymphome, les ganglions atteints retiennent la substance de contraste pendant environ un an après l'injection, ce qui permet de suivre les effets de la radiothérapie et de la chimiothérapie.

La lymphoscintigraphie est une autre méthode de diagnostic fiable. Elle se fait par injection sous-cutanée dans le deuxième espace interdigital d'un colloïde radiomarqué. Après l'injection, on fait bouger le membre pour faciliter l'absorption du produit dans le système lymphatique et on prend des clichés à intervalles réguliers. Aucune réaction indésirable n'a été observée suite à cet examen.

MALADIES DU SYSTÈME LYMPHATIQUE

LYMPHANGITE ET LYMPHADÉNITE

La lymphangite est une inflammation aiguë des voies lymphatiques provoquée habituellement par un streptocoque hémolytique pénétrant par une lésion ou une infection d'un membre. Des traînées rouges apparaissent sur le membre atteint et s'étendent de la lésion périphérique vers la région proximale en direction des ganglions régionaux, qui sont rouges et hypertrophiés (lymphadénite aiguë). Ils peuvent parfois se nécroser avec formation d'un abcès (lymphadénite purulente). Les ganglions de l'aine, des aisselles et de la région cervicale sont les plus souvent touchés.

Les infections des voies lymphatiques étant presque toujours causées par des organismes sensibles aux antibiotiques, on observe rarement la formation d'un abcès. Les lymphangites récurrentes sont souvent associées à un lymphœdème progressif.

Après une crise de lymphangite, le patient doit porter un bandage élastique sur le membre affecté pendant plusieurs mois afin de prévenir la formation d'un œdème chronique.

LYMPHŒDÈME ET ÉLÉPHANTIASIS

Le lymphœdème peut être congénital ou secondaire (acquis). Il se caractérise par un œdème des membres causé par une accumulation de lymphe dans les vaisseaux lymphatiques suite à une obstruction. L'œdème est accentué par la position déclive. Il est d'abord mou, prend le godet et répond au traitement, mais à mesure que la maladie évolue, il devient plus solide, ne prend plus le godet et ne répond plus au traitement. Le lymphœdème congénital, qui est la forme la plus fréquente de cette maladie, est causé par une hypoplasie des vaisseaux lymphatiques des membres inférieurs. Il frappe surtout les femmes, et se manifeste entre l'âge de 15 et 25 ans.

Le lymphœdème secondaire est causé par une obstruction des ganglions ou des vaisseaux lymphatiques. Il peut toucher un membre supérieur à la suite d'une mastectomie ou un membre inférieur; dans ce dernier cas, il est associé à des varices ou à une phlébite chronique. S'il y a phlébite chronique, l'obstruction est habituellement causée par une lymphangite chronique. Dans les régions tropicales et subtropicales, on observe souvent un lymphœdème, dû à une obstruction par des parasites du nom de filaires, qui aboutit à l'*éléphantiasis*. Il s'agit d'une augmentation du volume des membres causée par une fibrose et un épaississement des tissus sous-cutanés et une hypertrophie cutanée, suite à des crises d'infection répétées. L'augmentation du volume des membres est chronique et est à peine atténuée en position surélevée.

Traitement

Le traitement médical du lymphœdème vise principalement à réduire l'œdème et à prévenir les infections. Le repos au lit et l'élévation de la jambe affectée peuvent contribuer à mobiliser les liquides. Des exercices passifs et actifs peuvent aussi favoriser la circulation de la lymphe. On peut utiliser un appareil de compression pneumatique pour diriger le liquide du pied jusqu'à la hanche. Après la période d'alitement, le port de bas élastiques s'impose.

Le traitement initial comprend l'administration intermittente de diurétiques (furosémide [Lasix]) afin de prévenir la surcharge liquidienne. On utilise aussi les diurétiques à titre palliatif après la phase aiguë. Toutefois, l'usage des diurétiques dans le lymphœdème ne fait pas l'unanimité.

Si le lymphœdème s'accompagne d'une lymphangite ou d'une cellulite, une antibiothérapie s'impose. De plus, on doit enseigner au patient comment examiner sa peau pour déceler les signes d'infection.

On a recours à la chirurgie quand l'œdème est grave et non maîtrisé par le traitement médical, quand la mobilité est grandement réduite ou quand l'infection est persistante. Une des techniques chirurgicales utilisées est l'excision du tissu sous-cutané et du fascia avec remplacement de la perte de substance cutanée par une greffe. On peut aussi transposer des vaisseaux lymphatiques superficiels dans le système lymphatique profond par la technique du lambeau dermique enfoui, afin d'aménager une voie d'écoulement pour la lymphe.

On prodigue les mêmes soins postopératoires que dans les autres greffes cutanées. On peut administrer des antibiotiques à titre prophylactique pendant cinq à sept jours. Le membre opéré doit toujours être surélevé et on doit être à l'affût des complications comme la nécrose du lambeau, la formation d'un hématome ou d'un abcès sous le lambeau et la cellulite.

Résumé: En général, les maladies du système lymphatique peuvent être traitées, mais non guéries. Les soins infirmiers ont pour objectif de réduire l'œdème par une augmentation de l'activité musculaire et du retour veineux. On utilise à cette fin diverses mesures, comme l'élévation du membre, les bas élastiques et les appareils de compression pneumatique.

Bibliographie

Bates B. A Guide to Physical Examination, 5th ed. Philadelphia, JB Lippincott, 1991.

Berne R and Levy M. Physiology, 2nd ed. St Louis, CV Mosby, 1986.

Dossey BM et al. Essentials of Critical Care Nursing: Body, Mind, Spirit. Philadelphia, JB Lippincott, 1990.

Fahey VA. Vascular Nursing. Philadelphia, WB Saunders, 1988.

Guyton A. Textbook of Medical Physiology. Philadelphia, WB Saunders, 1986.

Hazzard WR et al. Principles of Geriatric Medicine and Gerontology, 2nd ed. New York, McGraw-Hill, 1990.

Jarrett F and Hirsch SA. Vascular Surgery of the Lower Extremity. St Louis, CV Mosby, 1985.

Lambert WC and Doty OB. Peripheral Vascular Surgery. Chicago, Year Book Medical Pub, 1987.

Page IH. Hypertensive Mechanisms. Orlando, Grune & Stratton, 1987.

Rakel RE (ed). Conn's Current Therapy. Philadelphia, WB Saunders, 1988.

Robbins S et al. Pathologic Basis of Disease, 4th ed. Philadelphia, WB Saunders, 1989.

Strandness DE (ed). Vascular Diseases: Current Research and Clinical Applications. Orlando, Grune & Stratton, 1987.

Revues

Les articles de recherche en sciences infirmières sont marqués d'un astérisque.

Généralités

Berenson GS et al. Arterial wall injury and proteoglycan changes in atherosclerosis. Arch Pathol Lab Med 1988 Oct; 112(10): 1002-1009.

Eagan JS. Lasers: Applications in cardiovascular atherosclerotic disease. Crit Care Nurs Clin North Am 1989 Jun; 1(2): 311-326

* Foxall MJ et al. Comparative study of adjustment patterns of chronic obstructive pulmonary disease patients and peripheral vascular disease patients. Heart Lung 1987 Jul; 16(4): 354-363.

Kaplan NM. The deadly quartet: Upper-body obesity, glucose intolerance, hypertriglyceridemia, and hypertension. Arch Intern Med 1989 Jul; 149(7): 1514-1520.

Paul MC and Halfman-Franey M. Laser angioplasty in peripheral vascular disease. Crit Care Nurs 1990 May; 10(5): 65-77.

Stabile MJ and Warfield CA. The pain of peripheral vascular disease. Hosp Pract 1988 Mar; 23(3): 99-107.

Sweeney MS et al. Cardiac surgical emergencies. Crit Care Clin 1989 Jul; 5(3): 659-678.

Touhey JE et al. Hyperbaric oxygen therapy. Orthop Rev 1987 Nov; 16(11): 829-833.

Turner JA. Nursing interventions in patients with peripheral vascular disease. Nurs Clin North Am 1986 Jun; 21(2): 233-240.

Wagner MM. Pathophysiology related to peripheral vascular disease. Nurs Clin North Am 1986 Jun; 21(2): 195-205.

Wells I. Inferior vena cava filters and when to use them. Clin Radiol 1989 Jan; 40(1): 11-12.

Wills-Long SL et al. Hyperbaric oxygen therapy: Nursing opportunity. Dimen Crit Care Nurs 1989 May/Jun; 8(3): 176-182.

Young HL. Peripheral vascular disease: 1. Arterial disease of the lower limb. Br J Occup Ther 1989 Apr; 52(4): 127-129.

Young HL. Peripheral vascular disease: 2. Venous disorders of the lower limb. Br J Occup Ther 1989 Apr; 52(4): 130-132.

Traitement anticoagulant et thrombolytique

McCann RL and Sabiston DC. Current management of venous thromboembolic disease. Br J Surg 1989 Feb; 76(2): 113-114.

McConnell EA. APTT and PT: Two common-but-important coagulation studies. Nursing 1986 May; 16(5): 47-48.

Raskob GE et al. Anticoagulant therapy for venous thromboembolism. Prog Hemost Thromb 1989; 9: 1-27.

Sidorov J. Streptokinase v heparin for deep vein thrombosis. Arch Intern Med 1989 Aug; 149(8): 1841-1845.

Maladies des artères

Bensen JL and Allastair MK. In situ artery bypass. AORN J 1987 Jan; 45(1): 40-55.

Bondy B. An overview of arterial disease. J Cardiovasc Nurs 1987 Feb; 1(2): 1-11.

Cardelli MB and Kleinsmith DM. Raynaud's phenomenon and disease. Med Clin North Am 1989 Sep; 73(5): 1127-1141.

Cheatle TR and Scurr JH. Abdominal aortic aneurysms: A review of current problems. Br J Surg 1989 Aug; 76(8): 826-829.

Cohle SD and Lie JT. Inflammatory aneurysm of the aorta, aortitis, and coronary arteritis. Arch Pathol Lab Med 1988 Nov; 112(11): 1121-1125.

Dixon MB. Acute aortic dissection. J Cardiovasc Nurs 1987 Feb; 1(2): 24-35.

Dixon MB and Nunnelee J. Arterial reconstruction for atherosclerotic occlusive disease. J Cardiovasc Nurs 1987 Feb; 1(2): 36-49.

Hotter AN. Preventing cardiovascular complications following AAA surgery. Dimen Crit Care Nurs 1987 Jan/Feb; 6(1): 10-18.

Hubner C. Exercise therapy and smoking cessation for intermittent claudication. J Cardiovasc Nurs 1987 Feb; 1(2): 50-58.

Olin JW. Thrombolytic therapy in the treatment of peripheral arterial occlusions. Ann Emerg Med 1988 Nov; 17(11): 1210-1214.

Paris BE et al. The prevalence and one-year outcome of limb arterial obstructive disease in a nursing home population. J Am Geriatr Soc 1988 Jul; 36(7): 607-612.

Reilly JM and Tilson MD. Incidence and etiology of abdominal aortic aneurysms. Surg Clin North Am 1989 Aug; 69(4): 705-711.

Stern PH. Occlusive vascular disease of lower limbs; diagnosis, amputation surgery and rehabilitation. Am J Phys Med Rehabil 1988 Aug; 67(4): 145-154.

Warbinek E and Wyness MA. Peripheral arterial occlusive disease. Part II: Nursing assessment and standard care plans. Cardiovasc Nurs 1986 Mar/Apr; 22(2): 6–10.

Zacca NM et al. Treatment of symptomatic peripheral atherosclerotic disease with a rotational atherectomy device. Am J Cardiol 1989 Jan; 63(1): 77–80.

Évaluation et diagnostic

Athanasoulis CA and Yucel EK. Venous reflux; Assessing the level of incompetence. Radiology 1990 Feb; 174(2): 326–327.

Bandyk DF. Perioperative imaging of aortic aneurysms. Surg Clin North Am 1989 Aug; 69(4): 721–735.

Bettman MA. Noninvasive and venographic diagnosis of deep vein thrombosis. Cardiovasc Intervent Radiol 1988 Nov; suppl: 515–520.

Comerota AJ et al. The diagnosis of acute deep venous thrombosis: Noninvasive and radioisoptic techniques. Ann Vasc Surg 1988 Oct; 2(4): 406–424.

Herman JA. Nursing assessment and nursing diagnosis in patients with peripheral vascular disease. Nurs Clin North Am 1986 Jun; 21(2): 219–231.

Hill MN and Grim CM. How to take a precise blood pressure. Am J Nurs 1991 Feb; 91(2): 38–42.

Massey JA. Diagnosis testing for peripheral vascular disease. Nurs Clin North Am 1986 Jun; 21(2): 207–218.

Moranoe JU and Raju S. Chronic venous insufficiency: Assessment with descending venography. Radiology 1990 Feb; 174(2): 441–444.

Wildus DM and Osterman FA. Evaluation and percutaneous management of atherosclerotic peripheral vascular disease. JAMA 1989 Jun; 261(21): 3146–3153.

Hypertension

Applegate WB. Hypertension in elderly patients. Ann Intern Med 1989 Jun; 110(11): 901–915.

Beare PG. Calcium channel blockers: Nursing care for hypertension. Crit Care Nurs 1989 Mar/Apr; 9(2): 37–44.

Black HR and Setaro JF. Monotherapy and beyond. Consultant 1989 Jan; 29(1): 88-91, 94, 99–100.

Black HR. Prescribing for compliance: The role of fixed-dose combinations. Consultant 1988 Jun; 28(6): 145–147, 150, 152.

Cressman MD and Vlasses PH. Recent issues in antihypertensive drug therapy. Med Clin North Am 1988 Mar; 772(2): 373–397.

Fontana SA. Update on high blood pressure: Highlights from the 1988 national report. Nurs Pract 1988 Dec; 13(12): 8, 10–12, 15, 18.

Frohlich ED. Calcium antagonist for initial therapy of hypertension. Heart Lung 1989 Jul; 18(4): 370–376.

Frohlich ED et al. Hypertensive cardiovascular disease. J Am Coll Cardiol 1987 Aug; 10(2): 57A–59A.

Graham DI. Morphologic changes during hypertension. Am J Cardiol 1989 Feb; 63(6): 6C–9C.

Greenberg G et al. The relationship between smoking and the response to antihypertensive treatment in mild hypertensives in the medical research council's trial of treatment. Int J Epidemiol 1987 Mar; 16(1): 25–30.

Hahn W, Brooks J, Hite R. Blood pressure norms for healthy young adults: Relation to sex, age, and reported parenteral hypertension. Res Nurs Health 1989 Feb; 12(1): 53–56.

Hill MN and Cunningham SL. The latest words for high BP. Am J Nurs 1989 Apr; 89(4): 504–508.

McGarry-Myers RJ and Franciosa JA. The role of new antihypertensive drugs. Chest 1988 Apr; 93(4): 868–869.

* Nakagawa-Kogan H et al. Self-management of hypertension: Predictors of success in diastolic blood pressure reduction. Res Nurs Health 1988 Apr; 11(2): 105–115.

* Powers MJ and Jalowiec A. Profile of the well-controlled hypertensive patient. Nurs Res 1987 Mar/Apr; 36(2): 106–110.

Rubenstein EB and Escalante C. Hypertensive crisis. Crit Care Clin 1989 Jul; 5(3): 477–495.

The 1988 Report of the Joint National Committee on Detection, Evaluation, and Treatment of High Blood Pressure. Arch Intern Med 1988 May; 148(5): 1023–1038.

Maladies du système lymphatique

Gloviczki P et al. Noninvasive evaluation of the swollen extremity: Experiences with 190 lymphoscinitigraphic examinations. J Vasc Surg 1989 May; 9(5): 683–689.

Intenzo CM et al. Lymphedema of the lower extremities: Evaluation by microcolloidal imaging. Clin Nucl Med 1989 Feb; 142(2): 107–110.

Servelle M. Total superficial lymphangiectomy. AORN J 1988 Jun; 47(6): 1386–1387.

Wilson C and Bilodeau ML. Current management concepts for the patient with lymphedema. J Cardiovasc Nurs 1989 Nov; 4(1): 79–88.

Varices

Goldman MP and Fronek A. Anatomy and pathophysiology of varicose veins. J Dermatol Surg Oncol 1989 Feb; 15(2): 138–145.

de Groot WP. Treatment of varicose veins: Modern concepts and methods. J Dermatol Surg Oncol 1989 Feb; 15(2): 191–198.

Thompson NW. The diagnosis and treatment of varicose veins. NAPT J 1985 Jan/Feb; 17–23.

Maladies des veines

Inada K et al. Effects of intermittent pneumatic compression for prevention of postoperative deep vein thrombosis with special reference to fibrinolytic activity. Am J Surg 1988 Apr; 155(4): 602–605.

Lewis JD. The management of the limb in acute venous thrombosis. Blood Rev 1987 Mar; 1(4): 230–236.

Menzoian JO and Doyle JE. Venous insufficiency of the leg. Hosp Pract 1989 May; 24(5): 109–110, 113, 114, 116.

Nicolaides A et al. Progress in the investigation of chronic venous insufficiency. Ann Vasc Surg 1989 Jul; 3(3): 278–292.

Porteous MJ et al. Thigh length versus knee length stockings in the prevention of deep vein thrombosis. Br J Surg 1989 Mar; 76(3): 296–297.

Powers LR. Distal deep vein thrombosis. J Gen Intern Med 1988 May/Jun; 3(3): 288–293.

Reporting Standards in Venous Disease. J Vasc Surg 1988 Aug; 6(2): 172–181.

Scurr JH et al. Regimen for improved effectiveness of intermittent pneumatic compression in deep venous thrombosis prophylaxis. Surgery 1987 Nov; 102(5): 816–820.

Turpie AG et al. Prevention of deep vein thrombosis in potential neurosurgical patients. Arch Intern Med 1989 Mar; 149(3): 679–681.

Information/Ressources

Organismes

Joint National Committee on Detection, Evaluation and Treatment of High Blood Pressure
National Heart, Lung and Blood Institute, Building 31, Room 4A05, Bethesda, MD 20892

National Heart, Lung and Blood Institute
Education Programs Information Center, 4733 Bethesda Ave, Suite 530, Bethesda MD 20814

17 ÉVALUATION ET TRAITEMENT DES PATIENTS QUI PRÉSENTENT DES TROUBLES HÉMATOLOGIQUES

SOMMAIRE

OBJECTIFS D'APPRENTISSAGE

Après avoir étudié ce chapitre, vous devriez être en mesure de réaliser ce qui suit:

1. *Comparer les anémies hypoprolifératives et les anémies hémolytiques.*
2. *Appliquer la démarche de soins infirmiers pour intervenir auprès des patients atteints d'anémie.*
3. *Appliquer la démarche de soins infirmiers pour intervenir auprès des patients atteints de drépanocytose.*
4. *Appliquer la démarche de soins infirmiers pour intervenir auprès des patients atteints de leucémie.*
5. *Comparer les différents types de leucémie: incidence, altérations physiologiques, manifestations cliniques, traitement et pronostic.*
6. *Décrire les différents stades de la maladie de Hodgkin: extension, manifestations cliniques et traitement.*
7. *Distinguer les divers troubles de l'hémostase: troubles vasculaires, anomalies plaquettaires et maladies héréditaires de la coagulation.*
8. *Appliquer la démarche de soins infirmiers pour intervenir auprès des patients atteints d'hémophilie.*
9. *Décrire les indications thérapeutiques de l'administration du sang et de ses dérivés.*
10. *Préparer un plan de soins pour les patients recevant une transfusion.*

GLOSSAIRE

Agranulocytose: *affection aiguë caractérisée par une diminution importante du nombre de leucocytes et une forte neutropénie*

Aplasie: *insuffisance ou arrêt du développement d'un organe ou d'un tissu*

Ecchymose: *tache violacée produite par une infiltration de sang dans le tissu sous-cutané*

Érythrocyte: *globule rouge (syn.: hématie)*

Érythropoïèse: *formation des érythrocytes dans la moelle osseuse*

Érythropoïétine: *hormone régissant la formation des globules rouges*

Glossite: *inflammation de la langue*

GLOSSAIRE (suite)

Granulocyte: *leucocyte caractérisé par un noyau à plusieurs lobes et dont le cytoplasme contient des granulations; on distingue trois variétés: granulocyte neutrophile, granulocyte basophile et granulocyte éosinophile, selon l'affinité des granulations pour divers types de colorants.*

Granulocyte basophile: *granulocyte ayant de l'affinité pour les colorants basiques*

Granulocyte éosinophile: *granulocyte ayant de l'affinité pour l'éosine*

Granulocyte neutrophile: *granulocyte ayant de l'affinité pour les colorants neutres*

Granulopénie: *diminution du nombre des granulocytes circulants*

Hématocrite: *rapport des érythrocytes du sang à son volume total*

Hématopoïèse: *formation des cellules sanguines (éléments figurés du sang)*

Hématopoïétique: *relatif à la formation des cellules sanguines*

Hémoglobine: *protéine contenue dans les érythrocytes et renfermant du fer*

Hémolyse: *destruction des érythrocytes avec libération de l'hémoglobine*

Histiocyte: *cellule mésenchymateuse dotée d'un grand pouvoir phagocytaire*

Hyperplasie: *prolifération anormale des cellules dans un tissu*

Hypochromie: *diminution anormale de la teneur en hémoglobine des érythrocytes*

Leucocyte: *globule blanc*

Leucocyte mononucléé: *leucocyte ne possédant qu'un seul noyau (lymphocyte, monocyte)*

Leucopénie: *diminution anormale du nombre des leucocytes circulants*

Lymphocyte: *leucocyte mononucléé*

Lyse: *destruction ou dissolution des cellules*

Macrocyte: *érythrocyte de grande taille*

Macrophage: *cellule du système réticulo-endothélial douée d'un pouvoir de phagocytose*

Mégaloblaste: *érythrocyte anormal de grande taille*

Métamyélocyte: *granulocyte non mature*

Microcyte: *érythrocyte de petite taille*

Monocyte: *leucocyte mononucléé*

Normochrome: *se dit d'un érythrocyte normalement coloré*

Normocytaire: *se dit d'un érythrocyte de diamètre normal*

Oxyhémoglobine: *molécule d'hémoglobine combinée avec l'oxygène*

Pancytopénie: *diminution globale du nombre de tous les éléments figurés du sang*

Pétéchie: *petite tache hémorragique cutanée (rouge violacé)*

Phagocytose: *processus par lequel les cellules englobent et digèrent les corps étrangers*

Plaquette: *(syn.: thrombocyte) élément nucléé du sang jouant un important rôle dans la coagulation*

Plasma: *partie liquide du sang dans laquelle se trouvent les cellules sanguines*

Réticulocyte: *érythrocyte jeune*

Sérum: *partie liquide du sang qui reste après la coagulation*

Sphérocyte: *érythrocyte anormal en forme de disque biconvexe*

Système réticulo-endothélial: *ensemble de cellules toutes douées d'un pouvoir phagocytaire*

Thrombocyte: *voir Plaquette*

Thrombopénie: *diminution du nombre des plaquettes dans le sang circulant*

PHYSIOLOGIE

L'hématologie est la science consacrée à l'étude des maladies du sang et des organes hématopoïétiques, soit la moelle osseuse, la rate et les ganglions lymphatiques. Le sang est un liquide organique visqueux et opaque, de couleur rouge; il est constitué de cellules en suspension dans le plasma. Les principales cellules sanguines sont les *érythrocytes* (globules rouges) dont le nombre et d'environ 5×10^{12}/L, les *leucocytes* (globules blancs) dont le nombre est de 5 à 10×10^9/L, et les *plaquettes* (thrombocytes) dont le nombre se situe normalement entre 150 et 450×10^9/L. Les éléments figurés du sang occupent entre 40 et 45 % du volume sanguin total. On appelle *hématocrite* la partie du sang occupée par les érythrocytes. C'est l'hémoglobine contenue dans les érythrocytes qui donne au sang sa couleur rouge.

Chez l'adulte, le volume sanguin est d'environ 5 L et représente de 7 à 10 % du poids corporel. Le sang circule dans les vaisseaux pour combler les besoins métaboliques des différents organes, transportant l'oxygène depuis les poumons et les éléments nutritifs depuis les voies digestives.

Le sang transporte aussi les déchets métaboliques vers les poumons, la peau, le foie et les reins pour qu'ils y soient transformés et éliminés. Il contient de plus des hormones et des anticorps qu'il amène vers leurs sites d'action et d'utilisation.

Comme le sang est liquide, il peut s'échapper facilement des vaisseaux quand ceux-ci sont lésés. Pour éviter que les pertes ne soient trop grandes, des mécanismes complexes entrent en jeu. Ces mécanismes déclenchent une série de réactions qui provoquent la coagulation du sang. C'est ce que l'on appelle l'hémostase.

Il faut par ailleurs éviter la formation de caillots qui pourraient obstruer le débit sanguin vers les tissus vitaux, ce qui se fait grâce à la fibrinolyse, qui est la dissolution de la fibrine, l'un des deux principaux éléments du caillot sanguin.

Moelle osseuse

La moelle osseuse est le tissu qui occupe les cavités et aréoles des os spongieux et la partie centrale des os longs. Elle représente 4 à 5 % du poids corporel, ce qui en fait un des plus grands organes. On distingue la moelle rouge, qui joue un rôle important dans l'hématopoïèse (formation des éléments figurés du sang), et la moelle jaune, qui est riche en cellules adipeuses et ne joue aucun rôle dans l'hématopoïèse. Au cours de l'enfance, la moelle rouge est peu à peu remplacée dans les os longs par la moelle jaune, qui peut se convertir en moelle rouge au besoin. Chez l'adulte, la moelle rouge se trouve dans les côtes, la colonne vertébrale et les autres os plats.

La moelle est un organe très vascularisé composé de tissu conjonctif contenant des cellules libres. Les premières cellules des différentes lignées cellulaires sont appelées cellules souches. On distingue la lignée myéloïde, qui comprend les érythrocytes, plusieurs types de leucocytes et les plaquettes, et la lignée lymphoïde, qui produit les lymphocytes différenciés.

Érythrocytes

L'érythrocyte normal se présente sous la forme d'un disque biconcave, ressemblant à une balle pressée entre les doigts. Il a un diamètre d'environ 8 μm et est extrêmement souple, pouvant pénétrer facilement dans des capillaires qui ont un diamètre de 4 μm seulement. Il occupe un volume d'environ 90 μm^3. Sa membrane est si mince que des gaz comme l'oxygène et le gaz carbonique peuvent y pénétrer facilement. Les érythrocytes matures se composent de 95 % d'hémoglobine, n'ont pas de noyau et contiennent beaucoup moins d'enzymes que les autres cellules. L'hémoglobine leur permet d'accomplir leur principale fonction, soit le transport de l'oxygène entre les poumons et les tissus.

L'hémoglobine est donc la protéine responsable du transport de l'oxygène. Elle a un poids moléculaire de 64 000 et se divise en 4 sous-unités, chacune composée d'un hème renfermant du fer, et d'une chaîne de globine. L'hème a la propriété de lier l'oxygène de façon réversible. L'oxyhémoglobine est le résultat de la combinaison de l'hémoglobine avec l'oxygène. Elle est d'un rouge plus vif que l'hémoglobine exempte d'oxygène (hémoglobine réduite). Par le fait même, le sang artériel est d'un rouge plus vif que le sang veineux. Le sang entier contient environ 150 g d'hémoglobine au litre (150 g / L) ou 30 μg d'hémoglobine pour un million d'érythrocytes.

Formation des érythrocytes (érythropoïèse). Les cellules souches de la moelle osseuse donnent naissance aux érythroblastes. Ce sont des cellules nucléées qui par maturation deviendront des érythrocytes. La cellule intermédiaire entre l'érythroblaste et l'érythrocyte est le *réticulocyte,* qui se caractérise par un fin réseau de fibrilles mis en évidence par une coloration spéciale. Quand il se transforme en érythrocyte, le réticulocyte perd son réseau de fibrille et un peu de son diamètre. L'érythrocyte n'est normalement libéré dans la circulation qu'une fois arrivé à maturité. La présence d'un trop grand nombre de réticulocytes dans le sang circulant indique un trouble qui entraîne une accélération de l'érythropoïèse.

La différenciation de la cellule souche en érythroblaste est stimulée par l'érythropoïétine, une glycoprotéine produite principalement par les reins. Notons que dans des conditions d'hypoxie prolongée, par exemple chez les personnes vivant en haute altitude ou ayant subi une hémorragie grave, le taux d'érythropoïétine est plus élevé pour stimuler l'érythropoïèse.

Pour assurer la production normale des érythrocytes, la moelle osseuse a besoin notamment de fer, de vitamine B_{12}, d'acide folique et de pyridoxine (vitamine B_6). L'absence d'un de ces facteurs réduit la production d'érythrocytes, ce qui provoque une anémie.

Réserves de fer et métabolisme. Chez un adulte, la teneur totale en fer est d'environ 3 g. Le fer est concentré surtout dans l'hémoglobine ou l'un de ses dérivés. Normalement, les voies digestives absorbent entre 0,5 et 1 mg de fer pour remplacer le fer perdu dans les excréments. La femme adulte doit absorber des doses additionnelles de fer (jusqu'à 2 mg par jour) pour remplacer le sang perdu durant la menstruation. Une carence en fer indique habituellement une perte de sang.

Le taux normal de fer dans le sérum sanguin et de 14 à 32 μmol / L pour les hommes, et de 11 à 29 μmol / L pour les femmes. Quand il y a carence en fer, les réserves de fer s'épuisent rapidement, la synthèse de l'hémoglobine ralentit, et les érythrocytes libérés dans la circulation sont petits et ont une faible teneur en hémoglobine.

Métabolisme de la vitamine B_{12} et de l'acide folique. La vitamine B_{12} et l'acide folique sont indispensables à la synthèse de l'ADN dans les tissus. Leur carence provoque donc un défaut de synthèse de l'ADN qui se manifeste par un trouble de la maturation cellulaire produisant des cellules anormales, les mégaloblastes. Il en résulte la mise en circulation d'érythrocytes macrocytaires (de diamètre supérieur à la moyenne). C'est ce qui caractérise l'anémie dite mégaloblastique.

La vitamine B_{12} et l'acide folique proviennent de l'alimentation. La vitamine B_{12} se lie au facteur intrinsèque produit dans l'estomac. Le complexe ainsi formé est absorbé dans l'iléon. L'absorption de l'acide folique se fait dans la partie proximale de l'intestin grêle.

Destruction des érythrocytes. La durée de vie moyenne des érythrocytes circulants est de 120 jours. Les organes du système réticulo-endothélial, particulièrement le foie et la rate, se chargent d'éliminer du sang les érythrocytes vieillis. À partir de l'hémoglobine provenant des érythrocytes détruits, les cellules réticulo-endothéliales produisent la bilirubine, qui est absorbée dans la bile. Le fer libéré au cours de la formation de la bilirubine se lie à une protéine, la transferrine, pour être transporté dans le plasma jusque dans la moelle osseuse, où il participe à la synthèse de nouvelles molécules d'hémoglobine.

Fonction des érythrocytes. La principale fonction des érythrocytes est de transporter l'oxygène des poumons jusqu'aux tissus. Leur forte teneur en hémoglobine en font les seules cellules capables d'assumer cette tâche. L'hémoglobine a en effet la propriété de se combiner à l'oxygène de façon réversible. Elle se lie à l'oxygène dans les poumons, circule dans le sang artériel sous forme d'oxyhémoglobine et se dissocie de l'oxygène à son arrivée dans les tissus. Dans le sang veineux, l'hémoglobine se lie aux ions hydrogène produits par le métabolisme cellulaire pour tamponner l'excès d'acide.

Leucocytes

Il existe deux types de leucocytes, soit les granulocytes et les mononucléaires. Dans le sang normal, le nombre total des leucocytes varie entre 5 et 10 $\times$ 10^9/L, dont 60 % de granulocytes et 40 % de mononucléaires. On les distingue facilement des érythrocytes par leur noyau, leur plus grande taille et leur affinité pour différents colorants.

Granulocytes. On distingue les granulocytes des leucocytes mononucléés par leur noyau à plusieurs lobes et la présence de granulations dans leur cytoplasme. Ils sont généralement deux à trois fois plus gros que les érythrocytes, et se divisent en trois variétés qui se caractérisent par la coloration de leurs granulations. Le granulocyte *éosinophile* a dans son cytoplasme des granulations orangées et le granulocyte *basophile* des granulations bleu foncé. Le granulocyte *neutrophile,* dont le nombre dépasse largement celui des éosinophiles et des basophiles, a des granulations mauve pâle. Le noyau du granulocyte mature compte normalement de deux à quatre lobes reliés entre eux par de minces filaments. Pour cette raison on l'appelle souvent polynucléaire, ce qui est incorrect parce qu'il n'a en réalité qu'un seul noyau. On appelle «band» le granulocyte jeune dont le noyau n'est pas segmenté. En général, les «bands» ne représentent qu'une faible proportion des granulocytes circulants, mais cette proportion peut augmenter considérablement quand la production des granulocytes augmente. Le nombre de granulocytes circulants est relativement stable chez une personne en santé, mais il peut augmenter de façon importante en présence d'une infection. On croit que des mécanismes semblables à ceux de la régulation de la production des érythrocytes par l'érythropoïétine interviendraient dans la production des granulocytes.

Mononucléaires. Les mononucléaires (les lymphocytes et les monocytes) sont des leucocytes dont le noyau n'a qu'un seul lobe et dont le cytoplasme ne présente pas de granulations. Chez l'adulte en bonne santé, les lymphocytes représentent environ 30 % du nombre total des leucocytes, et les monocytes environ 5 %. Les *lymphocytes* matures sont relativement petits et leur cytoplasme occupe peu d'espace par rapport au noyau. Ils sont produits, à partir de cellules provenant de la moelle, dans les ganglions lymphatiques et le tissu lymphoïde de l'intestin, de la rate et du thymus. Pour leur part, les *monocytes*, qui sont de grande taille, sont produits directement dans la moelle osseuse. Ils donnent naissance aux histiocytes tissulaires, aux cellules Kupffer du foie, aux macrophages du liquide péritonial, aux macrophages des alvéoles, ainsi qu'à d'autres composantes du système réticulo-endothélial.

Fonction des leucocytes. Les leucocytes ont pour fonction de protéger l'organisme contre l'invasion des bactéries et d'autres corps étrangers. Les granulocytes neutrophiles ont des propriétés phagocytaires (pouvoir d'absorber les corps étrangers). Ils sont capables d'affluer très rapidement au siège d'une réaction inflammatoire, mais ils vivent peu longtemps. Les monocytes interviennent plus tard et poursuivent plus longtemps leur activité phagocytaire.

Les lymphocytes jouent un rôle primordial dans la réponse immunitaire. On distingue deux classes de lymphocytes, soit les lymphocytes T, qui détruisent directement les cellules étrangères, ou qui libèrent des lymphokines (substances qui stimulent l'activité des cellules phagocytaires), et les lymphocytes B, qui produisent des anticorps, (protéines qui détruisent les substances étrangères selon des mécanismes complexes).

Les granulocytes éosinophiles et basophiles, jouent le rôle de réservoirs pour des substances biologiques comme l'histamine, la sérotonine et l'héparine. Ces substances sont libérées dans les tissus au besoin, pour aider l'organisme à mobiliser ses mécanismes de défense. Les éosinophiles jouent un rôle actif dans les réactions allergiques, ce qui se traduit par l'augmentation de leur nombre.

Plaquettes (thrombocytes)

Les plaquettes sont de petites particules de 2 à 4 μm de diamètre présentes dans le sang circulant. Elles se désintègrent facilement et rapidement. Leur nombre peut aller de 150 à 450 $\times$ 10^9/L, selon leur production, leur utilisation et la vitesse de leur destruction. Les plaquettes se forment à partir de cellules géantes de la moelle osseuse, les *mégacaryocytes.* La thrombopoïétine régit leur production.

Les plaquettes jouent un important rôle dans la coagulation. Quand un vaisseau subit une lésion, les plaquettes affluent vers le siège de cette lésion où elles forment des masses adhérentes qui la scellent temporairement.

Coagulation

La coagulation est un processus permettant la transformation du sang en une masse semi-solide, appelée caillot. Le caillot est formé de fibrine dont les mailles emprisonnent des cellules sanguines. La fibrine est une protéine résultant d'une séquence complexe de réactions.

La formation de la fibrine exige l'intervention de nombreux facteurs. On trouve au tableau 17-1 les facteurs de coagulation, et à la figure 17-1 un schéma illustrant les voies extrinsèque et intrinsèque de la coagulation. Lorsqu'un tissu subit une lésion, il libère un ensemble de substances qu'on appelle thromboplastine, qui active la voie extrinsèque de la coagulation et, par une série de réactions, transforme la prothrombine en thrombine. La thrombine catalyse la conversion du fibrinogène en fibrine. Le calcium (facteur IV) est un cofacteur essentiel dans la plupart de ces réactions. D'autre part, la voie intrinsèque est activée par le collagène contenu dans les vaisseaux sanguins. Comme dans la voie extrinsèque, des séquences de réactions mènent à la formation de fibrine. On croit que la coagulation *in vivo* se fait le plus souvent par la voie intrinsèque, même si la séquence de réactions est plus longue. La voie intrinsèque déclenche aussi la coagulation du sang à l'extérieur de l'organisme lors d'un prélèvement pour analyse. C'est pourquoi il faut utiliser un anticoagulant dans les tubes à prélèvement quand les analyses exigent du sang non coagulé. Les anticoagulants les plus utilisés pour les prélèvements sont le citrate, qui lie le calcium plasmatique, et l'héparine, qui empêche la conversion de la prothrombine en thrombine. Le citrate ne peut toutefois être utilisé *in vivo*, car sa liaison avec le calcium plasmatique provoquerait une

TABLEAU 17-1. *Facteurs de coagulation* *

Numéro officiel	*Nom*	*Nomenclature contemporaine*	
I	Fibrinogène	I	(Fibrinogène)
II	Prothrombine	II	(Prothrombine)
III	Thromboplastine tissulaire	III	(Facteur tissulaire)
IV	Calcium	IV	(Calcium)
V	Proaccélérine (facteur labile)	V	(Facteur labile)
		VI	PF_3 (Facteur plaquettaire 3)
		VI	PF_4 (Facteur plaquettaire 4)
VII	Proconvertine	VII	(Proconvertine)
VIII	Facteur antihémophilique	VIII	(Facteur antihémophilique A)
		VIII	(Facteur von Willebrand)
		VIII	(antigène lié au facteur VIII)
IX	Facteur Christmas	IX	(Facteur antihémophilique B)
X	Facteur Stuart Power	X	(Facteur Stuart)
XI	Précurseur de la thromboplastine plasmatique	XI	(Précurseur de la thromboplastine plasmatique)
XII	Facteur Hageman	XII	(Facteur Hageman)
		XII	(Facteur Fletcher: prékallicréine)
		XII	(Kininogène de haut poids moléculaire)
XIII	Facteur stabilisant de la fibrine	XIII	(Facteur stabilisant de la fibrine)

* Dans les deux premières colonnes on trouve le chiffre romain qui désigne chaque facteur de coagulation et les noms adoptés par le «International Committee on Blood Clotting Factors» (on notera l'absence du facteur VI). Dans les colonnes de droite, on trouve les facteurs de coagulation plus récemment découverts, qui ne sont toutefois pas tous acceptés. (Source: D. Green, «General considerations of coagulation proteins», *Ann Clin Lab Sci*, 8[2]:95-105)

hypocalcémie fatale. Par contre, l'héparine a une grande utilité clinique.

Les caillots formés dans l'organisme sont dissous par le système fibrinolytique, qui se compose de la fibrinolysine et autres enzymes protéolytiques. Le système fibrinolytique dissout les caillots et répare les tissus, ce qui permet une restauration complète du système vasculaire.

Plasma sanguin

Le plasma sanguin est la portion liquide du sang non coagulé après le retrait des cellules. Il contient des ions, des protéines et d'autres substances. La portion liquide du sang coagulé s'appelle le sérum. Il a la même composition que le plasma, mais ne contient pas de fibrinogène et de facteurs de coagulation.

Protéines plasmatiques. Les principales protéines plasmatiques sont l'albumine et les globulines. L'électrophorèse des protéines permet de séparer les globulines en trois classes: les α-globulines, les β-globulines et les γ-globulines. Les γ-globulines servent de support à la majorité des anticorps et sont ce que l'on appelle des *immunoglobulines*. Les lymphocytes et les plasmocytes interviennent dans la synthèse des γ-globulines. Les protéines de transport et les facteurs de coagulation, synthétisés dans le foie, font partie des α-globulines et des β-globulines. Les protéines de transport se fixent à diverses substances pour les entraîner dans la circulation. Par exemple, la thyroglobuline transporte la thyroxine, et la transferrine transporte le fer. Les facteurs de coagulation, y compris le fibrinogène, sont inactifs dans le plasma sanguin jusqu'au déclenchement des réactions de coagulation.

L'albumine est essentielle au maintien du volume liquidien dans le système vasculaire. Les parois des capillaires étant imperméables à l'albumine, sa présence dans le plasma crée une pression osmotique qui garde le liquide à l'intérieur du vaisseau. Produite par le foie, elle a la propriété de se lier à un certain nombre de substances contenues dans le plasma. Elle sert notamment au transport des métaux, des acides gras, de la bilirubine et des médicaments.

Physiopathologie des anémies et des troubles de l'hémostase

Anémies. L'anémie est un trouble hématologique fréquent se manifestant par une diminution du nombre des érythrocytes circulants causée soit par une production insuffisante d'érythrocytes par la moelle osseuse, soit par une hémolyse. La baisse de la production des érythrocytes peut être due à une carence d'un des cofacteurs de l'érythropoïèse, comme l'acide folique, la vitamine B_{12} et le fer, à une inhibition de l'activité de la moelle osseuse par une tumeur ou un médicament, ou encore à une baisse de la stimulation de la moelle causée par une diminution du taux d'érythropoïétine (dans l'insuffisance rénale chronique par exemple). L'hémolyse peut avoir pour cause une hyperactivité du système réticulo-endothélial (comme dans l'hypersplénisme) ou la production d'érythrocytes anormaux par la moelle osseuse (comme dans la drépanocytose). Les érythrocytes et l'hémoglobine qu'ils contiennent jouent un rôle essentiel dans le transport de l'oxygène vers les tissus. C'est pourquoi l'anémie peut causer une hypoxie tissulaire.

Troubles de l'hémostase. On attribue les troubles de l'hémostase à un trouble plaquettaire ou à une déficience des facteurs de coagulation. La fonction plaquettaire peut être altérée à cause d'une insuffisance de production des plaquettes par la moelle osseuse, d'une destruction accrue des plaquettes par la rate ou de la production de plaquettes anormales. Les déficiences des facteurs de coagulation sont souvent causées par une insuffisance hépatique. L'hémophilie

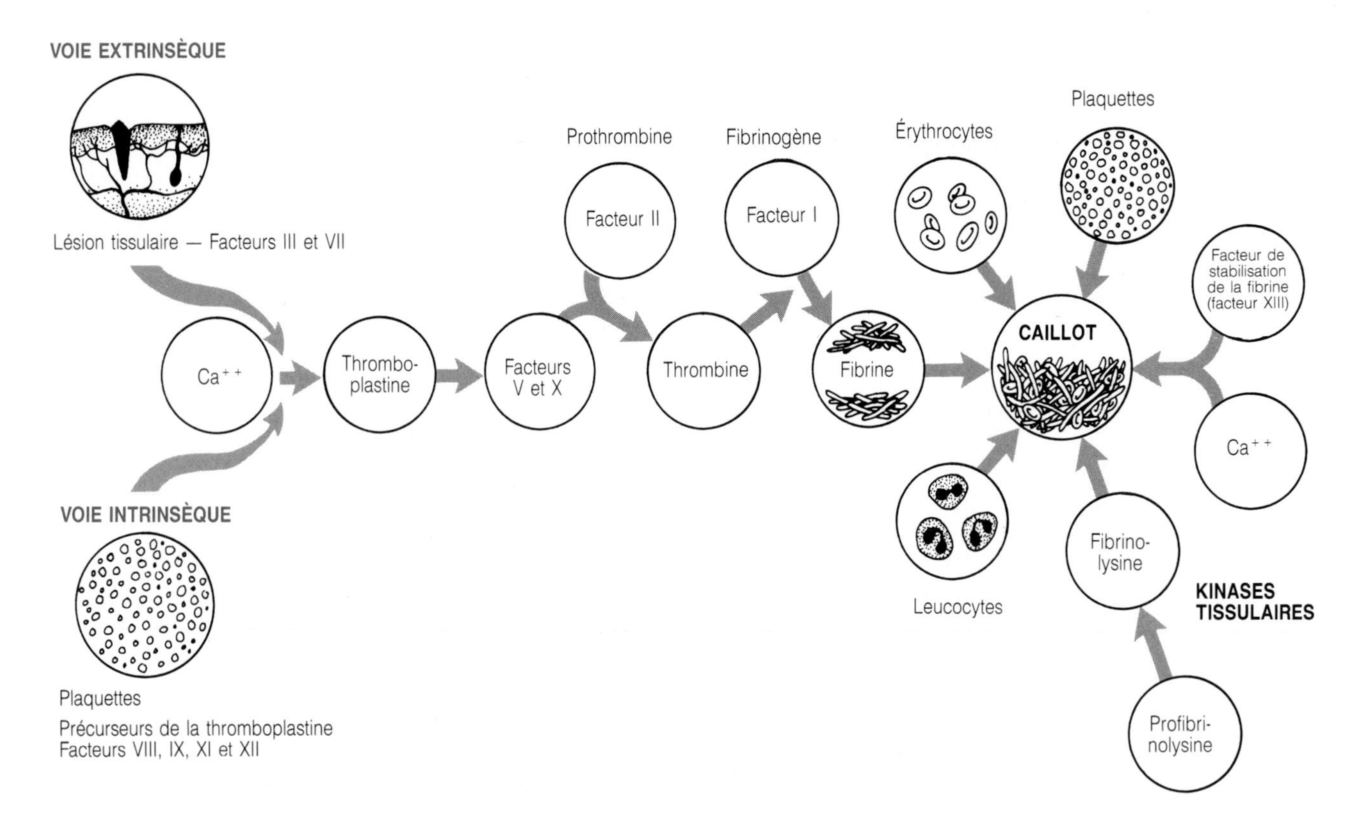

Figure 17-1. Réactions de la coagulation. Schéma représentant la séquence des réactions nécessaires à la formation du caillot, soit à la conversion du fibrinogène (une protéine plasmatique) en fibrine (caillot) sur le siège d'une lésion vasculaire.
(Source: I. Feller et C. Archambeault, *Nursing the Burn Patient*, Ann Arbor, The Institute of Burn Medicine)

est une maladie héréditaire caractérisée par une déficience des facteurs VIII ou IX.

Manifestations des troubles de l'hémostase. On trouvera à l'encadré 17-1 les principaux symptômes des troubles hématologiques.

ANALYSES SANGUINES

Prélèvement des échantillons de sang

Ponction veineuse. Pour la plupart des analyses sanguines courantes, on utilise du sang veineux prélevé dans une veine du pli du coude. Si le patient est obèse ou que ses veines du pli du coude sont thrombosées à la suite de traitements de chimiothérapie, on doit prélever le sang sur une veine du dos de la main.

On place un garrot autour du bras, pour faire saillir les veines du bras et de la main. Il faut choisir une veine droite et bien dilatée, et non une veine sinueuse qui risque d'être fuyante. On tend la peau en aval de la veine d'une main tandis que de l'autre, on pousse l'aiguille à travers la peau, à un angle d'environ 30° avec la peau, puis lentement jusque dans la veine. Le sang doit s'écouler immédiatement dans le tube. Les tubes ont des bouchons de couleurs différentes selon l'anticoagulant qu'ils contiennent. Les tubes sans anticoagulant ont un bouchon rouge. Pour certaines analyses, le sang doit être coagulé, tandis que pour d'autres, il doit rester à l'état liquide.

Ponction capillaire. On a souvent recours à la ponction capillaire pour les frottis sanguins et les numérations globulaires. Le sang capillaire s'obtient par ponction du doigt et donne des résultats semblables au sang veineux. Il existe différents types de lancettes permettant de pratiquer une ponction de 1 à 2 mm. Pour de meilleurs résultats, il faut réchauffer la main du patient et pratiquer la ponction sur la pulpe de l'index ou du majeur. On doit d'abord nettoyer la peau avec de l'alcool et bien l'assécher avec une compresse sans charpie, car la présence d'alcool peut altérer la morphologie des érythrocytes. Pour les frottis de sang périphérique, on dépose une goutte de sang sur une lame de verre et on l'étale au moyen d'une autre lame. Il existe maintenant des tubes spéciaux, avec ou sans anticoagulant, pour le prélèvement du sang capillaire.

On trouvera une description des principales analyses sanguines à l'encadré 17-2.

Ponction de moelle osseuse

Chez l'adulte, on pratique habituellement la ponction de la moelle osseuse dans le sternum ou la crête iliaque. La préparation du patient consiste la plupart du temps à donner une explication détaillée de l'intervention, mais il est parfois nécessaire d'administrer de la mépéridine (Demerol) ou un léger tranquillisant s'il est très anxieux. Il est très important que le médecin ou l'infirmière explique au patient ce qui se passe au fur et à mesure et lui décrive les sensations qu'il va éprouver. Avant l'intervention, il faut nettoyer la peau de la façon habituelle, puis administrer un anesthésique local, la lidocaïne (Xylocaïne), à travers la peau et le tissu sous-cutané jusqu'au périoste. Ensuite, le médecin doit introduire une aiguille à

Encadré 17-1
Principaux symptômes des troubles hématologiques

Symptôme	***Soins infirmiers***
Fatigue et faiblesse	Planifier les soins infirmiers de façon à ménager les forces et l'énergie du patient. Prévoir de nombreuses périodes de repos. Encourager la marche et toute autre activité que le patient peut tolérer. Éviter l'agitation et le bruit. Inciter le patient à consommer des aliments et des boissons à forte teneur en protéines et en énergie.
Tendances à l'hémorragie	Garder le patient au repos au cours des hémorragies. Exercer une légère pression sur le siège de l'hémorragie. Appliquer des compresses froides sur le siège de l'hémorragie, si le médecin le prescrit. Éviter de déloger les caillots. Utiliser des aiguilles de petit calibre pour injecter les médicaments. Pendant une transfusion, offrir au patient le soutien dont il a besoin. Se tenir à l'affût des symptômes d'hémorragie interne. Garder à portée de la main le matériel de trachéotomie si le patient présente une hémorragie de la bouche ou de la gorge.
Ulcères sur la langue, les gencives ou les muqueuses	Éviter les aliments et les boissons causant de l'irritation. Prodiguer souvent des soins d'hygiène buccale en utilisant un rince-bouche doux et rafraîchissant. Utiliser un écouvillon ou une brosse à dents à poils souples pour les soins d'hygiène buccale. Garder les lèvres du patient lubrifiées. Nettoyer la bouche avant et après les repas. Encourager les visites régulières chez le dentiste.
Dyspnée	Élever la tête du lit. Utiliser des oreillers pour supporter le patient qui présente de l'orthopnée. Administrer de l'oxygène si le médecin le prescrit. Éviter au patient tout effort inutile. Éviter les aliments causant de la flatulence.
Douleurs osseuses et articulaires	Placer un arceau de lit sous les couvertures pour éviter la pression sur les membres. Appliquer des compresses chaudes ou froides, selon l'ordonnance du médecin. Administrer des analgésiques régulièrement, selon l'ordonnance. S'assurer que les articulations sont bien immobilisées, si le médecin le prescrit.
Fièvre	Appliquer des compresses froides. Administrer des antipyrétiques (acétaminophène) selon l'ordonnance. Inciter le patient à prendre beaucoup de liquide, sauf s'il y a contre-indication. Maintenir une température ambiante fraîche.
Prurit ou éruptions cutanées	Tailler régulièrement les ongles du patient. Utiliser le savon avec parcimonie. Utiliser des lotions émollientes.
Anxiété (chez le patient et les membres de sa famille)	Expliquer au patient et à sa famille les examens diagnostiques et les traitements en décrivant les malaises qu'ils entraînent et les restrictions des activités qu'ils exigent. Encourager le patient et sa famille à exprimer leur anxiété. Favoriser un climat d'acceptation et de compréhension. Assurer la détente et le bien-être du patient. Tenir compte de ses préférences. Encourager le patient à être autonome et à pratiquer les autosoins selon sa tolérance. Inviter la famille à participer aux soins du patient (si elle le désire). Créer une ambiance agréable lors des visites de la famille.

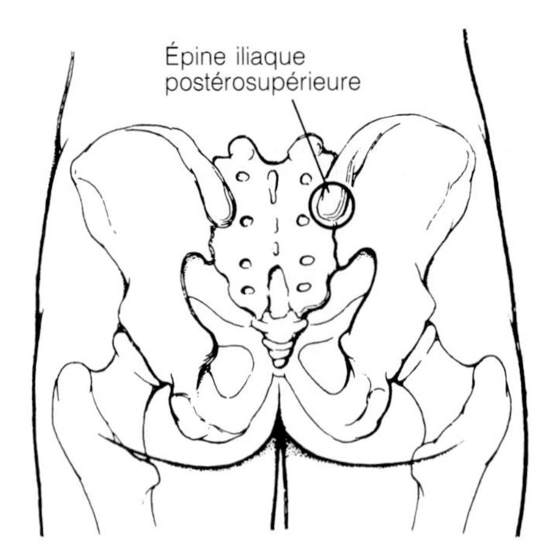

Figure 17-2. Siège d'une biopsie de la moelle osseuse

biopsie avec trocart. Lorsqu'il sent que l'aiguille a traversé le cortex externe de l'os et pénétré dans la moelle, il retire le trocart et attache une seringue à l'aiguille. La quantité de sang et de moelle prélevée est faible (0,5 mL). Il faut prévenir le patient que l'aspiration provoque une douleur de courte durée, et lui conseiller de prendre de grandes respirations ou de pratiquer une technique de relaxation pendant l'intervention.

S'il faut aussi pratiquer une biopsie, il est préférable de la faire après la ponction en utilisant une aiguille spéciale. Il existe différents types d'aiguilles qui dictent la technique utilisée. Comme ces aiguilles sont de gros calibre, il faut d'abord pratiquer une incision de 3 à 4 mm au moyen d'une lame de bistouri (n° 9 ou 11). Pour les biopsies, on préfère l'os iliaque à l'os du sternum, qui est trop mince (voir la figure 17-2).

Ces deux interventions entraînent un faible risque d'hémorragie. Ce risque augmente toutefois si la numération plaquettaire est abaissée. (Il faut donc obtenir une numération plaquettaire avant l'intervention.) Après la ponction, il faut exercer une pression sur le point d'insertion de l'aiguille pendant plusieurs minutes. Après la biopsie, il faut exercer une pression sur la crête iliaque postérieure pendant 60 minutes au moyen d'un bandage compressif et recommander au patient de rester en décubitus dorsal. La plupart des patients ne ressentent aucun malaise après une ponction de moelle. Par contre, la biopsie peut causer une douleur qui dure de un à deux jours.

Résumé: Le système hématologique se compose du sang et des organes de formation du sang, soit la moelle osseuse et les ganglions lymphatiques. Le sang est un tissu circulant. Il se compose d'un liquide jaune, le plasma, dans lequel les érythrocytes, les leucocytes et les plaquettes sont en suspension. Le système vasculaire transporte les éléments nutritifs et l'oxygène nécessaires à la réparation et à la croissance des tissus et aux fonctions métaboliques, tout en permettant l'élimination de déchets métaboliques comme le gaz carbonique. Pour protéger l'organisme contre les pertes excessives de sang, un mécanisme complexe, la coagulation, entre en jeu. D'autre part, le système fibrinolytique se charge de dissoudre les caillots.

ANÉMIE

Définition et causes

L'anémie est une diminution, au-dessous des valeurs normales, du nombre des érythrocytes, du taux d'hémoglobine et de l'hématocrite. Elle n'est pas une maladie en soi, mais elle reflète une maladie ou un trouble fonctionnel. Du point de vue physiologique, elle se caractérise par une baisse du taux d'hémoglobine causant une diminution de l'apport d'oxygène dans les tissus.

Il existe de nombreuses formes d'anémie. Certaines sont causées par un trouble de la production des érythrocytes, d'autres par une destruction prématurée ou excessive des érythrocytes, mais la plupart ont pour origine une hémorragie. L'anémie peut aussi être due à une carence en fer et autres éléments nutritifs, de même qu'à une maladie congénitale ou à une maladie chronique.

Physiopathologie

L'anémie reflète, entre autres, une insuffisance de la moelle osseuse ou une destruction excessive des érythrocytes. L'insuffisance médullaire (ou réduction de l'érythropoïèse) peut être causée par un déficit nutritionnel, une exposition à des substances toxiques ou une tumeur, mais dans bien des cas, on n'en connaît pas l'origine. Une hémorragie ou une hémolyse peut occasionner une diminution du nombre des érythrocytes. L'hémolyse est parfois due à une anomalie intrinsèque ou extrinsèque des érythrocytes qui les rend fragiles ou diminue leur durée de vie normale.

L'hémolyse physiologique (dissolution naturelle des érythrocytes) a lieu essentiellement à l'intérieur des phagocytes du système réticulo-endothélial dans le foie et la rate. L'hémoglobine libérée est dégradée en bilirubine avant de retourner dans la circulation. Une hémolyse anormale est donc rapidement suivie d'une augmentation de la concentration plasmatique de bilirubine (la concentration normale de la bilirubine se situe entre 2 et 18 μmol/L; quand elle dépasse 20 μmol/L, on observe un ictère des sclérotiques).

Dans certaines maladies hémolytiques, la destruction des érythrocytes se produit dans la circulation, ce qui entraîne une *hémoglobinémie* (présence d'hémoglobine libre dans le plasma sanguin). Si le taux plasmatique d'hémoglobine dépasse la capacité de fixation par l'haptoglobine (c'est-à-dire s'il est supérieur à 1 g/L), l'hémoglobine se diffusera dans les glomérules rénaux et sera excrétée dans les urines (*hémoglobinurie*). L'hémoglobinémie et l'hémoglobinurie sont donc des indices d'une destruction anormale des érythrocytes et peuvent renseigner sur la nature de l'hémolyse.

Habituellement, on distingue l'anémie hémolytique de l'anémie due à une baisse de l'érythropoïèse par: (1) la numération des réticulocytes, (2) la prolifération et la maturation des érythroblastes (érythrocytes non matures) dans la moelle osseuse (observées par biopsie) et (3) le dosage de la bilirubine et de l'hémoglobine plasmatique. On peut aussi vérifier l'intégrité de l'érythropoïèse en mesurant le taux de pénétration de fer radiomarqué dans les érythrocytes circulants. La mesure de la durée de vie des érythrocytes apporte la preuve définitive de l'hémolyse. Pour obtenir cette mesure, on marque des érythrocytes au chrome radioactif et on observe leur disparition du sang circulant dans les jours ou les semaines

Encadré 17-2
Analyses hématologiques courantes

Analyse sanguine	***Description***
Hémogramme (formule sanguine complète [FSC])	L'hémogramme comprend la numération des leucocytes, des érythrocytes et des plaquettes et la formule leucocytaire en pourcentage et en nombre absolu.
Numération des réticulocytes	On obtient par cette analyse le pourcentage des érythrocytes jeunes (1 à 2 jours) dans le sang périphérique; on reconnaît les réticulocytes à leurs petites taches colorées qui représentent un fin réseau de fibrilles, composés de RNA.
Électrophorèse de l'hémoglobine	Pour procéder à une électrophorèse, on dépose une goutte de sang sur un support (papier, gel d'amidon, gel ou acétate de cellulose), que l'on place dans une solution tampon et que l'on expose à un courant électrique. Les hémoglobines se déplacent à différentes vitesses (A, A_2, fœtale, S) selon leur charge électrique. On colore le papier ou le gel pour mettre en évidence les différentes hémoglobines.
Épreuve de falciformation	Pour provoquer une falciformation, on peut mélanger une goutte de sang à du métabisulfite de sodium pour déposséder les érythrocytes de leur oxygène. On peut observer la falciformation au microscope après 30 minutes. La falciformation n'apparaît qu'en présence d'hémoglobine S et jamais dans le sang normal.
Phosphatase alcaline leucocytaire	La phosphatase alcaline leucocytaire est une enzyme présente à de fortes concentrations dans les granulations des neutrophiles. On peut estimer la concentration de phosphatase alcaline leucocytaire sur frottis au moyen d'une coloration spéciale. Les valeurs normales sont de 20 à 130. Les valeurs sont inférieures à 20 dans la leucémie myéloïde chronique non traitée. Elles sont anormalement élevées dans les infections et les leucocytoses provoquées par les stéroïdes.
Test de Coombs (test à l'antiglobuline)	Technique permettant de dépister la présence d'immunoglobulines (par conséquent, d'anticorps) à la surface des érythrocytes (test de Coombs direct) ou dans le plasma (test de Coombs indirect).
Temps de saignement	Le temps de saignement sert à dépister les troubles de la fonction plaquettaire. C'est le temps requis pour l'arrêt d'un saignement provoqué par une incision sur l'avant-bras avec un instrument normalisé. Un allongement du temps de saignement peut traduire une anomalie plaquettaire héréditaire ou acquise (par exemple, la maladie de von Willebrand). L'aspirine peut aussi allonger le temps de saignement.
Agrégation plaquettaire	On évalue par cette analyse les variations de transmission de lumière dues à l'agrégation des plaquettes induite par un stimulus physiologique (adrénaline, ADP ou autres).
Temps de prothrombine (temps de Quick)	Le temps de prothrombine mesure l'activité de la voie extrinsèque de la coagulation, incluant le fibrinogène, la prothrombine et les facteurs V, VII et X. Le temps de prothrombine est utile pour la surveillance des traitements aux dérivés coumariniques et pour le dépistage des troubles hépatiques.
Temps de céphaline activé	Cet examen est une épreuve de dépistage pour la voie intrinsèque de la coagulation qui comprend tous les facteurs de coagulation à l'exception des facteurs VII et XIII. On considère généralement que le temps de céphaline est allongé quand il dépasse le témoin de 30 %. On l'utilise souvent pour la surveillance de l'héparinothérapie.

qui suivent. Les examens diagnostiques permettant de distinguer les divers types d'insuffisance médullaire et de maladies hémolytiques sont décrits dans les sections traitant de ces affections.

Gérontologie. L'anémie est répandue chez les personnes âgées. Elle est en fait le trouble hématologique le plus fréquent dans cette population. Toutefois, certaines études ont démontré que le vieillissement n'affecte pas l'érythropoïèse. Habituellement, on ne connaît pas la cause de l'anémie, mais on s'accorde à dire qu'elle est la conséquence d'une maladie ou de malnutrition et non du vieillissement. Comme l'anémie peut provoquer une augmentation du débit cardiaque et de la fréquence ventilatoire, elle peut avoir de graves conséquences sur l'appareil cardiorespiratoire des personnes âgées. Il importe donc de dépister et de traiter la maladie ou les carences alimentaires qui en sont la cause plutôt que de la considérer comme une conséquence inévitable du vieillissement.

Manifestations cliniques

Plusieurs facteurs peuvent avoir une influence sur la gravité de l'anémie et sur ses symptômes: (1) la vitesse de son apparition, (2) son ancienneté, (3) les besoins métaboliques du patient, (4) la présence d'autres maladies ou incapacités et (5) les complications ou les manifestations de la maladie sousjacente.

Plus l'anémie se développe rapidement, plus ses symptômes sont marqués. Une personne autrement en bonne santé peut tolérer, sans symptômes ou incapacités importantes, une réduction graduelle de 50 % du taux d'hémoglobine, du nombre des érythrocytes et de l'hématocrite. Chez cette même personne toutefois, une baisse rapide de 30 % provoquerait un grave collapsus vasculaire. Une personne qui est anémique depuis longtemps peut présenter une légère tachycardie à l'effort si son taux d'hémoglobine se situe entre 90 et 110 g / L, une dyspnée d'effort s'il est inférieur à 75 g / L, de la faiblesse s'il est inférieur à 60 g / L, une dyspnée au repos s'il est inférieur à 30 g / L et une insuffisance cardiaque s'il se situe entre 20 et 25 g / L.

En général, les symptômes sont plus nombreux et plus marqués chez les personnes très actives que chez les personnes sédentaires. Chez les personnes atteintes d'hypothyroïdie un taux d'hémoglobine de 100 g / L ne provoque ni tachycardie, ni augmentation du débit cardiaque, parce que les besoins en oxygène sont plus faibles. À l'opposé, les personnes atteintes d'une cardiopathie, peu importe la gravité de l'anémie, sont plus vulnérables à l'angine ou à l'insuffisance cardiaque.

Il convient de mentionner finalement que de nombreuses anémies se manifestent par des anomalies caractéristiques dont les symptômes peuvent masquer complètement ceux de l'anémie. C'est le cas des crises douloureuses de la drépanocytose (page 456).

Examens diagnostiques

On doit effectuer diverses analyses sanguines pour déterminer la nature et la cause de l'anémie: taux d'hémoglobine, hématocrite, indices globulaires, formule leucocytaire, taux de fer sérique, capacité de fixation du fer, taux d'acide folique, taux de vitamine B_{12}, numération plaquettaire, temps de saignement, temps de prothrombine et temps de céphaline activé. Une ponction et une biopsie de moelle osseuse peuvent aider à confirmer le diagnostic. Il faut aussi effectuer tous les examens nécessaires au dépistage de la maladie aiguë ou chronique à l'origine de l'anémie, ou de la source d'une hémorragie chronique.

Traitement

Le traitement de l'anémie vise le traitement de la maladie sousjacente et le remplacement du sang perdu. On trouvera plus loin une description des différentes formes d'anémie et de leur traitement.

DÉMARCHE DE SOINS INFIRMIERS
PATIENTS ATTEINTS D'ANÉMIE

Collecte des données

L'infirmière doit d'abord dresser le profil du patient et procéder à un examen physique afin de recueillir des données qui aideront à poser le diagnostic et lui indiqueront les problèmes auxquels elle peut apporter une solution. L'anémie peut affecter plusieurs appareils et systèmes. Il faut donc être à l'affût de ses différentes manifestations:

En général on peut observer une perte de poids, de la fatigue, de la faiblesse, un malaise généralisé, une pâleur de la peau et des muqueuses ainsi que de la dépression. De plus, on peut retrouver les signes suivants selon l'appareil ou le système atteint.

Système nerveux: céphalées, syncopes, tinnitus, vertige, sensibilité au froid, difficulté à se concentrer

Appareil respiratoire: dyspnée à l'effort, orthopnée, tachypnée

Appareil cardiovasculaire: angine, pouls bondissant, cardiomégalie, claudication, œdème déclive, palpitations, tachycardie, murmures (ou souffles)

Appareil gastro-intestinal: anorexie, nausées, diarrhée ou constipation, flatulences, splénomégalie

Appareil génito-urinaire: nycturie, dysménorrhée, aménorrhée, perte de libido, impuissance

Téguments: ictère, purpura, angiome stellaire, prurit, retard de la cicatrisation

Système musculosquelettique: sensibilité du sternum

L'anémie pernicieuse et l'anémie hémolytique peuvent donner lieu à un ictère. L'anémie ferriprive se manifeste souvent par une sécheresse de la peau et des cheveux, de même qu'une koïlonychie (ongle en cuillère).

Il faut aussi évaluer soigneusement la fonction cardiaque, car un taux d'hémoglobine faible oblige le cœur à travailler davantage pour combler les besoins des tissus en oxygène. L'augmentation du travail cardiaque peut provoquer une tachycardie, des palpitations, une dyspnée, des étourdissements, une orthopnée et une dyspnée d'effort. Il s'ensuit une insuffisance cardiaque se manifestant par une cardiomégalie, une hépatomégalie et un œdème périphérique.

L'examen neurologique a aussi de l'importance, car l'anémie pernicieuse peut avoir des effets sur les systèmes nerveux central et périphérique. On doit rechercher les engourdissements et les paresthésies dans les membres, l'ataxie, les troubles de coordination et la confusion. Les principaux symptômes gastro-intestinaux de l'anémie sont les nausées, les vomissements, la diarrhée, l'anorexie et la glossite (inflammation de la langue).

Il faut aussi établir si le patient prend des médicaments qui peuvent inhiber l'activité de la moelle osseuse ou altérer le métabolisme de l'acide folique. On doit de plus vérifier s'il y a eu pertes de sang dans les selles et, chez les femmes, des règles abondantes. Les antécédents familiaux sont importants, car certaines anémies sont héréditaires. Une évaluation de l'état nutritionnel peut révéler des carences en éléments nutritifs comme le fer, la vitamine B_{12} et l'acide folique.

▷ *Analyse et interprétation des données*

Selon les données recueillies, voici les principaux diagnostics infirmiers possibles :

- Intolérance à l'activité reliée à la faiblesse, à la fatigue et à un malaise généralisé
- Risque de complications (hémorragie)
- Déficit nutritionnel relié à une carence en éléments nutritifs
- Altération des échanges gazeux
- Risque de blessures relié à la faiblesse, à la fatigue et à la sensation de vertige

▷ *Planification et exécution*

▷ *Objectifs de soins :* Amélioration de la tolérance à l'activité ; amélioration de l'état nutritionnel ; amélioration des échanges gazeux ; maintien de l'intégrité physique

▷ *Interventions infirmières*

▷ *Amélioration de la tolérance à l'activité.* L'infirmière doit planifier ses soins de façon à ménager les forces et l'énergie du patient. Elle doit inciter celui-ci à se reposer souvent et peut demander la collaboration de sa famille pour lui assurer une ambiance calme. Le repos et le sommeil sont essentiels pour rétablir les forces et améliorer la tolérance à l'activité. Il faut aussi encourager le patient à marcher et à vaquer à ses activités quotidiennes selon sa tolérance. Quand l'anémie a été traitée et que les résultats des analyses sanguines reviennent à la normale, le patient peut reprendre graduellement ses activités. Il doit toutefois éviter tout ce qui peut lui causer inutilement de la fatigue jusqu'à ce que sa tolérance se soit améliorée. L'exercice peut augmenter l'endurance.

▷ *Amélioration des échanges gazeux.* Une réduction prolongée du nombre des érythrocytes entraîne une diminution du taux d'oxyhémoglobine, ce qui diminue la capacité de transport de l'oxygène. Par conséquent, le cœur s'hypertrophie pour tenter d'alimenter les tissus hypoxiques et le débit cardiaque diminue. Le patient anémique doit donc réduire autant que possible les activités susceptibles d'augmenter la fréquence cardiaque et de diminuer le débit cardiaque, soit les activités qui lui causent des palpitations et une dyspnée. S'il y a dyspnée, on doit surélever la tête du lit et soutenir le patient à l'aide d'oreillers. On administre de l'oxygène au besoin ; il faut également envisager la possibilité d'administrer une transfusion sanguine (selon l'ordonnance médicale).

▷ *Amélioration de l'état nutritionnel.* Une carence en éléments nutritifs comme le fer et l'acide folique peut causer une anémie. En retour, les symptômes de l'anémie, comme la fatigue et l'anorexie, peuvent empêcher le patient de bien se nourrir. Il faut donc inciter celui-ci à consommer des aliments à forte teneur en protéines, en fer et en vitamines, de même que beaucoup de fruits et de légumes, tous ces éléments étant essentiels à l'érythropoïèse. Il faut éviter les aliments épicés, qui peuvent causer une irritation gastrique ou des flatulences. L'infirmière doit prévoir des séances d'enseignement sur l'alimentation pour le patient et sa famille afin de les aider à se conformer au régime alimentaire indiqué. Le médecin prescrit souvent des suppléments (vitamines, fer, acide folique).

▷ *Maintien de l'intégrité physique.* Le patient doit prendre toutes les précautions nécessaires pour éviter les chutes qui peuvent être causées par une mauvaise coordination, des paresthésies et de la faiblesse.

Le patient anémique peut également souffrir d'ulcères buccaux ou œsophagiens, ce qui rendra l'ingestion et la déglutition douloureuses. Il est donc important de lui servir de petits et fréquents repas composés d'aliments de texture molle et d'éviter les aliments chauds et épicés. On recommande au patient de se nettoyer les dents avec une brosse à poils doux et souples.

Il faut dépister les signes d'hémorragie, notamment la présence de sang occulte, les ecchymoses, les saignements gingivaux et l'hématurie, car les pertes de sang aggravent l'anémie.

▷ *Évaluation*

Résultats escomptés

1. Le patient tolère un niveau d'activité normal.
   a) Il suit un programme progressif comprenant des périodes de repos, d'activité et d'exercice.
   b) Il pratique ses activités selon sa tolérance.
2. Le patient améliore son oxygénation.
   a) Il évite les activités pouvant causer une tachycardie, des palpitations, des étourdissements et une dyspnée.
   b) Il utilise le repos et des mesures de bien-être pour soulager la dyspnée.
   c) Ses signes vitaux sont normaux.
   d) Il présente une meilleure oxygénation après l'administration de transfusions sanguines et d'oxygène.
3. Le patient améliore son état nutritionnel.
   a) Il consomme des aliments riches en protéines, en fer et en vitamines.
   b) Il évite les aliments pouvant causer une irritation gastrique.
   c) Il suit un régime alimentaire qui lui procure tous les éléments nutritifs dont il a besoin.
4. Le patient maintient son intégrité physique.
   a) Il prévient les chutes et les blessures.
   b) Ses muqueuses buccale, œsophagienne, anale et autres sont intègres.

Résumé : L'anémie est une diminution du nombre des érythrocytes, du taux d'hémoglobine ou de l'hématocrite causée par des hémorragies, une hémolyse, un trouble de la production des érythrocytes dû à une carence en fer, en vitamine B_{12} et en acide folique ou à une anomalie structurelle de la moelle osseuse consécutive à une tumeur ou à une baisse du taux d'érythropoïétine.

Classification des anémies

Il existe plusieurs façons de classer les anémies. Du point de vue physiologique, on distingue les anémies dues à une baisse de la production des érythrocytes (anémies hypoprolifératives) de celles dues à une hémolyse (anémies hémolytiques).

Dans les anémies hypoprolifératives, les érythrocytes ont une durée de vie normale, mais la moelle osseuse est incapable de les produire en nombre suffisant. Par conséquent, on observe une diminution du nombre des réticulocytes. L'hypoprolifération peut être imputable à des médicaments ou des produits chimiques (le chloramphénicol ou le benzène, par exemple), à une baisse de la production d'érythropoïétine (dans l'insuffisance rénale), ou à une carence en fer, en vitamine B_{12} ou en acide folique.

Dans les anémies hémolytiques, qui se caractérisent par une destruction des érythrocytes avec libération d'hémoglobine dans le liquide extracellulaire, l'anomalie en cause peut se situer dans l'érythrocyte lui-même, comme dans la drépanocytose ou le déficit en glucose-6-phosphate déshydrogénase, dans le plasma, comme dans les anémies hémolytiques auto-immunitaires, ou dans la circulation, comme dans l'hémolyse due à une valvule cardiaque défectueuse. Les anémies hémolytiques se caractérisent par une augmentation du nombre des réticulocytes, de même qu'une hausse du taux de bilirubine indirecte, souvent suffisante pour provoquer un ictère.

ANÉMIES HYPOPROLIFÉRATIVES

Anémie aplasique

Physiopathologie. L'anémie aplasique est causée par une diminution de la production des cellules souches par la moelle et une diminution de la masse médullaire. Elle peut être idiopathique (sans cause apparente) ou découler d'une infection ou d'une agression par des médicaments, des produits chimiques ou une irradiation. Les agents les plus souvent en cause dans l'aplasie de la moelle sont le benzène et ses dérivés, les antinéoplasiques comme la moutarde azotée, les antimétabolites, comme le méthotrexate et le 6-mercaptopurine, et certaines substances toxiques comme l'arsenic inorganique. On a aussi associé l'aplasie ou l'hypoplasie de la moelle osseuse à certains antibiotiques, anticonvulsivants, antithyroïdiens, hypoglycémiants oraux, antihistaminiques, analgésiques, sédatifs, anti-inflammatoires, phénothiazines, insecticides et métaux lourds. Les médicaments les plus souvent en cause sont le chloramphénicol, la méphénytoïne (Mésantoïne), le phénylbutazone, les sulfamides et les sels d'or.

Une dose toxique de ces médicaments est nécessaire pour provoquer une anémie aplasique, sauf dans les rares cas de personnes présentant une hypersensibilité inexpliquée à certains médicaments. Si on met fin rapidement à l'exposition à la substance en cause, soit dès les premiers signes de réticulopénie, d'anémie, de granulopénie ou de thrombopénie, la guérison est généralement rapide et complète, sauf pour ce qui est des réactions au chloramphénicol. Ces réactions ne sont pas fonction de la dose, et peuvent se manifester, sans changements prémonitoires dans l'hémogramme, longtemps après l'arrêt du traitement. Elles entraînent une aplasie complète qui peut avoir des conséquences fatales.

Si la réaction n'est pas traitée dès l'apparition des premiers signes d'hypoplasie, la dépression médullaire évolue presque toujours vers une insuffisance irréversible. Les personnes qui sont exposées à un médicament ou un produit chimique susceptible de provoquer une anémie aplasique doivent subir régulièrement un hémogramme. Quand il y a hypoplasie médullaire, la ponction de la moelle ne permet pas d'obtenir suffisamment de tissu. Il faut donc avoir recours à la biopsie pour confirmer le diagnostic. L'anomalie touche généralement les cellules souches des leucocytes, des érythrocytes et des plaquettes, de sorte que l'on observe une pancytopénie (diminution de tous les éléments figurés du sang).

Manifestations cliniques. L'anémie aplasique apparaît graduellement et se manifeste par de la faiblesse, de la pâleur, un essoufflement à l'effort et autres signes propres à l'anémie. Des saignements dus à une thrombopénie sont le signe révélateur de l'aplasie dans un tiers des cas. Si la lignée granulocytaire est touchée, le patient peut présenter de la fièvre, une pharyngite aiguë, une septicémie ou des saignements. On observe peu de signes physiques à part une pâleur et des pétéchies. L'hémogramme révèle une pancytopénie de gravité variable. Les érythrocytes sont *normocytaires* (volume normal) et *normochromes* (couleur normale). Souvent, il n'y a ni adénopathie (hypertrophie des ganglions lymphatiques), ni hépatosplénomégalie (hypertrophie du foie et de la rate).

Traitement. Comme l'anémie aplasique affecte toute l'hématopoïèse, son pronostic est mauvais. On utilise actuellement deux traitements: (1) la transplantation de moelle osseuse et (2) l'administration de globuline antithymocyte, un traitement immunosuppresseur.

La transplantation de moelle osseuse vise à procurer au patient du tissu hématopoïétique sain. Sa réussite est fonction de la compatibilité entre le donneur et le receveur et de la prévention des complications postopératoires. La cyclosporine a réduit le taux des rejets à moins de 10 %.

Le traitement immunosuppresseur par injection de globulines antithymocytes a pour effet de supprimer les mécanismes immunitaires qui prolongent l'aplasie, ce qui permet à la moelle osseuse de se rétablir. On administre les globulines antithymocytes par cathéter veineux tous les jours pendant 7 à 10 jours. La réponse au traitement se manifeste habituellement dans les trois mois, mais elle peut prendre jusqu'à six mois. Les patients atteints d'anémie aplasique grave qui reçoivent des globulines antithymocytes au début de la maladie ont les meilleures chances de succès. Ce traitement fait toujours l'objet d'étude pour en améliorer le taux de réussite. La cyclosporine est également à l'essai.

Le traitement d'appoint joue un rôle important dans l'anémie aplasique. Il faut interrompre la prise des médicaments susceptibles d'être en cause. Au besoin, des transfusions d'érythrocytes et de plaquettes sont nécessaires pour prévenir les symptômes. Il arrive toutefois que ces patients développent des anticorps contre les antigènes mineurs des érythrocytes ou des anticorps antiplaquettaires, ce qui diminue l'efficacité des transfusions. La mort est habituellement causée par une hémorragie ou une infection. Les antibiotiques modernes, surtout ceux qui agissent contre les bacilles Gram négatif, ont toutefois permis de réduire la mortalité due aux infections. Les patients atteints de leucopénie (baisse anormale du nombre de leucocytes circulants) doivent éviter tout contact avec des personnes ayant une infection, et les patients souffrant de neutropénie doivent éviter de prendre des antibiotiques à titre prophylactique, car ceux-ci favorisent l'apparition de bactéries et de champignons résistants.

Prévention. La prévention est de la plus haute importance dans l'anémie aplasique médicamenteuse. Comme il est impossible de prévoir les réactions défavorables aux médicaments potentiellement toxiques, on ne doit les utiliser qu'en dernier recours. Si on doit administrer un médicament pouvant provoquer une aplasie médullaire, comme le chloramphénicol, il faut surveiller de près l'hémogramme. Les patients qui reçoivent un médicament toxique de façon prolongée doivent comprendre l'importance des analyses sanguines et connaître les symptômes qu'ils doivent signaler à leur médecin.

Interventions infirmières. Les patients atteints d'anémie aplasique sont vulnérables aux effets de la diminution du nombre des leucocytes, des érythrocytes et des plaquettes. L'infirmière doit donc rechercher les signes d'infection, d'hypoxie tissulaire et de saignement. Les plaies, les abrasions et les ulcères des muqueuses ou de la peau doivent être protégés de l'infection. Une hygiène buccale stricte est aussi de rigueur. On doit veiller à ce que le patient ménage ses forces en tenant compte de son degré de faiblesse et de fatigue. S'il souffre de thrombopénie, il faut lui éviter tous les traumas, y compris les injections sous-cutanées et intramusculaires. Il importe aussi de prévenir la constipation, pour éviter les hémorroïdes, qui peuvent s'infecter ou saigner.

Érythroblastopénie

L'érythroblastopénie pure est rare. Elle est due à une diminution de la production des érythrocytes par la moelle osseuse. Les autres lignées cellulaires ne sont pas atteintes. Même si la moelle est cellulaire, elle ne contient presque pas de précurseurs de la série rouge. L'érythroblastopénie se manifeste donc par une grave anémie, sans granulopénie, ni thrombopénie. Elle est parfois associée à une tumeur du thymus, à certains médicaments comme la phénytoïne (Dilantin), ou à une anémie hémolytique. Certaines personnes développent un anticorps dirigé contre les érythroblastes, ce qui pourrait être la cause de leur érythroblastopénie. On traite notamment cette anémie par l'administration de globules rouges, la thymectomie et l'administration d'agents immunosuppresseurs comme les corticostéroïdes et la cyclosporine.

Anémies myélophtisiques

Il s'agit d'un groupe d'anémies se distinguant par leurs causes, mais qui sont toutes dues à une invasion de la moelle osseuse par des cellules anormales. Il peut s'agir de cellules fibreuses (dans la myélofibrose), de plasmocytes (dans le myélome multiple) ou de cellules métastasiques. Une biopsie de la moelle osseuse est souvent nécessaire pour confirmer le diagnostic. La pancytopénie est moins importante que dans l'anémie aplasique, mais on observe la présence de cellules myéloïdes immatures et d'érythroblastes dans le sang périphérique. Le traitement vise essentiellement la maladie sous-jacente. Les androgènes donnent parfois des résultats.

Anémie due à l'insuffisance rénale

La gravité de l'anémie due à l'insuffisance rénale peut varier considérablement. En général, on observe une anémie quand la clairance de la créatinine est inférieure à 0,75 mL/s. Les symptômes de l'anémie sont souvent plus incommodants que ceux de l'insuffisance rénale. L'hématocrite se situe habituellement entre 0,20 et 0,30 et peut même baisser jusqu'à 0,15. Les érythrocytes sont normaux sur le frottis de sang périphérique.

L'anémie est due à une légère diminution de la durée de vie des érythrocytes et à une baisse du taux d'érythropoïétine. Une certaine quantité d'érythropoïétine est produite à l'extérieur des reins, car on observe, même chez les patients anéphriques (qui ont subi l'ablation des deux reins) la présence de cellules en formation.

- Les patients sous dialyse chronique perdent du sang lors de l'hémodialyse, ce qui peut causer une carence en fer. Il y a aussi une perte d'acide folique dans le dialysat.
- Les patients sous dialyse doivent prendre des suppléments de fer et d'acide folique.
- L'arrivée de l'érythropoïétine constitue un progrès considérable dans le traitement de l'anémie due à l'insuffisance rénale chronique. Le traitement à l'érythropoïétine permet en effet de maintenir l'hématocrite entre 0,33 et 0,38, en plus de soulager la fatigue et d'accroître l'énergie, d'améliorer le bien-être, de même que la tolérance à l'exercice et à la dialyse chez de nombreux patients. Il permet aussi de réduire le nombre des transfusions et, par le fait même, les risques qui y sont associés.

Anémie due à une maladie chronique

L'anémie due à une maladie inflammatoire chronique est souvent normochrome et normocytaire. On l'observe surtout dans la polyarthrite rhumatoïde, les abcès pulmonaires, l'ostéomyélite, la tuberculose et de nombreux cancers. Elle est habituellement légère et non évolutive. Elle progresse graduellement pendant six à huit semaines, puis se stabilise. L'hématocrite est rarement en dessous de 0,25 et le taux d'hémoglobine se maintient à 90 g/L ou plus. La moelle osseuse a une cellularité normale et des réserves accrues de fer. Le taux d'érythropoïétine est faible, probablement à cause d'une baisse de sa production. On observe un blocage de l'utilisation du fer par les érythroblastes. La durée de vie des érythrocytes est légèrement diminuée.

La plupart des patients ne ressentent aucun malaise et n'ont pas besoin d'un traitement de l'anémie. Quand on peut traiter avec succès la maladie qui est à l'origine de l'anémie, on observe le rétablissement de l'utilisation du fer et le retour à la normale du nombre des érythrocytes et du taux d'hémoglobine.

Anémie ferriprive

L'anémie ferriprive se caractérise par une diminution des réserves totales de fer. (Le fer est nécessaire à la synthèse de l'hémoglobine.) Il s'agit de la forme d'anémie la plus répandue dans tous les groupes d'âge.

Causes. Habituellement, la carence en fer chez les hommes et chez les femmes ménopausées est due à une hémorragie (provoquée notamment par un ulcère, une gastrite ou une tumeur gastro-intestinale), à une malabsorption (surtout après une gastrectomie) ou à un régime alimentaire pauvre en fer (moins de 2 mg/jour). Chez les femmes en préménopause, elle est généralement causée par une *ménorragie* (règles anormalement abondantes). Elle peut aussi, quoique plus rarement, avoir pour origine une perte de fer dans les urines due à une hémolyse intravasculaire, comme dans l'hémoglobinurie paroxystique nocturne ou l'hémolyse due à une valvule cardiaque défectueuse. La carence en fer peut également être observée au cours de la grossesse puisque les réserves de fer de la mère sont utilisées par le fœtus pour son érythropoïèse.

Manifestations cliniques et examens de laboratoire. La carence en fer provoque une diminution du taux d'hémoglobine et du nombre des érythrocytes. Comme la baisse du taux d'hémoglobine est plus importante que celle du nombre des érythrocytes, ceux-ci sont petits et peu colorés (microcytaires et hypochromes). L'*hypochromie* est le signe distinctif de la carence en fer.

La carence en fer provoque les symptômes de l'anémie. Si elle est grave, on observe une glossite, une koïlonichie et un pica (un besoin irrésistible de manger de la boue, de l'amidon ou de la glace). Ces symptômes disparaissent après le traitement.

Les épreuves de laboratoire révèlent un taux d'hémoglobine proportionnellement plus faible que l'hématocrite et le nombre des érythrocytes, parce que les érythrocytes sont petits et renferment peu d'hémoglobine. Le taux de fer sérique est faible, la capacité de fixation du fer est élevée et le taux de ferritine sérique (un indicateur des réserves de fer) est faible. Le nombre des leucocytes est habituellement normal, mais celui des plaquettes est variable.

Traitement. Il faut toujours rechercher la cause de la carence en fer. Elle peut être due à un cancer gastro-intestinal curable, à des leiomyomes ou à un cancer utérin. Il faut toujours procéder à une recherche de sang occulte dans les selles, sauf si la cause de l'anémie est évidente, comme dans la grossesse.

On peut traiter la carence en fer par l'administration de fer, sous forme de gluconate, de fumarate ou de sulfate ferreux. Le sulfate ferreux est le moins coûteux et le plus efficace. Il faut éviter les comprimés à enrobage gastrorésistant, car ils sont mal absorbés. Pour réduire les effets gastro-intestinaux du fer, on peut commencer le traitement par une seule dose par jour, puis augmenter graduellement jusqu'à trois à quatre doses par jour. Même si le fer est mieux absorbé par un estomac vide, il faut souvent le prendre aux repas pour réduire les douleurs gastriques. Il faut aussi informer le patient que les sels ferreux peuvent donner aux selles une couleur plus foncée. Si le fer ne peut être absorbé par la voie gastro-intestinale, il est recommandé d'utiliser la voie parentérale. On poursuit généralement le traitement pendant un an après que les saignements ont cessé afin de reconstituer les réserves de fer.

Interventions infirmières. L'enseignement est important dans la prévention de l'anémie ferriprive, qui est très répandue chez les femmes menstruées et chez les femmes enceintes. On recommande de manger beaucoup d'aliments riches en fer comme les abats (le foie) et autres viandes, les haricots blancs cuits, les légumes feuillus, les raisins et abricots secs et la mélasse. La vitamine C favorise l'absorption du fer.

On doit recommander au patient un régime alimentaire bien équilibré, et le diriger vers une diététicienne s'il se nourrit mal. Il faut mettre les patients en garde contre les régimes à la mode qui sont souvent très pauvres en fer absorbable.

Habituellement, le patient prend des suppléments de fer pendant plusieurs mois pour reconstituer ses réserves. Des injections intramusculaires de fer (Jectofer) sont indiquées quand le fer administré par voie orale est mal absorbé ou mal toléré ou que de fortes quantités sont nécessaires. L'injection cause une douleur locale et peut tacher la peau. L'administration parentérale de fer doit se faire de la façon suivante:

1. Après avoir aspiré le médicament dans la seringue, changer l'aiguille pour éviter l'infiltration de médicament dans le tissu sous-cutané.
2. Aspirer un peu d'air dans la seringue (0,5 mL).
3. Utiliser une aiguille de 5 cm, car le médicament doit être injecté profondément dans le quadrant supérieur externe de la fesse.
4. Désinfecter la peau et la tirer latéralement avant d'insérer l'aiguille afin de prévenir les fuites de médicament qui pourraient tacher. Retirer le piston afin de vérifier que l'aiguille n'a pas été introduite dans un vaisseau sanguin.
5. Injecter le médicament lentement, puis l'air. Attendre 10 secondes avant de retirer l'aiguille. Ne pas masser le point d'injection, mais appliquer une pression directe.
6. Recommander au patient de ne pas pratiquer d'exercices vigoureux avant 15 à 30 minutes.

L'injection peut dans de rares cas provoquer une réaction fébrile ou allergique. On pourrait remplacer complètement le fer par une seule injection intraveineuse, mais on évite de le faire, à cause d'un risque de réaction anaphylactique grave.

Il faut recommander au patient qui prend des suppléments de fer de poursuivre son traitement jusqu'au bout, même s'il ne ressent plus de fatigue. S'il a des douleurs gastriques, il peut prendre son médicament aux repas jusqu'à la disparition des symptômes. On doit aussi lui conseiller de se laver souvent les dents, car le sulfate ferreux peut se déposer sur les dents et les gencives.

Résumé: De toutes les formes d'anémie, l'anémie ferriprive est la plus fréquente. Elle se caractérise par une diminution des réserves totales de fer. Elle est causée par des hémorragies ou un apport insuffisant de fer dans l'alimentation et se manifeste par une microcytose et une hypochromie. Ses principaux symptômes sont la fatigue, l'irritabilité, des engourdissements et des fourmillements dans les membres et la glossite.

Anémies mégaloblastiques

Les anémies causées par une carence en vitamine B_{12} ou en acide folique ont des effets similaires sur la moelle osseuse et le sang périphérique, car ces deux vitamines sont essentielles à la synthèse de l'ADN. Dans les deux cas, on observe une *hyperplasie médullaire* (augmentation du nombre des cellules normales) et un trouble de maturation des cellules précurseures produisant des mégaloblastes (cellules de grande taille parfois polynucléées). La plupart de ces cellules sont détruites dans la moelle osseuse, ce qui réduit le nombre de cellules matures libérées. Il s'ensuit donc une *pancytopénie*. Au stade avancé, le taux d'hémoglobine peut se situer entre 40 et 50 g/L, le nombre de leucocytes entre 2 et 3 $\times 10^9$/L et le nombre des plaquettes à moins de 50 $\times 10^9$/L. Les érythrocytes sont macrocytaires et les granulocytes hypersegmentés.

Anémie par carence en vitamine B_{12}

Causes. La carence en vitamine B_{12} peut être due à un apport alimentaire insuffisant, ce qui est rare et s'observe surtout chez les végétariens stricts qui ne consomment aucun produit d'origine animale. On l'appelle *anémie pernicieuse* quand elle est due à une malabsorption digestive de la vitamine B_{12} apportée par l'alimentation, à cause d'un défaut de sécrétion du facteur intrinsèque imputable à une atrophie de la muqueuse gastrique. Le facteur intrinsèque est une substance qui se lie à la vitamine B_{12} pour la transporter dans l'iléon, où elle est absorbée. L'anémie pernicieuse touche surtout les personnes âgées et est parfois héréditaire. L'incidence familiale de cette forme d'anémie suggère l'existence d'une prédisposition génétique. Plusieurs spécialistes croient que cette prédisposition serait liée à une réaction auto-immunitaire qui entraînerait une atrophie de la muqueuse gastrique, ainsi qu'une diminution de l'acide chlorhydrique et de la production du facteur intrinsèque. Les maladies de l'iléon ou du pancréas peuvent aussi entraver l'absorption, même en présence du facteur intrinsèque. La gastrectomie est une autre cause de carence en vitamine B_{12}.

Manifestations cliniques. L'anémie apparaît habituellement quand les réserves totales de vitamine B_{12} sont épuisées. Elle se manifeste de façon progressive par de la faiblesse, un apragmatisme et de la pâleur. Ces signes s'accompagnent parfois de symptômes gastro-intestinaux et neurologiques. La langue devient lisse, rouge et douloureuse et on peut observer une légère diarrhée. Certains patients présentent de la confusion, des paresthésies périphériques et une perte d'équilibre causées par des lésions à la colonne vertébrale; ils perdent le sens de la position de leur corps. Ces symptômes sont généralement progressifs, mais il arrive que la maladie évolue par poussées et rémissions partielles. Sans traitement, le patient meurt après quelques années d'une insuffisance cardiaque consécutive à son anémie.

Examens diagnostiques. On peut utiliser le *test de Schilling* pour établir la cause de la carence en vitamine B_{12}. Pour procéder à cette épreuve, on administre au patient, à jeun depuis 12 heures, une petite dose de vitamine B_{12} radioactive par voie orale, suivie d'une dose importante de vitamine B_{12} non marquée par voie intramusculaire. La vitamine B_{12} radioactive absorbée est excrétée dans les urines; la dose intramusculaire évite la mise en réserve dans le foie de la B_{12} radioactive. On mesure le pourcentage de B_{12} radioactive éliminée dans les urines de 24 heures. Si l'excrétion urinaire est très faible, on répète le test quelques jours plus tard (Schilling II) en ajoutant un comprimé de facteur intrinsèque à la dose orale de vitamine B_{12}. Si la carence est due à l'anémie pernicieuse, le pourcentage de B_{12} radioactive éliminée sera beaucoup plus élevé. Si la carence est causée par une maladie de l'iléon ou du pancréas, l'administration d'enzymes digestifs augmente l'absorption de la B_{12} et, subséquemment, son élimination urinaire.

Traitement. On traite la carence en vitamine B_{12} par un remplacement. Les végétariens peuvent prévenir ou traiter cette carence en prenant un supplément de vitamine B_{12} ou du lait de soya enrichi. En cas de malabsorption de la vitamine B_{12} et d'absence de facteur intrinsèque, des injections intramusculaires sont nécessaires. On administre d'abord de la vitamine B_{12} tous les jours à une dose de 30 μg/jour pendant 5 à 10 jours. À plus ou moins longue échéance, le traitement peut se limiter à une dose mensuelle de 100 μg. Les résultats sont parfois spectaculaires chez les patients qui sont dans un état grave. Le nombre des réticulocytes augmente dès la première semaine, et l'hémogramme redevient normal après quelques semaines. L'inflammation de la langue se résorbe en quelques jours. Les symptômes neurologiques disparaissent plus lentement. Une neuropathie, une paralysie ou une incontinence graves peuvent laisser des séquelles.

- Les patients atteints d'anémie pernicieuse ou d'une malabsorption irréversible doivent suivre leur traitement à vie pour éviter les rechutes.

Interventions infirmières. L'infirmière doit apporter son soutien au patient lors des examens diagnostiques et lui prodiguer les soins nécessaires au traitement de l'anémie, de l'insuffisance cardiaque ou de la neuropathie. En cas d'incontinence ou paralysie, il faut prévenir les escarres de décubitus et les contractures. L'infirmière doit aussi s'assurer lors du test de Schilling que la cueillette des urines de 24 heures est complète. Le patient doit être informé du caractère chronique de son anémie de même que de l'importance d'un régime alimentaire équilibré contenant des aliments riches en vitamine B_{12} (viandes, abats, poissons, œufs et lait). Il faut de plus lui faire comprendre l'importance des doses mensuelles, même après la disparition des symptômes, ainsi que du suivi médical, en raison de la prédisposition au cancer de l'estomac qu'entraîne l'atrophie de la muqueuse gastrique.

Anémie par carence en acide folique

L'acide folique est une autre vitamine essentielle à la production des érythrocytes. Il est stocké sous la forme de divers composés appelés *folates*. La carence en acide folique est fréquente car la réserve totale des folates est beaucoup moindre que celle de la vitamine B_{12}, surtout chez les personnes qui mangent peu de légumes crus et de fruits (les personnes âgées vivant seules et les alcooliques, par exemple). Chez les alcooliques, une augmentation des besoins en acide folique due à l'alcool s'ajoute à un apport alimentaire insuffisant.

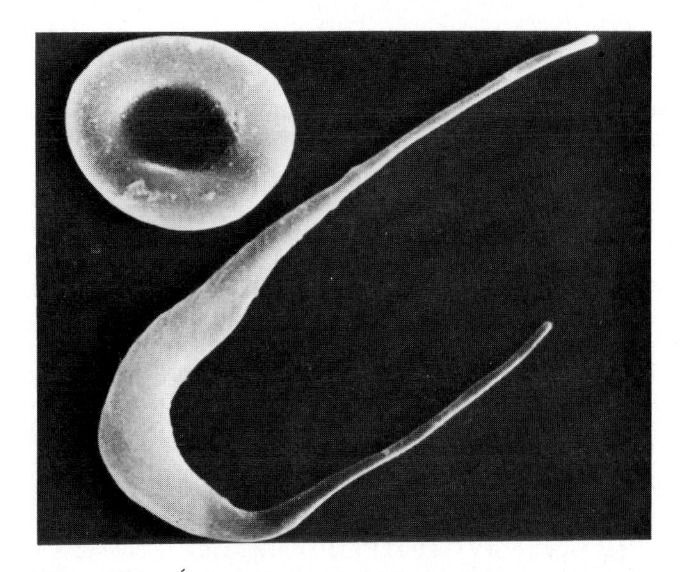

Figure 17-3. Érythrocyte normal et drépanocyte.
(Source: Photo prise par le Dr Bruce R. Cameron, Comprehensive Sickle Cell Center, University of Miami)

Les personnes atteintes d'anémie hémolytique chronique et les femmes enceintes ont aussi des besoins accrus en acide folique, de sorte qu'elles peuvent développer une anémie même si leur apport alimentaire est suffisant.

- Les patients sous alimentation parentérale totale peuvent présenter une carence en acide folique après quelques mois si on ne leur administre pas un supplément de cette vitamine par voie intramusculaire. Certaines entérites peuvent aussi altérer l'absorption de l'acide folique.

Manifestations cliniques et examens de laboratoire. La carence en acide folique a les mêmes manifestations cliniques que les autres anémies mégaloblastiques. Elle peut s'accompagner d'une carence en vitamine B_{12}, dont les symptômes sont similaires, à l'exception des atteintes neurologiques. Il est donc important de mesurer les taux sériques des deux vitamines.

Traitement. Le traitement comprend un régime alimentaire équilibré contenant des aliments riches en acide folique (asperges, foie de bœuf, germe de blé, fèves rouges, brocoli) et une dose de 1 mg d'acide folique par jour. L'administration par voie intramusculaire est indiquée seulement dans les cas de malabsorption. Comme les préparations multivitaminiques ne contiennent pas suffisamment d'acide folique, sauf celles qui sont destinées aux femmes enceintes, des comprimés d'acide folique devront être prescrits. Quand le taux d'hémoglobine revient à la normale, le traitement peut être interrompu, sauf si le patient est alcoolique et continue à consommer de l'alcool.

Résumé: Les anémies mégaloblastiques sont causées par une carence en vitamine B_{12} ou en acide folique, qui sont deux vitamines essentielles à la synthèse de l'ADN. La carence en vitamine B_{12} peut avoir pour cause un apport alimentaire insuffisant, des lésions gastriques, l'absence du facteur intrinsèque, la sprue, certains médicaments (néomycine, chlorure de potassium), des anomalies de transport et d'utilisation et une augmentation des besoins (dans la grossesse, l'hyperthyroïdie et certains cancers). La carence en acide folique peut être causée par un apport alimentaire insuffisant, un syndrome de malabsorption semblable à celui qui provoque la carence en vitamine B_{12} et certains médicaments.

ANÉMIES HÉMOLYTIQUES

Les anémies hémolytiques se caractérisent par une diminution de la durée de vie des érythrocytes. Habituellement, la moelle osseuse compense en partie la destruction rapide des érythrocytes en accélérant son rythme de production d'au moins trois fois. Par conséquent, on observe une augmentation du nombre des réticulocytes, une augmentation du taux sérique de bilirubine indirecte et une baisse du taux d'haptoglobine (protéine de fixation de l'hémoglobine libre). La moelle osseuse est hyperactive avec une prolifération des érythroblastes. Pour confirmer le diagnostic, on a recours à la mesure de la durée de vie des érythrocytes. Pour procéder à cette mesure, on prélève entre 20 et 30 mL du sang du patient que l'on incube avec du chrome radioactif (Cr^{51}) et que l'on réinjecte au patient. Le Cr^{51} ne marque que les globules rouges. On prélève ensuite des échantillons de sang au cours des jours ou des semaines qui suivent pour mesurer la radioactivité. La durée de vie normale des érythrocytes marqués au Cr^{51} est de 28 à 35 jours. Chez les personnes qui présentent une hémolyse grave (comme dans la drépanocytose) la durée de vie est de 10 jours ou moins.

ANÉMIES HÉMOLYTIQUES CONGÉNITALES

Sphérocytose congénitale

La sphérocytose congénitale se caractérise par la présence dans le sang périphérique de petits érythrocytes sphériques (sphérocytes) et par une splénomégalie (augmentation du volume de la rate). C'est une anémie hémolytique rare, transmise sur le mode dominant.

Manifestations cliniques et examens diagnostiques. La sphérocytose congénitale est due à une anomalie de la membrane érythrocytaire provoquant une diminution de sa surface, de sorte que les érythrocytes deviennent biconvexes (au lieu de biconcaves), perdent de leur flexibilité et sont facilement détruits. Elle se manifeste donc par la présence dans le sang périphérique de nombreux sphérocytes et par une anémie qui peut être exacerbée par les infections, même par les infections virales mineures. On observe aussi une splénomégalie. On diagnostique souvent la sphérocytose congénitale dès l'enfance, mais il arrive qu'elle passe inaperçue jusqu'à l'âge adulte, car ses symptômes sont généralement discrets.

Traitement. La splénectomie (ablation chirurgicale de la rate), est le seul traitement de la sphérocytose congénitale (page 474). Cette opération ne corrige pas la sphérocytose, mais supprime le siège de l'hémolyse. Après l'opération, le taux d'hémoglobine revient à la normale, la durée de vie des érythrocytes n'est que légèrement diminuée et il ne reste que quelques sphérocytes sur le frottis de sang périphérique. L'espérance de vie est normale. La splénectomie permet de prévenir les crises d'aplasie provoquées par les infections, souvent associées à une grave anémie, les ulcères de jambe et de cheville qui sont lents à guérir et les calculs biliaires.

Drépanocytose

Définition et causes. La drépanocytose est une grave anémie hémolytique chronique due à la présence d'une hémoglobine anormale et se manifestant par des crises douloureuses. Elle frappe principalement les Noirs d'origine africaine et américaine. On l'a aussi observée dans les pays méditerranéens et arabes.

Physiopathologie. La drépanocytose se caractérise par la présence d'hémoglobine S, dans laquelle la valine remplace l'acide glutamique dans la chaîne β. L'hémoglobine normale (Hb A) se compose de deux chaînes α et de deux chaînes β, dont la synthèse est assurée par deux gênes. La personne atteinte d'un trait drépanocytaire a hérité d'un seul gêne anormal, de sorte que ses érythrocytes peuvent synthétiser à la fois les chaînes β normales et les chaînes β anormales. Par conséquent, leurs globules rouges contiennent de l'hémoglobine A et de l'hémoglobine S. Les enfants nés de deux personnes atteintes d'un trait drépanocytaire peuvent hériter de deux gênes anormaux et ne synthétiser que des chaînes β anormales et de l'hémoglobine S; ils sont dits homozygotes et souffrent d'anémie drépanocytaire.

Les hétérozygotes (trait drépanocytaire) ne présentent pas de signes d'anémie, ni de crises douloureuses.

Manifestations cliniques. L'hémoglobine S a la propriété de se cristalliser en présence d'une faible pression d'oxygène. La pression d'oxygène du sang veineux est assez faible pour provoquer cette réaction, de sorte que les érythrocytes contenant de l'hémoglobine S deviennent rigides et prennent la forme d'une faucille (figure 17-3). Les cellules en faucilles peuvent se loger dans les petits vaisseaux et diminuer l'irrigation d'une région ou d'un organe, causant une ischémie ou un infarctus. C'est ce qui expliquerait les crises douloureuses. Toutefois, on ne connaît pas les facteurs qui déclenchent la falciformation ni les moyens de la prévenir.

Les symptômes de la drépanocytose sont imputables à une hémolyse et à une thrombose. On observe toujours une anémie avec un taux d'hémoglobine entre 70 et 100 g/L, de même qu'un ictère visible dans les sclérotiques. Chez les enfants, l'hyperactivité de la moelle osseuse peut causer un épaississement des os de la face et du crâne. L'anémie chronique s'accompagne de tachycardie, de souffles cardiaques et souvent de cardiomégalie. Les patients plus âgés peuvent présenter des arythmies et une insuffisance cardiaque.

La drépanocytose peut s'accompagner de crises aplasiques (avec infections), de calculs biliaires (dus à l'hémolyse qui provoque la formation de calculs bilirubiniques) et d'ulcères de jambe. Les ulcères sont chroniques et douloureux; ils exigent une greffe cutanée. Les patients atteints de drépanocytose sont vulnérables aux infections, en particulier aux pneumonies et à l'ostéomyélite, qui sont la cause de décès la plus fréquente.

Les tissus et les organes sont constamment exposés à l'hypoxie et à la nécrose ischémique. Des crises thrombotiques peuvent causer une légère douleur dans un membre, une douleur violente et un œdème dans une main ou un genou, une douleur thoracique causée par un infarctus pulmonaire, une douleur abdominale aiguë, ou un accident vasculaire cérébral avec hémiplégie. Les crises sont imprévisibles. Elles peuvent apparaître une fois par mois ou très rarement, et peuvent durer quelques heures, quelques jours ou quelques semaines. On les associe souvent à une déshydratation, à la fatigue, à la menstruation, à la consommation d'alcool, à un stress émotionnel et à une acidose. Les infarctus peuvent avoir des effets irréversibles comme une hémiplégie, une nécrose aseptique de la tête du fémur et une baisse du pouvoir de concentration des reins.

Examens diagnostiques. On fonde le diagnostic de la drépanocytose sur le test de falciformation, confirmé par une électrophorèse de l'hémoglobine. On observe aussi une baisse du taux d'hémoglobine et de l'hématocrite et la présence de drépanocytes sur le frottis.

Hétérozygotes. Les patients hétérozygotes sont protégés des crises par la présence dans les érythrocytes d'hémoglobine A qui les empêche de se déformer. Ils ne sont pas anémiques, paraissent normaux et se sentent bien. Environ 8 % des Noirs américains ont un trait drépanocytaire.

Homozygotes. Chez les homozygotes, le diagnostic est souvent posé avant l'âge de deux ans, car l'anémie et les crises se manifestent dès la première enfance. Beaucoup de ces enfants meurent au cours de leur première année de vie. Heureusement, depuis vingt ans, les antibiotiques et l'enseignement aux patients et aux médecins ont contribué à augmenter l'espérance de vie jusqu'à plus de 40 ans. Les frères et sœurs de l'enfant atteint doivent subir un test de dépistage.

Traitement. Il n'existe aucun traitement capable de guérir les hémoglobinopathies, et on ne peut les prévenir que par le conseil génétique dans les populations à risque, une solution difficile à mettre en pratique et contestée. On ne connaît pas non plus de moyens de prévenir les crises. Certains composés chimiques susceptibles d'empêcher la falciformation sont actuellement à l'étude, mais encore au stade expérimental. Il faut donc mettre l'accent sur la prévention et le traitement rapide des infections qui prédisposent le patient aux crises. Pour prévenir la déshydratation et l'hypoxie, le patient doit éviter les hautes altitudes, les anesthésies et les pertes liquidiennes. L'insuffisance rénale prédispose ces patients à la déshydratation. Des doses quotidiennes d'acide folique doivent être administrées pour répondre aux besoins accrus de la moelle osseuse.

Le traitement des crises de drépanocytose comprend l'hydratation et l'analgésie. L'augmentation de l'apport liquidien contribue à la dilution du sang et freine l'accumulation des drépanocytes dans les petits vaisseaux sanguins. Le patient et sa famille peuvent apprendre à traiter les crises mineures, mais l'hospitalisation est nécessaire si les symptômes persistent pendant quelques heures. Les crises s'accompagnent souvent de fièvre et d'une leucocytose suggérant une infection, une appendicite ou une cholécystite, ce que l'on doit exclure. L'administration de liquide par voie intraveineuse (à raison de 3 à 5 L par jour pour un adulte) est nécessaire. La douleur exige souvent l'administration d'analgésiques narcotiques à doses suffisantes, en tenant compte des risques de dépendance. Des techniques de relaxation, des exercices de respiration, la neurostimulation percutanée et des immersions dans un bain à remous peuvent améliorer le bien-être du patient.

On réserve les transfusions: (1) aux crises aplasiques avec diminution rapide du taux d'hémoglobine; (2) aux crises douloureuses que les autres traitements n'arrivent pas à faire céder; (3) à la dilution du sang contenant des drépanocytes avant une opération; (4) à la prévention des crises douloureuses dans les derniers mois de la grossesse.

DÉMARCHE DE SOINS INFIRMIERS
PATIENTS ATTEINTS DE DÉPRANOCYTOSE

Collecte des données

Un examen complet de tous les tissus et organes est nécessaire à cause des risques d'hypoxie et d'ischémie. On doit porter une attention particulière à la douleur et à l'œdème dans les articulations et l'abdomen, de même qu'à la fièvre. Un examen neurologique permet de dépister les symptômes d'hypoxie cérébrale. Il faut demander au patient s'il a observé des signes de calculs biliaires: intolérance à certains aliments, épigastralgie et douleur dans le quadrant supérieur droit de l'abdomen.

Les patients atteints de drépanocytose sont particulièrement vulnérables aux infections. Il importe donc de dépister les infections. On doit procéder à un examen minutieux du thorax, à cause des risques de pneumonie, de même que des os longs et de la tête du fémur, à cause des risques d'ostéomyélite. Il faut noter la présence d'ulcères de jambes, qui peuvent s'infecter, de même que les signes d'anémie chronique, qui est fréquente dans la drépanocytose.

On doit questionner le patient en crise pour tenter de savoir ce qui a pu déclencher la crise. Il faut lui demander s'il a eu récemment des symptômes d'infection ou de déshydratation ou s'il a connu des situations qui ont provoqué de la fatigue et du stress. Il faut aussi le questionner sur sa consommation d'alcool, sur les facteurs qui déclenchent habituellement les crises et sur les moyens qu'il emploie pour les prévenir. Ces données serviront à connaître les besoins d'apprentissage du patient.

▷ *Analyse et interprétation des données*

Selon les données recueillies, voici les principaux diagnostics infirmiers possibles:

- Altération de l'intégrité physique reliée à la douleur
- Risque élevé d'infection
- Manque de connaissances sur la prévention des crises

▷ *Planification et exécution*

Voir le plan de soins infirmiers 17-1.

L'infirmière doit aider le patient et sa famille à s'adapter à la maladie chronique et leur faire comprendre l'importance de l'hydratation, de la prévention des infections et du soulagement de la douleur. Les ulcères de jambe doivent être pansés et protégés des traumas et des contaminations. S'ils ne guérissent pas, une greffe de peau peut se révéler nécessaire. Les cardiopathies doivent être traitées de la façon habituelle. Durant les crises, il faut laisser le patient se reposer dans le plus grand calme, éviter de bouger les membres œdématiés et soulager la douleur. Les hommes peuvent avoir des crises soudaines et douloureuses de priapisme (érection prolongée du pénis); ils doivent savoir que ces crises sont fréquentes et ne laissent pas de séquelles.

Autres hémoglobinopathies

Hémoglobinose C. L'hémoglobinose C est moins fréquente que la drépanocytose dans la population noire américaine. Les hétérozygotes ne sont pas anémiques, tandis que les homozygotes présentent une anémie hémolytique légère et une splénomégalie, mais aucune complication grave.

Thalassémies. Les thalassémies sont un groupe d'anémies héréditaires caractérisées par un défaut de synthèse de l'hémoglobine. Elles sont fréquentes dans les pays méditerranéens, africains et du Sud-Est asiatique. Leur incidence augmente en Amérique du Nord à cause de l'afflux de réfugiés du Sud-Est asiatique. La thalassémie se caractérise par une *hypochromie* (diminution anormale de la teneur en hémoglobine des érythrocytes), par une *microcytose* (diminution de la taille des érythrocytes), par une hémolyse et par une anémie plus ou moins grave.

On distingue principalement les β-thalassémies et les α-thalassémies, selon la chaîne de globine affectée. On peut observer une baisse ou une absence de synthèse de la chaîne α et de la chaîne β. Les α-thalassémies touchent surtout les populations des pays d'Afrique et du Sud-Est asiatique et les β-thalassémies, les populations méditerranéennes. La forme α est moins grave que la forme β et est souvent asymptomatique. Une β-thalassémie grave entraîne la mort au cours de la première enfance si elle n'est pas traitée. Des transfusions régulières augmentent l'espérance de vie jusqu'à plus de trente ans.

Les β-thalassémies se classent selon leur gravité: thalassémie minime, thalassémie mineure, thalassémie intermédiaire et thalassémie majeure. La *thalassémie minime* est asymptomatique, de même que la *thalassémie mineure,* sauf durant la grossesse où elle peut entraîner une anémie exigeant des transfusions.

La *thalassémie intermédiaire* est plus grave et les personnes qui en sont atteintes ont une espérance de vie de trente à quarante ans seulement. Elle se manifeste par une fatigue chronique, une douleur osseuse débilitante, une cardiopathie et un hypersplénisme. Une altération des voies d'excrétion du fer entraîne une surcharge en fer (comme dans la fibrose hépatique et la cirrhose) qui est aggravée par les transfusions.

La thalassémie majeure (maladie de Cooley) se caractérise par une anémie et une hémolyse graves et une altération de l'érythropoïèse. Le traitement par des transfusions dès le jeune âge favorise la croissance et le développement. La surcharge en fer entraîne des troubles organiques. Un traitement par un chélateur du fer (déféroxamine par voie sous-cutanée) peut réduire la surcharge en fer, ce qui augmenterait l'espérance de vie. Toutefois, on ne connaît pas encore le taux de survie global des patients qui ont reçu un traitement continu par un chélateur du fer au cours de leurs premières années de vie.

Déficit en glucose-6-phosphate déshydrogénase

Il s'agit d'une anomalie génétique de la glucose-6-phosphate déshydrogénase (G6PD), une enzyme érythrocytaire jouant un rôle essentiel dans la stabilité de la membrane de l'érythrocyte. Dans sa forme grave, cette anomalie peut provoquer une anémie hémolytique chronique, mais dans sa forme la plus fréquente, l'hémolyse est déclenchée par la fièvre ou certains médicaments. Cette maladie a été découverte pendant la Deuxième Guerre mondiale chez des soldats qui ont présenté une hémolyse suite à la prise de primaquine, un antipaludéen. Les médicaments causant une hémolyse chez les personnes qui présentent un déficit en glucose-6-phosphate déshydrogénase sont les antipaludéens, les sulfamides, la nitrofurantoïne, l'aspirine, les diurétiques thiazidiques, les hypoglycémiques oraux, le chloramphénicol, l'acide para-aminosalicylique, la vitamine K et les fèves chez les patients atteints de favisme. On observe le déficit en G6PD surtout chez les Noirs, de même que chez les Grecs et les Italiens. Il est plus grave dans la population méditerranéenne que chez les Noirs. Sa transmission est liée au chromosome X, et touche donc surtout les hommes. Environ 15 % des hommes noirs américains en sont atteints.

Manifestations cliniques. La plupart du temps, les personnes atteintes d'un déficit en G6PD n'ont aucun symptôme; leur taux d'hémoglobine et le nombre de leurs réticulocytes sont normaux. Toutefois quelques jours après une exposition à un médicament ou une substance à laquelle elles sont sensibles, elles présentent une pâleur, un ictère, une hémoglobinurie et une réticulocytose. Des corps de Heinz peuvent être mis en évidence sur un frottis de sang périphérique par une coloration spéciale. L'hémolyse dure environ une semaine et se résorbe spontanément quand de nouveaux érythrocytes insensibles à l'hémolyse se forment.

Dans l'anomalie de type méditerranéen, on n'observe pas de guérison spontanée.

Examens diagnostiques et traitement. On fonde le diagnostic sur un test de dépistage, confirmé par un dosage de la G6PD. Il faut renseigner le patient sur l'anomalie dont il souffre et lui fournir une liste des médicaments qu'il doit éviter. Parmi ces médicaments, on note les sulfamides, les hypoglycémiants, les antipaludéens, la nitrofurantoïne, la phénacétine, l'aspirine (à fortes doses) et l'acide para-aminosalicylique.

Résumé: Les anémies hémolytiques héréditaires sont causées par une anomalie touchant la membrane ou le métabolisme des érythrocytes, ou par une hémoglobinopathie. On connaît bien la physiopathologie de ces anémies, mais leur traitement laisse encore à désirer.

ANÉMIES HÉMOLYTIQUES ACQUISES

Il existe toute une variété d'anémies hémolytiques acquises: hémoglobinurie paroxystique nocturne, anémies hémolytiques auto-immunes, anémies hémolytiques microangiopathiques, dont l'hémolyse due à une prothèse valvulaire défectueuse, l'acanthocytose, et les anémies reliées à des infections et à une splénomégalie. Voir le tableau 17-2 pour les causes, les manifestations et le traitement de ces anémies.

Anémie hémolytique auto-immune

Les anticorps qui se combinent aux érythrocytes peuvent être des *isoanticorps* dirigés contre des cellules étrangères (comme dans les réactions transfusionnelles ou dans l'érythroblastose fœtale) ou des *autoanticorps* dirigés contre les propres cellules du sujet. Les autoanticorps provoquent une hémolyse dite auto-immune, qui est parfois très grave. Ils enrobent les érythrocytes, ce qui donne un test de Coombs positif. Les érythrocytes recouverts d'anticorps sont éliminés par la rate et le système réticulo-endothélial. Certains sont détruits, tandis que d'autres retournent dans la circulation sous la forme de sphérocytes dont la durée de vie est courte.

L'hémolyse auto-immune peut être *idiopathique,* c'est-à-dire dont l'origine est inconnue. Elle apparaît soudainement et touche surtout des personnes de plus de 40 ans. Elle peut aussi être associée à une maladie comme le lupus érythémateux aigu disséminé, la leucémie lymphoïde chronique ou les lymphomes. Dans certains cas, de fortes doses de médicaments, comme la pénicilline, les céphalosporines ou la quinidine, peuvent entraîner l'apparition d'un anticorps dirigé contre un complexe médicament-membrane érythrocytaire. Le méthyldopa à fortes doses provoque chez certaines personnes la formation d'autoanticorps dirigés contre les érythrocytes. Dans ce cas toutefois, l'anémie hémolytique est rarement grave.

Manifestations cliniques. Les manifestations cliniques des anémies hémolytiques auto-immunes sont variables. Dans les cas bénins, un test de Coombs positif peut en être le seul signe. Le plus souvent, on observe des symptômes d'anémie, comme la fatigue, une dyspnée, des palpitations et un ictère. Dans les cas graves, l'hémolyse et le choc peuvent être irrépressibles.

Traitement. Il faut interrompre l'administration de tous les médicaments susceptibles d'être à l'origine de l'hémolyse et administrer des corticostéroïdes à fortes doses pour diminuer l'hémolyse. Quand le taux d'hémoglobine revient à la normale, généralement après quelques semaines, on peut diminuer progressivement les doses de corticostéroïdes. Dans les cas graves, on prescrit des transfusions de sang. Toutefois, les épreuves de compatibilité présentent un problème parce que les autoanticorps du patient réagissent souvent avec le sang de tous les donneurs. Le sang doit alors être administré lentement et avec prudence.

Si les corticostéroïdes n'ont pas l'effet escompté, on peut pratiquer une splénectomie, qui est l'ablation de la rate, le principal siège de la destruction des érythrocytes. En dernier recours, on peut administrer des agents immunosuppresseurs.

POLYGLOBULIE

La polyglobulie est une augmentation de la masse des érythrocytes circulants. Elle se caractérise par une numération érythrocytaire à plus de 6×10^{12}/L et un taux d'hémoglobine supérieur à 180 g/L. On parle de polyglobulie relative, par opposition à la polyglobulie vraie, quand la masse érythrocytaire est normale, mais que le volume plasmatique est réduit. La polyglobulie relative peut être causée par des diurétiques, mais sa cause est souvent inconnue. On peut mesurer avec précision la masse érythrocytaire par une technique radio-isotopique.

Polyglobulie secondaire

La polyglobulie secondaire est causée par une production excessive d'érythropoïétine. On l'observe dans certaines maladies entraînant une hypoxie comme la bronchopneumopathie chronique obstructive, la maladie bleue et certaines hémoglobinopathies à forte affinité pour l'O_2 (hémoglobine Chesapeake, par exemple). Il existe aussi des polyglobulies d'origine tumorale que l'on observe dans certains cas de tumeur ou de kyste au rein, d'hémangioblastome cérébelleux, d'hépatome ou de léiomyome utérin.

Le traitement de la polyglobulie secondaire vise la maladie qui en est la cause. Si la maladie sous-jacente ne peut être traitée, on a recours à des saignées pour réduire l'hypervolémie ou l'hyperviscosité.

Polyglobulie essentielle

La polyglobulie essentielle, ou maladie de Vaquez, est une maladie myéloproliférative dans laquelle toutes les cellules de la moelle osseuse semblent échapper aux mécanismes de régulation normaux. La moelle osseuse est hypercellulaire et on observe dans le sang périphérique un nombre élevé d'érythrocytes, de leucocytes et de plaquettes. Une rougeur au visage et une hépatosplénomégalie apparaissent. Les symptômes de la polyglobulie essentielle sont attribués à l'augmentation du volume sanguin (céphalées, étourdissements, fatigue et troubles visuels), ou à l'augmentation de la viscosité sanguine, (angine, claudication intermittente et thrombophlébite). L'hémorragie est une complication de cette maladie, à cause

(suite à la page 462)

Plan de soins infirmiers 17-1
Patients en crise de drépanocytose

Diagnostic infirmier: Altération de l'intégrité physique reliée à la douleur

Objectif: Soulagement de la douleur

Interventions infirmières	Justification	Résultats escomptés
1. Noter le siège de la douleur et en évaluer l'intensité. Principaux sièges de la douleur: Articulations et membres Poitrine Abdomen	1. La douleur est causée par l'obstruction des petits vaisseaux qui provoque une hypoxie.	• Le patient éprouve un soulagement de la douleur après avoir pris des analgésiques. • Il bouge ses membres lentement et avec précaution pour réduire la douleur. • Il augmente son apport liquidien. • Il ressent de moins en moins de douleur. • Il manifeste de l'intérêt pour les activités de diversion.
2. Administrer des analgésiques selon l'ordonnance du médecin.	2. Les analgésiques narcotiques sont nécessaires au soulagement des douleurs graves; on doit toutefois les éviter pour les douleurs chroniques, car ils entraînent une dépendance.	
3. Administrer des liquides par voie orale et intraveineuse selon l'ordonnance du médecin; noter les ingesta et excréta.	3. L'augmentation de l'apport liquidien favorise l'hémodilution et freine l'accumulation de drépanocytes dans les petits vaisseaux sanguins.	
4. S'assurer que les régions douloureuses sont dans une bonne position et bien soutenues; encourager l'utilisation de techniques de relaxation et d'exercices de respiration profonde; faire des applications de chaleur humide sur les régions douloureuses.	4. On peut réduire les douleurs articulaires en bougeant les membres avec précaution et en appliquant de la chaleur humide; les techniques de relaxation et les exercices de respiration profonde peuvent aider le patient à oublier sa douleur.	

Diagnostic infirmier: Risque élevé d'infection

Objectif: Prévention des infections

Interventions infirmières	Justification	Résultats escomptés
1. Rechercher les signes et les symptômes d'infection dans les régions suivantes: Poumons Os longs et tête du fémur Jambes (ulcères)	1. Le stress physique causé par l'infection déclenche souvent des crises; le traitement de l'infection dès son apparition peut prévenir les crises ou en limiter la durée.	• La température du patient est normale. • Il y a absence de bruits respiratoires. • Sa numération leucocytaire est à l'intérieur des limites de la normale (5 à $10 \times 10^9/L$). • Il ne ressent aucune douleur près des os longs. • Les cultures des écoulements des plaies sont négatives.
2. Encourager le patient à marcher dès qu'il le peut et à pratiquer des exercices de toux et de respiration profonde.	2. L'activité aide à libérer les sécrétions pulmonaires; les sécrétions stagnantes constituent un milieu favorable à la croissance bactérienne.	
3. Respecter les règles de l'asepsie lors du changement des pansements.	3. L'asepsie vise à empêcher les micro-organismes de pénétrer dans les plaies ou de proliférer davantage.	
4. S'assurer que le patient a un apport nutritionnel et liquidien suffisant.	4. Un apport alimentaire et liquidien suffisant favorise l'intégrité des tissus.	

Plan de soins infirmiers 17-1 (suite)

Patients en crise de drépanocytose

Interventions infirmières	*Justification*	*Résultats escomptés*
Diagnostic infirmier: Manque de connaissances sur la prévention des crises		
Objectif: Acquisition de connaissances sur les facteurs pouvant provoquer une crise		
1. Enseigner au patient les facteurs pouvant provoquer une crise: Infection Déshydratation Agressions et lésions physiques Effort exténuant Fatigue extrême Exposition au froid Hypoxie (en haute altitude, par exemple) Stress émotionnel	1. On peut réduire la fréquence des crises en évitant les situations qui peuvent les déclencher.	• Le patient connaît les facteurs pouvant provoquer une crise. • Il connaît les modifications qu'il doit apporter à son mode de vie pour prévenir les crises. • Il demande de l'aide de sa famille pour apporter les modifications à son mode de vie. • Son apport liquidien est suffisant. • Il connaît les sources d'infection qu'il peut éviter. • Il sait qu'il doit consulter un médecin dès qu'une infection survient.
2. Expliquer au patient et à sa famille le caractère chronique de la maladie et insister sur l'importance de l'hydratation et de la prévention des infections.	2. Le patient se conformera mieux au traitement s'il accepte le caractère chronique de sa maladie et s'il sait comment éviter les crises.	

TABLEAU 17-2. *Anémies hémolytiques acquises*

Nom	*Cause*	*Manifestations et traitement*
Hémoglobinurie paroxystique nocturne	Inconnue; accompagne parfois l'anémie aplasique	Urines foncées (hémoglobinurie), surtout le matin Pancytopénie (dans certains cas) Thromboses veineuses multiples Aucun traitement connu
Anémie hémolytique auto-immune	Formation d'anticorps, parfois sous l'effet de médicaments (méthyldopa [Aldomet], pénicilline)	Ictère, sphérocytose Répond aux corticostéroïdes
Anémie hémolytique microangiopathique	Fragmentation des érythrocytes dans les petits vaisseaux sanguins (dans l'hypertension maligne notamment)	Érythrocytes fragmentés (schizocytes) sur le frottis sanguin Traitement de la maladie sous-jacente
Hémolyse due à des prothèses valvulaires défectueuses	Lésions aux érythrocytes dues à un flux rétrograde dans des prothèses valvulaires défectueuses	Érythrocytes fragmentés Remplacement de la prothèse valvulaire
Acanthocytose	Maladie hépatique grave et hypertension Accumulation de lipides dans la membrane érythrocytaire	Érythrocytes en forme d'oursin Aucun traitement connu
Infections	Paludisme, *Clostridium welchii,* surtout après un avortement septique	Hémoglobinurie possible Traiter l'infection
Hypersplénisme	Splénomégalie causée par une cirrhose, un lymphome, etc.	Pancytopénie possible Splénectomie

d'un engorgement des capillaires. Le prurit est aussi fréquent, mais il est inexpliqué.

Traitement

Le traitement vise à réduire la viscosité du sang. Plusieurs saignées peuvent être nécessaires pour maintenir le taux d'hémoglobine dans les limites de la normale. Un traitement myélosuppresseur au phosphore radiomarqué ou par des agents chimiothérapeutiques peut être indiqué, mais il augmente les risques de leucémie. En cas d'hyperuricémie, on doit administrer de l'allopurinol pour prévenir les crises de goutte. Des antihistaminiques peuvent aider à soulager le prurit.

Résumé: La polyglobulie est une augmentation de la masse totale des érythrocytes. La polyglobulie essentielle est un trouble de l'érythropoïèse, tandis que la polyglobulie secondaire est due généralement à une augmentation du taux d'érythropoïétine causée par une diminution de l'apport d'oxygène.

LEUCOPÉNIE ET AGRANULOCYTOSE

La leucopénie est une réduction du nombre des leucocytes circulants et l'agranulocytose est une absence presque totale de granulocytes neutrophiles pouvant avoir des conséquences fatales. Un nombre de leucocytes inférieur à $5 \times 10^9/L$ ou un nombre absolu de granulocytes inférieur à $2 \times 10^9/L$ peut témoigner d'un trouble médullaire généralisé, comme l'anémie mégaloblastique, l'aplasie, la myélofibrose ou une leucémie aiguë. La leucopénie peut avoir pour cause une infection virale ou une septicémie grave, mais elle est due le plus souvent à des médicaments comme les phénothiazines, les antithyroïdiens, les sulfamides, le phénylbutazone et le chloramphénicol. Elle est asymptomatique, sauf si une infection se développe, ce qui se produit habituellement quand le nombre des granulocytes est à moins de $1 \times 10^9/L$. On observe alors de la fièvre, des ulcères douloureux de la gorge et, parfois, une septicémie.

Traitement

Il faut d'abord interrompre la prise de tous les médicaments qui peuvent être en cause. Si le nombre des granulocytes est très bas, on doit protéger le patient des infections. Il faut obtenir une hémoculture et des cultures des orifices. S'il y a fièvre, on doit administrer des antibiotiques à large spectre jusqu'à ce que les résultats des cultures soient connus. Une bonne hygiène buccodentaire est nécessaire.

Des gargarismes avec une solution physiologique peuvent garder la gorge libre de sécrétions nécrotiques. On peut améliorer le bien-être du patient par l'application d'un collet réfrigérant et l'administration d'analgésiques, d'antipyrétiques et de sédatifs. Le traitement vise à enrayer l'infection et à éliminer, si possible, la cause de l'aplasie médullaire. Si on réussit à combattre l'infection, on assiste souvent à une guérison spontanée en deux à trois semaines, sauf dans les cas de cancer.

PROCESSUS MALINS DES TISSUS HÉMATOPOÏÉTIQUES

Les tissus hématopoïétiques se distinguent par une régénération rapide et continue. Normalement, la maturation des cellules sanguines à partir de leurs cellules souches est régie avec précision en fonction des besoins de l'organisme. Toutefois, on peut observer une prolifération anarchique des cellules sanguines, ce qui donne naissance à des processus malins affectant différentes lignées cellulaires. La *leucémie* est une prolifération des leucocytes que l'on distingue selon le type des leucocytes atteints. On croit qu'elle se développe dans les cellules souches. Les *lymphomes* sont des maladies néoplasiques du tissu lymphoïde. La maladie de Hodgkin, qui représente 40 % des lymphomes, est vraisemblablement due à un trouble de la fonction lymphocytaire T. D'autres lymphomes sont liés aux lymphocytes B. La macroglobulinémie et le myélome multiple sont des maladies néoplasiques caractérisées par une prolifération des plasmocytes.

LEUCÉMIES ✓

Toutes les leucémies ont en commun une prolifération médullaire des leucocytes aux dépens des autres éléments figurés. Cette prolifération peut s'étendre au foie, à la rate et aux ganglions lymphatiques, de même qu'à d'autres organes comme les méninges, les voies digestives, les reins et la peau. On classe les leucémies en fonction de la maturité des cellules malignes. On distingue les leucémies aiguës (cellules immatures) et les leucémies chroniques (cellules différenciées). Il existe deux formes de leucémie chronique: lymphoïde et myéloïde. On ne connaît pas les causes des leucémies, mais on les associe à des facteurs génétiques et viraux. Certaines leucémies sont causées par des lésions de la moelle osseuse provoquées par des radiations ou des agents chimiques comme le benzène.

Leucémie myéloblastique aiguë

La leucémie myéloblastique aiguë affecte la cellule souche qui donne naissance à toutes les cellules de la lignée myéloïde, soit les monocytes, les granulocytes (basophiles, neutrophiles et éosinophiles), les érythrocytes et les plaquettes. Elle touche des personnes de tous les âges, mais son incidence augmente avec l'âge. C'est le type de leucémie aiguë non lymphoblastique le plus courant.

Manifestations cliniques. Les principaux signes et symptômes de la leucémie myéloblastique aiguë découlent de la production insuffisante de cellules sanguines normales. Ainsi, la granulopénie provoque une sensibilité aux infections, l'anémie entraîne de la faiblesse et de la fatigue, et la thrombopénie se manifeste par une tendance à l'hémorragie. L'invasion des organes par des cellules leucémiques provoque d'autres symptômes, comme de la douleur (causée par une hépatomégalie ou une splénomégalie), une lymphadénite, des céphalées ou des vomissements (dus à une infiltration des méninges, ce qui est toutefois plus fréquent dans les leucémies lymphoïdes) et des douleurs osseuses dues à l'expansion de la moelle osseuse.

La maladie est souvent insidieuse, les symptômes apparaissant sur une période de un à six mois. On observe une baisse du nombre des érythrocytes et des plaquettes dans le sang périphérique. La numération leucocytaire peut être abaissée, normale ou élevée, mais on observe la présence sur le frottis de leucocytes anormaux. On confirme le diagnostic par un myélogramme révélant un nombre excessif de blastes. La présence de corps d'Auer dans le cytoplasme des leucocytes est caractéristique de cette forme de leucémie.

Traitement. On traite la leucémie myéloblastique aiguë par la chimiothérapie et on obtient parfois des périodes de rémission d'un an ou plus. Les agents utilisés sont le chlorhydrate de daunorubicine (Cérubidine), la cytarabine (Cytosar) et la mercaptopurine (Purinethol). Le traitement de soutien comprend des transfusions sanguines et une antibiothérapie pour juguler les infections. On peut envisager une greffe de moelle osseuse si un membre de la famille immédiate est compatible.

Pronostic. La survie moyenne des patients traités est de un an. La mort est habituellement causée par une infection ou une hémorragie. Les patients non traités ne survivent que de deux à cinq mois.

Leucémie myéloïde chronique

La leucémie myéloïde chronique serait due à la transformation maligne des cellules souches de la série myéloïdes. Elle est toutefois moins grave que la forme aiguë parce que les cellules normales sont en plus grand nombre. On observe la présence du chromosome Philadelphie chez 90 à 95 % des personnes atteintes. Cette forme de leucémie est rare avant l'âge de 20 ans et son incidence augmente avec l'âge.

Manifestations. Le tableau clinique de la leucémie myéloïde chronique est semblable à celui de la forme aiguë, mais les symptômes sont moins graves. Souvent, il n'y a aucun symptôme pendant de nombreuses années, et l'apparition de la maladie est insidieuse. On observe toujours une augmentation du nombre des leucocytes, qui est parfois énorme. La splénomégalie est fréquente.

Traitement et pronostic. Les antinéoplasiques utilisés pour le traitement de la leucémie myéloïde chronique sont le busulfan (Myleran) et l'hydroxyurée (Hydrea). Une greffe de moelle osseuse peut augmenter considérablement le taux de survie. Habituellement, la maladie atteint un stade de transformation aiguë qui ne répond à aucun traitement. Le taux de survie moyen est de trois à quatre ans. La mort est souvent causée par une infection ou une hémorragie. On doit prodiguer les mêmes soins infirmiers que pour la leucémie aiguë.

Leucémie lymphoblastique aiguë

La leucémie lymphoblastique aiguë se caractérise par une invasion de la moelle osseuse par des lymphoblastes. Elle touche surtout les enfants de sexe masculin, avec une incidence maximale à l'âge de quatre ans. Elle est rare après l'âge de 15 ans.

Manifestations. Des lymphoblastes immatures s'accumulent dans la moelle osseuse et les tissus périphériques, remplacent les cellules hématopoïétiques normales et inhibent l'hématopoïèse, ce qui provoque une anémie et une thrombopénie. Le nombre des leucocytes peut être abaissé ou élevé, mais il y a toujours présence de lymphoblastes. La prolifération des cellules malignes dans d'autres organes est plus fréquente dans la leucémie lymphoblastique aiguë que dans les autres formes de leucémie.

Traitement et pronostic. D'énormes progrès ont été réalisés dans le traitement de ce type de leucémie, de sorte que le taux de survie à 5 ans est maintenant de 60 %. Le principal traitement est une polychimiothérapie associant la vincristine, la prednisone, la daunorubicine et l'asparaginase pour le traitement initial, et la mercaptopurine, le méthotrexate, la vincristine et la prednisone pour le traitement d'entretien. L'irradiation de la région crâniorachidienne et l'injection intrathécale d'antinéoplasiques peuvent aider à prévenir les atteintes du système nerveux central.

Leucémie lymphoïde chronique

La leucémie lymphoïde chronique atteint surtout des personnes de plus de 40 ans. Elle touche plus d'hommes que de femmes. Bien que les causes de cette leucémie soient encore inconnues, plusieurs chercheurs l'associent à une anomalie chromosomique, à un facteur héréditaire ou à certains déficits immunitaires comme l'agammaglobulinémie.

Manifestations cliniques. Cette forme de leucémie est souvent asymptomatique et découverte fortuitement lors d'un examen pour une autre maladie. Elle peut se manifester par une anémie, des infections ou une hypertrophie des ganglions lymphatiques, du foie et de la rate. On observe toujours une leucocytose, mais le nombre des érythrocytes et des plaquettes peut être normal ou abaissé.

Traitement et pronostic. Si les symptômes sont légers, aucun traitement n'est requis, mais s'ils sont graves, il faut avoir recours à une chimiothérapie à base de corticostéroïdes et de chlorambucil (Leukeran). La survie, très variable, se situe entre trois et sept ans.

Les leucémiques qui ne répondent plus à la chimiothérapie sont parfois hospitalisés pour subir un traitement palliatif. Ils sont généralement très fatigués et très souffrants. Ils ont souvent connus des rémissions et des récidives et sont passés de l'espoir au découragement. Ils ont donc grandement besoin des soins d'une infirmière qualifiée qui leur apportera le soutien émotionnel et physique dont ils ont besoin. (Voir la section sur les patients atteints d'un cancer en phase terminale au chapitre 47.)

Gérontologie

Les fonctions physiologiques s'altèrent progressivement avec l'âge. Par exemple, l'altération de la fonction immunitaire augmente la sensibilité aux infections. Les personnes âgées tardent souvent à consulter un médecin soit par ignorance, soit par crainte, soit à cause d'un réseau de soutien inadéquat. Les complications de la leucémie peuvent avoir des effets dévastateurs sur les personnes âgées, car leurs réserves physiologiques sont déjà faibles. Des soins infirmiers complets sont donc essentiels pour les aider à mieux tolérer les effets de leur maladie, et les complications de son traitement.

Démarche de soins infirmiers
Patients atteints de leucémie

Collecte des données

Les leucémies ont un tableau clinique différent selon leur type, mais elles ont en commun plusieurs signes et symptômes qui peuvent être révélés par la collecte des données et l'examen physique. On peut observer de la faiblesse et de la fatigue, une tendance aux hémorragies, la présence de pétéchies et d'ecchymoses, des douleurs, des céphalées, des vomissements, de la fièvre et des signes d'infection. L'hémogramme révèle des anomalies dans la formule leucocytaire, une anémie et une thrombopénie. On a déjà abordé à la section précédente les manifestations de chaque type de leucémie.

▷ *Analyse et interprétation des données*

Selon les données recueillies, voici les principaux diagnostics infirmiers possibles:

- Stratégies d'adaptation inefficaces reliées au diagnostic et au pronostic
- Risque élevé d'hémorragie
- Risque élevé d'infection
- Intolérance à l'activité reliée à la fatigue et à la faiblesse
- Altération de l'intégrité physique reliée à la douleur
- Déficit nutritionnel relié aux effets secondaires des antinéoplasiques (nausées, vomissements, diarrhées, anorexie, ulcères buccaux)
- Perturbation de l'image corporelle reliée à l'alopécie

▷ *Planification et exécution*

▷ *Objectifs de soins:* Acceptation de la maladie et du pronostic; prévention des hémorragies; prévention des infections; tolérance à l'activité; maintien ou amélioration du bien-être; maintien ou amélioration de l'apport nutritionnel; amélioration de l'image corporelle

▷ *Interventions infirmières*

▷ *Acceptation de la maladie et du pronostic.* Les patients atteints de leucémie sont souvent déprimés et effrayés. L'infirmière doit donc faire preuve de compétence, de même que de compréhension à leur égard. Elle peut beaucoup les aider en leur expliquant les interventions, en anticipant les effets secondaires des médicaments et en les incitant à participer au traitement. Les patients ont souvent un sentiment d'impuissance face au traitement parce que celui-ci est très complexe. L'infirmière doit toujours être à l'écoute du patient et de sa famille afin de les aider à faire face au stress psychologique, émotionnel et physique engendré par la maladie.

▷ *Prévention des hémorragies.* Comme pour les patients atteints d'anémie aplasique, il faut vérifier régulièrement le nombre des leucocytes, des érythrocytes et des plaquettes. Le risque d'hémorragie est fonction du degré de thrombopénie. Quand la numération plaquettaire est inférieure à $20 \times 10^9/L$, on observe la présence de pétéchies et d'ecchymoses et le risque d'hémorragie grave est élevé. Sans qu'on sache pourquoi, la fièvre et les infections augmentent aussi les risques d'hémorragie. Il faut informer le médecin de toute augmentation des pétéchies, de la présence de sang dans les selles (méléna) ou dans les urines (hématurie) et des saignements de nez (épistaxis). Les lésions et les injections sont à éviter. L'acétaminophène est préférable à l'aspirine en tant qu'analgésique. Une hormonothérapie peut être indiquée pour empêcher la menstruation. On traite souvent les hémorragies par du repos au lit et des transfusions d'érythrocytes et de plaquettes.

▷ *Prévention des infections.* La baisse du nombre des granulocytes matures favorise grandement l'infection qui est la principale cause de décès dans la leucémie. Les risques d'infection étant directement proportionnel au degré de granulopénie, une infection généralisée est imminente quand le nombre des granulocytes est inférieur à $1 \times 10^9/L$. L'immunosuppression entraînée par la chimiothérapie augmente aussi les risques d'infection. Il est donc essentiel d'être à l'affût des signes d'infection.

Les principaux signes d'infection sont: l'hyperthermie, des rougeurs, des frissons, une tachycardie et la présence de plaques blanches dans la bouche; un œdème, une sensation de chaleur ou de la douleur au niveau des yeux, des oreilles, de la gorge, de la peau, des articulations, de l'abdomen, du rectum ou du périnée; des changements caractéristiques dans les expectorations et les selles; des éruptions cutanées.

- La leucémie peut altérer les manifestations caractéristiques de l'infection. L'administration de corticostéroïdes peut atténuer les réactions fébriles et inflammatoires normales de l'infection.

Une observation attentive est nécessaire pour dépister certains signes d'infection peu manifestes, par exemple l'apparition d'un exsudat. Une bonne hygiène buccodentaire peut réduire les risques d'infection dans la cavité buccale. Afin d'éviter les infections causées par les canules intraveineuses, l'infirmière doit porter des gants stériles quand elle met en place les perfusions, prodiguer tous les jours des soins au point d'insertion et changer la canule tous les deux jours. Elle peut prévenir les abcès rectaux en évitant les lavements, la prise de la température rectale et les autres interventions susceptibles de provoquer des lésions. Les femmes doivent s'abstenir de porter des tampons hygiéniques. Les voies urinaires sont aussi propices aux infections. Il faut éviter les sondes dans toute la mesure du possible. Si l'usage d'une sonde est essentiel, il faut respecter scrupuleusement les règles de l'asepsie lors de son insertion et procéder à des soins d'hygiène et d'asepsie quotidiennement.

▷ *Tolérance à l'activité.* Les leucémies s'accompagnent d'une anémie due à une baisse de l'érythropoïèse, à une augmentation de la destruction des érythrocytes et aux hémorragies. Si le patient est faible on devra l'aider à établir un ordre de priorités dans ses activités et planifier les soins de façon à alterner les périodes de repos et d'activité. Les autres symptômes à surveiller sont la dyspnée, la tachycardie et les autres symptômes d'hypoxie tissulaire.

▷ *Maintien ou amélioration du bien-être du patient.* L'invasion généralisée des tissus par des leucocytes anormaux peut être invalidante. Elle s'accompagne souvent d'une douleur et d'une hypertrophie des organes abdominaux, des ganglions lymphatiques, des os et des articulations. Si elle touche aussi le système nerveux central, elle provoque des céphalées, de la confusion, une irritation des méninges et une augmentation de la pression intracrânienne. Il faut donc évaluer régulièrement tous les appareils et systèmes afin de dépister les effets de la leucémie et de planifier les soins de façon à soulager les symptômes.

Il faut placer le patient de façon à réduire les douleurs à l'abdomen, aux ganglions lymphatiques, aux os et aux articulations. Le patient doit éviter les mouvements brusques et utiliser des coussins ou des oreillers pour se soutenir et améliorer son bien-être. Au besoin, on lui administre des analgésiques selon l'ordonnance du médecin, en utilisant une aiguille de petit calibre et en exerçant de la pression sur le point de ponction après l'injection pour éviter les saignements.

La chimiothérapie peut provoquer une destruction massive des cellules qui augmente le taux d'acide urique, ce qui rend le patient vulnérable aux calculs rénaux et aux colites néphrétiques. On peut prévenir la cristallisation de l'acide urique et la formation subséquente de calculs en augmentant l'apport liquidien.

▷ *Maintien ou amélioration de l'apport nutritionnel.* L'invasion des organes abdominaux par des leucocytes anormaux et l'administration d'antinéoplasiques peuvent entraîner des troubles gastro-intestinaux, de l'anorexie, des nausées, des vomissements, de la diarrhée et des lésions de la muqueuse buccale. Une bonne alimentation est de première importance pour les leucémiques. Il faut donc planifier minutieusement la chimiothérapie, leur administrer des antiémétiques à titre prophylactique et les renseigner sur les aliments et les boissons les moins irritants. Une bonne hygiène buccodentaire peut aider à prévenir les lésions buccales et à améliorer l'appétit. Pour assurer un apport nutritionnel adéquat, on doit offrir au patient de petits repas fréquents, composés d'aliments et de boissons à la fois savoureux et riches en protéines et en vitamines.

▷ *Amélioration de l'image corporelle.* L'alopécie (chute des cheveux) est une expérience traumatisante qui perturbe l'image corporelle du patient. L'infirmière doit donc le préparer à cette complication et l'encourager à exprimer ses craintes. On recommande souvent au patient de se procurer une perruque avant que les cheveux ne commencent à tomber. Il faut inviter la famille à l'aider dans son choix. Le soutien de la famille est souvent inestimable dans l'adaptation du patient à la perturbation de son image corporelle.

▷ *Évaluation*

Résultats escomptés

1. Le patient accepte la maladie et le pronostic.
   a) Il parle aux membres de sa famille ou de son réseau de soutien de ses sentiments face au pronostic.
   b) Il utilise des mécanismes de défense de façon appropriée.
   c) Il se fixe des objectifs réalistes.
   d) Il participe aux traitements.
2. Le patient ne présente pas d'hémorragie.
   a) Il se conforme au programme thérapeutique.
   b) Il évite tout ce qui est susceptible de lui causer des blessures (par exemple, les rasoirs ou tout autre objet coupant, les efforts pour se moucher ou déféquer, ou les sports de contact).
   c) Il évite les lésions lors des soins d'hygiène buccodentaire.
   d) Il surveille ses urines et ses selles pour dépister les saignements (les femmes doivent aussi surveiller leurs pertes vaginales).
   e) Il informe immédiatement le personnel de soins de tout signe d'hémorragie.
3. Le patient ne présente pas d'infection.
   a) Son apport nutritionnel est suffisant.
   b) Il utilise des méthodes appropriées pour ses soins buccodentaires.
   c) Il connaît les signes et symptômes d'infection, de même que les mesures de prévention des infections.
   d) Il évite tout contact avec des personnes atteintes d'une infection.
   e) Il informe immédiatement le personnel de soins de tout signe d'infection.
4. Le patient a plus de force et d'endurance.
   a) Il peut expliquer les causes de sa faiblesse et de sa fatigue.
   b) Il répartit ses activités sur toute la journée.
   c) Il se repose à intervalles réguliers.
   d) Il apporte à son mode de vie les modifications nécessaires à la réduction de l'activité physique.
   e) Sa tolérance à l'activité est de plus en plus grande.
5. Le patient améliore ou maintient son bien-être.
   a) Il connaît les positions qui réduisent les douleurs à l'abdomen et aux membres.
   b) Il se place dans les positions qui soulagent ses douleurs à l'abdomen et aux membres.
   c) Il surélève la tête de son lit pour soulager les céphalées.
   d) Il prend des analgésiques selon l'ordonnance du médecin.
   e) Il maintient un bon apport liquidien afin de prévenir les calculs rénaux.
6. Le patient améliore ou maintient son apport nutritionnel.
   a) Il connaît les facteurs qui provoquent des malaises gastro-intestinaux.
   b) Il prend des antiémétiques selon l'ordonnance du médecin pour prévenir les nausées et les vomissements.
   c) Il choisit des aliments peu irritants.
   d) Il augmente sa consommation d'aliments riches en protéines et en vitamines.
   e) Il a une bonne hygiène buccodentaire.
   f) Il maintient ou augmente son poids.
7. Le patient améliore son image corporelle.
   a) Il exprime ses sentiments face à l'alopécie.
   b) Il accepte l'aide du personnel soignant et de sa famille pour s'adapter à l'alopécie.
   c) Il se procure d'avance une perruque qui lui plaît.

Résumé: Les leucémies sont causées par une prolifération maligne de cellules hématopoïétiques dont la cause est encore mal connue. On sait que les cellules malignes s'accumulent dans la moelle osseuse et inhibent l'hématopoïèse. Les leucémies peuvent être aiguës ou chroniques et toucher différentes lignées cellulaires. Selon leur type, elles peuvent atteindre des personnes de tous les groupes d'âge. La chimiothérapie en est le principal traitement. Les complications sont dues à l'insuffisance médullaire et aux effets cytotoxiques du traitement. La mort est souvent causée par une infection et une hémorragie grave. Le pronostic varie selon le type de leucémie.

Les interventions infirmières auprès des patients atteints de leucémie visent l'évaluation des problèmes actuels et potentiels, l'enseignement au patient et l'adaptation du patient et de sa famille à la maladie.

LYMPHOMES

Les lymphomes sont des maladies néoplasiques des systèmes réticulodothélial et lymphoïdes. On les classe selon le degré de différentiation cellulaire et l'origine de la cellule maligne prédominante. On en ignore encore la cause. Les tumeurs ont généralement leur origine dans les ganglions lymphatiques, mais peuvent atteindre le tissu lymphoïde de la rate, des voies digestives (la paroi de l'estomac, par exemple), du foie et de la moelle osseuse. Au moment du décès, des tumeurs se sont généralement disséminées dans les tissus extralymphatiques comme les poumons, les reins et la peau.

MALADIE DE HODGKIN

La maladie de Hodgkin, comme tous les autres lymphomes, est de cause inconnue. Elle prend naissance dans le système lymphatique et touche principalement les ganglions lymphatiques. Elle atteint surtout les hommes, avec une incidence maximale au début de la vingtaine et après la cinquantaine. Ses manifestations sont semblables à celles de l'infection (hypertrophie des ganglions lymphatiques, fièvre, perte de poids et sudation nocturne).

De grandes cellules réticulaires atypiques dont la morphologie est caractéristique et la lignée incertaine (les *cellules de Reed-Sternberg*), sont le signe distinctif de la maladie de Hodgkin. Leur présence est le principal critère de diagnostic.

On distingue quatre types histologiques qui reflètent l'extension de la maladie et le pronostic. Ainsi le type à *prédominance lymphocytaire,* dans lequel les cellules de Reed-Sternberg sont rares et les lymphocytes nombreux, a un bien meilleur pronostic que le type à *déplétion lymphocytaire,* caractérisé par de nombreuses cellules de Reed-Sternberg et peu de lymphocytes. Les types à *cellularité mixte* et à *sclérose nodulaire* sont les plus répandus et se situent entre les deux autres types pour ce qui a trait au nombre et à l'effet destructeur des cellules malignes.

Manifestations cliniques

La première manifestation de la maladie de Hodgkin est généralement une hypertrophie indolore des ganglions lymphatiques d'un seul côté du cou, qui prend progressivement de l'ampleur. Un prurit intense est parfois le seul symptôme pendant des mois. Les ganglions affectés restent fermes et non fusionnés; ils sont rarement sensibles au toucher ou douloureux. On assiste ensuite à l'hypertrophie des ganglions d'autres régions, comme l'autre côté du cou et la région axillaire. Les ganglions de la région médiastinale et rétropéritonéale peuvent aussi s'hypertrophier et causer une compression de la trachée (causant une dyspnée), de l'œsophage (causant une dysphagie), des nerfs (causant une paralysie du larynx et des névralgies brachiales, lombaires ou sacrées), des veines (causant un œdème dans au moins un membre et un épanchement pleural ou péritonéal), et du canal biliaire (causant un ictère obstructif). À un stade plus avancé, la rate devient palpable et le volume du foie augmente. L'atteinte ganglionnaire débute parfois dans une aisselle ou dans l'aine. Plus rarement, elle débute dans la région médiastinale ou péritonéale et y reste confinée. Dans certains cas, l'hypertrophie de la rate est la seule lésion manifeste.

Une anémie apparaît progressivement. On observe parfois une leucocytose avec une augmentation du nombre des granulocytes neutrophiles et éosinophiles. Un patient sur deux présente une fièvre légère, avec une température ne dépassant pas 38,3 °C. Toutefois, dans les atteintes médiastinales et abdominales on peut observer une fièvre intermittente pouvant atteindre 40 °C pendant 3 à 14 jours. Si elle n'est pas traitée, la maladie de Hodgkin progresse, entraînant une cachexie, des infections, une anémie progressive, une *anasarque* (œdème généralisé) et une baisse de la pression artérielle. Sans traitement, la survie est de un à trois ans.

Examens diagnostiques

Le diagnostic se fonde sur les caractéristiques histologiques des ganglions excisés. Une fois le diagnostic établi, il faut évaluer l'étendue de la maladie et sa répartition. En d'autres termes, il faut déterminer s'il existe des lésions ailleurs dans le système lymphatique et dans les autres organes et tissus. Il s'agit d'une entreprise difficile, coûteuse et souvent incertaine, mais qui est d'une extrême importance dans le choix du traitement.

Il faut obtenir un hémogramme, la vitesse de sédimentation et des épreuves d'exploration fonctionnelle du foie et des reins. Une biopsie de la moelle osseuse, des scintigraphies hépatique et splénique, des radiographies du thorax et des scintigraphies osseuses du pelvis, des vertèbres et des os longs permettent de dépister les atteintes de ces organes.

Traitement

Le traitement actuel de la maladie de Hodgkin se base sur les observations suivantes:

1. La maladie de Hodgkin se développe habituellement dans un ganglion, puis emprunte les voies lymphatiques pour s'étendre vers des ganglions contigus.
2. La maladie de Hodgkin se propage rarement à l'extérieur du système lymphatique, sauf à un stade avancé.
3. Dans 95 % des cas, la maladie de Hodgkin peut être enrayée complètement et définitivement par une radiothérapie à des doses de 3500 à 4500 rads sur une période de quatre semaines. La mégavolt-röntgenthérapie (megavoltage radiation) permet d'obtenir cette forte dose et d'atteindre simultanément plusieurs chaînes ganglionnaires.
4. Les régions où se trouvent les chaînes ganglionnaires, ainsi que les régions de la rate, de l'oropharynx et du rhinopharynx, peuvent tolérer facilement des doses élevées de radiation. Il faut toutefois protéger par un écran de plomb les organes vitaux comme les poumons, le foie, les voies digestives, les reins et la moelle osseuse, ainsi que les organes génitaux.

À partir de ces observations, on présume qu'il est possible de guérir la maladie de Hodgkin par la radiothérapie, à condition que l'atteinte se limite aux chaînes ganglionnaires, à la rate, à l'oropharynx et au rhinopharynx. On ajoute systématiquement l'irradiation des ganglions adjacents non atteints. Si d'autres régions sont atteintes, on a recours à la chimiothérapie associée à une radiothérapie palliative.

Classification par stade de la maladie de Hodgkin

Pour plus de simplicité, d'uniformité et de commodité, on classe la maladie de Hodgkin en quatre stades selon son étendue et la réponse à la radiothérapie. Ces quatre stades sont:

Stade I: atteinte d'un seul ganglion avec ses structures adjacentes, ou d'un seul organe ou d'une seule région extraganglionnaire.

Stade II: atteinte de plusieurs ganglions ou chaînes ganglionnaires du même côté du diaphragme.

Stade III: atteinte de ganglions des deux côtés du diaphragme, avec atteinte de la rate ou d'une région extraganglionnaire, ou des deux.

Stade IV: atteinte de plusieurs régions extraganglionnaires avec ou sans atteinte des ganglions contigus.

Chaque stade se subdivise en fonction de la présence ou de l'absence de symptômes, comme la fièvre, des sueurs nocturnes et une perte de poids. Ainsi la lettre A indique l'absence de symptômes, et la lettre B, la présence de symptômes. Il faut aussi tenir compte de la taille des tumeurs dans le choix du traitement. On ajoute souvent la chimiothérapie à la radiothérapie pour les stades IIB et IIIA. Pour les stades IIIB et IV, la polychimiothérapie est utilisée seule ou avec une radiothérapie palliative pour traiter les lésions locales particulièrement destructrices ou douloureuses. À l'heure actuelle, les patients aux stades IA et IIA ont un taux de survie à 5 ans de 90 %. Ils sont considérés comme virtuellement guéris. Le taux de survie diminue progressivement dans les stades plus avancés de la maladie.

Interventions infirmières

La radiothérapie exige souvent des visites quotidiennes au centre hospitalier pendant plusieurs semaines. Habituellement, on utilise une dose de 4500 rads pour traiter la tumeur et les ganglions adjacents.

Les principaux effets secondaires de la radiothérapie sont une œsophagite, une anorexie, une agueusie, des nausées et des vomissements, une diarrhée, des réactions cutanées et une léthargie. On doit souvent faire preuve de beaucoup d'ingéniosité pour aider les patients à tolérer ces effets désagréables. Il faut notamment les encourager à manger et leur offrir des aliments mous et peu épicés qui correspondent à leurs goûts et qui ne soient ni trop chauds ni trop froids. Des pastilles anesthésiques peuvent soulager les malaises de la bouche et de la gorge qui diminuent l'appétit. Pour prévenir les risques de caries dentaires reliés à une diminution de la sécrétion salivaire, une hygiène buccodentaire appropriée est nécessaire. Il faut réserver les antiémétiques aux nausées graves.

Les radiations donnent souvent à la peau un aspect bronzé ou brûlé par le soleil. Le patient doit savoir qu'il s'agit d'une réaction normale. Il faut lui recommander d'éviter de frotter la peau ou d'y appliquer de la chaleur, du froid ou une lotion, et lui enjoindre d'informer le médecin ou l'infirmière de toute réaction cutanée grave.

La radiothérapie entraîne une léthargie qui a souvent pour effet de décourager le patient. Il faut lui expliquer que cette léthargie est normale et que beaucoup de repos et de sommeil sont nécessaires pour conserver un niveau d'énergie acceptable. On doit aussi demander à la famille de favoriser le repos. Le patient peut combattre l'ennui en s'adonnant à des activités récréatives exigeant un minimum d'effort.

Si une chimiothérapie est nécessaire, on utilise souvent une association de moutarde azotée, de vincristine (Oncovin), de prednisone et de procarbazine (Natulan). Le patient qui subit une chimiothérapie a besoin de beaucoup de soutien (voir le chapitre 47) pour en tolérer les effets secondaires, comme l'aplasie médullaire, les troubles gastro-intestinaux et l'alopécie. Il faut le rassurer en lui expliquant que le traitement aura une fin et que les chances de guérison sont élevées. On peut aussi l'aider à accepter l'alopécie en lui suggérant de se procurer d'avance une perruque qui lui plaît.

Le patient atteint de la maladie de Hodgkin est très vulnérable aux infections à cause de la radiothérapie et de la chimiothérapie, de même que de l'altération de la réponse immunitaire. S'il note de la fièvre ou des signes d'infection (rougeurs, sensibilité ou lésions de la peau, toux), il doit en informer immédiatement le personnel soignant. Il doit aussi éviter tout contact avec des personnes qui souffrent d'une infection.

Le patient doit respecter ses visites d'observation chez le médecin, car elles permettent d'évaluer l'efficacité du traitement et de dépister les complications. Le suivi doit se poursuivre pendant plusieurs années à cause de l'augmentation du risque de leucémie aiguë associé à la radiothérapie et à la chimiothérapie.

LYMPHOMES NON HODGKINIENS

On regroupe sous le nom de lymphomes non hodgkiniens toutes les proliférations malignes de cellules lymphoïdes qui diffèrent de la maladie de Hodgkin. On n'en connaît pas la cause, mais on soupçonne une implication virale. Ils sont associés à l'immunosuppression, comme dans le syndrome d'immunodéficience acquise (sida) ou le traitement immunosuppresseur suivant une greffe d'organe.

Les manifestations des lymphomes non hodgkiniens sont semblables à celles de la maladie de Hodgkin. Toutefois, ces lymphomes sont souvent beaucoup plus avancés au moment du diagnostic. Si l'atteinte est locale, on peut la traiter par la radiothérapie; si elle est généralisée, une polychimiothérapie s'impose. L'infection est une complication grave des lymphomes non hodgkiniens. Les atteintes du système nerveux central sont fréquentes.

MYCOSIS FONGOÏDE (LYMPHOME CUTANÉ À CELLULES T)

Le mycosis fongoïde est un lymphome de la peau à lymphocytes T. Il est relativement rare et touche surtout les hommes, de race noire ou blanche. Il se manifeste d'abord par une éruption prurigineuse rougeâtre, à type de plaque qui peut s'étendre à une grande partie de la peau et devenir nodulaire. Le corps peut se couvrir de nodules en forme de champignon de 1 à 5 cm. Le processus malin se propage éventuellement aux ganglions, au foie, à la rate et aux poumons. Les démangeaisons et l'aspect peu esthétique de la maladie incommodent beaucoup les patients. La moutarde azotée (utilisée parfois localement) ou la radiothérapie peuvent être efficaces.

Si les lésions sont ulcérées et douloureuses, il faut prodiguer au patient des soins infirmiers compétents. Un arceau de lit placé sous les couvertures peut empêcher celles-ci de créer une pression sur les lésions. Des onguents bactériostatiques peuvent aider à prévenir les infections secondaires et à protéger les terminaisons nerveuses de l'exposition à l'air. Les autres aspects des soins sont les mêmes que pour la maladie de Hodgkin.

Gérontologie

Les personnes âgées qui sont soumises à une radiothérapie doivent être observées de très près car leurs tissus sont très sensibles aux radiations.

Résumé: Les lymphomes sont des proliférations malignes affectant les cellules du système immunitaire. La maladie de Hodgkin est un lymphome qui prend naissance dans le tissu lymphoïde. On appelle lymphomes non hodgkiniens tous les autres lymphomes. Le mycosis fongoïde est un lymphome à cellules T affectant la peau. On ne connaît pas la cause des lymphomes. On les traite par la chimiothérapie et la radiothérapie. Le pronostic varie selon leur type. Les principales complications de la maladie et du traitement sont les infections, l'anémie, la douleur et le développement d'un autre cancer. On doit surveiller de près la progression de la maladie et de ses complications et prodiguer au patient l'enseignement et le soutien émotionnel dont il a besoin.

Myélome multiple

Le myélome multiple se caractérise par une prolifération maligne de plasmocytes médullaires qui peut atteindre les os, les ganglions, le foie, la rate et les reins. Il ne fait pas partie des lymphomes.

Le myélome multiple se manifeste par une anémie normochrome et normocytaire, une douleur au dos et parfois une leucopénie ou une thrombopénie due à l'invasion de la moelle osseuse par les plasmocytes malins. Une ponction ou une biopsie de la moelle osseuse permet de confirmer le diagnostic. La présence sur les radiographies osseuses de lésions d'ostéolyse est suggestive de la maladie. Les plasmocytes malins produisent de grandes quantités de globulines anormales apparaissant à l'électrophorèse sous la forme d'une pointe à l'endroit des paraprotéines. Une de ces protéines est excrétée dans les urines (protéine de Bence Jones).

Des douleurs osseuses persistantes et invalidantes peuvent survenir. Les lésions ostéolytiques sont souvent associées à une hypercalcémie. Les fractures des vertèbres ou des côtes sont fréquentes. Le taux de survie moyen est de deux à cinq ans. La mort est souvent causée par une infection ou une insuffisance rénale.

Traitement

Pour réduire la masse tumorale et soulager la douleur osseuse, on peut administrer une association de melphalan (Alkeran), de cyclophosphamide et de corticostéroïdes. La chimiothérapie peut prolonger la survie de un à trois ans. On peut utiliser la radiothérapie à titre palliatif pour soulager les douleurs osseuses et réduire le volume des tumeurs extraosseuses. Pour prévenir l'insuffisance rénale causée par la précipitation des protéines de Bence Jones dans les tubules rénaux, l'hypercalcémie et l'hyperuricémie, il faut assurer une bonne hydratation et être à l'affût des signes et des symptômes d'atteinte rénale. On doit aussi administrer de l'allopurinol pour prévenir la cristallisation de l'acide urique. En cas de douleur intense, on doit avoir recours à des narcotiques ou à une radiothérapie locale, et utiliser au besoin une orthèse lombaire pour diminuer la compression. Des fractures pathologiques sont aussi possibles. Il faut garder le patient actif dans toute la mesure du possible, car l'alitement augmente les risques d'hypercalcémie. Toutefois, les corticostéroïdes inhibent l'activité des ostéoclastes, ce qui produit une réduction de la résorption osseuse, et par conséquent de l'hypercalcémie. Les infections bactériennes comme la pneumonie sont fréquentes à cause d'une diminution de la réponse immunitaire. Les patients atteints de myélome multiple doivent être bien hydratés, car une déshydratation avant certaines épreuves diagnostiques peut déclencher une insuffisance rénale aiguë.

Gérontologie. Le myélome multiple apparaît surtout après l'âge de 40 ans, son incidence augmentant avec l'âge. De plus en plus de personnes en sont donc atteintes à cause du vieillissement de la population. Une douleur au dos exige un examen plus poussé parce qu'il s'agit souvent du premier signe du myélome multiple.

Troubles de l'hémostase

Physiopathologie

L'organisme est protégé des hémorragies graves par un ensemble de réactions complexes, qu'on appelle l'hémostase. L'hémostase se fait en trois phases (voir la figure 17-1). La première phase est la phase vasculaire qui se caractérise par la *constriction* immédiate des vaisseaux sanguins lésés, ce qui suffit à arrêter le saignement capillaire. La seconde phase est la *formation du clou plaquettaire,* par l'accumulation de plaquettes au niveau de la lésion où elles adhèrent à l'endothélium pour préparer le scellement. Le clou plaquettaire arrête l'hémorragie dans les petits vaisseaux tels que les veinules et procure une protection temporaire dans les cas de lésions graves. Le scellement complet et permanent des lésions vasculaires se fait durant la *phase de coagulation* par la formation d'un caillot sanguin, une masse gélatineuse capable d'arrêter la plupart des hémorragies. La coagulation s'amorce dans la voie intrinsèque ou dans la voie extrinsèque. Une séquence de réactions active successivement des protéines jusqu'à la formation du facteur Xa qui convertit la prothrombine en thrombine avec l'aide du facteur V, du calcium et d'une substance présente à la surface des plaquettes. Le facteur Xa est une enzyme très active qui a pour autres fonctions de stimuler l'agrégation des plaquettes et de convertir le fibrinogène en fibrine. Des filaments de fibrine se forment donc dans le voisinage du clou plaquettaire et s'enchevêtrent pour renforcer le clou et former le caillot. Puis, grâce au facteur XIII, une enzyme qui catalyse la formation de liens entre les molécules de fibrine, le caillot se stabilise. Le vaisseau lésé se trouve ainsi scellé et moins irrigué. La réparation du tissu endothélial peut s'amorcer. Plus tard, une autre protéine plasmatique, la fibrinolysine, assurera la dissolution du caillot de fibrine (fibrinolyse).

Des anomalies des vaisseaux, des plaquettes et des autres facteurs de coagulation, y compris la fibrine et la fibrinolysine, prédisposent aux hémorragies. Ces anomalies sont parfois multiples et simultanées. Une hémorragie peut révéler un trouble primaire de la coagulation (comme l'hémophilie), ou un trouble consécutif à une autre maladie (comme une cirrhose, une insuffisance rénale ou une leucémie) ou à une réaction à des médicaments (comme la warfarine sodique).

Manifestations cliniques

Les signes et les symptômes des troubles de l'hémostase varient selon la nature du trouble. Un bilan de santé complet peut aider à poser le diagnostic. Les anomalies du système vasculaire se manifestent fréquemment par des fuites de sang dans la peau. Les pétéchies (petites taches rouges ou violacées, souvent en groupes, sur la peau et les muqueuses) sont un signe de thrombopénie, car ce sont surtout les plaquettes qui arrêtent l'hémorragie dans les petits vaisseaux. Les coups peuvent provoquer des ecchymoses, mais rarement des hématomes graves. Après une coupure ou une ponction, il suffit d'exercer une pression locale pour arrêter l'hémorragie rapidement et de façon permanente. Par contre, dans l'hémophilie et les autres déficits des facteurs de coagulation, la fonction plaquettaire est normale et on n'observe ni pétéchies, ni hémorragies superficielles. Toutefois, le plus léger coup peut entraîner une hémorragie tissulaire, la formation d'un hématome intramusculaire et une hémarthrose. La pression ne suffit pas à arrêter les hémorragies externes, qui reprennent après quelques heures.

Il faut être à l'affût des signes d'hémorragie chez les patients atteints de troubles de l'hémostase ou qui y sont prédisposés à cause d'une autre maladie ou de médicaments. Il faut vérifier s'il y a présence manifeste de sang dans tous les écoulements et les excréta comme les selles, les urines, les vomissements et les sécrétions gastriques, et procéder à une recherche de sang occulte. Il faut aussi noter les pétéchies, les ecchymoses et les saignements de nez et de gencives. Il faut informer le médecin de la présence de douleur abdominale, lombaire ou articulaire, ce qui peut être le signe d'une hémorragie interne. Il faut aussi observer le patient à la recherche de signes d'hypovolémie: hypotension, tachycardie, pâleur, peau moite et froide, altération de la réactivité et oligurie.

TROUBLES VASCULAIRES

La rupture spontanée de petits vaisseaux à cause d'une anomalie ou d'une lésion provoque des hémorragies dans la peau et les muqueuses. Les petites hémorragies se manifestent par des *pétéchies*, de petites taches de la grosseur d'une tête d'épingle, et les plus grandes par des *ecchymoses* ou meurtrissures. Le nombre des plaquettes et les épreuves de coagulation sont habituellement normaux.

Les troubles vasculaires peuvent être dus à différents mécanismes, notamment une altération du tissu conjonctif qui supporte les vaisseaux sanguins causée par une carence en vitamine C ou une hypersécrétion d'hormones corticosurrénaliennes. Ils peuvent aussi être consécutifs à une maladie comme le diabète sucré ou à la présence de toxines bactériennes. Ils sont souvent d'origine immunitaire, comme dans les réactions à des médicaments, les infections, les allergies ou les maladies du collagène ou des vaisseaux. En général, les troubles vasculaires n'entraînent que de légères hémorragies.

ANOMALIES DES PLAQUETTES

L'apparition soudaine de pétéchies, d'ecchymoses ou de saignements de nez et de gencives abondants peut être un signe de trouble plaquettaire. La baisse du nombre des plaquettes (thrombopénie) est l'anomalie la plus fréquente, mais on observe aussi des troubles de la fonction plaquettaire, dans lesquels le nombre des plaquettes est normal. On diagnostique les troubles de la fonction plaquettaire par l'évaluation du facteur plaquettaire 3 et de l'agrégation des plaquettes. L'aspirine, même à petites doses, inhibe l'agrégation des plaquettes et allonge le temps de saignement pendant plusieurs jours. Cependant, elle ne provoque des hémorragies graves que chez les patients atteints d'un trouble de l'hémostase, comme une thrombopénie ou l'hémophilie, ou après une intervention chirurgicale.

Thrombopénie

La thrombopénie est la principale cause d'hémorragie. Elle est due à une diminution de la production des plaquettes par la moelle osseuse ou à une augmentation de leur destruction. D'autres causes sont mentionnées dans le tableau 17-3. L'examen physique ou la ponction de moelle permettent généralement d'établir si la thrombopénie est consécutive à une autre maladie. Si la destruction accélérée des plaquettes est en cause, on observe dans la moelle osseuse une augmentation du nombre des mégacaryocytes et de la production des plaquettes normales. Si le nombre des plaquettes est supérieur à $50 \times 10^9/L$, on n'observe habituellement ni hémorragies, ni pétéchies, sauf après une opération.

Une numération plaquettaire inférieure à $20 \times 10^9/L$ entraîne des pétéchies, des saignements de nez, un écoulement menstruel abondant, et des hémorragies après une opération ou une extraction dentaire. À moins de $5 \times 10^9/L$, il y a risque d'hémorragie cérébrale ou gastro-intestinale spontanée et mortelle.

Traitement. Si la thrombopénie est imputable à une autre maladie, il faut traiter cette maladie. S'il y a une diminution de la production des plaquettes, des transfusions de plaquettes peuvent en augmenter le nombre, arrêter les saignements et prévenir une hémorragie intracrânienne. Les transfusions sont toutefois inefficaces dans les cas de destruction accélérée des plaquettes.

Purpura thrombopénique idiopathique (PTI)

Le purpura thrombopénique idiopathique touche des personnes de tous les âges, mais surtout des enfants et des jeunes femmes. On n'en connaît pas la cause exacte. Chez les enfants, il est souvent précédé d'une maladie virale. On croit dans ce cas qu'un antigène viral déclencherait la formation d'anticorps qui réduiraient la durée de vie des plaquettes. Parfois, on peut mettre des anticorps en évidence *in vitro*. Toutefois, c'est généralement la diminution du nombre et de la durée de vie des plaquettes et l'allongement du temps de saignement qui révèlent l'existence de la maladie. Avant de poser un diagnostic de PTI, il faut exclure les autres causes de thrombopénie. Les symptômes (pétéchies, saignement des muqueuses ou saignement menstruel abondant) peuvent apparaître soudainement. Le nombre des plaquettes est généralement inférieur à $20 \times 10^9/L$. Les risques d'hémorragie intracrânienne grave sont élevés chez les personnes souffrant de PTI chronique ne répondant pas au traitement.

Traitement. Le traitement de choix du PTI est la corticothérapie, qui permet d'arrêter l'hémorragie en deux jours et d'augmenter le nombre des plaquettes en une semaine.

Trois patients sur quatre répondent à la corticothérapie, quoique beaucoup rechutent après l'arrêt du traitement. Chez les patients qui rechutent ou ne répondent pas à la corticothérapie, on a recours à la splénectomie, qui entraîne une rémission dans 75 % des cas. On peut observer des rechutes transitoires des mois et même des années après la splénectomie. Chez les rares sujets réfractaires à la corticothérapie et à la splénectomie, on a recours à des immunosuppresseurs comme l'azathioprine ou le cyclosphosphamide. Les patients atteints de PTI doivent éviter tous les médicaments qui entravent la fonction plaquettaire.

Résumé: Des hémorragies peuvent être causées par une baisse du nombre des plaquettes ou une altération de leur fonction. La thrombopénie peut résulter d'une baisse de la production des plaquettes ou d'une accélération de leur destruction ou de leur utilisation. Il faut traiter la maladie sous-jacente s'il y a lieu. Le purpura thrombopénique idiopathique serait dû à la présence d'un antigène viral qui déclencherait la formation d'anticorps réduisant la durée de vie des plaquettes. On peut le traiter par une corticothérapie, une splénectomie et l'administration d'agents immunosuppresseurs.

TROUBLES HÉRÉDITAIRES DE LA COAGULATION

Hémophilie

Définition et causes. Il existe deux formes d'hémophilie dont les manifestations cliniques sont identiques. Des examens de laboratoire sont nécessaires pour les distinguer. L'hémophilie A est causée par un déficit en facteur VIII et l'hémophilie B par un déficit en facteur IX. La première forme est cinq fois plus fréquente que la seconde. Les deux formes sont transmises par une anomalie du chromosome X et ne touchent donc que les hommes. La mère est porteuse du gêne anormal, mais ne présente pas de symptômes. Ses filles ont une chance sur deux d'être porteuses.

Manifestations cliniques. La maladie est parfois très grave et se manifeste par de grandes ecchymoses et des hémorragies dans les muscles, les articulations et les tissus mous pouvant être causées par un traumatisme mineur. Une douleur précède souvent la tuméfaction de l'articulation et la restriction du mouvement. Les hémarthroses répétées peuvent avoir des conséquences graves comme une douleur chronique

TABLEAU 17-3. *Thrombopénies*

Cause	*Traitement*
DIMINUTION DE LA PRODUCTION DES PLAQUETTES	
Leucémie	Traiter la leucémie.
Tumeur de la moelle osseuse	
Anémie aplasique	Greffe de moelle osseuse, androgènes, globulines antithymocytes
Anémie mégaloblastique	Vitamine B_{12} ou acide folique
Toxines	Arrêter la production de la toxine.
Médicaments: héparine, chloramphénicol et agents cytotoxiques	Arrêter la prise du médicament.
Infection: surtout les septicémies, les infections virales ou la tuberculose	Traiter l'infection.
Alcool	Arrêter la consommation d'alcool.
AUGMENTATION DE LA DESTRUCTION DES PLAQUETTES	
Anticorps	
Purpura thrombopénique idiopathique	Corticostéroïdes, splénectomie
Lupus érythémateux	Corticostéroïdes, agents immunosuppresseurs
Lymphome malin	Corticostéroïdes
Médicaments: quinine, quinidine, digoxine, phénytoïne, aspirine, sulfamides, sels d'or	Arrêter la prise du médicament et envisager un substitut.
Hypersplénisme	Splénectomie
Infections Bactériennes Virales	Traiter les infections bactériennes et les infections secondaires des infections virales par l'administration d'antibiotiques.
AUGMENTATION DE L'UTILISATION DES PLAQUETTES	
Coagulation intravasculaire disséminée	Héparine

ou une ankylose de l'articulation. De nombreux hémophiles deviennent ainsi handicapés avant l'âge adulte. Une hématurie et une hémorragie gastro-intestinale spontanées peuvent aussi se produire. La maladie est habituellement dépistée avant l'âge de 18 mois.

Avant l'existence des concentrés de facteur VIII et IX, les hémophiles mouraient avant l'âge adulte. Dans les hémophilies légères, le taux de facteur VIII ou IX se situe entre 5 et 25 % de la normale. Il n'y a pas d'hémorragie douloureuse et invalidante des muscles et des articulations, mais l'extraction d'une dent ou une opération peut causer des hémorragies graves et même fatales. Durant une crise hémorragique on peut observer différentes combinaisons des symptômes suivants:

- Articulations douloureuses et œdématiées
- Saignement non proportionnel à la gravité de la blessure
- Saignement sous-cutané
- Saignement des muqueuses
- Douleur et distension abdominales
- Hématémèse ou méléna

Traitement. Avant l'arrivée des concentrés de facteur VIII et IX, on ne pouvait traiter l'hémophilie B que par l'administration de grandes quantités de plasma frais congelé, ce qui provoquait une hypervolémie. L'hémophilie A pouvait être traitée pas du cryoprécipité. Aujourd'hui, les banques de sang ont en réserve des concentrés de facteur VIII et IX qui permettent d'arrêter les hémorragies, ou de les prévenir avant une extraction dentaire ou une opération par exemple. Certains patients ou parents des patients apprennent à administrer le concentré et en gardent en réserve à la maison.

Cependant, certains patients développent des anticorps contre le concentré de facteur VIII; leur traitement est difficile. On peut dans leur cas avoir recours à des préparations spéciales de concentré de complexe prothrombinique qui sont toutefois très coûteuses.

L'acide aminocaproïque, un inhibiteur des enzymes fibrinolytiques, est parfois administré pour ralentir la dissolution des caillots sanguins après une extraction dentaire.

En général, les hémophiles doivent éviter l'aspirine et les injections intramusculaires. Une bonne hygiène buccodentaire est nécessaire pour éviter les extractions dentaires. Une attelle ou un appareil orthopédique peut être utile au patient qui a présenté une hémarthrose ou une hémorragie musculaire.

De nombreux hémophiles ont reçu par le passé du concentré de facteur VIII contaminé par le VIH, le virus responsable du sida. Pour réduire les risques de contamination par le VIH, les concentrés de facteurs sont maintenant traités par la chaleur.

DÉMARCHE DE SOINS INFIRMIERS PATIENTS ATTEINTS D'HÉMOPHILIE

▷ *Collecte des données*

L'infirmière doit rechercher chez les hémophiles les signes d'hémorragie interne (douleur abdominale, thoracique ou lombaire; hématurie; hématémèse et méléna), d'hématomes musculaires et d'hémarthrose. Elle doit aussi prendre les signes vitaux et la pression artérielle pour dépister l'hypovolémie. Elle doit de plus examiner les membres et le torse à la recherche d'ecchymoses et vérifier si les articulations sont enflées ou douloureuses et si les mouvements articulaires sont limités. Le patient doit bouger ses articulations avec précaution et cesser tout mouvement au premier signe de douleur. L'infirmière doit demander au patient s'il a connu auparavant des restrictions de ses mouvements et de ses activités et s'il a eu besoin d'une attelle ou d'une aide à la motricité.

Si le patient vient de subir une opération, il faut examiner régulièrement la plaie pour y déceler les signes d'hémorragie et prendre régulièrement les signes vitaux jusqu'à ce qu'on ait établi avec certitude l'absence d'hémorragie postopératoire.

L'infirmière doit aussi demander au patient comment lui et sa famille s'adaptent à la maladie, quelles mesures ils prennent pour prévenir les hémorragies et quelles restrictions la maladie impose à leur mode de vie et à leurs activités quotidiennes. Si un patient est fréquemment hospitalisé pour des hémorragies dues à des blessures, il faut lui demander de décrire les circonstances entourant ces blessures. Ces renseignements aident l'infirmière à déterminer dans quelle mesure le patient et sa famille s'adaptent à la maladie et à prodiguer l'enseignement préventif nécessaire.

▷ *Analyse et interprétation des données*

Selon les données recueillies, voici les principaux diagnostics infirmiers possibles:

- Altération de l'intégrité physique reliée à la douleur
- Risque de diminution de l'irrigation tissulaire relié aux hémorragies
- Manque de connaissances sur la prévention des hémorragies
- Stratégies d'adaptation inefficaces reliées à l'aspect chronique de la maladie et à ses effets sur le mode de vie du patient

▷ *Planification et exécution*

▷ *Objectifs de soins:* soulagement de la douleur; rétablissement ou maintien de l'irrigation tissulaire; prévention des hémorragies; adaptation à la maladie et aux modifications du mode de vie qu'elle entraîne

▷ *Interventions infirmières*

▷ *Soulagement de la douleur.* En général, le patient doit prendre des analgésiques pour soulager la douleur reliée aux grands hématomes musculaires et aux hémarthroses. Dans la mesure du possible, le médecin doit prescrire des analgésiques oraux non narcotiques pour éviter la dépendance. On recommande souvent au patient de prendre des analgésiques avant une activité susceptible de causer de la douleur, ce qui a pour effet d'aider celui-ci à effectuer l'activité et réduit la quantité d'analgésiques nécessaires.

Il faut mettre tout en œuvre pour prévenir ou soulager la douleur au cours des activités. On doit donc recommander au patient de bouger lentement les articulations atteintes et d'éviter de les soumettre à un effort. Les bains chauds peuvent favoriser la détente, améliorer la mobilité et soulager la douleur. Il faut toutefois éviter la chaleur pendant les hémorragies, car elle ne ferait que les aggraver.

L'emploi d'aides techniques peut aider le patient qui souffre de douleurs articulaires limitant sa mobilité. Une attelle, une cane ou des béquilles permettent de réduire le poids sur l'articulation douloureuse. Ces appareils doivent être ajustés avec précision afin d'éviter qu'ils exercent une pression pouvant causer des lésions tissulaires et une hémorragie.

▷ *Rétablissement ou maintien de l'irrigation tissulaire.* L'infirmière doit être à l'affût des signes et des symptômes de diminution de l'irrigation tissulaire qui se traduit par une hypoxie des organes vitaux. Ces signes sont l'agitation, l'anxiété, la confusion, la pâleur, une peau moite, une douleur thoracique et une diminution du débit urinaire. L'hypotension et la tachycardie sont des symptômes d'hypovolémie. Il faut vérifier régulièrement la pression artérielle, les pouls, la respiration, la pression veineuse centrale et la pression artérielle pulmonaire, ainsi que le taux d'hémoglobine, l'hématocrite, les résultats des épreuves de coagulation et le nombre des plaquettes.

Il faut être à l'affût des saignements externes (sur la peau, les muqueuses et les plaies) et des signes d'hémorragie interne. Durant les hémorragies, le patient doit garder le lit. Il faut appliquer une légère pression sur les foyers d'hémorragie externe et, au besoin, des compresses froides.

On doit utiliser des aiguilles de petit calibre pour les injections parentérales afin de réduire les risques d'hémorragies. Il faut protéger le patient des traumatismes, notamment en écartant tous les obstacles pouvant causer une chute et en le changeant de position avec beaucoup de précautions. Il est parfois nécessaire de matelasser les ridelles. Les transfusions de sang et de dérivés sanguins doivent se faire selon l'ordonnance du médecin en prenant les précautions nécessaires pour prévenir les complications (voir la page 476).

▷ *Prévention des hémorragies.* Le patient et sa famille doivent connaître les facteurs susceptibles de provoquer des hémorragies et les précautions à prendre pour les éviter. Ils doivent parfois modifier leur aménagement intérieur afin d'éliminer les obstacles pouvant causer une chute. Le patient doit utiliser un rasoir électrique et une brosse à dents à poils souples. Il doit éviter de se moucher et de tousser avec force. Il doit aussi utiliser un laxatif émollient au besoin pour prévenir les efforts de défécation. L'acide salicylique et les médicaments qui en contiennent lui sont interdits.

Le patient peut pratiquer des activités physiques, comme la natation, la randonnée pédestre et le golf, en prenant toutefois certaines précautions. Il doit éviter les sports de contact.

Il faut aussi lui recommander de respecter tous ses rendez-vous pour des examens physiques et des analyses de laboratoire en lui expliquant les raisons qui les justifient. De plus, il doit porter un bracelet Medic Alert mentionnant sa maladie.

▷ *Adaptation à la maladie.* Les hémophiles ont souvent besoin d'aide pour s'adapter à leur maladie, à cause de sa nature chronique, des restrictions qu'elle leur impose et du fait qu'elle soit transmise génétiquement. Dès l'enfance, ils doivent apprendre à s'accepter tels qu'ils sont et à voir les aspects positifs de leur vie. Il faut les inciter à acquérir la plus grande autonomie possible et à préserver cette autonomie en prévenant les lésions susceptibles d'entraîner une hémorragie et d'interrompre leurs activités normales. Les hémophiles qui acceptent mieux leur maladie sont plus susceptibles de prendre les mesures nécessaires pour rester en santé. Ils collaborent avec le personnel soignant, respectent tous leurs rendez-vous et ont une vie familiale saine et productive. Bon nombre d'hémophiles font partie de groupes de soutien qui leur offrent des programmes d'aide et leur permettent de partager leur expérience avec d'autres personnes dans la même situation.

▷ *Évaluation*

Résultats escomptés

1. Le patient éprouve un soulagement de la douleur.
   a) Il dit éprouver un soulagement de la douleur après la prise d'analgésiques.
   b) Il tolère mieux les mouvements articulaires.
   c) Il utilise des aides orthopédiques au besoin pour diminuer la douleur.
2. Le patient maintient une irrigation tissulaire adéquate.
   a) Ses signes vitaux et sa pression hémodynamique sont normaux.
   b) Les résultats de ses analyses de laboratoire sont à l'intérieur des limites de la normale.
   c) Il ne présente pas d'hémorragie.
3. Le patient prend les mesures nécessaires pour prévenir les hémorragies.
   a) Il évite les blessures.
   b) Il modifie son aménagement intérieur pour prévenir les dangers.
   c) Il respecte ses rendez-vous chez le médecin et le dentiste.
   d) Il respecte ses rendez-vous pour les analyses de laboratoire.
   e) Il évite les sports de contact.
   f) Il évite l'acide salicylique et les médicaments qui en contiennent.
   g) Il porte un bracelet Medic Alert.
4. Le patient s'adapte à sa maladie et aux modifications du mode de vie qu'elle entraîne.
   a) Il voit les aspects positifs de sa vie.
   b) Il consulte sa famille pour toutes les décisions concernant son avenir et son mode de vie.
   c) Il s'efforce d'être le plus autonome possible.
   d) Il organise sa vie en tenant compte des soins de santé.

Maladie de von Willebrand

La maladie de von Willebrand est une anomalie de l'hémostase à transmission autosomique dominante affectant tant les hommes que les femmes. Elle est causée par un déficit du facteur vW entraînant une légère diminution du taux de facteur VIII (entre 15 et 50 % de la valeur normale), et une anomalie de la fonction plaquettaire. Les analyses de laboratoire révèlent une numération plaquettaire normale, un allongement du temps de saignement et un léger allongement du temps de céphaline. Les principales manifestations de la maladie de von Willebrand sont les saignements de nez, un écoulement menstruel abondant, des hémorragies au niveau de petites coupures et un saignement anormal après une opération. Il n'y a ni hémorragie massive dans les tissus mous, ni hémarthrose. Il existe deux variantes de cette maladie que l'on peut traiter par l'administration des cryoprécipités (qui contiennent du facteur VIII). La desmopressine, un analogue synthétique de la vasopressine, est indiquée dans le traitement de la maladie de type I.

Résumé : L'hémophilie et la maladie de von Willebrand sont les anomalies héréditaires de la coagulation les plus fréquentes. L'hémophilie, dont la transmission est liée au sexe, affecte la coagulation du sang. L'hémophilie A est un déficit en facteur VIII, et l'hémophilie B, moins fréquente, est un déficit en facteur IX. Les deux formes de la maladie se manifestent par des hémorragies légères ou graves dans les muscles, les articulations et les tissus mous. Le traitement vise le remplacement du facteur de coagulation en cause. Les soins infirmiers comprennent l'enseignement au patient et à sa famille sur l'évolution de la maladie, la prévention et le traitement des hémorragies, et l'adaptation à la maladie. La maladie de von Willebrand est une anomalie à transmission autosomique dominante causée par un déficit de facteur vW qui entraîne une baisse du taux de facteur VIII et une anomalie de la fonction plaquettaire. La gravité de ses manifestations varie. On la traite notamment par l'administration de cryoprécipité ou de desmopressine.

TROUBLES ACQUIS DE LA COAGULATION

Hypoprothrombinémie

On sait déjà que la prothrombine joue un rôle essentiel dans la coagulation. Elle est produite dans le foie sous l'action de la vitamine K, que l'on retrouve dans certains aliments et qui est synthétisée dans l'intestin sous l'action de bactéries. L'activité de la prothrombine dépend de l'absorption de la vitamine K dans les voies digestives et de la fonction hépatique. L'hypoprothrombinémie peut donc avoir pour cause une diarrhée, un manque de sels biliaires dans les voies digestives (les sels biliaires sont nécessaires à l'absorption de la vitamine K) découlant d'une obstruction des voies biliaires, la résection chirurgicale d'une grande partie de l'intestin grêle ou des lésions étendues de la muqueuse intestinale, une antibiothérapie prolongée ou une maladie du foie.

Comme l'hémophilie, l'hypoprothrombinémie se manifeste par des hémorragies prolongées des vaisseaux sanguins à la suite d'une agression ou d'une maladie. Elle se caractérise par des ecchymoses, une hématurie, des hémorragies gastro-intestinales et des hémorragies postopératoires.

Réaction exagérée à la coumarine. On utilise souvent des anticoagulants coumariniques pour inhiber partiellement l'activité de la prothrombine. Ces anticoagulants se comportent comme des inhibiteurs compétitifs de la vitamine K dans le foie. Le traitement vise à obtenir un temps de prothrombine (exprimé en ratio normalisé international [INR] de 1,0 $\pm$ 0,1 afin d'inhiber la formation de caillots et prévenir ainsi une thrombophlébite. Cependant, des doses trop fortes d'anticoagulants coumariniques ou une exagération de leurs effets due à d'autres médicaments peut provoquer une grave hypoprothrombinémie avec des hémorragies importantes. Les médicaments qui potentialisent les effets des anticoagulants coumariniques sont le phénylbutazone, l'indométhacine, la phénytoïne et les salicylates. D'autres médicaments, comme les barbituriques, diminuent les effets de la coumarine.

Traitement. Si une carence en vitamine K est en cause, l'administration de cette vitamine par voie orale ou parentérale est indiquée. Si une correction urgente est nécessaire par exemple chez des patients atteints d'une maladie du foie ou qui présentent une réaction toxique à la coumarine, on administre du plasma frais congelé.

Maladies du foie. Tous les facteurs de la coagulation, à l'exception du facteur VIII, sont produits par le foie. Par conséquent, une maladie du foie peut entraîner des troubles de la coagulation qui se caractérisent par un temps de prothrombine et du temps de céphaline allongés. Si le volume de la rate est augmenté (comme dans la cirrhose), le nombre des plaquettes peut être diminué. On observe une tendance aux ecchymoses et une augmentation des risques d'hémorragie grave due à des ulcères gastroduodénaux ou à des varices œsophagiennes. Le traitement comprend l'administration de plasma frais congelé, de cryoprécipité et de plaquettes. L'administration de vitamine K n'a aucun effet.

Gérontologie. Il arrive souvent que les personnes âgées prennent plusieurs médicaments pour traiter une maladie chronique, ce qui augmente les risques de réaction exagérée à la coumarine. Il faut donc éviter de modifier trop fréquemment la posologie et le schéma posologique, ce qui peut causer de la confusion. On doit donner au patient et à sa famille des directives écrites simples. Il est particulièrement important d'insister sur les dangers d'interaction entre certains médicaments.

Coagulation intravasculaire disséminée (CIVD)

Parfois, une coagulation étendue dans les petits vaisseaux provoque une consommation des réserves de facteurs de coagulation et de plaquettes. C'est ce que l'on appelle la coagulation intravasculaire disséminée. Ce trouble se manifeste par un faible taux de fibrinogène, un temps de prothrombine et un temps de céphaline allongés, une thrombopénie et une accumulation de produits de dégradation de la fibrine. Il peut s'ensuivre des hémorragies au niveau des muqueuses, des points de ponction veineuse et des voies digestives et urinaires. Dans les cas bénins, on n'observe qu'un faible saignement interne qui peut passer inaperçu. Dans les cas graves par contre, on observe une importante hémorragie de tous les orifices. Les dépôts de fibrine dans les petits vaisseaux peuvent causer une nécrose de différents organes. La nécrose des reins peut entraîner une insuffisance rénale. Les facteurs qui prédisposent à la CIVD sont les septicémies, les décollements placentaires (*placenta abruptio*), les métastases, les réactions transfusionnelles hémolytiques, les lésions tissulaires massives et le choc. On doit soupçonner la présence d'une CIVD chez les personnes qui y sont prédisposées et qui présentent un purpura, une tendance hémorragique et des troubles rénaux.

Les hémorragies graves se traitent par l'administration de liquides, de plasma frais congelé, d'érythrocytes, de concentrés de plaquettes et, en cas de forte baisse du taux de fibrinogène, de cryoprécipité. Il faut viser la correction du facteur causal. Toutefois, en attendant que cela puisse se faire, on peut administrer de l'héparine par voie intraveineuse pour retarder la coagulation, ramener les résultats des épreuves de coagulation à la normale et diminuer les hémorragies.

Résumé : Les troubles acquis de la coagulation sont dus le plus souvent à une carence en vitamine K, à une maladie du foie ou à la coagulation intravasculaire disséminée. La carence en vitamine K, causée par une malabsorption, une maladie du foie, une obstruction des voies biliaires, des médicaments comme la coumarine ou une chirurgie intestinale, provoque une hypoprothrombinémie. La gravité des hémorragies est fonction de la gravité du déficit en prothrombine. Le traitement vise le remplacement de la vitamine K. Il faut cesser l'administration des médicaments susceptibles d'être en cause. La coagulation intravasculaire disséminée est due à diverses causes. Elle se caractérise par une hyperstimulation de la coagulation normale causant une consommation des facteurs de coagulation, ce qui entraîne des hémorragies dont la gravité dépend du degré de déplétion des facteurs de coagulation. Le traitement vise à corriger la cause du problème.

TRAITEMENT DES TROUBLES HÉMATOLOGIQUES

SPLÉNECTOMIE

On doit parfois pratiquer d'urgence une ablation chirurgicale de la rate (splénectomie) à la suite de lésions abdominales, car cet organe est très vascularisé et sa rupture peut entraîner une hémorragie grave.

La splénectomie peut aussi servir au traitement de certains troubles hématologiques. On la pratique par exemple à titre palliatif dans les cas où une splénomégalie provoque une destruction massive des cellules sanguines qui peut être mortelle, notamment dans l'anémie hémolytique auto-immune ou le purpura thrombopénique idiopathique ne répondant pas aux corticostéroïdes, ou dans certaines anémies graves causées par une anomalie héréditaire des érythrocytes (comme la thalassémie ou le déficit en pyruvate kinase). La polyarthrite rhumatoïde peut aussi causer une splénomégalie provoquant la destruction des granulocytes et, par conséquent, une granulopénie. Dans ce cas, la splénectomie peut faire augmenter le nombre des granulocytes et réduire la sensibilité aux infections.

On a souvent recours à la splénectomie pour soulager la douleur et corriger les cytopénies causées par une très grave splénomégalie dans certaines maladies comme la myélofibrose, la leucémie myéloïde chronique, la maladie de Gaucher (une maladie congénitale, chronique et rare du métabolisme des lipides), ou la *sphérocytose* héréditaire.

La splénectomie présente davantage de risques quand la rate est très hypertrophiée, mais son taux de mortalité est très faible. Les complications postopératoires les plus graves sont l'atélectasie, la pneumonie, une distension abdominale ou un abcès sous-diaphragmatique. On recommande d'administrer avant l'opération un vaccin antipneumococcique, surtout aux jeunes enfants qui sont plus vulnérables aux infections graves. Il faut exhorter le patient à consulter son médecin s'il note le moindre symptôme d'infection. Si la numération plaquettaire est élevée avant la splénectomie, elle augmentera généralement après l'opération, souvent à plus de un million, ce qui prédispose le patient à une thrombose ou à des troubles hémorragiques.

Résumé: La splénectomie est parfois nécessaire dans certaines lésions abdominales et certaines maladies. Comme elle accroît les risques d'infection grave, on recommande l'administration préopératoire d'un vaccin antipneumococcique. Il faut donner au patient de l'enseignement sur les risques de maladies fébriles et leur traitement.

TRANSFUSION SANGUINE

Don de sang

De nos jours, on utilise beaucoup le sang et ses dérivés, et tous les centres hospitaliers ont un laboratoire d'immunohématologie (banque de sang).

Contre-indications aux dons de sang

Au Canada, le sang et ses dérivés sont fournis par la Croix-Rouge. Les contre-indications aux dons de sang sont les suivantes:

- Des antécédents d'hépatite virale, récente ou non, ou un contact étroit au cours des six derniers mois avec une personne atteinte d'hépatite ou étant sous hémodialyse
- Des transfusions de sang ou de dérivés du sang autres que l'albumine sérique ou les immunoglobulines au cours des six derniers mois
- Des antécédents de syphilis ou de paludisme non traité (ces maladies peuvent se transmettre par transfusion des années après leur apparition). Les personnes atteintes de paludisme qui ne présentent aucun symptômes et n'ont eu besoin d'aucun traitement depuis trois ans peuvent donner du sang.
- Des antécédents de toxicomanie, à cause de la forte incidence de l'hépatite et du sida chez les toxicomanes
- Une exposition possible au virus du sida. Des tests permettent maintenant de dépister les anticorps à l'égard du virus du sida dans le sang des donneurs. Les groupes à risque sont les personnes pratiquant la sodomie, les personnes ayant de multiples partenaires sexuels, les toxicomanes, les hémophiles et les partenaires sexuels des personnes appartenant à un groupe à risque.
- Une infection cutanée, à cause du risque de contamination de l'aiguille utilisée pour la ponction veineuse
- Des antécédents récents d'asthme, d'urticaire et d'allergie à des médicaments, à cause du risque de transmission de l'hypersensibilité au receveur
- La grossesse, à cause de l'augmentation des besoins nutritionnels de la femme enceinte
- Une extraction dentaire ou une chirurgie buccodentaire au cours des 72 dernières heures, à cause d'un risque de septicémie transitoire
- Un tatouage récent, à cause du risque élevé d'hépatite
- Une exposition à une maladie infectieuse au cours des trois dernières semaines, à cause du risque de transmission de cette maladie au receveur
- Des vaccins récents, à cause du risque de transmission de microorganismes vivants (la période d'attente est de deux semaines pour les vaccins vivants atténués, d'un mois pour le vaccin antirubéoleux et d'un an pour le vaccin antirabique)
- Un cancer, à cause du manque de connaissances au sujet de la transmission de cette maladie
- Un don de sang entier au cours des 56 derniers jours
- L'utilisation de certains médicaments

Si le donneur ne présente pas de contre-indications, on prend sa pression artérielle, son pouls et sa température; on le pèse et on détermine son taux d'hémoglobine. En général, les personnes de moins de 17 ans et de plus de 65 ans ne sont pas admises. Le donneur doit répondre aux critères suivants:

1. Un poids de 50 kg ou plus
2. Une température orale de 37,5 °C ou moins
3. Un pouls régulier, entre 50 et 100 pulsations par minute
4. Une pression systolique entre 90 et 180 mm Hg, et une pression diastolique entre 50 et 100 mm Hg
5. Un taux d'hémoglobine d'au moins 125 g/L chez la femme et 135 g/L chez l'homme

Prélèvement du sang

Le prélèvement du sang exige le respect des précautions universelles. On place le donneur en position demi-assise et on nettoie soigneusement la peau du pli du coude avec une préparation à base d'iode. On place ensuite un garrot autour du bras et on introduit l'aiguille. Il faut moins de 15 minutes pour prélever 450 mL de sang. Après avoir retiré l'aiguille, on demande au donneur de lever le bras et d'appuyer fermement sur le point de ponction avec de la gaze stérile pendant deux à trois minutes ou jusqu'à ce que le saignement cesse. On applique ensuite un pansement serré. Le donneur doit rester en position demi-assise jusqu'à ce qu'il se sente assez bien pour se lever, habituellement après une à deux minutes. S'il se sent faible ou étourdi, il doit se reposer quelques minutes de plus. Après s'être levé, il doit consommer la boisson et la nourriture qu'on lui sert et attendre encore 15 minutes. Il doit garder son pansement pendant quelques heures et éviter pendant ce temps de soulever des objets lourds. Il doit s'abstenir de fumer pendant une heure et ne pas prendre de boissons alcooliques pendant trois heures. Il doit augmenter sa consommation de liquides au cours des deux jours qui suivent et s'assurer de prendre des repas bien équilibrés pendant deux semaines.

Complications

Les *saignements abondants* au point de ponction sont parfois dus à un trouble de l'hémostase chez le donneur, mais ils sont le plus souvent causés par une erreur technique comme la lacération de la veine, une trop forte pression pendant le prélèvement ou une pression insuffisante sur le point de ponction après le retrait de l'aiguille.

Les *évanouissements* sont assez fréquents. Ils peuvent être causés par la peur de l'aiguille, une réaction vasovagale ou un jeûne prolongé avant le don. La baisse du volume sanguin provoque parfois de l'hypotension et une syncope quand le donneur se relève.

- Si le donneur est pâle ou se plaint d'étourdissements, il doit immédiatement s'étendre ou s'asseoir en plaçant la tête plus bas que les genoux. On doit l'observer pendant 30 minutes.

Une *douleur thoracique angineuse* chez une personne atteinte d'une maladie coronarienne non dépistée, ou une crise d'épilepsie exigent un examen médical plus approfondi.

Sang et dérivés sanguins

Une unité de sang prélevée chez un donneur contient environ 450 mL de sang entier et entre 60 et 70 mL d'anticoagulant. Elle se conserve à une température de 4 °C pendant 35 jours. Après 24 heures, les plaquettes ne sont plus fonctionnelles et on note une forte baisse du taux des facteurs V et VIII.

Le sang des donneurs est soumis à une série d'épreuves de groupage et de dépistage (syphilis, virus de l'hépatite B et C, CMV, VIH, etc.).

Le sang entier est un tissu dont la composition est complexe. On ne l'utilise maintenant que dans de rares situations, ayant plutôt recours à ses différents dérivés selon les indications, ce qui présente moins de risques et permet de traiter plusieurs patients avec un seul don de sang. La Croix-Rouge canadienne offre tous les types de dérivés sanguins.

Sang entier. Le sang entier est utilisé dans les cas d'hémorragie massive ou de choc hypovolémique, mais il est contre-indiqué dans les cas d'anémie. Dans la mesure du possible, on doit le remplacer par des dérivés sanguins.

Culot globulaire (globules rouges concentrés). Pour préparer un culot globulaire, on sépare les érythrocytes du plasma par centrifugation ou sédimentation et on retire ensuite le plasma. L'hématocrite est de 0,80 environ. Les culots globulaires sont indiqués dans les anémies, avant et après une opération et dans de nombreux cas d'hémorragie massive. Ils imposent une surcharge volumique moins grande que le sang entier de sorte qu'ils présentent moins de risques pour les patients atteints d'un début d'insuffisance cardiaque. Ils réduisent aussi les risques de réactions transfusionnelles.

Hématies congelées. La congélation (cryopréservation) permet de conserver les globules rouges plus longtemps, mais elle est très onéreuse. On l'utilise par exemple dans le cas de receveurs ayant un groupe sanguin très rare ou de multiples anticorps. Elle sert en outre à conserver les dons autologues.

Plaquettes. On a recours aux plaquettes pour traiter les thrombopénies. Il faut parfois plus de huit unités de plaquettes pour augmenter suffisamment le nombre des plaquettes dans les cas de thrombopénie grave. La préparation du concentré de plaquettes peut se faire de deux façons : (1) une première centrifugation pour retirer le plasma d'une unité de sang entier et une seconde centrifugation pour obtenir les plaquettes ; (2) la *plasmaphérèse*, une méthode selon laquelle on redonne les érythrocytes au donneur après en avoir extrait le plasma. On procède ensuite par centrifugation pour obtenir les plaquettes. Une unité de plaquettes a un volume d'environ 40 mL. Avant une transfusion de plaquettes, on met dans un même sac toutes les unités nécessaires.

Les concentrés plaquettaires se conservent à la température ambiante pendant cinq jours sur un agitateur conçu spécialement à cette fin. Une unité peut augmenter le nombre des plaquettes de 10×10^6/L environ. Un adulte souffrant de thrombopénie grave peut avoir besoin de 10 unités de plaquettes par jour. Une fièvre ou une infection diminuent l'efficacité des transfusions, de sorte qu'il faut augmenter le nombre des unités transfusées.

Les patients qui reçoivent de nombreuses transfusions de plaquettes peuvent développer des anticorps antiplaquettaires. Ils doivent alors recevoir des plaquettes HLA compatibles.

Granulocytes. Dans les cas de granulopénie avec infection, on peut avoir recours à la transfusion de granulocytes prélevés depuis moins de 24 heures. Les leucocytes sont extraits du sang pendant le prélèvement, le sang déleucocyté étant redonné au patient par une autre veine. Cette intervention dure environ quatre heures et exige l'administration d'un anticoagulant au donneur.

Plasma. Auparavant, on administrait du plasma pour traiter les chocs hypovolémiques, mais on lui préfère maintenant des colloïdes comme l'albumine ou des solutions électrolytiques comme le lactate Ringer à cause des risques moins grands d'hépatite. On utilise généralement le plasma pour remplacer certains facteurs de coagulation dans les troubles acquis ou congénitaux de l'hémostase, car il est le seul dérivé du sang qui contient tous les facteurs de coagulation, y compris les facteurs V et VIII. Le plasma frais congelé peut se conserver pendant 12 mois. On utilise aussi le plasma frais congelé pour remplacer les facteurs de coagulation chez les patients recevant de fortes quantités de culot globulaire. On l'emploie de plus dans le traitement de l'insuffisance hépatique grave.

Albumine. L'albumine est une protéine de poids moléculaire élevé qui joue un rôle essentiel dans le maintien de la pression oncotique. On l'utilise pour augmenter le volume sanguin chez les patients en état de choc hypovolémique et pour augmenter la concentration d'albumine circulante chez les patients atteints d'hypoalbuminémie. Les préparations sont traitées à une température de 60 °C pendant 10 heures pour éliminer tous les virus, y compris celui de l'hépatite B. L'albumine et les immunoglobulines sont des dérivés du sang dont l'administration ne présente pas de risques de transmission de l'hépatite.

Cryoprécipité. Le cryoprécipité est un dérivé du plasma riche en facteur VIII, en fibrinogène, en facteur XIII, en fibronectine et en facteur de von Willebrand. On l'extrait du plasma frais congelé après décongélation. Le cryoprécipité se conserve au congélateur pendant un an. Il sert au traitement de l'hémophilie A, de la maladie de von Willebrand, de la coagulation intravasculaire disséminée et des hémorragies associées à une maladie rénale.

Concentré de facteur VIII (facteur antihémophilique). Le facteur VIII est un concentré lyophilisé (desséché à très basse température), obtenu à partir de plasma humain fractionné et traité par la chaleur pour réduire les risques de transmission de l'hépatite et du sida. On l'utilise pour traiter l'hémophilie A.

Concentré de facteur IX. La préparation de ce concentré exige le mélange, le fractionnement et la lyophilisation de grandes quantités de plasma. Il contient les facteurs II, VII, IX et X. On l'utilise pour le traitement des déficiences en facteur IX (hémophilie B ou maladie de Christmas), et parfois pour les déficiences congénitales en facteur VII ou X. Un traitement par la chaleur permet de réduire les risques de transmission de maladies infectieuses.

ADMINISTRATION D'UNE TRANSFUSION

La transfusion de sang et de dérivés sanguins exige beaucoup de précautions. Avant la transfusion, l'infirmière doit prendre connaissance de l'ordonnance du médecin, et effectuer un prélèvement de sang pour le groupage sanguin et l'épreuve de comptabilité qu'elle fera parvenir à la banque de sang. Après avoir obtenu le sang ou le dérivé nécessaire de la banque de sang, elle doit comparer avec une autre infirmière le groupe sanguin figurant sur l'étiquette du sac avec celui du receveur. Ensuite, elle doit expliquer l'intervention au patient et prendre ses signes vitaux. Selon les précautions universelles, le port de gants est obligatoire quand il y a risque de contact direct avec le sang et les autres liquides biologiques. Il ne faut jamais ajouter de médicaments au sang ou à ses dérivés.

Habituellement, on administre le culot globulaire ou le sang entier dans une grosse veine au moyen d'une aiguille de calibre 18 ou 20. On utilise une tubulure spéciale munie d'un filtre qui retient les caillots de fibrine et autres particules. Certaines pompes à perfusion sont approuvées pour la régulation du débit des transfusions. Pendant les 15 premières minutes, il faut régler le débit à 2 mL/min et être à l'affût des signes de réaction transfusionnelle. Si aucune complication ne survient, on peut augmenter le débit, sauf s'il y a risque de surcharge liquidienne. La surveillance du patient doit se poursuivre tout au long de la transfusion. Voir le tableau 17-4 pour les techniques de transfusion des différents dérivés du sang et les principales complications des transfusions.

Vérifications

Avant d'administrer du sang ou un dérivé du sang, l'infirmière doit s'assurer que le groupe sanguin figurant sur le sac de sang correspond au groupe sanguin du patient et vérifier le carton qui accompagne le sac pour s'assurer que le groupe sanguin et le numéro du sac sont conformes. Elle doit aussi examiner le sang pour déceler la présence de bulles d'air et s'assurer que sa couleur et son aspect sont normaux. Les bulles d'air peuvent révéler une contamination bactérienne, tandis qu'une couleur et un aspect anormaux peuvent être des signes d'hémolyse. L'infirmière doit inscrire au dossier le numéro du sac de sang et le groupe sanguin du donneur et du receveur. Elle doit vérifier l'identité du patient, en lui demandant son nom et en vérifiant sur son bracelet son nom et son numéro de dossier. Finalement, elle doit prendre sa température, son pouls, son rythme respiratoire et sa pression artérielle.

Après le début de la transfusion, l'infirmière doit être à l'affût des réactions ou des signes de surcharge. Elle doit prendre les signes vitaux régulièrement durant les 15 à 30 premières minutes, puis toutes les heures.

Complications des transfusions et interventions infirmières

L'administration d'une transfusion peut provoquer diverses réactions. Les soins infirmiers visent à les prévenir et à les juguler sans délai si elles se produisent. Les principales complications des transfusions sont les suivantes:

- Surcharge liquidienne
- Réactions fébriles
- Réactions allergiques
- Septicémie
- Réactions hémolytiques
- Réactions hémolytiques retardées
- Transmission de maladies (par exemple, l'hépatite, le paludisme, la syphilis et le sida)

Surcharge. L'administration de sang entier ou de culot globulaire peut provoquer un œdème pulmonaire chez les receveurs dont le volume sanguin est normal (dans l'anémie chronique, par exemple) ou élevé (dans l'insuffisance cardiaque, par exemple). Les culots globulaires présentent moins de risques à cet égard, surtout si on les administre lentement.

TABLEAU 17-4. *Transfusion de dérivés du sang*

Dérivé	*Directives et matériel*	*Principales complications*
Culot globulaire	Utiliser un dispositif d'administration en Y muni d'un filtre de 170 μm. Administrer l'unité en deux à trois heures; ne jamais dépasser quatre heures. Au besoin, ajouter au culot globulaire 50 à 100 mL de chlorure de sodium à 0,9 % pour en réduire la viscosité. Dans certains centres hospitaliers, la banque de sang ajoute du chlorure de sodium au culot.	Réactions reliées à une surcharge liquidienne (moins fréquentes qu'avec le sang entier) Réactions fébriles non hémolytiques et réactions allergiques Réaction hémolytique aiguë Transmission de maladies
Plaquettes	Utiliser un dispositif d'administration de dérivés sanguins muni d'un filtre d'au moins 170 μm. (Éviter les filtres à pores fines ou les filtres destinés à l'administration de sang déleucocyté.) N'ajouter aucune solution autre que du chlorure de sodium à 0,9 %. La transfusion doit généralement se faire au rythme de 4 unités / heure, mais on doit tenir compte de la tolérance du patient aux liquides.	Réactions fébriles non hémolytiques et réactions allergiques Transmission de maladies
Granulocytes	Utiliser un dispositif d'administration en Y muni d'un filtre de 170 μm. (Éviter les filtres destinés à l'administration de sang déleucocyté.) N'ajouter aucune solution autre que du chlorure de sodium à 0,9 %. La transfusion doit se faire lentement, au rythme de 200 mL / h, sur une période de une à deux heures.	Réactions fébriles non hémolytiques et réactions allergiques Possibilité de réactions de leucoagglutination provoquant une hypotension (suite à une réaction antigène-anticorps) Réaction anaphylactique et insuffisance respiratoire Transmission de maladies
Plasma	Utiliser un dispositif d'administration pour dérivés sanguins muni d'un filtre de 170 μm. (Éviter les filtres destinés à l'administration de sang déleucocyté.) Administrer en une à deux heures.	Risque de surcharge liquidienne Transmission de maladies Réaction anaphylactique (chez les receveurs ayant une carence en IgA) Réactions fébriles et réactions allergiques
Albumine (5 % ou 25 %)	L'albumine à 25 % non diluée doit être administrée au rythme de 1 mL / min, si le patient est normovolémique. Utiliser le dispositif fourni avec le produit. Administrer très rapidement chez les patients en état de choc hypovolémique, au rythme prescrit par le médecin.	Risque de surcharge liquidienne Pas de risque de transmission de maladies
Concentré de facteur VIII	Reconstituer le concentré avec le diluant stérile fourni et l'aspirer dans une seringue en plastique. La reconstitution est faite par le laboratoire dans beaucoup de centres hospitaliers. Administrer par voie intraveineuse au moyen de l'aiguille-filtre fournie avec le produit. Régler le débit selon la réaction du patient.	Réactions allergiques et réactions fébriles fréquentes Le traitement par la chaleur a permis de réduire les risques de transmission de maladies.
Concentré de facteur IX	Reconstituer le concentré avec le diluant stérile fourni. Administrer par voie intraveineuse avec l'aiguille-filtre fournie avec le produit. Régler le débit selon la réaction du patient et le produit utilisé.	Réactions allergiques et réactions fébriles Le traitement par la chaleur a permis de réduire les risques de transmission de maladies.
Cryoprécipité	Administrer dans les quatre heures qui suivent la préparation. Utiliser un dispositif d'administration pour dérivés sanguins muni d'un filtre de 170 μm. Administrer en 30 à 60 minutes.	Réactions fébriles et réactions allergiques Transmission de maladies

- Les signes de surcharge sont notamment la dyspnée, l'orthopnée, la cyanose ou une anxiété soudaine. Si on poursuit la transfusion, une dyspnée grave peut survenir, accompagnée d'expectorations rosées et mousseuses. Une distension des veines du cou, des craquements à la base des poumons et une augmentation de la pression veineuse centrale s'ensuivront.
- L'infirmière doit placer le patient en position Fowler élevée (les pieds en position déclive), arrêter la transfusion et prévenir le médecin. Elle doit maintenir la perméabilité de la veine en vue de l'injection de médicaments en perfusant *très lentement* (TVO) une solution physiologique. Si l'état du patient ne s'améliore pas rapidement, il faut envisager une phlébotomie, une oxygénothérapie, ou l'administration de diurétiques, de morphine ou d'aminophylline.

Réactions fébriles. Elles peuvent avoir pour cause une contamination bactérienne, une sensibilité aux leucocytes ou aux plaquettes, une réaction hémolytique ou des facteurs inconnus. Les contaminations ont toutefois pratiquement disparues depuis que l'on utilise des dispositifs d'administration jetables. En de rares occasions, le sang peut être fortement contaminé par des microorganismes survivant à la température de conservation de 4 °C. Dans ce cas, on observera chez le patient des frissons et de la fièvre dans les 30 premières minutes de la transfusion, rapidement suivis d'un choc. Même si on dépiste rapidement cette réaction (par une coloration de Gram du sang du donneur), les risques de mortalité sont élevés.

Dès qu'elle observe des signes de réaction fébrile, l'infirmière doit cesser la transfusion et assurer la perméabilité de la veine par la perfusion de solution physiologique isotonique. Elle doit prendre les signes vitaux toutes les cinq minutes et prévenir le médecin. Elle doit aussi prévenir la banque de sang et y retourner le sac de sang. Elle doit prendre la température du patient 30 minutes après les frissons, puis selon l'ordonnance du médecin, et administrer les antipyrétiques prescrits.

Les réactions entre les leucocytes ou les plaquettes transfusés et les anticorps développés antérieurement sont fréquentes, surtout chez les patients qui ont reçu de nombreuses transfusions ou chez les femmes multipares. Ces réactions se manifestent par de la fièvre, souvent accompagnée de frissons et d'un malaise. On les traite par l'administration d'un antipyrétique et le pronostic est bon. Pour les transfusions subséquentes, on utilisera du sang déleucocyté.

Réactions allergiques. Certains patients présentent des réactions allergiques aux transfusions comme de l'urticaire, des démangeaisons généralisées ou, plus rarement, une respiration sifflante ou une anaphylaxie. On croit que ces réactions sont causées par une hypersensibilité à un allergène présent dans le sang du donneur ou, plus rarement, à un anticorps du donneur allergique vis-à-vis d'un allergène présent dans le sang du receveur. Ces réactions sont souvent bénignes et répondent bien aux antihistaminiques. Si l'urticaire est le seul symptôme, on peut parfois poursuivre la transfusion à débit plus faible. En cas de réaction grave, on doit administrer de l'épinéphrine par voie intramusculaire. On peut prévenir les réactions allergiques par l'administration d'un antihistaminique avant la transfusion.

Réactions septiques. Il s'agit d'une complication grave des transfusions due à la contamination du sang ou de ses dérivés par des bactéries. Pour la prévenir, on doit administrer la transfusion en moins de quatre heures, car la température ambiante favorise la prolifération bactérienne. Il faut examiner le sang à la recherche de bulles d'air, de caillots et d'une coloration anormale. Les réactions septiques se manifestent rapidement par des frissons, une forte fièvre, des vomissements, une diarrhée et une grave hypotension. L'infirmière doit arrêter immédiatement la transfusion, assurer la perméabilité de la veine par la perfusion de solution physiologique, prendre les signes vitaux, rassurer le patient, prévenir le médecin et la banque de sang et retourner le sac de sang contaminé à la banque de sang. Elle doit aussi faire un prélèvement pour hémoculture et administrer des antibiotiques, des liquides par voie intraveineuse, des vasopresseurs et des corticostéroïdes, selon l'ordonnance du médecin.

Réactions hémolytiques. Elles sont dues à une incompatibilité du sang du donneur avec celui du receveur. Elles sont graves et parfois mortelles. Elles ont pour cause une hémolyse provoquée par la liaison des anticorps du receveur avec les érythrocytes du donneur. En cas d'incompatibilité ABO (par exemple, si le sang du donneur est du groupe A et celui du receveur du groupe O avec des anti-A et anti-B), l'hémolyse est très rapide. Elle est souvent moins grave et retardée si le groupe Rh est en cause.

- Les symptômes de réaction hémolytique sont des frissons, une douleur lombaire, une céphalée, des nausées et une oppression, suivis de fièvre, d'hypotension et d'un collapsus vasculaire. La réaction commence habituellement dans les 10 premières minutes de la transfusion. On observe une hémoglobinurie (urines rouges).
- Il faut cesser la transfusion dès que des symptômes de réaction hémolytique se manifestent, car la gravité des complications est proportionnelle au volume de sang transfusé.

Le traitement doit viser principalement la correction de l'hypotension et la prévention de l'insuffisance rénale due à l'hémoglobinurie. Des solutions colloïdes administrées par voie intraveineuse et du mannitol (pour déclencher la diurèse osmotique) aideront à maintenir le débit urinaire, la filtration glomérulaire et l'irrigation rénale. Un cathéter à demeure est parfois nécessaire pour mesurer avec précision le débit urinaire. Si le débit urinaire n'est pas rétabli après 24 heures, il faut soupçonner une nécrose des tubules rénaux et cesser l'administration de mannitol. Dans ce cas, il faut traiter l'atteinte rénale par la restriction de l'apport liquidien et par la dialyse, jusqu'à la guérison spontanée.

Réactions hémolytiques retardées. Les réactions hémolytiques retardées apparaissent entre 2 et 14 jours après une transfusion. Elles se manifestent par une fièvre, un ictère léger, une baisse graduelle du taux d'hémoglobine et un test de Coombs direct positif. Elles entraînent rarement une hémoglobinurie et ne mettent généralement pas la vie du patient en danger. Il ne faut pas pour autant négliger de les dépister pour prévenir une hémolyse aiguë dans les transfusions subséquentes.

Transmission de maladies. Les maladies suivantes sont transmissibles par transfusion sanguine:

Hépatite. La transmission de l'hépatite est un risque grave des transfusions de sang entier et de la plupart des dérivés. Ce risque est plus élevé dans les pays où les donneurs sont rémunérés. Les dérivés du sang préparés à partir de mélanges de plasma provenant de plusieurs donneurs présentent également plus de risques, mais ils sont maintenant traités par la chaleur. Tous les dons de sang sont soumis à des tests de dépistage de l'hépatite B et de l'hépatite C (auparavant appelée hépatite non A-non B). Voir le chapitre 29 pour de plus amples renseignements sur l'hépatite.

Paludisme. Le paludisme peut être transmis par un donneur qui a été exposé à cette maladie, même s'il n'en a aucun symptôme. Le receveur présente alors une forte fièvre et des céphalées dans les semaines qui suivent la transfusion.

Syphilis. La syphilis se transmet rarement de nos jours, car tous les dons de sang sont soumis à un test de dépistage. De plus, la réfrigération du sang détruit le spirochète responsable de cette maladie.

Syndrome d'immunodéficience acquise (sida). Le sida est transmissible par transfusion sanguine. On rejette donc systématiquement tous les donneurs ayant des comportements à risque (les personnes ayant de nombreux partenaires sexuels, les personnes pratiquant la sodomie, les toxicomanes et les partenaires sexuels de personnes à risque, etc.) et tous ceux qui présentent des signes et des symptômes du sida. De plus, tous les dons de sang sont soumis à des épreuves de dépistage.

Maladie du greffon contre l'hôte. Elle s'observe à la suite d'une greffe de lymphocytes allogéniques chez un receveur immunodéprimé. L'irradiation du sang et des dérivés sanguins permet d'inactiver les lymphocytes.

Gérontologie. Les personnes âgées qui reçoivent du sang et des dérivés sanguins sont exposées à des réactions de surcharge. L'administration rapide de grandes quantités de sang peut donc provoquer chez elles une insuffisance cardiaque. Par conséquent, l'infirmière doit évaluer soigneusement les fonctions cardiaque et respiratoire et tenir un bilan des ingesta et excréta.

Résumé : Dès que l'infirmière observe des signes de réaction transfusionnelle, elle doit arrêter la transfusion et prévenir immédiatement le médecin. Elle doit ensuite prendre les mesures suivantes afin de déterminer le type et la gravité de la réaction :

- Débrancher le dispositif d'administration, mais maintenir la perméabilité de la veine par la perfusion de sérum physiologique isotonique en vue de l'injection intraveineuse de médicaments.
- Prendre les signes vitaux du patient toutes les cinq minutes.
- *Conserver le sac de sang et le dispositif d'administration,* et les retourner à la banque de sang pour une analyse de réaction transfusionnelle.
- Prélever des échantillons de sang du receveur pour dosage de l'hémoglobine, culture et analyse de réaction transfusionnelle.
- Prélever immédiatement un échantillon d'urines et l'envoyer au laboratoire pour un dosage de l'hémoglobine. Observer toutes les urines éliminées par la suite.

GREFFE DE MOELLE OSSEUSE

La greffe de moelle osseuse ouvre une avenue très prometteuse dans le traitement des troubles hématologiques. La moelle osseuse du donneur est prélevée sous anesthésie générale et injectée immédiatement au receveur par voie intraveineuse. Les cellules de la moelle injectée remplacent rapidement les cellules déficientes (à cause d'une anémie aplasique ou d'une leucémie par exemple) dans la moelle du receveur où elles prolifèrent pour être ensuite libérées dans la circulation périphérique. La reprise du fonctionnement normal de la moelle prend de six à huit semaines.

Le principal obstacle au succès de la greffe de moelle osseuse est l'incompatibilité du donneur et du receveur. La moelle greffée peut provenir du receveur lui-même (greffe autologue) ou d'un jumeau identique, d'un parent HLA compatible ou d'un donneur HLA compatible sans lien de parenté avec le receveur.

On doit préparer le receveur en tenant compte de la maladie dont il souffre et du degré de comptabilité du donneur. Par exemple, on peut avoir recours à une chimiothérapie à fortes doses ou à l'irradiation du corps entier pour débarrasser la moelle de toutes les cellules malignes et supprimer la fonction immunitaire pour prévenir un rejet. La mort est causée le plus souvent par la maladie du greffon contre l'hôte ou une infection grave. Le risque de complications augmente avec l'âge, et les patients de plus de 40 ans sont rarement de bons candidats. Toutefois, les progrès réalisés au cours des dernières années dans le domaine des traitements immunosuppresseurs et des mesures de soutien font de la greffe le traitement de choix pour l'anémie aplasique grave. On l'utilise aussi dans certaines formes de leucémie et de thalassémie.

Résumé : La greffe de moelle osseuse est utilisée pour le traitement de certains troubles hématologiques comme l'anémie aplasique grave ou certaines formes de leucémie et de thalassémie. Son succès dépend de la compatibilité des tissus du donneur avec ceux du receveur et de la tolérance du patient à l'immunosuppression préparatoire. La recherche dans ce domaine est orientée principalement vers la réduction des complications de l'immunosuppression. On espère dans un proche avenir pouvoir offrir la greffe de moelle à un plus grand nombre de personnes atteintes de troubles hématologiques.

Bibliographie

Ouvrages

Babior BM and Stossel T. Hematology: A Pathophysiological Approach. New York, Churchill Livingstone, 1990.

Brain M and Carbone P. Current Therapy in Hematology-Oncology-3. Philadelphia, BC Decker, 1988.

Braunwald E et al (ed). Harrison's Principles of Internal Medicine. New York, McGraw-Hill, 1987.

Burns E. Clinical Management of Bleeding and Thrombosis. Boston Blackwell Scientific Publications, 1987.

Corriveau DM and Fritsona GA. Hemostasis and Thrombosis in the Clinical Laboratory. Philadelphia, JB Lippincott, 1988.

Fairbanks VF. Current Hematology and Oncology. Chicago, Yearbook Medical Publishers, 1988.

Goldberg K (ed). Nurse Review: Hematologic Problems. Springhouse, PA, Springhouse, 1990.

Mentzer WC (ed), Wagner GM. The Hereditary Hemolytic Anemias. New York, Churchill Livingstone, 1990.

Petz ZD and Swisher SN (ed). Clinical Practice of Transfusion Medicine. New York, Churchill Livingstone, 1989.

Powers LW. Diagnostic Hematology: Clinical and Technical Principles. St Louis, CV Mosby, 1989.

Rapaport S. Introduction to Hematology, Philadelphia, JB Lippincott, 1987.

Shahidi N (ed). Aplastic Anemia and Other Bone Marrow Failure Syndromes. New York, Springer-Verlag, 1990.

Turgeon M. Fundamentals of Immunohematology: Theory and Technique. Philadelphia, Lea & Febiger, 1989.

William WJ et al. Hematology. New York, McGraw-Hill, 1983.

Revues

Les articles de recherche en sciences infirmières sont marqués d'un astérisque.

Généralités

Anderson GP. A fresh look at assessing the elderly. RN 1989 Jun; 52(6): 28-40.
Baldwin JG. True anemia: Incidence and significance in the elderly. Geriatrics 1989 Aug; 44(8): 33-36.
Brandt B. Nursing protocol for the patient with neutropenia. Oncol Nurs Forum 1988 Jan/Feb; 17(1 suppl): 9-15.
Chanarin I. How to diagnose (and not misdiagnose) pernicious anaemia. Blood Rev 1987 Dec; 1(4): 280-283.
Cattopadhyay B. Splenectomy, pneumococcal vaccination and antibiotic therapy. Br J Hosp Med 1989 Feb; 41(2): 172-174.
Erickson JM. Blood support for the myelosuppressed patient. Seminars in Oncology Nursing 1990 Feb; 6(1):61-6.
Farrant C. Multiple myeloma: Controlling pain, prolonging survival. RN 1987 Jan; 50(1): 38-42.
Gibson J. Autoimmune hemolytic anemia: Current concepts. Australian N Z J Med 1988 Jun; 18(4): 625-637.
Herring WB et al. When the hematocrit rises. Patient Care 1989 Aug; 23(13): 176-191.
Konradi D and Stockart P. A close-up look at leukemia. Nursing 1989 Jun; 19(6): 34-42.
Krause JR. The bone marrow in nutritional deficiencies. Hematol/Oncol Clin North Am 1988 Dec; 2(4): 557-566.
Maguire-Eisen M. Diagnoses and treatment of adult acute leukemia. Semin Oncol Nurs 1990 Feb; 6(1): 17-24.
May A and Choiseul M. Sickle cell anaemia and thalassemia: Symptoms, treatment and effects on lifestyle. Health Visitor 1988 Jul; 61(7): 212-215.
Morse M. Lymphoma: History, therapy and management of effects. J Assoc Pediatr Oncol Nurses 1989 Jan; 6(2): 19-20.
Ohee-Frempong K et al. Thalassemia syndromes: Recent advances. Hematol Oncol Clin North Am 1987 Sep; 1(3): 503-519.
Nibbon AC. Infection in the neutropenic patient. Semin Oncol Nurs 1990 Feb; 6(1): 50-60.
Pizzo PA. Combating infections in neutropenia patients. Hosp Pract 1989 Jul; 24(7): 93-110.
Rostad ME. Management of myelosuppression in the patient with cancer. Oncology Nursing Forum 1990 Jan/Feb; 17(1 Suppl):4-8.
Rudolf VM. Oncology nursing protocols: A step toward autonomy. Oncol Nurs Forum 1989 Sep/Oct; 16(5): 643-647.
Scultz BM and Freedman M. Iron deficiency in the elderly. Baillieres Clin Haematol 1987 Jun; 1(2): 291-313.
Yardley J. Multiple myeloma. Nursing (Lond) 1989 Aug; 3(40): 4-7.
Walker CL. Stress and coping in siblings of childhood cancer patients. Nurs Res 1988 Jul/Aug; 37(4): 208-212.

Anémies

Beer J. Treatment of anaemia in chronic renal failure. Nurs Times 1988 Nov; 84(47): 55-57.
Binkley LS and Whittaker, A. Erythropoietin use in the critical care setting. Clinical Issues in Critical Care Nursing 1992 Aug; 3(3):640-9.
Boivin P. Anémies. Soins déc. 1990; 543:7-9.
Brunier G. An update on the pathogenesis, pathology and treatment of the anemia of chronic renal failure. Journal Cannt Spring 1990; 15-7.
Butera E. Case management of the anemic patient. Epoetin alfa: focus on quality of life. Anna Journal 1992 Aug; 19(4):410-1.
Dallman PR. Iron deficiency: Does it matter? J Intern Med 1989 Nov; 26(5): 367-372.
Erlich L. Use of EPOGEN for treatment of anemia associated with chronic renal failure. Critical Care Nursing of North America 1990 Mar; 2(1):101-13.
Farley PC and Foland J. Iron deficiency anemia: How to diagnose and correct. Post Grad Med 1990 Feb; 87(2): 89-101.
Frosberg JH. The anemias: Causes and courses of action. RN 1987 Jan; 52(1): 24-30.
Katsanes E and Ramsay NKC. Treatment of acquired severe aplastic anemia. Am J Pediatr Hematol Oncol 1989 Jan; 17(3): 360-367.
Leach M. Anaemia-nursing care and intervention. Professional Nurse 1991 May; 6(8):454-6.
Marmont AM and Bacigaluo A. Aplastic anemia: Pathogenesis and treatment. Hematologica 1988 Apr; (73): 133-41.
Millman JA and Cerchio M. Caring for the aplastic patient at home: A practical guide. Caring 1988 Jan; 7(1): 28-41.
Patten E. Immunohematologic diseases. JAMA 1987 Nov; 258(20): 2945-2951.
Pavel JN. Red blood cell transfusions for anemia. Seminars In Oncology Nursing 1990 May; 6(2):117-22.
Pugh M and Saylor G. Case management of the anemic patient. Focus on hemodynamics. Anna Journal 1991 Jun; 18(3):316-7.
Starmann BL. Case management of the anemic patient. Epoetin alfa: focus on inflammation and infection. Anna Journal 1992 Jun; 19(3):280-1.
Taylor BA. Weinstein S. M. Clinical administration of epoetin alfa recombinant. Journal of Intravenous Nursing 1992 Mar/Apr; 15(2):78-82.
Waterworth S. Management of anaemia. Nursing (Lond) 1989 Aug; 3(40): 12-15.
Wheby MS. Sizing up the seriousness of anemia. Emerg Med 1989 Aug; 21(14): 179-192.

Troubles de l'hémostase

Acevedo M. Polycythemia, idiopathic thrombocytopenic purpura, and thrombotic thrombocytopenic purpura. Journal of Intravenous Nursing 1992 Jan/Feb; 15(1):52-7.
Beris P and Mieschen P. Hematological complications of antiinfectious agents. Semin Hematol 1988 Apr; 25(2): 123-139.
Best Tests for Bleeding Disorders. Emerg Med 1989 Apr; 21(8): 150-161.
Coffin C. Potentially catastrophic bleeding disorders. Postgrad Med 1989 Sep 1; 86(3): 217-225.
Copplestone JA. Bleeding and coagulation disorders in the elderly. Baillieres Clin Haematol 1987 Jun; 1(2): 559-580.
Diethorn ML and Weld ZM. Physiologic mechanisms of hemostasis and fibrinolysis. Cardiovasc Nurs 1989 Nov; 4(1): 1-10.
Griffin JP. Be prepared for the bleeding patient. Nursing 1986 Jun; 16(6): 34-40.
Steed D et al. Surgery on the hemophiliac patient. AORN 1987 Jun; 45(6): 1412-1417.

Greffe de moelle osseuse

* Abramovitz L. Nurses' attitudes in caring for the pediatric bone marrow transplant patient. J Assoc Pediatr Oncol Nurses 1987 Jan; 4(1-2): 39.
Bater M. Preparing for bone marrow transplantation. Nursing Times 1989 Feb; 85(7): 46-47.
Buchsel P and Kelleher J. Bone marrow transplantation. Nurs Clin North Am 1989 Dec; 24(4): 907-934.
Ford R and Ballard B. Acute complications after bone marrow transplantation. Semin Oncol Nurs 1988 Feb; 4(1): 15-24.
Kelleher J and Jennings M. Nursing management of a marrow transplant unit: A framework for practice. Semin Oncol Nurs 1988 Feb; 4(1): 60-68.
Ramsay NK. Bone marrow transplantation. Transaction of the Association of Life Insurance Medical Directors of America 1988; 71: 162-173.
* Stutzer C. Work related stresses of pediatric bone marrow transplant nurses. J Pediatr Oncol Nurs 1989 Jul; 6(3): 70-78.
Wikle T et al. Bone marrow transplant today and tomorrow. Am J Nurs 1990 May; 90(5): 48-58.

Coagulation intravasculaire disséminée

Bick RL. Disseminated intravascular coagulation and related syndromes. Seminars Thromb Hemost 1988 Oct; 14(4): 299-338.
Carr ME. Disseminated intravascular coagulation: Pathogenesis, diagnosis, and therapy. J Emerg Med 1987 Jul/Aug; 5(4): 311-322.
Feinstein DI. Treatment of disseminated intravascular coagulation. Semin Thromb Hemost 1988 Oct; 14(4): 351-365.

Gregory SA et al. Hematologic emergencies. Med Clin North Am 1986 Sep; 70(5): 1129-1149.
Happ M. Life threatening hemorrhage in children with cancer. J Assoc Pediatr Oncol Nurses 1987 Jul; 4(3): 36-40.
Suchak BA and Barbon CB. Disseminated intravascular coagulation: A nursing challenge. Orthop Nurs 1989 Nov/Dec; 8(6): 61-9.
Young LM. DIC: The insidious killer. Crit Care Nurse 1990 Nov/Dec; 10(10): 26-33.

Drépanocytose

Davies SC and Brosovic M. The presentation, management and prophylaxis of sickle cell disease. Blood Rev 1989 Mar; 3(1): 29-44.
Galloway SJ and Harwood-Nuss AL. Sickle cell anemia—A review. J Emerg Med 1988 May/Jun; 6(3): 213-226.
Platt AF et al. The multidisciplinary management of pain in patients with sickle cell syndrome. J Acad Physician Assistants 1989 Mar/Apr; 2(2): 104-113.
Rivers R and Williamson N. Sickle cell anemia complex disease: Nursing challenge. RN 1990 Jun; 52(1): 24-29.
Smith JA. The natural history of sickle cell disease. Ann NY Acad Sci 1989 Jul; 565: 104-108.

Transfusion sanguine

Alter HJ et al. Detection of antibody to hepatitis C virus in prospectively followed transfusion recipients with acute and chronic non-A, non-B hepatitis. N Eng J Med 1989 Nov 30; 321: 1494-1500.
Baranowski L. Filtering out the confusion about leukocyte-poor blood components. Journal of Intravenous Nursing 1991 Sep/Oct;14(5):298-306.
Blood transfusion: The state of the art. Emerg Med 1988 Nov; 20(20): 180-190.
Bonato J. Blood transfusions: Are they safe? Crit Care Nurs 1989 Jul/Aug; 9(7): 40-46.
Butler S. Current trends in autologous transfusion. RN 1989 Nov; 52(11): 44-55.
Hahn K. Monitoring a blood transfusion. Nursing 1989 Oct; 19(10): 20-21.
Kuo G et al. An assay for circulating anti-bodies to a major etiologic virus of human non-A, non-B hepatitis. Science 1989 Apr; 244: 362-364.
Litwack K. Practical points for transfusion therapy. J Post Anesthesia Nurs 1987 Nov; 11(4): 257-261.
Mannessier L. Prévention des accidents hémolytiques dans les transfusions sanguines. Soins — Chirurgie déc. 1989 - janv. 1990; 106-107:20-2.
Miller JA. Transfusion of blood and blood products. Prof Nurse 1989 Aug; 4(11): 560-565.
Rayfield S and Theriot BL. Maximizing safe blood transfusions. Advancing Clinical Care 1990 Sep/Oct; 5(5):17-9.
Stangby A and Herd K. Elective blood transfusions for AIDS patients in the emergency department: problems delineated and solutions and alternatives offered by quality assurance. Journal of Emergency Nursing 1990 Nov/Dec; 16(6):382-5.
The latest protocols for blood transfusions. Committee on Transfusion Practices. American Association of Blood Banks. Nursing 1986 Oct; 16(10): 34-41.
Unkle D and Smejkal R, Snyder R, Lessing M, Ross S. E. Blood antibodies and uncrossmatched type O blood. Heart & Lung 1991 May; 20(3):284-6.

Information/Ressources

Organismes gouvernementaux

Fondation de la greffe de la moelle osseuse
Croix-Rouge, Montréal
(514) 255-5367

National Heart, Lung and Blood Institute
National Institutes of Health, Building 31, Room 5A52, Bethesda, MD 29892

Organismes privés

American Cancer Society
19 West 56 Street, New York, NY 10019

American Red Cross
1730 E Street NW, Washington, DC 20006

Leukemia Society of America
733 Third Avenue, New York, NY 10017

National Association for Sickle Cell Disease, Inc.
4221 Wilshire Boulevard, Suite 360, Los Angeles, CA 90010-3503

National Hemophilia Foundation
104 East 40th Street, Room 306, New York, NY 10016

PROGRÈS DE LA RECHERCHE EN SCIENCES INFIRMIÈRES

FONCTION CARDIOVASCULAIRE

Principales notions

Au cours des dernières années, la recherche en sciences infirmières s'est penchée sur les besoins des patients souffrant de complications de maladies cardiovasculaires, principalement de l'infarctus du myocarde et de l'hypertension. Des recherches portent également sur les patients qui ont subi une chirurgie cardiaque. Les chercheurs ont évalué les réactions physiologiques et les connaissances de ces patients de même que leur capacité d'adaptation et celle de leur famille. Les résultats de ces recherches ont d'importantes répercussions sur la pratique infirmière et ont permis de cerner les domaines exigeant des études plus poussées.

Évaluation des réactions physiologiques

▷ *C. J. Byra-Cook, K. A. Dracup et A. J. Lazik, «Direct and indirect blood pressure in critical care patients»,* Nurs Res, *sept.-oct. 1990, 39(5):285-288.*

On a émis différentes recommandations sur les méthodes d'auscultation de la pression artérielle. Certains auteurs ont recommandé l'emploi de la cupule du stéthoscope, d'autres celui de la membrane, et d'autres encore ont affirmé qu'on peut employer indifféremment l'une ou l'autre. D'autre part, certains préfèrent la région du pli du coude pour l'auscultation et d'autres la région située juste au-dessus de la tubérosité interne du bras, au centre du tendon du biceps (que l'on appellera ici le bras). À cause de ces recommandations contradictoires, la pratique de l'auscultation est plus ou moins uniforme. Cette étude avait donc pour but d'établir si la méthode d'auscultation et le site de l'auscultation ont un effet sur les lectures indirectes de la pression artérielle. On s'est basé sur l'hypothèse selon laquelle la mesure directe reflète la valeur réelle de la pression artérielle, et utilisé cette mesure comme point de comparaison.

L'échantillon de commodité se composait de 50 sujets hospitalisés dans une unité de soins intensifs. Tous avaient un cathéter artériel radial et présentaient des bruits de Korotkoff audibles et un rythme sinusal régulier. La circonférence du bras se situait entre 25 et 35 cm. Critères d'exclusion: les patients branchés à un respirateur mécanique ou à une pompe à ballonnet intra-aortique, ceux qui présentaient des lésions ou avaient subi une chirurgie vasculaire au bras utilisé pour la prise de la pression et ceux qui recevaient des agents vasoactifs par voie intraveineuse, si le débit de la perfusion avait été modifié dans les 30 minutes précédant la prise de la pression artérielle.

On a procédé à des prises simultanées de la pression artérielle sur le même bras, par mesure directe au moyen du cathéter artériel et par la méthode d'auscultation. On a obtenu trois valeurs de pression systolique et trois valeurs de pression diastolique pour chacune des quatre méthodes d'auscultation: avec la cupule sur le pli du coude, avec la membrane sur le pli du coude, avec la cupule sur le bras et avec la membrane sur le bras. Pour s'assurer que les mesures étaient bien simultanées, on a commencé les mesures par auscultation immédiatement après le changement de l'affichage numérique de la mesure directe. Le brassard était relâché pendant deux minutes entre chaque mesure.

Les résultats ont révélé une corrélation positive avec la mesure directe des mesures obtenues par chacune des techniques d'auscultation, aussi bien pour la pression systolique que pour la pression distolique. L'auscultation au moyen de la membrane sur le bras a donné la meilleure corrélation, tant pour la pression systolique que pour la pression diastolique, de même que la plus faible différence moyenne.

Soins infirmiers. (1) D'autres études sont nécessaires pour confirmer ces résultats. Toutefois, l'infirmière qui travaille dans une unité de soins intensifs, où les plus faibles variations de la pression artérielle peuvent avoir de l'importance, doit être consciente du fait que les lectures peuvent varier selon la méthode d'auscultation utilisée. (2) Pour s'assurer que la méthode de mesure de la pression artérielle soit uniforme chez un même patient, l'infirmière doit toujours noter au dossier le site de l'auscultation et la partie du stéthoscope utilisée. (3) D'autres recherches devront être menées pour connaître l'influence de facteurs comme une maladie des vaisseaux périphériques ou certains médicaments sur la mesure directe et indirecte de la pression artérielle.

▷ *W. Hahn, J. Brooks et R. Hite, «Blood pressure norms for healthy young adults: Relation to sex, age, and reported parental hypertension»,* Res Nurs Health, *fév. 1989, 12(1):53-56.*

L'objet de cette étude était d'établir des valeurs normales de pression artérielle, en fonction de l'âge, du sexe et des antécédents familiaux d'hypertension, chez les jeunes adultes en bonne santé. L'échantillon se composait de 603 femmes et de 919 hommes, âgés de 18 à 22 ans, non fumeurs et ne souffrant pas de cancer, de diabète ou de troubles rénaux ou cardiovasculaires et ne prenant aucun médicament, sauf des contraceptifs oraux. Les sujets ont été recrutés sur une base volontaire dans une grande université. On leur a demandé d'indiquer s'ils avaient des antécédents familiaux d'hypertension et de remplir un questionnaire. Des mesures de la pression artérielle en position assise et couchée ont été prises sur le bras droit au moyen d'un brassard de la bonne taille. La moyenne des deux résultats a servi à l'analyse.

Les résultats ont révélé que chez les hommes, les antécédents familiaux d'hypertension (N = 306) n'ont pas d'influence sur la pression systolique ou diastolique. D'autres analyses ont révélé une augmentation significative avec l'âge de la pression diastolique pour le groupe d'âge étudié. Chez les femmes ayant des antécédents familiaux d'hypertension (N = 246), les pressions systolique (moyenne: 107,4) et diastolique (moyenne: 68,3) étaient plus élevées que chez les femmes sans antécédents (pression systolique moyenne de 105,5 et diastolique de 66,6). Ces différences sont faibles, mais néanmoins significatives du point de vue statistique. Les femmes dont les deux parents souffrent d'hypertension avaient une pression systolique plus élevée que les femmes qui n'ont qu'un parent hypertendu. Toutefois, dans la population féminine, la prise de contraceptifs oraux a été un facteur confusionnel, car 31 % des femmes ayant des antécédents familiaux d'hypertension prenaient des contraceptifs oraux, contre 14 % des femmes sans antécédents.

Soins infirmiers. (1) La présence d'antécédents familiaux d'hypertension chez les hommes dont la pression est normale et les mesures de dépistage de la pression artérielle ne permettent pas d'établir les prédispositions à l'hypertension. (2) Il importe de tenir compte de l'âge dans la mesure de la pression diastolique chez les hommes, puisqu'on a noté une augmentation en fonction de l'âge. (3) Chez les femmes en santé ayant des antécédents familiaux d'hypertension, on a observé des valeurs plus élevées de la pression systolique et diastolique au repos, ce qui pourrait s'expliquer toutefois par la prise de contraceptifs oraux.

▷ *S. A. Thomas et E. Friedman, «**Type of behavior and cardiovascular responses during verbalization in cardiac patients**»,* Nurs Res, *janv.-fév. 1990, 39(1):48-53.*

Cette étude avait pour but d'établir si des réactions physiologiques expliqueraient le lien entre la personnalité de type A et l'augmentation des risques de maladies du cœur.

L'étude s'est déroulée en deux étapes. On a d'abord établi le type de comportement de chacun des sujets, soit le type A ou le type B. On a ensuite procédé à des mesures non effractives de la fréquence cardiaque et de la pression artérielle dans deux situations: lecture paisible et conversation dans une ambiance calme. L'échantillon se composait de 111 cardiaques (dont 78 souffraient d'une maladie du cœur et 33 d'hypertension) recrutés dans une clinique de cardiologie.

Les données objectives révèlent une augmentation importante de la pression artérielle et de la fréquence cardiaque chez tous les sujets au cours de la conversation mais ne confirment pas l'hypothèse selon laquelle les sujets de type A auraient des réactions physiologiques plus défavorables que les sujets de type B. Les résultats de cette étude concordent avec ceux d'autres études. Les réactions en situation de stress n'ont pas été étudiées.

Soins infirmiers. (1) On doit recommander à tous les patients souffrant d'une maladie du cœur, sans égard à leur type de comportement, de se reposer et de parler le moins possible. (2) D'autres études devront confirmer si le type de comportement a une influence sur les risques de maladies du cœur. (3) La fréquence cardiaque et la pression artérielle sont des indicateurs précis de la réaction de l'organisme à un stimulus verbal.

▷ *C. D. Freed et coll., «**Blood pressure, heart rate, and heart rhythm changes in patients with heart disease during talking**»,* Heart Lung, *janv. 1989, 18(1):17-22.*

Cette étude avait un double objectif: mesurer les effets d'une conversation à faible contenu émotif sur la pression artérielle, la fréquence cardiaque et le rythme cardiaque chez des patients souffrant d'une maladie du cœur, et déterminer si la réaction au stimulus verbal est atténuée par la prise d'antihypertenseurs. L'échantillon se composait de 37 adultes volontaires qui devaient subir prochainement des épreuves d'effort dans un laboratoire d'exercice. L'étude a été menée avant les épreuves. Tous les sujets souffraient d'une maladie du cœur diagnostiquée par une angiographie.

Le protocole de recherche était le suivant: le sujet se tenait debout sans parler pendant deux minutes, puis parlait de ses activités quotidiennes pendant deux minutes, et finalement se taisait de nouveau pendant deux minutes. Des mesures de la pression artérielle, de la fréquence cardiaque et du rythme cardiaque ont été prises à intervalle d'une minute au cours des six minutes. Seuls le chercheur et le sujet étaient présents dans le laboratoire.

Selon les résultats, les pressions systolique et diastolique et la fréquence cardiaque étaient significativement plus élevées quand les sujets parlaient que lorsqu'ils se taisaient. On a observé une plus forte augmentation de la pression artérielle pendant l'activité verbale chez les sujets ayant une pression artérielle au repos plus élevée. Les sujets plus âgés ont présenté une augmentation de la pression systolique significativement plus forte. Chez tous les sujets étudiés, les arythmies ventriculaire et auriculaire ont été plus fréquentes pendant l'activité verbale. La prise d'antihypertenseurs n'a eu aucun effet sur la fréquence cardiaque et la pression artérielle pendant le stimulus verbal. De plus, on n'a observé aucune différence significative en fonction du sexe.

Soins infirmiers. (1) Dans les cas d'infarctus du myocarde, il faut surveiller la fonction cardiovasculaire pendant l'activité verbale ce qui est particulièrement important compte tenu du fait que les risques de mort subite seraient plus élevés chez les patients cardiaques atteints d'une ectopie ventriculaire. (2) On doit recommander aux patients souffrant d'un infarctus du myocarde de parler plus lentement et de se reposer davantage pendant leur convalescence. (3) On doit accorder une attention particulière aux relations interpersonnelles des cardiaques.

Enseignement au patient et besoins en matière de soutien et d'adaptation

▷ *K. O. Anderson et F. T. Massur, «**Psychologic preparation for cardiac catheterization**»,* Heart Lung, *mars 1989, 18(2):154-163.*

Le cathétérisme cardiaque est une intervention effractive pratiquée très fréquemment. Les patients qui doivent la subir ressentent une forte anxiété qu'il faut chercher à prévenir ou à réduire. Cette étude avait donc pour but d'établir l'efficacité de quatre méthodes de préparation psychologique visant à réduire l'anxiété du patient au cours du cathétérisme cardiaque, et de comparer leur efficacité avec une méthode témoin: direction de l'attention. Les quatre méthodes étaient: information sensorielle et procédurale, modelage, stratégies d'adaptation cognitives et comportementales et combinaison modelage-stratégies d'adaptation. Pour le modelage, on a utilisé un document audiovisuel montrant un patient qui tolère bien toutes les étapes du cathétérisme cardiaque. Les quatre méthodes expérimentales et la méthode témoin ont été enseignées au moyen de vidéocassettes.

L'échantillon se composait de 60 sujets en attente d'un premier cathétérisme cardiaque, tous traités par le même cardiologue. Ils ont été répartis de façon aléatoire dans les quatre groupes expérimentaux et dans le groupe témoin. Avant l'intervention, tous les sujets devaient remplir un questionnaire mesurant le niveau d'anxiété et de dépression et la capacité d'adaptation à l'intervention, de même qu'une liste d'épithètes destinée à l'évaluation de leur niveau de dépression. On a aussi déterminé chez eux l'indice de sudation de la paume de la main (Palmar Sweat Index) pour obtenir une mesure physiologique du niveau d'anxiété. Le jour de l'intervention, les sujets n'ont reçu aucun médicament psychotrope. Juste avant le cathétérisme, une infirmière a noté la présence et l'intensité des comportements révélant de l'anxiété et mesuré l'indice de sudation. Immédiatement après, une infirmière et le cardiologue (qui ne connaissaient pas les conditions de l'expérience) ont évalué l'anxiété du sujet en fonction de son comportement. Après l'intervention (qui était précédée d'une préparation d'un jour), le sujet devait remplir un court questionnaire destiné à évaluer ce qu'il avait retenu de l'enseignement sur le cathétérisme et remplir de nouveau une liste d'épithètes. On a encore une fois établi l'indice de sudation. On a aussi demandé à chaque sujet une autoévaluation de son niveau d'anxiété et de dépression, de même que de sa capacité d'adaptation au cathétérisme. Entre une et six heures après l'intervention, les sujets ont refait l'autoévaluation et rempli une autre liste d'épithètes et un autre questionnaire sur leur connaissance du cathétérisme. On a aussi établi l'indice de sudation.

Les résultats de cette étude ont révélé que les sujets des groupes expérimentaux ont subi une stimulation physiologique moins intense durant l'intervention et ressenti moins d'anxiété par la suite que les sujets du groupe témoin. Le modelage et les stratégies d'adaptation cognitives et comportementales ont été les méthodes les plus efficaces.

Soins infirmiers. (1) Tous les patients en attente d'un cathétérisme cardiaque sont anxieux et doivent être préparés psychologiquement. (2) Il faut choisir avec soin l'information préparatoire qui sera donnée au patient, car elle doit favoriser sa capacité d'adaptation. Le modelage (qui consiste à présenter un modèle de patient qui a bien toléré un cathétérisme cardiaque) est la méthode la plus efficace pour réduire l'anxiété et favoriser l'adaptation.

▷ ***C. S. Dunnington et coll., «Patients with heart rhythm disturbances: Variables associated with increased psychologic stress»,*** **Heart Lung,** ***juil. 1988, 17(4):381-389.***

Au cours de leur hospitalisation, les patients souffrant d'arythmies graves subissent de nombreux examens diagnostiques et divers traitements. L'objet de cette étude était d'établir les variables susceptibles de causer une détresse psychologique après une telle expérience. L'échantillon se composait de 136 sujets souffrant d'une grave arythmie (une tachycardie ventriculaire ou une fibrillation ventriculaire, par exemple) sans rapport avec un infarctus du myocarde. De ce nombre, 105 (77 %) ont rempli des questionnaires portant sur leur état psychologique, leurs capacités fonctionnelles et leur statut professionnel.

Les résultats de cette étude démontrent que les patients souffrant d'une arythmie grave ressentent une grande détresse psychologique. On a observé une corrélation significative entre la détresse et la prise prolongée de médicaments, la nécessité de modifier sa vie professionnelle à cause de la maladie et une atteinte cardiaque au stade avancé. La détresse était plus grande chez les sujets qui suivaient un traitement médicamenteux prolongé que chez ceux qui ont subi un traitement chirurgical. De même, le fait d'avoir à réduire ses activités professionnelles contribue à la détresse, tout comme l'incapacité fonctionnelle.

Soins infirmiers. (1) L'infirmière doit savoir que les risques de détresse psychologique sont élevés chez les patients souffrant d'une arythmie grave. (2) Le patient doit participer à un programme de réadaptation cardiaque pour améliorer son bien-être, car ces programmes sont axés sur les capacités plutôt que sur l'incapacité. (3) Il faut élaborer des programmes de soutien personnalisés pour aider le patient à réintégrer son milieu familial et social. (4) Un conseiller en orientation professionnelle peut aider le patient à apporter des changements dans son travail.

▷ ***B. S. Garding, J. C. Kerr et K. Bay, «Effectiveness of a program of information and support for myocardial infarction patients recovering at home»,*** **Heart Lung,** ***juil. 1988, 17(4):355-362.***

Cette étude portait sur l'enseignement au patient, plus particulièrement sur le *moment idéal* pour prodiguer de l'information. Utilisant un plan expérimental, on a réparti les 51 sujets de façon aléatoire en deux groupes: un groupe témoin et un groupe expérimental. Tous les sujets ont suivi un programme d'enseignement avant de recevoir leur congé, puis ont répondu à des questions basées sur les critères d'évaluation des soins infirmiers de Horn et Swain. Ces critères sont notamment les connaissances du patient en matière de santé et sa capacité à effectuer ses autosoins. Les sujets du groupe expérimental ont fait l'objet d'un suivi téléphonique au cours des six à huit semaines suivantes, à raison d'au moins trois appels. Ces appels ont permis de donner des explications supplémentaires ou de répéter les renseignements moins bien compris. Après cette période, les sujets des deux groupes ont répondu à un second questionnaire.

La moyenne des résultats du second questionnaire était plus élevée dans le groupe expérimental que dans le groupe témoin pour tous les critères d'évaluation. Les sujets du groupe expérimental ont donc acquis plus de connaissances au cours de la période de six à huit semaines qui a suivi la sortie du centre hospitalier.

Soins infirmiers. (1) Les programmes d'enseignement structurés sont peu efficaces au cours de l'hospitalisation. (2) Ils sont plus efficaces durant la convalescence. (3) Le suivi téléphonique est un complément utile à l'enseignement donné par l'infirmière au cours de l'hospitalisation.

▷ *H. Nakagawa-Kogan et coll., «Self-management of hypertension: Predictors of success in diastolic blood pressure reduction»,* Res Nurs Health, *avril 1988, 11(2):105-115.*

Cette étude portait sur 34 hommes de race blanche souffrant d'une légère hypertension et ne prenant aucun médicament, dans le but d'établir les caractéristiques qui favorisent le succès de l'autorégulation de la pression artérielle. L'étude avait trois objectifs: établir l'efficacité de l'apprentissage de méthodes d'autorégulation de la pression artérielle, évaluer les changements cognitifs et affectifs survenant durant l'apprentissage et définir les caractéristiques physiologiques et psychologiques permettant de reconnaître les personnes les plus aptes à recevoir ce type de formation.

Les sujets étaient âgés de 31 à 54 ans (moyenne: 40 ans) et avaient une pression diastolique entre 90 et 105 mm Hg lors d'au moins deux mesures sur trois, prises à des jours différents au cours d'une période de deux semaines. Ils devaient remplir une liste de vérification des symptômes comportant 90 items, cotés selon neuf sous-échelles d'évaluation de la détresse psychologique. L'enseignement a été donné en 14 séances et portait notamment sur la rétroaction biologique, les techniques de relaxation et la restructuration des facultés cognitives et affectives.

Chez 22 sujets, la pression artérielle diastolique était inférieure à 90 mm Hg à la fin du programme de formation. Les autres sujets étaient toujours hypertendus. L'analyse de la liste de symptômes a révélé une importante baisse de la détresse dans les neuf sous-échelles d'évaluation chez les sujets des deux groupes. On a observé une réduction de l'anxiété significativement plus grande dans le groupe des normotendus et une réduction de l'hostilité significativement plus forte dans le groupe des hypertendus. La comparaison des deux groupes a révélé un niveau de détresse psychologique beaucoup plus élevé avant le début du programme chez les hypertendus. Pour ce qui est des variables physiologiques, on a observé dans le groupe des normotendus, une baisse de la stimulation du système sympathique se traduisant par une baisse de la pression artérielle systolique et une augmentation de la fréquence cardiaque.

Soins infirmiers. (1) Il faut réduire la détresse cognitive et affective des sujets hypertendus avant de leur enseigner des méthodes d'autorégulation de leur pression. (2) Un niveau élevé de détresse peut entraver l'efficacité d'un court apprentissage des techniques de rétroaction biologique. (3) Une détresse psychologique qui se manifeste par de la colère et de l'hostilité est associée à une augmentation de la pression systolique. (4) L'activité du système sympathique influence l'activité cardiovasculaire chez les sujets souffrant d'hypertension légère.

▷ *K. M. Miller et P. A. Perry, «Relaxation technique and postoperative pain in patients undergoing cardiac surgery»,* Heart Lung, *mars 1990, 19(2):136-146.*

Cette étude avait pour but d'établir l'efficacité d'une technique de relaxation par respiration lente et profonde sur la douleur après un pontage coronarien. L'échantillon de commodité se composait de 29 sujets de 61 à 80 ans qui n'avaient jamais subi auparavant un pontage coronarien, ne souffraient pas de douleur chronique ou de cancer et ne présentaient pas de complications avant ou après l'opération.

Quinze des sujets ont été assignés au groupe expérimental. On leur a enseigné la technique de relaxation, en plus de leur prodiguer de l'information préopératoire écrite et orale. Les 14 sujets du groupe témoin n'ont reçu que l'information préopératoire orale et écrite. Le premier jour après l'opération, tous les sujets ont rempli deux échelles visuelles d'évaluation de la douleur, soit une échelle analogique et une échelle descriptive. On a aussi mesuré leur pression artérielle, leur fréquence cardiaque et leur fréquence respiratoire.

L'analyse des données a révélé dans le groupe expérimental une baisse importante de la pression artérielle, de la fréquence cardiaque et de la fréquence respiratoire, de même que de la douleur sur l'échelle descriptive. Dans le groupe témoin, aucun changement n'a été observé pour ces variables. On n'a pas observé de différence significative entre les groupes pour ce qui est de l'utilisation des analgésiques et de la cotation de la douleur sur l'échelle analogique. La plupart des sujets du groupe expérimental ont affirmé que la technique de relaxation était facile à utiliser et aidait à soulager la douleur.

Soins infirmiers. (1) On peut réduire la douleur à la suite d'un pontage coronarien en ajoutant aux analgésiques la technique de relaxation par respiration lente, rythmique et profonde. (2) Cette technique de relaxation permet de réduire la pression artérielle, la fréquence cardiaque et la fréquence respiratoire. (3) Les patients ont trouvé la technique de relaxation facile à utiliser.

▷ *S. Penckofer et J. Llewellyn, «Adherence to risk-factor instruction one year following coronary artery bypass surgery»,* J Cardiovasc Nurs, *mai 1989, 3(3):10-24.*

Cette étude avait pour but d'évaluer l'efficacité d'un guide d'enseignement structuré destiné aux patients ayant subi un pontage coronarien. Ce programme est utilisé par les infirmières et porte sur l'évolution postopératoire et la modification des facteurs de risque. On a pour ce faire recueilli des données auprès de patients ayant subi un pontage, six semaines et un an après l'opération. L'échantillon de commodité se composait de sujets répartis en deux groupes comparables. Les sujets du premier groupe ont reçu un enseignement non structuré et ceux du second groupe un enseignement structuré basé sur le guide. Pour mesurer les connaissances des sujets, on leur a demandé de répondre à 35 questions à choix multiple et vrai-faux. Les données sur la modification des facteurs de risque, comme les mauvaises habitudes alimentaires, la sédentarité, le tabagisme, l'obésité et l'hypertension, ont été recueillies lors d'entretiens non directifs faits de questions structurées et de questions ouvertes.

Les résultats démontrent que tous les sujets ont acquis des connaissances au cours de leur hospitalisation. Six semaines après l'opération, les sujets des deux groupes se conformaient mieux aux modifications des facteurs de risque. On n'a pas observé de différences entre les groupes à cet égard, ni après six semaines, ni après un an. Les sujets des deux groupes ont noté une amélioration de leur bien-être et se sont dit satisfaits de l'opération pour la plupart. La majorité des sujets qui avaient un emploi avant l'opération avaient repris leur travail.

Soins infirmiers. (1) L'enseignement donné durant la convalescence, qu'il soit structuré ou non, semble avoir des effets positifs un an après un pontage coronarien. (2) Les séjours au centre hospitalier pour un pontage coronarien étant maintenant plus courts, il est important d'établir l'information essentielle et de l'inclure dans le plan de congé. (3) L'enseignement qui ne peut être prodigué avant le départ du centre hospitalier pourra être donné plus tard, par exemple, lors des visites de suivi postopératoire.

▷ ***S. N. Cronin et B. Harrison, «Importance of nurse caring behaviors as perceived by patients after myocardial infarction»,*** **Heart Lung,** ***juil. 1988, 17(4):374-380.***

Il existe peu d'études sur les comportements qui reflètent dans la pratique la sollicitude (caring) de l'infirmière. C'est pourquoi les auteurs de cette étude se sont penchés sur cette question. L'échantillon se composait de 22 patients hospitalisés à la suite d'un infarctus du myocarde dans une unité de soins intensifs spécialisée. Pour établir les comportements qui selon les sujets reflètent le mieux la sollicitude de l'infirmière, on a utilisé des questions ouvertes et un outil d'évaluation intitulé Caring Behaviors Assessment (CBA).

Selon les résultats de l'étude, les comportements les plus souvent mentionnés sont les évaluations régulières et les manifestations de la compétence. L'aide de l'infirmière pour effectuer les soins personnels est le comportement qui a obtenu la plus haute cote sur le CBA. L'enseignement est aussi perçu comme un aspect important. Les comportements plus personnalisés adoptés par certaines infirmières (visite du patient quand il change d'unité de soins, par exemple) ont été jugés moins importants.

Soins infirmiers. (1) Les besoins physiques et la sécurité ont été désignés à juste titre comme des aspects prioritaires des soins. (2) Les infirmières travaillant dans une unité de soins intensifs doivent savoir que les évaluations et les qualités professionnelles sont considérées par les patients comme des comportements qui reflètent le mieux leur sollicitude.

▷ ***J. M. Badger et P. L. P. Morris, «Observations of a support group for automatic implantable cardioverter-defibrillator recipients and their spouses»,*** **Heart Lung,** ***mai 1989, 18(3):238-243.***

Étant donné leur efficacité, les défibrillateurs internes sont de plus en plus utilisés. Toutefois, les personnes chez qui on les implante présentent des troubles d'adaptation. Cette étude avait donc pour but d'établir les effets de la dynamique de groupe chez ces personnes et leur famille.

Deux groupes de six sujets ont été formés. Les sujets du premier groupe ont suivi un programme de huit semaines à raison d'une rencontre par semaine, et ceux de l'autre groupe n'ont participé à aucun programme. Chaque séance se déroulait selon un plan précis, en présence d'un membre de la famille du sujet. On a ensuite mesuré les effets du programme sur l'exercice du rôle et l'adaptation psychologique du patient, à l'aide de deux tests, le premier avant le début du programme et le second après la fin du programme. On a observé une amélioration des résultats dans le premier groupe, mais la différence n'est pas significative du point de vue statistique. Les résultats moyens du groupe témoin ont légèrement diminué.

Soins infirmiers. Les groupes de soutien pourraient favoriser l'adaptation des personnes qui portent un défibrillateur interne, bien que les résultats de cette étude ne soient pas concluants à cet égard.

partie 5

Notions biopsycho-sociales reliées à la santé et à la maladie

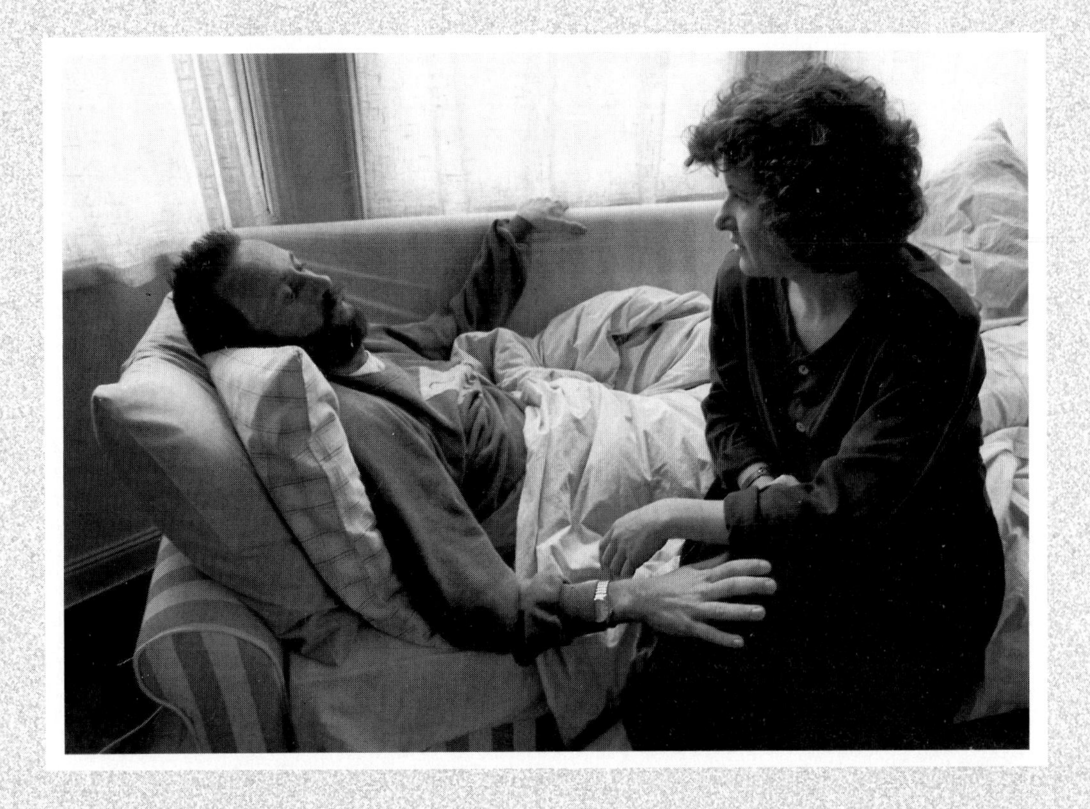

18
HOMÉOSTASIE ET PROCESSUS PHYSIOPATHOLOGIQUES

SOMMAIRE

OBJECTIFS D'APPRENTISSAGE

Après avoir étudié ce chapitre vous devriez être en mesure de réaliser ce qui suit:

1. *Faire le lien entre les principes de la constance du milieu intérieur, de l'homéostasie et de l'adaptation, et la notion d'état d'équilibre.*
2. *Déterminer dans quelle mesure les mécanismes homéostatiques de compensation favorisent l'adaptation et le maintien de l'état d'équilibre.*
3. *Décrire le lien entre le processus de rétroaction négative et le maintien de l'équilibre.*
4. *Établir le lien entre la rétroaction biologique et le maintien de l'état d'équilibre.*
5. *Comparer les divers processus d'adaptation, soit l'hypertrophie, l'atrophie, l'hyperplasie et la métaplasie.*
6. *Énumérer les agents du milieu intérieur et extérieur qui peuvent provoquer la lésion et la mort de la cellule.*
7. *Décrire les processus d'inflammation et de réparation.*
8. *Comparer la cicatrisation par régénération des tissus à la cicatrisation par remplacement des tissus.*

L'organisme réagit à une menace ou à une blessure par des changements fonctionnels et structuraux qui peuvent être adaptés ou non adaptés selon les mécanismes de défense mis en œuvre. Certains de ces mécanismes jouent un rôle déterminant dans le maintien de la santé et d'autres favorisent l'apparition d'une maladie. La physiologie est l'étude du fonctionnement organique des êtres vivants. La *physiopathologie* est l'étude des modifications des fonctions organiques *au cours des maladies.* Les *mécanismes* sont des processus déclenchés par les différentes parties de l'organisme dans le but de faire face à une agression. Certains mécanismes sont compensatoires, car leur rôle est de rétablir un équilibre (par exemple, après une course, l'hyperpnée a pour fonction de corriger le manque d'oxygène et l'excès d'acide lactique). D'autres mécanismes sont pathologiques (par exemple, l'insuffisance cardiaque provoque une rétention de sodium et d'eau et une pression veineuse élevée entraînant, à leur tour, d'autres complications). Ils déclenchent certains signes ou symptômes. En tenant compte des signes qu'elle peut observer, des symptômes que le patient signale et de sa connaissance des processus physiologiques qui entrent en jeu, l'infirmière peut déterminer la présence d'un trouble et planifier ses interventions en conséquence.

ÉQUILIBRE DYNAMIQUE

Pour comprendre les mécanismes physiologiques, il faut considérer l'organisme dans son ensemble. Comme chaque être vivant, l'homme possède un milieu interne et externe. Entre ces deux milieux, il y a un échange constant d'information et de matière. Par ailleurs, chaque organe, tissu et cellule constitue un système ou un sous-système à part entière, possédant chacun son propre milieu intérieur et extérieur où s'effectuent les échanges semblables (voir la figure 18-1). Tous ces systèmes et sous-systèmes sont en constante interaction, dans le but de maintenir un état d'équilibre dynamique, tout comme les interactions dans la société humaine. Pour mieux expliquer la notion d'état d'équilibre, nous commencerons par exposer les principes de constance du milieu interne, d'homéostasie et d'adaptation.

Constance du milieu interne, homéostasie et adaptation

Selon Claude Bernard, illustre physiologiste français du XIXe siècle, la «force vitale» est générée par la *constance* du «milieu interne» qui doit être préservée malgré les changements du milieu interne. Claude Bernard appelle «milieu interne», les liquides qui entourent les cellules. La constance, d'après ce principe, est maintenue grâce à des processus physiologiques et biochimiques.

Plus tard, Walter B. Cannon a donné le nom d'*homéostasie* à la stabilité du milieu interne. Pour Cannon, la stabilité est assurée par des mécanismes homéostatiques ou compensatoires qui réagissent aux changements. Tout changement du milieu interne déclenche donc une réaction visant à neutraliser le changement. Ces mécanismes qui maintiennent l'équilibre physiochimique ne sont pas régis par la volonté.

Dubos (1965) a approfondi l'étude de la dynamique des réactions et a établi la complémentarité de deux notions, à savoir l'homéostasie et l'adaptation. D'après Dubos, l'homéostasie désigne les ajustements que l'organisme peut faire *rapidement* pour maintenir son équilibre interne dans les limites acceptables, alors que l'adaptation désigne les ajustements qui se poursuivent sur une *période prolongée.* Dubos a également démontré que la plage des réactions acceptables aux divers stimuli varie d'une personne à l'autre. «La constance absolue est une utopie.» Dans un monde qui change constamment, l'homéostasie et l'adaptation sont nécessaires à la survie.

Maintien de l'état d'équilibre

Les termes *état d'équilibre* et *équilibre dynamique,* dérivés de la théorie générale des systèmes, définissent la constance du milieu interne et la recherche de l'harmonie avec le milieu externe. L'harmonie et la constance permettent à l'organisme de se maintenir en bonne santé. Lorsqu'un changement ou un stress vient perturber l'une des constantes biologiques, divers mécanismes d'ajustement concourent à son rétablissement pour maintenir l'état d'équilibre. Si ces mécanismes d'ajustement, ou de compensation, sont inadéquats, l'état d'équilibre est menacé. Les fonctions étant alors perturbées, ce sont les mécanismes pathologiques qui entrent en jeu. Par leur action, ils peuvent non seulement précipiter des maladies mais aussi modifier leur cours. La *maladie* est un processus qui apporte des changements dans le milieu interne entravant le dysfonctionnement de la cellule et limite ainsi les interactions avec le milieu externe.

On peut faire une analogie avec le mouvement du balancier. Le balancier est en équilibre dynamique. Si l'on penche l'horloge vers le côté gauche le balancier oscille un peu plus vers ce côté tout en continuant de marquer l'heure avec assez de précision. Si l'on penche l'horloge davantage, le balancier oscille bien plus du côté gauche que du côté droit et, avec chaque oscillation, son poids rend le mouvement plus désordonné. L'horloge ne marque plus l'heure exacte et, faute d'un redressement, tout le mouvement d'horlogerie peut se détraquer.

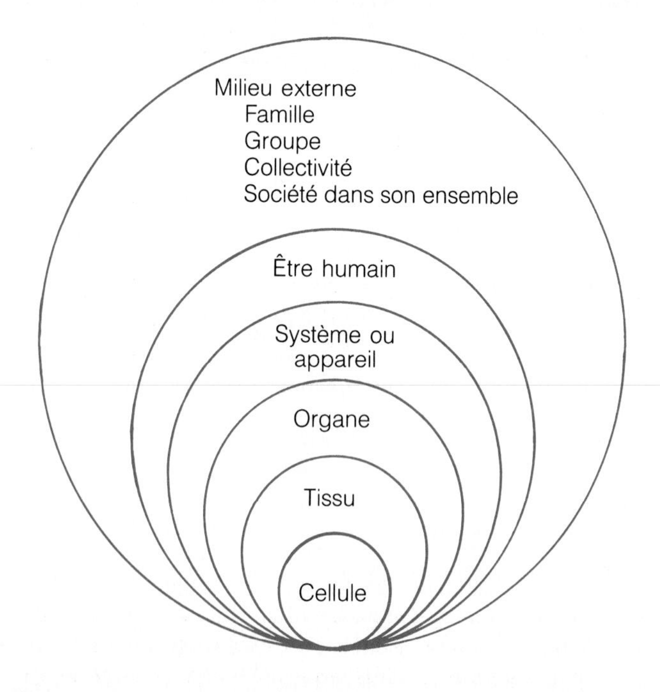

Figure 18-1. Organisation des systèmes. Chaque système fait partie d'un système plus grand. La cellule est ici le système le plus petit; elle est le sous-système de tous les autres systèmes.

Soins infirmiers

L'infirmière ne doit jamais oublier que ses interventions sont plus efficaces quand les mécanismes de compensation de la personne sont intacts. Elle doit, par conséquent, être capable de relier les signes et les symptômes qu'elle observe aux processus physiologiques correspondants. Elle peut ainsi établir où se situe la personne sur le continuum qui va de la santé à la capacité de compenser les mécanismes pathologiques et à la maladie. Prenons l'exemple d'une femme d'âge moyen qui fait de l'embonpoint et dont la pression artérielle est de 130/85 mm Hg. L'infirmière doit conseiller à cette femme de suivre un régime amaigrissant et de faire de l'exercice. Elle doit aussi l'interroger sur sa consommation de sel, en raison des risques de déséquilibre hydrique, et de caféine, en raison de l'effet stimulant de cette substance. Elle doit enfin discuter avec elle de ses méthodes pour combattre le stress. Toutes ces interventions visent la stabilisation de la pression artérielle et la prévention de l'hypertension.

Une autre raison pour laquelle il faut bien connaître la symptomatologie et la physiologie est qu'il existe tant de maladies qu'il est impossible de toutes les connaître. Toutefois, le nombre des processus physiologiques est limité. La connaissance de ces processus permet donc à l'infirmière de déceler les anomalies ou les risques et de choisir les interventions qui seront les plus efficaces.

PROCESSUS PHYSIOPATHOLOGIQUES AU NIVEAU DE LA CELLULE

Les processus que nous venons de décrire se manifestent dans les organismes vivants les plus simples comme les plus complexes. Étant donné que la cellule est l'unité ou le sous-système le plus petit (les tissus étant formés de cellules, les organes de tissus, etc.), on peut parler de santé et de maladie ou d'adaptation et non-adaptation, au niveau de la cellule.

On peut représenter la cellule par un continuum fonctionnel et structurel, sur lequel on retrouve la cellule normale, la cellule adaptée, la cellule lésée ou malade et la cellule morte (voir la figure 18-2).

Nature des changements

Les changements d'un état à l'autre peuvent survenir si rapidement qu'il est parfois impossible de les déceler. En effet, les frontières entre les divers états ne sont pas étanches et la maladie n'est en fin de compte que l'altération d'un processus normal. Par exemple, le bronzage de la peau est une réaction morphologique d'adaptation aux rayons du soleil. Toutefois, si l'exposition au soleil se prolonge, on voit apparaître des brûlures et des lésions qui provoquent la mort de certaines cellules qui se manifeste par une desquamation.

Les premiers changements, se produisant au niveau moléculaire, sont difficiles à déceler, car ils restent cachés tant que les fonctions et les structures qui assurent l'état d'équilibre ne sont pas modifiées. Certains des changements provoqués par une lésion peuvent être réversibles, mais d'autres finissent par tuer la cellule. En outre, même si la cellule parvient à s'adapter, son niveau de fonctionnement sera généralement inférieur puisque l'organisme doit consommer plus d'énergie ou puiser davantage dans ses réserves pour maintenir la fonction atteinte. Par ailleurs, un changement dans la morphologie des tissus, dont les cellules deviennent moins spécialisées ou moins différenciées, peut également être une conséquence de l'adaptation.

Réactions aux stimuli et aux facteurs de stress

Le mode et la vitesse de réaction aux stimuli sont différents d'une cellule à l'autre et d'un tissu à l'autre, car certains tissus ou cellules sont plus vulnérables que d'autres. Par exemple, les cellules du muscle cardiaque réagissent à l'hypoxie (oxygénation insuffisante) plus rapidement que les cellules des muscles lisses. La réaction est déterminée par le type des cellules touchées, par leur capacité de s'adapter et par leur état physiologique.

D'autres facteurs qui influencent la réaction cellulaire sont le type ou la nature du facteur de stress, sa durée d'action et sa puissance. Par exemple, même si un individu a l'habitude de prendre régulièrement de faibles doses de barbituriques l'absorption d'une forte dose peut entraîner le coma et la mort.

Soins infirmiers

Les fonctions organiques peuvent rester dans les limites de la normale malgré un grand nombre de variables. C'est le cas, par exemple, de la fréquence cardiaque et de la fréquence et du volume respiratoires. De ce fait, l'organisme a une capacité remarquable de compenser et de s'adapter à différentes situations et facteurs ambiants. En cas de lésion, l'atteinte subie peut être réversible jusqu'à un certain point. On peut considérer que les premiers changements morphologiques sont «les empreintes de la maladie qui s'effacent si l'atteinte est légère» (Boyd et Sheldon, 1988). Par conséquent, pour favoriser le maintien de la santé, l'infirmière doit déceler ces tout premiers changements.

MAINTIEN DE L'ÉQUILIBRE DES MÉCANISMES D'AUTORÉGULATION

La représentation de la cellule par un continuum fonctionnel et structurel (voir la figure 18-2) n'est concevable que si l'on comprend que l'état de «cellule normale» et de «cellule adaptée» dépend de certains mécanismes de compensation. Il s'agit des processus d'ajustement dont le rôle est de maintenir l'organisme dans un état d'équilibre dynamique. Ces processus régis surtout par le système nerveux autonome et par le système endocrinien sont des processus d'autorégulation par rétroaction négative (ou de rétro-inhibition).

Rétroaction négative

Les mécanismes de la rétroaction négative permettent de déceler les écarts d'adaptation et de provoquer une réaction de l'organisme pour réduire ou éliminer cet écart. La pression artérielle, l'équilibre acidobasique, la glycémie, la température et l'équilibre hydroélectrolytique font partie des paramètres dont la régulation est assurée par rétroaction négative.

Pour illustrer le processus de rétroaction négative, prenons l'exemple de la régulation de la température d'une pièce. Si un courant d'air, qui passe par une porte ouverte, abaisse la température de la pièce, le thermomètre décèle la baisse de température et la transmet à un thermostat réglé pour maintenir la température de la pièce à un niveau donné. Quand la température de la pièce est plus basse que ce niveau, le thermostat envoie un message à la chaudière qui s'allume pour réchauffer l'air de la pièce. Quand la température est revenue au niveau préréglé, le thermostat commande à la chaudière de s'éteindre. Grâce à ce processus, on peut modifier les effets d'un stimulus, même si le stimulus est toujours présent. Dans notre exemple, on n'a pas fermé la porte, mais on a pu contrer l'effet du courant d'air sur la température de la pièce.

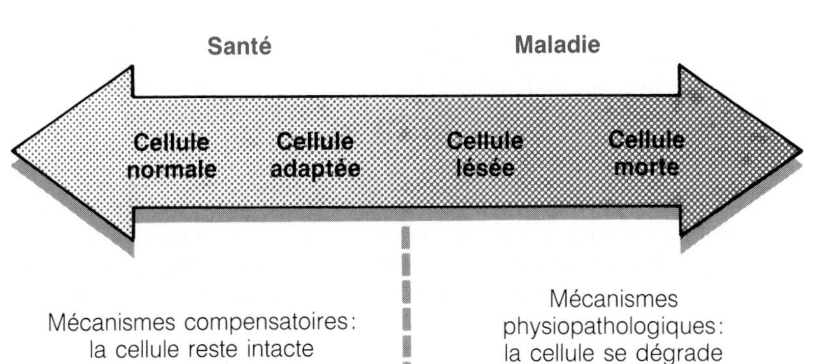

Figure 18-2. La cellule sur un continuum fonctionnel et structural. Dans la réalité, il est cependant plus difficile de discerner les changements subis par la cellule, car on ne peut jamais définir clairement à quel moment des mécanismes compensatoires sont remplacés par les mécanismes pathologiques.

Organes d'homéostasie ou d'ajustement. La plupart des systèmes d'autorégulation de l'organisme sont intégrés dans les systèmes nerveux et endocrinien au niveau du cerveau. Leur rôle est de déceler les écarts par rapport au point de réglage et de déclencher des réactions de compensation dans les muscles et les glandes. Les principaux organes touchés par ces réactions sont le cœur, les poumons, les reins, le foie, l'appareil gastro-intestinal et la peau. Lorsqu'ils sont stimulés, ces organes accélèrent ou ralentissent leur activité ou modifient la quantité des sécrétions qu'ils produisent. C'est pourquoi on les appelle organes d'homéostasie ou d'ajustement.

Réactions locales: les boucles de rétroaction. En plus des réactions déclenchées par les mécanismes d'autorégulation dont nous venons de parler, des réactions locales sont également déclenchées par de petites boucles de rétroaction au niveau de divers groupes de cellules ou de tissus. Les cellules décèlent un changement dans leur entourage immédiat et s'activent pour en contrecarrer les effets. Par exemple, l'accumulation d'acide lactique dans le muscle, au cours de l'effort, stimule la dilatation des vaisseaux sanguins dans la région avoisinante pour augmenter le débit sanguin, accroître l'apport d'oxygène et favoriser l'élimination des déchets.

Le résultat des mécanismes d'autorégulation par rétroaction est un équilibre dynamique assuré par l'action des organes d'ajustement et par de faibles échanges de substances chimiques au niveau des cellules, du liquide interstitiel et du sang. Par exemple, une élévation de la concentration de gaz carbonique dans le liquide extracellulaire entraîne une augmentation de la ventilation pulmonaire qui, à son tour, diminue la concentration de gaz carbonique. Le processus est le suivant: l'augmentation de la concentration de gaz carbonique augmente la concentration d'ions hydrogène dans le sang. Des chémorécepteurs sensibles, qui se trouvent dans le centre respiratoire du bulbe rachidien, décèlent cette élévation et accélèrent la décharge de neurones qui stimulent le diaphragme et les muscles intercostaux, augmentant la fréquence respiratoire. Le gaz carbonique en excès est expiré, la concentration d'ions hydrogène retourne à la normale et la stimulation des neurones cesse.

Rétroaction positive. Il existe un deuxième type de rétroaction, la rétroaction positive, qui entretient la séquence des mécanismes déclenchés par la perturbation initiale. Dans ce cas, aucune compensation n'intervient, et on observe un déséquilibre croissant. Parfois, cependant, la rétroaction positive peut avoir un effet bénéfique. Par exemple, la coagulation du sang chez les humains est un mécanisme de rétroaction positive dont le rôle n'est pas négligeable.

ADAPTATION OU LÉSION CELLULAIRE

Les cellules sont des unités complexes qui réagissent de façon dynamique aux changements et aux tensions de la vie quotidienne. Elles exercent deux sortes de fonctions, des fonctions de maintien et des fonctions spécialisées, c'est-à-dire qu'elles doivent, d'une part, maintenir leurs propres activités et, d'autre part, agir de concert avec les tissus et les organes dont elles font partie. Si une seule cellule arrête de fonctionner, l'organisme n'est pas menacé. Cependant, à mesure que le nombre de cellules lésées ou mortes augmente, les fonctions spécialisées se modifient, ce qui peut compromettre la santé.

PRINCIPAUX MODES D'ADAPTATION DE LA CELLULE

Pour s'adapter au stress exercé par le milieu, les cellules doivent modifier leur structure ou leurs fonctions. Les principaux modes d'adaptation sont l'hypertrophie, l'atrophie, l'hyperplasie et la métaplasie (voir le tableau 18-1).

Hypertrophie et atrophie. L'hypertrophie et l'atrophie sont des modifications du volume des cellules et, par conséquent, des organes dont elles font partie. L'hypertrophie de compensation, qui se traduit par une augmentation de la masse musculaire, touche le plus souvent le muscle cardiaque et les muscles squelettiques soumis à une surcharge de travail pendant une période prolongée. L'atrophie peut être la conséquence d'une maladie ou d'une utilisation insuffisante. Toutefois, le plus souvent, elle est la conséquence du vieillissement qui entraîne une diminution du volume des cellules et des organes. Elle touche principalement les muscles squelettiques, les organes qui déterminent les caractères sexuels secondaires, le cœur et le cerveau.

Hyperplasie. L'hyperplasie est une augmentation du nombre de nouvelles cellules qui se forment dans un organe ou un tissu. À mesure que les cellules se multiplient, le volume cellulaire augmente. Il s'agit d'une réaction mitotique qui est réversible après la disparition du stimulus, ce qui la distingue de la néoplasie, ou transformation maligne, qui se poursuit malgré la disparition du stimulus. L'hyperplasie peut être induite par des hormones.

Métaplasie. La métaplasie est la transformation d'une cellule très spécialisée en une cellule moins spécialisée. Il s'agit d'un mécanisme de protection cellulaire, car la cellule moins spécialisée est plus résistante au stress qui a provoqué le changement. Chez les fumeurs, par exemple, l'épithélium prismatique cilié qui tapisse les bronches est remplacé par de l'épithélium pavimenteux, car ces cellules épithéliales sont plus aptes à survivre à l'irritation.

Par conséquent, l'organisme assure sa survie grâce à une série d'adaptations. Ces adaptations traduisent les changements subis par la cellule normale en réaction au stress. Si le stress persiste, les fonctions de la cellule adaptée peuvent se dégrader, entraînant l'apparition d'une lésion.

LÉSION CELLULAIRE

Toute perturbation de l'état d'équilibre porte atteinte aux cellules. En effet, un facteur de stress, quel qu'il soit, qui entrave la capacité d'une cellule ou d'un système de se maintenir en équilibre, porte atteinte à cette cellule ou à ce système et modifie sa structure et sa fonction. Si l'atteinte est réversible, la cellule se rétablit; si elle est irréversible, la cellule meurt. Les ajustements homéostatiques compensent les changements minimes, qui affectent les systèmes et les appareils à chaque instant. Lorsque les changements sont adaptés, ils ont un rôle de compensation puisqu'ils permettent de maintenir l'état d'équilibre. En cas de lésion par contre, l'équilibre ne peut être assuré et des modifications fonctionnelles apparaissent.

TABLEAU 18-1. *Modes d'adaptation de la cellule*

Mode d'adaptation	*Stimuli*	*Exemples*
HYPERTROPHIE		
Augmentation de la taille de la cellule entraînant une augmentation du volume de l'organe	Augmentation de la charge de travail	Muscles des jambes chez le coureur Muscles du bras chez le joueur de tennis Muscle cardiaque de la personne souffrant d'hypertension
ATROPHIE		
Diminution de la taille de la cellule entraînant une diminution du volume de l'organe	Diminution: 1. de l'utilisation de l'organe 2. de l'apport sanguin 3. de l'apport nutritionnel 4. de la stimulation hormonale 5. de l'innervation	Muscles des jambes chez une personne paraplégique Membre immobilisé par un plâtre
HYPERPLASIE		
Augmentation du nombre de nouvelles cellules (accélération de la mitose)	Influence hormonale Excision ou destruction de tissus	Croissance des seins pendant la puberté ou la grossesse Régénération des cellules hépatiques Formation de nouveaux globules rouges après une perte de sang
MÉTAPLASIE		
Transformation d'un type de cellule adulte en un autre type (réversible)	Stress subi par une cellule hautement spécialisée	Transformation des cellules épithéliales qui tapissent les bronches en réaction à l'irritation provoquée par la fumée (les cellules deviennent moins spécialisées)

Divers facteurs provenant du milieu interne ou externe d'un système (cellule, tissu, organe ou organisme) peuvent le déséquilibrer ou lui porter atteinte (voir la figure 18-3). Parmi ces facteurs, citons les agents chimiques, les agents infectieux, l'altération des mécanismes immunitaires, les anomalies génétiques, l'hypoxie ou un déséquilibre nutritionnel.

Les facteurs les plus communs sont l'hypoxie, les agents chimiques et les agents infectieux. De plus, la présence d'une altération prédispose le système à une nouvelle atteinte. Par exemple, une oxygénation inadéquate et des carences alimentaires prédisposent aux infections. Ces facteurs agissent au niveau cellulaire et endommagent ou détruisent:

- l'intégrité de la membrane cellulaire qui assure l'équilibre ionique;
- la capacité de la cellule de transformer l'énergie (respiration en aérobie, production du triphosphate d'adénosine [ATP]);
- la capacité de la cellule de synthétiser les enzymes et les autres protéines qui lui sont nécessaires;
- la capacité de la cellule de croître et de se reproduire (intégrité génétique).

Hypoxie

L'hypoxie, ou oxygénation cellulaire insuffisante, entrave la capacité de la cellule de transformer l'énergie. L'hypoxie peut être le résultat d'une irrigation sanguine insuffisante dans une région donnée, de la diminution de la capacité de transport de l'oxygène par le sang (diminution du taux d'hémoglobine), d'une perturbation du rapport ventilation-perfusion ou d'un trouble respiratoire réduisant la quantité d'oxygène dans la circulation, ou d'un trouble enzymatique au niveau de la cellule qui la rend incapable d'utiliser l'oxygène qu'elle reçoit. La cause la plus fréquente de l'hypoxie est l'*ischémie* ou un apport

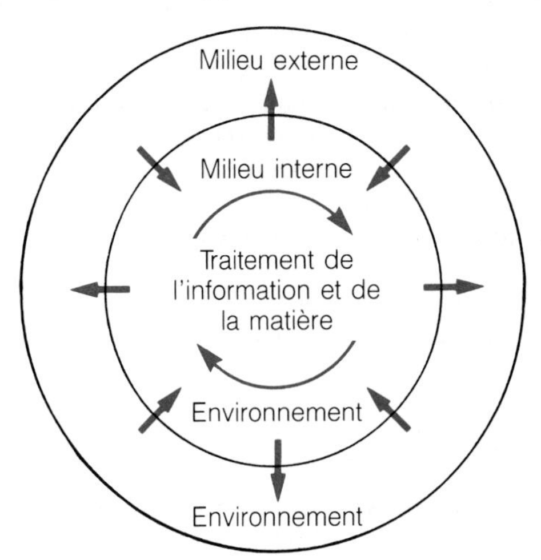

Figure 18-3. Les facteurs qui entraînent l'apparition d'une maladie peuvent provenir du milieu interne ou du milieu externe. Il peut s'agir d'un surplus ou d'un manque d'information ou de matière ou encore d'une erreur d'autorégulation.

sanguin insuffisant. On observe souvent de l'ischémie dans les cellules du myocarde quand le débit sanguin artériel est diminué à cause de l'athérosclérose. Par ailleurs, les caillots intravasculaires qui entravent la circulation sanguine sont la cause courante des accidents vasculaires cérébraux. Le laps de temps pendant lequel les différents tissus peuvent survivre sans oxygène varie. Les cellules du cerveau peuvent mourir après trois à six minutes (selon les causes). Si la maladie qui entraîne l'hypoxie évolue lentement, une circulation collatérale peut s'établir dans la région, mais il s'agit d'un mécanisme peu fiable.

Déséquilibres nutritionnels

Un déséquilibre nutritionnel est une insuffisance relative ou absolue ou un excès d'un ou de plusieurs éléments nutritifs essentiels. Il peut être dû à un apport insuffisant d'énergie (sous-alimentation) ou à un apport excessif d'énergie (suralimentation). Un apport excessif d'énergie mène à l'obésité (poids de 20 % supérieur au poids idéal). Chez l'obèse, les cellules de l'organisme contiennent des quantités excessives de lipides. L'excès de poids exige de l'organisme plus d'énergie, ce qui lui impose un effort supplémentaire. L'obésité est associée à de nombreuses maladies, notamment aux maladies pulmonaires et cardiovasculaires.

Il existe des carences dues à un apport insuffisant ou à un déséquilibre d'un élément nutritif donné; les carences en protéines et l'avitaminose en sont des exemples.

Si les réserves de glucose sont insuffisantes ou que le taux d'oxygène est trop faible pour assurer la transformation du glucose en énergie, on observe une carence énergétique qui porte atteinte à la cellule. Chez certaines personnes, une sécrétion anormale d'insuline ou un défaut d'utilisation de cette hormone empêche le glucose contenu dans le sang de pénétrer dans les cellules. Ces personnes sont atteintes de diabète sucré, un trouble du métabolisme menant à une carence nutritive.

Agents physiques

Les agents physiques, incluant les températures extrêmes, l'irradiation, un choc électrique et les traumas, peuvent provoquer des lésions au niveau des cellules ou au niveau de l'organisme tout entier. La durée de l'exposition et l'intensité du facteur d'agression déterminent la gravité de l'atteinte.

Températures extrêmement élevées. En présence d'une température élevée, quelle que soit son origine, le métabolisme, la respiration et le pouls s'accélèrent. Si la température élevée persiste, elle peut provoquer la coagulation des protéines cellulaires et la mort des cellules. Lorsque la fièvre est provoquée par une infection, le centre thermorégulateur de l'hypothalamus peut se régler pour maintenir la température à un niveau plus élevé, soit par exemple 40 °C, au lieu de 37 °C. Lorsque la fièvre tombe, le centre thermorégulateur de l'hypothalamus se règle de nouveau à 37 °C. Lorsque la fièvre est due à un coup de chaleur, le centre thermorégulateur se dérègle et la température monte en flèche. Dans ce cas, il faut refroidir rapidement l'organisme pour prévenir les lésions cérébrales.

La réaction locale à une brûlure est similaire. Le métabolisme s'accélère et à mesure que la chaleur monte, les protéines coagulent, les systèmes enzymatiques sont détruits et, dans les cas extrêmes, les tissus se carbonisent. On dit que les brûlures de l'épithélium, sont partielles si toutes les cellules qui participent à la réépithélisation ne sont pas détruites. Dans le cas des brûlures totales, toutes les cellules ont été détruites et il faut réparer la plaie par greffe. Le pronostic est fonction du pourcentage de la surface corporelle brûlée. Il est sombre si ce pourcentage est élevé et si on observe une accélération du métabolisme.

Températures extrêmement basses. Le froid provoque une vasoconstriction; le débit sanguin ralentit et entraîne la formation de caillots provoquant des lésions ischémiques dans les tissus touchés. Lorsque les températures deviennent très basses, des cristaux de glace se forment et peuvent faire exploser les cellules.

Irradiation et choc électrique. On utilise différents types de rayons dans le diagnostic et le traitement de certaines maladies. Toutefois, en raison de l'effet ionisant, une irradiation excessive peut porter atteinte à l'organisme. Un choc électrique peut provoquer des brûlures, car le courant électrique dégage de la chaleur. Il peut également stimuler trop fortement les nerfs qu'il touche, provoquant, par exemple, une fibrillation ventriculaire.

Trauma. Les traumas peuvent provoquer des ruptures des cellules et des tissus. La gravité des lésions, la quantité de sang perdu et le degré d'atteinte des nerfs influencent fortement le pronostic.

Agents chimiques

Les lésions chimiques peuvent être provoquées par des poisons d'usage domestique, tels que les détersifs, qui exercent une action corrosive sur le tissu épithélial, ou par des métaux lourds, tels que le mercure, l'arsenic et le plomb, ayant chacun des effets destructeurs qui lui sont propres. Plusieurs autres substances chimiques peuvent être toxiques à certaines doses, chez certaines personnes et pour certains tissus. Il s'agit de substances provenant de l'intérieur ou de l'extérieur de l'organisme. Une trop grande quantité d'acide chlorhydrique peut léser la paroi abdominale; de fortes doses de glucose peuvent entraîner des modifications osmotiques qui perturbent l'équilibre hydroélectrolytique et, enfin, une trop forte dose d'insuline peut provoquer une hypoglycémie et même un coma. Diverses substances, incluant les médicaments prescrits par le médecin, peuvent avoir des effets toxiques. Certaines personnes tolèrent moins les médicaments que d'autres et présentent des réactions toxiques aux doses habituelles. Le vieillissement tend à diminuer la tolérance aux médicaments. Les personnes âgées prennent souvent plusieurs médicaments en même temps, ce qui peut être dangereux étant donné que l'interaction de ces médicaments peut avoir des effets imprévisibles.

L'alcool (éthanol) est une substance irritante. Dans l'organisme, il se transforme en acétaldéhyde qui exerce un effet toxique direct sur les cellules hépatiques et entraîne un grand nombre d'anomalies du foie, incluant la cirrhose, chez les personnes prédisposées. Le dysfonctionnement des cellules hépatiques entraîne, à son tour, d'autres complications.

Agents infectieux

Les agents pathologiques les plus connus qui affectent les humains sont les virus, les bactéries, les rickettsies, les mycoplasmes, les champignons, les protozoaires et les nématodes. La gravité des maladies infectieuses dépend du nombre des microorganismes pathogènes, de leur virulence et des défenses de l'hôte. Les défenses sont déterminées par divers facteurs, par exemple, l'état de santé, l'âge et l'état du système immunitaire. Certains germes pathogènes, comme ceux qui provoquent le tétanos et la diphtérie, produisent des exotoxines qui se diffusent dans le milieu ambiant et provoquent des lésions cellulaires. D'autres, comme les germes Gram négatif, produisent en mourant des endotoxines et, d'autres encore, comme le bacille de la tuberculose, provoquent une réaction immunitaire. Les virus, qui sont les microorganismes les plus petits, parasitent les cellules vivantes qu'ils envahissent. Ils infectent des cellules spécifiques et se reproduisent par réplication à l'intérieur de ces cellules selon un mécanisme complexe. Par la suite, ils migrent vers d'autres cellules où leur réplication se poursuit. La réaction immunitaire est une tentative de l'organisme pour éliminer les virus, mais les cellules envahies par les virus peuvent subir des lésions.

La réaction inflammatoire et la réaction immunitaire sont des réactions physiologiques à l'infection.

Mécanismes immunitaires

Le système immunitaire est un système extrêmement complexe. Son rôle est de défendre l'organisme contre tout agent étranger et, par conséquent, contre tous les types de cellules étrangères, telles les cellules cancéreuses. Il s'agit d'un mécanisme qui détermine l'équilibre dynamique, mais qui, comme tous les autres processus d'adaptation, peut être altéré, entraînant une atteinte cellulaire. Théoriquement, grâce à la réaction immunitaire, l'organisme est capable de repérer les substances étrangères et de les détruire. Les antigènes (substances étrangères) qui pénètrent dans l'organisme sont éliminés par les anticorps qui les attaquent et les détruisent (réaction antigène-anticorps). Le système immunitaire peut être hypoactif ou hyperactif. Lorsqu'il est hypoactif, il peut favoriser l'apparition de maladies par immunodéficience; lorsqu'il est hyperactif, il peut provoquer l'apparition d'une maladie auto-immunitaire ou des allergies (réaction d'hypersensibilité). Dans ce cas, les anticorps réagissent avec les cellules du système immunitaire (les lymphocytes, les macrophages, les neutrophiles), de même qu'avec d'autres anticorps ou avec le complément pour attaquer les cellules normales plutôt que les cellules étrangères.

Par exemple, la personne qui souffre de rhinite allergique saisonnière (pollinose) présente une réaction d'hypersensibilité au pollen qui est une protéine étrangère (voir la figure 18-4). Dans ce cas, les IgE, les immunoglobulines (ou anticorps)

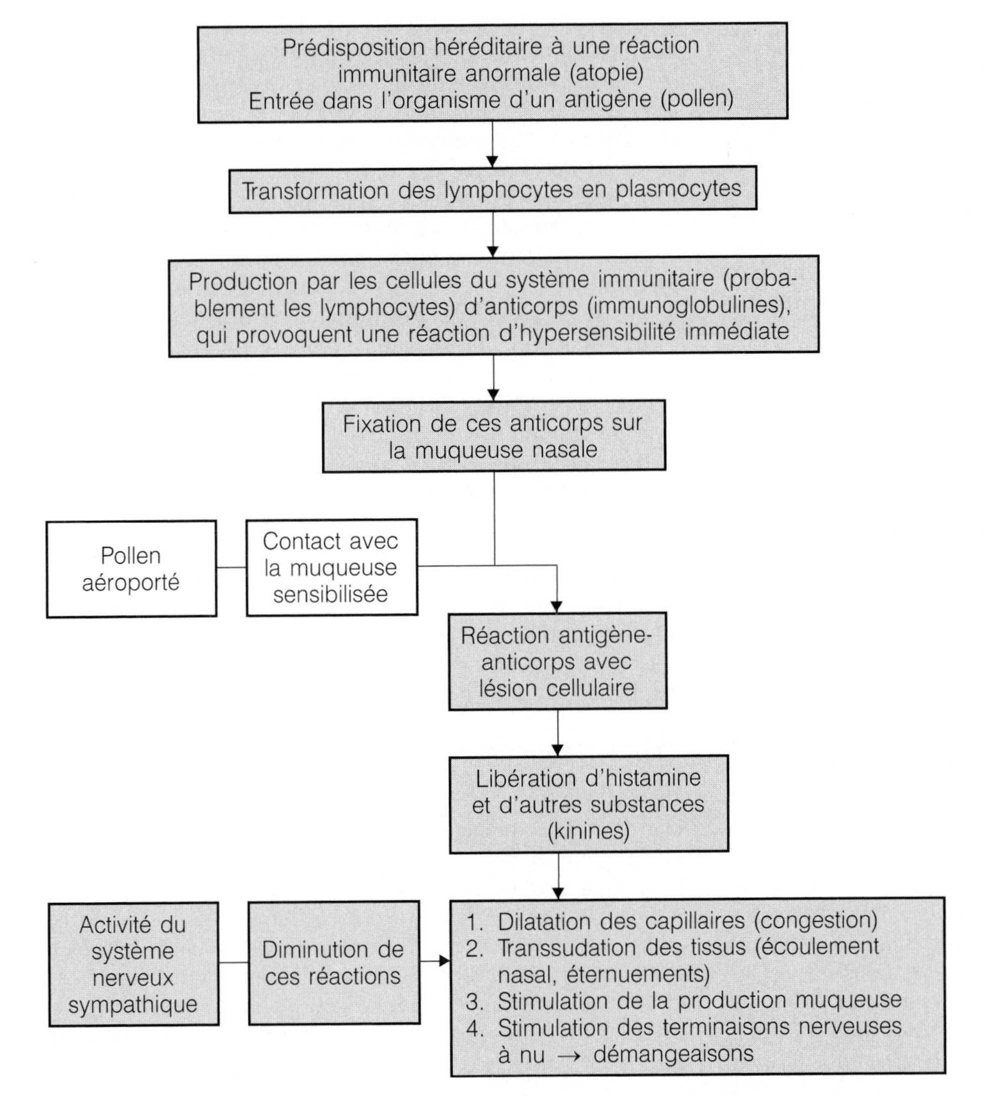

Figure 18-4. Physiopathologie de la rhinite allergique saisonnière (pollinose)

dirigés contre cet allergène, sont produites en quantités excessives. Elles se fixent sur la muqueuse nasale et lorsque le pollen (protéines étrangères) pénètre les voies respiratoires, il déclenche une réaction locale antigène-anticorps. La libération d'histamine et d'autres substances chimiques irritantes provoque des lésions cellulaires qui se manifestent par un écoulement nasal abondant, la tuméfaction des muqueuses, des éternuements et un prurit. Fondamentalement, la réaction immunitaire est une réaction inflammatoire (dont nous parlerons plus loin), amplifiée par la participation d'anticorps et de lymphocytes sensibilisés.

Troubles génétiques

Puisque les anomalies génétiques prédisposent à de nombreuses maladies, elles nous intéressent tout particulièrement du fait que le nombre de polluants ne cesse de croître et que leurs effets sur la structure génétique préoccupent les chercheurs. Plusieurs polluants produisent des mutations dont les effets à l'heure actuelle ne sont pas encore manifestes, par exemple, la disparition de certaines enzymes simples. La drépanocytose, l'hémophilie et la phénylcétonurie sont des exemples de maladies provoquées par des anomalies génétiques.

RÉACTION INFLAMMATOIRE

Tous les agents mentionnés ci-dessus (physiques, chimiques, infectieux) peuvent léser ou tuer les cellules ou les tissus. Les tissus sains qui entourent le siège d'une lésion réagissent naturellement à l'agression. Cette réaction porte le nom d'*inflammation* ou de *réaction inflammatoire*. Il s'agit d'une réaction de défense dont le but est de neutraliser, de combattre ou d'éliminer l'agent en cause et de préparer la réparation des tissus. L'inflammation est une réaction de protection non spécifique (elle ne dépend pas d'un agent d'agression en particulier). Elle peut être provoquée notamment par une piqûre de guêpe, un mal de gorge, une incision chirurgicale ou une brûlure. Mais elle est aussi présente dans les cas ou les lésions sont bien plus graves, comme dans l'accident vasculaire cérébral ou l'infarctus du myocarde.

Il faut distinguer l'inflammation de l'infection. Les agents infectieux ne sont pas les seuls agents qui peuvent déclencher une réaction inflammatoire. Une infection est provoquée par un agent infectieux qui s'installe, croît et prolifère dans les tissus et qui peut anéantir les défenses normales de l'organisme.

Quand un agent provoque une réaction inflammatoire locale, on observe une séquence d'événements qui modifient la microcirculation du territoire atteint: vasodilatation, augmentation de la perméabilité vasculaire et activation de la production des leucocytes. L'inflammation se caractérise par *cinq signes:* rougeur, chaleur, tuméfaction, douleur et incapacité fonctionnelle.

La vasoconstriction passagère, qui se produit immédiatement après l'atteinte, est suivie par la vasodilatation et d'une accélération du débit du sang dans la microcirculation, ce qui entraîne la rougeur et la chaleur. Par la suite, la perméabilité vasculaire augmente et les liquides plasmatiques (contenant des protéines, des minéraux et d'autres éléments) se répandent dans les tissus enflammés qui deviennent tuméfiés. La douleur est provoquée par la pression des liquides (tuméfaction) sur les terminaisons nerveuses et par l'irritation directe, provoquée par les médiateurs chimiques libérés dans la région enflammée. L'un des médiateurs chimiques qui pourrait provoquer la douleur est la bradykinine. L'incapacité fonctionnelle est fort probablement reliée à la douleur et à la tuméfaction, mais ses mécanismes exacts n'ont pas encore été élucidés.

Quand le débit sanguin augmente et que les liquides plasmatiques se répandent dans les tissus environnants, les globules rouges, les globules blancs et les plaquettes restent dans le sang et le rendent plus visqueux, ce qui ralentit la circulation. Les leucocytes (globules blancs) qui s'accumulent dans les vaisseaux en sont évacués et migrent vers le siège de la lésion où ils englobent les agents en cause et éliminent les débris cellulaires selon un processus appelé phagocytose. Le fibrinogène contenu dans les liquides plasmatiques se transforme en fibrine, élément principal du caillot sanguin. Le caillot isole la région lésée.

Médiateurs chimiques

La réaction inflammatoire est amorcée par les agents d'agression, mais les modifications vasculaires qui s'ensuivent sont entraînées par les substances chimiques qui circulent dans la région enflammée. Les principales substances chimiques sont l'histamine et les kinines. L'histamine est présente dans plusieurs tissus de l'organisme mais elle est surtout concentrée dans les mastocytes. Elle est libérée en réaction à l'agression et amorce la dilatation et la perméabilité des vaisseaux. Les kinines augmentent la vasodilatation et la perméabilité et attirent également les neutrophiles vers la région atteinte. Les prostaglandines, qui font également partie des médiateurs chimiques de l'inflammation, semblent elles aussi augmenter la perméabilité vasculaire.

C'est un processus très complexe, dont les différentes phases peuvent toutes se produire simultanément. Différentes variables peuvent influencer le processus, les plus importantes étant (1) la nature et la gravité de l'atteinte, (2) le siège de la lésion et les tissus touchés et (3) la résistance de l'hôte.

La réaction inflammatoire peut se limiter à la région atteinte et ne s'accompagner que de signes locaux, mais elle peut aussi provoquer des réactions généralisées. La fièvre est la plus fréquente de ces réactions généralisées et semble être causée par des pyrogènes endogènes libérés par les neutrophiles et les macrophages (leucocytes spécialisés). Ces substances agissent par le centre de thermorégulation de l'hypothalamus pour faire monter la température corporelle. Ce phénomène peut s'accompagner d'une leucocytose, c'est-à-dire une activation de la production et de la libération des neutrophiles par la moelle épinière qui peut s'accompagner de symptômes généraux comme un malaise, une perte d'appétit, des douleurs sourdes et de la faiblesse.

Types d'inflammations

On classe les inflammations principalement d'après leur durée et le type des exsudats produits. Elle peut être aiguë, subaiguë ou chronique. L'*inflammation aiguë* se caractérise par les modifications vasculaires et exsudatives locales dont il a été question auparavant. Elle dure habituellement moins de deux semaines. Elle est immédiate et sa fonction est de protéger les tissus contre l'agent d'agression. Une fois que celui-ci est éliminé, elle disparaît, la lésion commence à cicatriser et les diverses structures et fonctions se rétablissent entièrement ou presque entièrement.

L'*inflammation devient chronique* quand l'agent d'agression s'incruste et que la réaction aiguë persiste. Les symptômes peuvent se manifester pendant plusieurs mois ou même plusieurs années. L'inflammation chronique peut également se déclarer insidieusement sans jamais passer par la phase aiguë. Elle n'a pas pour rôle de protéger l'organisme. Au contraire, elle est invalidante. Elle se caractérise par des changements au siège de la lésion et par la prédominance d'une prolifération de fibroblastes. On observe un cycle d'infiltration cellulaire, de nécrose et de fibrose (réparation et dégradation simultanées) qui se perpétue sans cesse. Des cicatrices volumineuses peuvent se former et endommager les tissus de façon permanente.

Réparation des tissus

Le processus de réparation est déclenché dès que les tissus sont lésés et il est intimement lié à l'inflammation. La cicatrisation s'amorce au moment où les débris ayant provoqué l'inflammation ont été retirés. Elle peut se faire par *régénération* ou par *remplacement* des tissus. Dans le cas de la *régénération,* la réparation des tissus est graduelle et elle est le résultat d'une prolifération de cellules du même type que celles qui avaient été détruites. Dans le cas de la réparation par *remplacement,* les cellules détruites sont remplacées par des cellules d'un autre type, habituellement conjonctives, ce qui entraîne la formation d'une cicatrice.

Régénération. La capacité de régénération des cellules dépend de leur nature. Les cellules *labiles* sont des cellules qui se reproduisent constamment pour remplacer les cellules usées par les processus physiologiques normaux, par exemple, les cellules épithéliales de la peau et celles qui tapissent le tractus gastro-intestinal. Les cellules *permanentes* sont des cellules comme les neurones (les cellules nerveuses de l'organisme) sans leur axone. Les neurones, une fois détruits, ne se régénèrent pas. Toutefois, les axones peuvent se régénérer. Lors du rétablissement de l'activité cellulaire normale, la régénération tissulaire doit aussi permettre le rétablissement des fonctions et particulièrement la constitution de plusieurs axones. Pour leur part, les cellules *stables* se régénèrent lentement. Puisqu'elles ne sont pas détruites lors des processus physiologiques normaux, elles n'ont pas besoin d'être remplacées. Par contre, si elles sont lésées ou détruites pour une quelconque raison, elles sont capables de se régénérer. Parmi les cellules stables, citons les cellules fonctionnelles du rein, du foie, du pancréas et d'autres organes.

Remplacement. La cicatrisation peut se faire de deux façons, par *première intention* ou par *seconde intention.* Dans la cicatrisation par *première intention,* la plaie est propre et sèche et ses bords sont rapprochés par des sutures chirurgicales. La cicatrice formée est peu visible et sa formation prend environ une semaine. Dans le cas de la cicatrisation dite par *seconde intention,* la plaie ou la fissure est plus longue et béante. Elle contient aussi plus de matériel nécrotique. La plaie se remplit de tissus de granulation de bas en haut. Cette cicatrisation est toujours plus longue et entraîne la formation de plus de tissu cicatriciel et la perte de fonctions spécialisées. Après un infarctus du myocarde, le tracé électrocardiographique est anormal étant donné que les signaux électriques ne peuvent pas traverser le tissus conjonctif qui a remplacé les tissus normaux du territoire infarci.

Comme nous l'avons déjà mentionné, l'état de l'hôte, les caractéristiques du milieu ainsi que la nature et la gravité de la lésion influencent la réaction inflammatoire et la réparation.

MORT DE LA CELLULE

Toutes les atteintes dont il a été question peuvent provoquer la mort de la cellule. Puisque la membrane cellulaire est touchée, les ions peuvent circuler librement. Le sodium et le calcium, suivis par l'eau, pénètrent dans la cellule, ce qui entraîne la formation d'un œdème. Les transformations énergétiques s'arrêtent, les impulsions nerveuses ne peuvent plus être acheminées et les muscles cessent de se contracter. Lorsque la membrane se déchire, les lysomes, des enzymes qui jouent un rôle essentiel dans l'autolyse, peuvent s'échapper, ce qui entraîne la mort de la cellule et la nécrose des tissus.

CARDIOPATHIE HYPERTENSIVE: EXEMPLE D'UN PROCESSUS PHYSIOPATHOLOGIQUE

Nous prendrons ici la cardiopathie hypertensive comme un exemple de processus physiopathologique. Les mots et les chiffres ne représentent que partiellement l'évolution de l'état du patient. L'équipe soignante connaît bien les épreuves que le patient atteint de cette maladie doit surmonter: modifications physiologiques, adaptation sociale, anxiété cachée ou manifeste. Ces variables, qu'on peut difficilement inscrire sur une feuille de surveillance, sont des facteurs importants qui déterminent le pronostic.

Mécanismes de régulation de la pression artérielle

Un bref résumé de certains mécanismes de régulation de la pression artérielle facilitera la compréhension du processus pathologique qui mène à la cardiopathie hypertensive. La régulation de la pression artérielle ne peut être assurée sans l'intervention du système nerveux et du système hormonal qui exercent de concert leur effet sur le débit cardiaque et la résistance périphérique. L'équation suivante illustre ce rapport:

$$\text{pression artérielle moyenne} = \text{débit cardiaque} \times \text{résistance périphérique totale}$$

Le débit cardiaque dépend du débit systolique et de la fréquence cardiaque. Le diamètre des artérioles détermine la résistance périphérique. Si le diamètre diminue (vasoconstriction), la résistance périphérique augmente. Si, par contre, il augmente (vasodilatation), la résistance périphérique diminue.

Les barorécepteurs du sinus carotidien et de la crosse aortique, qui transmettent les impulsions vers le centre vasomoteur du bulbe rachidien, sont les principaux responsables de la régulation de la pression artérielle. Ces impulsions inhibent la stimulation du système nerveux sympathique. Quand la pression artérielle s'élève, les barorécepteurs qui décèlent toute dilatation de la paroi des artères où ils sont fixés, déchargent pour inhiber le centre vasomoteur. L'inhibition du centre vasomoteur entraîne une diminution de la fréquence cardiaque, la dilatation des artérioles et le rétablissement de la pression artérielle à son niveau d'origine. Le phénomène inverse se produit lors de la chute de la pression artérielle. Les barorécepteurs ne peuvent déceler que les modifications temporaires de la pression artérielle.

Il existe cependant un mécanisme qui exerce un effet plus prolongé. La rénine, synthétisée par les reins quand le débit sanguin rénal diminue, entraîne la formation de l'angiotensine I qui se transforme en angiotensine II. L'angiotensine II fait monter la pression artérielle par constriction directe des artérioles. Elle stimule également, indirectement, la libération d'aldostérone qui entraîne la rétention du sodium et de l'eau par les reins. De ce fait, le volume du liquide extracellulaire augmente, ce qui accroît le volume du sang qui retourne au cœur. Par conséquent, le débit systolique et le débit cardiaque augmentent. Les reins possèdent également un mécanisme intrinsèque de rétention du sodium et de l'eau.

En présence d'un trouble *persistant* qui provoque une constriction des artérioles, la résistance périphérique totale augmente et la pression artérielle moyenne s'élève. Le débit cardiaque doit alors augmenter pour maintenir le système en équilibre (voir l'équation) et contrer la résistance périphérique afin que l'apport d'oxygène et de nutriments aux cellules et l'élimination des déchets se poursuivent. Pour augmenter le débit cardiaque, le système nerveux sympathique doit stimuler le cœur pour en accélérer les battements. Il doit également augmenter le débit systolique, ce qui entraîne une vasoconstriction dans les organes périphériques accélérant le retour veineux. En cas d'hypertension chronique, les barorécepteurs se règlent à un niveau plus élevé qui devient leur niveau de réaction normal.

Au départ, il s'agit d'un mécanisme de compensation. Toutefois, la rançon d'une telle adaptation est une surcharge de travail pour le cœur. Dans le même temps, des altérations se produisent au niveau des artérioles qui sont soumises constamment à une forte pression. Ces altérations touchent tous les organes, mais surtout le cœur, d'où une diminution du débit sanguin au myocarde. Pour propulser le sang, le cœur doit pomper suffisamment fort pour s'opposer à la pression qui s'exerce au niveau de l'entrée de l'aorte. En réaction à cette surcharge de travail, le ventricule gauche s'hypertrophie et, avec le temps, le cœur se dilate. Ces deux changements de structure sont adaptés dans la mesure où ils améliorent le débit systolique. Au repos, ils peuvent être efficaces, mais à l'effort, ils ne suffisent pas à satisfaire les besoins de l'organisme. Le patient se fatigue rapidement et s'essouffle.

Il n'existe pas un point précis de défaillance des mécanismes de compensation. En raison des demandes accrues, la répartition du débit sanguin se modifie et l'irrigation sanguine rénale diminue. De ce fait, le mécanisme rénine-angiotensine-aldostérone est stimulé. Par son effet, ce mécanisme, qui était au début compensatoire, aggrave maintenant la défaillance du cœur, entraînant une augmentation du volume du liquide extracellulaire et de la résistance périphérique. Le cœur est engorgé par le sang qu'il ne peut plus éjecter et une insuffisance cardiaque gauche s'installe. L'insuffisance cardiaque gauche peut avoir différents effets. Certains de ces effets sont attribuables à la chute du débit, ce qui diminue l'irrigation tissulaire. À cause de l'irrigation insuffisante, les mécanismes rénaux et glandulaires qui favorisent la rétention hydrique et sodique s'activent, favorisant une rétroaction positive au cœur défaillant. D'autres sont attribuables à la baisse de la capacité d'éjection du ventricule gauche ce qui mène à l'élévation de la pression télédiastolique. Cette élévation de la pression se répercute au niveau de l'oreillette gauche et des veines pulmonaires entraînant une congestion des capillaires pulmonaires. L'échange gazeux s'interrompt et provoque une fuite rapide de plasma à travers les capillaires vers les espaces interstitiels et les alvéoles, ce qui entraîne un œdème pulmonaire. L'auscultation révèle la présence de râles respiratoires. Le patient présente une dyspnée intense avec tachypnée et hyperpnée et il tousse. L'œdème pulmonaire s'accompagne d'expectorations rouille et mousseuses. Par la suite, cette évolution en amont touchera le côté droit du cœur et provoquera une insuffisance cardiaque droite accompagnée d'une congestion des veines et des organes irrigués par la veine cave. À ce point, tout le système défaille et la mort est imminente.

SOINS INFIRMIERS

Lors de la collecte de données, l'infirmière doit porter son attention sur les principaux indices des processus physiologiques sous-jacents. Elle doit pouvoir répondre aux questions suivantes : La fréquence cardiaque, la fréquence respiratoire et la température sont-elles normales ? Sinon, les modifications sont-elles passagères ? Peut-on observer d'autres signes de perturbation de l'état d'équilibre ? Quelle est la pression artérielle, la taille et le poids du patient ? A-t-il des problèmes de mouvement ? Ses sensations sont-elles normales ? A-t-il des troubles d'orientation ou de mémoire ? Présente-t-il des lésions ou des infirmités apparentes ? Les analyses de laboratoire, comme le dosage des électrolytes, de l'azote uréique sanguin et de la glycémie, de même que l'analyse d'urines peuvent être utiles.

Nous expliquons plus en détail dans les autres chapitres les troubles particuliers et les interventions infirmières qui s'imposent. Nous avons souligné à plusieurs reprises dans ce chapitre que l'état de l'hôte et le milieu sont des facteurs qui influencent toujours le pronostic. Ces deux facteurs sont directement liés aux pratiques d'hygiène personnelles. L'infirmière doit donc évaluer les pratiques d'hygiène du patient. Si ces pratiques ne lui permettent pas de maintenir un état d'équilibre sur le plan physiologique, psychologique et social, elle doit trouver d'un commun accord avec ce dernier, les moyens de remédier à la situation. Ce chapitre porte sur la physiologie et c'est sous cet angle particulier qu'on doit analyser l'alimentation et le métabolisme, les modes d'élimination, les activités et l'exercice, le sommeil et le repos. Les processus physiologiques déterminent les stratégies d'adaptation au stress, les modes de relations sociales, les valeurs et les objectifs d'une personne. De même, quand et avec qui on mange et l'argent disponible pour l'achat de nourriture déterminent directement la qualité et la quantité des aliments consommés. Pour évaluer les pratiques d'hygiène et intervenir au besoin, l'infirmière doit recueillir toutes les données le concernant.

RÉSUMÉ

L'homme est une partie intégrante de milieux interne et externe dynamiques. Il peut maintenir son état d'équilibre ou la constance de son milieu interne en dépit des changements constants qu'il subit grâce à l'homéostasie et à l'adaptation. L'homéostasie désigne les ajustements que l'organisme peut faire *rapidement* pour maintenir la constance de son milieu externe alors que l'adaptation désigne les ajustements qui se poursuivent sur une période prolongée. Souvent, le maintien de la santé ou, au contraire, l'installation d'une maladie dépendent de la capacité de l'organisme de conserver son équilibre homéostatique et de s'adapter aux changements.

Lorsque l'équilibre homéostatique est altéré, un dysfonctionnement organique se manifeste. Faute d'une intervention appropriée, il peut provoquer un état pathologique plus ou moins grave. Grâce à un ensemble de mécanismes, l'organisme peut toutefois réagir. Ces réactions l'aident à maintenir un état d'équilibre et l'alertent également en cas de perturbation. Elles se traduisent par les divers signes et symptômes d'une maladie. Les signes sont objectifs et les symptômes subjectifs.

Les principes du maintien de l'état d'équilibre s'appliquent au fonctionnement de chaque cellule. Les cellules possèdent des fonctions de maintien et des fonctions spécialisées. Grâce aux fonctions de maintien, elles peuvent se garder en vie. Les fonctions spécialisées sont celles qui sont nécessaires au tissu ou à l'organe dont font partie les cellules. Celles-ci peuvent s'adapter au stress du milieu en changeant de structure et de fonction. Parmi les principaux modes d'adaptation, citons l'hypertrophie, l'atrophie, l'hyperplasie et la métaplasie.

Les lésions de la cellule peuvent être provoquées par un changement de son milieu interne ou externe. Les facteurs qui peuvent léser la cellule en perturbant son métabolisme sont les agents physiques, les agents chimiques, les agents infectieux, l'altération des mécanismes immunitaires, les anomalies génétiques, l'hypoxie et les déséquilibres nutritionnels.

La réaction inflammatoire est une réaction naturelle aux agents qui peuvent léser ou tuer les cellules. Il s'agit d'une réaction de défense qui se déclenche dans les tissus sains qui entourent les tissus lésés. Son rôle est de neutraliser, de combattre ou d'éliminer l'agent d'agression et de préparer la réparation tissulaire. La séquence d'événements qu'elle provoque est déterminée par les modifications de la microcirculation dans le territoire lésé. La rougeur, la chaleur, la tuméfaction, la douleur et l'incapacité fonctionnelle sont les cinq signes caractéristiques de l'inflammation. On classe l'inflammation selon sa durée et le type d'exsudat produit.

La mort de la cellule fait partie des réactions à une lésion; il s'agit d'une réaction peu souhaitable. Si la cellule n'est pas détruite, une réparation peut s'amorcer. Elle se fait par régénération ou par remplacement cellulaire.

Les notions d'homéostasie et d'adaptation sont importantes, car c'est grâce à elles que les infirmières peuvent comprendre les réactions à la maladie.

Bibliographie

Ouvrages

Boyd W and Sheldon H. Boyd's Introduction to the Study of Disease, 10th ed. Philadelphia, Lea & Febiger, 1988.

Bullock BL and Rosendahl PP. Pathophysiology: Adaptations and Alterations in Function, 2nd ed. Glenview, IL, Scott Foresman & Co, 1988.

Dubos R. Man Adapting. New Haven, CT, Yale University Press, 1965.

Frohlich ED (ed). Pathophysiology, Altered Regulatory Mechanisms in Disease. Philadelphia, JB Lippincott, 1984.

Groer MW and Shekleton ME. Basic Pathophysiology, A Conceptual Approach, 3rd ed. St Louis, CV Mosby, 1989.

Guyton AC. Textbook of Medical Physiology. Philadelphia, WB Saunders, 1986.

Harrison TR, Braunwald E et al (eds). Harrison's Principles of Internal Medicine, 11th ed. New York, McGraw-Hill, 1988.

Kent TH and Hart MN. Introduction to Human Disease, 2nd ed. Norwalk, CT, Appleton-Century-Crofts, 1987.

Kissane JM. Anderson's Pathology, 9th ed. St Louis, CV Mosby, 1989.

Porth C. Pathophysiology: Concepts of Altered States, 3rd ed. Philadelphia, JB Lippincott, 1990.

Price SA and Wilson LM. Pathophysiology, Clinical Concepts of Disease Processes. New York, McGraw-Hill, 1986.

Robbins SL and Kumar V. Basic Pathology, 4th ed. Philadelphia, WB Saunders, 1987.

Robbins SL, Cotran RS, and Kumar V. Pathologic Basis of Disease, 4th ed. Philadelphia, WB Saunders, 1989.

Vander AJ, Sherman JH, and Luciano DS. Human Physiology: The Mechanisms of Body Function. New York, McGraw-Hill, 1985.

Weiner H and Fawzy FI. An integrative model of health, disease, and illness. In Cheren S (ed). Psychosomatic Medicine: Theory, Physiology, and Practice (2 vols). Madison, CT, International Universities Press, Inc, 1989.

Revues

Crosby LJ. Stress factors, emotional stress and rheumatoid arthritis disease activity. J Adv Nurs 1988 Jul; 13(4):452-461.

Ninemann JL. Trauma, sepsis, and the immune response. J Burn Care Rehab 1987 Nov/Dec; 8(6):462-468.

19
STRESS ET ADAPTATION

SOMMAIRE

OBJECTIFS D'APPRENTISSAGE

Après avoir étudié ce chapitre, vous devriez être en mesure de réaliser ce qui suit:

1. *Définir les notions de stress et d'adaptation.*
2. *Reconnaître les agents de stress physiologiques et psychosociaux.*
3. *Comparer les réactions au stress de l'axe sympathicomédullosurrénalien à celles de l'axe hypothalamohypophysaire.*
4. *Décrire l'influence des réseaux de soutien sur les stratégies d'adaptation au stress.*
5. *Expliquer le syndrome général d'adaptation en tant que théorie portant sur l'adaptation au stress biologique.*
6. *Expliquer comment les réactions d'adaptation inefficaces peuvent provoquer l'apparition des maladies ou en augmenter le risque.*
7. *Décrire le rôle de l'infirmière lors de la collecte de données sur les risques auxquels le stress peut exposer le patient.*
8. *Donner des exemples de techniques qui permettent de réduire le stress.*
9. *Expliquer l'aide que les réseaux de soutien et les groupes d'entraide peuvent fournir au patient qui doit combattre le stress.*

Le *stress* est une notion difficile à définir, car on donne à ce terme diverses acceptions et sa signification n'est pas la même pour tout le monde. Certains l'utilisent pour décrire une sensation désagréable ou la *réaction à l'agent d'agression*, d'autres pour décrire le stimulus lui-même ou la *source du stress*. Certaines personnes vont jusqu'à dire que ce terme est si vague qu'on ne devrait même pas l'utiliser. En 1936, Cannon a été le premier à décrire la réaction de lutte ou de fuite qui prépare l'individu à s'adapter à un danger immédiat. Pour Selye (1976), qu'on appelle parfois le «père du stress», il s'agit des réactions normales de l'organisme à une situation nouvelle, de quelque origine qu'elle soit, agréable ou désagréable, qui nécessite une adaptation. Selye a démontré que le stress est une réaction non spécifique, c'est-à-dire que la réaction physiologique de l'organisme est toujours la même quel que soit le stimulus qui le génère. Par la suite, d'autres chercheurs ont prouvé que l'organisme réagit différemment aux diverses menaces; les réactions sont plus vraisemblablement déterminées par la nature et par l'intensité des émotions que par la menace en question (Mason, 1975). Ces chercheurs se sont surtout attachés aux réactions physiologiques au stress.

Les psychologues, quant à eux, se sont surtout préoccupés des facteurs qui prédisposent au stress et des processus mentaux qu'il déclenche. D'après Engel* (1960), qui a étudié

* G. Engel, «Health and disease», *Perspect Biol,* été 1960; 3(4): 459-485.

les maladies psychosomatiques, le stress psychologique est «un processus, intérieur ou extérieur, dont les exigences obligent l'organisme à réagir en activant une opération de la pensée avant l'entrée en jeu de tout autre appareil ou système».

Lazarus et Folkman (1984, p. 19) ont élaboré la théorie transactionnelle du stress. D'après ces auteurs, le stress psychologique est une «*relation* particulière qui s'établit entre l'individu et son milieu, relation qu'il considère comme trop contraignante, oppressive ou mençante pour son bien-être». Cette théorie a été adoptée par de nombreux chercheurs en sciences infirmières.

Les chercheurs en intervention psychosociale se sont attachés aux stimuli ou aux sources du stress et ont étudié tout particulièrement les événements ou les changements qui interviennent dans la vie d'un individu et qu'il perçoit comme stressants. Par conséquent, le stress a fait l'objet de nombreuses études menées par des chercheurs spécialisés en diverses disciplines scientifiques qui ont élaboré différentes théories.

Dans le domaine des sciences infirmières, des chercheurs comme Shaver (1985) ou Sutterley et Donnelly (1981) ont mis au point des modèles d'après lesquels le milieu ambiant, l'esprit et le corps sont indissolublement liés, ce qui leur a permis d'aborder le stress dans une perspective holistique. Selon cette théorie, le corps, l'esprit et l'âme de l'être humain sont indissociables et les comportements qui caractérisent chaque individu le prouvent bien. Même si l'on peut évaluer un mode de comportement particulier (physiologique, psychologique ou social), on doit comprendre qu'il caractérise l'être global. Neumann propose un modèle de soins infirmiers ayant comme objectif la réduction du stress et Roy, un modèle d'adaptation fondé sur quatre modes adaptatifs (Marriner, 1986).

Dans ce chapitre, nous définissons le stress et exposons les réactions adaptées, certaines conséquences des réactions inadaptées et les soins infirmiers qui s'imposent.

DÉFINITION DU STRESS ET DE L'ADAPTATION

Stress

Le *stress* est un état produit par un changement du milieu ambiant. Ce changement, qui peut perturber l'équilibre dynamique de l'organisme, peut être pris pour un défi, pour une menace ou pour un danger. L'adaptation aux contraintes imposées par la nouvelle situation entraîne un déséquilibre réel ou perçu comme tel. Le stimulus qui déclenche ce changement porte le nom d'*agent d'agression* ou de *stress*. Son effet varie: un événement ou un changement qui est stressant chez certains pourrait être sans effet chez d'autres. Par ailleurs, le même événement qui peut s'avérer stressant à un certain moment ou dans certaines circonstances peut rester sans effet chez la même personne à un autre moment ou dans certaines autres circonstances. Chaque personne évalue l'importance du changement qui intervient dans sa vie et s'y adapte selon ses capacités. L'objectif souhaitable est l'adaptation au changement de façon à rétablir l'équilibre et à regagner suffisamment d'énergie pour être capable de faire face aux nouvelles exigences venant de l'extérieur. Ce processus d'adaptation au stress est un processus de compensation physiologique et psychologique.

Adaptation

L'*adaptation* est un processus constant qui se poursuit tout au long de la vie, de la naissance jusqu'à la mort. Sur le continuum de la vie, on trouve également la santé et la maladie, qui sont des notions relatives. Au fur et à mesure qu'un être humain avance sur ce continuum, il rencontre divers agents de stress qui mettent à l'épreuve sa capacité de satisfaire ses propres besoins et de maintenir son équilibre. Si la personne peut s'adapter de manière satisfaisante à ces agents de stress, elle reste en bonne santé. Dans cette optique, la maladie est, en réalité, la conséquence de l'incapacité de s'adapter au stress. Selon Dubos (1965), «la santé, chez l'être humain, n'est pas la simple capacité de son organisme de s'adapter aux conditions physiques et chimiques de son milieu grâce à la mise en œuvre de divers mécanismes passifs, mais aussi celle d'affirmer sa personnalité de façon créative». Pour Dubos, la vie de l'être humain est le résultat de l'interaction de trois catégories de déterminants: les caractéristiques universelles de la nature humaine «inscrites dans sa chair et dans ses os»; les caractéristiques de la situation où il se trouve; et sa capacité de faire des choix et de décider de ses propres actions.

Étant donné que le stress et l'adaptation caractérisent tous les niveaux d'un système, on peut les étudier au niveau des cellules, des tissus et des organes. Les biologistes étudient surtout les éléments cellulaires ou les sous-systèmes de l'organisme. Mais on peut également étudier le stress et l'adaptation chez les individus, les familles, les groupes et les sociétés. Par conséquent, les sociologues s'attachent à l'adaptation des groupes et étudient les changements que ces derniers doivent apporter à leur organisation pour faire face aux contraintes de leur milieu social et physique. L'adaptation est la recherche constante d'harmonie dans un milieu donné. Les buts ultimes de l'adaptation, vers lesquels tendent tous les systèmes, sont la croissance et la reproduction. L'un des principaux objectifs des soins infirmiers est de soutenir chaque patient dans ses efforts d'adaptation.

Modèle d'adaptation au stress. La perception d'un agent de stress est un processus conscient ou inconscient coordonné par les structures du cerveau. Dès qu'il perçoit le stress, l'organisme humain y *réagit globalement*. Cette réaction se traduit par un état d'anxiété généralisé déclenché par une activation de la psyché, du système nerveux et du système hormonal. Une *réaction plus spécifique* ne peut se manifester que lorsque la personne dispose de suffisamment de temps pour évaluer l'agent stressant et les ressources lui permettant d'y faire face. L'anxiété, diffuse au départ, sera alors remplacée par une émotion précise: joie ou tristesse, peur ou colère, acceptation ou méfiance, surprise ou anticipation. Les réactions hormonales se précisent aussi davantage. En général, toutes les réactions psychologiques et physiologiques deviendront plus spécifiques. La perception et la réaction sont imbriquées et simultanées; même si nous les expliquons ici séparément, elles sont en réalité indissociables. La réaction au stress est constituée d'éléments physiologiques et psychologiques ou affectifs qui se traduisent par des signes objectifs et des symptômes subjectifs. L'individu qui essaie de faire face à une nouvelle situation doit en même temps la réévaluer sans cesse. Ses tentatives d'adaptation et de réévaluation lui fournissent une rétroaction sur sa perception. S'il peut mener cette tâche à bien, il réussit à s'adapter

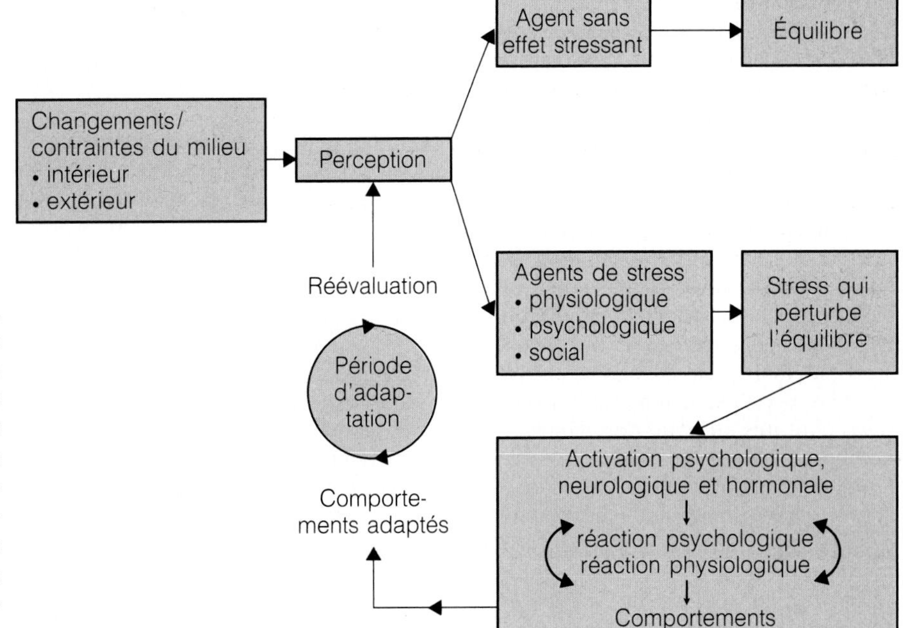

Figure 19-1. Modèle d'adaptation au stress. Lorsque le cerveau perçoit qu'un changement du milieu devient stressant, il active la psyché et les systèmes nerveux et hormonal ce qui suscite des réactions psychologiques et physiologiques. Ces réactions se manifestent par des comportements objectifs et subjectifs. Au fur et à mesure que l'individu essaie de s'adapter au changement en utilisant ses propres ressources ainsi que les réseaux de soutien dont il dispose, il réévalue la situation à plusieurs reprises ce qui lui fournit une rétroaction sur sa perception.

efficacement à sa nouvelle situation. Sinon, il manifestera des modes de réactions inadaptées à une situation donnée ou sera victime d'une maladie par inadaptation. Pendant la période d'adaptation, la personne est particulièrement sensible aux autres agents stressants. À la figure 9-1, nous illustrons les séquences de ce processus.

SOURCES DE STRESS

L'adaptation n'est possible qu'à l'intérieur de certaines limites. Par conséquent, on ne peut dépasser un certain seuil sans subir les conséquences d'une tentative d'adaptation qui va au-delà des limites individuelles. Chaque individu doit faire face régulièrement à certains changements qui sont souhaitables dans la mesure où ils favorisent sa croissance et agrémentent sa vie. Mais sa santé peut être altérée par un certain nombre d'agents d'agression ou de stress qui provoqueront un déséquilibre tant physiologique que psychologique. Si le déséquilibre est prolongé ou intense, il peut provoquer l'apparition d'une maladie. On peut diviser les agents de stress en deux grandes catégories, soit les agents de stress physiologiques et les agents de stress psychosociaux.

Sources de stress physiologique. Les principales sources de stress physiologique sont: les agents chimiques (drogues, poisons, alcool), les agents physiques (chaleur, froid, rayons, chocs électriques, agents mécaniques), les agents infectieux (virus, bactéries, champignons), les mécanismes immunitaires défectueux, les anomalies génétiques, les déséquilibres nutritionnels et l'hypoxie. Tous les agents de stress exercent un effet général et un effet spécifique. Nous avons déjà abordé ailleurs l'effet spécifique de ces agents et la maladie qu'ils provoquent, raison pour laquelle nous n'en parlerons pas ici. L'effet général de ces agents donne lieu à la réaction au stress qui fait l'objet du présent chapitre.

Sources de stress psychologique. La liste des agents de stress psychologique étant très longue, nous les avons divisés en trois catégories pour mieux les définir: (1) les agents de stress quotidiens ou les frustrations de la vie de tous les jours; (2) les agents qui engendrent des situations complexes et qui peuvent toucher des grands groupes et même une nation tout entière; et (3) les agents de stress qui touchent moins de personnes et qui sont moins fréquents. Parmi les agents de stress quotidiens, citons les embouteillages, une panne d'ordinateur, la maladie d'un animal domestique, une dispute avec le conjoint ou avec un ami et la solitude morale (isolement). Ce type de stress n'a pas toujours le même effet; par exemple, un orage qui survient pendant des vacances au bord de la mer déclenche vraisemblablement une réaction plus négative que s'il survient à un autre moment de l'année. Il a été prouvé que ces agents, moins dramatiques, moins frustrants et moins irritants, qu'on appelle communément les «tracas quotidiens», semblent affecter la santé plus considérablement que les événements graves de la vie.

Comme nous l'avons dit, certains agents de stress exercent leur effet non seulement sur les individus mais également sur des collectivités et même sur des nations tout entières. Il s'agit, entre autres, du terrorisme et de la guerre, menaces terrifiantes, s'il en est, que la radio et la télé nous présentent en direct. Les grands changements que la société connaît, comme l'explosion démographique, les crises économiques et les progrès techniques, font également partie de ces agents de stress. Le stress entraîné par ces changements est d'autant plus éprouvant qu'ils se succèdent si rapidement les uns aux autres qu'ils ne laissent pas de répit.

La troisième catégorie d'agents de stress a fait l'objet d'un plus grand nombre d'études. Il s'agit d'événements occasionnels qui touchent directement l'individu, comme les décès, les naissances, les mariages, les divorces et la retraite. On inclut également dans cette catégorie les crises de la vie, décrites par Erikson, et les agents de stress plus éprouvants comme une invalidité fonctionnelle permanente ou le fardeau que représentent les soins prolongés administrés aux parents âgés et handicapés.

Le lien entre les événements de la vie et la maladie a fait l'objet de plusieurs études psychosociales. Dès 1930, Adolph Meyer a utilisé les feuilles de surveillance permanente de ses patients pour établir le lien entre les maladies et les événements critiques de la vie. Harold Wolff, qui a poursuivi le même genre de recherche, a conclu que les personnes soumises à un stress constant souffrent plus fréquemment de maladies psychosomatiques. Plus récemment, Holmes et Rahe (1967) ont mis au point des échelles d'appréciation des événements de la vie. Sur une telle échelle, chaque événement typique reçoit une valeur numérique. Ces valeurs, qui quantifient les changements qui interviennent dans la vie, permettent de prédire le risque de maladie d'après le nombre d'événements récents et d'après le résultat total obtenu. Dans ces calculs, on tient compte des événements qui dictent un changement du mode de vie ; tous ces changements sont importants, car ils exigent une adaptation. Le questionnaire portant sur les changements récents du mode de vie comprend 118 rubriques qui correspondent à des événements importants comme un décès, une naissance, un mariage, un divorce, des promotions, des disputes violentes et des vacances. Il s'agit, par conséquent, d'événements agréables et désagréables.

On peut également classer les agents de stress selon leur *durée*. Par exemple, ils peuvent être de *courte durée*, mais très *intenses* comme l'angoisse qui précède une intervention chirurgicale ou un examen de fin d'année. Il peut aussi s'agir d'une *séquence d'événements* qui ont été déclenchés par un fait marquant comme la perte d'emploi ou le divorce et dont les effets se font sentir pendant un certain temps. Les agents de stress peuvent être *intermittents* (par exemple, les disputes) ou *durables*, c'est-à-dire persistant pendant longtemps.

Nous devons également introduire ici une autre notion, à savoir le concept de soi avec ses corollaires, la maîtrise de soi et l'estime de soi. La maîtrise de soi est la capacité de rester maître de sa vie et l'estime de soi, la juste opinion sur sa propre valeur. Lorsque les agents de stress persistent pendant longtemps sans que la personne soit capable de les combattre, elle a l'impression que sa vie lui échappe, fait qui porte atteinte au concept de soi. On peut dire que le stress devient menaçant lorsque les événements de la vie et les agents de stress surviennent au moment où le concept de soi est affaibli.

Résumé : Les agents de stress menacent l'équilibre de l'individu. Chaque personne est capable de s'adapter au stress à l'intérieur de certaines limites. Si les changements qui interviennent ne l'obligent pas à aller au-delà de ses limites, elle parvient à s'y adapter sans effort particulier, mais si les changements l'obligent à franchir son seuil d'adaptabilité, l'équilibre est perdu et la personne doit essayer de s'adapter à une nouvelle situation. Elle acquiert par le fait même un nouveau niveau d'adaptation, ce qui augmente sa gamme de réactions efficaces. Pour ce qui est des agents de stress, le degré de stress qu'une personne subit dépend du nombre d'agents auxquels elle doit faire face simultanément, de ses expériences antérieures avec le même agent ainsi que du type d'agent, de son intensité et de sa durée.

Ressources internes et externes

Les ressources qui aident l'individu à faire face au stress sont ses ressources internes, c'est-à-dire sa force de caractère, les possibilités d'action qu'il peut mettre en œuvre ainsi que ses ressources externes dont les plus importantes sont ses réseaux de soutien. Grâce à ces deux types de ressources, l'individu peut réduire ou neutraliser le stress ou éviter les circonstances qui favorisent son apparition. La théorie élaborée par Lazarus met l'accent sur l'évaluation cognitive de la situation stressante et sur les stratégies d'adaptation qui permettent à l'individu d'y faire face.

Évaluation et adaptation. L'évaluation cognitive (Lazarus et Folkman, 1984) est le processus qui permet à la personne d'apprécier tout d'abord sa situation globalement (première évaluation) et, ensuite, d'inventorier les ressources et les options qui lui permettent d'y faire face (deuxième évaluation). Lors de la première évaluation, la personne doit déterminer si sa situation est stressante ou non. Dans le cas où sa situation n'est pas stressante, elle devient bénigne ou positive. Dans le cas où elle lui semble stressante, elle fait partie de l'une des trois catégories suivantes : (1) situation où l'individu subit réellement des préjudices ou des pertes ; (2) situation qui comporte une menace, c'est-à-dire situation où la personne anticipe une perte ou des torts et (3) situation qui comporte un défi, c'est-à-dire situation où elle décèle une occasion de gain ou de profit. Le degré de stress subi est en fonction du rapport entre les éléments en jeu et les ressources qui aident la personne à faire face à la situation (il s'agit, en réalité, d'une sorte d'analyse des risques et des avantages). En même temps, la personne doit procéder à une réévaluation, c'est-à-dire à l'évaluation des nouvelles informations.

Ce processus d'évaluation donne souvent naissance à une réaction de type affectif. Des émotions négatives, comme la peur, la colère et le ressentiment, accompagnent l'évaluation d'une perte ou d'un préjudice et des émotions positives, comme l'excitation ou l'impatience, accompagnent l'évaluation d'un défi. Par exemple, dans une salle de classe, les étudiants mal préparés peuvent se sentir menacés par un contrôle imprévu. Ils éprouveront de la peur, de la colère et de la rancune qu'ils manifesteront par des comportements ou des commentaires hostiles.

Selon Lazarus, l'adaptation ne va pas sans efforts au plan comportemental et cognitif. L'individu doit en effet déployer beaucoup d'efforts pour faire face à des contraintes intérieures ou extérieures spécifiques qui mettent à l'épreuve ses ressources. L'adaptation peut viser un changement affectif ou un problème. L'adaptation à dominance affective permet à la personne de se sentir mieux si elle peut soulager sa détresse. Dans le cas de l'adaptation à un problème, la personne essaie de résoudre le problème qui la perturbe. Cependant, lorsque la situation est stressante, les deux types d'adaptation sont habituellement nécessaires.

La capacité de s'adapter efficacement est déterminée par les ressources que possède la personne, c'est-à-dire ses forces intérieures comme sa santé, son énergie, sa faculté de résoudre les problèmes et ses habiletés dans le domaine social. Le sentiment de maîtriser la situation est également un facteur important. Les ressources extérieures importantes sont l'argent et les services et biens matériels qu'il permet d'obtenir. Les réseaux de soutien constituent également une ressource externe précieuse.

Ressources externes: réseaux de soutien. Les réseaux de soutien et leur influence sur l'adaptation ont fait l'objet de nombreuses études. Il a été prouvé que ces réseaux aident la personne à combattre le stress. D'après Cobb (1976), les réseaux de soutien peuvent être classés en trois catégories. Les réseaux faisant partie de la première catégorie apportent à l'individu le sentiment qu'on l'aime et qu'on se préoccupe de son bien-être. Ce genre de soutien émane le plus souvent d'une relation à deux, caractérisée par la confiance et l'attachement mutuels. Dans une telle relation, chacune des deux personnes aide l'autre à satisfaire ses besoins. Ce type d'entraide porte le nom de *soutien affectif.* Bien que le soutien affectif s'exerce surtout au sein du couple, il peut également se développer au sein de la dyade infirmière-patient.

Les réseaux de la deuxième catégorie confèrent à la personne le sentiment qu'elle est estimable et respectée. Une telle considération est plus bénéfique si elle est rendue publique et si elle prouve la position avantageuse que la personne occupe au sein d'un groupe. Elle renforce l'estime de soi de la personne, raison pour laquelle on a appelé ce type de réseau, réseau de *soutien de l'estime de soi.*

Les réseaux de la troisième catégorie confèrent à la personne le sentiment d'appartenir à un groupe envers lequel elle a des obligations. Les membres d'un tel groupe partagent tous le même sentiment d'appartenance et échangent les mêmes types d'informations, à savoir, d'abord des informations factuelles, c'est-à-dire des renseignements sur la marche des affaires, sur les personnes affectées, etc., et, ensuite, des informations implicites, qui donnent aux membres la certitude qu'ils peuvent recourir, au besoin, à certains biens ou services. Forte de l'assentiment du groupe sur ce plan, une personne peut, par exemple, appeler sans hésiter un ami proche en cas d'urgence. Cobb a insisté sur le fait que les réseaux de soutien encouragent la personne à devenir autonome au lieu de la rendre dépendante.

Le réseau de soutien commence à se développer pendant la vie intra-utérine. Il est, au départ, constitué par la mère et le père qui confèrent au fœtus le sentiment d'être aimé et englobe, par la suite, à mesure que l'enfant grandit, la famille, les amis et les relations sociales. Selon un certain nombre

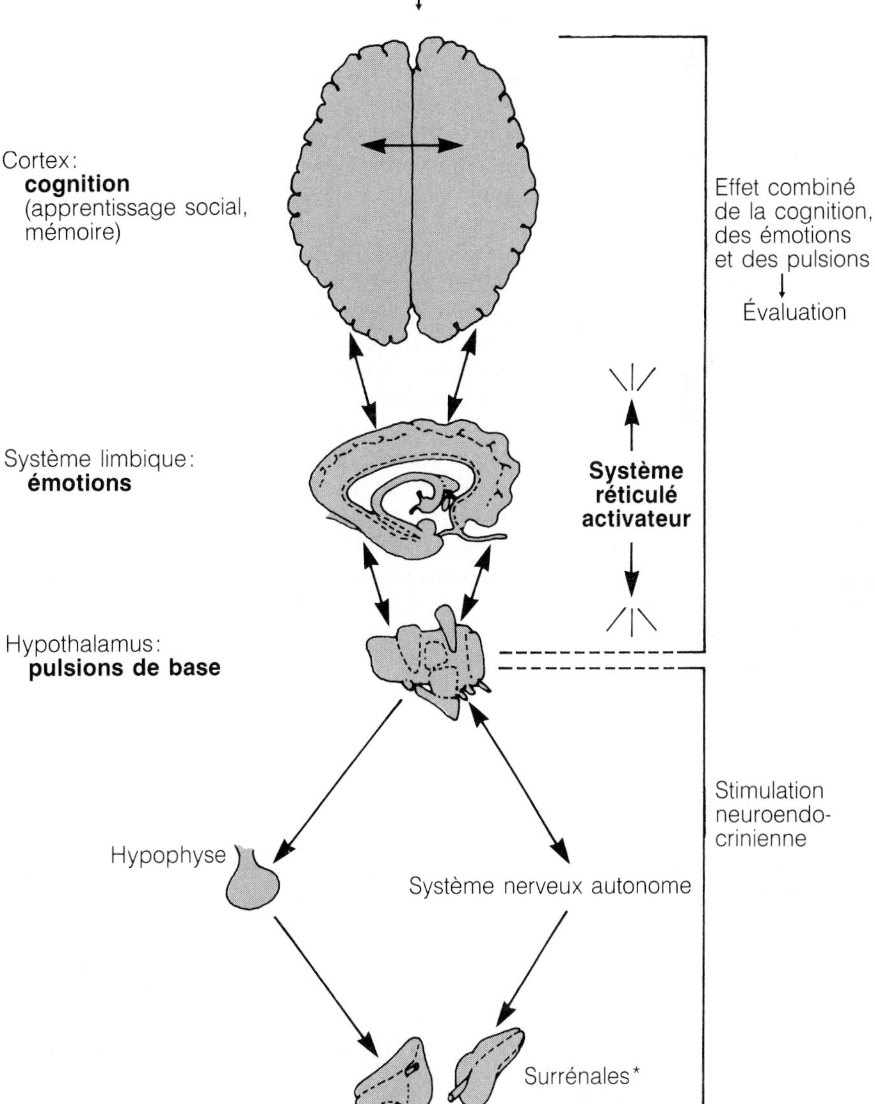

Figure 19-2. Organisation des fonctions cérébrales. Pour évaluer le changement qui apparaît dans le milieu, le cerveau s'active à trois niveaux. Le niveau le plus développé, soit le cortex, régit les émotions et les pulsions de base. La formation bulboréticulaire est un réseau de cellules qui forment un système de communication à deux sens. Elle s'étend du tronc cérébral au mésencéphale et au système limbique. À la moitié inférieure de la figure, nous décrivons la réaction à une menace perçue comme telle, à savoir une stimulation neuroendocrinienne (l'hypothalamus régule l'hypophyse et le système nerveux autonome).

* D'autres glandes sont aussi touchées par la stimulation hypophysaire; toutefois, les glandes surrénales jouent ici un rôle plus important.

de théories sociologiques sur la vie familiale, le stress et la maladie affectent plus souvent les individus dont la cellule familiale est altérée au point où il n'existe plus de hiérarchie stable ni d'autorité. Au sein d'une telle cellule familiale, le territoire de chacun est mal délimité et aucun des membres n'adopte des comportements qui témoignent d'un attachement solide.

Les réseaux de soutien encouragent la personne à manifester des comportements adaptés. Toutefois, ces comportements dépendent également de la nature du soutien social qu'on lui prête. En effet, certaines personnes peuvent avoir un grand nombre de relations et des interactions fréquentes, mais le vrai soutien ne peut être apporté que par des relations profondes. Un réseau ne peut soutenir efficacement que si ses membres échangent des informations de nature intime, s'ils se sentent tous solidaires les uns des autres et s'ils se font confiance. Brandt et Weinert (1981) et Norbeck et ses collaborateurs (1983) ont reconnu le rôle des réseaux de soutien dans le domaine des soins infirmiers et ont mis au point des questionnaires qui permettent de déterminer le type de soutien social dont les patients peuvent disposer.

RÉACTION PHYSIOLOGIQUE

Interprétation des stimuli par le cerveau. La perception du stress comprend la perception d'une sensation et son interprétation, tâches assurées par le cerveau. On a comparé le cerveau à un casino où se rencontrent des gens qui viennent de divers pays. Chaque personne apporte au casino la monnaie de son pays; pour jouer, elle doit la changer contre la monnaie qui a cours dans ce casino. De la même façon, toutes les sensations qui viennent de l'extérieur ou de l'intérieur doivent être transformées par le cerveau en impulsions électrochimiques qui constituent la «monnaie qui a cours dans le cerveau». Les différents stimuli sont enregistrés dans diverses régions du cerveau, selon des modes différents. Le cerveau les interprète et réagit en fonction de son interprétation, ce qui lui permet de régir les activités de l'organisme.

La figure 9-2 illustre un modèle d'organisation des fonctions du cerveau, organisation qui lui permet d'interpréter les divers stimuli. D'après ce modèle, l'axe hypophysosurrénalien est un système de communication et de régulation à trois niveaux. L'interprétation des besoins ou pulsions de base a lieu au niveau le moins développé, celle des émotions, à un niveau intermédiaire et celle des connaissances, au niveau le plus développé.

L'hypothalamus est situé au centre du cerveau. Il est entouré du système limbique et des hémisphères cérébraux. C'est une aire d'interprétation des mécanismes neurovégétatifs qui maintiennent constantes les concentrations de substances chimiques du milieu intérieur de l'organisme. Avec l'aide du système limbique, l'hypothalamus régit également les comportements affectifs et instinctifs. L'hypothalamus est constitué d'un certain nombre de noyaux; quant au système limbique, il contient l'amygdale, l'hippocampe et les noyaux septaux ainsi que d'autres structures. D'après les résultats de certaines recherches, chacune de ces structures réagit de façon différente aux stimuli et la réaction de chacune est caractéristique. Les hémisphères cérébraux régissent les fonctions cognitives: les opérations de la pensée, l'apprentissage et la mémoire. Le système limbique est relié aux deux hémisphères cérébraux et au tronc cérébral. Le système réticulé activateur, groupe de cellules spécialisées qui acheminent les messages dans les deux sens, s'étend du tronc cérébral au mésencéphale et au système limbique. Ce système maintient les fonctions de l'organisme pendant les périodes d'éveil. Il achemine les messages du corps vers le cortex et du cortex vers le corps. Ces messages peuvent modifier les informations reçues et leur traitement.

L'évaluation des changements du milieu qui permettent de déceler la présence d'un agent de stress est possible étant donné que la cognition, les émotions et les pulsions sont en interaction. Les émotions sont des réactions complexes qui ont des composantes de nature mentale et physique. Il s'agit des affects ou des sentiments, de la conscience des sentiments ressentis et, éventuellement, de la reconnaissance de leur cause (cognition). Sur ces réactions, se greffent aussi le besoin d'agir ainsi que des modifications au plan physique. L'évaluation cognitive de l'agent de stress détermine le type de réaction affective et son intensité.

Quel que soit le résultat de la première évaluation, la réaction est enregistrée par l'hypothalamus. Si, en fin de compte, l'agent en question n'est pas stressant, l'hypothalamus continue de maintenir l'état d'équilibre. En présence d'un agent de stress, cependant, il active les réactions du système sympathique et de l'axe hypophysosurrénalien.

Réaction neurohormonale

En réaction au stress, l'hypothalamus active la voie neurale et la voie neurohormonale. Le système nerveux sympathique décharge en premier, suivi par l'axe sympathicomédullosurrénalien. Finalement, si le stress persiste, l'axe hypothalamohypophysaire s'active également.

Réaction du système nerveux sympathique. La réaction du système nerveux sympathique est rapide et de courte durée. La noradrénaline est libérée au niveau des terminaisons nerveuses qui sont en contact direct avec leurs organes cibles respectifs entraînant une stimulation des organes vitaux et mettant tout l'organisme en éveil. La fréquence cardiaque s'élève entraînant une vasoconstriction périphérique et l'élévation de la pression artérielle. L'irrigation sanguine des organes abdominaux diminue pour assurer un débit sanguin accru aux organes vitaux (cerveau, cœur, muscles squelettiques). La glycémie s'élève également afin que l'organisme puisse disposer rapidement de l'énergie qui lui est nécessaire. Les pupilles se dilatent et l'activité mentale s'intensifie; la conscience devient plus aiguë. Grâce à la constriction des vaisseaux sanguins cutanés, les saignements dans l'éventualité d'un traumatisme seront diminués. La personne peut éprouver les sensations suivantes: froid aux pieds, peau et mains moites, frissons, palpitations et estomac noué. Généralement, elle est plus tendue et présente une raideur au niveau des muscles du cou, de la partie supérieure du dos et des épaules. Sa respiration peut être rapide et superficielle et le diaphragme est contracté.

Réaction de l'axe sympathicomédullosurrénalien. Outre son effet direct sur les principaux organes cibles, les décharges du système nerveux sympathique stimulent la portion médullaire de la glande surrénale libérant dans la circulation sanguine les neurotransmetteurs adrénaline et noradrénaline. Ces hormones prolongent et soutiennent l'activité du système nerveux central et leur activation exerce sur l'organisme un même genre d'effet. L'adrénaline et la noradrénaline stimulent le système nerveux et exercent des effets métaboliques grâce auxquels la glycémie et la vitesse du métabolisme augmentent. Au tableau 9-1, nous résumons l'effet de la réaction du système nerveux sympathique et de l'axe médullosurrénalien. Cet effet porte le nom de réaction «de lutte ou de fuite».

Réaction de l'axe hypothalamohypophysaire. L'axe hypothalamohypophysaire est engagé lorsque la réaction physiologique est de longue durée. Une telle réaction est le plus souvent suscitée par un stress persistant. L'hypothalamus sécrète le facteur de libération de la corticotrophine qui stimule l'hypophyse antérieure. En réponse à cette stimulation, celle-ci sécrète la corticotrophine qui, à son tour, stimule la corticosurrénale qui sécrète des glucocorticoïdes et, principalement, du cortisol. Le cortisol stimule le catabolisme des protéines, libérant des acides aminés. Il stimule aussi la capture des acides aminés par le foie et leur transformation en glucose (gluconéogenèse) et inhibe la capture du glucose (effet anti-insuline) par de nombreuses cellules de l'organisme, à l'exception des cellules cérébrales et hépatiques. Grâce aux effets métaboliques entraînés par le cortisol, l'organisme dispose d'une source immédiate d'énergie qu'il peut utiliser pour combattre le stress. Cet effet a cependant certaines conséquences importantes. Le diabétique qui subit un stress telle une infection, aura besoin de plus d'insuline que d'ordinaire. Chez tous les patients soumis à un stress (maladie, intervention chirurgicale, stress psychologique prolongé), le catabolisme des protéines sera plus marqué; il faudrait donc leur administrer des suppléments; chez les enfants soumis à un stress intense la croissance sera retardée.

Les glucocorticoïdes inhibent également le système immunitaire. En concentrations élevées, ils réduisent la réaction inflammatoire à une lésion ou à une infection. Dans ce cas, les étapes du processus inflammatoire sont inhibées, les lymphocytes des tissus lymphoïdes sont détruits et la production d'anticorps est ralentie. Par conséquent, la résistance de l'organisme à l'infection est réduite. L'inhibition de la réaction inflammatoire peut également constituer un avantage sur le plan pharmacologique, car le cortisol permet de traiter les réactions inflammatoires et allergiques en cas d'arthrite, d'asthme et de rejet du greffon.

Le lien entre le stress et les réactions immunitaires fait l'objet d'études dans de nouvelles disciplines, soit l'immunologie du comportement, l'immunopsychologie et la modulation immunoneurologique. Les études menées sur des animaux ont montré qu'un fort stress psychologique peut avoir un effet prononcé sur les réponses immunitaires. Les études menées chez les humains n'ont pas donné de résultats aussi concluants (surtout à cause des problèmes d'organisation de l'étude et du choix des témoins) mais les chercheurs pensent que l'esprit influence les réactions immunitaires et que les conséquences de cette influence peuvent être nuisibles pour l'hôte (Cohen, 1985).

Les effets des catécholamines (adrénaline et noradrénaline) et du cortisol sont très importants lors de la réaction générale au stress. D'autres hormones sont également libérées: l'hormone antidiurétique, par l'hypophyse postérieure et l'aldostérone, par le cortex surrénalien. L'hormone antidiurétique et l'aldostérone favorisent la rétention sodique et hydrique. Il s'agit d'un mécanisme d'adaptation en cas d'hémorragie ou de perte de liquides par une forte transpiration. On a également montré que l'hormone antidiurétique a une influence sur l'apprentissage et que, de ce fait, elle peut favoriser l'adaptation à des situations nouvelles et menaçantes. L'hormone de croissance et le glucagon stimulent la capture cellulaire des acides aminés et favorisent la mobilisation de l'énergie en réserve. La sécrétion d'autres hormones est également activée, mais leur rôle en présence d'un stress est moins évident.

La production d'endorphine, opiacé endogène, est également accrue lors d'un événement stressant et cette hormone

TABLEAU 19-1. ***Réaction de l'axe sympathicomédullosurrénalien***

Effet	*But*	*Mécanisme*
↑ Fréquence cardiaque ↑ Pression artérielle	Assurer une meilleure irrigation des organes vitaux	Débit cardiaque accru en raison d'une augmentation de la contractilité du myocarde et de la fréquence cardiaque; également, retour veineux accru (vasoconstriction périphérique)
↑ Glycémie	Fournir plus d'énergie	Glycogénolyse hépatique et musculaire accrue; également, dégradation accrue des triglycérides des tissus adipeux
↑ Activité mentale	Mettre l'organisme en état d'alerte	
Dilatation des pupilles	Aiguiser la conscience	
↑ Tension des muscles squelettiques	Préparer l'organisme à agir, diminuer la fatigue	Excitation des muscles; également élévation du débit sanguin vers les muscles au détriment des organes abdominaux
↑ Respiration (peut être rapide et superficielle)	Fournir à l'organisme de l'oxygène pour augmenter ses réserves d'énergie	
↑ Coagulation du sang	Prévenir les hémorragies en cas de traumatisme	Vasoconstriction des vaisseaux cutanés superficiels

élève le seuil de la tolérance à des stimuli douloureux. L'endorphine a également une influence sur l'humeur. Elle semble susciter l'état d'euphorie qu'éprouvent les coureurs du marathon.

Résumé: En présence d'un stress, le système nerveux sympathique et l'axe sympathicomédullosurrénalien sont généralement les premiers à réagir. Pratiquement tous les agents de stress suscitent ce type de réaction physiologique. Les réactions observables (par exemple, élévation de la pression artérielle et accélération du pouls) peuvent varier selon le cas mais la réaction neurohormonale essentielle est toujours la même. En présence d'un stress persistant, la réaction physiologique peut varier considérablement. L'axe hypothalamohypophysomédullosurrénalien sera activé dans la plupart des cas mais le mode de réaction de tout système dépendra de la nature, de la durée et de l'intensité de l'agent de stress qui persiste. Si l'exposition à un même agent de stress se prolonge, la réaction finit par s'estomper.

SELYE ET LE SYNDROME GÉNÉRAL D'ADAPTATION

Hans Selye a considérablement influencé les recherches scientifiques menées sur le stress. Puisqu'on lui doit la sensibilisation du grand public à cette notion, il est très important de comprendre sa théorie. En 1936, Selye a décrit d'abord un syndrome constitué de l'hypertrophie de la corticosurrénale, du rétrécissement du thymus, de la rate, des ganglions lymphatiques et d'autres structures lymphatiques et l'apparition d'ulcères gastroduodénaux profonds s'accompagnant d'hémorragies. Pour Selye, il s'agissait d'une réaction non spécifique à divers stimuli nuisibles. À partir de cette théorie de base, Selye a élaboré la théorie d'adaptation au stress biologique qu'il a appelée le syndrome général d'adaptation.

Phases du syndrome général d'adaptation. Le syndrome général d'adaptation se divise en trois phases: la réaction d'alarme, la résistance et l'épuisement. Pendant la première phase, la réaction d'alarme, le système nerveux sympathique s'active et déclenche la réaction de lutte ou de fuite entraînant la libération des hormones de la médullosurrénale, ce qui amorce la réaction corticotrophine-corticosurrénalienne. La réaction d'alarme est une réaction défensive et anti-inflammatoire, mais limitée dans le temps. Étant donné qu'il est impossible de vivre dans un état constant d'alarme (qui serait mortel), l'individu soumis au stress passe à la deuxième phase, soit celle de la résistance. La phase de résistance est celle de l'adaptation à l'agent d'agression. Les sécrétions de cortisol augmentent davantage. Si l'exposition à l'agent d'agression se prolonge, l'individu passe, finalement, à la troisième phase, soit celle de l'épuisement. À ce moment, l'activité hormonale s'accroît exerçant des effets délétères sur les appareils et systèmes de l'organisme (particulièrement sur les appareils circulatoire et digestif et sur le système immunitaire), effets qui peuvent s'avérer mortels. Les deux premières phases de ce syndrome se répètent à divers degrés tout au long de la vie, chaque fois que l'individu doit faire face à des agents de stress.

Selye a comparé le syndrome général d'adaptation au processus même de la vie. Au début de la vie, l'enfant doit parfois faire face à des situations de stress qui l'aident à mettre au point des stratégies d'adaptation. Pendant cette étape de sa vie, l'enfant est encore vulnérable. Parvenu à l'âge adulte, l'individu a déjà fait face à un certain nombre d'événements stressants et a pu développer une résistance, c'est-à-dire qu'il a mis au point plusieurs stratégies d'adaptation. Vers la fin de sa vie, étant donné l'accumulation des agents de stress et l'usure de l'organisme, ses capacités d'adaptation diminuent. La résistance faiblit et, finalement, la mort survient.

Syndrome local d'adaptation. Selon la théorie de Selye, il existe également un syndrome local d'adaptation. Ce syndrome est constitué de la réaction inflammatoire et des processus de réparation tissulaire qui se manifestent au siège de la lésion. Le syndrome local d'adaptation survient dans le cas de petites lésions topiques comme les piqûres de guêpes. Par ailleurs, en présence d'un stress psychologique, le cortex cérébral doit entrer en jeu. «Même si la région cible est étendue, même s'il s'agit du cortex cérébral, du métabolisme général ou du système réticulo-endothélial, il y a toujours, d'abord, une première réaction locale» (Selye, 1976b). Selon la gravité de l'atteinte, les stimuli sont acheminés vers le système nerveux afin qu'il déclenche la réaction hypothalamohypophysomédullosurrénalienne. Cette réaction, à son tour, engendre le syndrome général d'adaptation ou la réaction généralisée au stress. Les hormones du cortex surrénal sont libérées et leur effet s'ajoute à l'effet du syndrome local d'adaptation.

Selye a insisté sur le fait que le stress est une réaction non spécifique qui se manifeste en présence de tous les agents d'agression qu'ils soient physiologiques, psychologiques ou sociaux. Chaque personne donne sa propre interprétation d'un agent de stress compte tenu des conditionnements qu'elle a reçus. Le conditionnement détermine également la tolérance au stress. Certaines personnes peuvent être affectées par des maladies par inadaptation, comme l'hypertension et les migraines, et d'autres non.

Recherches récentes. Lors de ses premières recherches, Selye s'est servi d'agents physiques extrêmement puissants. Grâce aux nouvelles techniques de repérage des hormones, on a pu étudier dernièrement l'effet d'un grand nombre d'agents de stress de différentes intensités et on a ainsi pu découvrir que les réactions hormonales revêtent une multitude de formes. Ces études ont permis de comprendre que les réactions aux stimuli sont spécifiques et que chaque personne possède sa propre gamme de réactions caractéristiques du système nerveux sympathique qui se manifestent en présence de tous les types de stress. On a appelé ces réactions des réactions *spécifiques à l'individu*. D'après ces études, la réaction non spécifique n'est pas provoquée par plusieurs stimuli mais plutôt par un seul facteur psychologique. Le degré de la stimulation émotionnelle détermine l'intensité de la réaction hormonale et, par conséquent, les modes de réaction de chaque individu.

RÉACTIONS INADAPTÉES

Les mécanismes définis par Cannon et Selye servent à l'individu à s'adapter à des situations menaçantes. Ils peuvent lui être bénéfiques ou nuisibles. D'après Dubos (1965), il s'agit de traits ancestraux qui «ne sont plus adaptés à la vie des sociétés civilisées». La réaction de lutte ou de fuite, par exemple, est une réaction par anticipation qui mobilisait toutes les ressources de l'organisme de nos ancêtres et leur permettait de faire face aux prédateurs et aux autres dangers. Cette même réaction est déclenchée chez l'homme moderne par des stimuli émotionnels qui ne comportent pas de menace.

> Quelle que soit la situation, qu'elle représente un danger physique réel ou simplement une crise affective, la nature et l'intensité des changements par anticipation qu'elle déclenche dans l'organisme sont restées chez l'homme moderne à peu près identiques à ce qu'elles étaient chez son ancêtre du paléolithique*.

Si l'organisme prêt à l'action au plan physiologique n'agit pas, l'inaction a des effets frustrants et nocifs pour la santé. Par exemple, le père qui attend dans le couloir que sa femme accouche de son premier bébé peut être aussi épuisé, à la fin du travail, que la mère. En effet, l'anxiété a déclenché chez lui une réaction de lutte ou de fuite mais, étant donné qu'il ne peut ni lutter ni fuir, il est dans une situation de conflit. De ce fait, il se sent frustré et tendu et adopte divers comportements qui traduisent cet état: il arpente le couloir, transpire, etc. En réalité, il a consommé tout autant d'énergie que sa femme pendant le travail de l'accouchement. Dans ce cas, le père a quand même eu sa récompense. Mais, faute d'une telle récompense, le conflit et la frustration pourraient s'intensifier.

La réaction de lutte ou de fuite et celle de fureur stimulent l'activité de l'axe sympathicomédullosurrénalien. Lorsque cette activité est de longue durée ou excessive, l'état de stimulation prolongée favorise l'élévation de la pression artérielle, la formation de lésions artérioscléreuses et l'apparition d'une maladie cardiovasculaire. Lorsque la production d'hormones du cortex surrénal est prolongée ou extrême, on observe des modes de comportement inadaptés tels que le repli sur soi et la dépression. En outre, la réponse immunitaire est affaiblie, ce qui peut entraîner l'apparition d'infections et de tumeurs. On a établi que les deux extrêmes de l'activité endocrinienne que nous venons de décrire sont en corrélation avec une tendance à la domination excessive et à la subordination excessive.

Processus d'adaptation qui exposent à des risques de maladie

L'adaptation par elle-même peut aggraver le dysfonctionnement social, psychologique et physiologique et augmenter le risque de maladie par atteinte tissulaire directe, par exemple. Si la rançon de l'adaptation au stress est l'abus d'alcool ou de drogues, l'individu pourrait souffrir de lésions hépatiques. Une telle adaptation peut aussi mener à une dégradation de ses relations sociales et nuire à son bien-être psychologique. Le tabagisme, en tant que stratégie d'adaptation, peut provoquer des lésions pulmonaires. L'anorexie ou la boulimie peuvent avoir des conséquences graves sur la nutrition et sur le bien-être psychosocial. Toutes ces stratégies d'adaptation inefficaces peuvent augmenter la sensibilité de l'organisme à d'autres maladies.

L'adaptation peut également augmenter le risque de maladie plus indirectement. Par exemple, les personnalités de type A sont dynamiques, combatives et ambitieuses. Leur comportement traduit un mode d'adaptation sociale où le travail joue un rôle prédominant. Chez les personnalités de type A, la libération des catécholamines, les hormones de la médullosurrénale, est accrue. On peut dire que la vie d'une personnalité de type A n'est qu'une série de réactions de lutte ou de fuite.

La troisième façon d'adaptation inefficace au stress qui augmente les risques est le recours aux palliatifs. Prenons l'exemple d'une femme qui découvre une masse dans un sein mais nie la gravité de ce problème et remet à plus tard une visite chez son médecin. Même si de tels palliatifs permettent de combattre la menace dans l'immédiat, ils ne font qu'augmenter le risque de contracter des maladies plus graves en raison du fait qu'on a agi trop tard.

Les mécanismes de défense du moi sont fondamentalement des mécansimes d'adaptation, car ils permettent à l'individu de se protéger en cas de conflit. Par exemple, lorsqu'on est en colère contre quelqu'un, au lieu de faire une scène et de s'attirer des menaces ou une vengeance, dangereuses pour le concept de soi, on préfère souvent choisir un exutoire qui semble moins dangereux ou, éventuellement, faire passer la colère par une activité physique. Les mécanismes de défense du moi sont des mécanismes inconscients, c'est-à-dire qu'ils ne sont en général pas déclenchés par la volonté, bien qu'il y ait parfois des exceptions. Un conflit intérieur constant ou le refoulement perpétuel des émotions peuvent entraîner des troubles psychiques.

Indices de stress

Depuis les premières expériences dans ce domaine, la mesure des indices de stress s'est considérablement améliorée et permet actuellement de mieux comprendre ce processus complexe. Il s'agit, entre autres, des analyses des urines et du sang qui révèlent les variations des concentrations d'hormones et des produits de dégradation hormonale. Parmi les indices fiables du stress, rappelons les concentrations sanguines de catécholamines, de cortisol et de corticotrophine, et la diminution du nombre des éosinophiles. Le rapport créatine-creatinine dans le sang et l'élévation des concentrations de cholestérol et d'acides gras libres sont aussi des indices de stress, de même que le taux sérique des immunoglobulines (grâce aux progrès de l'immunoneurologie, on devrait bientôt pouvoir obtenir des mesures plus précises).

En plus de ces indices mesurables, il existe un certain nombre d'autres indices objectifs du stress, c'est-à-dire de signes que d'autres personnes ou le sujet lui-même peuvent observer. Nous donnons la liste de ces signes à l'encadré 19-1. Avec le temps, chaque personne tend à adopter un mode de comportement caractéristique en situation de stress qui avertit qu'un déséquilibre est présent. Les chercheurs ont élaboré de nombreux questionnaires qui permettent de reconnaître l'*état de stress* et également la prédisposition au stress qui fait partie des *traits* de personnalité.

Maladies par inadaptation

Les réactions au stress du système nerveux sympathique et du système endocrinien favorisent l'adaptation étant donné qu'elles permettent de rétablir l'équilibre de l'organisme.

---

* R. Dubos, *Man Adapting*, New Haven, Yale University Press, 1965, p. 30.

Encadré 19-1
Indices de stress

Irritabilité généralisée, hyperexcitation ou dépression
Sécheresse de la gorge et de la bouche
Besoin irrépressible de pleurer ou de fuir et de se cacher
Fatigue au moindre effort, perte d'intérêt
«Anxiété flottante»; sans raison ni cause explicite
Sursautement au moindre stimulus
Bégaiement ou autre trouble d'élocution
Hypermotilité; allées et venues sans raison, impossibilité de rester immobile
Signes et symptômes gastro-intestinaux: «papillons» dans le ventre, diarrhée, vomissements
Modification du cycle menstruel
Perte d'appétit ou appétit excessif
Utilisation accrue des médicaments d'ordonnance, comme des tranquillisants ou des psychotoniques
Prédisposition aux accidents
Comportement perturbé
Cœur qui bat trop fort
Comportement impulsif, instabilité affective
Incapacité de se concentrer
Déréalisation, faiblesses ou étourdissements
Tension, agitation
Tremblements, tics nerveux
Rire nerveux
Grincement des dents
Insomnie
Transpiration
Miction accrue
Tension musculaire et migraines
Douleurs dans le cou ou dans le bas du dos
Tabagisme
Toxicomanie et alcoolisme
Cauchemars

(Source: H. Selye. *Stress in Health and Disease*, Stoneham, MA, Butterworths. 1976)

Ces réactions peuvent durer quelques minutes, quelques heures ou plusieurs jours mais leur effet est réversible. Cependant, par «maladies par inadaptation» nous comprenons les maladies où la réaction au stress est le principal facteur déclenchant et où l'atteinte peut être irréversible. Nous avons jusqu'ici défini les mécanismes qui favorisent l'apparition de ces maladies. Dans les autres chapitres de ce manuel, nous expliquerons en détail chaque processus pathologique.

Selye (1976a) a dressé la liste complète des maladies provoquées par le stress:

> Hypertension, cardiopathies et maladies vasculaires, néphropathies, éclampsie, affections rhumatismales et polyarthrite rhumatoïde, maladies inflammatoires de la peau et des yeux, infections, allergies et hypersensibilité, maladies nerveuses et mentales, troubles sexuels, maladies digestives, troubles du métabolisme, cancer et troubles généralisés qui affectent la résistance de l'organisme*.

Certaines de ces maladies sont causées par des pulsions excessives d'agression, d'autres par des pulsions excessives de dépendance. Il est important de considérer les divers facteurs qui peuvent entraîner ces maladies dans une perspective holistique. La stimulation des émotions peut déclencher des réactions neurohormonales. Si la rétroaction positive se perpétue, la stimulation de la production hormonale se poursuit, les pulsions émotionnelles sont réactivées, ce qui précipite l'organisme dans un cercle vicieux. D'autres mécanismes de régulation, dont le rôle avait été secondaire, entrent en action et aggravent davantage l'état.

* H. Selye. *The Stress of Life*, New York, McGraw-Hill, 1976, pp. 169-170.

MODÈLE CONCEPTUEL DU STRESS

Comme nous l'avons vu, le stress a fait l'objet d'un grand nombre d'études. Des chercheurs spécialisés dans diverses disciplines ont élaboré de nombreuses théories pour expliquer son lien avec les maladies. Il est également d'usage d'associer le stress à ses conséquences négatives et de s'attarder à chercher des méthodes pour le combattre ignorant totalement ses effets positifs possibles (par exemple, les effets positifs de l'exercice). Le National Academy of Science's Institute of Medicine a chargé un groupe multidisciplinaire d'étudier le stress et son effet sur la santé. Le rapport de ce groupe (Elliot et Eisdorfer, 1982) contient diverses définitions du stress et propose un modèle conceptuel qui englobe une multitude d'éléments et que l'on peut utiliser, selon la discipline, pour analyser le stress sous différents angles. Le modèle comporte trois principaux éléments: le facteur d'activation potentiel, la réaction à ce facteur et les conséquences qui s'ensuivent (voir la figure 19-3). (Nous rappelons au lecteur que nous avons abordé ces notions en début de chapitre.)

Un *facteur d'activation* est «un événement ou un agent intérieur ou extérieur qui modifie l'état physique ou psychologique de l'individu» (Elliott, 1989, p. 51). Le facteur d'activation est caractérisé par son intensité, son ampleur, son évolution dans le temps et son niveau d'organisation. Le niveau d'organisation correspond à la partie de l'organisme qui est affectée, qu'il s'agisse d'une enzyme, d'un organe, d'un appareil ou de l'état psychologique global. Un *facteur d'activation potentiel* est un facteur dont on peut prédire les conséquences, un divorce ou la disparition d'un être cher, par exemple. D'après ce modèle, on définit les agents de stress comme «des facteurs d'activation suffisamment intenses ou fréquents pour produire des réactions physiques ou psychologiques importantes» (Elliott, 1989, p. 51).

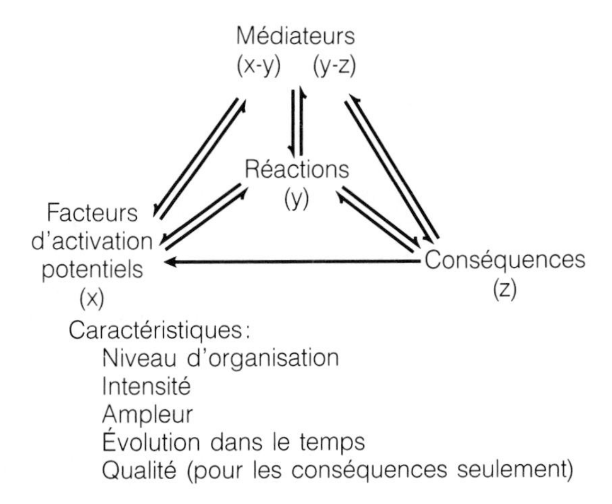

Figure 19-3. Modèle conceptuel des interactions entre l'individu et son milieu

(Source: G. Elliot et C. Eisdorfer (éditeurs). *Stress and Human Health*, New York, Springer Publishing, 1982)

Les *réactions* sont des réponses physiologiques et psychologiques déclenchées en présence d'un stress. Elles sont caractérisées, tout comme les facteurs d'activation, par leur intensité, leur ampleur, leur évolution dans le temps et leur niveau d'organisation. Par exemple, la surprise entraînera une élévation immédiate de la fréquence cardiaque, de la pression artérielle et de la fréquence respiratoire, accompagnées d'une plus grande vigilance, d'un éveil de la curiosité et, éventuellement, d'un sentiment de peur.

Il ne faudrait pas confondre les *conséquences* avec les réactions, car leur effet est cumulatif et de longue durée, tandis que celui des réactions est passager. Toutes les conséquences n'ont pas forcément une influence sur la santé. Elles peuvent être à prédominance physiologique, psychologique ou sociale. On peut les évaluer selon leur qualité (bonnes ou mauvaises, souhaitables ou indésirables) et selon les mêmes caractéristiques que les facteurs d'activation et les réactions.

Les *médiateurs* sont les caractéristiques de l'individu qui influencent sa réaction à un facteur d'activation. Il s'agit non seulement des capacités d'adaptation, mais également des réseaux de soutien de l'extérieur. Les éléments de ce modèle sont en *interaction dynamique*, car chaque partie de la séquence change constamment et subit l'influence des autres parties. Chaque séquence se reproduit à maintes reprises et différentes séquences peuvent se produire simultanément. Ainsi, une personne peut subir les conséquences d'un événement pendant qu'un nouvel événement survient. Les médiateurs, qui permettent de déterminer la séquences x-y-z, sont surtout influencés par les expériences antérieures ou par les réactions et les conséquences.

Les recherches menées sur le stress se sont constamment heurtées à la difficulté de relier la «cause» d'une maladie au stress. Par exemple, le stress professionnel peut provoquer un ulcère gastroduodénal; les difficultés d'apprentissage peuvent provoquer des migraines. Dans le modèle x-y-z, il s'agit d'une association x-z qui ne tient pas compte des étapes intermédiaires de réaction et de médiation (x-y, y-z) ou des causes réelles. L'association x-z peut être très importante, car elle permet de reconnaître les facteurs de risque ou les agents de stress qui peuvent avoir une conséquence prévisible. On a prouvé, par exemple, que sur le plan statistique, le tabagisme provoque une cardiopathie (plus de fumeurs que de non-fumeurs souffrent de cette maladie). Pour pouvoir déterminer si un facteur de risque donné est réellement celui qui déclenche la maladie, il faut réduire l'incidence du facteur de risque et analyser l'issue (comme il a été fait dans le cas du tabagisme) ou bloquer les réactions physiologiques et psychologiques qu'il suscite.

Lowery (1987) s'est servi du modèle x-y-z dont il est question ci-dessus pour examiner l'état des recherches en sciences infirmières menées sur le stress. Lyon et Werner (1987) ont passé en revue les recherches en sciences infirmières menées sur le stress en tant que stimulus, en tant que réaction et en tant que transaction. Ces deux analyses ont permis de conclure qu'il faudrait mener un grand nombre de recherches pour évaluer le stress et les stratégies d'intervention appropriées. Les auteurs ont également conclu que les recherches actuelles en sciences infirmières menées sur le stress ont connu les mêmes problèmes de méthodologie que celles menées dans les autres disciplines.

Résumé: Le stress comme la beauté est dans les yeux de celui qui regarde, c'est-à-dire que chaque personne perçoit des situations et réagit aux événements et aux changements selon ses caractéristiques personnelles, ses capacités, son expérience, son réseau de soutien extérieur et les caractéristiques de l'agent de stress en présence. La réaction au stress peut être déclenchée par des menaces réelles, possibles ou imaginaires. Elle entraîne la libération de diverses hormones selon des modes très variables. Cette réaction vise à mobiliser toutes les ressources énergétiques de la personne afin qu'elle puisse s'adapter à l'agent de stress en adoptant des stratégies efficaces.

LUTTE CONTRE LE STRESS

Les sources de stress sont omniprésentes et chaque être humain est constamment soumis au stress. Tout au long de ce manuel, nous mettrons en évidence les troubles de santé qui exposent le patient au stress. L'anxiété est l'émotion qui accompagne habituellement le stress. Lorsque l'anxiété est présente, les activités habituelles de la vie quotidienne peuvent être perturbées, par exemple, des troubles du sommeil peuvent apparaître et les habitudes alimentaires peuvent changer. Les stratégies d'adaptation peuvent s'avérer inefficaces, les opérations de la pensée peuvent être altérées et l'exercice du rôle peut se modifier. Il est donc évident qu'un grand nombre de diagnostics infirmiers sont possibles.

On a reconnu les facteurs les plus importants qui influencent les manifestations et les effets du stress tout comme les ressources intérieures et extérieures de la personne et la nature des agents de stress. Tous ces éléments doivent entrer en ligne de compte lorsque les infirmières cherchent des méthodes pour réduire et combattre le stress non seulement chez les patients, mais, également, chez elles-mêmes. Le besoin de prévenir la maladie, d'améliorer la qualité de vie et de réduire les coûts des soins rendent les efforts de promotion de la santé encore plus importants. La lutte contre le stress est un objectif de taille.

Évaluation des risques pour la santé

Pour promouvoir la santé, l'infirmière doit évaluer les risques auxquels le patient est exposé à cause de son mode de vie et lui recommander les changements nécessaires, le cas échéant. Les questionnaires sur les risques permettent d'évaluer le risque de maladies auquel est exposée une certaine personne pendant une certaine période. On part du principe que si le patient reçoit de tels renseignements, il modifiera ses comportements (par exemple, il arrêtera de fumer, il se soumettra à des examens périodiques de dépistage) dans le but d'améliorer son état de santé. À l'aide des questionnaires, on peut recueillir les différentes données suivantes:

1. Données démographiques: âge, sexe, race, origine ethnique
2. Antécédents personnels et familiaux de certaines maladies
3. Mode de vie
   - Alimentation, sommeil, exercice, tabagisme, consommation d'alcool et pratiques de conduite automobile
   - Agents de stress professionnels
   - Exercice du rôle, relations et agents de stress connexes
4. Données physiques
   - Pression artérielle
   - Taille, poids
   - Analyses du sang et des urines
5. Appartenance à un groupe à risque élevé, par exemple une famille ayant des antécédents de cancer.

On compare les données personnelles avec les données sur les risques recueillies chez la population moyenne, on définit les facteurs de risque et on les évalue. À partir de cette analyse, on détermine l'âge de la personne et le nombre d'années pendant lequel elle a été exposée au risque et on dresse la liste des principaux facteurs qui menacent sa santé. Une fois que la personne apporte dans sa vie les changements qu'on lui a proposés, en comparant de nouveau les données recueillies à celles provenant de la population moyenne, on peut déterminer de combien d'années son espérance de vie pourrait se prolonger approximativement (si elle observe les changements proposés). Jusqu'à présent, les recherches n'ont pas pu prouver que les gens sont prêts à modifier leurs comportements même si on leur fournit de tels renseignements.

Soins infirmiers

Bien que la collecte de données comme celles que nous venons de décrire fasse partie du bilan de santé du patient, l'analyse des risques par rapport à un groupe témoin n'est pas une démarche courante. Cependant, l'élaboration d'une telle base de données est essentielle, car ce n'est que grâce à elle que l'infirmière pourra obtenir les renseignements essentiels qui lui permettront de prendre des décisions quant aux soins à dispenser au patient.

Afin de prévenir l'apparition des maladies et de réduire le stress, les infirmières devraient faire une évaluation des risques auxquels est exposé le patient et lui prodiguer un enseignement qui l'incitera à adopter les comportements qui lui permettront de rester en bonne santé. Les patients qui connaissent des troubles de santé subissent *déjà* un certain degré de stress. Dans leur cas, l'infirmière peut *prévoir* les changements d'après leur réaction au stress. Par exemple, le patient ayant subi une intervention chirurgicale présentera des modifications hydroélectrolytiques correspondant à sa réaction neurohormonale générale. On doit préciser que cette réaction a un effet de boule de neige. Bien qu'elle n'affecte pas directement le rein, la vasoconstriction induite par la réaction au stress peut diminuer le débit sanguin rénal. De ce fait, le système rénine-angiotensine sera stimulé entraînant une augmentation des concentrations d'aldostérone, accompagnée d'une rétention hydrosodique. Sur le plan psychosocial, si dans des situations de stress la personne se replie sur elle-même et devient placide, on peut prévoir qu'elle adoptera le même comportement après l'intervention chirurgicale.

Stratégies d'adaptation

Il faut se rappeler que l'être humain est en constante interaction avec son milieu intérieur et extérieur. On peut, par conséquent, avancer comme hypothèse que les changements qu'il subit sont constants et qu'ils favorisent sa croissance psychosociale et physiologique. La réaction au changement ne peut se faire sans une dépense d'énergie. Cette énergie doit cependant être utilisée judicieusement pour ne pas épuiser toutes les réserves de l'organisme, ce qui revient à dire qu'il faut adopter face au stress des stratégies d'adaptation efficaces.

Nous avons expliqué auparavant que l'adaptation peut être orientée vers deux plans:

- les *émotions* pour réduire la détresse affective, par exemple, se soustraire à l'agent de stress, lui accorder moins d'importance, prendre ses distances par rapport à lui, ignorer son existence;
- le *problème* et la recherche d'une solution, par exemple, définir le problème, trouver des solutions de rechange, évaluer les différentes solutions et agir.

Deux interventions infirmières visent à améliorer la capacité d'adaptation du patient. La première consiste à lui fournir des renseignements d'ordre sensoriel et la deuxième, à lui prodiguer l'enseignement nécessaire pour lui permettre d'affronter la situation prévue (examen diagnostique ou intervention chirurgicale). Leventhal et Johnson (1983) ont mené des recherches d'envergure sur ces deux interventions infirmières. Ils ont mis en pratique la théorie d'après laquelle les patients acquièrent le sentiment d'avoir une emprise sur les événements lorsqu'ils reçoivent des renseignements leur permettant de se former des images à propos de leur situation. Si l'infirmière décrit au patient les sensations prévisibles (par exemple, sensation d'étirement, de brûlure, de pression), lui explique la démarche utilisée et l'incite à adopter les comportements souhaitables (respirer profondément, tousser, changer de position, faire certains exercices), sa détresse sera moindre et les résultats obtenus meilleurs (moins de douleur, meilleure humeur, besoin moindre d'analgésiques et rétablissement plus rapide). Durant les études, les chercheurs ont analysé ces techniques seules et en présence de différentes menaces de courte ou de longue durée (examens diagnostiques et interventions chirurgicales). Les résultats obtenus ont été complexes et ont montré qu'il fallait tenir compte du fait que chaque individu perçoit le stress et le combat à sa façon.

Entre autres, Leventhal et Johnson ont découvert que l'association d'information sensorielle à l'enseignement postopératoire n'était pas toujours efficace. Par exemple, si on présente une nouvelle stratégie d'adaptation à un patient qui n'en avait aucune, l'enseignement est efficace. Par contre, si le patient possède déjà une stratégie d'adaptation, toute nouvelle stratégie semble entrer en conflit avec l'ancienne. Les chercheurs ont constaté que chez le patient qui a essayé d'adopter une nouvelle stratégie au lieu de se servir de ses anciennes stratégies, le rétablissement a été retardé, particulièrement après le retour à la maison. Les stratégies d'adaptation spécifiques seraient plus efficaces lorsque les événements sont de courte durée. Dans ce cas également, les différences entre les individus sont très importantes.

Cette recherche est utile à l'infirmière, car elle l'aide à décider quel patient pourra profiter le plus des renseignements qu'elle fournit. Elle l'aide également à fixer des objectifs réalistes et à établir des critères spécifiques qui lui permettront d'évaluer ses interventions.

Lors de la collecte de données sur les facteurs de risque, l'infirmière peut déterminer les agents de stress auxquels le patient sera exposé. Cependant, pour combattre efficacement le stress, le patient doit se montrer motivé et prêt à prendre en charge ses tâches d'autosoins. Par conséquent, le patient doit participer activement et de son plein gré à l'évaluation et à la reconnaissance de ses sources de stress afin de pouvoir mieux le combattre. Dans un même temps, l'infirmière devrait évaluer les sources où le patient peut puiser son énergie et fonder sur elles ses interventions. Ce n'est qu'ainsi qu'elle pourra aider le patient à renforcer son estime de soi et ses comportements positifs.

Méthodes de réduction du stress

Un grand nombre de méthodes qui aident à réduire le stress sont bien connues par le public. Il ne faut cependant pas oublier que chaque personne dispose de son propre mode de réaction au stress et de sa propre méthode pour le combattre. D'après Bulechek et McCloskey (1985), trois interventions infirmières favorisent la réduction du stress: la relaxation, la réévaluation cognitive et la musicothérapie. Sutterley et Donnelly (1981) ont défini des catégories d'activités d'autorégulation du stress: l'alimentation, l'exercice, les activités physiques et la détente; la kinésiologie et le contrôle musculaire; la méditation et la visualisation créative; la communication et la gestion du temps; le recours aux groupes d'entraide et aux réseaux de soutien.

Une bonne alimentation, un repos adéquat et des exercices réguliers permettent d'améliorer le bien-être du patient et de renforcer sa résistance aux agents de stress. Les exercices réguliers lui permettent de contrôler son poids, de diminuer sa fatigue et son abattement et d'augmenter sa tolérance à l'effort, particulièrement dans le cas des patients souffrant d'angine de poitrine et de maladie artérielle périphérique. D'après certaines études, l'exercice physique peut prévenir les crises cardiaques et l'athérosclérose prématurée. Plus personne ne remet en question l'utilité des activités de plein air et des loisirs.

Biorétroaction. La biorétroaction permet de gagner un certain degré d'emprise sur le système nerveux sympathique par le contrôle mental. Grâce à lui on peut réduire la pression artérielle et la fréquence cardiaque et prévenir l'apparition de divers troubles comme les migraines. On utilise certains types d'appareils électroniques pour surveiller les fonctions biologiques comme la mesure de la conduction de la peau à l'aide d'appareils qui déterminent la réponse galvanotonique. L'appareil émet des signaux qui sont amplifiés et transmis à la personne qui essaie alors de modifier consciemment ses réactions. Par exemple, en se détendant et en essayant de diminuer la moiteur de ses paumes, la personne peut doser l'intensité des signaux et gérer, par la même voie, le fonctionnement biologique de son organisme. Grâce à la pratique et au renforcement, la personne apprend à maîtriser ses fonctions biologiques sans l'aide de l'appareil. Certaines personnes souffrant de migraine ont mis au point une méthode qui consiste à penser que «leurs mains sont chaudes» et ont ainsi réussi théoriquement à diriger le flot sanguin de la tête vers les mains. L'efficacité à long terme de ces méthodes reste encore à prouver.

Relaxation. La relaxation est un état de calme qu'on oppose à l'état de stimulation provoqué par le stress. Les éléments qui concourent à la relaxation sont un cadre paisible, une position confortable et une attitude passive. Pour réduire le stress, il suffit de pratiquer la relaxation pendant 15 à 20 minutes, une ou deux fois par jour. D'autres techniques, comme la méditation et le yoga, favorisent également la relaxation. On peut également obtenir le même résultat en se concentrant sur le bruit d'un ruisseau ou en écoutant une musique agréable. La relaxation progressive est une combinaison d'exercices de contraction et de détente des groupes musculaires qui permet à la personne de comparer les deux états. La séance se termine par un exercice de relaxation de tout le corps.

On peut également utiliser d'autres techniques, comme le massage. Il a été prouvé que le massage du dos par légers tapotements peut être très efficace chez les patients dont la stimulation physiologique et psychologique est élevée. L'infirmière devrait enseigner au patient la relaxation dans le cas des diagnostics suivants: anxiété, perturbation des habitudes de sommeil, mode de respiration inefficace, stratégies d'adaptation inefficaces et douleur.

Elle devrait aussi déterminer la méthode qui aide le plus le patient à combattre le stress et l'inciter à l'utiliser régulièrement.

Réseaux de soutien. Nous avons déjà parlé de l'importance des réseaux de soutien dans le combat du stress. Pour mieux préciser cette notion, il faut comprendre que les fonctions des réseaux de soutien sont les suivantes:

- maintenir une identité sociale positive;
- fournir un soutien affectif;
- dispenser une aide matérielle tangible et des services concrets;
- renseigner;
- faciliter les contacts et aider à exercer de nouveaux rôles dans la société.

Les émotions générées par le stress, soit l'anxiété, la peur et la culpabilité, sont difficiles à vivre et s'intensifient souvent faute d'interventions. Le soutient affectif des membres de la famille et des personnes clés font prendre conscience au patient qu'il est entouré et qu'on essaie de l'aider. Une communication ouverte et la verbalisation des sentiments aident souvent le patient à reprendre la situation en main. Les infirmières peuvent soutenir le patient dans ce sens. Il est cependant nécessaire de déterminer le réseau de soutien dont le patient dispose et de l'encourager à y recourir. Les solitaires qui, en présence du stress, ont tendance à s'isoler ne peuvent pas utiliser efficacement leur réseau de soutien.

L'anxiété peut également entraver les facultés mentales. Le champ perceptuel rétrécit, les pensées se brouillent et la vision de la réalité est déformée. Pendant un temps, ces stratégies sont efficaces, car elles aident la personne à supporter la menace et à intégrer éventuellement de mauvaises nouvelles. Toutefois, à la longue, il faut regarder la réalité en face et rechercher des renseignements et des conseils pour analyser la menace, et mettre au point une stratégie efficace pour la combattre. Encore une fois, grâce à l'aide de son entourage, la personne qui se trouve en difficulté pourra garder la maîtrise de la situation et conserver l'estime de soi.

Plus personne ne s'aviserait à mettre en doute l'utilité des groupes d'entraide. Il s'agit, entre autres, de groupes de parents d'enfants leucémiques, de groupes de stomisés, de groupes de patientes ayant subi une mastectomie, de groupes de cancéreux et de groupes de patients ayant d'autres maladies graves. Il existe aussi des groupes de parents célibataires, d'alcooliques anonymes et de conjoints d'alcooliques ou de toxicomanes ainsi que des groupes dont les membres ont subi des mauvais traitements. Tous ces groupes sont formés de personnes ayant vécu des expériences semblables. Les groupes d'entraide jouent un rôle très important au sein des collectivités. Le fait d'appartenir à un groupe dont les membres ont tous des problèmes semblables au sien permet à l'individu de soulager ses tensions et favorise l'expression des émotions, la mise en commun des idées et les échanges enrichissants. Il existe également des groupes de rencontre et des groupes où on apprend la confiance en soi ou l'introspection qui aident les participants à modifier leurs comportements habituels.

L'évolution du cerveau chez l'être humain a mené à la formation d'un réseau de neurones extrêmement souples qui lui permettent de modifier son comportement. Grâce à lui, il peut faire des choix éclairés et adopter les stratégies qui lui permettent de survivre. L'infirmière peut jouer un rôle très important par l'influence qu'elle exerce sur ces choix.

RÉSUMÉ

Il a été reconnu que le stress peut produire des effets psychologiques et physiologiques qui nuisent à la santé. Toute maladie s'accompagne habituellement d'un certain degré de stress. L'infirmière doit évaluer et diagnostiquer l'état de santé du patient (c'est-à-dire son mode de vie, ses activités d'autosoins, ses pratiques hygiéniques, ses stratégies d'adaptation et les ressources dont il dispose). Elle doit aussi l'aider à combattre le stress en lui enseignant des méthodes efficaces. Les méthodes qui permettent de combattre le stress sont, entre autres, la relaxation et les techniques psychopédagogiques qui permettent d'augmenter le contrôle mental. On peut également diminuer les effets du stress en recourant aux réseaux de soutien ainsi qu'aux groupes d'entraide, et en adoptant un mode de vie adéquat et de bonnes pratiques d'hygiènes.

Bibliographie

Ouvrages

Asterita MF. The Physiology of Stress. New York, Human Sciences Press, 1985.

Bulechek GM and McCloskey JC. Nursing Interventions: Treatments for Nursing Diagnoses. Philadelphia, WB Saunders, 1985.

Cheren S (ed). Psychosomatic Medicine: Theory, Physiology, and Practice (2 vols). Madison, CT, International Universities Press, 1989.

Dubos R. Man Adapting. New Haven, CT, John Wiley & Sons, 1965.

Elliott G. Stress and illness. In Cheren S (ed). Psychosomatic Medicine: Theory, Physiology, and Practice (2 vols). Madison, CT, International Universities Press, 1989.

Elliott G and Eisdorfer C (eds). Stress and Human Health. New York, Springer Publishing Co, 1982.

Groer MW and Shekleton ME. Basic Pathophysiology: A Conceptual Approach, 3rd ed. St Louis, CV Mosby, 1989.

Guyton AC. Textbook of Medical Physiology. Philadelphia, WB Saunders, 1986.

Lazarus RS and Folkman S. Stress, Appraisal, and Coping. New York, Springer Publishing Co, 1984.

Leventhal H and Johnson JE. Laboratory and field experimentation: Development of a theory of self-regulation. In Wooldridge PJ et al (eds). Behavioral Science and Nursing Theory. St Louis, CV Mosby, 1983.

Marriner A (ed). Nursing Theorists and Their Work. St Louis, CV Mosby, 1986.

Milsum JH. Health, Stress, and Illness: A Systems Approach. New York, Praeger, 1984.

Monat A and Lazarus RS (eds). Stress and Coping. New York, Columbia University Press, 1985.

Pelletier KR. Mind as Healer, Mind as Slayer. New York, Dell, 1977.

Restak RM. The Brain. New York, Bantam Books, 1984.

Selye H. The Stress of Life. New York, McGraw-Hill, 1976a.

Selye H. Stress in Health and Disease. Boston, Butterworths, 1976b.

Selye H (ed). Selye's Guide to Stress Research. New York, Van Nostrand Reinhold, 1980.

Sutterley DC and Donnelly GF (eds). Coping with Stress. Rockville, MD, Aspen Systems, 1981.

Vander AJ, Sherman JH, and Luciano DS. Human Physiology: The Mechanisms of Body Function. New York, McGraw-Hill, 1985.

Weiner H and Fawzy FI. An integrative model of health, disease, and illness. In Cheren S (ed). Psychosomatic Medicine: Theory, Physiology and Practice (2 vols). Madison, CT, International Universities Press, 1989.

Wolf SW and Goodell H. Harold Wolff's Stress and Disease. Springfield, IL, Charles C Thomas, 1968.

Wooldridge PJ et al (eds). Behavioral Science & Nursing Theory. St Louis, CV Mosby, 1983.

Revues

Les articles de recherche en sciences infirmières sont marqués d'un astérisque.

* Brandt P and Weinert C. The PRQ—A social support measure. Nurs Res 1981 Sep/Oct; 30/(5):277-280.

Burckhardt CS. Coping strategies of the chronically ill. Nurs Clin North Am 1987 Sep; 22(3):543-551.

Cobb S. Social support as a moderator of life stress. Psychosom Med 1976 Sep/Oct; 38(5):300-314.

Cohen JJ. Stress and the human immune response: A critical review. J Burn Care Rehabil 1985 Mar/Apr; 6(2):167-173.

Crosby LJ. Stress factors, emotional stress and rheumatoid arthritis disease activity. J Adv Nurs 1988 Jul; 13(4):452-461.

Doswell WM. Physiological responses to stress. Annu Rev Nurs Res 1989; 7:51-70.

Fagin CM. Stress: Implications for nursing research. Image: Journal of Nursing Scholarship 1987 Spring; 19(1):38-42.

Folkman S and Lazarus RS. The relationship between coping and emotion: Implications for theory and research. Soc Sci Med 1988; 26(3):309-317.

Folkman S et al. Age differences in stress and coping processes. Psychol Aging 1987 Jun; 2(2):171-184.

Holmes TH and Rahe RH. The social readjustment rating scale. J Psychosom Res 1967 Aug; 11:213-218.

Illness and stress. ANS 1989; 11(2) (Entire issue).

Johnson JE and Lauver DR. Alternative explanations of coping with stressful experiences associated with physical illness. Adv Nurs Sci 1989; 11(2): 39-52.

Lambert CE and Lambert VA. Hardiness: Its development and relevance to nursing. Image: Journal of Nursing Scholarship 1987 Summer; 19(2): 92-95.

Lindeman CA. Patient education. Annu Rev Nurs Res 1989; 7:199-212.

Lowery BJ. Stress research: Some theoretical and methodological issues. Image: Journal of Nursing Scholarship 1987 Spring; 19(1):42-46.

Lyon BL and Werner JS. Stress. Annu Rev Nurs Res 1987; 6:3-22.

* Manfredi C et al. Perceived stressful situations and coping strategies utilized by the elderly. J Community Health Nurs 1987; 4(2):99-110.

Mason JW. A historical view of the stress field, Part I. J Hum Stress 1975a Mar; 1(1):6-12.

Mason JW. A historical view of the stress field, Part II. J Hum Stress 1975b Jun; 1(2):22-36.

*McNett S. Social support, threat, and coping responses and coping effectiveness in the functionally disabled. Nurs Res 1987 Mar/Apr; 36(2): 98-103.

Norbeck JS. Social support. Annu Rev Nurs Res 1988; 6:85-110.

Norbeck JS, Lindsey AM, and Carrieri VL. Further development of the Norbeck Social Support Questionnaire: Normative data and validity testing. Nurs Res 1983 Jan/Feb; 32(1):4-9.

Orshan SA. Pain and stress management in nursing: Controversy and theory. Holistic Nurs Pract 1988 May; 2(3):9-16.

Pearlin LI et al. The stress response. J Health Soc Behav 1981 Mar; 22: 337-356.

Pollock SE. Adaptation to chronic illness. Nurs Clin North Am 1987 Sep; 22(3):631-644.

Ryan MC and Austin AG. Social supports and social networks in the aged. Image: Journal of Nursing Scholarship 1989 Fall; 21(3):176-180.

Shaver, JF. A biopsychosocial view of human health. Nurs Outlook 1985 Jul/Aug; 33(4):186-191.

Social support. ANS 1988 Jan; 10(2).

Sutterley DC. Stress management: Grazing the clinical turf. Holistic Nurs Pract 1986 Nov; 1(1):36-53.

* Toth JC. Stressors affecting older versus younger AMI patients. Dimens Crit Care Nurs 1987 May/Jun; 6(3):147-157.

* Walker SN, Sechrist KR, and Pender NJ. The health-promoting lifestyle profile: Development and psychometric characteristics. Nurs Res 1987 Mar/Apr; 36(2):76-81.

Woods NF. Women's health. Annu Rev Nurs Res 1989; 7:209-236.

20

RÉACTIONS HUMAINES FACE À LA MALADIE

SOMMAIRE

OBJECTIFS D'APPRENTISSAGE

Après avoir étudié ce chapitre, vous devriez être en mesure de réaliser ce qui suit:

1. *Reconnaître les phases de la maladie et le rôle que l'infirmière doit jouer lors de chacune de ces phases.*
2. *Expliquer la signification du besoin du patient de se trouver une appartenance, d'avoir une emprise sur sa situation et de recevoir de l'affection pendant qu'il essaie de s'adapter à la maladie.*
3. *Préciser les stratégies que l'infirmière peut adopter pour aider le patient à construire et à maintenir une image de soi et une image corporelle positives.*
4. *Expliquer les réactions affectives qui peuvent se manifester pendant l'adaptation à la maladie soit l'anxiété, la colère, l'hostilité, le chagrin, la tristesse et l'espoir.*
5. *Appliquer la démarche de soins infirmiers pour intervenir auprès des patients qui manifestent des réactions émotionnelles à la maladie et au traitement, à savoir l'anxiété, la colère, l'hostilité, le chagrin, la tristesse et l'espoir.*
6. *Déterminer la signification de la modification de l'exercice des rôles entraînée par la maladie.*
7. *Déterminer les actes infirmiers qui favorisent l'adoption de stratégies d'adaptation efficaces.*
8. *Préciser dans quelle mesure la communication thérapeutique et la relation infirmière-patient peuvent aider ce dernier à faire face efficacement à la maladie.*
9. *Reconnaître les moyens par lesquels les infirmières peuvent surmonter leurs propres réactions émotionnelles suscitées par l'interaction avec les patients et leur famille au cours de la phase critique de la maladie.*
10. *Préciser les stratégies qui aideront l'infirmière à dispenser ses soins aux patients qui présentent des problèmes cognitifs, affectifs et comportementaux ou qui manifestent des réactions psychosomatiques.*

La plupart des gens ne s'attendent jamais à tomber malades ni à être victimes d'accidents les obligeant à modifier leur mode de vie. Le principal espoir nourri par les Nord-Américains est qu'eux-mêmes ainsi que leur famille vivront longtemps et en bonne santé. Pourtant, à n'importe quel point du continuum qui mène de la vie à la mort, ils risquent de subir des altérations pénibles ou douloureuses de leur état de santé.

La maladie éveille un grand nombre de réactions et de sentiments stressants comme la frustration, l'anxiété, la colère, le déni, la honte, le chagrin et l'incertitude. Les patients et leur famille doivent s'adapter aux contraintes imposées par les différentes phases de la maladie. À cause de symptômes douloureux et pénibles, ils doivent se soumettre à un grand nombre d'examens diagnostiques et de traitements médicaux. Souvent, le pronostic, les modifications corporelles et les réactions d'autrui font craindre le pire. L'hospitalisation fait partie des principaux agents de stress, bien qu'elle soit nécessaire et qu'elle puisse souvent sauver la vie du patient. En effet, le patient qui doit être hospitalisé se retrouve dans un milieu inconnu et souvent effrayant où il se sent vulnérable et impuissant. En cas de maladie aiguë, il faut agir instantanément; en cas de maladie chronique, le patient doit apporter des modifications complexes à son mode de vie et faire face à un avenir incertain.

La personne malade est souvent sensible et vulnérable. Sa vie toute entière est changée, tout au moins pendant un certain temps. Elle doit affronter les souvenirs du passé tout en essayant de s'adapter à la réalité du présent et de prévoir l'avenir. Elle doit aussi remettre en cause son identité et se poser des questions sur la mort, la dépendance et la confiance en autrui.

Dans la vie du patient, l'infirmière prend alors une place prépondérante. Lorsqu'elle fait preuve d'empathie, de sensibilité et d'intelligence, elle l'aide souvent à se sentir en sécurité et à maintenir son intégrité et son estime de soi. Elle doit, par ailleurs, aider les patients et leur famille à s'adapter à la phase critique de la maladie.

Une maladie ou un accident graves ne provoquent pas que gêne ou douleur physique. Les objectifs du patient, ses relations familiales, son travail, ses revenus, sa mobilité, son image corporelle et son mode de vie peuvent changer du tout au tout. Que ces changements soient passagers ou permanents, la personne vit une crise qui affecte sa famille, ses amis et le personnel soignant. Ses exigences d'ordre affectif vis-à-vis de l'infirmière sont souvent démesurées et épuisantes. Faute d'une bonne compréhension de la situation et de stratégies efficaces d'adaptation, leur effet, à la longue, peut la submerger et entraîner chez elle des problèmes professionnels et personnels.

Afin de pouvoir aider de manière optimale le patient, sa famille et les autres membres du personnel et s'aider elle-même, l'infirmière doit connaître:

- les phases habituelles de la maladie et les diverses réactions émotionnelles qu'elle entraîne;
- les principales tâches à mener à bien pour favoriser l'adaptation aux effets d'un accident ou d'une maladie graves;
- les stratégies d'adaptation typiques utilisées par les patients et leur famille;
- les facteurs psychologiques et sociaux qui favorisent ou empêchent l'adaptation;
- ses propres réactions aux divers agents de stress et sa façon de les combattre.

PHASES DE LA MALADIE

La transition de la santé à la maladie est une expérience complexe et très personnelle. Outre le rétablissement de son équilibre physiologique, le malade doit accomplir deux tâches primordiales: (1) modifier son image corporelle, son concept de soi, ses relations avec autrui et ses conditions de travail et (2) s'adapter de façon réaliste aux contraintes imposées par sa maladie. La personne doit commencer à accomplir ces deux tâches dans le milieu où elle suit son traitement.

Dans la plupart des cas, le cycle santé-maladie comporte trois phases: (1) la transition de la santé à la maladie, (2) la période «d'acceptation» de la maladie et (3) la convalescence. La durée et la qualité de l'expérience varient selon la personnalité de chacun, la maladie dont il souffre et les modifications qui interviennent dans sa vie.

Première phase

L'apparition de symptômes s'accompagne habituellement de sensations désagréables, d'une perte de vigueur et d'énergie et d'une détérioration des capacités fonctionnelles. Certains symptômes, tels que des douleurs thoraciques, l'indigestion et les céphalées, peuvent devenir plus fréquents et plus intenses. L'anxiété est souvent présente et, pour la surmonter, le patient doit se servir de ses mécanismes habituels d'adaptation. Pour ne pas penser à leur maladie, certains individus peuvent se plonger dans diverses activités et travailler ou s'étourdir jusqu'aux petites heures du matin. D'autres peuvent devenir passifs et se replier en attendant que les symptômes vagues finissent par disparaître. D'autres, enfin, peuvent atermoyer avant de demander des soins par peur du diagnostic, particulièrement s'ils redoutent une maladie grave comme le cancer. Pendant cette phase initiale, l'anxiété, la culpabilité, la honte et le déni occupent le champ du conscient.

Si les symptômes persistent, la personne finit par consulter un médecin. Ses sentiments par rapport à l'examen physique et les examens diagnostiques peuvent être ambivalents. Elle pourrait ne pas suivre les recommandations initiales du médecin ou ne pas prendre le médicament qui lui a été prescrit. Certains patients vont d'un médecin à l'autre avec l'espoir de s'entendre dire que le diagnostic antérieur était faux.

La personne qui est victime d'une maladie soudaine, comme un infarctus du myocarde ou un accident vasculaire cérébral, perd instantanément la santé. Sa première crainte est que l'aide n'arrivera pas à temps ou que les professionnels de la santé, qu'elle ne connaît pas et dont sa vie dépend, ne seront pas suffisamment compétents. Les membres de sa famille nourrissent les mêmes craintes sans avoir le temps d'envisager des solutions de rechange. L'appréhension s'exprime par des exigences abusives, le déni de la réalité, le refus de coopérer ou d'accepter le traitement proposé, le repli sur soi et les suspicions concernant la motivation de ceux qui essaient d'aider et les méthodes qu'ils utilisent. Pour atténuer de telles réactions, l'infirmière aurait avantage à contacter les proches parents, les personnes clés dans la vie du patient ou son médecin traitant. Pour convaincre le patient que les soins qu'il reçoit sont appropriés, elle devrait lui expliquer calmement les méthodes qu'on doit utiliser et lui prouver sa compétence.

Lorsque le patient et sa famille sont en état de choc, lorsqu'ils se montrent incrédules ou lorsqu'ils nient l'existence de la maladie, l'infirmière peut les aider en les écoutant sans pour autant les confirmer dans leur déni ni les critiquer d'une quelconque façon. Elle doit plutôt accepter le fait que c'est le moyen qu'ils doivent prendre pour s'adapter à la situation présente. Elle doit aussi leur prouver qu'elle est une professionnelle qui est prête à les comprendre et à les soutenir. Elle doit, par ailleurs, aider le patient à s'orienter dans son entourage immédiat et répondre à ses questions du mieux qu'elle peut.

Deuxième phase

Pendant la deuxième phase, la personne accepte sa maladie. Elle admet qu'elle est malade et qu'elle doit recevoir d'une aide extérieure, surtout de la part du personnel médical et infirmier. Pendant un certain temps, elle doit adopter le rôle du patient, c'est-à-dire qu'elle doit renoncer à ses responsabilités habituelles et collaborer avec l'équipe soignante dans le but de se rétablir. Au cours de cette phase, le patient commence à se préoccuper de lui-même, de ses symptômes et de son traitement tout en s'intéressant moins aux événements courants. Même les soucis au sujet de sa famille et de ses amis pourraient moins l'accaparer. La dépendance augmente et s'accompagne de préoccupations d'ordre somatique. On dit souvent qu'il s'agit d'un comportement de régression, étant donné que le patient reprend ses rôles, ses comportements affectifs et ses formes de relations antérieurs.

Cependant, un certain degré de régression est nécessaire afin que le patient se donne le droit de se reposer, de manger les aliments qui lui ont été recommandés, de dormir et de guérir. Mais pour la personne qui est habituée à l'autonomie, une telle dépendance est difficile à supporter. Elle se sent si menacée qu'elle continuera à nier sa maladie ou à refuser le traitement prescrit. Elle poussera son corps au-delà de ses limites physiques et abandonnera le traitement prématurément. Par contre, le patient à qui la dépendance procure des avantages essaiera de la prolonger indéfiniment. On parle dans ce cas de *gain secondaire* ou d'*hospitalitisme*.

En présence d'une maladie aiguë, le besoin d'aide est considérable. Il faut, par conséquent, évaluer de façon réaliste la phase de la maladie où le patient se trouve ainsi que son besoin d'être dépendant et de recourir à une personne digne de confiance qui est prête à l'aider. L'infirmière qui s'occupe du même patient pendant une période prolongée devrait évaluer son propre besoin de tenir autrui sous sa dépendance. Elle devrait aider le patient à traverser les phases de la maladie de façon à ce qu'il redevienne autonome et capable de se prendre en charge.

Au cours de la phase d'acceptation de la maladie, le patient peut exprimer sa colère, sa culpabilité et son ressentiment. Il peut se montrer très critique à l'égard des soins et des traitements médicaux qu'il reçoit ainsi qu'à l'égard des gens dont il dépend. L'infirmière devrait comprendre qu'il s'agit de la réaction normale d'une personne qui essaie de faire face à la situation. Elle devrait aussi essayer de comprendre les sentiments du patient et de sa famille et les encourager à les exprimer sans les juger, leur faire de la morale ou les raisonner. Pour encourager le patient à verbaliser ses peurs, elle pourrait l'aider à exprimer les sentiments qu'il ressent (par exemple, elle pourrait lui dire: «Vous devez avoir du mal à le croire» ou «Vous avez probablement l'impression que vous perdez vos moyens»).

La personne malade se sent souvent impuissante et désespérée. Le personnel infirmier doit assumer la responsabilité de soigner le patient tout en reconnaissant ses dissemblances et ses besoins individuels. Il doit donner au patient l'occasion de prendre des décisions et d'assumer des responsabilités chaque fois que cela est indiqué. Lorsque l'état du patient commence à s'améliorer et qu'il se sent plus sûr de la disponibilité du personnel, de son intérêt et de sa compétence, il se montrera moins anxieux et plus désireux de regagner son autonomie. Au cours de cette période, le patient peut éprouver un sentiment aigu de perte. Sur le plan clinique, il se montrera déprimé, triste, désespéré et irascible. Son affliction peut être provoquée par la perte de la santé et de la vigueur ou par la perte d'un organe ou d'une fonction. Il peut aussi éprouver du chagrin par anticipation à cause des changements à apporter à sa vie professionnelle et familiale. Il peut, par ailleurs, manifester des réactions émotionnelles suscitées par la peur de mourir (voir l'exposé sur l'agonie et la mort à la fin de ce chapitre).

Troisième phase

La troisième phase est celle de la convalescence et de la réadaptation. La santé et de la force physique reviennent souvent avant la sensation d'avoir retrouvé sa condition physique. Lors de cette phase, on assiste à un décalage comparable à celui qui se produit habituellement lors de la phase initiale entre l'apparition des symptômes physiques et l'acceptation de la maladie, mais en sens inverse. En se rétablissant, le patient doit renoncer à la dépendance et à la régression, accepter de nouveau ses responsabilités d'adulte et reprendre des relations normales avec autrui. Bien que certaines personnes aient du mal à abandonner le rôle de patient, la plupart se sentent motivées par le désir de redevenir bien portantes. Elles peuvent cependant hésiter à mettre en application les habiletés nouvellement acquises, particulièrement dans le cas où la maladie ou le traitement ont entraîné des modifications importantes dans les relations professionnelles ou familiales.

Pour aider le patient lors de cette phase, l'infirmière doit adopter un comportement moins protecteur, sans cependant cesser de l'orienter, de le conseiller et de l'encourager à poursuivre. Elle doit maintenant se retirer graduellement dans les coulisses, mais rester toujours prête à rassurer le patient tout en l'encourageant à mettre à l'essai ses nouvelles habiletés. Elle ne doit intervenir qu'au moment où des erreurs grossières se produisent. Le patient qui sent que l'infirmière a confiance en lui se sent rassuré.

Au cours de la phase du rétablissement, l'infirmière devrait inciter le patient à s'intéresser de nouveau à son entourage, à mieux communiquer avec sa famille et à esquisser des projets d'avenir. Par exemple, elle doit l'encourager à participer aux réunions d'un groupe d'entraide, comme celui formé par des gens ayant subi un accident vasculaire cérébral ou une mastectomie ou souffrant de certaines maladies. Le cas échéant, on peut demander à l'un des membres d'un tel groupe de parler au patient avant et après l'intervention chirurgicale pour lui donner espoir et lui fournir des renseignements concrets sur la façon de s'adapter à la maladie qui les affecte tous deux. Au début, le patient peut être à tel point submergé par l'anxiété ou le chagrin qu'il est incapable d'accepter cette aide. Pendant le rétablissement, l'infirmière peut lui suggérer de recourir aux services de cette personne et l'encourager à le faire. Il ne faut cependant pas oublier que tous les patients ne voudront pas s'affilier à de tels groupes. Le fait d'être marginal, particulièrement lorsqu'on est frappé d'une maladie qui laisse des séquelles, peut être trop douloureux pour être admis en public.

ADAPTATION À LA MALADIE

À quoi au juste doivent s'adapter les patients et leur famille en cas de maladie? Selon Moos (1984), le travail d'adaptation comprend les principales tâches qui suivent:

- surmonter la gêne, l'invalidité et les symptômes de la maladie ou de l'accident;
- s'adapter au stress du traitement et de l'hospitalisation;
- établir et maintenir des relations appropriées avec le personnel médical et infirmier et les autres membres de l'équipe soignante;
- préserver une image de soi satisfaisante et garder une impression de compétence et de maîtrise;
- faire face aux sentiments pénibles engendrés par la maladie et les traitements;
- maintenir les relations familiales et amicales malgré la modification de l'exercice du rôle;
- se préparer à un avenir incertain où la convalescence est tout aussi possible qu'une perte plus grave et même la mort.

Le patient peut accomplir ces tâches d'adaptation simultanément ou les reprendre lors des diverses phases de la maladie.

Les phases de transition de la santé à la maladie et de la maladie à la santé sont plus nettement délimitées en présence d'un trouble aigu qui répond favorablement au traitement. Toutefois, l'adaptation à une maladie chronique se fait selon les mêmes étapes. Lorsque le patient réussit à s'adapter à une maladie chronique, il finit par se percevoir comme une personne atteinte d'un trouble spécifique sans trop en souffrir ou en s'y résignant. Il admet qu'il doit faire face aux changements apportés par la maladie et modifie sa vie en conséquence. Bien qu'il puisse également traverser des périodes d'espoir, de colère et d'autodépréciation, il est capable de se considérer comme une personne ayant de la valeur qui a cependant besoin d'une certaine aide.

L'adaptation à la maladie chronique est un processus long et incessant. Le degré d'adaptation nécessaire dépend du type de maladie, du degré de l'invalidité et de la personnalité de chaque patient. Certaines maladies chroniques sont relativement stables et n'apportent que peu de changements. D'autres, sont caractérisées par des périodes où les symptômes s'atténuent passagèrement pendant que la dégénérescence se poursuit lentement. Enfin, certains autres sont mortelles. L'incertitude est un sentiment omniprésent, car l'évolution des symptômes, l'efficacité du traitement, l'espoir de rémission, les nouvelles découvertes médicales dans le domaine et les réactions à autrui sont autant de facteurs imprévisibles. Les patients sont souvent déchirés entre l'obligation de vivre avec un handicap et le désir d'aller au-delà de leurs limites.

BESOINS AFFECTIFS DE BASE

Tout le monde a les mêmes besoins affectifs de base, à savoir le besoin d'aimer et d'être aimé, de faire confiance, d'être autonome, de garder son identité et son estime de soi, d'être reconnu et de se sentir en sécurité. Pour Schultz (1966), il s'agit, en bref, du besoin d'appartenance et d'affection ainsi que du besoin d'exercer une influence, besoins qui caractérisent toute relation interpersonnelle. L'incapacité de satisfaire un besoin entraîne des sentiments éprouvants et des comportements indésirables. En effet, l'anxiété, la colère, le sentiment de solitude et le doute sont souvent présents.

Ces besoins s'expriment autant au sein d'un groupe qu'au sein d'une relation à deux. Pour le constater, il suffit d'observer les relations qui s'établissent parmi les patients d'un service, les relations que les patients entretiennent avec leur famille, ou les relations qui se nouent entre les membres de l'équipe soignante. On peut dire que le moral des patients dans un service hospitalier ainsi que la gestion de ce service dépendent en grande partie de la satisfaction de tous ces besoins.

Les besoins que nous venons de mentionner sont constants et imbriqués. Les êtres humains établissent des relations tout d'abord pour satisfaire leur besoin d'appartenance. Par ailleurs, c'est au sein d'une relation qu'ils peuvent satisfaire leur besoin d'affection et celui d'exercer une influence. Le besoin d'appartenance se manifeste par le désir de devenir membre d'un groupe ou de se montrer social, celui d'exercer son influence, par le désir de dominer ou d'être dépendant et celui d'affection, par le désir de se rapprocher ou de s'éloigner. Généralement, la satisfaction de ces besoins permet d'établir un équilibre entre soi et les autres. La maladie qui s'accompagne d'hospitalisation perturbe cet équilibre et engendre un grand nombre de stress nouveaux.

Besoin d'appartenance

Pour satisfaire le besoin d'appartenance, l'être humain établit et maintient des relations satisfaisantes avec autrui en termes d'association et d'interaction. Une telle relation est alimentée par des intérêts mutuels. Le besoin d'appartenance traduit le besoin de sentir qu'on est important et qu'on a une certaine valeur. Pour répondre à ce besoin, il faut s'associer avec les autres. On indique l'existence d'un tel besoin par des termes comme *association, interaction, appartenance, contact* et *communication*. Par contre, l'individu dont le besoin d'appartenance n'est pas satisfait dira qu'il se sent *exclu, ignoré, rejeté, seul* ou *isolé*. Le besoin d'appartenir se traduit par le désir d'attirer l'attention ou de susciter l'intérêt. Le patient «exigeant», qui appelle souvent les infirmières et monopolise leur attention par des conversations sans fin, manifeste, en réalité, un fort besoin d'appartenance. L'infirmière qui se vexe du fait qu'un patient ignore ses tentatives de mener une conversation polie ou qui la traite en domestique plutôt qu'en professionnelle ne fait que manifester son propre besoin d'appartenance.

La recherche de prestige et d'un statut social est aussi une manifestation du besoin d'appartenance. Chaque être humain a besoin qu'on fasse attention à lui, qu'on le reconnaisse et qu'on le distingue de la masse. L'identité, quant à elle, découle de l'appartenance. Il s'agit pour une personne d'être tel individu, de pouvoir être reconnu pour tel et de recevoir toute l'attention qu'elle mérite. Le besoin d'appartenir se traduit surtout par le besoin d'être compris, c'est-à-dire d'être une personne suffisamment intéressante pour que quelqu'un essaie de découvrir ses caractéristiques individuelles et ses goûts.

Lorsqu'un patient est admis dans un centre hospitalier, la première crise est déclenchée par un besoin d'appartenance qui n'est plus satisfait. Le personnel saura-t-il qui il est? Sera-t-il traité comme un être humain et non pas comme un cas, «le patient de la chambre 111» ou «le nouveau cardiaque»? Pendant le processus d'admission, le patient est dépossédé de son prestige et de son statut social. On lui enlève ses vêtements, ses objets personnels, même son dentier. On le bombarde de questions concernant les détails les plus intimes de sa vie. On s'attend à ce qu'il s'intègre au groupe de patients, mais on ne lui donne que peu d'explications ou peu de consignes à ce propos. Lorsqu'un patient doit être isolé, il faut tenir compte de son besoin d'appartenance et l'infirmière devient l'une des rares personnes qui peut le combler.

On peut également satisfaire le besoin d'appartenance du patient en l'aidant à s'orienter dans son nouveau milieu. L'infirmière devrait l'interroger à propos de ses attentes à l'égard du traitement et lui demander s'il ne souhaite pas poser des questions à ce sujet. Elle peut lui donner quelques explications concernant ses responsabilités professionnelles et l'assurer qu'elle peut l'aider de diverses façons.

Le patient qui se replie sur lui-même et qui refuse de s'intégrer au groupe peut manifester des besoins d'appartenance qui n'ont pas été satisfaits. Il pourrait ne pas souhaiter parler à l'infirmière ou aux patients qui se trouvent dans la même pièce et dormir de longues heures ou rester toute la journée avec les rideaux tirés. Une certaine régression ou un certain désir de s'isoler sont souvent nécessaires à l'adaptation à la maladie et à la convalescence, mais le patient qui adopte un comportement extrême pendant une période prolongée devrait être soigneusement évalué. Le patient qui se montre indifférent à autrui peut cacher une anxiété fondamentale à l'égard des relations interpersonnelles. En réalité, il pourrait craindre par-dessus tout que les autres l'ignorent et l'évitent, mais, pour déguiser sa peur, il pourrait les rejeter et se montrer autosuffisant. Les patients qui se sentent abandonnés et isolés de leur famille et de leurs amis pensent qu'ils ont tellement changé que plus personne ne peut les accepter. Ceux qui se sentent rejetés et ignorés par le personnel médical et infirmier pourraient se laisser vaincre par la maladie. L'infirmière devrait rassurer le patient et lui montrer qu'elle reconnaît son individualité et sa valeur personnelle.

Il faut tenir compte du besoin d'appartenance du patient au moment où on décide de l'installer dans une pièce plutôt que dans une autre. Sera-t-il mieux dans une chambre privée ou dans une salle commune? À quelle proximité devrait-il se trouver du poste des infirmières? Les patients qui restent ensemble pendant longtemps, par exemple ceux qui sont hébergés dans un centre de réadaptation, manifestent une gamme très vaste de besoins d'appartenance.

Besoin d'exercer une influence

Le deuxième besoin important est celui d'exercer une influence. Il s'agit du besoin d'établir et de maintenir des relations satisfaisantes avec autrui en équilibrant les besoins de dominer, de prendre des décisions et d'exercer son autorité tout en gardant la certitude que la compétence personnelle et la responsabilité face à soi-même et à autrui sont respectées de part et d'autre. Le patient dont le besoin d'exercer une influence n'est pas satisfait, parlera de *domination*, d'*influence*, d'*autorité*, de *révolte*, de *soumission*, de *leadership*, d'*absence de coopération* ou de *servilité*. Le besoin d'exercer une influence émerge du désir d'avoir une emprise sur les autres et, par voie de conséquences, d'avoir une emprise sur son propre avenir. Par contre, le besoin de *subir* une influence traduit le fait qu'on refuse de se prendre en charge.

Lorsqu'un patient est hospitalisé, il doit surmonter son besoin d'exercer une influence. Outre ses problèmes d'appartenance, il doit se plier au fait que d'autres gens prennent à sa place les décisions qu'il prend habituellement lui-même: l'heure à laquelle il doit se réveiller, les aliments qu'il doit manger, le moment où il peut aller aux toilettes. Les règles du centre hospitalier peuvent entraver sa capacité de prendre des décisions. La personne qui renonce complètement à assumer ses responsabilités, qui se montre totalement démunie et dépendante, qui demande des conseils à droite et à gauche pour se renforcer dans l'idée qu'elle est impuissante, irresponsable et incompétente, pousse à l'extrême son besoin d'exercer une influence. Son comportement cache en réalité l'anxiété, l'hostilité et le manque de confiance en soi et en autrui. Les interventions infirmières qui encouragent le patient à assumer rapidement la responsabilité de prendre des décisions au sujet de ses propres soins l'aident en réalité à satisfaire son besoin d'exercer une influence.

Une autre façon de pousser à l'extrême le besoin d'exercer une influence est celle de se montrer toujours révolté et de toujours vouloir dominer les autres. Bien que le patient se montre fort, compétent et responsable, il pourrait, en réalité, être miné par des doutes quant à sa propre force de caractère. Une telle personne sera toujours prête à nier ses peurs. Par conséquent, elle aura beaucoup de mal à accepter son besoin de dépendance si elle doit garder le lit ou suivre les recommandations du médecin. L'infirmière doit également analyser son propre besoin d'exercer une influence et d'avoir la mainmise sur ses relations avec son patient, ses coéquipières et les médecins.

Besoin d'affection

Le troisième besoin important est le besoin d'affection, c'est-à-dire celui d'établir avec d'autres personnes une relation de donnant, donnant, où les liens sont consolidés grâce à la volonté commune. Des mots comme *amour*, *sympathie*, *liens*, *amitié* et *intimité*, traduisent un tel besoin. La personne qui manque d'affection parlera de *haine*, *d'aversion* et *de distances*. Habituellement, ce sont les membres de la famille, le conjoint et les amis proches du patient qui peuvent satisfaire son besoin d'affection. Mais, lorsque la maladie et l'hospitalisation l'éloignent des êtres chers, son besoin d'affection pourrait rester insatisfait. On confie à la personne dont on se sent le plus proche les anxiétés les plus inavouables, les désirs les plus profonds et les sentiments les plus personnels. En milieu hospitalier, le patient peut se confier à l'infirmière, particulièrement lorsque les membres de sa famille ne sont pas disponibles ou lorsque leur propre angoisse les empêche de l'écouter. Mais, une relation sociale se distingue d'une relation professionnelle par le fait qu'elle ne se conçoit pas sans la satisfaction mutuelle des besoins. Dans sa relation avec le patient, cependant, l'infirmière doit porter exclusivement attention aux besoins du patient alors qu'il faut tenir compte autant du besoin d'affection du patient que de celui de l'infirmière particulièrement lorsque cette relation se poursuit pendant une longue période.

IMAGE DE SOI ET IMAGE CORPORELLE

Chaque personne se forme d'elle-même une image qui est le reflet de son bagage d'expériences passées et présentes et de ses projets d'avenir. Une maladie ou un accident graves dégradent brutalement le concept de soi et engendrent un sentiment d'indignité. L'adaptation aux changements apportés par la maladie peut affecter le sentiment d'identité personnelle. Les gens se perçoivent souvent comme courageux ou lâches d'après leur façon de supporter la douleur. Certaines personnes considèrent que les larmes sont un signe de faiblesse et une invalidité grave, un obstacle qu'il faut surmonter. D'autres se voient handicapées. Pour elles, l'invalidité est un stigmate. L'image corporelle fait partie de l'image de soi et elle est souvent affectée par la maladie physique.

Image corporelle

Il est important de comprendre la notion d'image corporelle pour pouvoir expliquer les réactions nombreuses et complexes suscitées par les modifications de l'état de santé. On peut dire que l'image corporelle est une perception globale de son soi physique en tant qu'entité séparée et distincte. Cette perception, qui évolue constamment, s'organise à partir de sensations, du fonctionnement de la personne et d'informations lui venant de son entourage. La société nous impose ses propres normes de comportement et de beauté physique. La perception de l'image corporelle est consciente, mais également inconsciente.

L'intégration des expériences concernant l'usage du corps est un travail de longue haleine. L'enfance, période pendant laquelle l'individu se forme, est particulièrement importante, car c'est à ce moment-là qu'il se construit une image corporelle de base en fonction de sa personnalité. Pendant que les parents tiennent leur enfant dans leurs bras, le caressent, le nourrissent, le cajolent et l'entraînent à la propreté, celui-ci recueille graduellement certaines notions de base sur sa capacité de se servir de son corps, sur sa valeur personnelle et sur son identité. Grâce à des perceptions sensorielles, au mouvement et au toucher, il connaît le plaisir, la douleur, la honte ou la fierté que confère la réussite. En même temps, il met à l'épreuve ses aptitudes et essaie de définir ses limites. Tout en comprenant qu'il est différent des autres, le petit enfant prend conscience de son propre corps, de ses rapports avec autrui et de sa capacité de contrôler ses muscles lorsqu'il doit se déplacer, retenir ou relâcher ses intestins ou sa vessie, parler ou assurer sa coordination motrice. En même temps, il commence à exercer une emprise sur toutes ces facultés et il acquiert par le fait même l'estime de soi et la fierté. S'il est incapable d'exercer cette emprise, à cause de la perte du contrôle de soi et de la domination exagérée de ses parents, il peut cultiver certaines attitudes fondamentales qui susciteront chez lui l'idée que son corps est inadéquat, méprisable et sans valeur. La maladie, qui renforce la dépendance et qui l'empêche d'exercer un contrôle sur le corps, ravive chez la personne de n'importe quel âge la plupart des conflits de la petite enfance et les premières perceptions de son corps. L'idée que le défigurement ou une difformité sont répugnants est générée par les sentiments de petitesse, de faiblesse et de laideur que le petit enfant éprouve lorsqu'il se compare aux autres. Les valeurs socioculturelles prédominantes, soit la jeunesse, la beauté physique, la santé et l'épanouissement, sont intégrées dès l'enfance et renforcées tout au long de la vie.

Menaces à l'image corporelle. Dans l'exercice de sa profession, l'infirmière a souvent l'occasion de reconnaître les facteurs qui menacent l'image corporelle et, par conséquent, l'estime de soi du patient. Selon l'idée que le patient se fait de sa situation, il peut être en proie à des sentiments de honte, d'incompétence et de culpabilité. Tout ce qui porte atteinte à sa dignité et empiète sur son intimité déclenche chez lui anxiété et embarras. L'exposition du corps pendant les examens physiques et des traitements comme un lavement ou un cathétérisme peuvent sembler gênants, malgré leur visée thérapeutique. L'altération des modes habituels d'élimination et la nécessité d'utiliser un bassin hygiénique ou de parler de ses habitudes de défécation ou de miction menacent l'estime de soi. Il s'agit d'un problème de taille chez les gens qui doivent subir un type de chirurgie qui perturbe considérablement leur image corporelle, telles la colostomie et l'iléostomie.

L'image corporelle se modifie fortement dans les cas d'amputation d'un membre ou d'intervention chirurgicale au visage, aux mains ou aux organes reproducteurs. Pour certaines personnes, d'autres parties du corps peuvent susciter des réactions imprévisibles, même si les modifications extérieures sont relativement mineures.

Hormis les modifications brusques de l'anatomie et du fonctionnement corporel provoquées par un accident ou une intervention chirurgicale, des modifications subtiles peuvent se produire à cause de maladies évolutives comme l'arthrite, l'obésité et la sclérose en plaques. Même les changements normaux du corps, comme ceux de la puberté et la grossesse, peuvent poser des problèmes de modification de l'image corporelle. L'adolescent a une conscience aiguë et souvent douloureuse de son corps et des nombreux changements qu'il subit. Le teint, le poids et le développement des caractères sexuels primaires et secondaires sont intimement liés au sentiment d'avoir de la valeur et d'être désirable.

Certaines altérations de l'image corporelle peuvent être le résultat des effets secondaires d'un médicament, par exemple, le faciès lunaire, la modification des caractères sexuels secondaires et la croissance des poils sur le visage. Les réactions de l'organisme à la radiothérapie peuvent également menacer l'image corporelle tout comme le changement de la couleur de la peau en cas de jaunisse.

En raison des progrès de la médecine, l'infirmière doit aborder différemment le patient et changer sa façon de l'aider. Une personne souffrant de néphropathie chronique doit s'habituer à l'idée qu'elle sera dotée d'un rein artificiel. La greffe d'organes peut également soulever des questions à propos de l'image corporelle. Que peut signifier pour une personne le fait de sentir battre dans sa poitrine le cœur qui avait appartenu à quelqu'un d'autre?

Soins infirmiers. Pour comprendre la notion d'image corporelle, il faut être tout d'abord conscient de sa propre attitude à l'égard de la santé, de la maladie, du défigurement et des modifications des fonctions corporelles. L'anxiété, la répulsion, le dégoût et la pitié sont souvent des réactions automatiques à une modification de l'aspect physique et du fonctionnement. Pour aider le patient, l'infirmière doit être capable d'analyser ses propres sentiments. Le patient s'attend à ce que l'infirmière connaisse sa maladie, qu'elle soit impartiale à son égard, qu'elle soit prête à l'aider et qu'elle s'inquiète de son état. Pour le patient, les réactions de l'infirmière constituent souvent un test qui lui permet de savoir s'il est encore une personne qui a de la valeur malgré l'altération de son apparence physique ou de son fonctionnement.

L'infirmière doit déterminer la signification que l'altération du corps revêt pour chaque individu et les dispositions qu'il faut prendre pour favoriser l'adaptation. Elle doit tenir compte autant du patient que de sa famille, car, idéalement, cette adaptation doit se faire des deux côtés. Lors de l'élaboration du plan de soins destiné à un patient en particulier, il faut prendre en considération la capacité de la famille de l'aider à s'adapter aux changements, sa capacité, à lui, de s'adapter à la réalité, les problèmes spécifiques d'adaptation, les stratégies utilisées pour les résoudre et les soins infirmiers qu'il faut dispenser. L'infirmière doit déterminer de quelle manière elle peut aider la famille et prévoir sa démarche pour être en mesure de réagir adéquatement à des stratégies d'adaptation qui s'avèrent efficaces. Elle devrait prévoir que le chagrin, le deuil et la colère sont des réactions normales aux modifications du fonctionnement et de l'aspect physique. Elle doit encourager chez le patient le besoin de garder l'espoir et le désir de se rétablir complètement.

Adaptation sociale. Même si le patient a commencé à modifier son image corporelle et qu'il se sent utile et accepté en milieu hospitalier, il doit encore se montrer capable d'affronter le regard que pose sur lui la société. De nombreuses maladies laissent des séquelles physiques. Puisque les infirmières côtoient constamment la maladie, elles oublient souvent que le défigurement ou l'invalidité peuvent encore susciter des réactions négatives et le rejet. Chacune de ces séquelles est le signe d'une anomalie et la personne qui en est affligée est considérée comme un handicapé. La personne affligée d'une invalidité physique manifeste doit donc faire face aux tensions suscitées par les relations interpersonnelles. Elle doit souvent soutenir des regards inquiets ou consternés et répondre à des questions désobligeantes concernant sa maladie. Elle peut aussi être traitée comme un être totalement démuni.

Si sa maladie n'est pas tout à fait visible, la personne peut apprendre à dévoiler le moins de renseignements possible la concernant afin d'éviter qu'on la stigmatise. Par exemple, après une mastectomie, la patiente peut porter une prothèse qui lui permet de cacher aux yeux du monde le fait qu'elle a subi une telle intervention chirurgicale. Elle ne devrait parler de son état de santé, du fonctionnement de son corps et de ses difficultés d'adaptation qu'avec le personnel soignant, sa proche famille et ses amis. Si elle aborde ce sujet avec les autres, elle risque d'être rejetée et frappée d'ostracisme.

La personne qui doit s'adapter aux changements subis par son corps doit souvent faire face à l'insécurité physique et sociale. Le sujet dont l'état physique est normal se fait une idée générale de la hauteur d'une marche et est capable de lire un menu. Mais, la personne frappée d'un handicap doit rester vigilante et s'adapter constamment à son entourage physique. La personne qui se déplace en chaise roulante doit trouver des toilettes suffisamment grandes; le diabétique invité à un cocktail doit calculer la ration alimentaire qui lui est permise; la personne qui doit se servir de béquilles aura beaucoup de mal à passer par une porte tournante. L'adaptation exige de l'énergie, de l'ingénuité et de la persévérance. Parfois, la personne se voit obligée de limiter son espace et ses activités afin de mieux faire face à l'imprévu et d'améliorer sa sécurité.

Les réactions des autres envers la personne souffrant d'une invalidité sont ambiguës et contradictoires. Dans un nombre incalculable de situations interpersonnelles, elle doit faire face à l'acceptation ou au rejet, à la sympathie ou à la pitié, à la confiance ou à la peur, à la curiosité ou à la répulsion, à la valorisation ou à la dévalorisation. Souvent, elle a du mal à se situer, particulièrement en présence d'étrangers. Souvent aussi, elle est accablée de doutes, car le processus d'adaptation et d'acceptation de soi est un processus dynamique.

RÉACTIONS ÉMOTIONNELLES À LA MALADIE ET AU TRAITEMENT

Les maladies aiguës et chroniques et les traitements qu'elles dictent éveillent un grand nombre de sentiments troublants. Les réactions émotionnelles les plus courantes des patients et de leur famille sont l'anxiété, la colère, le chagrin, l'espoir, la honte, la culpabilité, le courage, la fierté, le désespoir, l'amour, la dépression, l'impuissance, la jalousie, la solitude et la foi. Ces émotions ne sont pas étrangères aux infirmières non plus. La façon de les vivre et de les exprimer dépend de la personnalité de chacun, de la perception qu'il a de sa situation et du soutien qu'il reçoit. Il n'y a pas de bonnes ou de mauvaises réactions à la maladie. Les infirmières peuvent prévoir certains modes de réaction et aider les patients et leur famille à exprimer leurs sentiments de façon constructive.

Anxiété

L'anxiété est une réaction normale au stress et à la menace. Il s'agit d'une réaction émotionnelle face à un danger réel ou imaginaire qui se manifeste sur le plan physiologique, psychologique et comportemental. Même si on pense souvent que anxiété et peur sont synonymes, la peur est engendrée généralement par une menace spécifique et l'anxiété, par une menace vague. La personne qui souffre d'anxiété peut se sentir mal à l'aise et angoissée et éprouver un vague sentiment de terreur. Elle peut aussi se sentir impuissante et incompétente, aliénée et désemparée. Certaines fois, l'anxiété est diffuse mais, d'autres fois, elle est suffisamment intense pour engendrer une crise de panique. Selon les moyens dont elle dispose, la personne peut en augmenter ou diminuer l'intensité.

L'anxiété peut être considérée comme un processus en cinq étapes: (1) une attente s'installe; (2) l'attente est trompée; (3) des tensions internes se manifestent; (4) un comportement est adopté afin de les soulager et (5) le comportement procure un soulagement (voir la figure 20-1).

Prenons l'exemple typique de l'étudiant qui doit passer un examen. Il espère bien sûr réussir, mais, s'il connaît un échec, ses attentes sont trompées et les tensions qui apparaissent engendrent une diaphorèse, des palpitations et une gêne abdominale. Il cherche alors à adopter certains comportements afin de soulager ces tensions. Il mâchera de la gomme, se mettra à pleurer ou prendra rendez-vous avec son professeur. Il ne connaîtra un soulagement que si son professeur l'aide à mettre au point un plan d'étude structuré.

Le modèle de l'anxiété en tant que processus peut aider l'infirmière dans ses interventions. Lorsqu'elle reconnaît un comportement que le patient adopte afin de soulager son anxiété, elle peut l'aider à comprendre la relation qui existe entre le comportement en question et une intensification de

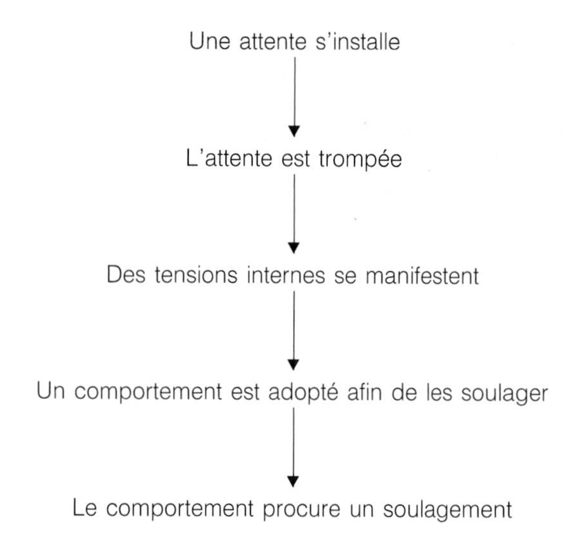

Figure 20-1. Modèle pour illustrer l'anxiété en tant que processus (Adaptation d'une cassette vidéo intitulée «Anxiety: Concept and Manifestations», 1977.
Source: American Journal of Nursing)

l'anxiété. Par la suite, elle peut explorer avec lui les attentes qu'il avait nourries et les raisons pour lesquelles ses attentes ont été trompées. Ainsi l'infirmière aide le patient à analyser les situations anxiogènes et à leur faire face plus sereinement à l'avenir.

L'anxiété est une réaction à tout facteur qui menace le fonctionnement de l'organisme, qu'il s'agisse de la survie physique ou de l'intégrité du soi psychosocial (image de soi). Souvent, la menace porte sur ces deux aspects. La personne qu'une douleur aiguë rend anxieuse peut voir son anxiété s'intensifier à cause du fait qu'elle est accablée par le découragement et le sentiment de dépendance. La maladie et l'hospitalisation comportent les menaces anxiogènes suivantes: risque d'atteinte à la vie, à la santé, à l'intégrité corporelle; manque d'intimité et embarras; gêne à cause de la douleur, du froid, de la fatigue et des modifications d'ordre alimentaire; absence de satisfaction sur le plan de la sexualité; limite du mouvement; isolement; perte des moyens financiers; crise d'ordre matériel; aversion ou rejet manifestés par autrui, peur de paraître ridicule à cause de la maladie, comportements incongrus et imprévisibles de la part des figures d'autorité dont dépend le bien-être matériel; attentes trompées, impossibilité d'atteindre les objectifs fixés; confusion et incertitudes concernant le présent et l'avenir; séparation de la famille et des amis.

Les réactions physiologiques à l'anxiété sont surtout celles du système nerveux autonome. Il s'agit de réactions défensives, soit un pouls rapide et l'augmentation du nombre de respirations, l'élévation ou la chute de la pression artérielle et de la température, la relaxation des muscles lisses de la vessie et des intestins, une sensation de froid et de moiteur, une transpiration accrue; la dilatation des pupilles et la xérophtalmie. Les réactions corporelles à l'anxiété légère augmentent au départ la capacité d'apprendre et de fonctionner, mais, à mesure que la réaction devient plus intense, les capacités d'apprentissage s'affaiblissent, la perception de la réalité est réduite ou déformée et la capacité de concentration est considérablement diminuée (figure 20-2). Les infirmières doivent être capables d'évaluer le degré d'anxiété que le patient ressent afin de pouvoir l'apaiser. Une personne extrêmement anxieuse souffre et se sent très mal. Elle ne peut ni donner ni recevoir des renseignements de quel ordre que ce soit. Elle peut difficilement apprendre des faits nouveaux sur la santé et amplifie ou déforme tout ce qu'on lui dit.

Les manifestations caractéristiques de l'anxiété dépendent de chaque personne. Elles peuvent comprendre le repli sur soi, le mutisme, l'hyperactivité, l'usage de termes grossiers, un flot de paroles ou de blagues, des agressions verbales ou physiques, des fantasmes, des plaintes et des crises de larmes. Les stratégies spécifiques d'adaptation à l'anxiété, qu'elles soient ou non efficaces, changent d'un individu à l'autre et d'une circonstance à l'autre. L'un des désavantages de l'isolement et de l'immobilité forcées est que la personne habituée à surmonter son anxiété par une activité ne peut plus utiliser ses stratégies habituelles d'adaptation et doit en trouver d'autres.

Interventions infirmières. Les interventions infirmières qui visent à réduire l'anxiété comportent quatre aspects:

1. L'infirmière comprend que le patient est anxieux. Elle connaît les situations qui peuvent déclencher l'anxiété et reste attentive aux indices physiologiques, émotionnels et comportementaux.
2. L'infirmière encourage le patient à reconnaître et à exprimer son anxiété.
3. Si la source anxiogène est extérieure (par exemple, problème d'orientation spatiale, bruits ou objets inquiétants), l'infirmière doit essayer de l'éliminer ou d'aider le patient à comprendre ses réactions et à leur faire face. Elle l'encourage à exprimer ce qu'il ressent en lui posant des questions ouvertes du genre: «Voulez-vous me dire ce qui est arrivé?» «Qu'est-ce qui s'est passé?» ou «Que pensiez-vous qu'il arriverait?» Le patient a souvent besoin d'aide pour verbaliser ses réactions et ses pensées. Si on lui demande d'emblée: «Qu'est-ce qui vous rend anxieux?», il peut se montrer incapable de le dire. Il peut aussi se sentir trop effrayé ou trop désemparé pour en parler, ne pas savoir ce qui le rend anxieux ou encore se sentir agressé par la question.
4. L'infirmière aide le patient à s'adapter à ce qui est devenu maintenant une menace concrète. Elle peut l'aider à réévaluer la réaction qu'elle a déclenchée. Souvent, par le simple fait de verbaliser un sentiment on peut en réduire l'intensité. L'infirmière doit demander au patient ce qu'il fait habituellement pour surmonter ses sentiments d'anxiété et l'aide à utiliser des méthodes similaires ou différentes. La présence physique de l'infirmière tout comme l'usage approprié du toucher, des soins physiques et le ton de sa voix peuvent soulager l'anxiété.

Après une intervention chirurgicale, le patient est anxieux, car la réussite de l'intervention et ses chances de survie pendant la période post-opératoire, souvent incertaine, effrayante et douloureuse, l'inquiètent. Lors des soins physiques qu'elle administre dans la salle de réveil ou dans le service de soins intensifs, l'infirmière doit tenir compte du fait que le patient est effrayé à cause de l'isolement, des bruits inhabituels, du matériel auquel on branche les diverses parties de son corps, du clignotement du moniteur cardiaque et des bruits qu'il émet, des épisodes de désorientation spatiotemporelle et de la perte de tout contrôle physique et émotionnel. Dans une situation à tel point anxiogène, l'infirmière doit rester constamment consciente de sa propre anxiété et de ses comportements.

La maladie et son traitement sont également anxiogènes. Pour bon nombre de gens, il s'agit d'une réviviscence des conflits de l'enfance. Souvent, l'avenir est incertain. Les infirmières sont parfois incapables de diminuer l'anxiété du patient, mais peuvent éviter de l'intensifier. Pour certains patients, l'idée même de se rétablir et de quitter l'hôpital est aussi anxiogène. Les infirmières peuvent les aider en les incitant à mobiliser leur énergie, en les encourageant à prendre des décisions et à redevenir responsables.

Dans presque tous les milieux de soins, les infirmières doivent constamment faire face à l'anxiété. Étant donné qu'elles côtoient continuellement la vie, la mort et la maladie, leur propre vulnérabilité peut les effrayer consciemment ou inconsciemment. Elles doivent observer attentivement le patient et analyser sans cesse ses réactions pour pouvoir dire, chaque fois, qu'elles ont fait de leur mieux. Les infirmières sont souvent confrontées à des situations d'urgence qui mettent leurs émotions à dure épreuve. Par exemple, aux urgences et au service des soins intensifs, l'infirmière doit comprendre et gérer sa propre anxiété ainsi que celle des patients et de leur famille. Au plan de soins 20-1, nous donnons un exemple de soins infirmiers destinés au patient souffrant d'anxiété.

Colère et hostilité

Dans les milieux de soins, les manifestations de colère sont tout aussi courantes que celles de l'anxiété. Les conflits non résolus, les frustrations et la perte de contrôle déclenchent souvent chez le patient de l'agressivité qui se traduit par des réactions émotionnelles et comportementales complexes dont l'intensité, la durée et l'expression varient. *Irritation, irascibilité, hostilité, inimitié, belligérance, manque de coopération, ressentiment, rage, furie* et *indignité* ne sont que quelques expressions, parmi d'autres, qui ont une connotation d'agressivité. La colère, terme générique qui décrit toutes les manifestations de cette émotion, est l'une des façons de combattre l'anxiété, particulièrement celle éveillée par une menace, des insultes ou des calomnies réelles ou considérées comme telles. Être patient signifie être malade, démuni et dépendant. Le patient doit constamment subir des agressions (interventions effractives et interventions chirurgicales), même si leur but est thérapeutique. Sous l'emprise de la douleur, les patients se mettent souvent en colère lorsqu'on leur dit qu'on ne peut pas leur administrer un analgésique immédiatement. Il faut avoir beaucoup de patience pour rester calme lorsqu'on vous réveille en pleine nuit pour vous demander de tousser ou de prendre des respirations profondes. Les règlements hospitaliers et la restriction des visites peuvent facilement éveiller la colère chez la personne malade. Lorsque le patient arrive dans un centre hospitalier ou dans une clinique, il est souvent incertain et inquiet à cause de son diagnostic, de son traitement et de son pronostic et, pour surmonter ses sentiments, il peut agresser verbalement l'infirmière ou s'enfermer dans un mutisme hostile. Sa colère peut considérablement s'apaiser lorsqu'il commence à s'habituer à son entourage, au personnel et au programme thérapeutique. Par contre, sa colère peut s'intensifier si la menace augmente et si ses besoins ne sont pas adéquatement satisfaits. Lorsqu'on permet au patient de faire des choix, il se sent davantage maître de la situation, ce qui peut souvent réduire sa colère et ses frustrations.

Le patient qui est malheureux, fâché et insatisfait de lui-même et des autres arrive en milieu hospitalier avec ce bagage d'émotions. Il peut devenir ergoteur, exigeant ou sarcastique et il peut refuser les soins de l'infirmière. Cependant, le patient qui se montre servile, qui essaie de s'insinuer dans les bonnes grâces du personnel soignant et qui refuse de prendre une quelconque décision concernant ses propres soins manifeste également son agressivité par de tels comportements. Parfois, l'agressivité s'intensifie au point où le patient devient violent. Il peut jeter par terre son plateau, crier, proférer des injures, menacer ou passer à l'acte. L'expression non verbale de la colère, soit le regard fixe, le poing serré, le ricanement, est

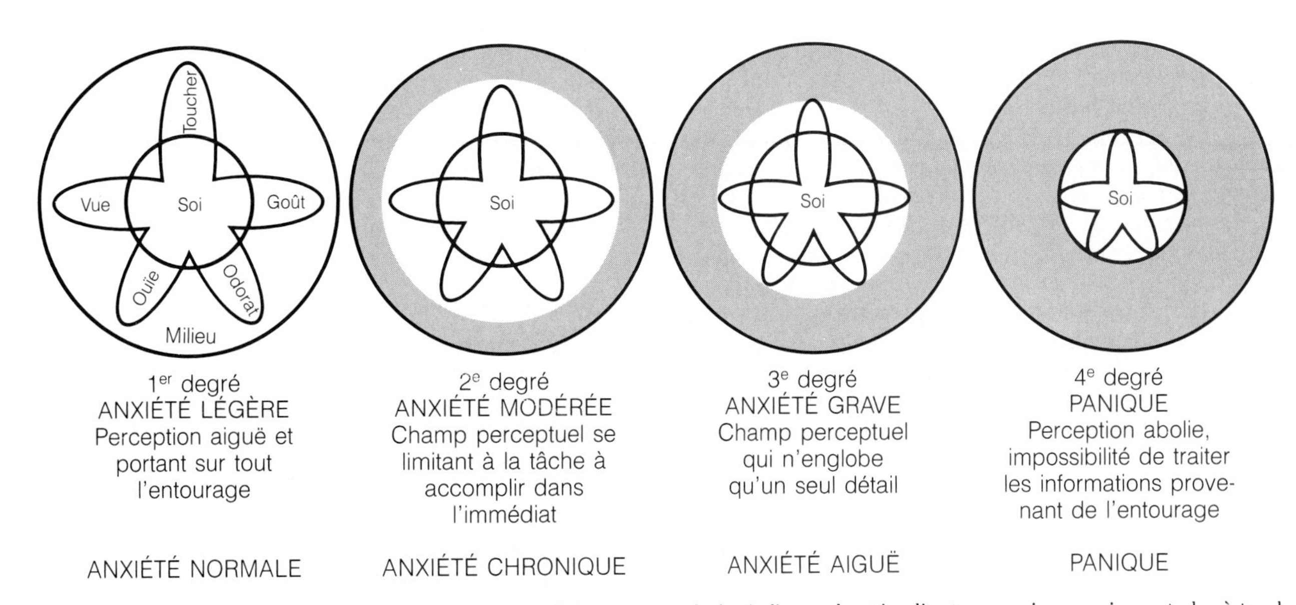

Figure 20-2. Degré d'anxiété et étendue du champ perceptuel. Les zones ombrées indiquent les stimuli externes qui ne parviennent plus à toucher la personne.
(Source: J. Haber et coll. *Comprehensive Psychiatric Nursing,* New York, McGraw-Hill, 1987; copyright CV Mosby, St.Louis)

tout aussi menaçante. À cause du comportement agressif du patient, les infirmières essaient de l'éviter, ce qui ne fait qu'augmenter sa détresse. Elles devraient tout au contraire résister à un comportement qui reflète le rejet et faire des efforts conscients pour se montrer encore plus disponibles.

Le comportement agressif généré par un état toxique est compréhensible. On peut en effet facilement excuser le patient qui délire ou qui «n'a pas toute sa tête». Mais, le patient qui manifeste constamment son hostilité alors qu'il est tout à fait conscient et en pleine possession de ses moyens est beaucoup plus difficile à excuser et à traiter. Cependant, les manifestations hostiles sont peut-être les seules stratégies que le patient puisse utiliser pour s'adapter aux menaces qu'il perçoit. La colère peut l'aider à soulager son désespoir et son sentiment de dépendance. Dans d'autres circonstances, la colère fait partie des manifestations du chagrin et peut être le moyen qui aide la personne à vaincre l'apathie et la dépression. Mais, la colère peut s'évanouir lorsque quelqu'un aide le patient à reconnaître ce qui le frustre ou le menace et le soutient par ses interventions pendant cette période d'adaptation.

Le déplacement de la colère est fréquent. Il s'agit du transfert du sentiment sur une représentation, personne ou objet, autre que celui qui a généré la frustration. Lorsque nous nous sentons vulnérables, il est parfois peu prudent d'exprimer directement notre insatisfaction ou notre colère. Par conséquent, nous avons tendance à choisir comme cible une personne moins portée à la riposte et qui n'est pas le dépositaire de notre bien-être affectif et physique. Le patient qui se sent très en colère contre son médecin peut hésiter à se plaindre, de peur de recevoir moins d'attention. Par conséquent, il préférera s'emporter contre l'infirmière et insistera plus tard pour qu'elle appelle le médecin. Or, il se pourrait que l'infirmière et le médecin soient en mauvais termes, mais comme elle ne peut lui manifester son ressentiment, elle brusquera plutôt les patients et se disputera avec ses collègues. Généralement, dans notre société, la manifestation ouverte de l'agressivité est inadmissible et les accès de colère sont généralement accompagnés de culpabilité, de honte et d'excuses à n'en plus finir. Toutefois, étant donné que l'expression de la colère dépend du bagage culturel et socio-économique de chaque individu, l'infirmière peut être consternée, insultée ou agressée par un comportement qu'une autre personne peut considérer comme normal.

Habituellement, en société, on réagit à la colère par une contre-attaque, le repli sur soi ou l'évitement. Initialement, face à un patient qui est en colère, l'infirmière peut réagir de la même façon qu'en société. Cependant, sur le plan thérapeutique, une telle réaction est inadéquate. La responsabilité de l'infirmière est d'aider le patient même s'il est en colère et, pour ce faire, elle doit d'abord reconnaître sa propre réaction à un comportement hostile. Souvent, l'infirmière peut être en proie à l'irritation ou à l'exaspération. Elle peut se montrer effrayée, embarrassée ou blessée. Lorsqu'un patient l'agresse verbalement, elle peut se sentir incompétente et coupable, même si sa conduite a été irréprochable. Elle peut aussi se sentir tellement impuissante et figée qu'elle se met à redouter le moment où elle doit administrer des soins à ce patient. Elle commencera donc à l'éviter chaque fois que cela lui sera possible. Ce genre de comportement peut augmenter la frustration du patient et intensifier son sentiment de solitude. Il se sentira donc encore plus démuni et affligé par le fait qu'il doit dépendre d'un personnel infirmier qui est incapable de répondre à ses besoins physiques et affectifs, ce qui enferme tout le monde dans un cercle vicieux.

Interventions infirmières. Pour réagir positivement à la colère du patient, l'infirmière doit essayer de le comprendre et de comprendre sa situation. Elle doit aussi analyser ses propres réactions face au patient et essayer de l'aider à reconnaître les problèmes qui l'accablent. Elle doit aider le patient à maintenir sa dignité, sa fierté et son estime de soi de façon à ce qu'il puisse accepter sa situation dans toute sa globalité. Elle doit aussi fixer des limites à son comportement pour l'empêcher de se nuire à lui-même et de nuire aux autres et l'aider à trouver des moyens plus appropriés d'expression de ses sentiments. Bien qu'elle puisse se sentir en colère ou effrayée par un comportement hostile, plutôt que de riposter ou de se replier sur elle-même, elle doit analyser ses sentiments afin d'être capable de résoudre le même genre de problème à l'avenir. Afin de pouvoir formuler un plan de soins infirmiers destinés aux patients qui sont en colère ou hostiles, elle doit pouvoir répondre aux questions suivantes: À quel moment le patient se met-il en colère et comment exprime-t-il sa colère? Est-ce que sa colère l'empêche de recevoir les soins dont il a besoin? Pourquoi son comportement me perturbe-t-il? Comment est-ce que je réagis? Se met-il en colère contre d'autre gens également? Y a-t-il une personne capable de s'entendre avec lui? Qu'est-ce que cette personne fait que je ne peux faire? Est-ce que l'hostilité du patient lui sert à quelque chose? Dans quelle mesure ce comportement traduit-il sa façon habituelle de réagir à autrui? Dans quelle mesure est-il prêt à changer? Quels sont les objectifs réalistes que nous pouvons essayer d'atteindre? Est-ce que quelqu'un d'autre (médecin, membres de la famille, infirmière spécialisée en psychiatrie, psychiatre, ergothérapeute ou autre patient) pourrait nous aider? Si le patient cesse d'exprimer sa colère, risque-t-il d'adopter des comportements encore plus destructeurs?

Il n'est pas facile de travailler avec les patients coléreux ou hostiles, mais ce travail peut également être valorisant. Les patients dont la colère cache temporairement la peur et la honte se montreront reconnaissants envers l'infirmière qui les aide pendant la crise sans les condamner, les rejeter ou riposter. Les patients qui toute leur vie durant ont essayé de s'adapter aux divers problèmes qu'ils ont rencontrés par des crises de colère lui seront également reconnaissants bien qu'ils puissent ne jamais exprimer directement leur gratitude à l'infirmière qui, au lieu de les rejeter, essaie de les comprendre et de les soigner. Le plan de soins 10-2 aidera l'infirmière à soigner les patients qui se montrent coléreux et hostiles.

Chagrin et deuil

Le chagrin est une réaction émotionnelle complexe à la perte réelle ou anticipée d'une personne ou d'un objet auquel on est attaché. Cette perte peut être celle d'un ami ou d'un parent, d'une partie du corps, du travail, de la santé ou de la vie. La personne qui a du chagrin peut éprouver des sentiments d'anxiété, d'impuissance, de désespoir, de culpabilité et de colère. Elle peut se sentir déprimée, triste, seule et accablée de remords. Le deuil est l'affliction qu'on éprouve par suite de la perte. À la fin du deuil, le chagrin peut être surmonté. La personne en deuil, qui éprouve du chagrin, manifeste des réactions face à la société qu'elle peut mieux gérer si elle bénéficie de l'aide d'autrui. La façon spécifique de surmonter le chagrin et de traverser le deuil dépend des influences culturelles qu'on subit. La personne peut manifester son chagrin de diverses manières qui vont du stoïcisme le plus absolu à des pleurs rituels et à d'autres formes de lamentation.

L'intensité du chagrin éprouvé dépend de l'importance de la perte aux yeux de la personne affectée. Il est généralement plus intense si la perte est soudaine, surtout s'il s'agit d'un décès. Si le survivant était particulièrement dépendant de la personne décédée ou s'il se sent d'une quelconque manière responsable de sa mort, le chagrin est plus intense. La personne qui est très marquée par les séparations à cause des expériences qu'elle a connues pendant son enfance peut être plus profondément affectée. Des sentiments ambivalents sont présents dans toute relation importante. Si l'ambivalence est marquée, le chagrin peut être particulièrement intense. La culpabilité et des idées irrationnelles à propos de la cause du décès peuvent empêcher la personne d'affronter son chagrin.

Les phases du deuil sont similaires aux phases de l'adaptation à la maladie: choc et incrédulité, prise de conscience et récupération. Lorsqu'on est confronté à une perte, on a habituellement l'impression qu'on va sombrer. On se sent oppressé, on perd l'appétit. On est en proie à des tensions, et on souffre de fatigue et d'anxiété aiguë. Les sens sont altérés et on éprouve un sentiment d'irréalité et de distanciation par rapport aux êtres et aux choses. La seule préoccupation est la perte de l'objet ou de l'être cher et on ne souhaite rien d'autre que son retour. Un sentiment de culpabilité peut également être présent et il est fréquent que les ruminations et les remords à propos de ce qu'on aurait pu faire autrement occupent tout le champ du conscient. Les relations de la personne en deuil avec autrui manquent de chaleur. Elle est irritable et demande de ne pas être dérangée. Elle refusera vraisemblablement de s'engager dans une quelconque activité, négligera ses soins personnels ou, au contraire, elle se tiendra constamment occupée et s'étourdira dans des activités stériles. Elle pourrait également manifester des symptômes similaires à ceux éprouvés par la personne décédée. Parfois, le choc du deuil est accepté au plan intellectuel et la personne aura des élans et se montrera prête à s'occuper des autres. Ses tentatives se solderont cependant par un échec, car la personne voudra se protéger de la douleur d'une nouvelle perte.

Lors de la phase de la prise de conscience, la personne est frappée par la douleur, l'angoisse, le sentiment de vide et une tristesse aiguë. Souvent, elle pleure ou est au bord des larmes et c'est habituellement alors que les autres veulent lui venir en aide. Un grand nombre de gens ne peuvent pas pleurer en public et ont besoin d'être seuls pour surmonter leur chagrin.

Pendant la phase de récupération, la réalité physique de la perte est très forte. En cas de décès, l'enterrement oblige la personne en deuil à se rendre à l'évidence, tout comme la vue du moignon et les premiers essais d'utilisation d'une prothèse en cas d'amputation. La personne en deuil amorce un long processus d'adaptation à la perte de l'objet ou de l'être cher. Elle parlera souvent de cet être ou de cet objet et elle aura tendance à l'idéaliser afin que les souvenirs agréables soient renforcés. Graduellement, elle parvient ainsi à se détacher émotionnellement. Au fur et à mesure que sa dépendance de l'objet diminue, la personne commence à manifester de nouveaux intérêts et à investir son énergie dans les relations avec autrui. Elle pourrait alors garder un souvenir plus réaliste de la relation avec tout ce qu'elle comportait de bon ou de mauvais et en parler sans être troublée par ses sentiments de dépendance affective.

Interventions infirmières. Pour aider les patients et leur famille qui éprouvent du chagrin ou qui traversent un deuil, l'infirmière doit anticiper les réactions de perte, soutenir les mécanismes habituels d'adaptation et favoriser l'expression des sentiments. Elle doit se montrer disponible et respecter le désir de solitude. Lorsqu'il s'agit de la perte d'un organe ou d'une fonction du corps, l'infirmière doit élaborer un plan de soins spécifique et apporter des modifications au cadre physique afin que les idées d'indignité ne s'intensifient davantage. Grâce à la présence de l'infirmière à son chevet et à son désir de participer à l'expérience douloureuse qu'il doit vivre, le patient n'a pas le sentiment d'être totalement abandonné. L'infirmière qui connaît l'évolution caractéristique du chagrin et du deuil peut repérer les comportements inadaptés et faciliter l'évaluation du besoin d'autres types d'interventions thérapeutiques, telle la psychothérapie. Le plan de soins 20-3 est un exemple de plan de soins infirmiers destinés au patient qui doit surmonter le chagrin ou traverser un deuil.

Espoir

L'espoir est une expérience humaine dont les liens avec la santé et la maladie sont évidents. C'est une série complexe de sentiments et de pensées qui tournent autour d'une confiance fondamentale en une solution aux principaux problèmes de l'existence. La plupart des gens espèrent que leur vie et celle de leurs proches sera longue et à l'abri de la maladie. À cause d'un accident ou d'une affection grave, le patient est confronté à sa vulnérabilité et à un avenir incertain.

L'espoir est le contraire du désespoir, état caractérisé par l'angoisse, la désolation, l'impuissance et la détresse. La perte de l'espoir engendre un comportement d'abdication qui mène à un déséquilibre physique et émotionnel. La mort peut survenir par suite d'un manque de désir de vivre ou par suite d'un suicide. L'espoir est un catalyseur qui active l'ensemble des motivations. Il est renforcé lorsque les autres soutiennent la personne et l'encouragent à continuer de se battre. Au moment où le patient perçoit «la lumière au bout du tunnel», il sera davantage enclin à persévérer afin d'atteindre les objectifs fixés. Même chez les mourants, l'espoir d'un soulagement et d'une vie satisfaisante dans le présent sont des aspects très importants que l'infirmière peut renforcer grâce à ses interventions.

Interventions infirmières. Pour aider les patients et leur famille à garder l'espoir ou à reprendre courage, les infirmières doivent encourager les attitudes positives, se montrer optimistes et créer un climat de confiance. Pour réussir, elles doivent d'abord trouver elles-mêmes une signification à la vie, à la maladie et à la mort. L'infirmière est continuellement confrontée aux sentiments d'espoir, de désespoir et d'impuissance dans tous les milieux de soins. En même temps qu'elle aide les autres à faire face à ces sentiments, elle doit analyser ses propres incertitudes. Lorsque l'infirmière se sent désespérée, elle doit se confier à ses collègues qui l'encourageront et l'aideront à mieux voir la réalité. Si un patient donné ne peut se rétablir, les membres du personnel ainsi que les membres de sa famille sont déçus, fâchés et chagrinés. Le plan de soins 10-4 est un exemple de soins infirmiers visant à aider le patient à regagner l'espoir.

Plan de soins 20-1

Soins destinés au patient qui souffre d'anxiété

Mme Anne Bélanger, veuve de 70 ans, a été conduite au service d'urgence parce qu'elle a fait une chute dans son appartement. Elle était éveillée et n'avait aucun problème d'orientation, mais se plaignait de douleurs à la hanche droite et se disait incapable de bouger le pied droit. L'examen au service d'urgence a révélé la fracture de la hanche droite et Mme Bélanger a été hospitalisée au service d'orthopédie.

On a installé le pied droit en traction dans un étrier de Buck et on a maintenu son axe de rotation à l'aide d'un rouleau trochantérien. On a prévenu la famille et on a décidé de faire une intervention chirurgicale le lendemain. Mme Alarie, l'infirmière chargée des soins de Mme Bélanger, est allée la voir pour lui donner des explications avant l'intervention. Les signes vitaux de Mme Bélanger étaient les suivants: pression artérielle 138/98, pouls 100, respiration 28, température 37,2 °C. Son discours était précipité, elle se plaignait de douleur à la hanche, de sécheresse de la bouche et d'une transpiration excessive. Elle était en proie à une agitation croissante et disait que son cœur battait trop fort. Elle demandait souvent le bassin pour uriner. Elle avait du mal à se concentrer sur les renseignements que Mme Alarie lui donnait et elle répétait sans cesse: «Que dites-vous? Je ne comprends rien.»

Diagnostics infirmiers

1. Anxiété reliée à une situation de crise et à une intervention chirurgicale imminente
2. Douleur reliée à une fracture de la hanche

Objectifs

1. La patiente utilise une méthode efficace pour faire face à l'anxiété et la réduire.
2. La douleur est soulagée.

Interventions infirmières	*Résultats escomptés*	*Résultats obtenus*
1. Établir une relation de confiance:		
a) Se présenter.	a) Cela personnalise les soins.	• La patiente a appelé l'infirmière titulaire par son nom.
b) Demander à la patiente comment elle perçoit son problème de santé.	b) Cela permet à la patiente de parler des événements qui ont entraîné l'hospitalisation et de verbaliser ses sentiments à l'égard de l'intervention chirurgicale et de sa guérison.	• La patiente a été capable de relater les événements qui ont entraîné son hospitalisation et ceux qui ont suivi; elle a verbalisé ses sentiments ainsi: «Je ne sais pas ce qui m'arrivera»; elle a été incapable de définir ses peurs.
c) Prodiguer les soins et aborder la patiente toujours de la même manière.	c-d) Par ces comportements, la patiente montre qu'elle est en confiance.	• Le lendemain de son admission, la patiente a exprimé sa peur de l'inconnu et la colère que cette situation éveille chez elle; elle a dit avoir peur de mourir ou de ne plus pouvoir marcher et de ne plus être autonome.
d) Montrer à la patiente qu'on l'accepte en tant que personne.		
e) Donner les consignes concernant l'intervention chirurgicale d'une manière simple et claire.	e) La patiente se concentre sur les consignes de l'infirmière.	• La patiente a dit que parler lui faisait du bien; elle a demandé à l'infirmière à quel moment elle reviendra; elle semblait plus décontractée. Elle a été capable de répéter les consignes reçues.
2. Aider la patiente à reconnaître son anxiété:		
a) Inciter la patiente à verbaliser son anxiété.	a) La patiente verbalise son anxiété.	• La patiente a dit que l'intervention chirurgicale, le fait de devoir réapprendre à marcher et retourner chez elle la rendait anxieuse.

Plan de soins 20-1 (suite)

Soins destinés au patient qui souffre d'anxiété

Interventions infirmières	*Résultats escomptés*	*Résultats obtenus*
b) Rester au chevet de la patiente.	b) Elle se sent moins anxieuse.	• Les réactions physiologiques de l'anxiété ont diminué: la bouche est moins sèche, la transpiration est moins abondante, les mictions sont moins fréquentes et la patiente est moins agitée.
c) Aider la patiente à reconnaître les événements qui intensifient son anxiété.	c) La patiente reconnaît les événements qui intensifient son anxiété.	• La patiente a reconnu que son anxiété est intensifiée par l'agitation qui l'entoure, la douleur lorsque l'effet de l'analgésie s'épuise, l'immobilité.
d) Discuter avec la patiente du lien entre l'anxiété et le fonctionnement physiologique.	d) La patiente reconnaît que l'anxiété influe sur son fonctionnement physiologique.	• La patiente a défini correctement le lien entre l'anxiété et ses palpitations. Elle a signalé que les palpitations avaient diminué, que la salivation se rétablissait peu à peu, qu'elle transpirait moins et qu'elle avait moins souvent envie d'uriner.
e) Discuter du lien entre l'anxiété et les comportements qu'elle déclenche.	e) La patiente reconnaît que l'intensification de l'anxiété entraîne des modifications du comportement.	• La patiente a reconnu qu'elle avait une activité motrice accrue lorsqu'elle était plus anxieuse.
f) Noter l'heure où l'agitation s'intensifie et les facteurs qui la déclenchent.	f) La patiente se montre moins agitée.	• L'agitation de la patiente a diminué; il faut replacer moins souvent ses couvertures; elle est capable de suivre les consignes préopératoires; elle parle encore très vite par moments.
g) Favoriser l'utilisation des stratégies d'adaptation efficaces qui permettent de diminuer l'anxiété.	g) La patiente dresse une liste de stratégies d'adaptation efficaces.	• La patiente a déterminé que les activités suivantes diminuaient son anxiété: écouter de la musique, recevoir la visite de sa famille, lire des magazines.
h) Enseigner à la patiente des techniques de relaxation.	h) La patiente utilise des techniques de relaxation pour diminuer son anxiété.	• La patiente a pratiqué des techniques de relaxation lorsqu'elle s'est sentie anxieuse; elle a dit que, grâce à ces techniques, elle se sentait plus calme.
i) Encourager la patiente à recourir à des réseaux de soutien.	i) La patiente a recours à son réseau familial.	• La patiente a parlé avec les membres de sa famille de l'intervention chirurgicale du lendemain et de sa peur de l'avenir.
3. Soulager la douleur et les malaises:		
a) Administrer les analgésiques prescrits.	a) La patiente dit qu'elle souffre moins.	• La patiente a dit que sa douleur était soulagée 30 minutes après avoir pris l'analgésique.
b) Vérifier si l'analgésique provoque des effets secondaires.	b) Le médicament ne provoque pas d'effets secondaires.	• Le médicament n'a provoqué aucun effet secondaire.
c) Évaluer la température, la respiration, le pouls et la pression artérielle toutes les quatre heures.	c) Les signes vitaux sont normaux.	• Les signes vitaux ont continué à s'élever 24 heures après l'admission: température: 37,4 °C; pouls de 90 à 100; respiration de 22 à 26; pression artérielle de 130/86 à 146/90.
d) Observer la jambe et le pied droits et noter la couleur de la peau, la température, la position, les sensations, la capacité de bouger le pied et les orteils; observer la patiente afin de déceler rapidement l'apparition d'un œdème.	d) La patiente ne présente pas de cyanose, d'œdème, de paralysie, de sensations anormales ni d'élévation locale de température.	• On a noté un œdème au niveau de la hanche droite; la position a été maintenue grâce à l'étrier de traction et au rouleau trochantérien; la couleur de la peau, la température, les sensations et la mobilité du pied sont normales.

Plan de soins 20-2

Soins destinés au patient qui se montre coléreux et agressif

Après la réduction de la fracture et la fixation chirurgicale de la hanche droite de Mme Bélanger, Mme Alarie est allée la voir. Mme Bélanger s'est mise en colère et s'est montrée sarcastique et exigeante. Elle a dit : « Personne n'est venu voir comment je me sentais. J'aurais pu mourir. Vous l'auriez payé cher. » Elle a aussi dit à Mme Alarie : « Faites exactement ce que le médecin a dit » et, ensuite, elle lui a demandé de quitter sa chambre et de lui envoyer « quelqu'un qui sait ce qu'il faut faire ».

Diagnostics infirmiers

Stratégies d'adaptation individuelles inefficaces
1. Agressions verbales reliées au sentiment d'impuissance
2. Refus de coopérer relié au sentiment de ne plus avoir de maîtrise sur la situation

Objectifs

1. La patiente communique à nouveau avec courtoisie.
2. Elle verbalise ses sentiments.
3. Elle participe au traitement.

Interventions infirmières	*Résultats escomptés*	*Résultats obtenus*
1. Amener la patiente à communiquer avec courtoisie.		
a) Établir des liens de confiance (voir le plan de soins 10-1).		
b) Rester calme ; ne pas se laisser intimider par les agressions verbales.	b) La patiente est capable de communiquer sans élever la voix.	• La patiente n'a élevé la voix qu'à quelques reprises en l'espace de 24 heures.
c) Fixer des limites et ne pas accepter que la patiente les dépasse ; au besoin, cesser de s'en occuper.	c) La patiente communique avec courtoisie.	• La patiente a exprimé adéquatement ses désirs, ses observations et ses questions.
d) Inciter la patiente à exprimer ses sentiments.	d) La patiente verbalise ses sentiments de colère, de peur et de frustration.	• La patiente a parlé de ses frustrations, de sa peur, de sa colère et de son sentiment de ne pas maîtriser la situation ; elle a dit avoir peur de ne plus être autonome.
e) Ne pas se disputer avec la patiente en essayant de la raisonner.	e) La patiente explique de quelle façon la colère affecte sa communication verbale.	• La patiente s'est excusée de s'être laissée emporter et de s'être mal conduite ; elle a reconnu que la colère lui permet de surmonter sa peur de ne plus maîtriser la situation et de devoir dépendre des autres.
2. Inciter la patiente à verbaliser ses sentiments :		
a) Encourager la patiente à exprimer ses sentiments par rapport à la dépendance.	a) La patiente verbalise ses sentiments par rapport à la dépendance.	• La patiente a dit ce qu'elle ressent lorsqu'elle doit dépendre du personnel infirmier pour satisfaire ses besoins fondamentaux.
b) Dans la mesure du possible, laisser la patiente exprimer ses préférences.	b) La patiente conserve une certaine maîtrise sur sa situation.	• La patiente a établi son propre programme d'activités quotidiennes et de changement des pansements ; elle a consulté la physiothérapeute et a pris rendez-vous avec elle.
c) Faire participer la patiente à la fixation des objectifs.	c) La patiente établit ses objectifs et parle de ses attentes.	• La patiente nourrit des attentes réalistes à l'égard du traitement, du congé, de la réadaptation ; elle s'est fixé des objectifs relativement aux changements à apporter dans son appartement.

Plan de soins 20-2 (suite)

Soins destinés au patient qui se montre coléreux et agressif

d) Parler avec la patiente de son sentiment d'impuissance.	d) La patiente verbalise son sentiment d'impuissance.	• La patiente a reconnu que, depuis son hospitalisation, son état avait changé; elle a expliqué l'influence de ces changements sur son mode de vie et a reconnu le besoin de reprendre la maîtrise de sa vie et d'apprendre à se prendre en charge.
3. Inciter la patiente à participer au traitement.		
a) Insister sur ses forces et ses atouts.	a) La patiente reconnaît ses forces et ses atouts.	• La patiente a parlé de son réseau de soutien, de son âge, de sa condition physique, de son mode de vie et de son énergie; elle a exprimé le désir de parler avec l'infirmière chargée de son plan de congé afin de faciliter l'élaboration d'un plan pour les soins qui lui seront dispensés dans un établissement de convalescence.
b) Inciter la patiente à participer à ses autosoins.	b) La patiente accomplit elle-même ses autosoins.	• Après avoir établi l'horaire des activités quotidiennes, la patiente a participé activement à ses propres soins; elle a démontré qu'elle est autosuffisante au cours des dernières 72 heures.

Changements dans l'exercice du rôle

À cause de la maladie, les divers rôles qu'on joue dans la vie sont souvent modifiés tout comme les interactions avec autrui. Des dépendances peuvent se créer. Cependant, les relations familiales et amicales doivent se rétablir ou être maintenues.

On observe les perturbations les plus importantes de l'exercice du rôle au sein des familles où les parents ne peuvent plus poursuivre leurs activités habituelles. On peut assister alors à un renversement des rôles, les enfants prenant maintenant en charge leurs parents. Dans le cycle de la vie, les parents âgés deviennent de plus en plus dépendants de leurs enfants d'âge moyen et leur demandent des conseils et de l'aide. Une maladie grave renforce davantage cette dépendance.

Les rôles professionnels peuvent également changer de façon spectaculaire. Lorsque les médecins et les infirmières deviennent à leur tour des patients, il leur semble souvent très difficile d'accepter ce rôle et les membres du personnel ont également du mal à les traiter comme tels. Il en est également ainsi pour les personnes qui occupent des fonctions de prestige. Elles peuvent demander un traitement de faveur et même l'obtenir, ce qui peut parfois nuire à leur santé et perturber le travail dans le service. Pour un grand nombre de gens, seule la capacité de travailler et de produire confère une certaine valeur personnelle. Lorsqu'elles sont forcées de s'arrêter à cause d'une maladie, certaines personnes se sentent perdues et amputées des liens professionnels. La réadaptation par l'ergothérapie est une partie importante des soins destinés aux patients qui doivent faire face à des altérations importantes.

Le rôle le plus difficile est celui que doit assumer le patient qui est en phase terminale ou qui est à l'agonie. Pour la plupart des gens, il s'agit d'un aspect de la vie qu'ils ne connaissent pas et qui les effraie. Ils ne savent pas quoi faire, quoi dire et comment se comporter en présence d'un pronostic sombre. Les professionnels de la santé peuvent négliger les soins des patients qui ne peuvent plus se rétablir alors qu'ils ont l'obligation d'aider les patients et leur famille à traverser cette période.

Les personnes qui souffrent d'une maladie chronique doivent accepter le rôle d'invalide. Elles voudraient être aussi normales que possible et, parfois, la maladie les en empêche. Elles doivent continuellement décider de ce qu'elles peuvent faire ou de ce qu'elles peuvent dire aux autres, surtout lors des interactions sociales. Pour cette raison, certaines personnes se retirent tout simplement et se coupent des autres, ce qui engendre des sentiments de solitude et de dépression.

Stratégies d'adaptation

Les patients, les familles et les membres du personnel doivent s'adapter aux maladies graves de nombreuses façons. Pour ce faire, ils doivent utiliser les mêmes stratégies que celles qui se sont avérées efficaces à d'autres périodes difficiles. Moos (1984) dit que ces stratégies d'adaptation peuvent être apprises et perfectionnées. Bien qu'on puisse les diviser en sept catégories, on les utilise souvent en diverses combinaisons et elles peuvent être plus ou moins efficaces ou appropriées. Aux diverses phases de la maladie, le patient peut choisir une ou plusieurs stratégies d'adaptation laissant les autres de côté.

Plan de soins 20-3

Soins destinés au patient qui doit surmonter le chagrin et le deuil

La hanche de Mme Bélanger commence à guérir et elle poursuit un traitement de réadaptation. En même temps, elle a commencé à verbaliser son sentiment de perte et sa peur de perdre son autonomie. Elle a dit à Mme Alarie: «Vous savez, je vis seule depuis bien longtemps. Je n'ai jamais voulu être à la charge de ma famille ou de mes amis.» Lorsqu'elle est seule, Mme Bélanger regarde dans le vide. Elle a dit à sa famille et à ses amis que son appartement lui manquait beaucoup et qu'elle s'inquiétait pour ses plantes.

Diagnostic infirmier

1. Chagrin par anticipation relié à la perte d'autonomie

Objectifs

1. La patiente accepte la perte.
2. Elle modifie son mode de vie de façon à s'adapter à la perte.

Interventions infirmières	Résultats escomptés	Résultats obtenus
1. Encourager la patiente à reconnaître la signification de la perte.		
a) Établir une relation basée sur la confiance (voir le plan de soins infirmiers 20-1).		
b) L'inciter à parler de ses sentiments face à la perte.	b) La patiente parle de ses sentiments face à la perte.	• La patiente a pleuré et a parlé de ses sentiments face à son autonomie.
c) L'amener à reconnaître les conséquences de cette perte.	c) La patiente connaît les répercussions de la perte sur son mode de vie.	• La patiente a parlé de sa mobilité diminuée et du besoin d'être soignée dans un établissement de convalescence pendant la période de réadaptation.
d) Aider la patiente à soulager les symptômes de dépression.	d) La patiente éprouve moins de symptômes de dépression.	• La patiente a dit que son appétit s'était amélioré et qu'elle pouvait dormir d'un sommeil ininterrompu pendant plusieurs heures; elle a eu moins de crises de larmes; elle a pu mieux se concentrer sur la lecture d'un livre; elle a participé à la physiothérapie et aux activités de la vie quotidienne.
e) Aider la patiente à traverser le processus de deuil.	e) La patiente se résigne à la perte.	• La patiente s'est montrée optimiste à propos de la réadaptation; elle a exprimé son désir de participer activement à ce programme et a parlé de son réseau de soutien familial.
f) Aider la patiente à adapter son mode de vie.	f) La patiente connaît les changements qu'elle doit apporter à son mode de vie.	• La patiente a parlé des changements qu'elle peut apporter à son appartement et des réseaux de soutien dont elle dispose.

DÉNI

Le patient, lors de cette étape, refuse de reconnaître la gravité de la crise qu'il doit traverser ou en nie les conséquences. Il a tendance à se couper des émotions que son état éveille en lui. Il essaie d'accorder moins d'importance aux symptômes qui témoignent de sa maladie ou refuse son diagnostic. La première réaction à la perte est le choc et l'incrédulité. Le déni ou l'émoussement des émotions donne au patient le temps d'absorber la signification de son vécu immédiat et l'empêche d'être submergé par ses sentiments. Le déni et la fuite de la réalité sont des mécanismes de l'ego qui protègent l'individu contre l'anxiété; cependant, l'intensification ou la persistance des symptômes l'oblige, en général, à accepter finalement la réalité.

En tant que mécanisme d'adaptation, le déni permet de maintenir l'équilibre psychologique. Il peut être nocif lorsqu'il entraîne des comportements inadéquats tels que l'oubli d'un

(suite à la page 536)

Plan de soins 20-4

Soins visant à aider le patient à regagner l'espoir

Mme Bélanger apprend à marcher avec un déambulateur. Elle a semblé contente de se rendre à ses séances de physiothérapie, auxquelles elle participe activement. Elle a parlé à Mme Alarie de ses projets après sa sortie du centre hospitalier. «Bien sûr, je dois continuer le traitement pendant un certain temps, mais, une fois que je me sentirai plus forte, je pourrai quitter l'établissement de convalescence et rentrer chez moi. Ma famille est prête à m'aider à faire modifier mon appartement. J'ai bon espoir que tout finira par s'arranger.»

Diagnostics infirmiers

1. Perturbation du concept de soi: estime de soi, dépendance/autonomie, exercice du rôle.
2. Risque de non-observance du programme thérapeutique.

Objectifs

1. La patiente a un meilleur concept de soi.
2. Elle retrouve son autonomie.
3. Elle observe le programme thérapeutique prescrit.

Interventions infirmières	*Résultats escomptés*	*Résultats obtenus*
1. Renforcer l'estime de soi de la patiente.		
a) La féliciter lorsqu'elle fait des progrès dans l'exécution de ses autosoins et qu'elle accroît ses périodes de marche.	a) La patiente apprend à marcher avec un déambulateur.	• La patiente s'est déplacée sans problèmes à l'aide du déambulateur.
b) Aider la patiente à reconnaître ses forces et ses atouts.	b) La patiente reconnaît ses forces et ses atouts.	• Elle a dressé une liste des activités physiques qu'elle pourrait poursuivre; elle a déterminé qui peut lui offrir du soutien parmi sa famille et ses amis; elle a dit que la détermination fait partie de ses qualités.
c) Féliciter la patiente et l'encourager chaque fois qu'elle progresse dans l'acceptation des changements à apporter à sa vie.	c) La patiente parle de ses sentiments face à sa perte d'autonomie.	• Elle a verbalisé la tristesse que lui inspire la perte de son autonomie et a mis en perspective les répercussions de cette perte sur elle-même et sur sa famille; elle a dit qu'elle avait très hâte de rentrer chez elle.
2. Inciter la patiente à adapter son mode de vie.	2. La patiente prend les mesures nécessaires pour favoriser la plus grande mobilité possible.	• La patiente a fait installer dans son appartement des dispositifs de sécurité. • Elle a demandé à la «popote roulante» d'assurer la livraison des repas une fois qu'elle sera rentrée chez elle.
3. Inciter la patiente à observer le programme thérapeutique prescrit.		
a) L'inciter à participer à la planification du congé.	a) La patiente participe à l'élaboration du plan de congé.	• La patiente a participé à une réunion sur la planification de son congé; elle a consulté la physiothérapeute et a décidé de poursuivre le traitement dans un établissement de convalescence.
b) Donner à la patiente des consignes concernant son retour à domicile.	b) La patiente fait des exercices en suivant le plan. Elle respecte aussi les rendez-vous avec le médecin et le physiothérapeute.	
c) Transmettre le plan de soins infirmiers au personnel de l'établissement de convalescence pour assurer la transition à ce nouveau milieu de soins.	c) La transition à ce nouveau milieu de soins se fait sans anicroche; la patiente s'adapte rapidement à son nouvel environnement et participe aux activités de réadaptation.	• La patiente s'est adaptée à son nouveau milieu de soins et a participé activement au programme de réadaptation.

rendez-vous, la décision de quitter plus tôt que prévu le centre hospitalier et la non-observance du traitement prescrit. Une gaîté qui n'est pas de mise et une trop grande insouciance à propos des symptômes peuvent indiquer le refus de voir la réalité telle qu'elle est. Si le patient ne peut manifester l'anxiété, la dépression et la colère dans des situations où ces sentiments sont prévisibles, le déni peut lui servir de protection. Cependant, les patients agissent parfois de cette façon pour protéger les autres. Si ces patients sont capables de parler de leurs peurs et de leurs émotions avec le personnel, leur sentiment de solitude pourrait être soulagé. Le déni est courant dans certaines familles qui refusent de voir la gravité de la situation pour se protéger. Même lorsque la mort est imminente, la famille peut la nier.

Interventions infirmières. En cas de déni de la maladie, les infirmières doivent évaluer dans quelle mesure ce mécanisme de défense est nocif et dans quelle mesure il peut s'avérer bénéfique. Généralement, il ne faut pas s'inscrire en faux contre le déni puisqu'on risque de renforcer le patient dans son opinion ou de déstabiliser son ego. D'autre part, l'infirmière ne doit pas le soutenir dans son déni, ni l'encourager dans ce sens mais plutôt se montrer disponible. Elle doit choisir attentivement les questions qu'elle lui pose pour l'aider à accepter la réalité. Lorsque les patients ne peuvent plus s'appuyer sur le déni, ils ont besoin d'aide pour surmonter les aspects de la réalité qu'ils essayaient d'ignorer.

Le déni est une stratégie d'adaptation qu'adoptent également les infirmières pour faire face à leurs propres sentiments concernant la maladie, les interventions chirurgicales radicales et la mort. Tout comme les autres membres de l'équipe soignante, elles peuvent recourir à ce mécanisme de défense pour pouvoir continuer de travailler dans les services où les risques sont élevés. Si les infirmières sont capables de dévoiler leurs sentiments, elles peuvent mettre au point des stratégies plus efficaces pour faire face au stress et elles sont davantage capables d'aider les patients et leur famille à surmonter les problèmes difficiles.

Recherche d'information

En tant que stratégie d'adaptation, la recherche d'information englobe (1) la recherche de données pertinentes qui aideront à réduire l'anxiété causée par les idées fausses et les incertitudes et (2) l'utilisation efficace de ses propres connaissances. Les renseignements concernant la maladie, son traitement et son évolution prévisible peuvent souvent soulager les patients et leur famille, car elles leur permettent de faire des projets plus réalistes et de prendre les décisions qui s'imposent. Les patients et leur famille se sentent aussi encouragés lorsqu'ils apprennent que chez d'autres personnes souffrant de la même maladie, le traitement s'est avéré efficace. Ils se montrent moins inquiets lorsqu'on leur fournit des faits concrets et des explications qui permettent de dissiper les malentendus. Si on leur précise le délai d'apparition de certaines réactions, leur sentiment d'impuissance pourrait diminuer. Les patients bien informés participent plus activement à leur propre traitement.

Demande de soutien affectif

Le patient a besoin d'être rassuré et d'obtenir le soutien de sa famille, de ses amis et du personnel infirmier et médical sans pour autant perdre le sentiment qu'il conserve ses capacités. Le patient est souvent effrayé et anxieux. Il peut se sentir très seul. L'aide extérieure et le soutien affectif favorisent considérablement l'adaptation. Le patient qui est capable de se tourner vers les autres peut garder l'espoir grâce aux encouragements qu'il reçoit de leur part. Que les troubles soient passagers ou permanents, il doit garder la certitude que ses fonctions non atteintes seront préservées.

Le patient peut se sentir soutenu par d'autres gens qui souffrent de la même maladie que lui. Au sein d'un groupes d'entraide, le patient et sa famille peuvent verbaliser leurs émotions, échanger des conseils pratiques et apprendre des stratégies d'adaptation efficaces. Le patient est rassuré lorsqu'on lui dit que sa collaboration avec l'équipe soignante est utile.

Parfois, le médecin et les infirmières utilisent des tactiques inadéquates. Pour inciter le patient à adhérer à un programme thérapeutique, ils essaient, par exemple, de le faire sentir coupable. Il s'agit en général de tactiques inefficaces qui démoralisent le patient et le poussent à chercher un traitement ailleurs.

Apprentissage des autosoins

Chez le patient qui apprend comment soigner sa maladie, le sentiment qu'il est compétent et efficace se trouve renforcé. Même en présence d'un accident ou d'une maladie catastrophique, les gens peuvent apprendre à se prendre en charge. Ils se sentent alors moins impuissants, car s'ils peuvent être fiers de certains accomplissements, leur estime de soi se rétablit ou se maintient. Les membres de la famille peuvent souvent apprendre comment aider l'être cher atteint d'une maladie aiguë ou chronique. La participation aux activités d'autosoins soulage souvent l'anxiété et la culpabilité. L'enseignement au patient est un aspect important des soins infirmiers.

Établissement d'objectifs concrets à court terme

Pour pouvoir s'adapter à une maladie grave, le patient doit souvent accomplir plusieurs tâches et l'effort peut lui sembler insurmontable. Pourtant, un grand nombre de personnes réussissent cet exploit surtout si les objectifs qu'elles se fixent sont modestes, donc plus faciles à atteindre. Une telle réussite maintient la motivation et les patients se sentent moins impuissants puisqu'ils peuvent constater rapidement qu'ils ont une certaine emprise sur leur maladie. Au lieu de se soucier des résultats des examens diagnostiques et de l'avenir en restant les bras croisés, la personne agit efficacement. Il est important de se servir des principes de l'apprentissage lorsqu'on veut atteindre par la suite des objectifs à long terme.

RECHERCHE DE SOLUTIONS DE RECHANGE

La plupart des problèmes ont plusieurs solutions. En reconnaissant cette vérité, on se sent moins impuissant et moins limité. Pour envisager toutes les solutions possibles, une certaine préparation mentale et des discussions avec les autres peuvent s'avérer utiles. En analysant avec l'infirmière et les membres de sa famille les diverses options dont il peut disposer, le patient peut élargir son champ décisionnel. La planification par anticipation peut également soulager son sentiment d'impuissance, car elle lui permet de mettre en pratique plusieurs possibilités.

Cette stratégie d'adaptation est souvent utilisée simultanément à la recherche d'informations et, en préparant ainsi son avenir, le patient se sent moins anxieux. Pour regagner confiance, il devrait également inventorier les stratégies qui, par le passé, lui ont permis de surmonter les difficultés de la vie.

Lorsqu'il existe plusieurs modes de traitement, le patient ne peut faire un choix éclairé que s'il les connaît tous. Les professionnels de la santé ne savent pas toujours ce qui convient le mieux au patient. Ils ne peuvent l'informer que dans les limites de leurs connaissances et expérience. C'est pourquoi une décision définitive ne peut être prise que par le patient et sa famille. Les patients peuvent avoir des idées bien définies de ce qu'ils désirent faire lorsque leur vie arrive à terme.

Chez les patients donc certaines fonctions sont altérées, la mise en situation des solutions de rechange et la pratique de nouveaux comportements en société sont importantes. Dans ce cas, le personnel peut les aider à en évaluer l'efficacité. Par ailleurs, les jeux de rôles au sein d'un groupe formé de patients et d'autres personnes peut s'avérer très utile.

RECHERCHE D'UNE SIGNIFICATION À DONNER À LA MALADIE

La maladie fait partie des expériences de la vie, et une maladie grave représente un point tournant dans l'existence. La maladie permet souvent d'adopter une nouvelle orientation spirituelle ou une nouvelle philosophie de vie. Certains patients se sentent réconfortés par la pensée que leurs souffrances peuvent avoir une certaine signification ou qu'elles peuvent aider autrui. C'est pour cette raison qu'ils se montrent souvent prêts à participer à des programmes de recherche ou à des programmes de formation. Des patients, des membres de leur famille et des professionnels de la santé ont écrit sur la maladie des récits poignants et vibrants qui donnent aux autres espoir et courage. Des films, des pièces de théâtre et des émissions de télévision ont permis à des millions de gens de comprendre les prouesses que l'amour du prochain, le courage et la compassion permettent d'accomplir.

La maladie peut réunir les familles et, même si l'expérience est douloureuse, elle devient très significative. Grâce à elle, beaucoup de patients ont pris conscience de leur valeur personnelle et de celle des autres. Un grand nombre de personnes ayant survécu à une maladie grave ont dit que leurs valeurs et leurs priorités ont changé, qu'elles sont maintenant plus enclines à se soucier d'autrui et davantage capables d'apprécier la beauté de la nature. Après une maladie grave, les patients se montrent plus prêts à aider leur prochain par le biais d'un groupe de soutien ou d'une action politique. Nombreux sont aussi ceux qui deviennent, à leur tour, professionnels de la santé.

FACTEURS QUI FAVORISENT OU EMPÊCHENT L'ADAPTATION

Une maladie physique grave est souvent un événement décisif qui bouleverse la vie du patient et de sa famille. Elle déclenche un état de crise et sème des obstacles qui empêchent le patient d'atteindre ses principaux objectifs, obstacles qui lui semblent insurmontables puisque ses moyens habituels de résoudre ses problèmes s'avèrent inadéquats. Il doit par conséquent trouver des nouvelles façons d'agir. Lorsqu'il réussit à résoudre ses problèmes, il passe à un niveau supérieur d'intégration affective et intellectuelle, commence à mieux comprendre les autres et se sent plus prêt à leur faire confiance.

Les *agents de stress* qui perturbent l'équilibre sont de nature biologique et psychosociale. Ils sont très souvent interreliés. Les principaux *agents de stress biologiques* sont la maladie et les accidents. Le degré d'altération subie est tout aussi important que la signification que l'individu accorde à sa maladie. Le manque de sommeil, une mauvaise alimentation, la déshydratation, la consommation de drogues et d'alcool et la douleur sont des agents de stress biologiques qui retardent l'adaptation aux difficultés présentes et futures.

Les *agents de stress psychosociaux* comprennent les problèmes interpersonnels avec la famille et les personnes clés, les problèmes professionnels, les problèmes d'argent, les problèmes courants de la vie et les démêlés avec la justice. Selon la phase de développement où la personne se trouve, particulièrement s'il s'agit de l'enfance, de l'adolescence et de la vieillesse, l'impact de la maladie peut devenir encore plus fort. Parfois, les problèmes psychosociaux perdent de l'importance en présence d'une maladie aiguë ou qui peut être mortelle. Dans de nombreux cas, les capacités d'adaptation sont durement éprouvées étant donné que la maladie s'accompagne d'une kyrielle de nouveaux problèmes.

Les *caractéristiques personnelles,* à savoir l'âge, l'intelligence, le mode de vie et les croyances religieuses et philosophiques, ainsi que les stratégies d'adaptation qui se sont révélées efficaces avant la maladie, modifient la perception que la personne a de la maladie et de ses propres capacités de résoudre ses problèmes.

Les *réseaux de soutien* sociaux, culturels et circonstanciels modifient également la façon dont la personne peut s'adapter à la maladie. Les plus importants sont les réseaux de soutien interpersonnels constitués par des gens vers qui la personne peut se tourner dans sa détresse. Les amis proches et les membres de la famille qui se montrent compréhensifs aident considérablement au rétablissement. Les personnes seules ou qui ne sont pas proches de leur famille connaissent un stress encore plus grand en cas de maladie. L'équipe soignante constitue également un réseau de soutien. Étant donné que les infirmières sont souvent plus proches du patient et qu'elles sont constamment présentes auprès de lui, elles peuvent le soutenir considérablement au cours de la période d'incertitude qui caractérise la maladie et le traitement. Elles doivent être attentives aux besoins d'aide supplémentaire que le patient manifeste et peuvent faire le nécessaire pour qu'il puisse recevoir le soutien de sa famille, de l'église, d'autres patients, de psychiatres, de psychologues et de travailleurs sociaux.

Le *cadre physique* peut favoriser ou empêcher l'adaptation. Les problèmes engendrés par une surcharge ou une déprivation sensorielle, par l'isolement et par l'hospitalisation dans un milieu étranger et souvent effrayant peuvent rendre l'adaptation encore plus difficile. Parfois, même s'il est impossible d'améliorer la situation du patient, le fait de reconnaître la présence de ces agents de stress peut le réconforter et rassurer sa famille.

Les *principaux mécanismes d'adaptation* du patient peuvent être modifiés à cause de facteurs pathologiques présents. La douleur, la fatigue et l'immobilité empêchent le patient de recourir aux techniques de relaxation. Les personnes vers qui le patient se tourne habituellement s'éloignent parfois. Généralement, la famille d'une personne souffrant d'une maladie grave connaît également une grande anxiété, et est incapable pour cette raison de répondre à ses besoins. Les difficultés de communication et la modification du comportement et des modes habituels d'interaction traduisent des problèmes d'adaptation. Un repli excessif sur soi, des demandes incessantes, la désorientation, la dépression et la manipulation sont des exemples de comportements inadéquats provoqués par des efforts d'adaptation infructueux. Les modifications du champ perceptuel du patient à mesure que l'intensité de son anxiété augmente jusqu'à un état de panique, sont illustrés à la figure 20-2.

COLLECTE DES DONNÉES SUR LES BESOINS PSYCHOSOCIAUX

L'infirmière doit intervenir auprès de patients qui se trouvent à diverses phases de la maladie et qui subissent des traitements très différents. Souvent, elle ne perçoit que certains détails du tableau global. En cas de maladie aiguë, elle rencontre les patients et leur famille en situation de crise et elle ne connaît ni les circonstances qui ont précédé la maladie ni celles qui suivront. Strauss (1984) considère qu'au moins trois aspects de la vie peuvent influer sur l'état des personnes malades. Il s'agit : (1) des expériences de maladie par ordre chronologique, (2) des expériences de traitements médicaux antérieurs justifiés ou non et (3) des antécédents sociaux du patient, c'est-à-dire de ses relations avec sa famille, ses amis, ses collègues de travail et les étrangers. Les membres de l'équipe soignante devraient tenir compte de ces aspects, car ils peuvent incontestablement avoir une influence sur le traitement et les chances de rétablissement.

Antécédents psychosociaux

Pour connaître les antécédents psychosociaux du patient, il faut effectuer une collecte systématique de données sur les événements importants de sa vie. Cette collecte de données porte le nom de profil du patient ou d'anamnèse. Les antécédents psychosociaux permettent de brosser un tableau de la vie de la personne de sa naissance (héritage et hérédité) au temps présent, en passant par les phases importantes de son développement. Le pronostic fait également partie de cette collecte de données. Les antécédents psychosociaux doivent par ailleurs englober les événements décisifs de la vie du patient. Les maladies importantes (physiques et mentales) qui ont affecté le patient et des membres de sa famille ont une influence considérable sur sa situation dans l'immédiat.

L'infirmière peut se renseigner sur les antécédents psychosociaux spécifiques pendant l'entrevue initiale et lors des rencontres subséquentes. Elle devrait connaître les éléments de la collecte de données psychosociales pour pouvoir mieux situer le patient et déceler ses principaux problèmes et atouts. L'infirmière peut obtenir ces données et les utiliser pendant qu'elle dispense des soins au patient. Elle doit parler au patient en gardant toujours à l'esprit les objectifs fixés afin de déterminer les domaines où il a besoin d'aide. Dans le cas des patients trop malades ou trop jeunes, l'infirmière peut recueillir ces données en parlant aux membres de la famille et aux personnes clés dans sa vie.

Dans de nombreux cas, ces entretiens doivent se poursuivre pendant toute la maladie. Le temps qu'on y consacre dépend des besoins du patient. Les patients très malades peuvent être incapables de communiquer autre chose que leurs besoins immédiats. Cependant, il n'est pas nécessaire d'obtenir tous les renseignements en une seule fois. Au fur et à mesure que sa relation avec l'infirmière se consolide, le patient, se sentant plus en confiance, peut dévoiler des faits qui lui tiennent à cœur, surtout si on l'écoute avec intérêt, si on lui montre de la compassion et si on s'abstient de tout jugement. L'infirmière doit également s'entretenir avec les membres de la famille du patient et évaluer leurs besoins psychosociaux. À cause de l'incertitude et du stress que la maladie engendre, un grand nombre de personnes ressentent le besoin de se confier au personnel soignant.

Examen de l'état mental

Les infirmières doivent non seulement connaître les antécédents psychosociaux du patient, mais aussi observer attentivement son état mental. L'examen de l'état mental permet d'évaluer la façon de penser, de sentir et d'agir de la personne. Lors de cet examen, il faut dresser la liste des comportements du patient, les analyser et les inscrire dans les dossiers. Une telle organisation du travail permet de reconnaître les problèmes et de formuler des diagnostics en vue de l'élaboration du plan de traitement. L'observation du discours et du comportement du patient permet de mener à bien la plus grande partie de l'examen de l'état mental. L'infirmière doit poser des questions précises lorsqu'elle veut obtenir des clarifications, des précisions ou des renseignements supplémentaires ou lorsqu'elle doit effectuer un examen conforme à la règle. Chez les patients atteints d'une maladie physique grave, l'état mental peut être altéré au moment du réveil après une intervention chirurgicale, pendant un épisode de délire ou de fièvre ou pendant que certains médicaments exercent leur effet. Chez le patient ayant des antécédents de troubles mentaux, le stress de la maladie peut entraîne une décompensation. La confusion peut engendrer des comportements extrêmes si elle n'est pas diagnostiquée et traitée en même temps que le trouble physique. Il faut rassurer la famille au sujet des changements psychologiques qui pourraient affecter le patient.

ASPECTS DE LA COMMUNICATION

Les maladies physiques, aiguës et chroniques, posent de nombreux problèmes aux patients et à leur famille qu'ils doivent communiquer à l'infirmière afin qu'elle puisse: (1) reconnaître les besoins en matière de santé, (2) dissiper les malentendus et (3) les aider à verbaliser leurs peurs et les autres émotions. La communication permet aussi de soulager ou de canaliser l'anxiété. Les infirmières doivent connaître l'impact de la maladie sur la personne. Pour toutes ces raisons, la communication avec le patient est essentielle, mais pour que les entretiens soient fructueux, ils doivent se dérouler dans un cadre intime.

Dans sa relation avec le patient, l'infirmière doit tenir compte des médecins, de la famille, des autres patients, du reste de l'équipe soignante et de la société en général. La relation se noue et se maintient grâce à la communication, un échange complexe et dynamique de messages verbaux et non verbaux.

La communication doit se baser sur des symboles que les interlocuteurs comprennent. Pour se faire comprendre, ils doivent également avoir une bonne connaissance de soi et de leurs besoins, parler une même langue, s'exprimer clairement et connaître les conventions qui sont habituellement de mise dans une situation donnée. Pour comprendre autrui, il faut être capable d'observer et d'évaluer son comportement. Pour établir une relation appropriée, il faut se faire comprendre et comprendre autrui. L'infirmière peut avoir du mal à établir la communication avec le patient qui parle mal le français ou qui ne le parle pas du tout ainsi qu'avec celui dont les moyens d'expression sont fortement modifiés par des facteurs physiques et psychologiques.

Le processus de communication est formé de quatre segments: (1) *je* (2) *communique quelque chose* (3) *à mon interlocuteur* (4) *dans une situation précise*. Pour déceler les problèmes de communication, il faut déterminer le segment où des interférences s'immiscent.

L'émetteur du message, c'est-à-dire *je*, peut être influencé par des facteurs tels que l'âge, le sexe, la situation socio-économique, l'état matrimonial, la profession, l'intelligence, l'état physique (particulièrement lorsque les organes de la communication et le système nerveux sont touchés), la personnalité et les émotions qui se manifestent.

Le message, soit le segment *communique quelque chose*, est composé d'éléments verbaux et non verbaux qui peuvent être complémentaires ou contradictoires. Le patient qui dit: «Je me sens bien, rien ne me dérange», alors qu'il bouge sans arrêt, se tord les mains et soupire, émet un message contradictoire typique.

Le comportement du récepteur, c'est-à-dire de l'*interlocuteur*, est influencé par les mêmes facteurs qui affectent l'émetteur. La capacité d'entendre ou de «lire» le message que le patient essaie de transmettre par son comportement dépend surtout de la faculté de l'écouter avec empathie et intérêt. À cause de stéréotypes, de fausses idées et de sa propre anxiété, l'infirmière peut être incapable d'interpréter correctement le message transmis par un patient en particulier.

Le contexte de la communication, c'est-à-dire la *situation précise*, englobe les antécédents socioculturels du patient, le contexte de la maladie, les conventions qui sont de mise dans le centre hospitalier et l'entourage immédiat. Plus personne ne remet en question qu'il est important de tenir compte du bagage culturel et des valeurs du patient. Lorsque le patient est obligé d'entrer dans le monde hospitalier, il peut se sentir submergé et effrayé par la modification de son état et de son rôle. L'infirmière doit l'orienter dans ce nouveau cadre et lui expliquer le rôle qu'elle y joue. Un grand nombre de gens ne savent pas que, de par sa formation et ses fonctions, l'infirmière peut répondre à un grand nombre de leurs besoins en matière de santé. Non seulement dispense-t-elle les services habituels qui permettent de satisfaire les besoins physiques des patients mais, en plus, elle les aide à titre d'enseignante, de personne qui favorise la réadaptation, d'agent de liaison avec les autres membres de l'équipe soignante et de conseiller psychothérapeute.

Lors des premières étapes de l'adaptation à la maladie, le patient est sur la défensive pour essayer de nier le fait qu'il est malade. À ce moment, il refuse toute information à propos de sa maladie ou de son traitement et décide souvent de ne pas en tenir compte. L'infirmière qui essaie de lui dispenser un enseignement efficace peut trouver que ses efforts sont peu récompensés. Cependant, le comportement du patient, les questions qu'il pose ou qu'il évite de poser et ses réactions aux modifications de son état de santé lui donnent des indices à propos de ses besoins et de sa volonté d'apprendre. À son tour, le patient est également très sensible aux réactions du personnel médical et infirmier et essaie d'interpréter les messages non verbaux concernant son pronostic, particulièrement lorsqu'il est sombre.

L'une des principales fonctions de l'infirmière est d'aider le patient à maintenir son équilibre et à rester motivé ainsi que de le soutenir pendant qu'il essaie de s'adapter à l'expérience de la maladie et du traitement en le gratifiant constamment pour réduire le stress qu'il subit. Elle doit non seulement lui dispenser des soins et assurer son confort physique mais aussi lui donner des explications, le rassurer, le comprendre, le protéger ou, tout simplement, rester à son chevet. En cas de maladie aiguë, la communication avec le patient est très rudimentaire et elle se produit surtout à un niveau non verbal. Il suffit souvent à l'infirmière de le toucher, de lui parler d'une voix douce mais rassurante et d'être auprès de lui pour qu'il comprenne qu'il n'est pas seul et qu'on s'occupe de lui. Lorsqu'on prévoit que le traitement affectera directement les moyens de communication habituels du patient, il est important de mettre en place un système de communication provisoire. Voici ce qu'a dit un patient: «Lors de ma laryngectomie, le plus difficile a été de ne pas pouvoir communiquer à personne ce dont j'avais besoin. Mais une baguette m'a aidé.»

Pour perfectionner ses outils de communication interpersonnelle, l'infirmière doit avant tout se comprendre elle-même, comprendre ses propres besoins interpersonnels et connaître ses propres modes habituels de communication. *Plus elle devient consciente de ses propres besoins et plus elle sera capable de reconnaître ceux de ses patients et de déterminer le moment où ses propres réactions et perceptions l'empêchent d'évaluer correctement la situation.* Ce fait est particulièrement vrai lorsque le comportement du patient est frustrant, consternant, hostile ou exigeant. L'infirmière doit être capable d'évaluer ses propres réactions afin qu'elle ne lui réponde pas par la colère ou le rejet. Elle doit pouvoir parler de la situation qu'elle est en train de vivre et de ses sentiments de désespoir et d'impuissance pour maintenir son équilibre et dispenser des soins optimaux aux patients qui souffrent d'une maladie incurable, mortelle ou répugnante. Si l'infirmière connaît ses propres besoins d'être approuvée et reconnue, elle aura des réactions appropriées aux comportements du patient et aux comportements de ses collègues de travail, de ses supérieurs immédiats et du personnel médical.

RÉACTION DES INFIRMIÈRES À LA MALADIE

Les infirmières peuvent réagir émotivement aux patients et à leur famille qui traversent la crise engendrée par une maladie physique. Les réactions les plus habituelles sont la frustration, l'anxiété, la colère, l'espoir, la culpabilité, la compassion, l'impuissance, l'amour, le désespoir, le dégoût, l'envie et la fierté. Elles surgissent en fonction de la personnalité de l'infirmière, des tâches professionnelles qu'elle doit accomplir et de ses obligations, ainsi que de la maladie du patient et de sa personnalité. Les infirmières réagissent non seulement émotivement au patient et à leur famille, mais ont également des interactions affectives importantes avec les autres membres de l'équipe soignante. La maladie du patient peut raviver chez elles des réactions émotionnelles suscitées par des expériences personnelles ou des expériences vécues par des proches.

En même temps qu'elles doivent s'ajuster aux nombreux changements qui se produisent dans l'état de santé de leurs patients, les infirmières doivent surmonter leurs propres difficultés d'adaptation, ce qui est particulièrement vrai quand elles s'occupent de patients dits «difficiles», ou de patients qui ne réagissent pas au traitement et de mourants. Les infirmières sont exposées à des risques élevés lorsqu'elles doivent travailler dans un service d'urgence, une unité de soins intensifs, une unité de néonatologie ou de médecine, où le nombre de décès est important. Elles doivent résoudre les conflits suscités par l'idéalisme qu'on leur a insufflé pendant leurs études et la réalité du quotidien. Même lorsqu'elles reconnaissent les besoins psychosociaux de leurs patients, un grand nombre d'infirmières se sentent dépassées, car elles ont l'impression qu'elles sont constamment «pressées par le temps». Pourtant le rétablissement et le regain d'un fonctionnement maximal chez les patients souffrant de maladies graves dépendent de la capacité de l'infirmière de faire face à un grand nombre de problèmes divers. Une attention diligente aux besoins affectifs des patients et de leur famille aide à rendre l'hospitalisation et le traitement plus faciles à supporter, rend l'enseignement des pratiques hygiéniques plus efficace et contribue à améliorer la qualité de vie des patients.

Les infirmières doivent être conscientes de leurs réactions émotionnelles dans diverses situations cliniques de façon à ce qu'elles ne soient pas submergées par le stress et qu'il ne les rende pas incapables d'accomplir leur travail. Sinon, elles deviennent victimes de l'épuisement, ou «burnout», qui engendre une détresse psychologique, l'indifférence à la souffrance d'autrui et, souvent, la décision de quitter leur emploi ou la profession. Les infirmières qui sont conscientes de leurs nombreuses réactions peuvent mieux aider les autres.

«PATIENTS À PROBLÈMES»

Un grand nombre de patients doivent s'adapter à des tâches difficiles et souvent insurmontables qui accompagnent leur lutte contre la maladie. Certains font des prouesses de courage et de dignité. D'autres se débrouillent comme ils peuvent dans l'immédiat et pendant une convalescence souvent longue et apprennent à vivre avec leur maladie.

Mais certains patients, qui ne réussissent pas à surmonter leur maladie et leur traitement de façon prévisible, deviennent, aux yeux du personnel soignant, des patients «difficiles», «à problèmes» ou, même, «impossibles» ou «récalcitrants». Ces patients font exception dans la mesure où ils sont incapables d'adopter les stratégies d'adaptation efficaces prévues par le personnel et par eux-mêmes. Dans ce cas, le personnel doit se réunir et parler de la situation. Pour aider ces patients, il est souvent indiqué de consulter un psychiatre, l'équipe de consultation-liaison ou l'infirmière spécialisée dans les soins psychiatriques. Ces personnes aident à clarifier la situation, peuvent proposer des abords nouveaux, rassurer le personnel et le patient, dispenser une psychothérapie à court terme et évaluer le besoin de médicaments psychotropes. *Le principe qui sous-tend cette approche est que les «patients à problèmes» sont des patients qui ont des problèmes.*

TROUBLES COGNITIFS, AFFECTIFS ET COMPORTEMENTAUX

Selon Groves (1982), les troubles du patient peuvent influencer l'un des trois plans suivants, bien qu'il soit souvent difficile de tracer dans ce domaine des frontières étanches:

1. *Troubles de la cognition*: délirium, déni, psychose, incapacité de traiter les informations
2. *Troubles de l'affect*: anxiété, hostilité, dépression, apathie
3. *Troubles du comportement*: non-observance, repli sur soi, dépendance, agressivité, manipulation.

La *cognition*, ou la connaissance, est la façon de traiter les informations, c'est-à-dire la façon de penser et donc de réagir. La perception, la mémoire, la compréhension et le jugement sont tous engagés dans ce processus. Les troubles médicaux et chirurgicaux modifient souvent ces variables, particulièrement lorsque le patient souffre de *délirium* ou de *démence*. L'abord thérapeutique consiste surtout à reconnaître la nature du trouble. Lorsque la cause est reconnue, il faut prendre certaines mesures, par exemple, mieux définir le traitement médical, modifier l'entourage ou rajuster la pharmacothérapie.

Les *troubles de l'affect* (émotions) posent des problèmes sur le plan médical ou chirurgical au moment où ils perturbent ou accablent le patient. Un comportement inadapté peut résulter de l'exacerbation d'un trouble mental antérieur ou il peut survenir en réaction à la situation présente ou à une maladie ou à un traitement immédiat. L'anxiété excessive a de nombreuses causes. L'abord thérapeutique consiste à reconnaître la cause des perturbations affectives et à aider le patient à reprendre la situation en main. Pour ce faire, il faut parler avec le patient et sa famille de la situation, apporter les changements qui s'imposent et prescrire, le cas échéant, des médicaments.

Les *troubles du comportement* sont directement reliés aux troubles de la cognition et de l'affect. Une dépression grave est souvent très pénible et elle retarde la guérison du patient. Elle peut également entraîner un comportement suicidaire. Une mauvaise perception de l'entourage peut engendrer la panique et susciter un comportement agressif. Les patients essaient de montrer que leurs besoins n'ont pas été satisfaits en manifestant des comportements tels que le départ précipité du centre hospitalier, le refus de la pharmacothérapie, la consommation de drogues et d'alcool pendant l'hospitalisation et un comportement sexuel inadéquat.

La *dépendance extrême* mène à des interactions entre le patient et le personnel qui sont difficiles à vivre de part et d'autre. Le patient se montre exigeant ou importun et demande sans cesse à être rassuré sans que cela le soulage. Il peut réclamer continuellement des soins ou des analgésiques. Les patients dépendants sont souvent manipulateurs et essaient de monter les membres du personnel les uns contre les autres. Ils manifestent leur colère et leur hostilité directement ou indirectement. Lorsqu'elles doivent les soigner, les infirmières se sentent souvent frustrées, hostiles et désespérées.

Interventions infirmières. L'approche thérapeutique des patients qui adoptent des comportements inadéquats commence par une évaluation de la situation autant du point de vue du personnel que du patient. Une communication ouverte est vitale et il faut fixer clairement les limites d'un comportement acceptable. Généralement, on ne devrait pas contester les défenses de longue date ou la personnalité du patient qui souffre d'une maladie physique. Les membres du personnel devraient répondre aux besoins du patient dans la mesure du possible et lui permettre d'exercer un certain pouvoir ou de prendre ses distances sans pour autant le punir ou l'abandonner. Au cours de la crise suscitée par une maladie, les médicaments psychotropes (comme les anxiolytiques et les tranquillisants) peuvent aider les patients à faire face à des émotions trop vives ou à changer un comportement inadéquat.

Les théories de l'apprentissage permettent de comprendre un comportement problématique et de le prendre en charge. Un comportement qui est acquis et répété est un comportement qui a été renforcé par un système de récompenses. Il existe un système de récompenses et de punitions (même s'il n'est pas reconnu comme tel) dans tous les milieux sociaux et le milieu hospitalier n'en fait pas exception. Les patients arrivent au centre hospitalier avec des comportements qu'ils manifestent dans le nouveau milieu où ils doivent vivre.

Si, à cause de ses comportements, le patient devient «difficile à vivre», les infirmières doivent étudier la situation et reconnaître: (1) les composantes du comportement inadapté et leur influence sur les soins, l'évolution et la réadaptation, (2) les éléments ou les personnes qui renforcent ce comportement et (3) les modifications à apporter à l'entourage et aux éléments de renforcement de façon à changer ce comportement. Grâce à cette démarche, le comportement peut en effet changer. Les infirmières devraient aussi examiner leur propre comportement pour voir s'il ne renforce pas, sans qu'elles en soient conscientes, le comportement inadéquat du patient.

RÉACTIONS PSYCHOSOMATIQUES

On s'accorde de plus en plus à dire qu'il existe un lien entre les réactions physiques et les réactions psychologiques. Le sujet est très vaste et mal compris, mais les média l'ont simplifié au point où des termes tels que *psychophysiologie, psychosomatique, névrose, somatisation, simulation, psychogénie* et *somatopsychique* sont utilisés à tort et à travers et créent de la confusion.

L'anxiété se traduit par des réactions émotionnelles et physiologiques. Un grand nombre de personnes souffrent de symptômes physiques dus à une anxiété chronique persistante. L'anxiété peut être une réaction à certains facteurs de la vie quotidienne comme le travail, le mariage, des conflits de longue date engendrés par la sexualité, la dépendance, l'agression, etc.

Maladies psychosomatiques. Les réactions d'anxiété qui se manifestent sous la forme de symptômes touchant un appareil ou un système portent le nom de réactions psychosomatiques ou psychophysiologiques. Elles peuvent causer des troubles intestinaux ou des troubles viscéraux ou neurovégétatifs (par exemple, «réactions psychophysiologique cardiovasculaire», si les symptômes sont surtout de nature cardiaque). Tout appareil ou système de l'organisme peut en être affecté. Lorsque des modifications structurelles réelles se produisent, on parle de maladie psychosomatique ou phychophysiologique provoquée par un mélange de facteurs psychologiques et physiologiques. Il s'agit, entre autres, des maladies suivantes: ulcère gastroduodénal, rectocolite hémorragique, hyperthyroïdie, asthme bronchique, hypertension essentielle et névrodermite. La fréquence et la gravité de ces maladies prouvent le besoin d'une meilleure compréhension du lien qui unit le corps à l'esprit.

Hypocondrie. L'hypocondrie fait partie des manifestations d'un conflit émotionnel intérieur qui s'exprime par des symptômes physiques. Habituellement, l'hypocondriaque est totalement absorbé par son corps et son fonctionnement et n'arrête pas de se plaindre. L'hypocondrie est un moyen de combler des besoins de dépendance de longue date. L'infirmière doit évaluer ses réactions aux plaintes et aux exigences d'un tel patient, car la frustration et la colère sont courantes. Le patient qui évite ainsi de prendre ses responsabilités d'adulte s'attire souvent le ressentiment de l'infirmière. Cependant, tout mouvement de colère est mal venu étant donné que l'hypocondriaque essaie de maintenir à sa façon un certain équilibre. Par contre, si l'infirmière ne reconnaît pas sa propre colère, elle finira par éviter le patient et par ne pas répondre à ses besoins réels. Par ailleurs, même si elle essaie de répondre à tous les besoins de dépendance du patient, besoins qui n'ont jamais été satisfaits, elle se rend rapidement compte que le patient est insatiable. Elle doit donc garder dans son travail avec ces patients un juste milieu. On ne connaît pas de méthode de soins vraiment efficace dans ce cas. Une préoccupation excessive de son propre corps accompagnée d'une idéation bizarre peut être le signe de troubles émotionnels plus graves, comme la dépression psychotique et la schizophrénie. Grâce à une collecte attentive des données portant sur les besoins du patient et à une observation constante de son comportement, l'infirmière pourra aider à la planification d'un traitement plus approprié.

Névrose de conversion. La névrose de conversion est une forme de névrose où le conflit psychique se traduit par des symptômes corporels. Il s'agit d'un mécanisme de défense de l'ego qui permet de transformer l'anxiété en symptômes physiques, souvent directement reliés à un conflit psychique précis, par exemple, la main qui voulait frapper paralyse, les yeux qui essayaient de voir un objet interdit deviennent aveugles. Dans la plupart des cas, le conflit et la valeur symbolique du symptôme de conversion sont complexes, déguisés et difficiles à déceler. Pour les définir, le patient doit généralement se soumettre à un diagnostic différentiel. Une névrose de conversion peut s'installer après une maladie organique, le patient essayant ainsi de prolonger inconsciemment les bénifices secondaires découlant de la dépendance et de la sécurité.

En général, les symptômes de la névrose de conversion évoquent des déficits sensitivomoteurs. Les troubles de la sensibilité et les perturbations motrices sont les plus courants. Les troubles de la sensibilité comprennent l'anesthésie, la paresthésie et la douleur. La surdité et la cécité sont beaucoup plus courantes que l'altération des autres sens. Les perturbations motrices comprennent la paralysie, habituellement des membres, et les troubles du langage. Le patient manifeste des mouvements involontaires, comme des tics et des spasmes, sans aucun substrat organique. En présence d'un diagnostic de névrose de conversion, le traitement doit généralement être pris en charge par un psychiatre. Dans ce cas, l'infirmière a le rôle d'observer attentivement le comportement du patient et ses réactions à autrui. Elle ne doit pas oublier que les symptômes chez la personne souffrant de névrose de conversion se produisent à un niveau inconscient. Le patient ne fait pas semblant et ses symptômes ne sont pas imaginaires. C'est sa façon de s'adapter aux situations dans le présent mais, aidé par un professionnel, il pourrait trouver des stratégies mieux adaptées.

Désorientation. Les patients hospitalisés dans les services médicaux et chirurgicaux présentent souvent une perturbation de la conscience de soi-même par rapport aux éléments du monde extérieur. Le syndrome cérébral aigu, qui peut être une réaction à l'anesthésie, à l'infection, aux troubles d'origine chirurgicale ou métabolique, aux doses excessives de drogue ou d'alcool, aux lésions cérébrales, comme en cas de traumatisme crânien, provoque souvent le délirium. Le *délirium* est une perturbation de la conscience qui se traduit par la désorientation et la confusion. Il est provoqué par une altération des processus métaboliques du cerveau. Généralement, bien que son apparition soit brusque, il est réversible. Les premiers signes sont l'irritabilité, l'anxiété et la suspicion, qui se transforment rapidement en agitation, excitation et confusion. Les hallucinations et les idées délirantes sont fréquentes et extrêmement effrayantes. Le comportement du patient traduit le désespoir et dicte l'intervention d'une infirmière spécialisée. Il faut réduire la terreur et l'anxiété extrême qui accablent ces patients non seulement à cause des réactions émotionnelles, mais également pour prévenir une surcharge affective que l'organisme ne peut plus supporter.

L'infirmière qui s'occupe d'un patient délirant doit le réorienter constamment et lui parler d'une voix calme. Chez ce type de patient, il faut assurer un éclairage nocturne. Dans la mesure du possible, ce sont les mêmes infirmières qui devraient s'occuper du patient la plupart du temps étant donné que des mots et des gestes familiers prouveront au sujet délirant qu'il est en sécurité et qu'on s'occupe de lui. Il est souvent utile de dire au patient qu'on sait qu'il est très effrayé mais que ce qu'il ressent est une réaction à sa maladie, réaction qui est réversible. Les hallucinations provoquées par des processus organiques sont souvent prononcées et menaçantes. Les hallucinations visuelles peuvent s'accompagner d'hallucinations tactiles et le patient peut avoir l'impression qu'on le maltraite ou que des insectes l'attaquent.

Pour traiter le *syndrome cérébral aigu,* il faut éliminer les agents l'ayant déclenché, assurer une hydratation convenable et fournir au patient l'alimentation et la pharmacothérapie appropriées. Parfois, il faudrait utiliser des dispositifs de contention pour que le patient garde le lit, mais de tels dispositifs peuvent l'effrayer et l'irriter. L'infirmière doit être consciente du fait que la réalité du patient est déformée et qu'il est incapable de se protéger et de protéger les autres contre les acciedents. Souvent, des patients délirants, qui n'étaient pas protégés, se sont jetés par la fenêtre.

Après un épisode délirant, le patient peut être terrassé par l'anxiété et la honte que son comportement lui inspire. Il est accablé par l'idée qu'il a pu mal se conduire, blesser quelqu'un, proférer des obscénités, dévoiler des secrets ou faire des confidences. Si le comportement du patient traduit ce genre d'inquiétudes, l'infirmière doit l'encourager à les verbaliser et le réconforter en lui disant que sa conduite est compréhensible étant donné les circonstances et qu'il doit continuer à lui faire confiance. Il faut comprendre la situation pénible où se trouve le patient et il faut protéger ses droits, sa dignité et son besoin d'intimité.

Le *syndrome cérébral chronique* peut être provoqué par un syndrome cérébral aigu inadéquatement traité ayant entraîné des lésions cérébrales, par des infections prolongées comme la syphilis, par des intoxications aux métaux lourds, par des troubles circulatoires, comme l'artériosclérose cérébrale, par des maladies convulsives, par une altération de la croissance, du métabolisme ou de la nutrition, par des tumeurs cancéreuses intracrâniennes, par des facteurs prénatals et par des maladies qui affectent le cerveau, comme la maladie d'Alzheimer et le sida. Les personnes atteintes présentent habituellement une *démence.* La démence est une dégénérescence cérébrale irréversible avec déclin progressif des facultés intellectuelles dû à des modifications structurales. Le délirium et la démence sont caractérisés par l'altération de la capacité de comprendre et du pouvoir de discernement et par des troubles de mémoire et d'orientation (pour ce qui est du temps, de l'espace et de la reconnaissance des personnes). Afin de planifier les soins infirmiers et un traitement à long terme, l'infirmière doit évaluer les forces du patient ainsi que ses limites. La modification du milieu et des explications claires et simples peuvent aider ce type de patients à vivre leur vie aussi pleinement que possible.

AGONIE ET MORT

Tout comme chacun a sa façon de vivre, chacun a sa façon de mourir. Dans notre culture, la mort survient souvent dans un centre hospitalier ou dans un établissement de soins prolongés plutôt qu'à la maison. C'est la raison pour laquelle on a du mal à accepter qu'elle fait partie du cycle de la vie. La mort est une expérience inconnue dont la plupart des gens ne se préoccupent pas jusqu'à l'âge adulte. Un grand nombre d'étudiantes infirmières côtoient pour la première fois la mort pendant leur formation clinique en soins médicaux et chirurgicaux.

Pour la plupart des gens, l'idée même de mourir est impensable. Sans égard aux croyances religieuses, il est difficile de s'imaginer que l'on puisse un jour quitter le monde du connu. Puisque, de par leur profession, les infirmières sont tournées vers la vie et la santé, elles se trouvent en porte-à-faux en présence d'un mourant. Parfois, les infirmières et les médecins réagissent au patient mourant comme si son agonie remettait directement en question leur compétence et la qualité des soins administrés. Bien qu'on ne puisse rien faire pour changer le cours de la phase terminale, on peut aider le patient mourant et sa famille durant ces derniers jours.

Face à la mort, les gens réagissent de nombreuses façons. Selon Kübler-Ross (1969), la personne qui fait face à la mort imminente doit traverser cinq étapes: le refus et l'isolement, la colère, le marchandage, la dépression et l'acceptation. Ces cinq étapes ne se suivent pas toujours dans un ordre constant. Parfois, elles sont simultanées ou se chevauchent. Les patients et leur famille peuvent avancer ou reculer dans ce processus et se trouver chacun à une étape différente à un moment donné.

Déni et isolement

Il est très difficile de reconnaître et d'accepter que la mort est imminente. La réaction habituelle est de s'isoler jusqu'au moment où on peut rassembler ses défenses. Le refus permet de garder l'espoir. Souvent, les patients sont prêts à accepter le fait qu'ils sont mourants, mais la famille continue de fuir la réalité, ce qui empêche une communication ouverte des préoccupations de chacun. Le patient peut franchir cette étape au moment où il commence à penser aux nombreuses tâches qu'il doit accomplir avant qu'il ne soit trop tard: affaires personnelles, problèmes financiers, dispositions à prendre pour le conjoint, les enfants et les autres.

Colère

L'étape suivante est celle de la colère. La question «Pourquoi moi?» reste sans toute réponse, mais le patient est réconforté à l'idée que l'infirmière reste auprès de lui pour le soutenir et l'écouter. Le comportement des patients à cette étape pose des problèmes dans le sens qu'on ne peut rien faire qui puisse leur faire plaisir. Les infirmières devraient prévoir les manifestations de colère et comprendre que ces réactions ne sont pas dirigées contre elles. Par la colère, les patients essaient tout simplement d'exprimer leur impuissance. Au moment où ils peuvent verbaliser ce sentiment, ils franchissent une nouvelle étape.

Marchandage

Le marchandage est une phase d'adaptation durant laquelle la personne mourante cherche à gagner du temps par des faux-fuyants afin de retarder le plus longtemps possible l'acceptation de la réalité. D'habitude, le patient essaie de marchander avec Dieu ou le sort. Par exemple, «Je veux vivre juste assez longtemps pour aller au mariage de mon fils.» Dans la mesure du possible, il faut tout faire pour exaucer les souhaits de ces patients.

Dépression

À cette étape, le patient prend pleinement conscience de l'inévitable. Ses mécanismes de défense ne sont pas efficaces et il se sent triste et angoissé. Il exprime son sentiment de solitude et pleure souvent en présence des êtres chers et des infirmières pour obtenir leur appui. Une fois cette étape traversée, le patient est prêt à accepter la mort.

Acceptation

Il s'agit d'un moment de paix relative. Le patient évoque son passé et se montre prêt à envisager un avenir inconnu. Même si, à cette étape, les patients sont souvent assez taciturnes, ils aiment être entourés. Si la douleur a pu être soulagée, la personne qui a accepté sa mort se sent réconfortée par le contact des personnes clés dans sa vie.

Interventions infirmières

Pour aider autant que faire se peut un mourant, l'infirmière doit analyser ses propres sentiments face à la mort. L'un des principes fondamentaux des soins infirmiers est que le patient est un individu qui doit être traité avec respect et dignité quels que soient son bagage ou sa maladie. Toutefois, les études ont montré que les valeurs sociales déterminent les réactions aux mourants. Des facteurs tels l'âge, la beauté physique, le statut socio-économique et les réalisations du passé peuvent influencer les soins que recevra le mourant, ce qui revient à dire que, souvent, ce sont ces facteurs qui détermineront si, pendant son agonie, une personne sera soutenue ou, au contraire, laissée à elle-même. Très souvent, *les infirmières deviennent le seul lien du mourant avec la vie.* Elles assurent son confort physique et lui prêtent leur soutien affectif. Les soins des patients mourants éprouvent fortement les infirmières au plan psychologique. Celles qui doivent travailler dans les milieux où la mort survient fréquemment doivent faire part de leurs sentiments et de leurs réactions à leurs collègues afin d'obtenir le soutien dont elles ont besoin.

Résumé

La maladie est un événement imprévisible qui a un fort impact sur l'homéostasie et le sentiment de bien-être. Chaque patient doit s'adapter aux diverses phases de la maladie en utilisant ses stratégies antérieures.

Pour faciliter l'adaptation du patient à la maladie, l'infirmière doit recourir à la communication thérapeutique. La communication est un mécanisme essentiel qui permet à l'infirmière d'évaluer l'état du patient et d'intervenir de manière à l'aider à atteindre des objectifs établis d'un commun accord.

L'infirmière doit connaître et examiner ses propres réactions émotionnelles aux patients et à leur famille. Les «patients à problèmes» suscitent un grand nombre de réactions chez l'infirmière qu'elle devrait analyser pour prévenir le «burnout» et pouvoir administrer au patient des soins optimaux. Les soins administrés au patient mourant obligent l'infirmière à examiner ses propres sentiments à l'égard de la mort et, en même temps, à utiliser toutes ses connaissances et son bon jugement afin de le réconforter et de lui dispenser des soins physiques et un soutien affectif adéquats.

Bibliographie

Ouvrages

Aguilera DC and Messick JM. Crisis Intervention: Theory and Methodology, 6th ed. St Louis, CV Mosby, 1989.

Arnold E and Boggs K. Interpersonal Relationships: Professional Communication Skills for Nurses. Philadelphia, WB Saunders, 1988.

Bandman EL and Bandman B. Critical Thinking in Nursing. East Norwalk, CT, Appleton and Lange, 1988.

Barry P. Psychosocial Nursing Assessment and Intervention. Philadelphia, JB Lippincott, 1984.

Benner P and Wurbel J. The Primacy of Caring: Stress and Coping in Health and Illness. Menlo Park, CA, Addison-Wesley, 1989.

Bishop AH and Scudder JR (eds). Caring, Curing, Coping: Nurse, Physician, Patient Relationships. Birmingham, AL, University of Alabama Press, 1985.

Bishop AH and Scudder JR (eds). The Practical, Moral, and Personal Sense of Nursing: A Phenomenological Philosophy of Practice. New York, State University of New York Press, 1990.

Brallier L. Successfully Managing Stress. Los Altos, CA, National Nursing Review, 1982.

Brown GW and Harris TO. Life Events and Illness. New York, Guilford Press, 1989.

Burgess AW. Psychiatric Nursing in the Hospital and the Community, 4th ed. Englewood Cliffs, NJ, Prentice-Hall, 1985.

Chesney MA and Rosenman RH (eds). Anger and Hostility in Cardiovascular and Behavioral Disorders. Washington, DC, Hemisphere Publishing Corp, 1985.

Clayton PJ and Barrett JE (eds). Treatment of Depression. New York, Raven Press, 1983.

Derogatis LR and Wise TN. Anxiety and Depressive Disorders in the Medical Patient. Washington, DC, American Psychiatric Press, 1989.

Dossey BM, Guzzetta CE, and Kenner CV. Essentials of Critical Care Nursing: Mind, Body, Spirit, 3rd ed. Philadelphia, JB Lippincott, 1990.

Friedman M. Family Nursing Theory and Assessment, 2nd ed. Norwalk, CT, Appleton-Century-Crofts, 1986.

Fritz P et al. Interpersonal Communication in Nursing. Norwalk, CT, Appleton-Century-Crofts, 1984.

Gallon RL. The Psychosomatic Approach to Illness. New York, Elsevier Biomedical, 1982.

Goldberg IK et al. Pain, Anxiety and Grief. New York, Columbia University Press, 1986.

Goodwin DW. Anxiety. New York, Oxford University Press, 1986.

Haber J et al. Comprehensive Psychiatric Nursing, 3rd ed. New York, McGraw-Hill, 1987.

Handly R. Anxiety and Panic Attacks. New York, Fawcett Crest, 1985.

Hawes C and Joseph D. Basic Concepts of Helping, 2nd ed. Norwalk, CT, Appleton and Lange, 1986.

Hill L and Smith N. Self-Care Nursing. East Norwalk, CT, Appleton and Lange, 1989.

Infante MS (ed). Crisis Theory: A Framework for Nursing Practice. Reston, VA, Reston Publishing Co, 1982.

Janoski EH and Daview JL. Psychiatric Mental Health Nursing, 2nd ed. Boston, Jones and Bartlett, 1989.

Janoski EH and Phipps LB. Life Cycle Group Work in Nursing. Monterey, CA, Wadsworth Health Services Division, 1986.

Keable D. The Management of Anxiety. New York, Churchill Livingstone, 1989.

Kendall PC and Watson D (eds). Anxiety and Depression: Distinctive and Overlapping Features. San Diego, Academic Press, 1989.

Kennerley H. Managing Anxiety. New York, Oxford University Press, 1990.

Kriegh H and Perka J. Psychiatric and Mental Health Nursing: A Commitment to Care and Concern. East Norwalk, CT, Appleton and Lange, 1988.

Kübler-Ross E. On Death and Dying. New York, Macmillan, 1969.

Lambert V and Lambert C. Psychosocial Care of the Physically Ill, 2nd ed. Englewood Cliffs, NJ, Prentice-Hall, 1985.

Lerner H. The Dance of Anger. New York, Harper & Row, 1985.

Lipp MR. Respectful Treatment: The Human Side of Medical Care, 2nd ed. New York, Harper & Row, 1986.

McCann-Flynn JB and Heffron PB. Nursing From Concept to Practice. Bowie, MD, Robert J. Brady, 1984.

Miller JF. Coping with Chronic Illness: Overcoming Powerlessness. Philadelphia, FA Davis, 1983.

Millon I et al (eds). Handbook of Clinical Health Psychology. New York, Plenum Press, 1982.

Millman H (ed). Therapies for Adults: Depressive, Anxiety and Personality Disorders. San Francisco, Jossey-Bass, 1982.

Moos R (ed). Coping with Physical Illness, vol. 2. New York, Plenum Medical Book Co, 1984.

Morce N and Robins P. The 36-Hour Day. Baltimore, Johns Hopkins University Press, 1981.

Murray RB and Zentner JP. Nursing Assessment and Health Promotion Strategies Through the Life Span. East Norwalk, CT, Appleton and Lange, 1989.

Norris CM (ed). Concept Clarification in Nursing. Rockville, MD, Aspen Systems, 1982.

Purtila R. Health Professional/Patient Interaction, 3rd ed. Philadelphia, WB Saunders, 1984.

Roberts S. Behavioral Concepts and the Critically Ill Patient, 2nd ed. Englewood Cliffs, NJ, Prentice-Hall, 1986.

Rowan D and Eayrs C. Fears and Anxieties. New York, Longman, 1987.

Rubin TA. The Angry Book. New York, Macmillan, 1969.

Salter M (ed). Altered Body Image. New York, John Wiley & Sons, 1988.

Schultz W. The Interpersonal Underworld. Palo Alto, CA, Science and Behavior Books, 1966.

Selzer R. Letters to a Young Doctor. New York, Simon and Schuster, 1982.

Simons RC. Understanding Human Behavior in Health and Illness, 3rd ed. Baltimore, Williams & Wilkins, 1985.

Strauss A. Chronic Illness and the Quality of Life, 2nd ed. St Louis, CV Mosby, 1984.

Sundeen SJ et al. Nurse-Client Interaction, Implementing the Nursing Process. St Louis, CV Mosby, 1989.

Wilkes E. The Dying Patient: The Medical Management of Incurable and Terminal Illness. Ridgewood, NJ, George A. Boyden and Son, 1982.

Williams JM and Mark G. The Psychological Treatment of Depression. New York, Free Press, 1984.

Wilson HS and Kneisl CR. Psychiatric Nursing, 3rd ed. Menlo Park, CA, Addison-Wesley, 1988.

Woods NF. Human Sexuality in Health and Illness, 3rd ed. St Louis, CV Mosby, 1984.

Revues

Les articles de recherche en sciences infirmières sont marqués d'un astérisque.

Colère

Antai-Otong D. When your patient is angry. Nursing 1988 Feb; 18(2):44-45.

Barnum B. Anger and creating one's world . . . nursing personality. Nurs Health Care 1989 May; 10(5):235.

Grainger RD. Anger within ourselves. Am J Nurs 1990 Jul; 90(7):12.

Medved R. Strategies for handling angry patients—and their families. Nursing 1990 Jan; 19(1):27-30.

Thomas SP. Is there a disease-prone personality? Iss Ment Health Nurs 1988; 9(4):339-352.

Thomas SP. Theoretical and empirical perspectives on anger. Issues Ment Health Nur 1990 Jul/Sep; 113):203-216.

Turnhull J et al. Turn it around: short term management for aggression and anger . . . training for nurses. J Psychosol Nurs Ment Health Serv 1990 Jun; 28(6):6-10, 13, 34-35.

Anxiété

Birrell J. Managing anxiety. Prof Nurse 1988 Apr; 3(7):243-246.

Boyd MD et al. Is your MI patient too scared to recover? RN 1988 May; 51(5):50-54.

* Brown SM. Quantitative measurement of anxiety in patients undergoing surgery for renal calculus disease. J Adv Nurs 1990 Aug; 15(8):962-970.

* Kaempf G et al. The effect of music on anxiety: A research study. AORN J 1989 Jul; 50(1):112, 114–118.

Kneisl CR. Combating anxiety. RN 1990 Aug; 53(8):50–54.

Martin P. A feeling that needs expressing: helping patients manage their anxiety. Prof Nurs 1990 Apr; 5(7):374–375.

* Nyamathi A et al. Preoperative anxiety: Its effect on cognitive thinking. AORN J 1988 Jan; 47(1):164–165, 167–170.

* Raleigh EH et al. Significant others benefit from preoperative information. J Adv Nurs 1990 Aug; 15(8):841–845.

* Taylor-Laughran AE et al. Defining characteristics of the nursing diagnosis fear and anxiety: A validation study. Appl Nurs Res 1989 Nov; 2(4): 178–186.

Wheeler BR. Crisis intervention: Recognizing and helping patients overcome anxiety. AORN J 1988 May; 47(5):1241, 1244, 1246+.

Zimmerman LM et al. Effects of music on patient anxiety in coronary care units. Heart Lung 1988 Sep; 17(5):560–566.

Image corporelle

Janelli LM. The impact of health status on body image of older women. Rehabil Nurs 1988 Jul/Aug; 13(4):178–180.

Price BJ. A model for body-image care. J Adv Nurs 1990 May; 15(5):585–593.

Smith SA. Extended body image in the ventilated patient. Intensive Care Nurs 1989 Mar; 5(1):31–38.

* Utz SW et al. Perceptions of body image and health status in persons with mitral valve prolapse. Image: Journal of Nursing Scholarship 1990 Spring; 22(1):18–22.

* Wright JE. Self perception alterations with coronary artery by-pass surgery. Heart Lung 1987 Sep; 16(5):483–490.

Communication

Amenta MO et al. Communicating with dying patients. Nursing 1987 Mar; 17(3):100.

Haggerty LA. An analysis of senior nursing students' immediate responses to distressed patients. J Adm Nurs 1987 Jul; 12(4):451–461.

* Harrison TM et al. Assessing nurses' communication: A cross-sectional study. West J Nurs Res 1989 Feb; 11(1):75–91.

Kasch CR et al. Person-centered communication and social perspective taking. West J Nurs Res 1988 Jun; 10(3):317–326.

Maguire M. Storm signals. Nursing 1988 Oct; 18(10):64J.

Montgomery C. How to say "I care" when you have no time to talk. RN 1987 May; 59(5):21.

* Paxton R et al. Teaching nurses therapeutic conversation: A pilot study. J Adv Nurs 1988 May; 13(3):401–404.

Plowman FT. Straight talk. Am J Nurs 1990 Aug; 90(8):40–41.

Sarvimaki A. Nursing care as a moral, practical, communicative and creative activity. J Adm Nurs 1988 Jul; 13(4):462–467.

Thomas DO. How to make your point on paper. RN 1988 Aug; 51(8):14, 18.

Adaptation

Baker AF. How families cope. J Psychosoc Nurs Ment Health Serv 1989 Jan; 27(1):31–36.

Capp LA. The spectrum of suffering . . . An AJN Classic. Am J Nurs 1990 Aug; 90(8):35–39.

Christman NJ et al. Uncertainty, coping and distress following myocardial infarction: Transition from hospital to home. Res Nurs Health 1988 Apr; 11(2):71–82.

Conboy-Hill S. Coping with change. Int Nurs Rev 1989 Jan/Feb; 36(1):27–28.

de Chesnay M et al. How healthy families cope with stress. AAOHN J 1988 Sep; 36(9):361–365.

* Dewe PJ. Stressor frequency, tension, tiredness and coping: Some measurement issues and a comparison across nursing groups. J Adm Nurs 1989 Apr; 14(4):308–320.

Geach B. Pain and coping. Image: Journal of Nursing Scholarship 1987 Spring; 19(1):12–15.

Holmes BC. Psychological evaluation and preparation of the patient and family. Cancer 1987 Oct; 60(8):2021–2024.

Kallop S. Finding the ability to cope. Emergency 1990 Jul; 22(7):48–50.

* Long CG et al. Group coping skills training for anxiety and depression: Its application with chronic patients. J Adm Nurs 1988 May; 13(3): 358–364.

* McNett SC. Social support, threat, and coping response and effectiveness in the functionally disabled. Nurs Res 1987 Mar/Apr; 36(2):98–103.

Mishel MH. Uncertainty in illness. Image: Journal of Nursing Scholarship 1988 Winter; 20(4):225–232.

* Roberts JG et al. Analysis of coping responses and adjustment: Stability of conclusion . . . burn injury. Nurs Res 1987 Mar/Apr; 36(2): 94–97.

Walker JM et al. The nursing management of pain in the community: A theoretical framework. J Adv Nurs 1989 Mar; 14(3):240–247.

Différences culturelles

Hoeman SP. Cultural assessment in rehabilitation nursing practice. Nurs Clin North Am 1989 Mar; 24(1):277–289.

Major MB. Developing cultural sensitivity. Calif Nurs 1987 Mar; 83(2):5.

Martinelli AM. Pain and ethnicity: How people of different cultures experience pain. AORN J 1987 Aug; 46(2):273–274, 276, 278.

Nolde T et al. Planning and evaluation of cross-culture health education activities. J Adm Nurs 1987 Mar; 12(2):159–165.

Rothenburger RL. Transcultural nursing: Overcoming obstacles to effective communication. AORN J 1990 May; 5(5):1349–1354+.

Mort

Burson N. Sharing death. Nursing 1987 Apr; 17(4):58–59.

Corcoran DK. Helping patients who've had near-death experiences. Nursing 1988 Nov; 8(11):34–39.

Darden J. Dying at home. AD Nurse 1988 Jan/Feb; 3(1):21–22.

Dugan DO. Death and dying: Emotional, spiritual, and ethical support for patients and families. J Psychosoc Nurs Ment Health Serv 1987 Jul; 25(7):21, 25–29.

Henderson KJ. Dying, God and anger. Comforting through spiritual care. J Psychosoc Nurs Ment Health Serv 1989 May; 27(5):17–21.

Lyons TAB. We gave Elizabeth her last trip home. RN 1988 Dec; 51(2): 26–29.

Ufema J. Facing death: Look to the past. Nursing 1988 Nov; 18(11):93–94.

Ufema J. Insights on death and dying. Nursing 1988 Oct; 18(10):93–94.

Ufema J. Mrs. Murphy's strange behavior . . . "dying" talk. Nursing 1989 May; 19(5):84–85.

Welter KM. Night watch . . . a nurse reflects on how little—and how much—she can offer a dying patient. Nursing 1989 May; 19(5):105.

Zerwekh JV. Comforting the dying dyspneic patient. Nursing 1987 Nov; 17(11):66–69.

Dépression

Beck A et al. An inventory for measuring depression. Arch Gen Psychiatry 1961; 4:561–571.

* Buckholter KC et al. Alleviating the discharge crisis: The effects of a cognitive-behavioral nursing intervention for depressed patients and their families. Arch Psychiatr Nurs 1987 Oct; 1(5):350–358.

* Davis T et al. Identifying depression in medical patients. Image: Journal of Nursing Scholarship 1988 Winter; 20(4):191–195.

Doan BD and Wadden NP. Relationships between depressive symptoms and descriptions of chronic pain. Pain 1989 Jan; 36(1):75–84.

Dreyfus JK. Depression: Assessment and interventions in the medically ill frail elderly. J Gerontol Nurs 1988 Sep; 14(9):27–36, 38–39.

Grainger RD. Dealing with feelings: depression. Am J Nurs 1990 May; 90(5): 13–14.

* Gulesserian B et al. Coping resources of depressed patients. Arch Psychiatr Nurs 1987 Dec; 1(6):392–398.

Gull HJ. The chronically ill patient's adaptation to hospitalization. Nurs Clin North Am 1987 Sep; 22(3):593–560.

Kline PM et al. Heading off depression in the chronically ill. RN 1987 Oct; 50(10):44–49.

Koenig HG et al. Self-rated depression scales and screening for major depression in the older hospitalized patient with medical illness. J Am Geriatr Soc 1988 Aug; 36(8):699–706.

* Leja AM. Using guided imagery to combat postsurgical depression. J Gerontol Nurs 1989 Apr; 15(4):6-11, 40-41.
* Nickel JT et al. Depression and anxiety among chronically ill heart patients: Age differences in risk and predictors. Res Nurs Health 1990 Apr; 13(2):87-97.
Rosenbaum JN. Depression: Viewed from a transcultural nursing theoretical perspective. J Adm Nurs 1989 Jan; 14(1):7-12.
* Sneed NV et al. Anxiety, depression and hostility in cancer patients: differences based on age. Sci Nurse 1989 Spring; 4(1):26-27.
Tanner DC et al. Guidelines for treatment of chronic depression in the aphasic patient. Rehabil Nurs 1989 Mar/Apr; 14(2):70-80, 87.
Valente SM and Saunders JM. Dealing with serious depression in cancer patients. Nursing 1989 Feb; 19(2):44-47.

Deuil

Allan JD and Hall BA. Between diagnosis and death: The case for studying grief before death. Arch Psychiatr Nurs 1988 Feb; 2(1):30-34.
Archer DN et al. Sorrow has many faces: Helping families cope with grief. Nursing 1988 May; 18(5):43-45.
* Carter SL. Themes of grief. Nurs Res 1990 Nov/Dec; 38(6):354-358.
Chard PS. Grief: Handling theirs and yours. Emerg Med Serv 1987 Jan/Feb; 16(1):36-38, 40-41.
Dubin WR et al. Sudden unexpected death: Managing the survivors. Emerg Med Serv 1987 Apr; 11(4):243-256.
Honer M. How you can ease a family's grief. RN 1987 Feb; 50(2):15-17.
Oerlemans-Bunn M. On being gay, single and bereaved. Am J Nurs 1988 Apr; 88(4):472-476.
Stephany T. Caregiver grief. Home Health Nurs 1989 Jan/Feb; 7(1):43-44.
Walker KL. "I don't know what to say" . . . Dealing with bereaved family members. Emerg Med Serv 1987 Jan/Feb; 16(1):3-4.

Espoir

Buettner C. Where there is despair, hope . . . AD Nurse 1988 Sept/Oct; 3(5):24-25.
* Christman NJ. Uncertainty and adjustment during radiotherapy. Nurs Res 1990 Jan/Feb; 39(1):17-20, 47.
Mader JP. The importance of hope. RN 1988 Dec; 51(12):17-18.
* Miller JF et al. Development of an instrument to measure hope. Nurs Res 1988 Jan/Feb; 37(1):6-10.
* Parse RR. Parse's research methodology with an illustration of the lived experience of hope. Nurs Sci Q 1990 Spring 3(1):9-17.
Urbanowicz GR. Hardened by death, heartened by hope. J Emerg Med Serv 1987 July; 12(7):11.

«Patients difficiles»

Cerchini JAL. Mr. Tanner knew what he wanted . . . Getting a patient to cooperate. Nursing 1987 Oct; 17(10):62-64.
Cellary C. When the patient is ready for independence. RN 1988 Sep; 51(9):23-24, 26.
Jones MK. Caring for the patient who makes caring difficult. Nursing 1986 May; 16(5):44-46.
Lewen-Pitz L. Violence . . . in patients. AD Nurse 1986 Nov/Dec; 1(6): 9-13.
McLean RM. Mrs. Elliot wasn't just over-hearing . . . she was over-whelming. Nursing 1989 Jun; 19(6):60-62.
Montgomery CL. How to set limits when a patient demands too much. Am J Nurs 1987 Mar; 87(3):365-368.
Morrison JL. The special needs of the special patient . . . your med/surg patient is also mentally retarded. RN 1986 Jul; 49(7):49-50.
Navis ES. Controlling violent patients before they control you. Nursing 1987 Sep; 17(9):52-54.
Pelletier LR et al. Strategies for handling manipulative patients. Nursing 1989 May; 19(5):82-83.
* Podrasky DL et al. Nurses' reactions to difficult patients. Image: Journal of Nursing Scholarship 1988 Spring; 20(1):16-21.
Reale J. Life changes: Can they cause disease? Nursing 1987 Jul; 17(7): 52-55.
Sarsany SL. Violent behavior. RN 1988 Sep; 51(9):66, 68.
Valinoti E. More than a garden . . . Anne focused all her fury on her nurses. Nursing 1987 Jun; 17(6):120.

Aspects psychosociaux de la maladie

Allen JK. Physical and psychosocial outcomes after coronary artery bypass graft surgery. Heart Lung 1990 Jan; 19(1):49-55.
* Baillie V et al. Stress, social support, and psychological distress of family caregivers of the elderly. Nurs Res 1988 Jul/Aug; 37(4):217-222.
Beadieson-Baird M et al. Reminiscing: Nursing actions for the acutely ill geriatric patient. Issues Ment Health Nurs 1988; 9(1):83-94.
Bluhm J. Helping families in crisis hold on. Nursing 1987 Oct; 17(10):44-46.
Cohen LJ. A modern parable . . . a man's faith in life. Am J Nurs 1987 Aug; 87(8):1043.
Gadow S. The ethics of care and the ethics of cure: Synthesis in chronicity. Covenant without cure: Letting go and holding on in chronic illness. National League for Nursing, 1988; #15-2237:5-14.
Groves C et al. Nursing grand rounds: ICU psychosis; helping your patient return to reality. Nursing 1982 Jan; 12(1):58-63.
Johnson JE and Lauver DR. Alternative explanations of coping with stressful experiences associated with physical illness. ANS 1989 Jan; 11(2): 39-52.
* Lowery BJ et al. On the prevalence of causal search in illness situations. Nurs Res 1987 Mar/Apr; 36(2):88-93.
* Miller JF. Hope-inspiring strategies of the critically ill. Appl Nurs Res 1989 Feb; 2(1):23-29.
* Mishel MH and Braden CJ. Finding meaning: Antecedents of uncertainty in illness. Nurs Res 1988 Mar/Apr; 37(2):98-103, 127.
* Pollock SE. Adaptation to chronic illness: Analysis of nursing research. Nurs Clin North Am 1987 Sep; 22(3):631-644.
* Thorne SE and Robinson CA. Health care relationships: The chronic illness perspective. Res Nurs Health 1988 Oct; 11(5):293-300.
Van Riper S. Helping your patient to emotional recovery. Nursing 1988 Apr; 18(4):32C, 32F.
Watson J and Ray MA. The ethics of care and the ethics of cure: Synthesis in chronicity. National League for Nursing, 1988; #15-2237:1-64.
Wicker P. The ethics of care and the ethics of cure: Synthesis in chronicity. Discussion group summary: When caring doesn't mean curing. National League for Nursing, 1988; #15-2237:53-55.

Soutien psychosocial

* Gardner KG et al. Patients' perception of support. West J Nurs Res 1987 Feb; 9(1):115-131.
Gilpatrick DM. Moving clients toward wellness: Behavioral change. Clin Nurs Spec 1989 Spring; 3(1):25-28.
Hamilton J. Comfort and the hospitalized chronically ill. J Gerontol Nurs 1989 Apr; 15(4):28-33.
Jennings BM. Social support: A way to a climate of caring. Nurs Admin Q 1987 Summer; 11(4):63-71.
* Tilden VP et al. Social support and the chronically ill individual. Nurs Clin North Am 1987 Sep; 22(3):613-620.
Woods NF et al. Supporting families during chronic illness. Image: Journal of Nursing Scholarship 1989 Spring; 21(1):46-50.

Autosoins

Bertram M. A self-care project. The use of landmarks. J Gerontol Nurs 1989 Feb; 15(2):6-8.
* Braden CJ. A test of the self-help model: learned response to chronic illness experience. Nurs Res 1990 Jan/Feb; 39(1):42-47.
Connelly CE. Self-care and the chronically ill patient. Nurs Clin North Am 1987 Sep; 22(3):621-629.
Cypress M et al. Let patients be partners in their care. RN 1989 Feb; 52(2): 17, 20.
* Denyes MJ. Orem's model used for health promotion: Directions from research. ANS 1988 Oct; 11(1):13-21.
Keegan L. Holistic nursing: An approach to patient and self-care. AORN J 1987 Sep; 46(3):499-500, 502, 504.

Keegan L. Self-care: Maintaining meaningful relationships. Part 2. AORN J 1987 Apr; 47(4):996-997, 1000.

Kirkpatrick MK. Self care guide for hypertensive risk reduction. AAOHN J 1987 Jun; 36(6):254-257.

* Lucas MD et al. Exercise of self-care agency and patient satisfaction with nursing care. Nurs Admin Q 1988 Spring; 12(3):23-30.

Walker LO et al. Designing and testing self-help interventions. Appl Nurs Res 1989 May; 2(2):96-99.

Perception de soi

Grainger RD. The standards of perfection. Am J Nurs 1990 Aug; 90(8):14, 17.

Husted GL et al. 5 ways to build your self esteem. Nursing 1990 May; 20(5):152, 154.

McGonigle D. Making self-talk positive. Am J Nurs 1988 Mar; 88(5):725-726.

* Muhlenkamp AF et al. Self-esteem, social support and positive health practices. Nurs Res 1986 Nov/Dec; 35(6):334-338.

Phippon ML. Patient shame; implication for perioperative nursing. AORN J 1987 Jul; 46(1):88-89, 92-94.

* Valden C et al. The relationship of age, gender, and exercise practices to measures of health, life-style, and self-esteem. Appl Nurs Res 1990 Feb; 3(1):20-26.

Stress

* Bargagliothi LA et al. Differences in stress and coping findings: A reflection of social realities or methodologies? Nurs Res 1987 May/Jun; 36(3): 170-173.

* Barnfather JS et al. Construct validity of an aspect of the coping process: Potential adaptation to stress. Issues Ment Health Nurs 1989; 10(1): 23-40.

* Biley FC. Nurses' perception of stress in preoperative surgical patients. J Adm Nurs 1989 Jul; 14(7):575-581.

Clements I et al. Implementation of a course of holistic health practices in stress management. J Holistic Nurs 1987 Spring; 5(1):19-22.

Crickmore R. A review of stress in the intensive care unit. Intensive Care Nurs 1987 Mar; 3(1):19-27.

* Davis LL. Illness uncertainty, social support, and stress in recovering individuals and family care givers. Appl Nurs Res 1990 May; 3(2):69-71.

Doran MO. Managing ICU-induced stress. Am J Nurs 1988 Nov; 88(11): 1559-1560, 1562.

Fagin CM. Stress: Implications for nursing research. Image: Journal of Nursing Scholarship 1987 Spring; 19(1):38-41.

Flannery RB Jr. The stress-resistant person. Harv Med Sch Health Lett 1989 Feb; 14(4):5-7.

* Gurklis JA and Menke EM. Identification of stressors and use of coping methods in chronic hemodialysis patients. Nurs Res 1988 Jul/Aug; 37(4):236-239, 248.

* Holden-Lund C. Effects of relaxation with guided imagery on surgical stress and wound healing. Res Nurs Health 1988 Aug; 11(4):235-244.

* Knapp TR. Stress versus strain: A methodological critique. Nurs Res 1988 May/Jun; 37(3):181-184.

Leidy NK et al. Psychophysiological processes of stress in chronic physical illness: A theoretical perspective. J Adv Nurs 1990 Apr; 15(4):478-486.

* Leidy NK. A structural model of stress, psychosocial resources, and symptomatic experience in chronic physical illness. Nurs Res 1990 Jul/Aug; 39(4):230-236.

Linn BS et al. Effects of psychophysical stress on surgical outcome. Psychosom Med 1988 May/Jun; 50(3):230-244.

Michener J. Practical ways to snuff out stress. RN 1988 Mar; 51(3):18-21.

Reale J. Life changes: Can they cause disease? Nursing 1987 Jul; 17(7): 52-55.

* Wilson VS. Identification of stressors related to patients' psychologic responses to the surgical intensive care unit. Heart Lung 1987 May; 16(3):267-273.

Toucher

* Estabrooks CA. Touch: A nursing strategy in the intensive care unit. Heart Lung 1989 Jul; 18(4):392-401.

Fink K. Therapeutic touch: A hands-off affair. Emerg Med Serv 1987 Jan/Feb; 16(1): EMS Today:81, 84-85.

Ingham A. A review of the literature relating to touch and its use in intensive care. Intensive Care Nurs 1989 Jun; 5(2):65-75.

* Lane PL. Nurse-client perceptions: The double standard of touch. Issues Ment Health Nurs 1989; 10(1):1-13.

Payne MB. The use of therapeutic touch with rehabilitation clients. Rehabil Nurs 1989 Mar/Apr; 14(2):69-72.

Quinn JF. Building a body of knowledge: Research on therapeutic touch. J Holistic Nurs 1988; 6(1):37-45.

* Schoenhover SO. Affectional touch on critical care nursing: A descriptive study. Heart Lung 1989 Mar; 18(2):146-154.

Stone G. "High touch" is the focal point of this practice. Tar Heel Nurs 1989 Jan/Feb; 51(1):14.

Tovar MK et al. Touch: The beneficial effects for the surgical patient. AORN J 1989 May; 49(5):1356-1361.

Wright SM. The use of therapeutic touch in the management of pain. Nurs Clin North Am 1987 Sep; 22(3):705-714.

21 PRINCIPES DE BASE DU DÉVELOPPEMENT DE L'ADULTE

SOMMAIRE

OBJECTIFS D'APPRENTISSAGE

Après avoir étudié ce chapitre, vous devriez être en mesure de réaliser ce qui suit:

1. *Définir les tâches développementales et les conflits qui caractérisent chaque étape de l'âge adulte.*
2. *Décrire les rôles que l'adulte s'attend à exercer, les rôles qu'il perd, les récompenses de chacune des étapes de son développement et les stress subis.*
3. *Préciser la signification des étapes du développement de l'adulte pour les professionnels de la santé.*

Depuis près d'un siècle, on déploie des efforts considérables dans le domaine de la recherche sur l'enfance, l'adolescence et le troisième âge. De nombreuses théories ont été élaborées sur le développement de l'être humain pendant ces étapes de sa vie. Cependant, jusqu'à tout récemment, le début de l'âge adulte, compris entre 18 et 35 ans, et l'âge mûr, entre 36 et 60 ans, ont été relativement peu étudiés. Cette étape du développement de l'être humain est caractérisée par «le changement dans la continuité». Dans ce chapitre, nous définissons les principales caractéristiques des diverses étapes de l'âge adulte, de son début et jusqu'à l'âge avancé, en portant une attention particulière aux changements, aux transitions et aux tâches développementales, sans oublier les thèmes et les variations qui caractérisent la vie humaine.

ÉTAPES DE LA VIE DE L'ADULTE

À partir de 1976, on a commencé à publier un grand nombre de livres, monographies et rapports sur le début de l'âge adulte et sur l'âge mûr. On a aussi mené une multitude de recherches et on a élaboré toute une gamme de théories sur le développement de la personne durant cette étape de sa vie en essayant de définir ce qu'être un adulte signifie. Les théoriciens ont subdivisé arbitrairement la vie de l'adulte en 11 périodes (voir l'encadré 21-1).

Comme on peut le voir ces étapes se chevauchent. En effet, les théories sur le développement n'ont pas pu tracer des frontières étanches entre les diverses périodes et, de plus, il est impossible de faire un classement rigoureux des êtres humains selon leur âge.

Pour donner sa propre définition d'un adulte, chaque personne devrait répondre aux questions suivantes:

- À quoi suis-je en droit de m'attendre pendant mon développement?
- Ce qui m'arrive est-il normal?
- Ma vie d'adulte prend-elle le même cours que l'enfance et l'adolescence?
- Comment vais-je m'adapter aux pertes et aux changements qui interviendront dans ma vie?

Encadré 21-1
Étapes de la vie de l'adulte

1. Période de transition de la vingtaine	de 17 à 22 ans
2. Début de l'âge adulte	de 22 à 28 ans
3. Période de transition de la trentaine	de 28 à 33 ans
4. Période de stabilisation relative	de 33 à 40 ans
5. Période de transition de la quarantaine	de 35 à 45 ans
6. Début de l'âge mûr	de 45 à 50 ans
7. Période de transition de la cinquantaine	de 48 à 55 ans
8. Fin de l'âge mûr	de 55 à 60 ans
9. Période de transition de la soixantaine	de 60 à 65 ans
10. Troisième âge	de 65 à 80 ans
11. Quatrième âge	80 ans et plus

Les questions et les problèmes essentiels de la vie d'adulte avec ses déceptions, joies, chagrins et réalisations ont fait l'objet de nombreuses recherches et investigations.

À l'origine, l'intérêt pour le développement de l'adulte a été suscité par le nombre croissant de personnes qui entraient dans cette période de leur vie. Mais, malgré l'intérêt accru pour ce sujet, certains chercheurs ont hésité à explorer cette étape de la vie de peur qu'une étude délibérée et organisée ne dévoile plusieurs facteurs négatifs. En effet, des facteurs comme la peur du changement, les désillusions, le refus d'accepter la réalité et la déchéance semblent caractériser cette étape.

PÉRIODE DE TRANSITION DE LA VINGTAINE (DE 17 À 22 ANS)

Un grand nombre de jeunes adultes se hérissent lorsqu'on cherche à les rassurer en leur sortant un cliché du genre: «À 21 ans, plus rien ne doit t'arrêter.» Bien qu'à l'âge de 25 ans on soit parvenu au terme de sa croissance et qu'à l'âge de 18 ans, on soit devenu adulte devant la loi, la société envoie aux jeunes adultes des messages pleins de contradictions. En effet, des affirmations telles que: «On n'est jeune qu'une seule fois» et «C'est maintenant qu'il faut faire ta vie» peuvent engendrer de la confusion et de l'indécision, et parfois même des comportements irrationnels et destructeurs. La majorité des jeunes adultes ont peur de quitter l'adolescence. La société leur a enseigné qu'ils doivent se séparer de leurs parents sur les plans financier, social et psychologique et apprendre à devenir autonomes. Pourtant, durant cette période de leur vie, la plupart des jeunes adultes gardent l'idée qu'ils appartiendront toujours à leurs parents et que ces derniers leur prêteront leur appui financier, psychologique et social quoi qu'il arrive. Ces jeunes font confiance au monde de leurs parents.

De fait, les parents sont pour les jeunes adultes une bouée de sauvetage. Plusieurs adolescents et jeunes dans la vingtaine ne sont en sécurité que chez leurs parents. Bien souvent, à cette âge, le mariage ou l'union libre constitue le moyen de se détacher des parents et d'acquérir plus d'autonomie. Cependant, le mariage comme moyen de s'éloigner de ses parents se solde souvent par un échec, ce qui augmente la dépendance.

C'est à cette étape de sa vie, également, que le jeune adulte doit s'éloigner de ses amis d'adolescence et cesser d'idolâtrer ses professeurs et autres personnes clés. Le fait de renoncer à des expériences qui ont eu de l'importance et les changements que cela entraîne peuvent engendrer un sentiment de perte, de l'anxiété et une peur de l'avenir.

DÉBUT DE L'ÂGE ADULTE (DE 22 À 28 ANS)

Entre 22 et 28 ans, après que les mythes de l'enfance se soient effondrés, le jeune adulte doit affronter la réalité. Bien que cette période soit relativement plus paisible que la période de transition de la vingtaine, elle est caractérisée par un grand nombre de conflits. C'est aussi, d'une certaine façon, une période d'atermoiement. En effet, les jeunes adultes remettent à plus tard les responsabilités sociales traditionnelles et cherchent tout d'abord à délimiter leur territoire.

Effondrement des mythes de l'enfance. Pour recevoir un renforcement positif, il suffit à l'enfant de dire aux figures d'autorité qu'il a essayé, même si son effort a été vain. À l'âge adulte, il faut apprendre que le simple fait d'essayer ne suffit pas, ne justifie pas les efforts déployés et n'est pas récompensé. Les récompenses ne sont données qu'aux personnes «méritantes» à quelque étape de la vie qu'elles se trouvent.

À cette étape de sa vie, l'adulte doit cesser de croire qu'une bonne action est automatiquement récompensée. Il doit comprendre que le fait de suivre le mode de vie de ses parents n'est pas une garantie de succès et qu'il ne devrait ni espérer ni attendre que ses parents l'aident lorsque ses projets tombent à l'eau. La personne qui pense que les parents seront toujours là pour lui venir en aide ne peut jamais devenir autonome ni se développer normalement.

Par ailleurs, l'idée qu'il n'existe qu'une seule façon de bien faire est très difficile à déraciner. Pour vivre dans le monde des adultes, il faut apprendre à nuancer sa pensée et à accepter que la probité n'est pas forcément récompensée en retour. Il faut aussi comprendre qu'une approche rationnelle et un dévouement aveugle ne permettent pas toujours d'obtenir les résultats voulus. À l'âge adulte, ces mythes de l'enfance, renforcés durant l'adolescence, doivent être remis en question et reformulés.

Le jeune adulte a aussi beaucoup de mal à remettre en perspective l'idée que le travail acharné est la clé du succès dans la vie, alors qu'il s'agit de l'une des prémisses que la société lui a inculquées depuis l'enfance. Sur le plan personnel, le jeune adulte doit se rendre compte qu'il ne peut se réaliser que par la confiance en soi et l'autodétermination sans attendre que l'accomplissement lui vienne de son conjoint ou de ses enfants. Le refus d'abandonner cette illusion entraîne souvent beaucoup de déceptions.

Vie de relation. Le passage à l'âge adulte se caractérise par l'établissement de deux relations importantes. Tout d'abord, durant cette période, la plupart des jeunes se cherchent un mentor, c'est-à-dire une personne plus âgée et plus expérimentée qui les aide à faire leur entrée dans le monde du travail et à avancer dans la carrière qu'ils ont choisie. Au début, le jeune adulte admire son mentor, qu'il considère comme supérieur à tous points de vue, mais, graduellement, les rapports deviennent plus équilibrés et, pour finir, il descendra son mentor du piédestal où il l'avait hissé, tout comme il l'a fait pour ses parents.

La seconde relation est celle qu'il établit avec un homme ou une femme qui fait naître chez lui des sentiments d'affection, qui le rend romantique et qui éveille sa sexualité. Cette personne est en même temps un critique, un guide et un protecteur qui aide le jeune à atteindre ses buts. Ce type d'ami assume un rôle transitoire pendant que le jeune adulte cherche à se débarrasser de sa dépendance envers son père et sa mère et à accéder à l'autonomie.

Connaissance de soi. En plus de devoir détruire les mythes de l'enfance sur la façon dont on doit mener sa vie, les jeunes adultes doivent aussi approfondir leurs idées sur l'existence et faire des tentatives d'engagement quitte à les remettre en question par la suite. Le jeune adulte doit connaître de nouvelles expériences et aborder la vie avec un esprit d'aventure. Toutefois, vers la fin de cette période, il doit prendre certaines décisions difficiles. En effet, il doit décider s'il veut se marier ou rester célibataire, s'il veut se trouver un emploi stable ou poursuivre une carrière pleine de défis. Il doit aussi établir les objectifs qu'il voudra atteindre. Durant cette période, les hommes autant que les femmes doivent essayer de régler les nombreux conflits engendrés par les exigences de la vie professionnelle et de la vie de couple.

PÉRIODE DE TRANSITION DE LA TRENTAINE (DE 28 À 33 ANS)

Pour la plupart des gens, la période de transition de la trentaine est caractérisée par une prise de conscience. En effet, c'est généralement à ce moment que l'adulte se sent pressé de faire des changements dans son existence, de peur de ne pouvoir les faire plus tard. Cette période du développement s'accompagne souvent d'une dépression qui n'est habituellement soulagée qu'au moment où la personne réussit à voir le monde sous un angle différent. Il s'agit également d'une période de découvertes (ou de redécouvertes) où des émotions, des intérêts, des aptitudes, des talents et des objectifs qui avaient été profondément enfouis reviennent à la surface.

La période de transition de la trentaine est également caractérisée par un sentiment aigu d'urgence. En effet, la vie semble soudainement plus sérieuse, plus contraignante et plus vraie. Pour un grand nombre de personnes, la trentaine est l'occasion, depuis longtemps attendue, de se bâtir une vie plus satisfaisante.

PÉRIODE DE STABILITÉ RELATIVE (DE 33 À 40 ANS)

La période de transition entre la fin de la vingtaine et le début de la trentaine est généralement suivie d'une période de stabilité relative, plus calme et plus sereine. Il s'agit d'une période de la vie où la personne examine avec sérieux ce qui lui semble vraiment important, se fixe aussi certains grands objectifs et commence à mener sa vie en fonction de ses choix. À ce moment, l'achat d'une maison comble chez un grand nombre de gens le besoin de prendre racine et de s'occuper davantage du foyer et de la famille. Ce besoin de construire son nid se traduit également par le désir d'avoir des enfants. Une fois les enfants nés, on a souvent le sentiment que la vie de couple est devenue moins satisfaisante. C'est pendant cette période que la routine prend la place du romantisme.

Consolidation de la vie professionnelle. Dans le monde du travail, la promotion devient l'un des principaux objectifs. Ce désir d'avancement engendre des conflits, puisque la jeune personne doit entrer en concurrence avec des collègues plus âgés et plus expérimentés, qui ont le pouvoir de le lui accorder ou de le lui refuser. Le jeune adulte se sent souvent freiné, tant par les autres et que par lui-même, ce qui le rend vulnérable. Malgré ces difficultés, il s'agit d'une période d'expansion et de consolidation de la vie professionnelle et familiale.

PÉRIODE DE TRANSITION DE LA QUARANTAINE (DE 35 À 45 ANS)

Bien que certains affirment avec optimisme que la vie commence à 40 ans, un grand nombre d'adultes se disent dans leur for intérieur que la vie finit à 40 ans, car cet âge marque, à leur avis, la fin d'une existence épanouie, exaltante et autonome. Les stéréotypes attachés à la quarantaine ne font qu'aggraver la confusion intérieure puisque c'est l'âge où les différences individuelles deviennent plus importantes. Nombreux sont ceux qui doivent s'adapter à des changements difficiles qui se comparent souvent à ceux de l'adolescence. Certaines personnes se remettent en question ou appréhendent le passage à l'âge mûr. La période de transition de la quarantaine est une période charnière entre le début de l'âge adulte et l'âge mûr. Il s'agit d'une étape de la vie où l'on commence à compter les années qui restent.

Réévaluation du passé. La première tâche que l'adulte doit accomplir pendant cette période de transition est la réévaluation de son passé. C'est à ce moment-là qu'il prend pleinement conscience qu'il est mortel et qu'il ne lui reste plus beaucoup de temps. C'est pourquoi il veut tout d'un coup utiliser ce temps judicieusement. Il s'agit d'un âge où l'adulte remet sérieusement en question sa vie passée et où il doit trouver réponse à des questions qui prennent une nouvelle signification, par exemple :

- Jusqu'à quel point ma vie actuelle est-elle satisfaisante ? Quelle est sa signification pour moi et pour l'humanité ?
- Comment devrais-je modifier ma vie pour mieux assurer mon avenir ?

Perte des illusions. L'une des principales découvertes qu'on fait dans la quarantaine est que la vie jusque-là se fondait en grande partie sur des illusions. Il faut donc s'attaquer à la difficile tâche de perdre ses illusions et de reconnaître que la plupart des idées qu'on nourrissait sur soi et sur les autres n'étaient que des leurres. On considère comme souhaitable que l'adulte perde ses illusions, car on croit que ce n'est qu'ainsi qu'il pourra accéder à la maturité d'esprit. En même temps toutefois, il doit aussi renoncer à ses valeurs les plus chères, à ses croyances profondes et à la plupart de ses certitudes concernant la vie et les êtres, ce qui peut engendrer chez lui un sentiment de perte irréparable. Certains, au contraire, éprouveront une plus grande liberté qui leur permettra d'acquérir de nouvelles valeurs et croyances et d'assouplir leurs opinions.

Adaptation aux changements. Quand il avance dans la quarantaine, l'adulte doit essayer d'abandonner le mode de vie adopté dans la trentaine pour s'en trouver un qui convient mieux à son âge. Les changements de l'entourage, tels que les distances qui se créent dans la vie de couple (qui, parfois s'améliore, mais d'autres fois se dégrade), les enfants qui grandissent et qui quittent la maison et les parents qui meurent ou qui deviennent dépendants ont un effet particulier sur les attentes en matière d'exercice du rôle de conjoint, de parent, de fils ou de fille.

Par ailleurs, les modifications de la vie professionnelle ont également des conséquences considérables. En effet, quand la nature du travail évolue, il faut être prêt à accepter les innovations, faute de quoi on risque de rester sur une voie d'évitement. Les événements mondiaux, les mouvements sociaux et les conditions économiques affectent chaque personne selon son âge et la période du développement où elle se trouve.

Dans la quarantaine, les changements touchant la vie intérieure sont souvent profonds. Il est très courant de voir des personnes de cet âge réviser leurs vues sur la société, leurs valeurs et leurs objectifs personnels ainsi que leurs objectifs de carrière. Plusieurs personnes disent qu'à cette étape de leur vie elles ont l'impression de déraper.

Acceptation de la mort et du pouvoir créateur et destructeur qui anime l'être humain. Pendant la période de transition de la quarantaine, l'adulte commence à penser davantage à la mort et à la destruction. Il devient conscient du fait qu'il est mortel et que ses proches le sont également. Il se rend aussi compte que les personnes clés dans sa vie ont pu mal agir envers lui, que leurs intentions aient été bonnes ou mauvaises. À son tour, il a pu blesser irrémédiablement ses parents, son conjoint, ses amis, ses enfants et ses collègues, parfois sans le vouloir. L'adulte d'âge mûr prend douloureusement conscience qu'il peut être en même temps créateur et destructeur. C'est alors qu'il doit tout mettre en œuvre pour concilier ces forces opposées qui l'animent.

Quête de l'individualisation. Vers le milieu de la vie, l'être humain doit accepter les principes masculin et féminin qui forment sa psyché. L'homme doit intégrer son besoin puissant de s'unir aux autres tout comme le besoin contraire, mais tout aussi puissant, de s'en détacher. Pour sa part, la femme doit intégrer son besoin nouvellement découvert de se détacher et de se réaliser et accepter qu'elle a un besoin moins grand de s'attacher. L'être humain qui a accompli sa tâche d'individualisation se sent différent des autres; il sent aussi que sa personnalité est devenue plus complexe. D'autre part, une fois son territoire délimité, il se sent davantage solidaire du reste de l'humanité et ses interactions avec les autres deviennent plus satisfaisantes.

DÉBUT DE L'ÂGE MÛR (DE 45 À 50 ANS)

L'âge mûr n'est pas une période de stabilité ni de certitude, mais plutôt une période de bouleversements. Les bouleversements qui se produisent durant cette période de la vie ne surviennent pas nécessairement par ordre chronologique ni selon une séquence, bien que certains changements biologiques, psychologiques ou sociaux soient prévisibles et impossibles à contourner. C'est à ce moment-là que l'adulte doit établir de nouvelles relations, créer de nouvelles attentes et modifier sa façon de se voir et de s'évaluer, autant de bouleversements qui le forcent souvent à changer de mode de vie, à adopter de nouveaux rôles ou à renoncer à des anciens. Le mariage, la naissance d'un enfant, l'achat d'une nouvelle maison, un nouvel emploi ou une promotion sont habituellement considérés comme des nouveaux rôles que l'adulte peut assumer durant cette période de sa vie. Par contre, une séparation, un divorce, une maladie chronique, la retraite anticipée, la ménopause ou la perte du conjoint l'obligent à renoncer à certains rôles exercés par le passé.

La vie de l'adulte d'âge mûr gravite autour de thèmes tels que le stress; l'introspection et le *pouvoir d'agir et de décider*; le changement d'optique par rapport au temps; les modifications du fonctionnement physiologique et psychologique; le conflit des générations; la modification du rôle sexuel; l'évolution de la carrière et la place qu'occupent les loisirs dans la vie.

Stress. La principale source de stress chez l'homme d'âge mûr est son travail. Chez la femme d'âge mûr, le stress est tout d'abord généré par les inquiétudes qu'elle nourrit à propos du travail et de la santé du conjoint ou de son propre travail. Sa propre santé et son aspect physique ainsi que les événements qui surviennent dans la vie de ses enfants sont des sources secondaires.

Introspection et source du pouvoir d'agir et de décider. Bien que tous les adultes puissent à un moment ou à un autre traverser une période de remise en question, celle de l'âge mûr est caractérisée par une introspection du moi profond, une forte préoccupation au sujet de son développement et un examen ou une réévaluation de sa compétence. À ce moment de leur vie, les adultes sont souvent obligés de constater que leurs enfants profitent bien davantage de leur sexualité, de l'amour et de la vie, en général, qu'ils ne peuvent le faire eux-mêmes. En même temps, ils doivent se rendre à l'évidence qu'aux yeux de leurs enfants ils se trouvent déjà sur la pente descendante. Pour quelques personnes d'âge mûr, le fait «d'être piégé» entre deux générations rend plus intenses le sentiment de perte et la peur de vieillir et renforce l'impression qu'ils ne sont plus maîtres de leur destinée ni de leur entourage.

Les gens qui ont tendance à adopter ce point de vue placent à *l'extérieur d'eux-mêmes le pouvoir d'agir et de décider,* c'est-à-dire qu'ils se sentent comme des marionnettes dont les fils sont tirés par d'autres personnes, par des forces sociales impersonnelles ou par le destin. Par contre, les gens qui se donnent *le pouvoir d'agir et de décider* se perçoivent comme ayant une emprise sur leur propre destinée. Ces personnes considèrent que l'âge mûr est la période où elles peuvent fonctionner à pleine capacité, ce qui leur permet de s'épanouir dans un milieu très complexe et de se fixer des objectifs personnels plus stimulants. Grâce à l'introspection, ces personnes trouvent un sens nouveau à leur vie puisqu'elles réussissent à vaincre les difficultés et à acquérir de nouvelles stratégies d'adaptation. Pour d'autres, cependant, il s'agit d'une période où ils se sentent pris au piège. Chez eux, les événements de la vie engendrent l'anxiété et même des crises de panique. Plusieurs de ces personnes se sentent paralysées et incapables d'agir et s'enfoncent de plus en plus dans la dépression.

Changement d'optique par rapport au temps. L'un des faits les plus marquants qui caractérisent l'âge mûr est le changement d'optique par rapport au temps. En effet, l'adulte d'âge mûr commence à penser en termes d'années qui lui restent à vivre plutôt qu'en termes d'années qu'il a vécues depuis sa naissance. Cette prise de conscience de sa condition d'être mortel semble toutefois plus importante chez les hommes que chez les femmes. Les hommes deviennent plus conscients de la perte de leurs forces et de leur vitalité et se préoccupent davantage de leur santé. Ils ont également une conscience plus aiguë du temps qui fuit. Les femmes, quant à elles, se préoccupent davantage de la santé des personnes clés dans leur vie, particulièrement de celle de leur conjoint. Certaines femmes peuvent «se préparer au veuvage» en se laissant aller à des fantasmes de solitude. Toutefois, à l'instar des hommes, elles deviennent très conscientes du fait qu'il ne leur reste plus beaucoup de temps.

Ce changement de perspective oblige l'adulte à penser à la mort qui devient maintenant une réalité qui le touche personnellement plutôt qu'un malheur qui n'arrive qu'aux autres. La prise de conscience du fait que cette étape de l'existence est pleine d'embûches peut engendrer chez certaines personnes d'âge mûr l'idée qu'elles sont anormales. Souvent, elles ne réalisent pas que d'autres adultes doutent également d'eux-mêmes, qu'ils se sentent également impuissants et désespérés et qu'ils ont également le sentiment d'être incompétents.

Modifications du fonctionnement physiologique. Bien que, chez la plupart des gens, le déclin biologique se produise graduellement, au début de la quarantaine, plusieurs changements provoquent souvent une détérioration marquante des fonctions organiques. Il n'est pas prudent de vouloir généraliser à propos des changements physiques qui ont lieu durant cette période ni d'affirmer catégoriquement qu'ils auront lieu à tel moment plutôt qu'à un autre ou même qu'ils se produiront nécessairement. On ne peut prédire qu'un changement physique donné interviendra dans la vie de tous les adultes. Il ne faut pas oublier non plus que nous exposons ici des idées générales et qu'aucune vérité à ce sujet n'est absolue. Les exceptions sont nombreuses des deux côtés. Certaines personnes meurent de «vieillesse» dans la quarantaine alors que d'autres peuvent vivre au-delà de 100 ans.

En règle générale, l'être humain est au sommet de son développement physique à l'âge de 30 ans. Par la suite, la perte de ses forces est lente mais constante tout au long des années. La faiblesse est habituellement plus marquée au niveau du dos et des muscles des jambes, et moins au niveau des muscles des bras. On peut retarder ce déclin des forces en suivant avec régularité un programme d'exercices personnalisé.

La perte de certains attributs physiques ébranle sérieusement les gens qui accordent beaucoup d'importance à leur apparence. En effet, les personnes qui attachent de l'importance à la beauté ou à la force physique vieillissent psychologiquement dès que leur corps commence à vieillir de façon manifeste. Une trop grande attention accordée au développement physique et à la beauté durant l'enfance et l'adolescence peut avoir un effet boomerang à partir de l'âge mûr.

Les modifications subies dans l'état de santé de l'adulte ne sont pas toutes négatives. L'âge mûr n'est pas nécessairement synonyme de mauvaise santé. Un grand nombre de personnes traversent cette période sans devenir malades ni invalides. En règle générale, les adultes sont moins souvent victimes de maladies aiguës et d'accidents, mais davantage victimes de maladies chroniques.

Acuité des sens. Pour ce qui est des sens, le processus de vieillissement commence au berceau. Chez la majorité des gens, l'acuité visuelle est à son apogée vers la vingtaine, reste relativement constante jusqu'à l'âge de 40 ans et ensuite, à moins de troubles organiques graves, commence à décliner lentement. L'ouïe, tout comme la vue, est à son apogée vers la vingtaine. À partir de cet âge, elle décline graduellement et les tons aigus deviennent moins audibles que les tons graves. Après l'âge de 55 ans, la surdité frappe davantage les hommes que les femmes. En outre, après l'âge de 50 ans, l'adulte a plus de mal à distinguer les goûts plus nuancés bien que sa perception des quatre principaux goûts, à savoir, le sucré, l'aigre, le salé et l'amer ne soit pas altérée. Il semble également qu'après l'âge de 45 ans, les sensations tactiles s'affaiblissent considérablement.

D'après certains théoriciens, la sensibilité à la douleur des différentes parties du corps a tendance à rester stable jusqu'à l'âge de 50 ans environ pour décliner ensuite entraînant ainsi une tolérance accrue. Par contre, d'après d'autres théoriciens, la conscience de la douleur augmente après l'âge de 50 ans et les personnes âgées y deviennent très sensibles. Le seul sens qui ne semble pas touché est celui de l'équilibre qui est d'ailleurs à son plus haut niveau entre l'âge de 40 et de 50 ans.

Apparence et santé physique. L'apparence et la santé sont probablement les deux facteurs qui ont la plus grande influence sur la vie quotidienne. L'alimentation, l'exercice et la relaxation influent sur l'apparence et la santé. Au début de l'âge adulte les changements de l'aspect physique soit peu apparents, mais ils s'accentuent à l'âge mûr. Ce qui attire probablement le plus l'attention est le gain pondéral. À cause d'une modification de la répartition du tissu adipeux, le corps prend la forme d'un diamant, effilé aux deux extrémités et élargi au milieu. La calvitie et la chevelure grisonnante constituent également des changements notables. La plupart des hommes dans la quarantaine commencent à avoir le front dégarni. Leurs cheveux poussent moins rapidement et ils finissent par devenir chauves. Vers la cinquantaine, les hommes et les femmes ont les cheveux gris sinon blancs. Chez les femmes, des poils commencent à pousser sur la lèvre supérieure et sur le menton.

La peau, tant chez les hommes que chez les femmes, devient moins élastique, plus rugueuse et plus foncée sur le visage, les bras et les mains. Des rides et des poches complètent le tableau. Le bas du visage se modifie en raison de l'altération des dents, des os, des muscles et des tissus conjonctifs. Le timbre de la voix change pour devenir plus aiguë. Les mouvements du corps sont moins gracieux en raison de la raideur des articulations et d'une perte de la résistance musculaire. À cause des effets cumulatifs de ces changements, l'adulte d'âge mûr est souvent secoué lorsqu'il doit se regarder dans un miroir.

Fonctionnement psychologique. L'adulte d'âge mûr doit reconnaître qu'il fait partie du groupe d'âge dont le fonctionnement psychologique est le plus adéquat. Bien que notre société prise la jeunesse, elle est dirigée par les adultes d'âge mûr. Ce sont eux les administrateurs et les politiciens. En outre, l'âge mûr est généralement la période où la conscience de la position qu'on occupe dans une société très complexe et mal définie devient aiguë. Une constante remise en question de soi caractérise cette période de la vie.

Il n'est pas aussi facile de discerner les gratifications psychologiques de l'âge mûr que celles qui caractérisent le début de l'âge adulte et du troisième âge. Au début de l'âge adulte, avancer en âge, c'est-à-dire mûrir, signifie avoir plus rapidement droit aux gratifications que connaissent les adultes, par exemple, plus de prestige, plus de pouvoir et plus de séduction alors que pour les personnes du troisième âge, le simple fait de survivre est par lui-même gratifiant et chaque année supplémentaire de vie confère un peu plus de prestige. Les adultes d'âge mûr doivent s'appuyer davantage sur le fonctionnement de leur corps, sur leur carrière et sur leur vie de famille pour confirmer leur identité que sur leur âge réel. Étant donné que les modifications de ces aspects de sa vie ne sont ni synchronisées ni prévisibles, l'adulte d'âge mûr vit souvent des conflits intenses qui sèment la confusion dans son esprit.

Conflit des générations. L'un des stress psychologiques les plus importants est la distance qui sépare l'adulte d'âge mûr des générations qui le précèdent et qui le suivent. Généralement, la distance qui le sépare des jeunes est plus grande. En effet, les jeunes ne peuvent ni comprendre les adultes d'âge mûr, ni se comparer à eux, car il leur manque l'expérience de la vie. Les événements particuliers de la vie rapprochent ceux qui les ont traversés ensemble et met des distances par rapport à ceux qui ne les ont pas vécus. Par contre, les personnes d'âge mûr se sentent plus proches des personnes âgées, car celles-ci ont déjà traversé la période de l'âge mûr.

Même si la plupart des adultes d'âge mûr sont devenus conscients de la fuite du temps, rares sont ceux qui souhaitent redevenir jeunes. Ce qu'ils souhaiteraient plutôt est de regagner la vigueur et l'apparence de la jeunesse tout en conservant l'autorité et l'autonomie qu'ils se sont acquises.

Les adultes d'âge mûr ont la tâche très particulière de devenir conscients de l'enfant et de la personne âgée qui les habitent et qui habitent leurs semblables. Ce n'est qu'ainsi qu'ils réussiront à régler, ne serait-ce qu'en partie, le conflit des générations. Il s'agit d'une tâche très importante, car l'une des plus grandes richesses de la vie est de pouvoir entretenir de bonnes relations avec les personnes de tous âges.

Les rapports entre les générations sont importants dans toutes les sociétés. La plupart des gens sont pleinement conscients des barrières qui existent entre les générations et certains tentent de les abolir. Toutefois, il est difficile pour l'enfant et l'adolescent d'imaginer qu'il peut vieillir et de s'identifier à des personnes plus âgées.

Il est généralement difficile de définir une génération. Une génération donnée comprend les gens du même âge, ce qui en exclut ceux qui sont plus jeunes ou plus âgés. À mesure que les années passent, le jeune adulte se rend compte que sa génération vieillit et établit de nouvelles relations avec des gens des autres générations. Au cours de l'âge adulte, on considère que font partie de sa génération des personnes ayant plus ou moins le même âge (à six ou à sept ans près). Dans une relation entre deux personnes de générations différentes, la personne plus âgée a implicitement plus d'autorité et est souvent considérée comme le grand frère ou la grande soeur. Si la différence d'âge est de 20 ans ou plus, on est en présence d'un écart d'une génération entière et la personne la plus âgée devient une figure parentale. Lorsque la différence est de 40 ans ou plus, on est en présence d'un écart de deux générations et la personne âgée est souvent considérée comme un grand-père ou une grand-mère.

Par conséquent, la personne dans la vingtaine se considère habituellement par rapport à celle dans la quarantaine à distance d'une génération entière et, pour elle, l'adulte d'une quarantaine d'années fait partie de «l'Establishment» et devient souvent une figure parentale. À un autre niveau, le jeune le considère comme un «vieux» qui doit graduellement céder la place qu'il occupe dans la société et qui ne peut plus vivre les mêmes aventures que la génération montante. Ce qui effraie le plus les adultes de cet âge est de réaliser qu'ils sont sur le point de s'éloigner de la jeune génération et d'entrer dans la génération la plus indéfinissable de toutes, celle de l'âge mûr.

Générativité ou stagnation. La théorie du développement de la personnalité porte sur toutes les étapes de la vie, du début de l'enfance jusqu'à l'âge avancé. La crise développementale que traverse habituellement la personne d'âge mûr est celle de «générativité ou de stagnation». Pour Erikson, la générativité est la capacité d'avoir de l'autorité sur les personnes plus jeunes et d'établir avec elles un rapport de réciprocité. C'est aussi l'aptitude de devenir un leader des jeunes tout en les traitant en adultes et en les encourageant à devenir plus autonomes et plus sûrs de leur valeur personnelle. La stagnation est l'immobilisme, c'est-à-dire l'incapacité de se développer et l'enlisement dans une vie pleine d'obligations contraignantes, dépourvue de toute possibilité d'épanouissement.

La personne d'âge mûr qui traverse avec brio la crise de générativité deviendra l'aîné respecté qui devra apprendre à traiter les personnes dans la trentaine comme ses cadets qui, dans quelques années, assureront la relève. Elle doit également être capable de considérer que le jeune dans la vingtaine est son benjamin qui fait ses premiers pas dans le monde des adultes.

La personne d'âge mûr doit accomplir la tâche difficile mais nécessaire de lutter contre ses pulsions de stagnation. La stagnation n'est pas totalement négative et elle ne devrait pas être évitée à tout prix. Il faut cependant poursuivre le combat tout en réalisant que la vulnérabilité est une source de sagesse qui permet d'acquérir plus d'empathie et plus de compassion.

Modification du rôle sexuel. Lorsque le rôle sexuel est renversé, les femmes deviennent plus sûres d'elles-mêmes, plus autonomes, plus ambitieuses dans leur travail et plus actives dans les relations personnelles, alors que les hommes deviennent plus «maternants», plus émotifs, plus attachés à leur foyer et à leur famille et plus passifs. L'intégration des caractères de l'autre sexe a habituellement lieu à l'âge mûr. À cet âge, la femme, tout comme l'homme, conscientise la nécessité de développer tous les traits masculins et féminins de son caractère. Au moment où les stéréotypes reliés aux rôles sexuels tombent, l'individu devient plus humain.

Évaluation des réalisations passées et établissement de nouveaux objectifs. La façon dont une personne aborde son travail, sa famille, son moi profond, la société, ses projets d'avenir et ses objectifs reflète la période de vie qu'elle traverse. En règle générale, on divise la vie en deux, la frontière se situant vers 40 ans. La personne de 40 ans a déjà pu consolider sa vie personnelle et, idéalement, cueillir les fruits de ses efforts de jeunesse. Pour la plupart des gens, la quarantaine est une période de remise en question. En effet, on s'interroge sur ce qui a été accompli et sur ce qui reste à faire ainsi que sur ce qu'on a donné à la société. Cette remise en question doit amener l'adulte à accepter qu'il y a un écart entre ce qu'il est devenu et ce qu'il espérait devenir.

Quel que soit le résultat de cette profonde remise en question, il faut continuer à aller de l'avant. Si la personne n'a pas réussi à atteindre les objectifs qu'elle s'était fixés, elle doit en établir de nouveaux en vue de réorienter sa vie. Par contre, si elle a réussi à les atteindre, elle doit réfléchir à la signification de son succès et à la valeur qu'elle lui accorde. Quelques rares personnes sont satisfaites de l'existence qu'elles mènent et souhaitent continuer de la même façon pour le reste de leur vie. Ces personnes ne sont toutefois pas à l'abri des changements imprévisibles. D'autres, plus nombreuses éprouvent un sentiment d'échec lorsqu'elles se rendent compte que malgré qu'elles aient atteint les objectifs fixés au début de l'âge adulte, elles n'ont pas pu en tirer la satisfaction qu'elles espéraient. La vie de la plupart des gens est relativement satisfaisante à certains égards et décevante à d'autres. Quelle que soit sa situation dans la quarantaine, chaque adulte doit faire un bilan, accepter ses limites, reformuler ses objectifs et poursuivre son évolution.

Événements importants. Les événements les plus marquants de la vie peuvent survenir vers la fin de la trentaine et le début de la quarantaine. Il s'agit, entre autres, d'une promotion, d'une rétrogradation, d'une mise à pied, de la création d'une cellule familiale, d'un divorce, d'un trouble de santé, de la maladie ou de la mort de proches, d'une perte de sécurité matérielle, de l'acquisition d'une somme importante d'argent, d'un manque de reconnaissance de la part de la société ou, au contraire, de l'obtention d'une haute distinction. Un tel événement constitue un succès ou un échec qui fait faire un pas en avant ou en arrière. La façon de gérer un événement de cet ordre détermine les chances d'avenir de la personne en question.

L'événement marquant permet souvent à l'adulte de prendre conscience du fait qu'il traverse une période de transition. Si le même événement avait eu lieu à un autre moment de la vie, il aurait revêtu pour lui une signification tout autre et ses conséquences auraient été différentes. Si l'événement marquant survient au cours de l'âge mûr, il ne peut être intégré sans une totale remise en question. Il faut le considérer comme un facteur d'évolution. Pour ne pas être dépassé par un tel événement, il faut faire preuve d'une grande capacité d'adaptation.

L'un des services les plus importants que les professionnels de la santé peuvent rendre à l'adulte qui traverse les «crises» de l'âge mûr et de la vieillesse est de le rassurer en lui disant qu'il n'est pas seul à connaître ce genre d'expérience et qu'il a les ressources nécessaires pour s'en sortir.

PÉRIODE DE TRANSITION DE LA CINQUANTAINE (DE 48 À 55 ANS)

Chaque fois que l'adulte franchit une nouvelle étape de sa vie, il doit admettre qu'il a perdu un peu plus de sa jeunesse et de sa vitalité. C'est pourquoi chacun de ses passages le marque fortement. La période de transition de la cinquantaine se situe entre 48 et 55 ans. Il s'agit d'une période où il faut poursuivre les tâches de la période de transition de la quarantaine tout en prévoyant et en planifiant le mode de vie qui conviendra à l'avenir.

Si la période de transition de la cinquantaine est difficile à vivre c'est, qu'à cet âge, on n'est plus jeune, mais on n'est pas encore vieux, ce qui donne l'impression d'être pris entre deux âges. À 50 ans, il est impossible de faire fi des cheveux qui grisonnent, de la peau qui se ride, et des malaises et des courbatures provoqués par des activités qui, quelques années auparavant, ne laissaient aucune séquelle.

L'un des sentiments les plus pénibles que l'adulte éprouve durant cette période de transition vient du fait que son existence semble n'avoir plus de sens puisque les passions de la jeunesse se sont éteintes, qu'il a peu d'occasions de se montrer créatif et d'apporter une contribution marquante à la société. Il s'agit d'une période où l'on doute de plus en plus de soi-même à mesure que l'on se rend compte que l'on se rapproche de la déchéance et même de la mort. Souvent, une petite voix intérieure répète inlassablement: «Il ne me reste plus grand temps pour profiter de la vie.»

Quête de l'immortalité. L'adulte doit maintenant mener à bien la tâche de définir la valeur ultime de la vie et de trouver les moyens qui lui permettront de s'immortaliser d'une quelconque façon. S'il réussit à combler ces besoins vitaux, il pourrait se sentir moins accablé par les doutes et le sentiment de vacuité et de désespoir qui sont fréquents pendant cette période de la vie. Pour la majorité des gens, l'immortalité se confond, d'une certaine façon, avec l'héritage qu'ils voudraient léguer aux générations futures.

Pour un grand nombre de personnes, l'éducation des enfants et le maintien des liens avec la famille constituent l'un des plus grands accomplissements dont pourraient profiter les générations à venir. Les enfants prennent la place de leurs parents dans le monde des adultes. Les récompenses qu'ils reçoivent, les succès et les satisfactions qu'ils connaissent sont pour les parents des cadeaux d'un prix inestimable puisque nombreux sont ceux qui ont l'impression que, d'une certaine façon, ils se prolongent dans leur descendance.

Une autre façon de conquérir l'immortalité est de léguer ses biens matériels à des associations de charité et à des organismes qui luttent pour une bonne cause. Certaines personnes versent des sommes considérables à des associations religieuses, collégiales, universitaires, syndicales, professionnelles ou communautaires. L'appartenance à de telles associations permet de garder une image de continuité et de permanence. La générosité du donateur cache souvent l'immense besoin d'immortaliser son nom sur un monument ou sur une plaque commémorative.

Les artistes lèguent aux générations futures leur œuvre: romans, poèmes, sculptures, peintures et les scientifiques des ouvrages qui peuvent faire progresser les connaissances. Les moyens pris pour se garantir l'immortalité (biens matériels, œuvres de création, influence sur la société) permettent de franchir sans peine la période de transition de la cinquantaine.

FIN DE L'ÂGE MÛR (DE 55 À 60 ANS)

L'âge mûr prend normalement fin vers 55 ou 60 ans. On a souvent comparé cette époque de la vie à la période d'apaisement et de stabilité relative qui caractérise le début de l'âge adulte. La tâche à accomplir pendant cette période est de surmonter les difficultés de l'âge mûr et de se préparer au troisième âge. Pour la plupart des gens, cette décennie peut être très satisfaisante s'ils arrivent à régler le conflit intérieur entre la jeunesse et la maturité, conflit qui accompagne l'être humain tout au long de sa vie, mais qui devient aigu vers la fin de l'âge mûr.

Pour sortir sereinement de l'âge mûr, il faut accepter que la vieillesse tout comme la jeunesse a ses avantages et ses inconvénients. À ce moment, l'adulte qui a su mûrir se rend compte que, même si dans sa jeunesse il était plein d'entrain et de verve, héroïque, en plein devenir et dépositaire d'un énorme potentiel, il était aussi impulsif, inexpérimenté, ignorant et immature. La vieillesse n'exclut pas l'entrain ni la verve mais apporte en plus la sagesse, la force de caractère, l'autorité et la possibilité d'autoréalisation.

À la fin de l'âge mûr, il faudrait se trouver en équilibre sur le continuum qui va de la jeunesse à la vieillesse. Une fois cet équilibre atteint, on dispose de sources inépuisables d'énergie, d'imagination et de motivation pour changer. L'âge mûr est au cœur du cycle de la vie; il est aussi une période de préparation intense pour l'avenir.

PÉRIODE DE TRANSITION DE LA SOIXANTAINE (DE 60 À 65 ANS)

La période de transition de la soixantaine se situe entre 60 et 65 ans. C'est la période où l'adulte est obligé de reconnaître qu'il décline physiquement. Le passage de l'âge mûr au troisième âge est caractérisé par des pertes de mémoire, une plus grande lenteur et une plus grande difficulté à bouger. Même si la personne est relativement en bonne santé et qu'elle reste active physiquement, elle est constamment rappelée à l'ordre par la précarité de son état, car des maladies graves et la mort frappent de plus en plus souvent des membres de sa famille et des amis. À mesure qu'on approche de la soixantaine, toutes les traces de jeunesse et même les derniers vestiges de l'âge mûr semblent disparaître laissant l'adulte vieillissant en proie aux caprices imprévisibles de l'âge avancé. Toutes ces modifications physiques et mentales n'affectent pas tout le monde, mais chacun risque de connaître certains changements et d'en souffrir.

La principale tâche de la personne dans la soixantaine est de se maintenir en bonne condition physique d'une manière qui convient à son âge. Elle doit également ne rien laisser en suspens et apporter des modifications à sa vie. À l'abord de cette période de leur vie, certains ne peuvent accepter le fait que la vieillesse les guette. Bien qu'ils sachent qu'elle n'épargne personne, ils s'accrochent à l'idée qu'ils constituent une exception. La période de transition de la soixantaine permet de mettre un bémol sur les efforts de l'âge mûr. Il faut se résoudre à renoncer à occuper les premiers rangs, se défaire des lourdes responsabilités prises pendant l'âge mûr et apprendre à entretenir d'autres rapports avec la société. La perte graduelle de la reconnaissance, du pouvoir et de l'autorité peut devenir traumatisante.

L'un des changements qui sont probablement les plus difficiles à accepter est que la génération dont on fait partie cède sa place à la génération suivante. Il n'est pas facile de laisser ses enfants prendre le pouvoir au sein de la famille et devenir des figures d'autorité. Cependant, c'est une démarche qui s'impose. Dans le monde des affaires, la même passation des pouvoirs a lieu. En effet, la personne plus âgée, qui possède beaucoup d'autorité et de pouvoir décisionnel, doit céder sa place aux adultes d'âge mûr qui doivent, à leur tour, acquérir du pouvoir et en assumer la responsabilité. Si la personne âgée se cramponne dans un poste d'autorité après l'âge de 70 ans, elle n'évolue plus au rythme de sa propre génération et entre en conflit avec la génération des adultes d'âge mûr.

Prendre sa retraite n'est pas perdre sa valeur. Il s'agit plutôt de l'occasion de continuer à effectuer un travail utile, poussé par son propre pouvoir créateur plutôt que par des pressions sociales et des besoins matériels. À ce moment, la personne qui se situe à mi-chemin entre la jeunesse et la vieillesse a plusieurs choix en termes de retraite: la *retraite anticipée*, qui ne peut pas se faire sans une planification très attentive des finances et une bonne réserve d'argent; la *retraite graduelle*, qui permet de quitter petit à petit une carrière exigeante pour une nouvelle, dont les contraintes sont moindres; la *retraite traditionnelle*, qui permet de quitter le marché du travail à l'âge de 65 ans; la *retraite retardée*, qui permet d'arrêter de travailler à l'âge de 70 ans et qui est de plus en plus répandue et, enfin, le *refus de retraite*, option de la personne qui continue de travailler jusqu'à sa mort. Ces nombreux choix s'offrent maintenant à de plus en plus de gens. Le «travail» du retraité peut parfois devenir une activité ludique, dans le sens où il peut cultiver ses intérêts pour sa propre satisfaction. À cette étape de la vie, il faudrait se sentir libre de la plupart des contraintes sociales et être capable de choisir les activités lucratives ou les loisirs qui pourront satisfaire les besoins personnels. Ainsi, la personne âgée pourrait mener à bien l'une des principales tâches développementales du troisième âge, soit l'atteinte de l'équilibre entre l'engagement social et le soi.

TROISIÈME ÂGE (DE 65 À 80 ANS)

Le troisième âge correspond à une période de déclin où cependant les occasions de développement ne manquent pas. Il s'agit de la période de la vie où nombreux sont ceux qui commencent à s'habituer à l'idée que le veuvage les guette ou qui ont déjà perdu leur conjoint. Les besoins qui avaient été comblés grâce au mariage restent insatisfaits. Plusieurs connaissent les affres de la solitude, car la perte du conjoint correspond, en même temps, à la perte d'un certain statut social. En effet, il n'y a plus lieu d'assumer face à la société le rôle d'époux ou d'épouse, de chef de famille ou de femme au foyer.

Par ailleurs, la personne du troisième âge est souvent atteinte de maladies chroniques, aggravées par la lassitude et le découragement. Si elle abandonne ses activités et se résigne à être malade, sa santé décline, ce qui aggrave les effets de la maladie. Les personnes âgées sont également victimes de maladies dites hypokinétiques. Ce sont des maladies provoquées par le manque d'activité physique. Par conséquent, le mode de vie peut accélérer le vieillissement physique.

La personne du troisième âge sait qu'elle a derrière elle la majeure partie de sa vie, sinon sa vie toute entière. Elle a déjà payé sa contribution à la société et fait ce qu'elle a pu pour s'immortaliser. C'est l'époque où il faut évaluer sa vie une dernière fois et lui trouver un sens et une valeur pour ne pas se laisser aller à l'amertume et au désespoir durant les dernières années de l'existence. La personne qui a su réfléchir au sens de sa vie saura aussi accepter l'idée que la mort est proche. La plupart des gens doivent maintenant comprendre que certains vœux et espoirs qu'ils chérissaient par-dessus tout risquent de ne pas être exaucés. Chacun doit admettre que sa vie n'a pas été parfaite. La personne du troisième âge doit faire la paix avec elle-même et avec ceux qui, selon elle, l'ont blessée ou lui ont fait du tort. La plupart des personnes du troisième âge continuent à avoir des principes solides et des convictions personnelles, qu'elles peuvent adapter avec réalisme à la vie de tous les jours.

QUATRIÈME ÂGE (80 ANS ET PLUS)

Le quatrième âge correspond à la dernière période de la vie. Les personnes qui passent le cap des 80 ans souffrent en général d'une myriade d'infirmités et d'au moins une maladie chronique. Les signes de vieillissement sont chez elles plus évidents que les signes de croissance. Habituellement, la vision du monde a tendance à rétrécir et la personne concentre toute son attention sur quelques relations importantes, sur l'endroit où elle vit, sur les inquiétudes que lui donne son corps et sur son bien-être et son confort. Elle doit lutter avec acharnement contre l'idée que sa vie n'a plus de signification ou, pis encore, qu'elle-même, en tant que personne, est tout simplement tolérée.

Pendant toutes les autres étapes de vie, le principal objectif de l'être humain a été la mise au point de stratégies lui permettant de prendre un nouveau départ, d'opter pour une nouvelle façon de vivre. Il lui faut maintenant trouver des stratégies pour apprendre comment mourir. L'une d'entre elles est le désengagement. En effet, la personne âgée se retire graduellement du monde, cesse de se préoccuper de son entourage et devient de plus en plus préoccupée d'elle-même. Elle peut aussi s'engager dans des activités physiques, chercher à s'intégrer socialement et suivre un régime alimentaire équilibré, ce qui lui permettra de vivre une longue vieillesse en bonne santé. Mais pour pouvoir continuer à bien vivre, la personne du quatrième âge doit se réconcilier avec la mort. Si elle peut garder sa vitalité, elle pourra poursuivre ses activités sociales. Il ne faut pas oublier que les personnes du quatrième âge peuvent devenir des modèles de sagesse, de probité et de noblesse d'âme qui peuvent insuffler l'espoir aux générations montantes. À cette période de sa vie, la personne âgée parvient aussi à une totale acceptation de soi. Elle devient consciente du fait que sa dernière tâche est de s'accepter, de s'aimer et d'être prête à franchir l'étape suivante, la mort.

RÉSUMÉ

Nous avons exposé ici les événements physiologiques, psychologiques et sociaux qui surviennent durant la vie d'adulte. Nous nous sommes surtout attachés au développement du jeune adulte, de l'adulte d'âge mûr ainsi que des personnes du troisième et du quatrième âge, et avons délibérément laissé de côté le développement du jeune enfant. Par ailleurs, nous parlerons davantage de l'âge avancé au chapitre 12.

Nous avons rappelé ici les événements majeurs qui surviennent dans toute vie, tels l'établissement des relations, la consolidation d'une carrière, les grossesses et les réactions à une perte, et avons expliqué comment l'adulte vit de tels événements à chaque période de sa vie. Chaque étape de son développement a été définie et délimitée. Nous avons aussi essayé de donner un nom au comportement qui caractérise chaque période, par exemple, stabilité relative, dans le cas de la personne de 33 à 40 ans, puisque c'est au cours de cette période de sept ans que la majorité des adultes ont tendance à se fixer. Toutefois, certains pourraient connaître cette stabilité relative beaucoup plus tôt, d'autres, beaucoup plus tard et d'autres encore, jamais.

L'infirmière saura apprécier ces données qui l'aideront à planifier ses soins. De plus, la compréhension du développement normal de l'adulte l'aidera à mieux communiquer avec ses patients et à mieux comprendre ses propres comportements.

Bibliographie

Ouvrages

Belsky JK. Here Tomorrow: Making the Most of Life After Fifty. Baltimore, Johns Hopkins University Press, 1988.

Berman PL (ed). The Courage to Grow Old. New York, Ballantine Books, 1989.

Critchton J. The Age Care Sourcebook; A Resource Guide for the Aging and Their Families. New York, Simon & Schuster, 1987.

Dychtwald K and Flower J. Age Wave: The Challenges and Opportunities of an Aging America. Los Angeles, JP Tarcher Publishers, 1989.

Gould J. Spirals: A Woman's Journey Through Family Life. New York, Random House, 1988.

Henig R. How a Woman Ages. New York, Ballantine Books, 1985.

Hughes FP. Human Development Across the Life Span. St Paul, West Publishing, 1985.

Kimmel DC. Adulthood and Aging: An Interdisciplinary Developmental View, 2nd ed. New York, John Wiley & Sons, 1980.

Le Shan E. Oh to Be 50 Again! On Being Too Old for a Midlife Crisis. Alexandria, VA, Time-Life Books, 1986.

Maddox GL and Busse EW. The Universal Human Experience. New York, Springer, 1987.

Okun BF. Working with Adults: Individual Family and Career Development. Monterey, CA, Brooks-Cole, 1984.

Pesmen C. How a Man Ages. New York, Ballantine Books, 1984.

Smith WJ. The Senior Citizens' Handbook: A Nuts and Bolts Approach to More Comfortable Living. Los Angeles, Price/Stern/Sloan, 1989.

Whitbourne SK. Adult Development, 2nd ed. New York, Praeger, 1986.

Revues

Bennett H. Two of us is one too many. The New York Times Magazine 1989 Oct 22; 22, 24.

Brock AM and O'Sullivan P. From wife to widow: Role transition in the elderly. J Psychosoc Nurs Ment Health Serv 1985 Dec; 23(12):6–12.

Davis I. Sixteen—The third time around. The New York Times Magazine 1989 Dec 17; 22, 24.

Enos SF. "Husband is having a mid-life crisis." Ladies Home Journal 1988 Sep; 105:14, 18, 20, and 185.

Holahan CK, Holahan CJ, and Belk SS. Adjustment in aging: The roles of life stress, hassles and self-efficacy. Health Psychol 1984; 3(4):315–328.

Holahan CJ and Moos RH. Life stress and health: Personality, coping and family support in stress resistance. J Pers Soc Psychol 1985 Sep; 49(3):730–747.

Hoopes R. Working late: On the outside looking in. Modern Maturity 1989 Jun/Jul; 32(3):32–35, 38, 39.

Horn JC. Peaking after 65: Here's how. Psychology Today 1989 Jul/Aug; 23:33–34.

Hoyt MF. Women in the middle. Good Housekeeping 1988 Jan; 206:54.

Lakey B and Heller K. Response biases and the relation between negative life events and psychological symptoms. J Pers Soc Psychol 1985 Dec; 49(6):1662–1668.

Luciano L. Eight myths of retirement. Money 1990 Feb; 19(2):110, 111.

Luciano L. The joyful new music of aging. Money 1990 Feb; 19(2):113, 114, 116.

Luciano L. Pre-retirees; long on hope, short on readiness. Money 1990 Mar; 19(3):25.

Over 40 and fabulous. Harper's Bazaar 1988 Aug; 121:106-131, 138-141.
Over 40 and sensational. Harper's Bazaar 1989 Aug; 122:152-157, 190, 192, 194.
Prodigal parents: Family vs. the 80 hour work week. New Perspect Q 1990 Winter;7:2-62.
Stevenson JS. Adulthood: A promising focus for future research. Annu Rev Nurs Res 1986; 1:55-74.
Streff MD. Examining family growth and development: A theoretical model. ANS 1981 Jul; 3(4):61-69.
Topolnici DM. How you can find help for your elderly relative from afar. Money 1988 Dec; 17:199-200.

22
ADMINISTRATION DES SOINS AUX PERSONNES ÂGÉES

SOMMAIRE

OBJECTIFS D'APPRENTISSAGE

Après avoir étudié ce chapitre, vous devriez être en mesure de réaliser ce qui suit:

1. *Élaborer une définition de l'âge avancé fondée sur les théories sociologiques et développementales du processus de vieillissement.*
2. *Décrire la population âgée en Amérique du Nord: données démographiques, situation pécuniaire et besoins en matière de logement et de soins.*
3. *Reconnaître les modifications physiologiques engendrées par le processus de vieillissement.*
4. *Expliquer l'importance des soins prophylactiques et de la promotion de la santé chez les personnes âgées.*
5. *Décrire les principales maladies chroniques et mentales dont souffrent les personnes âgées.*
6. *Décrire les besoins particuliers des personnes âgées en matière de soins infirmiers.*
7. *Appliquer la démarche des soins infirmiers pour intervenir auprès des patients souffrant de la maladie d'Alzheimer.*
8. *Préciser les soins infirmiers qui accompagnent l'administration des médicaments aux patients âgés.*
9. *Identifier les besoins particuliers des personnes âgées qui habitent dans leur milieu naturel et décrire les ressources qui s'offrent à elles en matière de soins et de logement.*

ANALYSE DU PROCESSUS DE VIEILLISSEMENT

Le vieillissement, processus physiologique normal que subit tout organisme vivant, commence à la naissance et se poursuit tout au long de la vie, la vieillesse étant la dernière étape.

Les personnes âgées forment un groupe croissant, par rapport à la population générale et cette tendance se poursuivra pendant les prochaines décennies. On assiste également à une augmentation de l'espérance de vie, ce qui amène les professionnels de la santé à concentrer leurs efforts sur l'amélioration de la qualité de vie des personnes âgées en favorisant leur participation régulière à des activités intellectuelles, physiques et sociales. Les organismes communautaires fournissent une aide précieuse aux personnes âgées qui peuvent ainsi rester plus longtemps dans leur milieu sans perdre leur dignité.

La *gériatrie* est une branche de la médecine, spécialisée dans les soins dispensés aux personnes âgées. Elle englobe la physiologie, l'étiologie, le diagnostic et le traitement des maladies qui affectent ce groupe d'âge. La *gérontologie* est un domaine d'étude plus vaste qui porte sur les phénomènes biologiques, psychologiques et sociologiques liés au vieillissement. Étant donné que la vieillesse est une étape normale de la vie, qui englobe toutes les expériences du passé, on ne peut pas prodiguer des soins aux personnes âgées que par des efforts concertés. Une équipe formée de spécialistes de diverses disciplines (*équipe pluridisciplinaire*) peut, grâce à l'expérience et aux ressources de ses membres, améliorer les connaissances et faire avancer la recherche afin de fournir une meilleure compréhension de tous les aspects du processus de vieillissement.

L'infirmière qui travaille en milieu gérontologique doit connaître toute la gamme des soins qu'il faut prodiguer aux personnes âgées. Elle doit appliquer la démarche de soins infirmiers de base, à savoir la collecte de données, l'analyse et l'interprétation des données, la planification et l'exécution, en utilisant ses connaissances sur le processus du vieillissement. Les soins infirmiers en gérontologie peuvent être prodigués dans divers milieux. Leurs buts sont de promouvoir, de maintenir et de rétablir la santé et l'autonomie de la personne âgée en tenant compte de ses forces et de ses atouts et en l'encourageant à les utiliser de façon à conserver le maximum d'autonomie possible. L'infirmière aide donc la personne âgée à préserver sa dignité et son autonomie malgré les pertes d'ordre physique, social et psychologique qu'elle a subies. En tant que porte-parole du patient, elle collabore avec l'équipe multidisciplinaire à la prestation de soins généraux dans une perspective holistique. L'infirmière doit se montrer créative lorsqu'elle élabore des interventions visant à aider la personne âgée à conserver ses facultés physiques et mentales.

DÉFINITION DE L'ÂGE AVANCÉ

La vieillesse est relative. Pour un enfant de 10 ans, sa mère de 35 ans est vieille et celle-ci est jeune pour ses parents de 65 ans. Pour la personne encore active à 65 ans, ce n'est qu'à 75 ans qu'on commence à devenir vieux.

Puisque, dans la majorité des pays occidentaux, des lois qui remontent aux années 30 ont fixé la retraite à 65 ans (depuis quelques années au Québec, l'âge de la retraite a été repoussé à 70 ans), c'est cet âge qui marque actuellement le début de la vieillesse. Il s'agit là d'une définition chronologique de la vieillesse, utilisée par notre société. Cependant, l'âge fonctionnel et physiologique change selon l'individu et, par conséquent, il est impossible d'établir des normes dans ce domaine. Du point de vue fonctionnel, un joueur de basketball de 35 ans est considéré comme vieux bien qu'il soit en excellente condition physique et qu'il soit jeune sur le plan physiologique.

LONGÉVITÉ ET ESPÉRANCE DE VIE

La *longévité* est la durée de vie d'un individu. Elle peut atteindre, dans les meilleures conditions et en l'absence de maladie, 113 ans environ. La longévité a peu changé au cours des ans. L'*espérance de vie* est la durée moyenne de vie humaine dans une société donnée, établie statistiquement sur la base des taux de mortalité. Au Canada, l'espérance de vie à la naissance a augmenté de façon spectaculaire, passant de 61 ans en moyenne en 1930 à 77 ans en moyenne en 1989. Les femmes, dont l'espérance de vie est de 80,1 ans, vivent environ 7 ans de plus que les hommes, dont l'espérance de vie est de 73,6 ans. Au début du siècle, la prolongation de l'espérance de vie a été attribuée à la diminution des taux de mortalité chez les enfants et les jeunes. Depuis 1970, toutefois, la prolongation de l'espérance de vie a été attribuée à un taux plus faible de mortalité dans la population d'âge moyen et chez les personnes âgées.

D'après les prévisions, dans les années à venir, un plus grand nombre de gens vivront plus longtemps. Par conséquent, les professionnels de la santé doivent constamment relever un défi de taille, soit celui de favoriser la santé et la productivité des personnes âgées durant ces années supplémentaires de vie.

PROFIL DE LA POPULATION ÂGÉE EN AMÉRIQUE DU NORD

ASPECTS DÉMOGRAPHIQUES

En Amérique du Nord, la population des 65 ans et plus augmente de façon constante en proportion et en nombre. La proportion est passée de 7,5 % en 1971 à 11,3 % en 1990. On estime que ce groupe d'âge atteindra 24,5 % en 2036. Cette augmentation du nombre de personnes âgées est due à une longévité accrue ainsi qu'à un taux accru de naissances avant 1920. La chute spectaculaire des taux de naissance qui a suivi la croissance très marquée du taux de fécondité entre les années 1946 et 1964 (génération du « baby boom »), explique l'accroissement de la population âgée aujourd'hui. L'âge moyen de la population était de 33 ans en 1990, et on prévoit qu'il atteindra 41 ans en l'an 2011 et 45 ans en l'an 2036. La génération du « baby boom » atteindra l'âge de 65 ans entre 2010

TABLEAU 22-1. *Accroissement démographique de la population âgée de 65 ans et plus au Canada. Projections pour 2011 et 2036*

Années	*Population âgée en pourcentage*	*Population âgée en nombre*
1971	7,5 %	1,5 million
1990	11,3 %	3 millions
2011	15,5 %	5 millions
2036	24,5 %	8,5 millions

(Source: Statistiques Canada)

TABLEAU 22-2. *Espérance de vie à la naissance au Canada. Projections pour 1996 et 2011*

Années	*Hommes*	*Femmes*	*Moyenne*
1930	60,0	62,1	61,5
1989	73,7	80,8	77,3
1996	75,1	82,2	78,7
2011	77,2	84,0	80,6

(Source: Statistiques Canada)

et 2020. Selon les projections de Statistiques Canada, vers 2036, la proportion de personnes âgées de plus de 65 ans (24,5 %) sera supérieure à celle des jeunes de moins de 18 ans (18 %). En 1989, il y avait au Canada 3 millions de personnes âgées de plus de 65 ans; on prévoit que ce groupe d'âge atteindra environ 8,5 millions en l'an 2036. Les personnes de 75 ans et plus forment l'un des groupes de la population qui croît le plus rapidement. Au début du XXIe siècle, la moitié de la population âgée aura atteint 75 ans et plus. C'est pourquoi le système de santé aura à relever des défis majeurs d'ici peu.

ASPECTS PÉCUNIAIRES

À sa retraite, la personne âgée vit d'une pension qui lui est versée par l'État et par la caisse de retraite à laquelle elle a cotisé, des allocations provenant d'un régime d'épargne retraite et de ses économies. Le régime de retraite est la principale source de revenus des personnes âgées. On pourrait croire que les personnes âgées ont une situation matérielle relativement satisfaisante, mais elles sont vulnérables à cause de l'inflation et de la menace de perte d'autonomie et de maladie qui plane sur elles. La situation pécuniaire varie considérablement au sein de ce groupe d'âge. Certaines personnes âgées possèdent des revenus substantiels, mais en 1990, environ un cinquième (19,3 %) d'entre elles vivaient sous le seuil de pauvreté ou à peine au-dessus. (En 1990 au Canada, le seuil de pauvreté était fixé à 16 573 $ pour le couple âgé, et à 11 838 $ pour la personne seule.) Les consommateurs âgés dépensent proportionnellement une plus grande partie de leurs revenus pour le logement et la nourriture que les plus jeunes.

ÉTAT DE SANTÉ

Bien que la plupart des personnes âgées se considèrent en bonne santé, nombre d'entre elles souffrent d'au moins une maladie chronique. Les maladies aiguës sont plus rares dans cette tranche de la population et les maladies chroniques plus courantes. Une maladie évolutive menace l'autonomie et la qualité de vie de la personne âgée puisqu'elle entrave sa capacité d'accomplir et de mener à bien ses autosoins et ses autres tâches quotidiennes. Plus de 75 % des décès chez les personnes âgées sont attribuables aux cardiopathies, suivies par le cancer et les accidents vasculaires cérébraux (voir le tableau 12-3). Les personnes âgées ont davantage recours aux services de soins de santé que les personnes des autres groupes d'âges.

ASPECTS PSYCHOSOCIAUX DU VIEILLISSEMENT

On peut dire que la personne âgée a une vie épanouie sur le plan psychologique si, malgré les pertes physiques, sociales et affectives qu'elle a subies, elle peut mener une existence sereine et satisfaisante. Puisque des changements au mode de vie sont inévitables au fil des ans, il faut faire preuve de souplesse et avoir une bonne capacité d'adaptation pour combattre le stress qu'ils engendrent. L'infirmière peut inciter la personne âgée à participer aux prises de décisions, favoriser son autonomie et l'encourager à s'engager dans des activités sociales productives et enrichissantes. Si la personne âgée conserve une certaine souplesse de caractère, si elle a de l'humour et si elle est curieuse de nature, son adaptation sur le plan social et psychologique sera plus facile. Une image de soi positive l'incite à prendre des risques et à assumer de nouveaux rôles.

L'étude du développement psychosocial de la personne âgée intéresse grandement les gérontologues. Les chercheurs ont essayé de comprendre le processus complexe qui mène à une vieillesse épanouie et il existe plusieurs théories à ce sujet.

La position occupée par la personne âgée dans la société est déterminée par sa culture, la société lui assignant certains rôles. Bien que l'attitude des Nord-Américains envers les personnes âgées varie selon le groupe ethnique auquel ils appartiennent, un âgisme, plus ou moins déguisé, prévaut dans tous les milieux. L'*âgisme* est un préjugé envers les traits caractéristiques de la vieillesse qui porte préjudice à la personne âgée, l'isole et la stigmatise. Les *stéréotypes,* les généralisations hâtives et les idées fausses renforcent l'image négative que la société se forme de la personne âgée. Bien que ce groupe d'âge soit extrêmement hétérogène, aucun de ses membres ne semble échapper à une certaine discrimination.

Les chercheurs pensent que cette discrimination vient de la peur de vieillir et de l'incapacité pour un grand nombre de gens de faire face à la fuite du temps. Les jeunes perçoivent les personnes âgées à la retraite comme non productives et vivant aux crochets de la société. Cette idée fausse est si répandue dans la société nord-américaine que les personnes âgées elles-mêmes finissent par y croire. Les stéréotypes entraînent certains comportements et les personnes âgées peuvent finir par accepter de jouer le rôle qu'on leur assigne, ce qui ne fait que renforcer tous ces stéréotypes.

Les professionnels de la santé eux-mêmes peuvent perpétuer cette image négative. Les infirmières qui s'occupent de patients âgés rencontrent de nombreux problèmes qu'elles généralisent. Ce n'est qu'en comprenant le processus du vieillissement et en évitant de faire des généralisations que l'on pourra faire disparaître les mythes. Si on traite les personnes âgées avec déférence et qu'on les encourage à prendre des décisions et à garder leur autonomie, leur qualité de vie devrait s'améliorer.

Théories développementales

Erickson a défini les huit étapes du développement de l'être humain, depuis de la naissance jusqu'à la mort, chacune de ces étapes étant marquée par un point tournant. Pour Erikson, à l'étape de la vieillesse, le point tournant est la réalisation de l'intégrité de l'ego par opposition au désespoir. Par l'*intégrité de l'ego,* Erickson entend l'acceptation du mode de vie choisi et la conviction que le choix qui a été fait était le meilleur possible à un moment donné. On reste ainsi maître de sa vie et on conserve sa dignité. Le *désespoir* est le contraire de l'intégrité de l'ego. La personne âgée qui est accablée par le désespoir est insatisfaite et déçue de sa vie. Si elle avait la possibilité de tout recommencer, elle ferait des choix complètement différents.

Havighurst a dressé la liste des tâches développementales qu'il faut accomplir au cours de la vie. Selon cet auteur, la personne qui réussit à accomplir toutes ces tâches aura l'impression de vivre de manière satisfaisante. Les tâches que doivent accomplir les personnes âgées sont les suivantes: s'adapter au déclin des forces physiques et de la santé; accepter la retraite et une diminution des revenus; surmonter le chagrin provoqué par le décès du conjoint s'il y a lieu; établir des liens avec des personnes du même âge; s'adapter à la modification de son rôle social en faisant preuve de souplesse; prendre des dispositions pour se loger adéquatement.

Si nous résumons ces théories, les principales tâches développementales de la personne âgée sont les suivantes: (1) ne pas se dévaloriser; (2) résoudre les anciens conflits; (3) renoncer à tenir un rôle actif dans la société; (4) s'adapter au décès des personnes clés de sa vie; (5) s'adapter aux changements de son milieu; et (6) maintenir un degré optimal de bien-être.

TABLEAU 22-3. ***Principales causes de décès et de chronicité chez les personnes de 65 ans et plus au Canada***

Principales causes de décès	*Principales causes de chronicité*
Cardiopathies	Arthrite
Cancers	Cardiopathies
Accident vasculaire cérébral	Hypertension
Bronchopneumopathie obstructive chronique	Troubles de l'audition
Pneumonie et grippe	Déformations / Affections du système musculosquelettique
Diabète	Troubles de la vision
Accidents	Troubles mentaux
Athérosclérose	Diabète
Dysfonctionnement du système urinaire	Accidents et traumatismes
Infections	Troubles du système gastro-intestinal

Théories sociologiques

La société influence le comportement et le mode de vie des personnes âgées. Les chercheurs en gérontologie sociale ont proposé diverses théories qui nous permettent de mieux comprendre cette étape de la vie et de prévoir les adaptations auxquelles les personnes âgées doivent faire face.

D'après la *théorie du désengagement,* si la personne âgée se retire de la société au moment où celle-ci n'offre plus de support au groupe d'âge dont elle fait partie, elle reste satisfaite de sa vie. Toutefois, cette théorie a été réfutée par les résultats de certaines études selon lesquelles les personnes âgées actives et engagées sont beaucoup plus satisfaites de leur vie que celles qui se désengagent et adoptent des rôles plus passifs.

Selon la *théorie de l'activité,* par conséquent, pour bien vieillir, la personne âgée doit garder un mode de vie actif semblable à celui de l'adulte d'âge moyen. Cette théorie, qui reflète les idées de la majorité des Nord-Américains de la classe moyenne, part du principe selon lequel la personne âgée pourra poursuivre ses activités ou leur en substituer d'autres.

D'après la *théorie de la continuité,* pour que la personne âgée puisse s'adapter aux conséquences du vieillissement, elle doit être capable de continuer le même cheminement du début à la fin de sa vie. La personne qui a su s'adapter convenablement au début de sa vie réussira à le faire plus tard également.

Aspects psychologiques et cognitifs du vieillissement

Intelligence

D'après certains stéréotypes, les personnes âgées présentent un ralentissement des opérations de la pensée, une mémoire défaillante, de la confusion et une perte des facultés intellectuelles. Un grand nombre de gens pensent à tort qu'il est difficile, voire impossible, d'enseigner de nouvelles connaissances à une personne âgée.

Les tests d'intelligence mesurent la capacité d'accomplir diverses tâches intellectuelles, par exemple, former des concepts, résoudre des problèmes, acquérir de nouvelles données et raisonner. Si l'on compare les résultats des tests d'intelligence menés chez des personnes de tous âges (analyse transversale), on constate que le déclin commence à l'âge moyen et qu'il se poursuit graduellement. Cependant, puisque les personnes âgées répondent plus lentement et réagissent avec un certain retard dû à un ralentissement organique général, les tests d'intelligence élaborés précisément pour ce groupe d'âge mesurent la stabilité des performances intellectuelles. Par ailleurs, la présence d'une maladie, la fatigue qui la précède et le stress peuvent avoir une influence négative sur les facultés intellectuelles.

Les résultats de recherches, ainsi que la créativité dont font preuve certaines personnes âgées, nous permettent d'affirmer également que la créativité n'est pas une question d'âge. Les personnes âgées sont plus créatives dans une société qui les incite à laisser libre cours à leur imagination et qui récompense ceux qui osent prendre des risques.

Apprentissage et mémoire

De nombreuses personnes âgées continuent d'apprendre et participent à diverses activités didactiques. Toutefois, leur capacité d'apprendre et de mémoriser peut être affectée par le vieillissement. Les procédés mnémoniques qui aident à acquérir de nouvelles connaissances semblent améliorer la mémoire chez la personne âgée. Le processus d'apprentissage s'améliore donc si l'infirmière:

- utilise des stimuli visuels, auditifs, tactiles, etc.;
- recommande au besoin le port des lunettes et de l'appareil auditif;
- enseigne dans un local où l'éclairage est tamisé;
- choisit un endroit calme et éloigne les sources de distraction;
- établit des objectifs à court terme en tenant compte des rétroactions du groupe;
- fixe des périodes d'enseignement de courte durée;
- tient compte dans son enseignement du rythme du groupe;
- favorise la communication verbale; adopte un vocabulaire simple et des explications concrètes;
- renforce l'apprentissage par des commentaires positifs et des répétitions intentionnelles;
- fait appel à la mémoire à long terme.

La mémoire est un processus complexe d'acquisition, de stockage et d'utilisation des informations. Les pertes sensorielles, la distraction et le manque d'intérêt empêchent l'acquisition de nouvelles données. Les modifications chimiques, neurologiques et circulatoires qui se produisent dans le cerveau à cause du vieillissement affectent le stockage des données et la faculté de les mémoriser. En général, la conservation de la mémoire à long terme (événements lointains) résiste bien à l'âge. Il s'agit probablement d'événements très importants qui sont revenus à l'esprit de la personne à plusieurs reprises.

Stress et mécanismes d'adaptation

Tout au long de la vie, l'être humain met au point diverses stratégies qui l'aident à s'adapter au stress. Les expériences humaines sont diverses et l'adaptation à ces expériences est influencée par l'action du temps (âge), les stratégies choisies pour s'adapter, les crises traversées durant l'existence et les forces personnelles. Le jeune ou l'adulte d'âge moyen peut récupérer plus rapidement après un deuil ou un stress majeur. Par exemple, une jeune veuve peut retrouver le bonheur dans un second mariage; la perte d'un emploi peut être plus facilement acceptée lorsqu'une réorientation de carrière est possible. En vieillissant, l'individu qui est souple et qui s'acclimate facilement continuera probablement de bien s'adapter aux différentes situations de stress. Toutefois, les ressources de la personne âgée sont moins nombreuses et les pertes peuvent s'accumuler au cours d'une brève période provoquant un stress difficile à surmonter. Parmi les facteurs de stress qui l'affectent, citons les modifications normales du vieillissement qui altèrent les fonctions organiques et l'aspect physique; l'incapacité fonctionnelle provoquée par une maladie chronique; la baisse des revenus, la modification des rôles et des activités et le décès de personnes clés.

Aspects biologiques du vieillissement

Vieillissement primaire (normal) et vieillissement secondaire (pathologique)

Par vieillissement primaire, il faut entendre les changements engendrés par le processus normal de vieillissement. Il s'agit d'un phénomène universel, graduel et intrinsèque (qui appartient à la nature même de l'organisme vivant). L'universalité est le principal critère qui distingue le vieillissement primaire du vieillissement secondaire. Par ailleurs, le vieillissement secondaire entraîne des changements pathologiques qui sont, en général, provoqués par des facteurs extrinsèques, par exemple, une maladie, la pollution de l'air et les rayons du soleil. Ces facteurs accélèrent le processus du vieillissement. Grâce à ses interventions, l'infirmière peut éliminer ou retarder le vieillissement secondaire.

Modifications structurelles de l'organisme

À cause des modifications cellulaires et extracellulaires entraînées par le vieillissement, l'aspect physique et le fonctionnement organique se détériorent. Certaines modifications, notamment celle de la forme du corps et de ses parties, sont visibles. La personne âgée se tasse; la largeur de ses épaules diminue, tandis que son tour de poitrine, de taille et de hanches augmente. Sa peau est plus fine et ridée. La masse maigre de l'organisme diminue tandis que la masse grasse augmente. Au lieu de s'accumuler dans les membres, le tissus adipeux s'accumule au niveau du tronc.

Le maintien de l'homéostasie devient de plus en plus difficile. Les appareils et systèmes de l'organisme ne peuvent plus fonctionner à leur pleine capacité à cause de déficits cellulaires et tissulaires. Les cellules sont remplacées plus lentement. Elles s'accumulent sous forme de pigments, appelés lipofuscine. À cause de la dégradation de l'élastine et du collagène, les tissus conjonctifs perdent leur élasticité et leur souplesse.

Modifications fonctionnelles des appareils et systèmes organiques et promotion de la santé

Le bien-être de la personne âgée dépend de facteurs physiques, psychologiques et sociaux. La collecte globale des données sur la personne âgée doit comprendre l'évaluation des principaux appareils et systèmes, de l'état mental et des rôles sociaux ainsi que de sa capacité à fonctionner de façon autonome malgré la présence d'une maladie chronique. (Nous indiquons au tableau 12-4, les données à recueillir sur les principales modifications physiologiques liées à l'âge ainsi que les interventions infirmières qui s'y rattachent.

Appareil cardiovasculaire

Les cardiopathies sont la principale cause de létalité dans tous les groupes d'âges et les personnes âgées ne font pas exception (voir le tableau 22-3). Le taux de mortalité par maladie cardiovasculaire augmente avec l'âge. À cause des modifications structurales normales, le cœur et les vaisseaux ne peuvent plus fonctionner avec la même efficacité. Les valvules du cœur s'épaississent et deviennent plus rigides. En même temps, le muscle cardiaque et les artères perdent leur élasticité. Des dépôts de calcium et de graisses s'accumulent à l'intérieur des parois artérielles. Les veines deviennent de plus en plus sinueuses.

Bien que l'appareil cardiovasculaire puisse assurer ses fonctions dans des conditions normales, ses réserves et sa capacité de réaction au stress diminuent. Le débit cardiaque au repos (fréquence cardiaque × débit systolique) diminue d'environ 1 % par année après l'âge de 20 ans. En présence d'un stress, le débit cardiaque maximal et la fréquence cardiaque maximale diminuent avec l'âge. Le rapport entre la fréquence cardiaque maximale et l'âge est le suivant:

fréquence cardiaque maximale = 220 − l'âge (en années)

On croyait par le passé que l'hypertension artérielle était une maladie de la vieillesse, pratiquement inévitable. On sait que tel n'est pas le cas. Cependant, l'hypertension est un important facteur de risque de maladies cardiovasculaires à tout âge. Les personnes âgées dont la pression artérielle est inférieure à 140/90 mm Hg, vivent plus longtemps que celles dont la pression artérielle est plus élevée. Le diagnostic d'hypertension est posé sur la foi d'au moins deux mesures anormales. La personne âgée peut souffrir de l'un des types d'hypertension suivants: (1) hypertension systolique isolée: pression systolique supérieure à 160 mm Hg et pression diastolique normale ou près de la normale; (2) hypertension essentielle: pression diastolique supérieure ou égale à 90 mm Hg sans égard à la valeur de la pression systolique; et (3) hypertension secondaire ou hypertension ayant une cause sous-jacente. L'objectif du traitement antihypertenseur est de réduire la pression systolique à des valeurs se situant entre 140 et 160 mm Hg.

Le dysfonctionnement cardiovasculaire peut s'aggraver au point où la personne âgée ne peut plus mener à bien les activités normales de la vie quotidienne. Les modifications normales provoquées par le vieillissement, les facteurs génétiques et le mode de vie peuvent favoriser l'apparition de troubles graves comme les arythmies cardiaques, l'insuffisance cardiaque, les coronaropathies, l'artériosclérose, l'hypertension, la claudication intermittente, l'infarctus du myocarde, les maladies des vaisseaux périphériques et les accidents vasculaires cérébraux.

Promotion de la santé: appareil cardiovasculaire

Se reporter au tableau 22-4 pour plus de détails à ce sujet. L'infirmière doit être à l'affût des symptômes pouvant être causés par un dysfonctionnement cardiovasculaire, comme l'hypotension orthostatique, les déséquilibres électrolytiques, l'état confusionnel et la dépression. Pour prévenir les étourdissements et les chutes dus à l'hypotension orthostatique, il faut conseiller à la personne âgée de se lever lentement, de la position couchée à la position assise, puis de la position assise à la position debout.

Appareil respiratoire

Le vieillissement entraîne des modifications de l'appareil respiratoire qui affectent la capacité et la fonction pulmonaire. Ces principales modifications sont l'augmentation du diamètre du thorax antéropostérieur, le tassement des vertèbres (dû à l'ostéoporose et entraînant une cyphose), la calcification des cartilages costaux et la réduction de la mobilité des côtes, la diminution de l'efficacité des muscles respiratoires, l'augmentation de la rigidité des poumons et la diminution de la surface alvéolaire. La rigidité accrue, ou la perte d'élasticité des poumons, entraîne une augmentation du volume résiduel et une diminution de la capacité vitale. Les échanges gazeux ainsi que la capacité de diffusion sont ainsi réduits.

En raison d'une toux moins efficace, d'une activité ciliaire diminuée et de l'augmentation de l'espace mort, la personne âgée est plus sensible aux infections des voies respiratoires. Bien que les personnes âgées puissent conserver une fonction respiratoire suffisante pour mener à bien les activités de la vie quotidienne, leur débit ventilatoire est réduit, ce qui entraîne une baisse de tolérance à l'effort soutenu et le besoin de se reposer brièvement lors d'une activité prolongée.

Promotion de la santé: appareil respiratoire

Se reporter au tableau 22-4 pour les détails à ce sujet.

Appareil urinaire

L'appareil urinaire continue de fonctionner de façon adéquate, malgré la diminution du volume des reins provoquée surtout par la perte de néphrons. Les modifications de la fonction rénale comprennent la diminution du taux de filtration et l'altération du fonctionnement des tubules, qui perdent leur pouvoir de résorber et de concentrer l'urine. Par ailleurs, après un stress, l'équilibre acidobasique prend plus de temps à se rétablir. Les uretères, la vessie et l'urètre perdent de leur tonus. La capacité vésicale diminue et la rétention urinaire est fréquente. La rétention urinaire augmente les risques d'infection. Les mictions fréquentes ou impérieuses et l'incontinence sont également des troubles courants. Chez la femme âgée, le tonus des muscles périnéaux peut diminuer, entraînant de l'incontinence urinaire et un besoin impérieux d'uriner lors d'épisodes de stress. Chez l'homme âgé, l'hyperplasie prostatique bénigne est fréquente. L'hypertrophie de la prostate entraîne une rétention urinaire chronique, une pollakiurie (mictions fréquentes) et une incontinence urinaire.

Promotion de la santé: appareil urinaire

Se reporter au tableau 22-4 pour plus de détails à ce sujet. Pour prévenir les infections de la vessie et pour maintenir l'équilibre hydrique, il faut consommer suffisamment de liquides. La personne âgée qui souffre d'incontinence urinaire et de pollakiurie devrait:

- avoir un accès facile aux toilettes;
- uriner régulièrement;
- pratiquer des exercices pour renforcer les muscles périnéaux.

(suite à la page 567)

TABLEAU 22-4. *Appareils et systèmes de l'organisme: modifications fonctionnelles normales et interventions infirmières recommandées*

Modifications normales	*Données subjectives et objectives*	*Promotion de la santé/ Interventions recommandées*
APPAREIL CARDIOVASCULAIRE		
Débit cardiaque et capacité de réagir au stress diminués; fréquence cardiaque et débit systolique qui n'augmentent pas en fonction de l'effort demandé; prolongation du temps de rétablissement de la fréquence cardiaque; pression artérielle plus élevée.	Fatigue à l'effort. Délai de rétablissement de la fréquence cardiaque prolongé. Pression artérielle normale = $<140/90$ mm Hg.	Inciter la personne âgée à faire régulièrement de l'exercice sans pousser jusqu'à l'épuisement, à ne pas fumer, à consommer des aliments à faible teneur en sel et en matières grasses et à s'engager dans des activités qui lui permettent de combattre le stress; lui recommander de mesurer sa pression artérielle régulièrement, d'observer son traitement et de maintenir son poids santé.
APPAREIL RESPIRATOIRE		
Augmentation du volume résiduel; diminution de la capacité vitale, des échanges gazeux et de la capacité de diffusion; toux moins efficace.	Fatigue et essoufflement lors d'un effort soutenu; retard de la cicatrisation des tissus à cause d'une plus faible oxygénation; accumulation de sécrétions en raison d'une toux inefficace.	Recommander à la personne âgée de faire de l'exercice régulièrement, de ne pas fumer, de boire suffisamment de liquides pour liquéfier les sécrétions, de se faire vacciner contre la grippe et de se protéger contre les infections des voies respiratoires supérieures.
APPAREIL URINAIRE		
Hommes et femmes: baisse de la capacité vésicale; troubles de la miction. *Hommes*: apparition d'une hyperplasie prostatique bénigne. *Femmes*: relâchement des muscles périnéaux.	Rétention urinaire; incapacité de vider la vessie; miction impérieuse, pollakiurie et incontinence urinaire.	Recommander à la personne âgée de consulter régulièrement son médecin; d'aller uriner régulièrement, de porter des vêtements qu'elle peut détacher facilement, de consommer suffisamment de liquides, de maintenir ses urines acides et d'éviter les substances qui irritent la vessie (par exemple, les boissons contenant de la caféine, l'alcool, les édulcorants artificiels), de pratiquer des exercices de raffermissement des muscles périnéaux, de maintenir une bonne hygiène périnéale, de garder la peau propre et sèche, d'utiliser des coussinets d'incontinence, d'utiliser des crèmes hydrofuges et de porter des sous-vêtements propres.
APPAREIL DIGESTIF		
Diminution de la salivation; difficultés de déglutition; retard de la vidange de l'œsophage et de l'estomac; ralentissement du péristaltisme.	Xérostomie; sensation de plénitude, aigreurs d'estomac et indigestion; constipation, flatulence et gêne abdominale.	Recommander à la personne âgée de sucer des glaçons, d'utiliser un rince-bouche, de masser et de se brosser les gencives quotidiennement, d'utiliser la soie dentaire, de consulter régulièrement son dentiste; de prendre des repas légers mais fréquents, de ne pas se coucher après avoir mangé et d'éviter les efforts après les repas, de limiter l'absorption d'antiacides, de manger des aliments riches en fibres et pauvres en matières grasses; de limiter sa consommation de laxatifs, de favoriser la régularité intestinale, de boire suffisamment de liquides.

TABLEAU 22-4. (suite)

Modifications normales	*Données subjectives et objectives*	*Promotion de la santé/ Interventions recommandées*
APPAREIL REPRODUCTEUR		
Femmes: rétrécissement du vagin et perte d'élasticité; diminution des sécrétions vaginales. *Hommes:* réduction de la taille du pénis et des testicules.	*Femmes:* rapports sexuels douloureux; hémorragies, démangeaisons et irritation vaginales. *Hommes:* érection plus lente. *Homme et femmes:* orgasme plus lent, plus court et moins intense.	Conseiller à la personne âgée de demander à son médecin une ordonnance d'œstrogènes; recommander l'utilisation d'un lubrifiant lors des rapports sexuels; recommander à la personne âgée de consulter un sexologue ou un professionnel de la santé, au besoin.
SYSTÈME MUSCULOSQUELETTIQUE		
Diminution de la masse osseuse et du volume et de la force musculaires; dégradation des cartilages articulaires.	Tassement; prédisposition aux fractures et à la cyphose; douleurs lombaires; diminution de la force, de la souplesse et de l'endurance; douleurs articulaires.	Recommander à la personne âgée de faire régulièrement de l'exercice, de consommer des aliments riches en calcium et pauvres en phosphore; conseiller aux femmes de demander à leur médecin de leur prescrire des œstrogènes et des suppléments de calcium.
SYSTÈME NERVEUX		
Ralentissement des conductions nerveuses; risque accru de confusion lors de maladies organiques; ralentissement de la circulation cérébrale (étourdissements, perte d'équilibre).	Réactions ralenties; capacité d'apprentissage plus lente; délirium lors de l'hospitalisation; étourdissements et prédisposition aux chutes.	Enseigner en respectant le rythme de la personne âgée; encourager les visites; intensifier la stimulation sensorielle; chercher la cause d'un état confusionnel subi; recommander à la personne âgée de passer de la position couchée à la position assise, puis à la position debout.
ORGANES SENSORIELS		
Vue: Réduction de la capacité de distinguer nettement des objets rapprochés; intolérance à la lumière éblouissante et difficultés d'accommodation aux changements d'intensité de la lumière; diminution de la capacité de distinguer certaines couleurs.	Éblouissements, presbytie, détérioration de la vision nocturne; difficulté à bien distinguer certaines couleurs.	Inciter la personne âgée à porter des lunettes, et des verres fumés à l'extérieur; lui recommander d'éviter de passer brusquement de l'obscurité à la lumière et de tamiser son éclairage (lampes et veilleuses), de lire des livres imprimés en gros caractères et d'utiliser une loupe pour la lecture; d'éviter de conduire quand la visibilité est réduite; d'éviter l'éblouissement et la lumière directe du soleil.
Ouïe: Perte de la capacité de distinguer les sons de haute fréquence.	Réponses non appropriées; demandes réitérées de répéter et mouvement vers l'avant pour mieux entendre.	Recommander un examen de l'ouïe; réduire les bruits de fond; faire face à la personne; énoncer clairement; parler d'une voix grave; utiliser des indices non verbaux.
Goût et odorat: Capacité réduite de goûter et de sentir.	Usage excessif du sel et du sucre.	Inciter la personne âgée à utiliser du jus de citron, des épices et des fines herbes.
TÉGUMENTS ET PHANÈRES		
Sensibilité accrue aux traumatismes, au soleil et aux températures extrêmes; diminution de la sécrétion des huiles naturelles et de la transpiration.	Peau fine, sèche et ridée; augmentation de la sensibilité aux lésions, aux ecchymoses et aux coups de soleil; intolérance à la chaleur; proéminence des structures osseuses.	Recommander à la personne âgée d'éviter l'exposition au soleil (en portant des vêtements protecteurs, en utilisant un écran solaire, et en portant un chapeau), de se vêtir en fonction de la température, de maintenir une température appropriée dans la maison, de prendre son bain deux fois par semaine seulement et d'hydrater sa peau régulièrement.

Ces exercices, qui ont été mis au point par Kegel, aident à réduire les symptômes de l'incontinence urinaire à l'effort et l'envie d'uriner. Étant donné qu'il faut compter plusieurs semaines avant de regagner le contrôle musculaire, l'infirmière doit encourager la personne âgée à pratiquer ses exercices régulièrement. Elle doit d'abord lui apprendre à reconnaître le muscle pubococcygien en lui expliquant qu'il s'agit du muscle qui permet de retenir les gaz ou d'arrêter volontairement le jet d'urine. Il faut d'abord détendre les muscles de l'abdomen, des cuisses et des fesses et, ensuite, contracter et relâcher le muscle pubococcygien en alternance pendant 10 secondes; répéter l'exercice 10 fois, 4 à 6 fois par jour. On peut pratiquer cet exercice en position debout, assise ou couchée et pendant n'importe quelle activité quotidienne étant donné qu'il passe totalement inaperçu. Bien que ce genre d'exercice soit surtout conseillé aux femmes, il peut également être utile aux hommes qui souffrent de fuite postmictionnelle après une chirurgie de la prostate. L'infirmière doit enseigner au patient à bien contracter le sphincter rectal jusqu'à ce que le pénis se rétracte. La pratique fréquente de cet exercice permet d'acquérir le tonus musculaire souhaité.

La constipation peut grandement favoriser l'incontinence urinaire. Pour améliorer le péristaltisme chez la personne âgée, l'infirmière doit inciter celle-ci à consommer des aliments riches en fibres, à boire une quantité suffisante de liquides et à augmenter sa mobilité.

APPAREIL DIGESTIF

Habituellement, les fonctions gastro-intestinales demeurent appropriées tout au long de la vie. Néanmoins, de nombreuses personnes âgées ont une digestion difficile à cause d'une motilité gastrique diminuée. De plus, la digestion et la mastication peuvent être altérées par l'état des dents et des mâchoires (carie, édentement, maladies péridontales) et la diminution du débit salivaire (xérostomie).

Le péristaltisme de l'œsophage est moins efficace chez les personnes âgées. En outre, comme le sphincter gastro-œsophagien peut ne pas se détendre, l'œsophage se vide plus lentement et sa partie inférieure se dilate. Les patients se plaignent surtout d'une sensation de plénitude, d'aigreurs d'estomac et d'indigestion. La motilité gastrique peut diminuer, ce qui entraîne le ralentissement de la vidange de l'estomac. La sécrétion d'acide et de pepsine diminue, entraînant une absorption plus faible du fer, du calcium et de la vitamine B_{12}.

L'absorption des éléments nutritifs dans l'intestin grêle semble également diminuée; elle reste cependant appropriée tout au long de la vie. Généralement, les fonctions du foie, de la vésicule biliaire et du pancréas se maintiennent, bien que l'absorption des lipides diminue et que la personne âgée tolère moins bien les aliments gras. L'incidence des calculs biliaires et de la cholédocholithiase augmente graduellement avec l'âge. L'opération de la vésicule biliaire est l'intervention chirurgicale la plus fréquente chez les personnes de 60 ans et plus. Par ailleurs, les personnes âgées souffrent très souvent de constipation. Lorsqu'elle est bénigne, la constipation se manifeste par un malaise abdominal et des flatulences. Toutefois, elle peut être plus grave et entraîner la formation d'un fécalome accompagné de diarrhée, une incontinence fécale et une obstruction. Parmi les facteurs qui prédisposent à la constipation, citons la prise prolongée de laxatifs et de certains autres médicaments, le fait de retarder la défécation, les problèmes affectifs, le manque d'activité, la consommation insuffisante de liquides et de fibres alimentaires ainsi qu'un régime trop riche en matières grasses.

Promotion de la santé: appareil digestif

Se reporter au tableau 12-4 pour les de détails à ce sujet.

Nutrition

L'aspect social, psychologique et physiologique des repas influence les habitudes alimentaires de la personne âgée. À cause de la réduction des activités physiques et d'un métabolisme plus lent, la personne âgée doit absorber moins d'énergie si elle veut maintenir son poids santé. Mais, même si ses besoins énergétiques sont moindres, son organisme a besoin des mêmes éléments nutritifs qu'auparavant. L'apathie, l'immobilité, la dépression, la solitude, la pauvreté, le manque de connaissances, une mauvaise hygiène buccodentaire et la faiblesse du goût et de l'odorat peuvent entraîner de mauvaises habitudes alimentaires. Les aliments faibles en éléments nutritifs sont généralement les aliments riches en matières grasses, en cholestérol et en sucre, aliments que la personne âgée a tendance à consommer.

L'infirmière doit inciter le patient à manger moins d'aliments salés et de graisses saturées et plus de légumes, de fruits et de poisson. L'adulte âgé doit avoir une alimentation très variée pour obtenir un apport nutritionnel équilibré. Il doit éviter les matières grasses, particulièrement les graisses saturées, car elles ont une valeur énergétique élevée et favorisent l'apparition de l'athérosclérose. Les matières grasses ne devraient pas représenter plus de 20 à 25 % de l'énergie absorbée. Par ailleurs, on a démontré que la réduction de la consommation de sel peut abaisser la pression artérielle.

La consommation de protéines ne devrait pas changer avec l'âge. Les haricots et les pois secs ne coûtent pas cher et constituent une excellente source de protéines et de fibres. Les viandes rouges, le lait entier, les œufs et le fromage devraient être remplacés par de la volaille, du poisson et des produits laitiers faits de lait écrémé. De cette manière, on assure une quantité suffisante de protéines en réduisant l'apport de gras.

Les glucides, qui constituent la principale source d'énergie, devraient représenter de 55 à 60 % de l'apport énergétique quotidien. Il faudrait éviter les sucres simples et consommer davantage de sucres complexes. Les pommes de terre, les produits céréaliers complets, le riz brun et les fruits fournissent des minéraux, des vitamines et des fibres. On devrait donc favoriser la consommation de ces aliments même si, parfois, ils sont difficiles à préparer et à mâcher. Les aliments préparés offerts dans le commerce sont souvent peu nutritifs et contiennent trop de sel par rapport à l'énergie qu'ils fournissent.

D'autre part, une consommation insuffisante d'eau entraîne une déshydratation et la constipation, des troubles courants chez les personnes âgées. Il faut assurer un équilibre hydrique adéquat afin de maintenir le péristaltisme et la fonction urinaire. On recommande de consommer huit verres d'eau par jour, sauf contre-indication en raison de certaines maladies.

Comme à tout âge, une alimentation complète et équilibrée est primordiale. Une carence d'un seul élément nutritif peut compromettre plusieurs processus biologiques, entraîner la maladie et même, à plus long terme, la mort.

APPAREIL REPRODUCTEUR

La production d'œstrogènes et de progestérone par les ovaires cesse à la ménopause. L'appareil reproducteur de la femme subit par conséquent de nombreuses modifications dont l'amincissement de la paroi vaginale avec rétrécissement du vagin et perte d'élasticité des tissus. À cause de la diminution des sécrétions, la muqueuse vaginale se dessèche ce qui entraîne des démangeaisons; l'acidité diminue également. L'utérus et les ovaires s'atrophient (involution). La diminution du tonus du muscle pubococcygien entraîne le relâchement des muscles du vagin et du périnée. Ces modifications favorisent les hémorragies vaginales et rendent les rapports sexuels douloureux. Chez l'homme, la taille du pénis et des testicules diminue tout comme les taux des hormones androgènes.

Promotion de la santé: sexualité

Se reporter au tableau 12-4 pour plus de détails à ce sujet. La capacité sexuelle diminue mais la libido demeure présente autant chez l'homme que chez la femme; il ne faut donc pas décourager les rapports sexuels chez les personnes âgées. On pense souvent, à tort, que les gens âgés sont des êtres asexués. L'infirmière peut expliquer à la personne âgée que le degré d'activité sexuelle varie d'une personne à l'autre, mais qu'elle est en général déterminée par le comportement sexuel adopté dans le passé.

SYSTÈME MUSCULOSQUELETTIQUE

La masse osseuse commence à diminuer graduellement avant l'âge de 40 ans. La raréfaction du tissu osseux provoque l'ostéoporose (voir le chapitre 61). L'ostéoporose est plus courante chez les femmes, après la ménopause; on l'associe souvent à l'inactivité, à un apport calcique insuffisant et à la diminution de la production d'œstrogènes. Elle est plus fréquente chez les personnes de race blanche, surtout chez celles d'origine nord-européenne, ainsi que chez les Chinois et les Japonais. Les risques de fracture par résorption osseuse sont particulièrement élevés au niveau des vertèbres dorsales, de l'humérus, du radius, du fémur et du tibia. Vers la fin de sa vie, la personne âgée a tendance à se tasser. L'affaissement du tronc est dû à des modifications ostéoporotiques de la colonne vertébrale, à la cyphose et à la flexion des hanches et des genoux. Ces modifications affectent la mobilité, l'équilibre et le fonctionnement des organes internes.

Les muscles s'atrophient et perdent de leur force, de leur souplesse et de leur endurance en raison de la sédentarité qui caractérise la vieillesse. Le mal de dos est un trouble courant. À partir du début de l'âge mûr, le cartilage des articulations se détériore graduellement. Toutes les personnes âgées de plus de 70 ans souffrent d'arthrose.

Promotion de la santé: système musculosquelettique

Se reporter au tableau 12-4 pour plus de détails à ce sujet. L'ostéoporose est un trouble courant chez les femmes âgées. La déminéralisation osseuse qui caractérise l'ostéoporose est accélérée par la diminution du taux des œstrogènes, l'inactivité et une alimentation pauvre en calcium et riche en phosphore. L'infirmière peut recommander:

- un apport calcique plus élevé (les légumes vert foncé sont d'excellentes sources de calcium, ainsi que les soupes et les bouillons d'os [il faut ajouter un peu de vinaigre pour extraire le calcium de l'os]);
- un régime à faible teneur en phosphore (un rapport calcium-phosphore de 1:1 est idéal; il faut éviter les viandes rouges, les boissons à base de cola et les aliments préparés commercialement qui sont pauvres en calcium et riches en phosphore);
- l'exercice (les étirements renforcent l'aponévrose des os longs et retardent la résorption calcique).

On prescrit souvent aux personnes qui présentent un risque élevé d'ostéoporose ou qui en souffrent déjà des suppléments de calcium, de la vitamine D, du fluor et des œstrogènes. L'ostéoporose ne se guérit pas, mais on peut la prévenir ou en ralentir l'évolution.

Par ailleurs, le meilleur moyen de prévenir ou de diminuer les effets du vieillissement sur l'appareil locomoteur est l'exercice physique. On peut faire de l'exercice toute sa vie durant, mais on peut aussi commencer à un âge avancé. L'adage qui dit que la fonction crée l'organe est très juste quand on parle des capacités physiques des personnes âgées. En général, celles-ci ne font pas d'exercice parce que la société les en décourage ou parce qu'elles-mêmes s'en croient incapables. On considère, habituellement, que les personnes âgées sont peu résistantes et qu'elles sont en mauvaise condition physique. De nombreuses personnes âgées croient qu'elles ont besoin de moins d'exercice et que les exercices vigoureux comportent beaucoup de risques. Elles ont tendance à ne pas sortir de chez elles et, souvent, la volonté de s'engager dans une activité physique ou de la poursuivre leur manque. L'infirmière doit encourager les personnes âgées à participer à un programme d'exercices réguliers. De plus, les recherches ont démontré que l'exercice augmente l'efficacité des appareils cardiovasculaire et respiratoire, améliore la force et l'efficacité des contractions du cœur ainsi que l'utilisation de l'oxygène par les muscles cardiaque et squelettiques. On a prouvé que l'exercice peut réduire la fatigue, augmenter l'énergie et réduire les risques de maladies cardiovasculaires. L'endurance, la force et la souplesse musculaires qu'on peut acquérir en faisant régulièrement de l'exercice favorisent le bien-être psychologique et l'autonomie. L'exercice aérobique fait partie de nombreux programmes de conditionnement physique visant à améliorer la tolérance à l'effort. Avant de s'engager dans un programme d'exercices, il faut se soumettre à un examen médical. Le programme recommandé dépend de l'état de santé actuel et des activités antérieures. Il faut toujours commencer par un échauffement et s'accorder quelques minutes de relaxation à la fin de chaque séance d'exercice. La personne âgée doit pratiquer l'exercice avec modération et se reposer brièvement tout au long de la séance afin d'éviter toute fatigue inutile. La natation et la marche rapide sont les exercices qu'on conseille le plus souvent, car ils conviennent bien aux personnes âgées et leur plaisent.

Système nerveux

La structure et la fonction du système nerveux sont fortement affectées par l'âge. La perte graduelle de la masse cérébrale est attribuée à la destruction de cellules nerveuses qui ne sont plus remplacées. La synthèse et le métabolisme des principaux neurotransmetteurs sont également réduits. L'influx nerveux est acheminé plus lentement et, par conséquent le délai de réaction est prolongé. Le système neurovégétatif est moins efficace, ce qui peut entraîner l'apparition d'une hypotension orthostatique. L'ischémie cérébrale et l'altération de l'équilibre peuvent entraver la mobilité et exposer aux accidents. L'homéostasie se maintient plus difficilement, mais en l'absence d'affections pathologiques, la personne âgée fonctionne de façon appropriée et conserve ses facultés cognitives et intellectuelles. Simultanément aux modifications subies par le système nerveux, le débit sanguin cérébral diminue. Toutefois, dans les circonstances normales, l'apport d'oxygène et de glucose est suffisant.

Promotion de la santé: système nerveux

Se reporter au tableau 12-4 pour plus de détails à ce sujet. Étant donné que la personne âgée réagit moins rapidement, elle est davantage exposée aux lésions et aux accidents. Les pertes de conscience ou la lipothymie sont courantes lorsque la personne se lève trop rapidement après avoir été en position couchée ou assise. L'infirmière doit prévenir la personne âgée qu'elle réagit plus lentement aux stimuli et qu'elle doit être plus attentive à ses mouvements. La fonction mentale est menacée par le stress physique ou affectif. Un état confusionnel aigu peut constituer le premier symptôme d'une infection ou autre affection (pneumonie, infection des voies urinaires, réaction médicamenteuse, déshydratation, par exemple).

Organes sensoriels

Les organes de la vue, de l'ouïe, du goût, du toucher et de l'odorat permettent à l'être humain de communiquer avec son milieu. Ils reçoivent les messages et assurent l'orientation. Les pertes sensorielles qui accompagnent le vieillissement sont étroitement liées aux modifications du système nerveux. Elles affectent tous les organes des sens et menacent les interactions avec le milieu. Les pertes sensorielles peuvent être dévastatrices pour la personne âgée qui ne peut plus lire ou regarder la télévision, qui ne peut plus suivre une conversation assez bien pour communiquer adéquatement ou qui ne peut plus distinguer les saveurs suffisamment pour apprécier le goût des aliments.

Perte sensorielle et privation sensorielle

L'altération des organes sensoriels entraîne une perte sensorielle qu'on peut souvent réduire grâce au port de prothèses comme les lunettes ou les appareils auditifs. La privation sensorielle est l'absence de stimuli provenant du milieu ou l'incapacité d'interpréter ceux qui y sont présents (éventuellement à cause d'une perte sensorielle). Elle peut engendrer l'ennui, l'irritabilité, la désorientation, l'anxiété et l'altération de fonctions cognitives. On peut très souvent la corriger par une stimulation sensorielle adéquate. L'un des sens peut se substituer à un autre, ce qui permet à la personne âgée de continuer à observer et à interpréter les stimuli. L'infirmière peut augmenter la stimulation sensorielle en disposant autour de la personne âgée des tableaux ou des objets ayant des textures, des couleurs et des odeurs différentes, ou encore l'entourer de divers sons. Elle peut aussi lui servir des aliments de saveurs variées. La personne âgée est plus réceptive aux stimuli lorsqu'on lui apprend à les interpréter ou lorsqu'on les change souvent. La personne atteinte d'une déficience cognitive réagit mieux au toucher et aux sons qu'elle connaît.

Vue

Au fur et à mesure que de nouvelles cellules se forment sur la surface externe du cristallin, les cellules centrales, plus vieilles, s'accumulent et deviennent jaunes, rigides, denses et opaques. Par conséquent, seule la portion extérieure du cristallin est suffisamment élastique pour changer de forme (accommodation) et focaliser à courte et à longue distance. À mesure que le cristallin devient moins élastique, l'œil distingue de moins en moins bien les objets rapprochés. Cette anomalie, qu'on appelle presbytie, s'installe habituellement vers l'âge de 40 ans. On peut la corriger par le port de lunettes de lecture qui grossissent les objets. De plus, le cristallin, devenu jaunâtre et opaque, disperse la lumière et la personne âgée est, par conséquent, plus sensible aux reflets éblouissants. La capacité de distinguer le bleu du vert diminue. La dilatation de la pupille est plus lente et moins complète à cause de la rigidité accrue des muscles de l'iris. Chez la personne âgée, l'accommodation est plus lente quand elle passe d'un endroit sombre à un endroit éclairé, et vice versa, et la vision rapprochée est meilleure quand la lumière est plus vive. Bien que les anomalies de la vue ne fassent pas partie du processus normal de vieillissement, la fréquence des maladies oculaires est plus forte chez les personnes âgées; les plus courantes sont les cataractes, le glaucome, la dégénérescence maculaire sénile et la rétinopathie diabétique.

Ouïe

La plupart des personnes âgées subissent des modifications importantes de l'ouïe. Le problème le plus fréquent est la perte de la capacité d'entendre les sons de haute fréquence. Cette surdité partielle, reliée à l'âge, est appelée presbyacousie et résulte de modifications progressives et irréversibles de l'oreille interne. Les personnes âgées affectées sont souvent incapables de suivre une conversation, car elles ne peuvent plus distinguer certaines consonnes de haute fréquence (les lettres f, s, b, t, p, etc.). Ayant de la difficulté à communiquer, elles se sentent isolées et se retirent peu à peu des activités sociales. Quand on soupçonne la présence de troubles auditifs, il faut faire un examen des oreilles et de l'ouïe. La plupart des troubles auditifs sont attribuables à la formation de cerumen ou à d'autres problèmes bénins. Pour corriger la surdité partielle, on doit recommander au patient une prothèse auditive bien adaptée.

C'est souvent à cause de la surdité et non à cause d'altérations cognitives que la personne âgée réagit non à propos, interprète mal une conversation et évite les interactions sociales.

Toucher

Le toucher est le sens qui permet de capter certains messages très subtils et de les interpréter adéquatement. Lorsque les autres capacités sensorielles diminuent, le toucher peut réduire le sentiment d'isolement et procurer une impression de bien-être. Même si les récepteurs sensitifs s'émoussent avec l'âge, ils ne disparaissent pas. Les personnes âgées ont besoin de toucher et d'être touchées. Cependant, la mobilité réduite et le manque de rapports sociaux leur donnent rarement l'occasion d'avoir de tels contacts. L'infirmière peut favoriser le contact par le toucher en faisant à la personne âgée des massages du dos ou des pieds et en lui caressant la main. Les animaux domestiques sont de plus en plus acceptés dans les centres d'hébergement et de soins de longue durée, car ils offrent à de nombreuses personnes âgées une présence, de l'affection et une stimulation tactile qui améliorent grandement leur qualité de vie.

Par ailleurs, à cause de modifications vasculaires de la peau, les sensations tactiles et celles reliées à la perception de la température (chaud ou froid), de la pression et de la douleur locale, sont ressenties plus lentement. Cela crée un danger potentiel pour la personne âgée.

Goût et odorat

Les quatre goûts de base sont le sucré, l'acide, le salé et l'amer. Chez les personnes âgées, la perception du sucré est particulièrement émoussée, ce qui explique qu'elles ont tendance à consommer trop d'aliments sucrés. Puisque la personne âgée perd sa capacité de discerner les goûts, elle peut avoir une préférence pour les aliments salés et très assaisonnés. Il faut l'inciter à remplacer le sel par des fines herbes, de l'oignon, de l'ail et du citron.

Promotion de la santé: organes sensoriels

Se reporter au tableau 12-4 pour les détails à ce sujet.

TÉGUMENTS ET PHANÈRES

La peau est un organe sensoriel et, en même temps, un organe de protection, de régulation de la température et d'excrétion. Les modifications intrinsèques et extrinsèques qui accompagnent le processus de vieillissement affectent les fonctions et l'aspect de la peau. L'épiderme et le derme s'amincissent. Le nombre de fibres élastiques diminue et le collagène perd de sa souplesse. Le tissu adipeux sous-cutané diminue, particulièrement au niveau des membres. À cause de la diminution du réseau capillaire cutané, l'apport sanguin est réduit. En raison de ces modifications, la peau se ride, s'affaisse et perd de son élasticité. La pigmentation du système pileux diminue et, de ce fait, les cheveux et les poils grisonnent. La peau devient plus sèche à cause de la diminution de l'activité des glandes sudoripares et sébacées. Les pigments irrégulièrement répartis forment des plaques, particulièrement dans les régions qui ont été exposées aux rayons du soleil. Ces modifications des téguments et des phanères réduisent la tolérance aux températures extrêmes et au soleil. À cause de la déshydratation de la peau, la personne âgée est davantage prédisposée aux démangeaisons et aux irritations cutanées.

Promotion de la santé: téguments et phanères

Se reporter au tableau 12-4 pour les détails à ce sujet.

PSYCHOGÉRIATRIE

Les syndromes cérébraux sont un important problème chez les personnes âgées et leur famille. Bien que ces affections ne touchent pas exclusivement cette tranche d'âge, leur prévalence augmente considérablement avec l'âge. On peut traiter la majeure partie de ces affections par des médicaments ou la psychothérapie (voir l'encadré 12-1, pour les paramètres qui permettent l'évaluation de l'état mental).

On classe arbitrairement les syndromes cérébraux en deux catégories, soit les syndromes fonctionnels et les syndromes organiques. Les syndromes cérébraux fonctionnels peuvent apparaître à tout moment de la vie. Ils ne s'accompagnent d'aucun changement pathologique manifeste au niveau des tissus ou de l'anatomie du cerveau. Ils réagissent habituellement à la pharmacothérapie ou à la psychothérapie. D'autre part, les syndromes cérébraux organiques s'accompagnent d'un fonctionnement mental anormal, de troubles du comportement et d'une modification pathologique du cerveau. Bien que leur fréquence exacte ne soit pas connue, on estime que 11 % des personnes âgées de plus de 65 ans et 20 % au moins des personnes âgées de plus de 80 ans en souffrent.

SYNDROMES CÉRÉBRAUX FONCTIONNELS

Parmi les syndromes cérébraux fonctionnels, la pseudodémence ou *dépression* est le trouble affectif qui frappe le plus souvent les personnes âgées. Les signes de dépression sont la tristesse, le manque d'intérêt, les pertes de mémoire, la diminution de la capacité de se concentrer, les troubles du sommeil et de l'appétit, le repli sur soi, l'irritabilité, l'abus d'alcool, le sentiment d'impuissance, le désespoir, l'apathie, et les idées suicidaires.

On considère souvent, à tort, que les personnes déprimées sont «confuses» ou atteintes d'un trouble mental organique. Pourtant, la dépression est une maladie réversible que l'on peut souvent traiter par des antidépresseurs et la psychothérapie. En présence d'une dépression, il existe toujours un risque de tentative de suicide. Le taux de suicide chez les hommes âgés de race blanche est plus élevé que dans les autres groupes d'âges.

Parmi les autres troubles fonctionnels on retrouve l'hypocondrie et la paraphrénie. L'*hypocondrie* est une préoccupation excessive au sujet de la santé. Quant à la *paraphrénie*, elle peut se manifester chez la personne âgée qui, à cause de l'isolement et des altérations sensorielles, se sent menacée et incomprise par son entourage.

Encadré 22-1
Évaluation de l'état mental

L'évaluation de l'état mental est un rapport dans lequel on doit inclure des observations portant sur chacun des paramètres ci-dessous, accompagnées d'une description détaillée chaque fois qu'elle est pertinente.

Entourer la mention appropriée et décrire brièvement

Aspect physique du patient

- soigné
- négligé
- convenable
- propre
- sain
- approprié pour son âge

Attitude du patient

- prêt à coopérer
- agressif
- méfiant
- craintif
- évasif

Comportement

- agité
- lent
- convenable
- menaçant
- automatique (tics)

Humeur

- adaptée à la situation
- apathique
- triste (en pleurs)
- joyeuse
- labile

Communication

- non verbale (expression du visage, langage corporel)
- cohérence du discours
- choix des mots
- prononciation
- fuite des idées
- divagations

Attention et concentration

- fuyantes
- normales

Interroger le patient et noter sa réponse

Orientation

- temps (quelle date sommes-nous?)
- espace (où sommes-nous?)
- personnes (comment vous appelez-vous?)

Mémoire pour les faits anciens

- Quelle est votre date de naissance?
- Quel métier ou profession exerciez-vous?
- Combien d'enfants avez-vous?

Mémoire récente

- Qu'avez-vous mangé à midi? (vérifier)

Mémoire de fixation

- Demander au patient de répéter le nom de trois objets qu'on vient de lui désigner (immédiatement et 5 minutes plus tard)

Intelligence générale

- Pouvez-vous m'indiquer le nom de cinq villes de votre choix?
- calcul simple (3 × 8 = ?)

Attention et concentration

- série de soustractions de 5 (100 − 5 et ainsi de suite)

Raisonnement abstrait

- Demander au patient d'expliquer les proverbes suivants: «Ce qui est fait est fait» ou «Un tien vaut mieux que deux tu l'auras.»

Jugement

- Demander au patient: «Que feriez-vous si vous trouviez par terre une enveloppe adressée et affranchie?»
- ou «Pourquoi faut-il mettre les criminels en prison?»

Note: Tenir compte dans l'interprétation des données du niveau de scolarisation de la personne ainsi que de son expérience.

SYNDROMES CÉRÉBRAUX ORGANIQUES

Le *syndrome cérébral organique* est un terme générique qui englobe les symptômes qui caractérisent des troubles cérébraux organiques spécifiques. Les quatre principaux symptômes sont la perte de mémoire, le déclin des facultés cognitives et les troubles de l'humeur et de la pensée. Les deux syndromes caractérisés par certains de ces symptômes ou par tous à la fois, qui affectent le plus souvent la personne âgée, sont le délirium (un syndrome aigu) et la démence (habituellement, un syndrome évolutif).

Délirium

Le délirium, souvent appelé état confusionnel aigu, provoque diverses altérations: conscience, mémoire, orientation et troubles psychomoteurs. La principale manifestation du délirium est l'altération de l'état de conscience, qui peut aller de la stupeur à l'agitation excessive. La pensée est désorganisée et l'attention est fugace. Des hallucinations, des idées délirantes, la peur, l'anxiété et la paranoïa peuvent se manifester.

Le dysfonctionnement cérébral peut être provoqué par un certain nombre de facteurs comme une maladie physique, une intoxication par l'alcool ou les médicaments, la déshydratation, un fécalome, la malnutrition, une infection, un traumatisme crânien, l'absence de repères familiers et la privation ou la surcharge sensorielle. C'est pourquoi le délirium a une forte incidence chez les personnes âgées hospitalisées.

Ce syndrome apparaît de façon soudaine et aiguë, souvent la nuit, et évolue très rapidement. Il dure de quelques jours à quelques semaines. Il est transitoire mais, s'il n'est pas diagnostiqué et traité à temps, il peut entraîner des lésions irréversibles.

Les interventions thérapeutiques dépendent de la cause des symptômes. Étant donné qu'il s'agit souvent d'interactions médicamenteuses ou d'une intoxication, il est souhaitable de suspendre l'administration de tout médicament qui n'est pas essentiel. Pour aider le patient à s'orienter et pour lui fournir des repères familiers, l'infirmière doit encourager les membres de sa famille et ses amis à le toucher et à lui parler. S'il s'agit d'une personne âgée nouvellement admise au centre hospitalier, l'infirmière doit interroger les membres de sa famille sur son état cognitif antérieur. Par la suite, elle doit comparer constamment l'état mental du patient à ces données de base pour évaluer ses réactions au traitement.

Démence

La démence est un syndrome cérébral organique assez fréquent chez la personne âgée. Certains types de démence d'origine traumatique, médicamenteuse, infectieuse ou métabolique sont réversibles, mais la majorité (80 à 85 %) d'entre eux sont irréversibles et d'origine inconnue.

L'apparition de la démence est, habituellement, insidieuse et d'évolution lente et graduelle jusqu'au moment où les symptômes deviennent manifestes et dévastateurs. La démence se caractérise par une détérioration globale des fonctions cognitives survenant dans un état de conscience normal. Cette détérioration entraîne des pertes de mémoire, une altération de la pensée abstraite et du jugement, des perturbations des fonctions cérébrales supérieures (aphasie, apraxie, agnosie) et des troubles de l'humeur et de la pensée.

Les trois types de démence les plus courants sont la maladie d'Alzheimer, la démence vasculaire et le syndrome mixte (maladie d'Alzheimer et démence vasculaire).

AFFECTIONS DE TYPE DÉMENTIEL

MALADIE D'ALZHEIMER

La maladie d'Alzheimer porte aussi le nom de démence dégénérative primaire ou de démence sénile de type Alzheimer. Elle représente au moins 50 % de tous les cas de démence irréversible chez les personnes âgées. Il s'agit d'une maladie neurologique dégénérative et évolutive qui apparaît insidieusement. Elle ne frappe pas uniquement les personnes âgées bien que la vieillesse soit considérée comme un facteur de risque. Elle peut aussi apparaître vers l'âge de 40 ou de 50 ans ; on parle alors de *démence présénile*. Toutefois, sur le plan clinique et pathologique, la démence présénile et la démence sénile sont identiques. L'origine de la maladie d'Alzheimer demeure, jusqu'à ce jour, inconnue. Il existe un facteur génétique, et selon les hypothèses, elle serait d'origine biochimique, immunologique, virale ou toxique.

Une étude récente, menée sur une population définie, a démontré que la prévalence de la maladie d'Alzheimer est fortement associée à l'âge. On évalue qu'entre 5 à 7 % des personnes âgées de 65 à 79 ans souffrent de la maladie d'Alzheimer, ce pourcentage grimpe à 20 % chez les personnes de plus de 80 ans et à 40 % chez les personnes de 90 ans et plus. La fréquence est supérieure aux prévisions antérieures et laisse présager que la maladie d'Alzheimer aura un effet considérable sur la population âgée de demain. L'espérance de vie après que le diagnostic a été posé varie de quelques années à 20 ans, la moyenne se situant autour de 8 ans.

Physiopathologie

La maladie d'Alzheimer entraîne une dégénérescence lente du cerveau avec des modifications neuropathologiques et biochimiques spécifiques. Les modifications structurelles sont la formation d'enchevêtrements neurofibrillaires (masse enchevêtrée de neurones qui ont cessé de fonctionner), de plaques séniles (dépôts de protéines amyloïdes et de structures cellulaires altérées sur les synapses des neurones) et de corps granulovacuolaires (cavités cellulaires non fonctionnelles remplies de granules). Ces lésions neuronales qui se produisent surtout dans le cortex cérébral finissent par atrophier le cerveau. On trouve aussi de telles altérations, de gravité moindre, dans le tissu cérébral normal des adultes âgés. Les cellules qui sont affectées par cette maladie sont surtout celles stimulées par l'acétylcholine. Sur le plan biochimique, le fonctionnement de certains neurotransmetteurs, dont l'acétylcholine, est affecté. L'acétylcholine joue un rôle important dans les processus mnémoniques.

Examens diagnostiques

Les chercheurs tentent toujours de mettre au point un examen diagnostique spécifique de la maladie d'Alzheimer.

Actuellement, la plupart des recherches portent sur la protéine amyloïde. Même si l'on avait pensé au départ que cette protéine n'était présente que dans le cerveau, les chercheurs tentent actuellement d'en isoler un précurseur dans d'autres régions de l'organisme. Jusqu'à présent, on ne peut diagnostiquer la maladie d'Alzheimer qu'après avoir éliminé toutes les autres causes de la démence et le diagnostic ne peut être confirmé que par biopsie ou autopsie. Les symptômes cliniques, l'électroencéphalogramme (EEG), la tomodensitométrie (TDM, scanographe), l'imagerie par résonnance magnétique (IRM) et des analyses du sang et du liquide céphalorachidien peuvent confirmer ou infirmer le diagnostic. Les modifications de l'EEG ne sont pas toujours caractéristiques. La tomographie et l'IRM permettent d'écarter la présence d'un hématome, d'une tumeur, d'un AVC et d'une atrophie, mais elles ne constituent pas des moyens fiables de diagnostic de la maladie d'Alzheimer. Les analyses du sang et du liquide céphalorachidien permettent d'écarter les affections et les anomalies d'origine biochimique, mais elles ne permettent pas non plus de poser le diagnostic.

Manifestations cliniques

Les symptômes de la maladie d'Alzheimer sont très divers. Le début de la maladie est caractérisé par des oublis et des pertes subtiles de mémoire, mais la fonction cognitive reste appropriée et permet de cacher ces troubles. Les habiletés sociales et le comportement du patient ne changent pas et la simple observation ne permet pas de déceler ces premiers symptômes. À mesure que la maladie évolue, les symptômes deviennent évidents et commencent à entraver les activités quotidiennes. La personne atteinte peut, par exemple, s'égarer même si elle emprunte toujours le même trajet; elle peut répéter les mêmes histoires, car elle oublie qu'elle les a déjà racontées. Si les personnes de son entourage essaient de la raisonner et de l'orienter, son anxiété augmente sans que ses fonctions s'améliorent car les explications sont également oubliées.

La conversation devient laborieuse, car la personne affectée oublie ce qu'elle voulait dire ou ne se souvient plus des mots qu'elle voulait utiliser. Elle perd sa capacité de formuler des concepts et la pensée abstraite. Elle ne peut comprendre un dicton ou un proverbe qu'à la lettre. Elle devient souvent incapable d'évaluer les conséquences de ses actes et son comportement peut devenir impulsif. Par exemple, pendant une journée chaude, elle peut décider de se baigner complètement vêtue dans une fontaine de la ville. Elle peut également avoir du mal à accomplir les tâches quotidiennes les plus simples, par exemple, faire fonctionner des appareils ménagers ou compter de l'argent.

Les changements de personnalité sont habituellement négatifs. La maladie d'Alzheimer peut provoquer de la dépression, de la méfiance, de la paranoïa, de l'hostilité et même de la violence. Plus la maladie évolue, plus les symptômes sont exacerbés. La personne atteinte a de plus en plus de difficulté à s'exprimer et à comprendre le langage jusqu'à ne plus pouvoir prononcer que des mots incohérents. L'agitation et l'activité physique augmentent. Elle peut errer sans but pendant des heures. Par la suite, elle aura besoin d'aide dans tous les domaines des soins personnels, y compris l'hygiène et l'alimentation. La présence d'agnosie et d'apraxie vient perturber encore davantage son comportement. Le stade terminal peut durer plusieurs mois. La personne affectée reste habituellement immobile et nécessite des soins infirmiers permanents. À l'occasion, elle peut cependant reconnaître sa famille ou ceux qui la soignent. La mort survient par suite de complications comme la pneumonie, la malnutrition ou la déshydratation.

Interventions infirmières

Les interventions infirmières ont pour but le maintien de fonctions cognitives optimales, la sauvegarde de la sécurité physique, la réduction de l'anxiété et de l'agitation, l'amélioration de la communication, l'autonomie dans les activités d'autosoins, la satisfaction des besoins sur le plan des rapports sociaux et de l'intimité, le maintien d'une alimentation adéquate, le maintien de l'équilibre entre les activités et le repos, le soutien moral et l'enseignement aux membres de la famille.

Maintien de fonctions cognitives optimales. Au fur et à mesure que les capacités cognitives du patient diminuent, l'infirmière doit veiller à ce que son cadre de vie soit paisible et prévisible afin qu'il puisse interpréter et reconnaître son entourage et les soins qui lui sont prodigués. Elle doit éliminer les stimuli qui peuvent le perturber et chercher à ne pas s'écarter des activités courantes. Elle doit aussi se montrer calme et patiente; ses explications doivent être claires et simples. Elle doit utiliser des aide-mémoire et des indices qui aideront à orienter le patient et qui pourront lui conférer un sentiment de sécurité. Par exemple, une montre et un calendrier à portée de la main faciliteront l'orientation temporelle. Un cadre de porte peint d'une certaine couleur ou un objet accroché à la porte lui permettra de retrouver sa chambre plus facilement.

Sauvegarde de la sécurité physique. Il faut aménager le milieu de façon que le patient puisse se déplacer aussi librement que possible sans que sa famille et le personnel n'aient à s'inquiéter constamment de sa sécurité. Afin de prévenir les chutes et les autres accidents, il faut retirer tous les obstacles qui représentent un danger. La nuit, il faut laisser une veilleuse allumée et placer la sonnette d'appel à portée de la main. Il faut coucher le patient dans un lit bas et soulever les ridelles à mi-hauteur. L'infirmière ou un membre de la famille doit le surveiller quand il prend ses médicaments et ses repas et aussi quand il fume. Un milieu où les dangers ont été écartés favorise l'autonomie du patient. Étant donné que la personne atteinte de démence oublie souvent et qu'elle ne peut fixer son attention pendant longtemps, elle peut se mettre à errer sans but. On peut souvent l'en dissuader en lui parlant gentiment et en lui proposant des activités divertissantes. Les dispositifs de contention sont déconseillés étant donné qu'ils peuvent augmenter l'agitation. Il faut aussi verrouiller la porte de sortie. On ne peut laisser une personne atteinte de démence pratiquer sans surveillance une activité de plein-air. Il faut aussi lui faire porter un bracelet ou un médaillon au cou où son nom et adresse sont indiqués pour qu'on puisse l'aider à retrouver son chemin dans le cas où elle s'égarerait.

Réduction de l'anxiété et de l'agitation. Malgré le déclin manifeste des facultés cognitives, la personne démente est par moments consciente du fait qu'elle perd rapidement ses moyens. Il faut donc l'entourer de soins constants pour améliorer son image de soi. Quand elle commence à perdre rapidement ses capacités, on doit adapter les objectifs de soins en fonction des nouvelles altérations.

Elle doit aussi évaluer l'importance que les loisirs ont pour le patient et l'encourager à s'engager dans des activités simples. Elle doit, par conséquent, établir des objectifs réalistes qui puissent le satisfaire. Des passe-temps et des activités comme la marche, l'exercice ou les rencontres sociales peuvent améliorer sa qualité de vie.

Il faut protéger la personne atteinte du bruit. L'infirmière doit aussi écarter les objets encombrants et étrangers. L'excitation et la surstimulation peuvent la perturber et déclencher un état d'agitation et de violence, connu sous le nom de réaction catastrophique (réaction de panique à une stimulation excessive). Le patient qui présente une telle réaction crie, pleure ou devient violent (risque d'agression physique ou verbale) pour essayer d'exprimer son anxiété. Dans une telle situation, l'infirmière doit rester imperturbable et éviter les gestes précipités. Pour calmer le patient, elle peut lui faire écouter de la musique, le bercer, le caresser ou le distraire d'une quelconque façon. Souvent, celui-ci oublie aussitôt ce qui a déclenché sa réaction. La préparation d'activités structurées est également utile chez ce type de patient. L'infirmière qui connaît les réactions prévisibles à certains agents de stress pourra éviter que des crises semblables ne se reproduisent.

Amélioration de la communication. Pour aider la personne atteinte de démence à interpréter les messages, l'infirmière doit éviter les gestes précipités et diminuer les bruits et les distractions. Ses phrases doivent être simples, claires et faciles à comprendre, car il arrive souvent que le patient oublie le sens des mots ou qu'il soit incapable d'organiser et d'exprimer sa pensée. On peut mettre à sa disposition des listes ou des instructions simples qui peuvent servir d'aide-mémoire.

Parfois, le patient peut montrer un objet du doigt ou utiliser une forme de langage non verbal pour communiquer. Certains stimuli tactiles, comme une caresse ou un tapotement, sont souvent interprétés par celui-ci comme des signes d'affection et d'attention rassurants.

Autonomie dans les activités d'autosoins. À cause des modifications physiopathologiques qui se produisent au niveau du cortex cérébral, le patient ne peut plus mener à bien les activités d'autosoins ni maintenir son autonomie sur le plan physique. Par conséquent, il faut tout mettre en œuvre pour l'aider à fonctionner de manière autonome aussi longtemps que possible. On peut, par exemple, simplifier les activités quotidiennes en les organisant par étapes de courte durée et en les rendant faciles à exécuter, de sorte que le patient puisse quand même éprouver un sentiment d'accomplissement. Souvent, une ergothérapeute peut suggérer des moyens de simplifier les tâches ou recommander l'utilisation d'un matériel adapté aux capacités du patient. Cependant, il faut généralement surveiller celui-ci de près.

Il est essentiel de maintenir la dignité et l'autonomie de la personne atteinte de la maladie d'Alzheimer. Il faut l'encourager à prendre des décisions chaque fois que cela est possible et à participer aux activités d'autosoins aussi longtemps qu'elle le peut.

Satisfaction des besoins sur le plan des rapports sociaux et de l'intimité. Le patient peut se sentir rassuré s'il revoit de vieux amis. L'infirmière et les membres de sa famille doivent encourager les visites, les lettres et les coups de téléphone. Les visites doivent être brèves, et il faut écarter toute source de stress; il est recommandé de n'admettre qu'un ou deux visiteurs à la fois.

La personne atteinte de démence peut être stimulée, rassurée et réconfortée par un animal domestique qu'elle peut caresser, qui ronronne ou qui lui montre de l'affection. L'affection inconditionnelle de l'animal domestique peut lui être bénéfique et les soins qu'il exige l'occupent et lui donnent un regain d'énergie.

Par ailleurs, la maladie d'Alzheimer n'élimine pas le besoin d'intimité. La personne atteinte et son conjoint peuvent continuer à avoir des rapports sexuels s'ils le désirent. L'infirmière doit encourager le conjoint à parler de ses préoccupations d'ordre sexuel et lui conseiller une thérapie, au besoin. Les expression simples d'affection, comme les caresses, sont souvent très importantes pour le couple.

Il arrive parfois que le patient ait des comportements sexuels inadaptés qui embarrassent terriblement les membres de sa famille. Par exemple, il peut s'exhiber nu ou se masturber en public. Dans ce cas, il faut essayer de le divertir sans le brusquer.

Maintien d'une alimentation adéquate. Les repas peuvent être l'occasion d'échanges agréables mais ils peuvent aussi devenir une source de stress et de détresse. Le patient doit prendre des repas dans un cadre paisible, à l'écart de toute agitation ou stimulation excessive. Il donnera sa préférence à des aliments qu'il connaît et qui sont appétissants et savoureux. Pour éviter qu'il joue avec la nourriture, il faut lui offrir un plat à la fois. Les aliments doivent être coupés en petits morceaux pour éviter qu'il ne s'étouffe. Il faut laisser tiédir les aliments et les boissons chaudes et vérifier la température des aliments afin d'éviter les brûlures.

Si le patient ne peut pas se nourrir seul à cause d'un manque de coordination, on peut utiliser un matériel adapté à ses besoins. Pour certaines personnes, il est plus facile de s'alimenter avec les doigts. Il faut donc prévoir un menu qui s'y prête. À mesure que la maladie évolue, il faudra aider de plus en plus le patient à s'alimenter et même, souvent, lui donner à manger. L'oubli, le manque d'intérêt, les problèmes dentaires, le manque de coordination, la stimulation excessive et la déglutition difficile peuvent empêcher le patient de se nourrir convenablement.

Maintien de l'équilibre entre les activités et le repos. De nombreux patients souffrant de la maladie d'Alzheimer présentent des troubles du sommeil et adoptent souvent un comportement d'errance. Ces manifestations sont plus fréquentes lorsque le patient s'ennuie ou lorsqu'il est agité ou désorienté, particulièrement la nuit, s'il se trouve dans un milieu étranger.

Lorsque son sommeil est perturbé ou qu'il ne peut pas s'endormir, on peut essayer de le détendre en lui faisant écouter de la musique, en lui offrant un verre de lait chaud ou en lui faisant un massage du dos. Au cours de la journée, il faut lui fournir l'occasion de participer à des activités physiques, car un horaire régulier où les activités et le repos alternent améliore le sommeil nocturne. On devrait aussi empêcher le patient de faire de longues siestes durant la journée.

Soutien moral et enseignement aux membres de la famille. Le fardeau émotionnel qui pèse sur les membres de la famille d'une personne souffrant de la maladie d'Alzheimer est énorme. Étant donné que le diagnostic n'est pas définitif, les membres de la famille peuvent s'accrocher à l'espoir qu'il est faux et qu'avec un peu de bonne volonté de la part du patient, son état pourra s'améliorer. L'agressivité et l'hostilité manifestées par la personne atteinte peuvent être mal interprétées par les membres de la famille qui lui prodiguent des soins, de sorte que ceux-ci ne se sentent pas appréciés à leur juste valeur, ce qui les frustre et les rend amers. Le sentiment de culpabilité, la nervosité et les soucis finissent par les fatiguer et les déprimer et le milieu familial peut se dégrader.

Il existe des associations qui répondent aux besoins des membres de la famille, comme la Société Alzheimer de Montréal. Ces associations ont pour but d'aider les familles, de devenir leur porte-parole et de leur fournir des services, un enseignement et de l'information sur la recherche. Elles renseignent également sur les groupes d'entraide, les services de garde et les centres de jour destinés à ces malades. Des bénévoles ayant reçu une formation spéciale animent les groupes d'entraide formés par des personnes qui doivent s'occuper de ces malades. Grâce au service de garde, ces personnes peuvent s'absenter de temps en temps sans s'inquiéter. De même, les centres de jour leur offrent du répit tout en proposant des activités adaptées aux personnes souffrant de la maladie d'Alzheimer.

L'infirmière doit être sensible aux problèmes affectifs aigus auxquels la famille doit faire face. Le soutien et l'enseignement à la famille sont des éléments essentiels des soins (voir le plan de soins infirmiers 12-1: Patients atteints de la maladie d'Alzheimer).

Démence vasculaire

Comme son nom l'indique, la démence vasculaire est une pathologie organique d'origine vasculaire. Elle est la démence la plus fréquente après la maladie d'Alzheimer. Environ 20 à 25 % des cas de démence irréversibles sont attribuables à cette maladie, qui se caractérise par une dégradation des facultés cognitives à évolution par paliers, ce qui la différencie de la maladie d'Alzheimer. Le diagnostic est d'autant plus difficile à poser que le patient peut souffrir à la fois de la maladie d'Alzheimer et de démence vasculaire.

Les lésions cérébrales se forment à cause d'une irrigation sanguine insuffisante, et la nécrose des tissus cérébraux survient avec une rapidité foudroyante. La maladie est due à plusieurs infarctus touchant des zones cérébrales peu étendues et se manifestant cliniquement sous la forme de petits accidents vasculaires cérébraux. Contrairement à la détérioration graduelle des facultés mentales qui caractérise la maladie d'Alzheimer, la démence vasculaire évolue en dents de scie. Entre chaque infarctus, l'état de la personne atteinte demeure stable. La cause de la démence vasculaire est mal connue, mais il semble exister un lien avec l'hypertension artérielle.

Les symptômes sont semblables à ceux de la maladie d'Alzheimer et se manifestent selon la région du cerveau touchée par l'infarctus. Au cours de l'évolution de la maladie, la personne atteinte peut présenter une perte momentanée de conscience, une faiblesse ou une paralysie temporaire. Le traitement rapide de l'hypertension et de la maladie vasculaire peut influencer le cours de la maladie. En phase terminale, les signes de détérioration sont comparables à ceux de la maladie d'Alzheimer et il est souvent difficile de distinguer un type de démence de l'autre.

Maladies chroniques et affections courantes

Incontinence urinaire

La personne âgée ne mentionne pas toujours ce trouble, pourtant courant, à moins que le médecin ne lui pose la question expressément. Ce trouble peut être aigu et apparaître au cours d'une maladie, ou il peut devenir chronique et évoluer sur un certain nombre d'années. Parmi les causes réversibles, citons le délirium, la déshydratation, l'immobilité, l'inflammation, l'infection, les fécalomes, la pharmacothérapie ou la polyurie. L'incontinence permanente peut être le résultat d'une maladie neurologique ou d'une altération structurale. On peut parfois améliorer l'état du patient ou corriger l'incontinence par des interventions non chirurgicales comme les exercices de Kegel ou les modifications du milieu (voir au tableau 12-4, appareil urinaire). Il faut absolument inciter le patient qui souffre de ce trouble à consulter un urologue pour éliminer toute cause organique.

Fatigue

On dit, généralement, que les personnes âgées doivent éviter les efforts. Par conséquent, nombreuses sont celles qui, prétextant la fatigue, opteront pour une vie sédentaire. Cependant, l'activité est bénéfique pour la personne âgée. Après un effort soutenu, la fatigue est normale, mais, en général, un court repos lui permet de retrouver son énergie.

Toutefois, une fatigue chronique généralisée est anormale et peut être la conséquence d'une hypersédation. Elle peut aussi être un signe de dépression ou le symptôme d'une maladie physique comme l'anémie ou une cardiopathie.

Céphalées

La plupart des céphalées sont causées par une mauvaise posture et la tension des muscles qui entourent la tête et le cou. L'application de glace ou de chaleur, les massages et l'exercice permettent souvent de les soulager. Il faut cependant écarter la présence d'un trouble organique grave comme un hématome ou une tumeur au cerveau. Si les céphalées persistent, il faut recommander à la personne âgée de consulter un médecin.

Maux de dos

Les maux de dos sont un trouble courant qui peut accompagner un certain nombre de maladies chroniques. Il peut s'agir d'un signe d'ostéoporose; les fractures vertébrales qui la caractérisent peuvent comprimer les nerfs rachidiens provoquant des douleurs intenses qui irradient dans les jambes (sciatique). Parmi les autres causes moins courantes, citons les métastases et les infections. La douleur provient surtout du spasme des muscles, qu'on peut soulager par l'application de chaleur ou de glace et par le repos. Une fois la douleur aiguë calmée, on peut éviter son retour par des exercices visant à détendre les muscles lombaires.

Plan de soins infirmiers 22-1

Patients atteints de la maladie d'Alzheimer

Interventions infirmières	*Justification*	*Résultats escomptés*
Diagnostic infirmier: Altération des opérations de la pensée (cognition et perception, désorientation) reliée à la détérioration des capacités mnémoniques, perceptuelles et cognitives		
Objectif: Maintien des fonctions cognitives optimales		
1. Réduire la stimulation suscitée par le milieu. a) Aborder le patient calmement et aimablement. b) Avoir un comportement et une conversation prévisibles. c) Assurer un cadre familier et agréable. d) Établir un horaire régulier. e) Fournir des aide-mémoire, au besoin (listes, notes de rappel, étiquettes sur les objets, images, diagrammes).	1. Des stimuli simples et peu nombreux facilitent la compréhension et réduisent les risques de fausse interprétation; un comportement prévisible est moins menaçant qu'un comportement imprévisible; les aide-mémoire permettent au patient de se rappeler ce qu'il doit faire.	• Le patient maintient une fonction mnémonique optimale. • Il réagit adéquatement aux stimuli visuels, auditifs et tactiles. • Il dit se sentir en sécurité et bien protégé ou le démontre par son attitude (il est calme, souriant, etc.).
2. Augmenter les repères dans l'entourage du patient. a) Se présenter lors de chaque interaction avec le patient. b) Appeler le patient par son nom. c) Fournir au patient des repères pour améliorer son orientation (photos, illustrations, montre, calendrier sur lequel on biffe chaque jour qui passe, murs et cadres de portes de couleur vive). d) Fournir une montre à cadran numérique si le patient est incapable de lire l'heure sur une montre ordinaire. e) Interpréter les stimulations venant du milieu au cours de la conversation.	2. Les repères de l'entourage améliorent l'orientation spatiotemporelle et la reconnaissance des personnes familières en comblant les pertes de mémoire et en servant de rappel. Au fur et à mesure que les pertes de mémoire s'accentuent, il devient nécessaire de se présenter avant chaque interaction avec le patient.	• Le patient présente une orientation spatiotemporelle optimale et reconnaît les personnes familières.
Diagnostic infirmier: Risque élevé de blessure relié à un comportement impulsif, à la détérioration du jugement, au manque de discernement et à un comportement inadapté		
Objectif: Maintien de la sécurité physique		
1. Écarter tous les dangers. a) Retirer tous les objets dangereux. b) Réduire les risques de blessures provoquées par la chute du lit durant le sommeil: (1) remonter à mi-hauteur les ridelles du lit; (2) garder le lit en position basse; (3) laisser une veilleuse allumée pendant la nuit; (4) placer la sonnette d'appel à portée de la main.	1. Dans un milieu où on a écarté tous les dangers, le patient risque moins de se blesser et la famille n'a pas à s'inquiéter de sa sécurité. À l'extérieur de la maison, il faut considérer que le patient est constamment en danger.	• Le patient respecte les mesures de sécurité. • Il se déplace librement sans essayer de sortir à l'extérieur. • Il ne présente pas de blessures reliées à son état mental.

Plan de soins infirmiers 22-1 (suite)

Patients atteints de la maladie d'Alzheimer

Interventions infirmières	***Justification***	***Résultats escomptés***
c) Surveiller la prise des médicaments. d) Ne jamais laisser le patient fumer sans surveillance. e) Vérifier la température des aliments. f) Surveiller toutes les activités de plein air. g) Verrouiller les portes extérieures.		
2. Favoriser l'autonomie du patient et lui accorder un maximum de liberté.		• Le patient se déplace librement et sans danger, dans un milieu adapté à ses besoins.
a) Laisser le patient circuler librement si le milieu est «sûr».	a) Le patient se sent ainsi plus autonome.	
b) Éviter l'utilisation de dispositifs de contention.	b) Les dispositifs de contention peuvent aggraver l'agitation.	
c) En cas de comportement d'errance, distraire le patient sans essayer de le dissuader par la force.	c) La dissuasion par la force augmentera l'anxiété; il est facile de distraire le patient puisqu'il perd aussitôt la mémoire des faits récents.	
d) Faire porter au patient un bracelet d'identité.	d) Si le patient fait une fugue, il pourra être facilement ramené à la maison s'il porte sur lui son nom et son adresse.	

Diagnostic infirmier: Anxiété reliée à la perte des facultés cognitives et à un sentiment de perte d'estime de soi

Objectif: Maintien d'un niveau optimal de fonctionnement psychologique

Interventions infirmières	***Justification***	***Résultats escomptés***
1. Réduire les stimuli anxiogènes lors des activités quotidiennes.		• Le patient a moins d'épisodes de réactions catastrophiques, de crises de colère et de crises de larmes. • Il se montre moins agité, irritable et violent. • Il dit se sentir calme et satisfait ou le démontre par l'absence de signes d'anxiété.
a) Orienter le patient vers la réalité sans le perturber. b) Ne pas perdre patience si le patient oublie. c) Accepter les comportements excentriques qui ne sont pas nuisibles.	a-c) Si on essaye de reprendre constamment le patient, on ne fait qu'augmenter son anxiété ce qui le rendra agité, colérique et violent, manifestations d'une réaction catastrophique.	
d) Établir un horaire pour les activités quotidiennes. e) Utiliser des stimuli simples.	d-e) Les stimuli simples et structurés sont plus faciles à interpréter.	
f) Essayer de distraire le patient plutôt que de le raisonner. g) Si le patient présente une attitude négative, le laisser seul et revenir le voir quelques minutes plus tard. h) Éviter les situations qui ont contrarié le patient par le passé. i) Rassurer le patient après une réaction catastrophique.	f-g) Souvent, le patient oublie aussitôt et se montre prêt à s'engager dans une nouvelle activité.	
j) Ne pas essayer de raisonner le patient.	j) Le patient est incapable de suivre une pensée abstraite.	
2. Améliorer la qualité de vie du patient. a) Procurer au patient, aussi souvent que possible, des moments agréables (musique, visite d'animaux de compagnie, promenades, exercices, loisirs, tâches simples). b) Assurer le bien-être et la sécurité du patient.	2. Il faut réévaluer les objectifs à chaque instant. Le patient ne perd pas la capacité d'éprouver du plaisir et peut se sentir heureux.	• Le patient cherche la compagnie des autres. • Il se montre prêt à participer à des activités adaptées à ses capacités.

Plan de soins infirmiers 22-1 (suite)

Patients atteints de la maladie d'Alzheimer

Interventions infirmières	*Justification*	*Résultats escomptés*
3. Encourager le sentiment d'estime de soi. a) Ne pas infantiliser le patient. b) Discuter ouvertement de ses sentiments d'anxiété et les respecter. c) Encourager le patient fréquemment. d) Ne pas le ridiculiser. e) Lorsque le patient perd certaines capacités, ne pas essayer de les lui réapprendre.	3. Si le patient se sent accepté, il pourra mieux fonctionner. Il éprouve du chagrin à cause des pertes très importantes qu'il a subies; l'infantilisation ne fait qu'augmenter son anxiété; la détérioration des fonctions cognitives rend inévitable la perte graduelle des capacités.	• Le patient fait preuve d'une plus grande assurance dans les situations difficiles.

Diagnostic infirmier: Altération de la communication verbale reliée aux pertes cognitives

Objectif: Maintien de la communication

Interventions infirmières	*Justification*	*Résultats escomptés*
1. Appliquer des stratégies qui aident le patient à interpréter les messages. a) Rester calme et aimable; ne pas faire de gestes brusques. b) Communiquer par des phrases courtes et simples. c) Éviter les situations où le patient doit prendre des décisions. d) Accompagner les messages verbaux de messages non verbaux. e) Éviter les contradictions pendant les conversations. f) Éviter les bruits et les distractions. g) Éviter les sujets complexes.	a-g) Les messages simples et brefs sont les plus faciles à interpréter.	• Le patient se montre davantage capable de comprendre les messages. • Il se montre davantage capable de s'exprimer. • Il utilise d'autres modes de communication (communication non verbale).
h) Dresser des listes et rédiger des instructions simples.	h) Au début de la maladie, ces modes de communication sont souvent efficaces.	
i) Observer l'expression du patient pour déceler des signes de compréhension.	i) Une écoute active présuppose une attention particulière au non-verbal.	
j) Parler au patient même s'il refuse de répondre.	j) Le patient peut être incapable de montrer qu'il comprend le message.	
2. Mettre au point des stratégies qui peuvent améliorer la capacité du patient à transmettre des messages.	2. Le patient peut ainsi mieux exprimer ses besoins et ses sentiments. Il se sentira aussi moins seul.	• Le patient se montre moins frustré lorsqu'il essaie de communiquer. • Il communique plus facilement ses besoins.
a) Préciser les mots oubliés lorsque c'est possible et faire une reformulation. b) Deviner le message et le confirmer. c) Ne pas relever les erreurs.	a-c) Une écoute active et empathique permet de réduire les frustrations du patient qui a besoin d'aide pour communiquer son message.	
d) Laisser au patient suffisamment de temps pour parler. e) Encourager le patient à formuler des phrases courtes et simples. f) Poser des questions auxquelles le patient pourra répondre par oui ou par non.	d-f) Une attitude calme favorise la communication.	

Plan de soins infirmiers 22-1 (suite)

Patients atteints de la maladie d'Alzheimer

Interventions infirmières	*Justification*	*Résultats escomptés*
g) Se servir d'autres modes de communication (par exemple, pointer du doigt une illustration ou utiliser le langage corporel).	g) Certaines méthodes peuvent être plus efficaces que d'autres.	
h) Montrer au patient qu'on comprend sa frustration.	h) Le fait de montrer au patient qu'on comprend sa frustration est un signe d'acceptation.	

Diagnostic infirmier: Déficit d'autosoins relié à la désorientation, à la perte des facultés cognitives et à un comportement inadapté

Objectif: Maintien d'un maximum d'autonomie dans les autosoins

Interventions infirmières	*Justification*	*Résultats escomptés*
1. Mettre au point des stratégies qui facilitent l'exécution des activités quotidiennes.		• Le patient exécute le mieux possible les activités quotidiennes compte tenu de ses capacités.
a) Fournir au patient du matériel adapté à ses besoins. b) Maintenir un horaire quotidien régulier en respectant le rythme du patient. c) Assurer un cadre agréable et familier. d) Transmettre des instructions simples et rendre les tâches moins complexes.	a-d) Un emploi du temps régulier, du matériel adapté aux besoins du patient et la simplification des tâches favorisent la compréhension, améliorent la capacité d'exécuter les activités d'autosoins et rassurent le patient.	• Le patient se montre capable d'utiliser le matériel adapté.
e) Évaluer régulièrement le fonctionnement des appareils et systèmes de l'organisme.	e) Une évaluation régulière favorise le maintien d'un fonctionnement optimal et permet de déceler rapidement les problèmes.	
2. Appliquer des mesures de sécurité spéciales pendant que le patient prend son bain.		• Le patient utilise des mesures de sécurité pour éviter les blessures.
a) Vérifier la température de l'eau.	a) Le patient ne peut pas régler la température de l'eau de la baignoire.	
b) Inciter le patient à utiliser des dispositifs de sécurité (par exemple, rampe, tapis de caoutchouc).	b) Le comportement impulsif du patient augmente les risques d'accidents.	
3. Favoriser l'autonomie du patient et respecter sa dignité pendant qu'on lui prodigue les soins. a) Encourager le patient à faire des choix simples (par exemple, pour ce qui est des vêtements, des aliments, de l'emploi du temps). b) Respecter son intimité.	3. En favorisant l'autonomie du patient, on améliore son bien-être et on lui fait sentir qu'il est respecté.	• Le patient participe à ses autosoins dans la mesure de ses capacités.
4. Adopter des mesures visant à favoriser la continence.		
a) Rendre la salle de bain accessible. Au besoin, peindre la porte de la salle de bain d'une couleur que le patient peut facilement repérer.	a) Les stimuli visuels aident le patient à mieux s'orienter dans l'espace.	• Le patient maintient sa continence fécale et urinaire le plus longtemps possible.

Plan de soins infirmiers 22-1 (suite)

Patients atteints de la maladie d'Alzheimer

Interventions infirmières	*Justification*	*Résultats escomptés*
b) Fournir des vêtements qui s'enlèvent facilement.	b) On favorise ainsi la continence.	
c) Suggérer régulièrement au patient d'aller à la toilette (toutes les deux heures et après les repas). d) Inciter le patient à consommer suffisamment de liquides et de fibres et à suivre un programme d'activités qui favorise une élimination fécale régulière.	c-d) On favorise ainsi le maintien d'une élimination normale.	
e) Restreindre la consommation de liquides avant le coucher.	e) Une forte consommation de liquides dans la soirée peut perturber le sommeil et causer de l'incontinence durant la nuit.	

Diagnostic infirmier: Perturbation de la dynamique familiale reliée aux soins qu'exige une personne atteinte de démence

Objectif: Maintien de l'harmonie familiale et adaptation de tous les membres de la famille

Interventions infirmières	*Justification*	*Résultats escomptés*
1. Donner aux membres de la famille toute l'information dont ils ont besoin. a) Renseigner les membres de la famille sur la maladie d'Alzheimer. b) Encourager les membres de la famille à lire la documentation fournie par les associations d'entraide et à poser des questions.	1. Si les membres de la famille comprennent l'évolution de la maladie, ils seront mieux préparés à aider le patient et à adapter leur vie en fonction de ses besoins.	• Les membres de la famille administrent les soins appropriés et donnent au patient le soutien moral nécessaire.
2. Expliquer l'impact affectif de la maladie sur la cellule familiale. a) Déterminer les réactions des membres de la famille à la maladie du patient. b) Encourager les membres de la famille à parler de leurs inquiétudes, de leur sentiment de culpabilité, de leur colère et de leurs frustrations. c) Encourager l'utilisation de techniques de relaxation. d) Inciter les membres de la famille à faire part au patient de leurs inquiétudes et de leurs sentiments.	2. Cette maladie a des effets dévastateurs sur tous les membres de la famille. Ces personnes éprouvent toute une gamme d'émotions dont la peur, la frustration, la colère, la culpabilité et la solitude, et elles se sentent souvent impuissantes.	• Les membres de la famille verbalisent leurs sentiments et leurs frustrations en présence de l'infirmière.
3. Faire des démarches pour obtenir de l'aide de l'extérieur. a) Diriger les membres de la famille vers des organismes communautaires qui peuvent leur offrir des services de soutien comme les services de garde, les centres de jour, les services d'une infirmière en santé communautaire et d'une travailleuse sociale.	a) Les services communautaires peuvent fournir des services de garde et des soins à domicile, donner des conseils sur le plan financier et assurer des soins infirmiers. Grâce à ces services, les membres de la famille pourront s'adapter le plus sereinement possible à cette crise.	• Les membres de la famille cherchent de l'aide auprès des organismes communautaires. • Ils se joignent à un groupe d'entraide.

Plan de soins infirmiers 22-1 (suite)

Patients atteints de la maladie d'Alzheimer

Interventions infirmières	***Justification***	***Résultats escomptés***
b) Inciter les membres de la famille à contacter la Société Alzheimer et à participer aux réunions d'un groupe d'entraide.	b) Au sein d'un groupe d'entraide, les membres de la famille se sentiront moins seuls et pourront mieux comprendre comment d'autres personnes surmontent des problèmes semblables.	

Diagnostic infirmier: Perturbation des interactions sociales reliée à une altération des facultés cognitives et à des comportements inadaptés

Objectif: Amélioration des rapports sociaux

Interventions infirmières	***Justification***	***Résultats escomptés***
1. Favoriser les rencontres avec la famille et les amis. Inciter les membres de la famille et les amis à:		• Le patient se joint à des rencontres familiales et amicales. • Il se sent aimé et accepté. • Il dit ou montre par d'autres moyens qu'il est content de voir des visiteurs et de garder des contacts avec les membres de sa famille.
a) toucher le patient pour maintenir le contact avec lui;	a) La stimulation tactile est plus facile à interpréter.	
b) le caresser et lui montrer de l'affection; c) lui faire part des sentiments qu'ils éprouvent honnêtement et ouvertement;	b-c) Le patient continue d'avoir besoin d'amour et d'affection.	
d) réagir de façon objective aux réactions négatives du patient; e) accepter le patient tel qu'il est, malgré les interactions négatives;	d-e) Les interactions sont plus faciles à maintenir si la famille fait preuve de tolérance et de compréhension face aux réactions négatives du patient.	
f) limiter le nombre de visiteurs à deux ou trois personnes à la fois;	f) En n'admettant qu'un petit nombre de visiteurs à la fois, on maintient des stimuli simples et on prévient les réactions catastrophiques.	
g) laisser le patient garder un animal de compagnie auprès de lui, si cela est possible et approprié.	g) Les animaux domestiques sont affectueux. Le patient peut toucher l'animal et le caresser, ce qui lui permet de garder d'une certaine façon le contact avec le monde extérieur.	

Diagnostic infirmier: Atteinte à l'intégrité du rôle sexuel reliée à une altération des facultés cognitives et à des comportements inadaptés

Objectif: Satisfaction du besoin d'intimité

Interventions infirmières	***Justification***	***Résultats escomptés***
1. Créer des occasions qui permettent au patient de satisfaire son besoin d'intimité et d'exprimer sa sexualité. a) Encourager le patient à exprimer la tendresse qu'il éprouve pour son conjoint. b) Favoriser les rapports sexuels avec le conjoint si l'intérêt subsiste. c) Isoler le patient des regards s'il se masturbe ou s'il s'exhibe.	1. La satisfaction du besoin d'intimité et de la sexualité augmente le bien-être.	• Le patient a des rapports sexuels avec son conjoint ou adopte un comportement affectueux à son égard. • Il satisfait ses besoins sexuels dans l'intimité et d'une manière acceptable.

Plan de soins infirmiers 22-1 (suite)

Patients atteints de la maladie d'Alzheimer

Interventions infirmières	*Justification*	*Résultats escomptés*
Diagnostic infirmier: Déficit ou excès nutritionnel relié aux altérations cognitives et au déséquilibre entre l'apport alimentaire et les activités		
Objectif: Maintien d'une alimentation adéquate		
1. Surveiller la consommation d'aliments et observer les habitudes alimentaires. a) Noter la perte ou le gain de poids. b) Inciter le patient à consommer suffisamment de liquides. c) Servir les repas à heures régulières.	1. Il faut encourager le patient à manger et le lui rappeler pour qu'il s'alimente de façon appropriée et régulière.	• Le patient a un régime alimentaire équilibré et consomme suffisamment de liquides.
2. Veiller à ce que le repas soit pris dans une ambiance détendue. a) Laisser au patient autant d'autonomie que possible.	a) Pour favoriser autant que possible l'autonomie du patient qui manque de coordination et qui ne peut utiliser des ustensiles, fournir des aliments qu'il peut manger avec les doigts ou du matériel adapté à ses besoins ainsi qu'un grand tablier.	• Le patient exprime ou démontre sa satisfaction et s'alimente avec un maximum d'autonomie.
b) Assurer un cadre paisible et agréable. c) Présenter un choix de mets appétissants. d) Présenter des aliments que le patient connaît.	b-d) Le patient aura du plaisir à manger si les repas se déroulent dans un cadre agréable et si on lui présente des aliments qu'il aime.	
3. Assurer une bonne hygiène bucco-dentaire. a) Aider le patient à se rincer la bouche et à se brosser les gencives et les dents après les repas. b) Inciter le patient à participer à ses soins.	3. Pour maintenir une bonne alimentation, le patient doit avoir de bonnes dents ou une prothèse bien adaptée. S'il oublie ses soins d'hygiène bucco-dentaire, il faut les lui rappeler.	• Le patient se brosse régulièrement les dents et les gencives, s'il est capable, ou un membre de la famille ou du personnel le fait pour lui.
Diagnostic infirmier: Perturbation des habitudes de sommeil reliée à l'anxiété, à la désorientation et à un manque d'équilibre entre l'activité et le repos		
Objectif: Maintien de l'équilibre entre le repos et les activités		
1. Réduire les stimuli au cours de la soirée et de la nuit. a) Réduire les sources de bruit et d'anxiété. b) Éviter de déranger le patient la nuit pour des interventions ou l'administration de médicaments.	1. Si le patient est dans un milieu calme, sa désorientation sera moindre et il aura moins tendance à se montrer hyperactif.	• Le patient a des habitudes de sommeil plus régulières.
2. Prendre les mesures nécessaires pour améliorer la sécurité du patient. a) Garder une veilleuse allumée. b) Bloquer l'accès aux portes donnant vers l'extérieur.	2. On peut ainsi accroître la sécurité du patient qui erre la nuit.	• Le patient adopte moins souvent un comportement d'errance.

Plan de soins infirmiers 22-1 (suite)

Patients atteints de la maladie d'Alzheimer

Interventions infirmières	*Justification*	*Résultats escomptés*
c) Distraire le patient, le surveiller et le garder dans un milieu protégé. d) Fournir au patient un bracelet d'identité.		
3. Améliorer le bien-être du patient s'il se réveille la nuit : a) ne pas utiliser de dispositifs de contention ; b) appliquer des mesures favorisant le bien-être du patient qui se réveille pendant la nuit (un verre de lait chaud, un bain, un massage du dos, de la musique douce).	3. Le patient s'endormira plus facilement, se sentira moins anxieux et éprouvera un plus grand sentiment de bien-être s'il se trouve dans un cadre paisible et agréable.	• Le patient se réveille moins souvent au cours de la nuit.
4. Établir un emploi du temps où le repos et l'activité sont bien équilibrés. a) Augmenter les périodes de veille dans la journée et favoriser de courtes périodes de repos plutôt qu'une longue sieste. b) Encourager le patient à suivre un programme régulier d'exercices et d'activités.	4. Les activités quotidiennes et l'exercice réduisent l'agitation et ont un effet calmant.	• Le patient a des activités quotidiennes et se repose selon un horaire régulier. • Il a un cycle veille-sommeil adéquat.

TROUBLES DU SOMMEIL

Le cycle veille-sommeil se modifie beaucoup avec l'âge. Chez la personne âgée, les périodes de sommeil profond (stade 4) diminuent et les périodes de sommeil léger se font plus nombreuses. Son sommeil est jalonné de nombreux réveils de courte durée qui lui donnent l'impression de souffrir d'insomnie. Les siestes durant la journée et le manque d'activité écourtent aussi le sommeil nocturne. La somnolence est souvent provoquée par l'ennui, la dépression ou une maladie organique. L'arthrite, les courbatures, la nycturie et l'apnée du sommeil peuvent également perturber le sommeil de la personne âgée (voir le chapitre 16).

L'infirmière qui parle de troubles du sommeil avec une personne âgée doit se faire rassurante. Elle doit inciter la personne âgée à pratiquer des activités physiques et lui conseiller la lecture ou un autre passe-temps paisible si elle a du mal à s'endormir. Il faut traiter les symptômes un à un et déconseiller l'utilisation de sédatifs. Chez certaines personnes, un bain chaud ou un verre de lait chaud au coucher peuvent favoriser le sommeil.

AIGREURS D'ESTOMAC ET INDIGESTION

Les aigreurs d'estomac et l'indigestion proviennent du reflux des acides gastriques vers l'œsophage. Les causes courantes sont les repas trop copieux, l'insuffisance du sphincter œsophagien inférieur, l'hernie hiatale, les effets secondaires des médicaments ou une maladie organique.

L'infirmière doit conseiller à la personne âgée de bien mâcher ses aliments, de prendre des repas frugaux, d'éviter les aliments trop épicés et de ne pas se coucher aussitôt le repas terminé. Dans le cas où les symptômes persistent, un examen médical doit être conseillé.

DYSPNÉE

Le déclin normal de la fonction pulmonaire peut expliquer l'essoufflement qui se produit après un exercice physique. L'obésité, l'anémie, le tabagisme, les pneumopathies, les infections respiratoires et les cardiopathies exposent aux difficultés respiratoires. Étant donné que, chez les personnes âgées, les infections des voies respiratoires ne s'accompagne pas toujours de fièvre, l'élévation de la fréquence respiratoire et l'accélération du pouls en sont souvent les premiers signes.

AFFECTIONS DES PIEDS

Il faut accorder une attention toute particulière aux pieds des personnes âgées. La diminution du tissu adipeux sous-cutané réduit le coussin protecteur et rend la peau plus sensible aux lésions. La diminution de l'apport sanguin résultant d'une insuffisance circulatoire prédispose davantage la personne âgée aux infections des pieds et aux complications qu'elles engendrent. Les ongles incarnés, les cors et les callosités sont souvent gênants et peuvent provoquer des infections et la nécrose des tissus. Les ongles d'orteils sont souvent épais et difficiles à couper.

Si la personne âgée est incapable de prendre soin elle-même de ses pieds, l'infirmière doit s'en occuper. Il faut faire tremper les pieds dans de l'eau chaude et bien les sécher. Les débris qui s'accumulent autour des cuticules et entre les orteils doivent être enlevés avec un tissu doux. Les ongles doivent être coupés au-dessus de la gouttière unguéale et limés avec un bâton d'émeri. Il faut appliquer régulièrement de la lotion. Les ongles des orteils du diabétique ne doivent être coupés que par un podiatre ou un pédicure ayant reçu une formation spéciale.

HOSPITALISATION DE LA PERSONNE ÂGÉE: RÉACTIONS NON ADAPTÉES À LA MALADIE

DOULEUR ET FIÈVRE

Chez les personnes âgées, les réactions à la maladie, sur le plan physique et psychologique, peuvent être modifiées par le processus de vieillissement. En effet, la réaction à la douleur est modifiée à cause de la perte de l'acuité tactile, de l'augmentation du temps de réaction et d'une diminution de la capacité d'intégrer l'information. Les recherches ont démontré que 81 % des personnes âgées ayant subi un infarctus du myocarde n'ont pas ressenti de douleurs thoraciques. Chez ces patients, les douleurs thoraciques sont souvent provoquées par une hernie hiatale ou par un trouble des voies gastro-intestinales supérieures. Les affections abdominales aiguës, comme l'infarctus du mésentère et l'appendicite, passent parfois inaperçues chez la personne âgée à cause de signes atypiques et d'absence de douleur.

La personne âgée qui souffre d'une pneumonie ou d'une infection des voies urinaires peut être afébrile ou la fièvre peut se déclarer chez elle avec du retard. La température monte rarement au-dessus de 39,5 °C. L'infirmière doit observer soigneusement le patient pour déceler les signes subtils d'infection, c'est-à-dire le délirium, l'augmentation de la fréquence respiratoire, la tachycardie, la modification de la couleur de la peau du visage et le changement de physionomie.

EFFETS DE LA MALADIE SUR LE PLAN PSYCHOLOGIQUE

Sur le plan psychologique, les personnes âgées peuvent réagir différemment à la maladie. Pour un grand nombre d'entre elles, la bonne santé est l'apanage de la jeunesse. Une maladie qui exige une hospitalisation ou la modification des habitudes de vie menace directement le bien-être. Les personnes âgées craignent par-dessus tout l'hospitalisation et vont tout faire pour l'éviter. Leur anxiété s'intensifie à l'idée qu'elles peuvent devenir un fardeau pour leur famille. L'infirmière doit reconnaître les répercussions de la peur, de l'anxiété et de la dépendance chez ces personnes. Elle doit les inciter à rester autonomes et à continuer de prendre des décisions elles-mêmes. L'infirmière et la famille doivent conserver une attitude confiante et positive à l'égard du patient âgé. Le patient âgé qui est admis dans un centre hospitalier présente non seulement de l'anxiété et de la peur, mais il est fortement prédisposé à la désorientation, aux pertes de mémoire, aux modifications de l'état de conscience, à la désorganisation de la pensée, bref aux nombreux symptômes caractéristiques du délirium.

EFFETS DE LA MALADIE SUR LE PLAN PHYSIOLOGIQUE

La maladie a un effet considérable sur l'organisme de la personne âgée. À cause de la détérioration des appareils et systèmes, certains d'entre eux doivent compenser le mauvais fonctionnement des autres. La maladie surcharge donc les appareils et systèmes de l'organisme qui ne disposent pas de réserves suffisantes. L'homéostasie, ou la capacité de l'organisme à maintenir l'équilibre de son milieu intérieur, est alors menacée. La personne âgée est souvent incapable de réagir adéquatement à une maladie aiguë. Par ailleurs, une maladie chronique compromettra aussi les défenses de l'organisme à plus ou moins brève échéance. Chez les personnes âgées, la maladie a souvent comme première conséquence d'amener des incapacités fonctionnelles qui les limitent considérablement dans la vie quotidienne. Ces incapacités, combinées au processus de vieillissement et à une capacité d'adaptation diminuée, deviennent souvent permanentes.

INFECTION PAR LE VIH ET SIDA

Le syndrome d'immunodéficience acquise (sida) est causé par le virus de l'immunodéficience humaine ou VIH, qui se transmet d'une personne à une autre par le contact avec les liquides biologiques particulièrement par le sang et le sperme. En général, on croit que les personnes âgées ne peuvent pas contracter le virus du sida parce qu'on considère qu'elles n'ont plus de vie sexuelle et que, contrairement aux jeunes, elles ne prennent pas de drogues par voie intraveineuse. Néanmoins, des personnes âgées ont contracté le virus du sida. Il a été démontré que l'homosexualité (surtout chez les hommes), l'utilisation de drogues par voie intraveineuse et la transfusion de sang et de dérivés du sang (particulièrement avant que le dépistage ne devienne obligatoire) constituent des facteurs de risque universels; par conséquent, les personnes âgées ne sont pas épargnées. Chez les personnes de ce groupe d'âge, le diagnostic est d'autant plus difficile que les symptômes du sida sont souvent similaires à ceux d'autres maladies chroniques plus courantes.

Les précautions universelles recommandées par les départements de santé communautaire (DSC) doivent être prises dans tous les milieux de soins, chez tous les patients qui pourraient être séropositifs ou sidéens. L'une des mesures les plus simples et les plus efficaces est le lavage des mains avant et après le contact avec le patient. Il faut également utiliser des barrières protectrices comme les gants, les vêtements protecteurs, le masque et les lunettes de protection lorsqu'il y a risque de contact avec le sang ou d'autres substances liquides biologiques. Il faut également manipuler les aiguilles avec une extrême prudence, et les jeter au rebut en respectant les normes.

Il est particulièrement pénible pour la personne âgée de faire face aux problèmes engendrés par cette maladie. L'absence d'un réseau de soutien solide et la présence d'autres troubles organiques chroniques rendront ces patients particulièrement vulnérables sur le plan physique. L'infirmière doit être sensible aux nombreux problèmes auxquels eux et leur famille doivent se heurter. Elle doit non seulement leur prodiguer des soins physiques et psychologiques, mais aussi leur expliquer comment protéger les autres de l'infection.

PHARMACOTHÉRAPIE CHEZ LES PERSONNES ÂGÉES

Les personnes âgées sont les plus grandes consommatrices de médicaments. Au Québec, 72 % d'entre elles y ont recours et ce pourcentage augmente à 96 % si l'on inclut les médicaments en vente libre. En moyenne, les personnes âgées obtiennent une vingtaine d'ordonnances annuellement. Par ailleurs, une personne âgée sur cinq consomme des tranquillisants ou des somnifères. Les médicaments peuvent avoir un effet bénéfique et améliorer la santé et le bien-être des personnes âgées lorsqu'ils sont pris pour soulager les symptômes, traiter les maladies chroniques et guérir les maladies infectieuses. Toutefois, ils causent de nombreux problèmes quand ils sont mal utilisés. Les médicaments les plus souvent mal utilisés sont les tranquillisants, les sédatifs, les hypnotiques et les antipsychotiques et ceux utilisés pour traiter les maladies cardiovasculaires et les troubles gastro-intestinaux.

Lorsqu'on prescrit un traitement médicamenteux à une personne âgée, il faut tenir compte du fait que tout médicament peut entraîner chez elle des effets secondaires et, par conséquent, retarder ou compromettre sa guérison. Les médicaments peuvent provoquer une perte d'appétit, des nausées et des vomissements, des irritations gastriques, de la constipation ou de la diarrhée et entraver l'absorption des éléments nutritifs. En outre, ils peuvent altérer l'équilibre électrolytique et le métabolisme des glucides et des lipides. Voici des exemples de médicaments qui peuvent altérer l'état nutritionnel: les antiacides (qui produisent une carence en thiamine), les cathartiques (qui diminuent l'absorption de la vitamine B_{12}), les antibiotiques et la phénytoïne (Dilantin®) (qui réduisent l'utilisation de l'acide folique) et les phénothiazines, les œstrogènes et les corticoïdes (qui provoquent un gain d'appétit et de poids).

PHYSIOLOGIE

L'absorption, la distribution, le métabolisme et l'élimination des médicaments changent avec l'âge, puisque la capacité du foie et des reins de les métaboliser et de les excréter diminue et que la circulation et le système nerveux sont moins aptes à s'adapter à l'effet de certains médicaments. (Voir le tableau 12-5, pour des exemples de modifications des réactions aux médicaments chez les personnes âgées.)

Un grand nombre de médicaments et de métabolites sont excrétés par les reins, mais chez de nombreuses personnes âgées, il y a un ralentissement de la sécrétion tubulaire et de la filtration glomérulaire, ce qui a pour effet d'entraver le processus d'élimination. Par ailleurs, chez la personne âgée, le poids corporel, la teneur totale en eau de l'organisme, la masse maigre et le taux d'albumine plasmatique (protéines) diminuent tandis que la quantité de tissus adipeux augmente, ce qui accroît l'effet toxique de plusieurs médicaments (voir le tableau 12-6 pour les effets du vieillissement sur les réactions aux médicaments).

SOINS INFIRMIERS

L'infirmière qui administre des médicaments aux personnes âgées doit savoir ce qui suit:

- Les médicaments couramment prescrits qui sont éliminés principalement par les reins restent plus longtemps dans l'organisme: il faut donc souvent en réduire la posologie. Les surdoses et les intoxications à des posologies habituellement thérapeutiques sont fréquentes.
- À cause de la diminution du débit cardiaque, le médicament est transporté moins rapidement vers l'organe cible ou vers les tissus de stockage.
- Chez les personnes âgées, le système circulatoire et le système nerveux central sont moins aptes à s'adapter à l'effet de certains médicaments, même si les concentrations plasmatiques sont normales.
- La posologie des médicaments doit souvent être déterminée en tenant compte des risques de surdosage et de toxicité, même aux doses thérapeutiques habituelles.
- Les personnes âgées peuvent présenter des réactions paradoxales ou inhabituelles aux médicaments, qui se traduisent par des intoxications et des complications.
- En raison du ralentissement du *métabolisme*, les concentrations tissulaires et plasmatiques de médicaments peuvent augmenter, ce qui en prolonge les effets.
- Nombre de personnes âgées souffrent de plusieurs troubles médicaux concomitants et elles doivent souvent prendre plusieurs médicaments. Par conséquent, les risques d'interactions médicamenteuses sont plus grands sans compter le fait qu'elles prennent souvent en plus un ou plusieurs médicaments en vente libre.
- Si, pour une raison ou une autre, l'infirmière soupçonne que la personne âgée rejette son médicament, elle doit s'assurer qu'elle l'a bien avalé et non gardé entre ses dents ou contre la mâchoire.

AUTOMÉDICATION

Lorsqu'elle enseigne les méthodes d'automédication, l'infirmière doit demander au patient d'en faire la démonstration et de poser des questions afin de s'assurer qu'il a bien assimilé la matière enseignée. Elle ne doit pas perdre de vue que, chez les personnes âgées, les pertes de mémoire, la privation sensorielle et la diminution de la dextérité sont fréquentes.

(suite à la page 588)

TABLEAU 12-5. *Modifications des réactions aux médicaments chez les personnes âgées*

Modification liée à l'âge	*Effets de ces modifications*	*Médicaments en cause*
ABSORPTION		
Augmentation du pH gastrique (milieu moins acide) Réduction de la motilité gastro-intestinale Prolongation de la vidange gastrique	Absorption gastro-intestinale diminuée pour plusieurs types de médicaments et augmentée pour d'autres (moins fréquents)	Absorption diminuée: théophylline Absorption augmentée: quinine
DISTRIBUTION		
Baisse du taux d'albumine et de protéines totales	Altération importante de la liaison du médicament aux protéines plasmatiques (la réaction pharmacologique est provoquée par le médicament libre). Les médicaments qui se lient aux protéines disposent de moins de sites de liaison; par conséquent, leurs effets seront accrus et leur métabolisme ainsi que leur excrétion seront accélérés.	Quelques médicaments se liant fortement aux protéines: furosémide, phénylbutazone, acide salicylique, warfarine, mépéridine, lorazépan, phénytoïne, théophylline, tolbutamire
Réduction du débit cardiaque Altération de la circulation périphérique	Transport moins rapide du médicament vers l'organe cible Diminution de l'irrigation de nombreux organes	
Diminution du volume d'eau de l'organisme (15 %)	Les médicaments hydrosolubles peuvent demeurer plus longtemps dans le sang. Leur durée d'action augmente.	Quelques médicaments hydrosolubles: pénicilline, digoxine
Augmentation du volume de tissus adipeux (25 %)	Les médicaments liposolubles sont moins efficaces car ils sont emmagasinés dans la graisse corporelle; ceci entraîne l'accumulation du médicament, une prolongation du stockage et un retard de l'excrétion.	Quelques médicaments liposolubles: diazépan, lidocaïne, tolbutamine, morphine, éthanol
Diminution de la masse maigre de l'organisme (17 %)	Diminution du volume corporel, ce qui augmente la concentration du médicament.	
MÉTABOLISME		
Réduction du volume du foie Diminution de l'irrigation hépatique Ralentissement des fonctions hépatiques (oxydoréduction et biotransformation)	Ralentissement du métabolisme et dégradation retardée du médicament entraînant une durée d'action prolongée, une accumulation de médicament et un risque d'intoxication accru.	Tous les médicaments métabolisés par le foie
EXCRÉTION		
Ralentissement des fonctions rénales (sécrétions tubulaire et filtration glomarulaire) pouvant aller jusqu'à 50 %	Les métabolites dont le rein n'arrive pas à se débarrasser retournent à la circulation sanguine ce qui augmente la durée d'action. La réduction du rythme d'élimination est en grande partie responsable des réactions d'accumulation médicamenteuse.	Quelques médicaments dont l'action est prolongée: cimétidine, digoxine, lithium, phénobarbital, tétracylines, sulfamides, aminosides

TABLEAU 22-6. *Effets du vieillissement sur la réaction aux médicaments*

Médicaments d'administration fréquente	*Interventions infirmières*
GLUCOSIDES DIGITALIQUES	À administrer avec prudence. L'altération des fonctions rénale et hépatique et les interactions médicamenteuses augmentent les risques d'effets toxiques. Même des doses faibles peuvent entraîner des arythmies et des troubles de conduction. La toxicité et les arythmies sont exacerbées par la fuite du potassium cellulaire. L'administration simultanée de diurétiques ou de corticostéroïdes augmente les risques d'intoxication à la digitaline (les signes courants d'une intoxication à la digitaline sont la fatigue, les troubles visuels, la faiblesse musculaire, les nausées et l'anorexie).
Digoxine	Excrétion rénale du médicament sous une forme inchangée. Habituellement, courte demi-vie de 36 heures. En présence d'une altération rénale, risque d'accumulation médicamenteuse. Effet accru par l'administration concomitante de quinidine.
DIURÉTIQUES	Effets rapides qui peuvent engendrer de l'incontinence. Risque de toxicité médicamenteuse aux doses thérapeutiques habituelles (particulièrement lorsqu'il y a administration concomitante de digitaline et de lithium) entraînant une déshydratation, des déséquilibres électrolytiques (particulièrement une hypokaliémie) et une altération des facultés mentales.
Diurétiques thiazidiques (Dyazide®, Hydro Diuril®)	Effets diurétique et antihypertenseur. Risques d'hyperglycémie, d'hypokaliémie et d'apparition des symptômes de la goutte. Les autres antihypertenseurs ont un effet potentialisateur.
Furosémide (Lasix®)	Risque de diurèse pouvant entraîner une déshydratation, une hypovolémie ou de l'hypotension.
ANTIHYPERTENSEURS	Risques élevés d'hypotension orthostatique, même aux doses habituelles, à cause de l'altération de la réaction des barorécepteurs, de la diminution du tonus veineux (varices) et de la réaction du système cardiovasculaire et du système nerveux autonome attribuables au processus de vieillissement. Risques de sédation, d'impuissance sexuelle et de dépression.
ANTICOAGULANTS	
Héparine	Risque accru d'hémorragie si de l'héparine est administrée en association avec certains anti-inflammatoires non stéroïdiens.
Warfarine (Coumadine®)	Risque accru d'hémorragie aux doses habituelles chez les personnes âgées à cause d'une diminution de la synthèse de la vitamine K et de la fixation aux protéines, ce qui augmente la quantité de médicament libre en circulation. Graves risques d'interaction avec les anti-inflammatoires non stéroïdiens.
ANALGÉSIQUES NARCOTIQUES	Médicaments de choix: morphine, codéine et chlorhydrate de mépéridine (Demerol®). Risques de sédation, d'hallucinations, de constipation, de dépression du système respiratoire et de pharmacodépendance. Cesser l'administration des opiacés si la fréquence respiratoire est inférieure à 14.
ANALGÉSIQUES	(Voir les anti-inflammatoires non stéroïdiens.)
Acide acétylsalicylique (Aspirine®)	Effets analgésiques, antipyrétiques, anti-inflammatoires. Inhibe l'agrégation des plaquettes. Risques de nausées, d'irritation gastrique et d'anémie. Les fortes doses provoquent fréquemment des acouphènes. Risque accru d'hémorragie après un traumatisme ou une intervention chirurgicale.
Acétaminophène (Tylenol®)	Effets analgésiques et antipyrétiques. Action efficace si les douleurs sont faibles. Risque de surdosage dans les cas d'insuffisance hépatique ou rénale.
ANTI-INFLAMMATOIRES NON STÉROÏDIENS Fénoprofène, ibuprofène, naproxène, indométhacine, sulindac, phénylbutazone, etc.	Forte liaison aux protéines. Risque de potentialisation des effets des hypoglycémiants oraux et de la warfarine (Coumadine®); par conséquent, administrer avec prudence en association avec d'autres médicaments. Ne pas administrer dans les cas d'ulcère gastroduodénal en évolution, de maladie hépatique ou de néphropathie. À faibles doses, ces médicaments ont des effets analgésiques et, à doses élevées, des effets anti-inflammatoires. L'aspirine peut modifier les effets analgésiques des anti-inflammatoires non stéroïdiens.
ANTIBIOTIQUES	Risques de nausées, de problèmes digestifs, de surinfection et d'intoxication métabolique. Risques d'allergie même en l'absence d'antécédents; surveiller l'apparition d'un choc anaphylactique, d'œdème et d'éruption cutanée. Les pénicillines contenant du sodium et du potassium peuvent entraîner un déséquilibre électrolytique.

TABLEAU 22-6. (suite)

Médicaments d'administration fréquente	*Interventions infirmières*
SÉDATIFS, HYPNOTIQUES ET ANXIOLYTIQUES	Risques de réactions indésirables telles que désorientation, délirium, hallucinations, chutes, pharmacodépendance, agitation et comportement inadapté. Diminuer les doses.
Barbituriques	À administrer avec prudence aux personnes âgées, car ils provoquent des réactions paradoxales, une dépression respiratoire, de l'agitation et des psychoses.
Benzodiazépines hypnotiques (Dalmane®, Halcion®) Benzodiazépines anxiolytiques (Librium®, Valium®, Xanax®, Ativan®, Serax®, etc.)	Seuil de sensibilité plus élevé et effets nocifs accrus. Ces médicaments restent dans l'organisme plus longtemps en raison du ralentissement du métabolisme hépatique, de la réduction de l'excrétion rénale et de l'augmentation de la captation tissulaire. Des doses plus faibles sont habituellement suffisantes. Une tolérance au médicament peut survenir.
ANTIPSYCHOTIQUES	
Phénothiazines (Mellaril®, Largactil®, Modecate®, Stémétil®) Butyrophénones (Haldol®)	Risques élevés d'effets nocifs graves comme le parkinsonisme et la dyskinésie tardive en raison de la sensibilité accrue au médicament et de l'excrétion ralentie. Étant donné le risque accru d'intoxication, ces médicaments devraient être administrés avec prudence et réservés uniquement aux personnes qui présentent des symptômes graves d'agitation et de psychose.
ANTIDÉPRESSEURS TRICYCLIQUES	
Elavil®, Sinequan®, Tofranil®	Risques d'effets paradoxaux et d'aggravation de la dépression. L'effet thérapeutique ne se manifeste que une à deux semaines après l'administration. Risque de surdosage; à administrer à faibles doses. Contre-indication dans les cas de glaucome à angle fermé.
INHIBITEURS DE LA MONOAMINE OXYDASE	
Antidépresseurs (Marplan®, Nardil®, Parnate®)	En raison des nombreux effets nocifs sur le système nerveux central, le système nerveux autonome et l'appareil cardiovasculaire, ne pas administrer ces médicaments aux personnes de plus de 60 ans.
LAXATIFS	Risque de motilité intestinale accrue, ce qui peut empêcher l'absorption d'autres médicaments. Administrer les laxatifs émollients et les laxatifs augmentant le volume du bol fécal avec beaucoup d'eau à cause du risque de formation d'un fécalome ou d'obstruction du gros intestin.

Pour aider le patient qui doit prendre seul un médicament et pour favoriser l'observance du traitement, l'infirmière doit:

- suggérer l'emploi d'un pilulier, rempli par une personne compétente toutes les semaines;
- expliquer l'effet de chaque médicament, ses effets secondaires et sa posologie;
- écrire lisiblement le schéma posologique;
- conseiller à la personne âgée de demander à son pharmacien des flacons ordinaires plutôt que des flacons munis d'un bouchon de sécurité;
- jeter au rebut les vieux médicaments inutilisés;
- vérifier, à l'occasion, le nombre de comprimés dans le flacon et la conformité avec l'ordonnance;
- recommander au patient de ne pas prendre des médicaments en vente libre sans avoir consulté au préalable un professionnel de la santé;
- recommander au patient d'avaler d'abord une gorgée d'eau puis plusieurs gorgées en même temps que le comprimé pour faciliter la déglutition;
- préciser que les capsules se dissolvent plus rapidement si l'eau est à la température de la pièce plutôt que si elle est glacée.

SITUATION DE LA PERSONNE ÂGÉE DANS LA SOCIÉTÉ

Quatre-vingt-quinze pour cent des personnes âgées vivent à domicile. En 1989, 30 % d'entre elles vivaient seules (dans 80 % des cas, il s'agissait de femmes). Dans le groupe des 65 ans et plus, près de 50 % moins de femmes que d'hommes étaient mariées et vivaient avec leur conjoint (40 % de femmes et 74 % d'hommes). Presque 50 % des femmes de plus de 65 ans, mais seulement 14 % des hommes avaient perdu leur conjoint. Cette différence est attribuable à divers facteurs: l'espérance de vie des femmes est plus longue que celle des hommes; celles-ci ont tendance à se marier avec des hommes plus âgés qu'elles; contrairement aux hommes, elles ne se remarient généralement pas.

VIE FAMILIALE

Il faut tenir compte du contexte familial de la personne âgée lors de la planification des soins et de l'évaluation de sa vie psychosociale. Quand elle devient dépendante, ses soins sont généralement assumés par le conjoint. Si le conjoint disparaît, le réseau naturel d'aide, généralement un des enfants adultes, doit prendre la responsabilité des soins. Pour mener à bien cette tâche, il a besoin d'aide et de soutien moral. La famille est une source importante de soutien pour les personnes âgées. Dans 80 % des cas, les personnes âgées ont des enfants vivants et peuvent compter, dans la même proportion, sur l'aide immédiate de l'un de ceux-ci en cas d'urgence. De plus, entre 50 et 80 % des soins à domicile sont donnés par des membres de la famille ou des substituts.

Le «comportement filial» a été défini en fonction de certaines normes sociales et valeurs culturelles. En effet, la société veut que l'enfant devenu adulte assume la responsabilité du bien-être matériel et physique de ses parents âgés. Les enfants dont les parents sont âgés sont conscients de ces attentes de la société et en sont profondément influencés. La plupart des gens veulent «faire ce que dois» et sont prêts à se conformer aux normes dictées par la société. Malgré toute la responsabilité que l'enfant adulte est prêt à assumer et l'affection qu'il témoigne à ses parents âgés devenus dépendants, de nombreuses tensions sont possibles quand la situation se prolonge. Des études portant sur la relation des parents âgés avec leurs enfants ont démontré que la qualité de sa relation avec les enfants se détériore à mesure que la santé du parent décline. Dans certaines circonstances, à cause des tensions, les personnes âgées peuvent subir des *sévices*. Il s'agit de brimades ou de comportements actifs ou passifs qui portent atteinte à la personne âgée, comme les mauvais traitements physiques ou psychiques, l'abandon, les extorsions, la violation des droits et le refus de prodiguer des soins. Lorsque les signes de tension sont évidents, l'infirmière doit prendre des mesures pour prévenir les mauvais traitements. Tous les membres de l'équipe pluridisciplinaire devraient aider l'adulte qui prend soin d'une personne âgée à mieux se connaître, à prendre conscience de ses besoins d'aide et de support et à mieux comprendre le processus du vieillissement. En même temps, divers réseaux de soutien peuvent être utiles autant à la personne âgée qu'à celle qui lui prodigue des soins. Mais, ce qu'il faut en premier lieu c'est encourager la personne âgée à rester autonome aussi longtemps que possible et à la soutenir en ce sens.

HÉBERGEMENT

Les changements de rôles sociaux, les responsabilités familiales et l'état de santé influent sur le choix de logement de la personne âgée. Dans certains cas, la personne âgée choisit de vivre avec sa famille dans une maison où les générations se côtoient. Dans d'autres cas, elle préfère vivre dans sa propre maison ou son propre appartement dans un quartier où les générations se côtoient également. Certaines personnes âgées choisissent de vivre dans des communautés composées uniquement de retraités et d'établir des rapports sociaux dans un contexte qui exclut les autres générations. Dans certains endroits, l'adulte d'âge avancé peut, grâce à l'aide gouvernementale, bénéficier d'un appartement individuel dans un foyer offrant divers types de services. La personne âgée choisit le logement qui lui convient en fonction de son niveau d'autonomie (tableau 12-6).

Selon le ministère de la Santé et des Services sociaux du Québec, les clientèles autonomes sont «des personnes pouvant contrôler elles-mêmes leur médication et ne nécessitant aucune assistance régulière et continue, tant sur le plan physique que psychique». Cependant, une personne âgée vulnérable en raison d'isolement, d'absence de services d'organisation matérielle, de surveillance et de sécurité est considérée comme une personne autonome dans la mesure où le milieu naturel où elle vit lui permet, par l'intermédiaire de services adaptés, de remédier à ses incapacités et de maintenir un contrôle et une prise en charge de son environnement. Ces personnes peuvent donc vivre dans des ressources résidentielles tout en recevant des services d'organismes publics ou communautaires comme les services à domicile des CLSC, l'assistance bénévole des groupes communautaires, etc. En l'absence de tels services, toutefois, les personnes âgées en perte d'autonomie peuvent avoir besoin d'être orientées vers des ressources intermédiaires protégées ou en hébergement.

Les services offerts par les ressources intermédiaires protégées visent à éviter ou à retarder l'hébergement en établissement par le maintien de l'autonomie de la personne âgée dans un milieu de vie le plus intégré possible à la communauté. Ces ressources ont pour objectif d'assurer des services de protection sociale, d'assistance et de surveillance à des personnes âgées en légère perte d'autonomie physique et psychique. Il existe au Québec trois types de ressources intermédiaires, soit les familles d'accueil, les pavillons gériatriques et les logements en centre d'accueil d'hébergement.

Les services d'accueil se divisent en trois catégories. Il y a d'abord la *famille d'accueil régulière,* qui répond aux besoins ordinaires et courants de la personne âgée et lui offre le gîte, les repas, l'entretien et les soins de base quotidiens nécessaires pour répondre à ses besoins intellectuels, affectifs, physiques et sociaux. La *famille d'accueil spéciale,* en plus d'assumer les responsabilités normales d'une famille d'accueil régulière, répond à des besoins particuliers de personnes âgées présentant une autonomie moins grande ou exigeant davantage de surveillance. Quant à la *famille d'accueil de réadaptation,* elle répond aux besoins de base de la personne âgée tout en contribuant à un programme de réadaptation établi par un établissement offrant des services de réadaptation.

Les *pavillons gériatriques* sont des établissements privés rattachés administrativement et professionnellement par un contrat de biens et services à un centre d'hébergement public. Ils offrent, outre le gîte et le couvert, des services de surveillance, d'assistance, d'animation et de socialisation. Ils d'adressent à des personnes en légère perte d'autonomie qui nécessitent moins de 1,5 heure de soins par jour.

Les *logements en centre d'accueil d'hébergement* sont des appartements de type 1½ et 2½ situés à l'intérieur ou à proximité immédiate de l'établissement lui-même. Ces logements sont destinés à des personnes âgées autonomes mais vulnérables au plan biopsychosocial et des conditions de vie. Pour la plupart, ils n'assurent des services qu'en cas d'urgence. Lorsque la perte d'autonomie devient permanente et trop importante, la personne âgée est admise en milieu d'hébergement.

Les *centres d'hébergement et de soins de longue durée* (CHSLD) assurent quant à eux des services infirmiers et spécialisés aux personnes en grande perte d'autonomie physique et psychique (Demers-Allan, 1988).

Lorsqu'elle aide la personne âgée à répondre à ses besoins en matière de logement, l'infirmière doit tenir compte du niveau d'activité et des contraintes de son patient, de sa situation financière, de la proximité des transports en commun et des services communautaires, des risques liés à l'environnement et des réseaux de soutien. De plus, l'infirmière doit aider son patient à déterminer combien de temps le type de logement choisi pourra lui convenir. Par exemple, une personne âgée souffrant d'une angine bénigne sera peut-être incapable de vivre à l'étage pendant plus d'un an, et il faudra lui conseiller de trouver un appartement au rez-de-chaussée.

Le logement et l'environnement influent énormément sur l'état de santé de la personne âgée. L'environnement peut soutenir ou entraver son fonctionnement physique et social, accroître son énergie ou l'épuiser, et pallier ses déficiences physiques ou les accentuer (problèmes liés à la baisse de la vue et de l'ouïe, par exemple).

Sécurité et bien-être

Parmi les causes de décès des personnes de plus de 65 ans, les accidents se situent au septième rang et les chutes représentent les deux tiers des morts accidentelles. Dans la plupart des cas, sans être mortelles, les chutes menacent la santé et portent atteinte à la qualité de vie des personnes âgées. Les conséquences normales et pathologiques du vieillissement qui contribuent à la fréquence des chutes comprennent les troubles de la vue, comme la perte de la perception des reliefs, la sensibilité aux éblouissements, la diminution de l'acuité visuelle et les problèmes d'accommodation à la lumière; les altérations neurologiques, dont la perte d'équilibre et du sens de la position et un délai de réaction prolongé; les altérations cardiovasculaires entraînant l'hypoxie cérébrale et l'hypotension orthostatique; les altérations cognitives comme la désorientation, la détérioration du jugement et le comportement impulsif; et les altérations de l'appareil locomoteur qui entraînent des modifications dans la posture et une baisse de la force musculaire. La polypharmacie, les interactions médicamenteuses ainsi que l'alcool prédisposent aux chutes attribuables à la somnolence, au manque de coordination et à l'hypotension orthostatique.

L'infirmière doit évaluer les besoins individuels de la personne âgée en matière d'environnement, qu'elle vive à la maison ou en établissement, et inciter celle-ci à modifier son milieu de vie pour accroître son autonomie et sa capacité fonctionnelle et améliorer ainsi sa qualité de vie. Il faut, par exemple, assurer un éclairage approprié, peu éblouissant et qui ne donne pas d'ombres. Pour ce faire, il faut installer des veilleuses et des rideaux en tissu léger qui diffusent la lumière du soleil. La lumière doit être indirecte et les surfaces, mates plutôt que brillantes. On peut aussi peindre la bordure des marches d'escalier d'une couleur vive qui fait contraste et installer des rampes dans la salle de bain. Lorsque son équilibre devient précaire, la personne âgée devrait se servir d'une canne, surtout lorsqu'elle marche dans la rue. Les meubles doivent être confortables et permettre de s'asseoir et de se relever facilement. Les vêtements amples, les souliers mal ajustés, les carpettes, les petits objets épars et les animaux domestiques agités sont autant de facteurs qui augmentent les risques d'accidents. Par ailleurs, la personne âgée se sent en général en sécurité lorsqu'elle connaît son milieu et que les objets et les meubles ne sont pas changés de place. Dans un endroit qui lui est inconnu, il faut la surveiller constamment, l'aider souvent et l'inciter à utiliser une canne, car les risques d'accidents sont bien plus grands.

Respect du besoin d'intimité

La personne âgée doit disposer d'un espace vital où elle se sent en sécurité et où son bien-être et son intimité sont assurés. Ce «territoire» bien à elle peut être une maison, tout comme une seule pièce ou même un coin qui lui est réservé. C'est là qu'elle voudra garder ses trésors et ses souvenirs de toute une vie. L'infirmière peut aider la personne âgée à conserver son espace vital. En cas de déménagement, l'adaptation sera plus facile si elle peut se créer un nouvel espace qui lui appartiendra. Parfois, lorsque l'espace est restreint, la personne âgée donne l'impression qu'elle se complait dans le désordre à cause des nombreux objets dont elle s'entoure, mais il faut comprendre que ces objets ont pour elle une grande importance, car, en raison des souvenirs qu'ils ravivent, ils peuvent améliorer son bien-être.

PROGRAMMES ET SERVICES COMMUNAUTAIRES

Les personnes âgées plus que toutes les autres doivent recourir aux services sanitaires et hospitaliers. En 1989, les soins prodigués aux personnes âgées (qui représentaient 11,3 % de la population) comptaient pour près de la moitié du budget total de la santé. Les maladies chroniques touchent plus que les maladies aiguës les personnes âgées. Plus de 80 % des sujets de 65 ans et plus souffrent d'au moins une maladie chronique. Avec l'âge, les incapacités engendrées par les maladies chroniques rendent la personne âgée incapable d'accomplir toute seule une grande partie des activités de la vie quotidienne. Dans ce domaine, les organismes communautaires peuvent leur fournir une aide concrète dans le cadre de nombreux programmes. Grâce aux soins prodigués à domicile, dans les services de consultations externes des centres hospitaliers ou dans les centres de jour, à des activités de loisirs réservées aux personnes âgées, aux moyens de transport qui sont offerts et aux repas livrés à domicile, elles peuvent rester plus longtemps dans leur milieu. Ainsi, on peut retarder l'hébergement ou même l'éviter.

ASSURANCE-MALADIE

Au Canada, en vertu de la *Loi sur l'assurance-maladie* (1970) et de la *Loi sur les services de santé et les services sociaux* (1971), les personnes âgées, tout comme le reste de la population, bénéficient de soins médicaux gratuits, ce qui est un grand avantage pour les personnes de ce groupe, qui ont une forte fréquence de maladies chroniques et qui sont plus démunies financièrement. En plus, les personnes de 65 ans et plus obtiennent les médicaments d'ordonnance à prix modique et, parfois même, gratuitement.

Les personnes âgées en perte d'autonomie et qui ne peuvent demeurer à domicile sont accueillies dans des centres d'hébergement et de soins de longue durée où elles reçoivent des soins diligents dont les coûts sont déterminés en fonction de leur revenu.

La situation de la personne âgée au Canada pourrait sans doute être grandement améliorée mais il reste que ce pays se situe aux premiers rangs et est un modèle que de nombreux pays aimeraient pouvoir imiter.

SOINS À DOMICILE

La personne âgée préfère habituellement une vie autonome même si elle a du mal à s'occuper de son foyer. Il arrive que ce choix ne concorde pas avec celui de ses enfants adultes. Si la personne âgée est apte à accepter les risques qu'elle court en vivant seule et si ce mode de vie ne met pas les autres en danger, ses enfants devraient comprendre et accepter sa décision. Il existe de nombreux réseaux de soutien qui aident la personne âgée à garder son autonomie. La famille, les amis, les bénévoles et les voisins peuvent tous aider la personne âgée à mener à bien ses activités quotidiennes et lui prêter secours au besoin. Il existe également des organismes communautaires qui offrent certains services comme le soutien moral par téléphone, des visites, des services d'entretien du domicile, la livraison des repas, etc.

Il existe également d'autres services communautaires destinés aux personnes âgées. Les centres de loisirs réservés aux personnes du troisième âge organisent des activités de promotion de la santé et, dans certains endroits, des repas équilibrés sont servis le midi. Dans les centres de jour, les personnes âgées bénéficient de soins infirmiers quotidiens et peuvent établir des rapports sociaux. Grâce à ces services, les membres de la famille peuvent poursuivre leurs activités quotidiennes sans avoir à s'inquiéter de la sécurité et du bien-être de la personne âgée.

PROBLÈMES ÉTHIQUES ET JURIDIQUES

La personne qui n'a jamais fait de plans concernant la gestion de ses biens personnels dans l'éventualité d'une invalidité ou d'un décès aura à faire face à divers problèmes dont la perte de ses droits, la victimisation, etc. En consultant un avocat ou un notaire, la personne âgée pourra faire connaître ses volontés concernant ses biens et sa personne, de façon à conserver son autonomie et sa capacité de décider aussi longtemps que possible. L'infirmière peut inciter la personne âgée à nommer quelqu'un pour la représenter au cas où elle deviendrait inapte.

La procuration est un document légal par lequel la personne âgée peut désigner un représentant pour la gestion de ses biens. Elle doit être faite par une personne considérée apte, mais elle peut rester en vigueur quand la personne sera devenue inapte. Elle consiste à nommer un mandataire pour gérer ses biens et sa personne en cas d'inaptitude. Ce type de mandat est homologué par le tribunal et prend effet quand la personne devient inapte.

Lorsqu'une personne âgée n'a pris aucune disposition et qu'elle se trouve dans l'incapacité de prendre des décisions ou si elle est victime d'agressions, on peut demander un régime de protection (en vertu de la Loi sur le curateur public, 1990). Il existe trois types de régimes de protection, qui dépendent du degré d'inaptitude de la personne. Le premier, et le plus léger, est le conseiller au majeur. Il est destiné aux personnes qui ne sont que partiellement inaptes et sont encore capables de prendre des décisions. Il ne s'applique que pour la gestion des biens. La personne reste autonome et peut prendre les décisions qui la concernent, mais elle doit avoir recours au conseiller pour certaines dépenses (dépenses supérieures à 1000 $, par exemple). Quand le degré d'inaptitude augmente, on a alors recours à la tutelle au majeur. Par ce régime le tribunal nomme un tuteur qui sera chargé de gérer les biens de la personne ou de prendre certaines décisions à sa place. La personne conserve une certaine autonomie, qui est déterminée par le tribunal. Enfin, lorsque l'inaptitude est complète, on a recours à la curatelle au majeur. Dans ce cas, un curateur est nommé pour prendre, au nom de la personne inapte, les décisions concernant ses soins et la gestion de ses biens. Quelque soit le régime de protection choisi, il doit être révisé au moins aux 3 ans.

Dans l'éventualité d'une maladie grave, avec peu d'espoir de rétablissement, la personne âgée peut souhaiter que sa vie ne soit plus prolongée coûte que coûte. Les patients qui refusent les interventions de pointe et l'acharnement thérapeutique peuvent donner des directives anticipées concernant leur traitement médical dans un *testament biologique*. Ce document écrit doit être signé par la personne jugée apte et par deux témoins, puis remis au médecin qui le versera aux dossiers. Le testament biologique n'est pas encore pleinement reconnu par la Loi. L'infirmière peut aider la personne âgée à rédiger ce document et l'inciter à en parler à son médecin. Le médecin doit rédiger et signer l'ordre de ne pas réanimer. En l'absence d'un tel ordre toutes les mesures de réanimation seront prises selon les normes de l'établissement en cas d'urgence.

RÉSUMÉ

Le nombre de personnes de plus de 65 ans ne cesse de croître. L'espérance de vie de ce groupe est également prolongée. Cependant, les troubles de santé, et particulièrement les maladies chroniques, augmentent avec l'âge. Afin de prodiguer les meilleurs soins possible aux personnes âgées, les infirmières doivent travailler au sein d'une équipe pluridisciplinaire et aborder le patient dans une perspective holistique. Elles doivent insister sur la promotion de la santé et favoriser le plus possible l'autonomie.

L'*âgisme* est un préjugé sur la vieillesse et les personnes âgées véhiculé par la société nord-américaine. Nombreuses sont les personnes âgées qui façonnent leur comportement, inconsciemment ou non, en fonction de ce préjugé. Les *stratégies d'adaptation* s'acquièrent tout au long de la vie. L'adulte âgé peut utiliser les mêmes stratégies d'adaptation pour faire face aux pertes qui accompagnent le vieillissement.

Les maladies mentales qui affectent la personne âgée sont divisées en deux catégories: les *maladies fonctionnelles*, caractérisées par un dysfonctionnement émotionnel sans lésion cérébrale, et les *maladies organiques*, caractérisées par un dysfonctionnement cognitif et comportemental provoqué par une atteinte cérébrale ou une maladie généralisée qui affecte le cerveau. La maladie fonctionnelle la plus courante est la *dépression* et la maladie mentale organique la plus courante, la *maladie d'Alzheimer*.

Les modifications physiologiques associées au vieillissement affectent l'absorption, la distribution, le métabolisme et l'excrétion des médicaments. Les personnes âgées sont davantage prédisposées aux effets des *interactions médicamenteuses* et à l'*intoxication par les médicaments*. Par conséquent, il faut leur administrer les médicaments avec prudence. Par ailleurs, les *chutes* sont la principale cause d'accidents chez elles. Pour en réduire les risques, il faut modifier et adapter leur environnement en fonction de leurs besoins.

La maladie chronique est souvent accompagnée d'une perte d'autonomie et de capacités fonctionnelles. L'infirmière doit recommander des *modifications du mode de vie* qui favoriseront le bien-être. D'autre part, les réactions des adultes âgés aux maladies aiguës peuvent être différentes de celles des personnes plus jeunes tant sur le plan physique que sur le plan psychologique. Les réserves de l'organisme et sa capacité de continuer à fonctionner efficacement en présence d'un stress sont réduites.

Si, à un moment donné, la personne âgée doit changer de cadre de vie, les membres de sa famille doivent lui permettre de prendre une décision éclairée dans la mesure où elle peut le faire. Les familles d'accueil, les pavillons gériatriques, les logements protégés ou encore l'hébergement permanent dans un centre d'hébergement et de soins de longue durée constituent des choix à considérer. Lors de la prise d'une décision de cet ordre, il faut évidemment tenir compte de la situation financière de la personne âgée, de son état de santé, de ses besoins et du réseau de soutien auquel elle a accès. Grâce à la prévoyance et à la prise anticipée de dispositions juridiques, la personne âgée pourra plus facilement faire valoir ses droits advenant une incapacité ou une invalidité.

De nombreuses personnes âgées mènent une vie active et satisfaisante. En l'absence de maladie, les facultés cognitives et intellectuelles restent stables tout au long de la vie. De même, malgré le déclin normal du fonctionnement des appareils et systèmes de l'organisme, le fonctionnement du corps reste dans l'ensemble adéquat. Un grand nombre de personnes âgées peuvent demeurer dans leur milieu familier grâce à l'aide fournie par les réseaux de soutien et les organismes communautaires. La famille reste cependant le principal soutien des personnes âgées et la plupart d'entre elles peuvent compter sur son aide pour assurer la majorité des soins à domicile.

Bibliographie

Ouvrages

Aiken LR. Later Life, 3rd ed. Hillsdale, NJ, Lawrence Erlbaum Assoc, 1989.

Berg RL and Cassells JS (eds). The Second Fifty Years: Promoting Health and Preventing Disability. Washington, DC, National Academy Press, 1990.

Berger L et Mailloux-Poirier D. Personnes âgées, une approche globale. Montréal, Éditions Études Vivantes, 1989.

Burggraf V and Stanley M (eds). Nursing the Elderly. Philadelphia, JB Lippincott, 1989.

Burnside IM. Nursing and the Aged, 3rd ed. New York, McGraw-Hill, 1988.

Butler RN and Lewis MI. Aging and Mental Health, 3rd ed. St Louis, CV Mosby, 1982.

Carcio HN. Manual of Health Assessment. Boston, Little, Brown and Co, 1985.

Carnevali DL and Patrick M. Nursing Management for the Elderly, 2nd ed. Philadelphia, JB Lippincott, 1986.

Cook-Deegan RM. Confronting Alzheimer's Disease and Other Dementias. Philadelphia, JB Lippincott, 1988.

Delafuente JC and Stewart RB (eds.). Therapeutics in the Elderly. Baltimore, Williams & Wilkins, 1988.

Demers-Allen A. Connaître les ressources résidentielles et communautaires de son milieu : c'est important ! Conseil de la santé et des services sociaux de la région de Montréal métropolitain, 1988.

Dychtwald K. Wellness and Health Promotion for the Elderly. Rockville, MD, Aspen Systems Corp, 1986.

Eliopoulos C. Caring for the Elderly in Diverse Care Settings. Philadelphia, JB Lippincott, 1989.

Eliopoulos C. Gerontological Nursing, 2nd ed. Philadelphia, JB Lippincott, 1987.

Erikson EH. Childhood and Society, 2nd ed. New York, WW Norton, 1963.

Esberger KK and Hughes ST. Nursing Care of the Aged. Norwalk, CT, Appleton & Lange, 1989.

Fowles DG. A Profile of Older Americans: 1990. American Association of Retired Persons and the Administration on Aging, U.S. Department of Health and Human Services, 1990.

Gouvernement du Québec. Loi sur le curateur public. Québec, Ministère de la justice, 1990.

Havighurst R. Developmental Tasks and Education, 3rd ed. New York, David McKay, 1972.

Kenney RA. Physiology of Aging: A Synopsis, 2nd ed. Chicago, Year Book Medical Pub, 1989.

Lavizzo-Mourey R et al. Practicing Prevention for the Elderly. Philadelphia, Hanley & Belfus, 1989.

Lévesque L, Roux C et Lauzon S. Alzheimer, comprendre pour mieux aider. Ottawa, Éditions du Renouveau Pédagogique Inc., 1990.

Mace NL and Rabins PV. The 36-Hour Day. Baltimore, The Johns Hopkins Press, 1981.

Maheu SE. Guide de formation destiné aux animateurs de groupes de soutien Alzheimer. Société Alzheimer de Montréal, 1991.

Matteson MA and McConnell ES. Gerontological Nursing: Concepts and Practice. Philadelphia, WB Saunders, 1988.

Malseed RT and Harrigan GS. Textbook of Pharmacology and Nursing Care. Philadelphia, JB Lippincott, 1989.

Mini DSM-III-R. Critères diagnostiques. 2e éd., Masson, 1990.

National Council on Patient Information and Education. Priorities and Approaches for Improving Prescription Medicine Use by Older Americans. Washington, DC, The National Council on Patient Information and Education, 1987.

Subcommittee on the 10th Edition of the RDAs Food and Nutrition Board, Commission on Life Sciences, National Research Council. Recommended Dietary Allowances. Washington, DC, National Academy Press, 1989.

Taira F. Independence: Building Upon the Strengths of Aging People. Lancaster, PA, Technomic Publishing Co, 1988.

U.S. Department of Health and Human Services. The Surgeon General's Report on Nutrition and Health. DHHS (PHS) Publication No. 88-50210, 1988.

U.S. Senate Special Committee on Aging. Aging America: Trends and Projections. Washington, DC, Department of Health and Human Services Serial No. 101-J, February 1990.

Wolfe SM et al. Worst Pills Best Pills. Washington, DC, Public Citizen Research Group, 1988.

Revues

Les articles de recherche en sciences infirmières sont marqués d'un astérisque.

Achenbaum WA and Levin JS. What does gerontology mean? Gerontologist 1989 Jun; 29(3):393–400.

Bayer AJ et al. Changing presentation of myocardial infarction with increasing old age. J Am Geriatr Soc 1986 Apr; 34(4):263–266.

Berryman E et al. Point by point: Predicting elders' falls. Geriatr Nurs 1989 Jul/Aug; 10(4):199–201.

Blazer D. Depression in the elderly. N Engl J Med 1989 Jan 19; 320(3): 164–166.

* Brink C, Wells T, and Diokno A. Urinary incontinence in women. Public Health Nursing 1987 Jun; 4(2):114–119.

* Burgio LD, Jones LT, and Engel BT. Studying incontinence in an urban nursing home. J Gerontol Nurs 1988 Apr; 14(4):40-45.

Christian E, Dluhy N, and O'Neill R. Sounds of silence: Coping with hearing loss and loneliness. J Gerontol Nurs 1989 Nov; 15(11):4-9.

Clark NM et al. Development of self-management education for elderly patients. Gerontologist 1988 Aug; 28(4):491-494.

Coralli C, Raisz LG, and Wood CL. Osteoporosis: Significance, risk factors and treatment. Nurse Pract 1986 Sep; 11(9):16-35.

Cowart BJ. Age-related changes in taste and smell. Pride Institute J Long Term Home Health Care 1988 Winter; 7(1):23-32.

Denny MS, Koren ME, and Wisby M. Gynecological health needs of elderly women. J Gerontol Nurs 1989 Jan; 15(1):33-38.

Dieckmann L et al. The Alzheimer's disease knowledge test. Gerontologist 1988 Jun; 28(3):402-407.

Dreyfus JK. Depression assessment and interventions in the medically ill frail elderly. J Gerontol Nurs 1988 Sep; 14(9):27-36.

Duffy LM et al. A research agenda in care for patients with Alzheimer's disease. Image 1989 Winter; 21(4):254-257.

Ellickson EB. Bowel management plan for the homebound elderly. J Gerontol Nurs 1988 Jan; 14(1):16-19.

Evans DA et al. Prevalence of Alzheimer disease in a community population of older persons. JAMA 1989 Nov 10; 262(18):2551-2556.

Fawdry K and Berry ML. Fear of senility: The nurse's role in managing reversible confusion. J Gerontol Nurs 1989 Apr; 15(4):17-21.

Goldsmith SR and Marx S. Updated use of digitalis and nitrates in the elderly. Geriatrics 1988 Jan; 43(1):71-94.

* Gomez G and Gomez EA. Dementia? Or delirium. Geriatr Nurs 1989 May/Jun; 10(3):141-142.

Gueldner SH and Spradley J. Outdoor walking lowers fatigue. J Gerontol Nurs 1988 Oct; 14(10):1-12.

Hall GR. Alterations in thought process. J Gerontol Nurs 1988 Mar; 14(3):30-37.

Haight BK. Nursing research in long-term care facilities (1984-1988). Nurs Health Care 1989 Mar; 10(3):147-150.

Hommel PA and Wood EF. Guardianship. Aging 1990; 360:6-12.

Iverson-Carpenter MS et al. Fulfilling nutritional requirements. J Gerontol Nurs 1988 Apr; 14(4):16-24.

Jackson MF. High risk surgical patients. J Gerontol Nurs 1988 Jan; 14(1):8-15.

* Johnston L and Gueldner SH. Remember when . . . ? Using mnemonics to boost memory in the elderly. J Gerontol Nurs 1989 Aug; 15(8):22-26.

Job S and Anema MG. Elder care: Ethical dimensions. J Gerontol Nurs 1988 Dec; 14(12):16-19.

Kannel W et al. Prevention of cardiovascular disease in the elderly. J Am Coll Cardiol 1987 Aug; 10(2, Suppl A):25A-28A.

Kaplan H. Communication problems of the hearing-impaired elderly: What can be done? Pride Institute J Long Term Home Health Care 1988 Winter; 7(1):10-22.

Kolcaba K and Miller CA. Geropharmacology treatment: Behavioral problems extend nursing responsibility. J Gerontol Nurs 1989 May; 15(5):29-35.

Kurfees JF and Dotson RL. Drug interactions in the elderly. J Fam Pract 1987; 25(5):477-488.

Lamy PP. The elderly and drug interactions. J Am Geriatr Soc 1986 Aug; 34(8):586-592.

Levin WC. Age stereotyping. Res Aging 1988 Mar; 10(3):134-148.

Linderborn KM. The need to assess dementia. J Gerontol Nurs 1988 Jan; 14(1):35-39.

Lipowski ZJ. Delirium (acute confusional states). JAMA 1987 Oct 2; 258(13):1789-1792.

Longino CF. Who are the oldest Americans? Gerontologist 1988 Aug; 28(4):515-523.

Luxton L. Visual impairments in the elderly: A composite look. Pride Institute J Long Term Home Health Care 1988 Winter; 7(1):3-9.

Madson S. How to reduce the risk of postmenopausal osteoporosis. J Gerontol Nurs 1989 Sep; 15(9):20-24.

Marx JL. Brain protein yields clues to Alzheimer's disease. Science 1989 Mar 31; 243(31):1664-1666.

Mayeux R et al. Risk of dementia in first-degree relatives of patients with Alzheimer's disease and related disorders. Arch Neurol 1991 Mar; 48:1991.

McCormick KA, Schere AAS, and Leaky E. Nursing management of urinary incontinence in geriatric patients. Nurs Clin North Am 1988; 23(1):231-264.

McShane RE and McLane AM. Constipation: Impact of etiological factors. J Gerontol Nurs 1988 Apr; 14(4):35-39.

Newbern VB. Is it really Alzheimer's? Am J Nurs 1991 Feb; 91(2):50-56.

Newman DK. The treatment of urinary incontinence in adults. Nurse Pract 1989 Jun; 14(6):21-32.

Newman DK and Smith DA. Incontinence: The problem patients won't talk about. RN 1989 Mar; 52(3):42-45.

Oesting HH and Manza RJ. Sleep apnea. Geriatr Nurs 1988 Jul/Aug; 9(4):232-233.

O'Leary PA et al. Gerontological research: Is it useful for nursing practice? J Gerontol Nurs 1990 May; 16(5):28-32.

Palmer MH. Incontinence. Nurs Clin North Am 1988; 23(1):139-157.

* Patsdaughter CA and Pesznecker BL. Medication regimens and the elderly home care client. J Gerontol Nurs 1988 Oct; 14(10):30-34.

Penn C. Promoting independence. J Gerontol Nurs 1988 Mar; 14(3):14-19.

Resnick BM. Care for life. Geriatr Nurs 1989 May/Jun; 10(3):130-132.

Rossor M. Alzheimer's disease: The entity and its cause. Biochem Soc Trans 1989 Feb; 17(1):67-69.

Rozzini R et al. Depression, life events and somatic symptoms. Gerontologist 1988 Apr; 28(2):229-232.

Schafer SL. An aggressive approach to promoting health responsibility. J Gerontol Nurs 1989 Apr; 15(4):22-27.

* Schank MJ and Lough MA. Maintaining health and independence of elderly women. J Gerontol Nurs 1989 Jun; 15(6):8-11.

* Scura KW and Whipple B. Older adults as an HIV-positive risk group. J Gerontol Nurs 1990 Feb; 16(2):6-10.

Selkoe DJ. Aging, amyloid, and Alzheimer's disease. N Engl J Med 1989 Jun 1; 320(22):1484-1486.

Soderlind S. Weaving a safety net. Geriatr Nurs 1989 Jul/Aug; 10(4):187-189.

Spellbring AM et al. Improving safety for hospitalized elderly. J Gerontol Nurs 1988 Feb; 14(2):31-37.

Strumpf NE. A new age for elderly care. Nurs Health Care 1987 Oct; 8(10):445-448.

Tideiksaar R and Kay AD. What causes falls? A logical diagnostic procedure. Geriatrics 1986 Dec; 41(12):32-50.

* Trice LB. Meaningful life experience to the elderly. Image: Journal of Nursing Scholarship 1990 Winter; 22(4):248-251.

* Wagnild G and Young HM. Resilience among older women. Image: Journal of Nursing Scholarship 1990 Winter; 22(4):252-255.

Webster JA. Key to health aging: Exercise. J Gerontol Nurs 1988 Dec; 14(12):8-15.

Whipple B and Scura KW. HIV and the older adult: Taking the necessary precautions. J Gerontol Nurs 1989 Sep: 15(9):15-19.

White J. Osteoporosis: Strategies for prevention. Nurs Pract 1986 Sep; 11(9):36-50.

Whiteman KF. Why bother about flu shots? Am J Nurs 1987 Nov; 87(11):1408-1413.

Wright BA and Staats DO. The geriatric implications of fecal impaction. Nurse Pract 1986 Oct; 11(10):53-66.

Information/ressources

Organismes

Administration on Aging
330 Independence Ave. SW, Room 4146, Washington, DC 20201, (202) 245-2158

Alzheimer's Association
70 East Lake St., Suite 600, Chicago, IL 60601, (312) 853-3060

The American Association for International Aging
1511 K Street NW, Suite 443, Washington, DC 20005, (202) 638-6815

American Association of Homes for the Aging
1129 20 St. NW, Suite 400, Washington, DC 20036-3489, (202) 296-5960

American Association of Retired Persons
1909 K St. NW, Washington, DC 20049, (202) 728-4200

American College of Health Care Administrators
325 S. Patrick St., Alexandria, VA 22314, (703) 549-5822

American Council of the Blind
1010 Vermont Ave. NW, Suite 1100, Washington, DC 20005, (202) 393-3666

American Federation for Aging Research (AFAR)
725 Park Ave., New York, NY 10021, (212) 570-2090

American Foundation for the Blind
1660 L St. NW, Suite 214, Washington, DC 20036, (202) 467-5996

American Geriatrics Society, Inc.
770 Lexington Ave., Suite 400, New York, NY 10021, (212) 308-1414

American Health Care Association
1201 L St. NW, Washington, DC 20005, (202) 842-8444

American Society on Aging
833 Market St., Suite 516, San Francisco, CA 94130, (415) 543-2617

Association for Gerontology in Higher Education (AGHE), 600 Maryland Ave. SW, West Wing, Suite 204, Washington, DC 20024 (202) 484-7505.

Gerontological Society of America
1275 K. St. NW, Suite 350, Washington, DC 20005-4006, (202) 842-1275

Gray Panthers
311 S. Juniper St., Suite 601, Philadelphia, PA 19107, (215) 545-6555

Legal Research and Services for the Elderly
925 15th St. NW, Washington, DC 20005, (202) 347-8800

National Clearinghouse on Technology and Aging
University Center on Aging, University of Massachusetts Medical Center, 55 Lake Ave. North, Worcester, MA 01655, (617) 856-3662

National Council on the Aging, Inc.
600 Maryland Ave. SW, West Wing 100, Washington, DC 20024, (202) 479-1200

Organisme d'aide

Société Alzheimer de Montréal
3974, Notre-Dame Ouest
Montréal (Québec)
H4C 1R1
(514) 931-4211

23 SITUATION DES SANS-ABRI EN AMÉRIQUE DU NORD

SOMMAIRE

OBJECTIFS D'APPRENTISSAGE

Après avoir étudié ce chapitre vous devriez être en mesure de réaliser ce qui suit:

1. *Définir le problème de santé et de société que pose l'itinérance.*
2. *Connaître les nombreux problèmes de santé qui affectent la population générale des itinérants adultes et la sous-population des sans-abri âgés.*
3. *Énumérer les rôles joués par l'infirmière dans ses interventions en matière de santé des sans-abri.*

La situation des sans-abri en Amérique du Nord est un problème social majeur. Ces personnes, qui souffrent souvent de plusieurs maladies, refusent parfois les soins ou ne savent pas comment les obtenir. Étant donné leur mode de vie, le moindre problème de santé s'envenime. Lorsqu'il est malade, le sans-abri attend trop longtemps avant de consulter, et son état se détériore donc beaucoup plus rapidement. Pour toutes ces raisons, les taux de morbidité et de mortalité sont plus élevés dans cette clientèle.

Les infirmières ont compté parmi les premiers intervenants à dispenser des soins de santé aux itinérants. Elles œuvrent aujourd'hui dans les refuges de dépannage, les centres d'hébergement et les centres de jour. Elles participent également à divers programmes pilotes, comme les cliniques de rue et l'intervention de type «outreach», où l'on fait des démarches pour offrir des services aux gens là où ils sont (dans la rue, dans les refuges, etc.). Lorsqu'elles s'occupent des sans-abri hospitalisés, elles leur prodiguent des soins spécialisés et leur procurent un répit.

Dans leur travail avec les personnes itinérantes, les infirmières doivent faire preuve de souplesse et de créativité, mais aussi être capables de pratiquer dans des conditions peu communes et être prêtes à faire face à un feu croisé de problèmes complexes.

Nous présentons dans ce chapitre les divers problèmes de santé dont souffrent les sans-abri, les interventions infirmières qui s'y appliquent et les rôles que l'infirmière peut jouer auprès d'eux. Bien que les sans-abri forment un groupe hétérogène où l'on retrouve des gens de tous les âges, nous traiterons surtout ici des besoins en matière de santé des sans-abri adultes.

DESCRIPTION DU PROBLÈME ET DE LA POPULATION DES SANS-ABRI

INCIDENCE

Il est difficile d'évaluer le nombre de sans-abri au Québec mais selon les estimations les plus récentes, de 8 000 à 13 000 personnes vivent dans la rue à Montréal (Fournier, 1991). Le recensement des sans-abri est d'autant plus difficile qu'il est impossible de circonscrire avec précision cette population du fait de son itinérance. De plus, la notion de gîte est assez floue. Certains considèrent que ceux qui n'ont pas de gîte acceptable et vivent sous le seuil de la pauvreté sont des sans-abri, alors que pour d'autres les sans-abri sont ceux qui vivent dans la rue et dorment dans les refuges. D'autres encore incluent dans ce groupe les personnes âgées qui attendent dans les centres hospitaliers d'être admises dans un centre d'accueil. La définition donnée aux sans-abri est donc arbitraire et influencée par des mobiles idéologiques et politiques.

CAUSES DE L'ITINÉRANCE

Les causes de l'itinérance sont complexes et imbriquées. Citons entre autres l'embourgeoisement des quartiers du centre-ville (remplacement des habitations à prix modique par des immeubles luxueux), la désinstitutionnalisation des malades mentaux, le chômage, l'alcoolisme, la toxicomanie, le prix élevé des loyers, les lacunes du système d'assistance sociale, l'éclatement des familles et l'effondrement de l'économie.

COMPOSITION DE LA POPULATION DE SANS-ABRI

Les sans-abri forment un groupe hétérogène composé d'adultes célibataires, de familles, de femmes victimes de violence, de jeunes fugueurs, de personnes sidéennes ou séropositives et de toxicomanes à l'écart des réseaux sanitaires et ayant épuisé toutes leurs ressources. Il faut cependant préciser que cette population est très mouvante. Bien que le clochard souffrant de maladie mentale semble le stéréotype de l'itinérant, des jeunes et des femmes viennent de plus en plus grossir les rangs des sans-abri. De plus, on s'attend à une croissance exponentielle du nombre de sans-abri atteints du sida.

RÉPARTITION SELON LE SEXE

Dans l'ensemble, environ 85 % des célibataires sans abri sont des hommes, mais le pourcentage des femmes augmente sans cesse (L. Fournier, 1991)

RÉPARTITION SELON L'ÂGE

Si au début des années 70, l'âge moyen des itinérants était de 50 ans, il avait baissé de façon spectaculaire dans les années 80 et se situait autour de 35 ans. Au Québec, en 1988-1989, l'âge moyen était de 41,9 ans. Les femmes faisant partie de cette population sont en général bien plus jeunes, leur moyenne d'âge étant de 37,5 ans (Fournier, 1991).

GROUPES ETHNIQUES ET CLASSES SOCIALES

Au Québec les sans-abri sont presque en grande majorité de race blanche (94,2 %). Seulement 3,1 % d'entre eux sont de race noire et 2,7 % sont des Amérindiens ou des Inuit (Fournier, 1991).

Le niveau de scolarité a été le paramètre le plus fréquemment évalué pour déterminer les classes sociales auxquelles appartenaient les sans-abri. Selon les études faites sur le sujet, le niveau d'instruction des sans-abri est en moyenne légèrement inférieur à celui de la population générale (Fischer et coll., 1986; Fournier, 1991). Par ailleurs, la plupart des itinérants sont chômeurs; parmi ceux qui travaillent, la majorité exécutent de petits travaux manuels mal payés (Struening, 1986; Fournier, 1991).

RÉPARTITION GÉOGRAPHIQUE

La plupart des études sur les sans-abri ont été menées dans de grandes agglomérations urbaines. Cependant, l'itinérance existe également dans les régions rurales.

ÉTAT CIVIL

Toutes les études montrent un niveau élevé de désaffiliation sociale chez les sans-abri (Fischer et coll., 1986; Rossi et coll., 1987; Bassuk et coll., 1984). La plupart d'entre eux sont séparés, divorcés ou veufs. L'incidence pour chacune de ces catégories est beaucoup plus élevée que dans la population générale.

VIE DES SANS-ABRI

Les sans-abri vivent dans la rue, sous les ponts, dans les terminus d'autobus, les gares et les stations de métro ainsi que dans les immeubles abandonnés. Ils forment la majorité de la clientèle des soupes populaires, des centres de jour, des refuges et des hôtels bon marché. Pour se réchauffer, ils se font admettre dans les services d'urgence, les centres hospitaliers, les prisons ou les hôpitaux psychiatriques. Les plus chanceux sont inscrits dans les programmes gouvernementaux destinés à les reloger de façon permanente ou provisoire. Autrement, les possibilités d'hébergement offertes aux sans-abri sont presque toujours temporaires. Certains itinérants logent pendant un certain temps chez des amis ou des parents, mais quand ils deviennent un fardeau trop lourd, ils doivent retourner à la rue. Les femmes sans abri ont souvent recours à la prostitution pour se trouver un gîte pour la nuit.

La vie des sans-abri n'est pas facile. On a étudié l'emploi du temps des sans-abri, et on s'est rendu compte qu'il était extrêmement chargé et que les aléas de l'itinérance en faisaient une occupation à temps plein (Baxter et Hopper, 1981 ; Strasser, 1978). Beaucoup d'itinérants doivent se lever très tôt le matin parce qu'ils dorment dans un refuge qui est utilisé à d'autres fins durant le jour. Ils doivent changer d'endroit sans arrêt, car les policiers ne les tolèrent pas dans le métro aux heures de pointe ; ils doivent aussi se déplacer d'un bout à l'autre de la ville et marcher des kilomètres pour se nourrir dans les soupes populaires, faire la tournée des refuges afin de se trouver une place pour la nuit, prendre des mesures pour se protéger des individus dangereux qui se trouvent dans ces refuges et faire la tournée des centres qui leur offrent certains services (vêtements, etc.). En outre, certains sans-abri occupent un emploi à temps plein ou à temps partiel (livraison de circulaires, par exemple).

L'itinérance ayant pris des proportions endémiques, il a fallu mettre sur pied un réseau de services : soupes populaires, accueil dans des refuges ou des centres de jour, interventions dans la rue et hébergement dans des chambres subventionnées. Ces services sont cependant souvent insuffisants et fragmentaires.

SOUPES POPULAIRES

Les soupes populaires offrent des repas gratuits aux sans-abri dans la plupart des agglomérations urbaines. Grâce au bouche à oreille, les sans-abri obtiennent des renseignements sur les adresses, les heures de service et la qualité de la nourriture. Le service est généralement assuré par les membres d'organismes à but non lucratif qui disposent d'un budget restreint et comptent largement sur l'aide de bénévoles pour fonctionner. La nourriture provient de stocks alimentaires invendus récupérés dans certains cas par Moisson Montréal. Les épiceries font don de produits invendus ou de boîtes de conserve abîmées, et les boulangeries envoient du pain de la veille. Certaines soupes populaires dispensent également sur les lieux des soins de santé et d'autres services tels que l'assistance juridique et de l'information sur l'aide sociale.

REFUGES

À l'origine, les refuges ont été créés pour répondre provisoirement à une situation d'urgence. Mais le provisoire s'est transformé en permanent, et certains refuges accueillent des itinérants depuis plus de 10 ans. Les refuges varient énormément quant aux dimensions et à la qualité des services offerts. Généralement, ils recueillent une clientèle de passage, mais certains clients sont des habitués. Les hommes et les femmes sont la plupart du temps logés séparément. Certains refuges refusent l'entrée aux personnes qui sont sous l'influence de l'alcool ou de drogues ou qui souffrent d'une maladie physique ou mentale. Néanmoins, dans l'ensemble, une bonne partie de la clientèle se compose de personnes souffrant à la fois de toxicomanie et d'un trouble mental qui ont été renvoyées de tous les autres centres d'hébergement et qui deviennent finalement des résidents permanents. Les intervenants employés dans ces refuges n'ont généralement pas reçu de formation spécialisée. Cependant, certains refuges offrent les services d'équipes multidisciplinaires composées d'infirmières, de travailleurs sociaux, de médecins et de conseillers spécialisés dans les problèmes de toxicomanie.

HÔTELS

Dans certaines villes, des hôtels bon marché accueillent des sans-abri. Ces hôtels sont souvent situés dans des quartiers défavorisés et surtout fréquentés par des trafiquants de drogue, des prostituées et de vieux clochards alcooliques.

INTERVENTION DANS LA RUE

Le principal objectif des équipes d'intervenants qui œuvrent dans la rue est d'inciter les sans-abri à recourir aux services qui leur sont offerts et à se trouver un logement permanent. La plupart de ces équipes interviennent auprès des itinérants souffrant de maladie mentale. Elles répartissent leurs interventions entre les refuges, les centres de jour et la rue, et offrent à leurs protégés du café et des sandwiches ; elles leur offrent quelquefois des cigarettes comme gage d'intérêt et de compréhension.

Ces intervenants doivent être doués d'une énorme patience, car les sans-abri souffrant d'une maladie mentale refusent tout traitement, et leurs priorités divergent radicalement de celles des professionnels de la santé. Quand un sans-abri contacte un intervenant de la rue, celui-ci peut commencer à l'aider à obtenir des services (assistance sociale, soins médicaux ou psychiatriques, aide financière). Si la personne est dangereuse pour elle-même ou pour les autres, l'équipe fait des démarches pour obtenir une «cure fermée».

AUTRES FORMES D'HÉBERGEMENT

Les centres d'accueil permanents ou provisoires constituent souvent la meilleure forme d'hébergement pour les sans-abri. Les organismes gouvernementaux ont mis sur pied plusieurs programmes destinés à des groupes particuliers de sans-abri. Bien que les principes qui gouvernent ces programmes diffèrent, ils ont en commun plusieurs éléments de base : ils offrent généralement un loyer abordable et des services comme le soutien psychothérapeutique, l'administration des chèques et la distribution des médicaments. La clientèle a aussi l'occasion de nouer des contacts sociaux, et on y assure des services d'intervention en situation de crise.

DIFFÉRENTES FORMES DE SOUTIEN SOCIAL

Bien que les sans-abri soient souvent traités en parias, ils ont quand même certains rapports sociaux avec d'autres itinérants, des commerçants, des membres du clergé ou avec des particuliers qui tentent de les aider.

MALADIES QUI AFFECTENT LES SANS-ABRI

Les sans-abri souffrent souvent de plusieurs maladies et leur état de santé est précaire. Les soins de santé leur sont parfois inaccessibles parce qu'ils ont perdu leur carte d'assurance-maladie.

La *comorbidité*, c'est-à-dire l'existence de plusieurs maladies simultanément, est un problème courant chez les itinérants. Selon une étude, presque la moitié des sans-abri souffriraient d'une maladie mentale grave concurremment avec plusieurs maladies physiques (Breakey et coll., 1989).

MALADIES PHYSIQUES

De nombreux chercheurs ont évalué les taux de morbidité et de mortalité qui prévalent dans cette population (Wright et Weber, 1987; Gelberg et Linn, 1989; Breakey et coll., 1989). Selon Breakey et ses collaborateurs, les hommes avaient en moyenne 8,3 problèmes de santé, tandis que les femmes en avaient en moyenne 9,2. D'autres études portant sur les sans-abri rapportent que le tiers des sujets se disent en mauvaise santé (Rossi et coll., 1987; Robertson et Cousineu, 1986). Le sans-abri peut être affecté par n'importe laquelle des maladies dont il est question dans ce manuel (Raynault, 1991).

Bon nombre des problèmes que vivent les sans-abri sont liés à leurs conditions de vie: ils ne sont pas protégés des grandes chaleurs ou des grands froids, et ce problème est aggravé par le manque de nourriture, de vêtements et de sommeil. D'après certaines recherches, les sans-abri qui sont hébergés dans les refuges se portent mieux que ceux qui vivent dans la rue (Gelberg et Linn, 1989).

Chez les sans-abri, les traumatismes, la tuberculose, les infections des voies respiratoires, la malnutrition et l'anémie, la pédiculose et la gale, les maladies vasculaires périphériques, les maladies transmissibles sexuellement, les problèmes dentaires, l'arthrite, l'hypothermie et les affections des pieds sont très fréquents.

Traumatismes

Ce sont surtout les traumatismes qui amènent les sans-abri à l'urgence des centres hospitaliers. Les accidents sont l'une des principales causes de décès dans cette population (Wright et Weber, 1987). Les sans-abri sont souvent victimes d'actes de violence. Une étude rapporte que près de 75 % des sujets interrogés ont été agressés au cours de l'année précédente (Gelberg et Linn, 1989). Selon une autre étude couvrant une période de un an, 26 % des itinérants interrogés se sont fait voler de l'argent et 59 % des objets personnels, 24 % ont été menacés d'une arme à feu, d'un couteau ou d'une autre arme, et 18 % ont été battus (Struening, 1986). Par ailleurs, le viol tant homosexuel qu'hétérosexuel est pratique courante dans cette population (Institute of Medicine, 1988). Un tiers des femmes sans abri interrogées dans le cadre d'une étude sur les itinérants ont dit avoir été violées (Breakey et coll., 1989).

Tuberculose

La tuberculose est fréquente chez les sans-abri. La promiscuité forcée dans des espaces mal aérés, associée à une mauvaise alimentation, augmentent encore les risques. Aux États-Unis, les taux de tuberculose cliniquement active chez les sans-abri adultes se situent entre 1,6 et 6,8 % (Schieffelbein et Snider, 1988) et la prévalence de la maladie à l'état latent est encore plus élevée (Morris et Crystal, 1989). Étant donné que la tuberculose est contagieuse et qu'elle peut être mortelle si elle n'est pas traitée, il est important de rechercher les cas dans ce groupe à risque élevé. Les personnes qui souffrent du syndrome de l'immunodéficience acquise (sida) sont particulièrement vulnérables à la tuberculose. Une étude a permis de constater que 87 % des hommes sans abri souffrant de tuberculose active étaient aussi atteints du sida (Torres et coll., 1990). Il est important de noter que les défenses immunitaires des sans-abri séropositifs sont si affaiblies que les cutiréactions (par des dérivés de protéines purifiées) et les radiographies thoraciques peuvent donner des résultats faussement négatifs.

Il est souvent difficile de traiter la tuberculose chez un sans-abri, car celui-ci doit prendre plusieurs médicaments pendant plusieurs mois. Ramsden estime que seulement le tiers des sans-abri seraient capables de suivre un tel traitement jusqu'au bout (Ramsden et coll., 1988). Or, les personnes qui ne suivent pas le traitement jusqu'au bout développent des souches résistantes au bacille de la tuberculose.

Certaines villes américaines ont créé des programmes de supervision des traitements grâce auxquels des intervenants se rendent chaque jour chez les patients pour leur administrer leurs médicaments. Les *Centers for Disease Control* américains recommandent un traitement intensif de six mois avec plusieurs médicaments et proposent divers protocoles de traitement de la tuberculose à raison de trois ou de cinq jours par semaine s'il est impossible de s'assurer que le patient suit bien son traitement. Certains chercheurs recommandent un traitement à vie de la tuberculose latente chez les patients séropositifs ou sidéens.

Pour réduire la fréquence de cette maladie parmi les sans-abri, il faudrait créer plus de refuges pour éviter le surpeuplement et veiller à ce que ceux-ci soient bien aérés et ensoleillés, car les rayons ultraviolets préviennent la propagation de l'infection (Stead, 1989; Nardell, 1989). Les intervenants qui travaillent dans les refuges devraient subir des examens de dépistage de la tuberculose par cutiréaction avec un dérivé de protéines purifiées au moins une fois par année.

Infection des voies respiratoires

Chez les sans-abri comme dans le reste de la population, l'infection des voies respiratoires supérieures est le problème de santé le plus répandu (Wright et Weber, 1987).

Mauvaise alimentation

Itinérance et bonne alimentation ne peuvent aller de pair, car qui n'a pas de toit pour dormir n'a pas non plus de cuisine où conserver et préparer les aliments. De nombreux sans-abri mendient pour s'acheter ensuite des aliments sans grande valeur nutritive dans les restaurants-minute. Ceux qui fouillent les poubelles à la recherche de restes risquent quant à eux l'intoxication alimentaire. De toute évidence, l'alimentation des sans-abri est très loin des normes de base. Selon une étude sur le sujet, 18 % des itinérants et 35 % des itinérantes sont anémiques (Breakey et coll., 1989).

Pédiculose et gale

La pédiculose et la gale sont endémiques chez les sans-abri, car ces derniers sont dans l'impossibilité de se laver. Ceux qui souffrent d'une maladie mentale sont particulièrement réfractaires à l'hygiène, et l'infirmière est impuissante devant une telle résistance. Certains n'ont pas accès à une laveuse ni à une sécheuse, portent les mêmes vêtements pendant des semaines et ne les jettent que lorsqu'ils s'en trouvent d'autres. Ces problèmes d'hygiène font que l'infestation par les poux est fréquente.

Le degré d'infestation est souvent très élevé et certains sans-abri sont littéralement couverts de bestioles. Pour combattre l'infestation, il faut laver tous les vêtements et la literie et vaporiser avec un insecticide tous les meubles, surtout les sofas et les matelas. Dans les refuges, pour prévenir l'infestation, il faut couvrir les matelas d'une housse de plastique et se débarrasser des meubles rembourrés.

Le lindane (Kwell®) est l'agent de choix contre la gale et la pédiculose rebelles à tout traitement. Le patient doit se laver 12 à 24 heures après l'application du lindane, car le médicament est cancérigène et peut provoquer des démangeaisons. Il ne faut pas utiliser le lindane chez les femmes enceintes et les bébés, car cet agent pénètre dans la peau et peut avoir des effets toxiques sur le système nerveux central.

Maladies vasculaires périphériques

Selon une étude menée à travers les États-Unis, les maladies vasculaires périphériques (varices, phlébite, thrombose, œdème chronique, cellulite, gangrène) seraient de 10 à 15 fois plus fréquentes chez les sans-abri que chez les personnes qui possèdent un logement (Wright et Weber, 1987). Une autre étude a montré que 25 % des femmes et des hommes sans abri souffraient de varices, d'insuffisance veineuse, d'ulcères ou d'inflammation des membres inférieurs (Breakey et coll., 1989). Quand un sans-abri souffre d'une maladie vasculaire périphérique ses conditions de vie rendent la guérison presque impossible.

Maladies transmissibles sexuellement

L'analyse d'un groupe échantillon d'adultes sans abri a révélé que presque 8 % des hommes et 11 % des femmes souffraient de gonorrhée ou de syphilis et un tiers des sujets affirmaient avoir déjà contracté une telle infection (Breakey et coll., 1989). La maladie transmissible sexuellement la plus grave qui frappe les sans-abri est l'infection par le VIH. Il est toutefois difficile d'évaluer les taux de séropositivité dans cette population.

Selon une étude menée au Québec sur les usagers de drogues intraveineuses montréalais, 23 % des sans-abri seraient séropositifs (Seto, 1991). À New York, entre 9 et 18 % des sidéens hospitalisés sont des sans-abri (Torres et coll., 1990). L'examen rétrospectif des dossiers de 169 itinérants à risque qui fréquentaient un refuge de New York a révélé un taux de séropositivité de 62 % (Torres et coll., 1990).

Pour les personnes dont le système immunitaire est atteint, la vie d'itinérance est particulièrement dangereuse: l'exposition aux éléments et la consommation d'aliments avariés attaquent constamment l'organisme. La diarrhée constitue également un problème lorsque l'accès aux toilettes est difficile. Les refuges sont bondés de personnes souffrant de maladies infectieuses auxquelles les séropositifs et les sidéens sont très vulnérables, comme le zona ou la tuberculose. En outre, ceux-ci sont souvent stigmatisés à cause de leur maladie et en butte à des actes de violence.

De plus, le sida entraîne une démence qui se manifeste par l'apathie, la léthargie et le repli sur soi, ce qui rend la survie dans un refuge très difficile. Cette démence provoque également la perte de la mémoire immédiate, ce qui pose un problème pour les sans-abri qui sont alors incapables de remplir les formulaires nécessaires pour recevoir les services dont ils ont besoin. Certains doivent prendre plusieurs médicaments différents mais ne sont pas en mesure de suivre un traitement compliqué.

Certains sans-abri sont bien informés à propos de l'infection par le VIH et du sida, et ils réussissent malgré des difficultés énormes à se soigner. Dans une clinique où l'on dispense des soins primaires, on a noté que près de 75 % des patients avaient régulièrement leurs tests d'immunité, prenaient leurs médicaments et se rendaient aux consultations de suivi (Torres et coll., 1990). Cependant, chez d'autres, le déni pose un grave problème. En effet, tout en redoutant le pire, certaines personnes séropositives refusent d'accepter qu'elles sont atteintes jusqu'à ce qu'elles soient hospitalisées après un premier épisode de pneumonie à *Pneumocystis carinii.*

Par ailleurs, un grand nombre d'utilisateurs de drogues injectables redoutent l'hospitalisation par-dessus tout, car ils sont incapables de surmonter leur peur des interventions effractives. Même s'ils se piquent depuis longtemps, les injections les terrifient et ils sont gagnés par une véritable panique lorsqu'ils doivent subir une ponction veineuse. Le traitement est souvent compliqué par le fait que leurs veines sont difficiles à trouver et que leur seuil de tolérance aux analgésiques est élevé (Schmitz, 1990). Les doses qu'on leur administre sont par conséquent souvent insuffisantes. Lorsque le stress engendré par le diagnostic de séropositivité (dont la possibilité avait été longtemps niée) s'ajoute au tableau, la plupart de ces personnes deviennent destructrices et dangereuses. D'après une enquête, les sans-abri qui utilisent des drogues injectables quittent souvent le centre hospitalier prématurément et respectent rarement le traitement prescrit (Torres et coll., 1987).

Au Québec, un programme pilote destiné aux sans-abri séropositifs a été mis sur pied dans le but d'assurer à ces personnes un toit et des soins. Certains foyers d'hébergement pour sidéens offrent une chambre privée et les services d'intervenants qui vivent sur place et soutiennent les pensionnaires. D'autres programmes d'hébergement offrent les services d'intervenants dans des logements subventionnés répartis à travers la ville. C'est ce type de programme qui permet aux itinérants souffrant du sida de recevoir les soins les plus respectueux possible.

Problèmes dentaires

Selon une enquête, 98 % des itinérants souffraient de problèmes dentaires. Dix-huit pour cent avaient mal aux dents ou présentaient une infection, et presque 30 % n'avaient pas été chez le dentiste depuis 14 ans (Bolden, 1990). Il est difficile pour un sans-abri de se procurer une prothèse dentaire et de l'entretenir, le cas échéant. Les problèmes dentaires rendent la mastication difficile, ce qui entraîne des carences alimentaires. En outre, les dents manquantes et la mauvaise hygiène dentaire enlaidissent une personne, ce qui ne fait qu'intensifier une piètre estime de soi.

Handicaps physiques

Les refuges sont en général difficiles d'accès pour les handicapés. Les ascenseurs en panne, les rampes d'escalier brisées, le manque d'installations sanitaires appropriées font que les itinérants handicapés n'ont d'autre choix que de dormir dans la rue (Nathan, 1987).

Affections des pieds

Les affections des pieds sont très fréquentes chez les sans-abri. Les chaussures trop grandes ou trop petites qui blessent les pieds, l'impossibilité de se reposer avec les jambes élevées, l'exposition au froid et les déplacements incessants qui caractérisent la vie d'itinérance engendrent diverses affections des pieds, dont les plus courantes sont les callosités, la corne, les ongles trop longs et dystrophiques, les infections, les ongles incarnés, les ulcères cutanés, la macération de la peau, les ampoules, les déformations douloureuses, les entorses, la neuropathie périphérique, les fractures et les engelures (Jones, 1990).

Maladies mentales

Au cours des années 80, plusieurs chercheurs se sont penchés sur l'état mental des sans-abri (Bassuk et coll., 1984; Breakey et coll., 1989; Fischer et coll., 1986; Koegel et coll., 1988; Rossi et coll., 1987; Roth et coll., 1985; Struening, 1986). Leurs recherches montrent qu'un nombre considérable de sans-abri souffrent de troubles psychiatriques, de toxicomanie et d'alcoolisme. On peut affirmer que de 25 à 45 % des itinérants adultes souffrent ou ont souffert d'une maladie mentale chronique (Struening, 1986; Fournier, 1991). D'après des données récentes, de très nombreux sans-abri souffrent de deux ou de plusieurs troubles concomitants (Fischer et Breakey). Selon une étude, la plupart des sujets atteints d'un trouble mental majeur souffraient également d'un deuxième trouble attribuable à la toxicomanie ou à l'alcoolisme (Breakey et coll., 1989; Fournier, 1991).

L'infirmière doit toutefois savoir que le diagnostic médical catégorise en termes psychiatriques un comportement qui peut aussi être la conséquence d'un manque de soutien social, de problèmes économiques et du stress inhérent à la vie d'itinérance, et que la pharmacothérapie est impuissante à régler tous ces problèmes. Elle doit donc faire preuve de discernement et de prudence, et ne pas conclure automatiquement que les comportements étranges d'un itinérant sont dus à la maladie mentale.

Plusieurs études se fondant sur des entretiens cliniques structurés et non structurés ont compilé la fréquence de divers troubles psychiatriques par diagnostic (Breakey et coll., 1989; Koegel et coll., 1988; Bassuk et coll., 1984; Fournier, 1991). Selon ces études, entre 8 et 15 % des sans-abri souffrent de schizophrénie. Environ 25 % souffrent de troubles dysthymiques (Fischer et Breakey; Fournier, 1991). Un peu moins du tiers des sans-abri souffrent d'un trouble anxieux, notamment de phobie, de panique ou d'anxiété généralisée (Breakey et coll., 1989; Koegel et coll., 1988).

À cause des problèmes considérables de méthodologie que cela pose, il est difficile de déterminer la proportion des troubles de la personnalité. Les chiffres obtenus dans les études visant à établir l'incidence de ce diagnostic vont de 12 à 58 % (Fournier, 1991). Les troubles les plus souvent diagnostiqués ont été ceux des personnalités paranoïdes, schizoïdes et antisociales (Fischer et Breakey). Plusieurs études ont révélé que l'incidence des déficits cognitifs se situait entre 2 et 3 % (Koegel et coll., 1988; Breakey et coll., 1989). La déficience mentale, rarement étudiée, a été diagnostiquée chez 6 % des sujets dans trois échantillonnages différents (Fischer et Breakey).

De nombreuses recherches ont montré que la toxicomanie et l'alcoolisme constituent l'un des problèmes majeurs des itinérants (Lubran, 1989; Koegel et coll., 1988; Rossi et coll., 1987; Breakey et coll., 1989; Susser et coll., 1989). Plus de 50 % des hommes sans-abri sont alcooliques, et entre 20 et 40 % des adultes sans abri font usage de drogues (Susser et coll., 1989; Koegel et coll., 1988).

Environ 25 % des sans-abri ont été hospitalisés au moins une fois dans un établissement psychiatriques (Rossi et coll., 1987; Koegel et coll., 1988; Fischer et coll., 1986; Struening, 1986). Au Québec, une étude a montré que les diagnostics se rapportant à la catégorie V de la classification internationale des maladies (troubles mentaux) étaient les plus fréquemment posés lors des hospitalisations des sans-abri montréalais (Raynault, 1991). Un grand nombre de sans-abri ont un casier judiciaire, mais 75 % des chefs d'accusation avaient un lien avec l'itinérance: vagabondage, «squatting», vol de nourriture, mendicité, etc. (Fischer, 1988).

Rôles de l'infirmière qui soigne des sans-abri

Comme les sans-abri forment un groupe hétérogène présentant des besoins très diversifiés, il est impossible d'élaborer un plan de soins infirmiers standardisé. En effet, on n'intervient pas de la même façon auprès d'un jeune toxicomane séropositif de 23 ans qu'auprès d'un schizophrène de 72 ans souffrant de diabète. Cependant, les soins à donner à ces patients doivent tenir largement compte de leur situation d'itinérance.

Pour se faire une idée des rôles de l'infirmière qui soigne les sans-abri, on peut utiliser le modèle mis au point par Peplau et adapté par Scharer (1979). Bien que Peplau ait conçu son modèle pour expliquer le rôle de l'infirmière en milieu psychiatrique, il reste valable pour les infirmières qui travaillent auprès des sans-abri, et surtout pour celles qui travaillent en milieu non hospitalier. Beaucoup de sans-abri souffrent de troubles mentaux primaires. D'autres ont besoin d'un traitement psychiatrique, car l'itinérance est une situation catastrophique qui engendre un stress énorme.

Selon Peplau, les différents rôles que doit assumer l'infirmière spécialisée en psychiatrie sont ceux de substitut maternel, de technicienne, de gestionnaire de cas, d'agente de socialisation, de conseillère ou de psychothérapeute et d'enseignante (Scharer, 1979). À ces rôles, on peut également ajouter celui de porte-parole qui défend les droits des sans-abri.

Substitut maternel

Étant donné que beaucoup de sans-abri n'ont plus aucun contact avec leur famille, l'infirmière devient un substitut maternel. À ce titre, elle «materne» les patients en leur fournissant un soutien moral, en les réconfortant, en les rassurant, en les disciplinant et en les guidant. Lorsque les patients sont incapables de se débrouiller dans les méandres du système sanitaire, l'infirmière peut les aider dans leurs démarches. En outre, elle fait de l'écoute active, les aide à régler divers problèmes et fixe des limites lorsque leur comportement devient inacceptable. Certains patients, même s'ils ne lui adressent jamais la parole, se sentent rassurés par l'idée qu'une infirmière est disponible.

L'infirmière doit créer et maintenir un cadre aussi rassurant et positif que possible, ce qui de toute évidence est plus facile à accomplir dans les maisons de transition. Les infirmières qui travaillent dans les refuges devraient essayer de rendre ces lieux aussi accueillants que possible. De même, celles qui pratiquent en milieu hospitalier devraient essayer d'en atténuer le plus possible le côté froid et impersonnel. Le travail de l'infirmière dans ce sens est toutefois facilité par le fait que pour beaucoup de patients sans abri, le séjour au centre hospitalier constitue une amélioration considérable par rapport à leurs conditions habituelles de vie.

Les infirmières travaillant en milieu hospitalier peuvent jouer le rôle de substitut maternel de plusieurs façons. Elles le font d'abord et avant tout en aidant les patients qui en sont incapables à accomplir les activités de la vie quotidienne (se laver ou s'alimenter, par exemple). Elles doivent aussi définir ce qu'est un comportement acceptable et refuser tout excès. Il leur incombe également d'utiliser diverses stratégies pour s'assurer que les patients ne compromettent pas leur guérison en refusant les traitements nécessaires ou en quittant prématurément le centre hospitalier. Prenons un exemple pour illustrer ce rôle: Un schizophrène âgé a été hospitalisé contre sa volonté après avoir négligé une lésion cancéreuse à l'oreille pendant un an. Sur ordre du tribunal, il a subi une intervention chirurgicale qu'il a bien tolérée, mais il voulait absolument quitter le centre hospitalier pour aller distribuer ses poèmes dans les rues. De toute évidence, l'infirmière ne peut absolument pas, dans un pareil cas, laisser le patient retourner à la rue avec une plaie ouverte.

L'infirmière travaillant en milieu hospitalier doit également assister le patient et le travailleur social dans la planification du congé. Certains patients sans abri ne connaissent pas les services auxquels ils peuvent recourir. Par conséquent, l'infirmière doit bien les informer sur les ressources disponibles et les aider à prendre des décisions dans le souci de leur bien-être et de leur intérêt.

Beaucoup de sans-abri connaissent cependant les services auxquels ils peuvent recourir. Certaines villes offrent une vaste gamme de services tandis que d'autres régions ont très peu de programmes d'aide pour les itinérants. Certains sans-abri sont déjà en contact avec un intervenant qui peut les aider. Il peut s'agir d'un intervenant de la rue ou d'une personne qui œuvre dans un refuge, une soupe populaire, un service d'aide juridique ou un organisme religieux. Ces intervenants souhaitent souvent être renseignés sur le traitement que le patient a reçu et sur le plan de suivi, et ils peuvent lui rendre visite au centre hospitalier. L'infirmière devrait favoriser ces visites en assouplissant les heures de visite et en rencontrant l'intervenant pour discuter avec lui des soins du patient. En outre, un simple appel téléphonique à l'infirmière qui pratique dans le refuge où va le patient peut s'avérer fort utile, tant pour le personnel soignant que pour le patient. Pour faciliter les soins de suivi et favoriser l'observance du traitement après l'hospitalisation, l'infirmière peut remettre une fiche d'observation à l'intervenant de la rue et au patient. Si le patient risque de ne pas observer son traitement, elle peut remettre à l'intervenant les médicaments prescrits après le congé.

L'infirmière doit évaluer si les patients sont prêts à recevoir leur congé et s'ils disposent des ressources nécessaires pour respecter leur traitement. Ainsi, les patients souffrant d'une maladie vasculaire périphérique doivent avoir accès à un refuge qui reste ouvert pendant le jour pour pouvoir se reposer avec les jambes surélevées. Pour certains patients souffrant d'une maladie vasculaire, l'infirmière doit évaluer s'ils se présenteront au rendez-vous pour faire enlever leur botte de Unna ou s'ils risquent de la porter pendant plusieurs mois. Il suffit parfois de bien expliquer pourquoi il est important de revenir à la clinique pour assurer que le patient respectera les modalités du traitement.

Pour que le plan de congé soit efficace, le patient doit accepter de le suivre de son plein gré. L'infirmière doit donc veiller à ce qu'il soit d'accord avec l'objectif du plan en le lui expliquant bien. Cette démarche est particulièrement importante dans le cas des toxicomanes et des alcooliques. Par exemple, si l'un des critères d'admission dans une maison de transition est que le patient soit prêt à subir une cure de désintoxication, c'est en lui qu'il devra trouver la motivation nécessaire, et l'infirmière ne peut pas le faire à sa place. Le toxicomane qui n'est pas prêt à suivre une cure quittera prématurément le centre, et la direction hésitera dorénavant à accepter les patients recommandés par cette infirmière, car on ne fera plus confiance à son jugement.

Laisser partir un sans-abri du centre hospitalier sans lui trouver un lieu d'hébergement n'est jamais recommandable, mais c'est encore plus dangereux lorsqu'il s'agit de personnes qui souffrent d'une maladie mentale ou organique ou qui exigent des traitements complexes et suivis (comme les dialysés, ceux qui doivent suivre un traitement médicamenteux complexe ou qui ont des problèmes orthopédiques). L'infirmière doit aider ce type de patients à accepter les dispositions prises pour leur congé s'ils doivent être hébergés dans un centre d'accueil ou un hôpital pour convalescents.

TECHNICIENNE

Il est essentiel que l'infirmière qui intervient auprès des sans-abri, que ce soit en milieu hospitalier ou en milieu communautaire, maîtrise très bien de nombreuses techniques de soins. Elle administre des médicaments, évalue les signes vitaux, fait le dépistage de la tuberculose, administre des vaccins et des injections contre la grippe, change des pansements et administre les premiers soins et divers traitements.

Parce que les sans-abri sont souvent hospitalisés pour des maladies aiguës attaquant plusieurs appareils ou systèmes, ce sont souvent les infirmières des unités de soins intensifs qui sont appelées à les soigner. Dans ce cas, les techniques de soins à appliquer sont les mêmes que pour tous les autres patients de l'unité.

En milieu communautaire, l'infirmière est appelée à appliquer diverses interventions non effractives, telles que les bains de pieds et la prise de la pression artérielle. Comme ces interventions ne sont pas agressantes, elles peuvent fournir à l'infirmière l'occasion d'établir avec son patient une relation thérapeutique et de lui donner des informations utiles. Comme l'infirmière qui pratique en milieu communautaire fournit aussi des soins psychiatriques et des soins d'urgence, il est essentiel qu'elle sache travailler avec les ambulanciers et les policiers. La pédiculose et la gale étant endémiques chez les sans-abri, elle doit aussi apprendre à faire face à ces problèmes et savoir calmer les membres du personnel chez qui l'infestation peut déclencher une réaction d'anxiété. De plus, elle donne souvent des conseils d'hygiène aux cuisiniers des refuges, ne serait-ce que d'enseigner aux itinérants qui donnent un coup de main à la cuisine les méthodes appropriées de lavage des mains.

Gestionnaire de cas

La coordination et la gestion font partie des fonctions de l'infirmière, tant en milieu hospitalier qu'en milieu communautaire. La plupart des sans-abri ont besoin d'aide pour prendre un rendez-vous à la clinique externe et s'y rendre à l'heure, interpréter les résultats des bilans de santé et observer le traitement prescrit. Ces personnes ont besoin de quelqu'un qui puisse les représenter, parler en leur nom et leur expliquer clairement ce qui se passe. C'est souvent l'infirmière qui assume cette fonction et qui se charge d'expliquer les traitements prescrits par divers spécialistes.

L'infirmière qui travaille dans un cabinet privé ou dans une clinique qui offre des soins ambulatoires a aussi un important rôle de gestion à assumer. C'est elle qui organise l'horaire des rendez-vous avec le médecin, qui tient les dossiers, qui veille à ce que les récipients contenant les aiguilles soient jetés selon le protocole établi et qui achemine les demandes d'analyses de laboratoire et d'examens diagnostiques.

Agente de socialisation

Bien que les sans-abri connaissent beaucoup de monde, ils ont peu d'amis. Pour cette raison, la célébration des anniversaires et des jours fériés fait partie des interventions infirmières auprès des sans-abri. En organisant des activités de ce genre, l'infirmière les aide à améliorer leurs aptitudes sociales, elle leur fournit un soutien affectif et rehausse leur estime de soi. Souvent, les sans-abri hospitalisés ne reçoivent pas de visiteurs, ce qui peut grandement les affecter. L'infirmière peut leur fournir un soutien affectif en les encourageant à nouer des relations avec d'autres patients ou en leur trouvant des voisins de chambre avec lesquels ils peuvent bien s'entendre.

Conseillère ou psychothérapeute

À titre de conseillère ou de psychothérapeute, l'infirmière doit comprendre les difficultés auxquelles font face les sans-abri et les aider à exploiter leurs mécanismes d'adaptation pour rendre leur vie un peu moins pénible.

Il est à peu près impossible d'organiser des séances de psychothérapie régulières à heure fixe avec un itinérant ou un ancien itinérant, et d'ailleurs, cela ne serait pas indiqué. L'infirmière qui travaille en santé communautaire peut faire de la psychothérapie à chaque rencontre avec un sans-abri. Il lui suffit de communiquer avec lui lorsqu'elle le croise au refuge ou à la soupe populaire, ce qui lui permet de rester en contact et d'échanger quelques mots tout en évaluant son état mental.

Les sans-abri hospitalisés ont de nombreux besoins psychosociaux. Comme tous les patients hospitalisés, ils s'inquiètent du pronostic et ont peur du traitement. Malheureusement pour eux, il sont en butte aux préjugés de classe de trop nombreux professionnels de la santé, qui ne leur accordent pas la même considération qu'aux autres. On remarque souvent à leur égard un manque total de courtoisie, et les discriminations subtiles abondent.

Lorsqu'un sans-abri souffre d'une maladie mentale grave telle que la schizophrénie, il peut poser des problèmes lorsqu'il est hospitalisé dans une unité de médecine ou de chirurgie bondée. Il peut refuser de prendre ses médicaments, avoir des idées délirantes sur les interventions prescrites ou ne pas s'entendre avec ses voisins de chambre. Dans ces cas, il faut chercher un compromis acceptable: par exemple, certains patients psychotiques peuvent se cramponner à leurs possessions et refuser de s'en séparer, bien que leurs sacs ne contiennent que ce que tout le monde considère comme des ordures. Si ces sacs ne sont pas infestés par la vermine ni trop encombrants, on peut les laisser dans la pièce d'entreposage réservée aux patients. On a aussi vu une patiente psychotique qui était convaincue que sa peau allait se dissoudre si elle se lavait. Elle n'avait pas pris de bain depuis plus d'un an et était infestée de poux. On lui a permis de prendre son bain avec son compagnon et on l'a distraite tout au long du bain: on a ainsi pu éviter une attaque de panique. Lorsque ce type de problème survient, on peut consulter une infirmière spécialisée en soins psychiatriques, qui a l'habitude de résoudre de tels problèmes.

Plusieurs sans-abri sont toxicomanes ou alcooliques. L'infirmière doit donc appliquer pour eux les principes de soins infirmiers relatifs à la toxicomanie. Les toxicomanes sont manipulateurs et nient leur problème, mais leur déchéance devient plus difficile à nier lorsqu'ils en sont réduits à aller dans un refuge pour dormir. La première nuit qu'une personne passe dans un refuge peut être déterminante, car c'est là qu'elle peut admettre qu'elle a touché le fond. C'est à ce moment-là que l'infirmière doit intervenir.

À certains endroits, on a mis sur pied des services destinés aux toxicomanes. Dans une banlieue de l'état de New York, par exemple, les personnes qui souhaitent dormir dans un refuge doivent se soumettre à une évaluation de trois jours avant d'être admises et on offre aux toxicomanes qui le désirent une cure de désintoxication. D'autres encore ont des conseillers spécialisés en toxicomanie et organisent sur place des réunions des Alcooliques anonymes et des Narcotiques Anonymes.

Les infirmières qui travaillent en milieu hospitalier doivent être conscientes du fait que des drogues illicites peuvent circuler parmi les patients et il est parfois indiqué d'interdire les visites. Certains patients en manque peuvent quitter prématurément le centre hospitalier pour se procurer de la drogue. Lorsqu'un alcoolique est hospitalisé, l'infirmière doit lui expliquer les effets néfastes de l'alcoolisme avec sollicitude et sans le juger. Par exemple, elle peut lui dire: «Vous avez un taux élevé d'enzymes, ce qui montre que votre foie est gravement endommagé par l'alcool. Si vous ne cessez pas de boire, j'ai bien peur que cela va vous tuer.» En disant la vérité de façon neutre et objective, l'infirmière peut surmonter la barrière du refus et donner au patient la motivation nécessaire pour accepter une cure de désintoxication.

L'infirmière en santé communautaire qui travaille auprès des itinérants malades mentaux doit adopter une formule non structurée et être prête à improviser, car les règles ordinaires d'intervention sont inapplicables dans ces cas (Rog, 1988; Ferguson, 1989). La «thérapie» à appliquer à cette clientèle comprend en priorité la gestion de l'argent, l'administration des médicaments, l'intervention en situation de crise, l'organisation d'activités et la prestation de services concrets.

Enseignante

L'enseignement constitue l'un des principaux volets des soins infirmiers aux sans-abri, surtout depuis que l'infection par le VIH et le sida ont pris des proportions épidémiques au sein de cette clientèle. Beaucoup de sans-abri sont très mal informés sur le traitement du sida, et certains pensent qu'il ne leur reste que quelques semaines à vivre lorsqu'ils apprennent qu'ils sont séropositifs.

Il est aussi très important d'aider les sans-abri a acquérir un minimum d'aptitudes sociales, surtout ceux qui vont vivre dans une maison de transition ou un foyer d'hébergement. L'infirmière doit leur enseigner des choses aussi élémentaires que la lessive et les courses, et comment s'adapter à un domicile fixe.

Que faut-il enseigner à un sans-abri? Le choix est difficile, car il implique toujours des compromis. Prenons quelques exemples: Une jeune itinérante souffrant d'un trouble psychiatrique majeur était aussi atteinte de diabète juvénile et devait prendre de l'insuline. Elle gardait son insuline et ses seringues sur elle, elle était capable de se faire ses injections et elle respectait ses rendez-vous à la clinique, mais il lui était tout à fait impossible de suivre le régime alimentaire imposé aux diabétiques. L'infirmière de la clinique a continué à la soigner en sachant qu'elle ne pouvait pas équilibrer son diabète. Par conséquent, au lieu d'essayer à tout prix de lui faire suivre à la lettre son régime, elle lui a montré comment éviter les seuils dangereux d'hypoglycémie et d'hyperglycémie. Grâce à elle, la patiente n'a jamais souffert d'acidocétose diabétique et n'a pas fait de crises d'hypoglycémie grave, et elle a finalement accepté d'aller dans une maison de transition. Dans un autre cas, on a dû cesser l'insulinothérapie d'un sans-abri parce qu'il était incapable de faire ses injections et de suivre son régime alimentaire. Manifestement, à cause de la complexité et de l'ambiguïté du problème, il est difficile de faire un plan de soins et il n'y a pas de solutions faciles ni parfaites. La solution de ces problèmes exige la collaboration et la consultation avec d'autres professionnels de la santé.

L'infirmière doit faire preuve d'une grande circonspection lorsqu'elle enseigne un traitement précis. Par exemple, elle doit s'assurer qu'un patient tuberculeux est capable de suivre à la lettre son traitement médicamenteux, car il peut propager la maladie dans les refuges. On peut parfois laisser le patient quitter le centre hospitalier en veillant à ce que son traitement soit supervisé, mais si cela est impossible, une hospitalisation prolongée s'avère nécessaire.

Porte-parole

Les infirmières qui dispensent des soins aux sans-abri se rendent vite compte que les interventions de rue et les refuges ne suffisent pas à résoudre ce grave problème social. Elles en viennent rapidement à lutter pour changer les conditions sociales qui ont créé l'itinérance. Ce problème ne pourra être résolu sans des réformes dans de nombreux domaines, tels que la formation professionnelle, l'habitation à loyer modique, l'assistance sociale, les centres de jour, la prévention auprès des jeunes enfants et des adultes. Il faudrait de plus améliorer le système de soins psychiatriques et ouvrir un plus grand nombre de centres de désintoxication. Étant donné que les sans-abri ne possèdent ni les moyens financiers ni l'influence nécessaires pour faire pression sur les décideurs politiques, certaines infirmières se sont portées à leur défense et sont devenues leur porte-parole.

Il est impossible de s'occuper des sans-abri à temps plein et de consacrer son temps à leur défense, mais les infirmières ont quand même de nombreuses occasions de faire valoir leur point de vue important sur la place publique. Grâce à leur formation, à leur expérience, à leur compétence et à leur jugement, les infirmières sont en mesure de faire des pressions pour améliorer le sort des itinérants. Elles se sont alliées à d'autres porte-parole pour la défense des sans-abri, ont témoigné lors d'audiences publiques et ont sensibilisé le public au problème. Elles ont également participé à des groupes de travail mis sur pied par les autorités gouvernementales pour proposer de nouvelles lois.

Aspects positifs et défis particuliers du travail de l'infirmière qui soigne des sans-abri en milieu hospitalier et communautaire

Aspects positifs

Le travail auprès des sans-abri peut être passionnant. Les infirmières en santé communautaire jouissent d'une grande autonomie, elles ont la possibilité de travailler au sein de groupes multidisciplinaires et de faire de la recherche. Elles sont souvent invitées dans les écoles de soins infirmiers pour parler de leur expérience clinique. Elles ont la possibilité de travailler avec divers «intervenants», comme les membres du clergé, les avocats, les animateurs communautaires et les politiciens. Elles ont la satisfaction de savoir qu'elles travaillent à améliorer la vie des citoyens les plus démunis. La plupart des associations qui fournissent des services aux sans-abri sont petites; leurs règlements sont moins rigides que ceux des centres hospitaliers, et elles accordent une plus grande marge de manœuvre. En outre, le travail des infirmières qui s'occupent des sans-abri est très considéré, tant au sein de la profession que dans les médias.

Les infirmières qui soignent des sans-abri en milieu hospitalier peuvent être fières à juste titre de leur travail, car il leur donne la juste mesure du rôle important qu'elles jouent dans la société.

Défis particuliers

Mauvaises conditions de travail

Par définition, les intervenants de rue passent la plus grande partie de leur journée dehors. Les infirmières qui travaillent dans les refuges ne disposent souvent même pas d'une salle fermée où elles peuvent examiner les patients, et elles doivent toujours transporter tout leur matériel avec elles.

La situation dans les centres hospitaliers où il y a beaucoup de sans-abri n'est pas beaucoup plus rose, à cause du manque de personnel, de matériel et de fournitures dû aux compressions budgétaires. Dans de telles circonstances, il est difficile de dispenser des soins infirmiers à des patients ayant des besoins aussi complexes. En outre, comme la plupart des sans-abri n'ont pas de médecin traitant, ils se présentent au service des urgences lorsqu'ils ont un problème, si bénin soit-il. Les infirmières surchargées de travail qui doivent s'occuper de patients dont les symptômes ne demandent pas une intervention d'urgence se sentent souvent frustrées.

Difficulté à suivre les progrès

Souvent, les infirmières ne voient pas les résultats de leur travail, car elles ne constatent pas d'évolution, ni dans l'état de santé de leurs patients sans abri, ni dans le système social qui pourrait les aider. Elles ont la responsabilité d'améliorer la santé de leurs patients, mais elles ne peuvent agir sur des questions aussi importantes que la sécurité et l'alimentation. De plus, elles doivent souvent faire cavalier seul et elles ne disposent pas des services de soutien offerts aux patients hospitalisés. Les interventions de leurs plans de soins sont souvent faites de solutions de compromis. Si elles veulent éviter l'épuisement professionnel, ces infirmières doivent se fixer des objectifs réalistes et ajuster à la baisse leurs critères de succès.

Malgré toute l'énergie consacrée à soigner les sans-abri, à les défendre et à les protéger, l'infirmière peut voir leur situation s'aggraver. Le même patient peut être hospitalisé à répétition à cause du manque criant de services essentiels à l'extérieur du centre hospitalier. Cette absence de gratification crée souvent un certain sentiment de frustration.

Isolement sur le plan professionnel

Les infirmières en santé communautaire qui soignent les sans-abri peuvent se sentir isolées sur le plan professionnel. Celles qui travaillent dans les centres hospitaliers universitaires ont plus de possibilités d'élargir leurs connaissances théoriques et pratiques (tant en suivant les cours de perfectionnement offerts qu'en accompagnant le chef de clinique au chevet des patients) que celles qui soignent les sans-abri au sein de petites associations. Celles-ci n'emploient souvent qu'une seule infirmière, et l'équipe soignante se réduit la plupart du temps à quelques préposés. Pour ne pas se sentir complètement isolées sur le plan professionnel, les infirmières qui travaillent dans ces milieux doivent faire l'effort de chercher les cours de perfectionnement dont elles ont besoin et de garder contact avec leurs collègues. En incitant les enseignantes à poursuivre une expérience clinique, les universités ont permis à des infirmières chevronnées de prodiguer des soins primaires tout en conservant d'autres intérêts professionnels.

Stigmatisation

Non seulement les sans-abri sont-ils très exposés au sida, à la tuberculose, à la toxicomanie et à l'alcoolisme à cause de l'incidence élevée de ces problèmes au sein de cette clientèle, mais ils risquent pour cette même raison d'être victimes de discrimination. Les sans-abri sont souvent de véritables parias. À preuve, ils sont systématiquement chassés des métros et des gares, et personne ne veut des refuges dans son quartier. Dans une certaine mesure, les préjugés qui entachent les sans-abri s'étendent aussi aux infirmières qui s'en occupent. Pour ne pas se laisser décourager, elles doivent par conséquent s'appuyer sur un sens aigu de la justice et du respect de la dignité humaine.

GÉRONTOLOGIE

Il y a si peu de personnes âgées parmi les sans-abri que certains chercheurs définissent comme itinérants âgés les personnes de 55 ans ou plus (Institute of Medicine, 1988). On peut certes se demander pourquoi il y a si peu de personnes âgées parmi les itinérants. Selon certains chercheurs, cela s'expliquerait par le fait que l'itinérance réduit considérablement l'espérance de vie (Institute of Medicine, 1988; Brickner et coll., 1990). D'autres ont avancé l'hypothèse que les avantages sociaux dont bénéficient les personnes de plus de 65 ans procurent un «coussin de sécurité» qui permet d'éviter l'itinérance (Institute of Medicine, 1988).

Peu d'études ont porté sur l'aspect gériatrique de l'itinérance, mais nous disposons de deux recherches portant sur des itinérants âgés vivant dans le quartier de Bowery de New York, qui ont montré que ces personnes souffraient des mêmes maladies physiques et mentales que les itinérants plus jeunes. Leur condition physique est beaucoup plus mauvaise que celle des personnes âgées qui possèdent un logement. Près du tiers des itinérants ayant fait l'objet de ces études avaient été hospitalisés au cours des 12 mois précédents en raison d'une maladie organique (Cohen et coll., 1988). Sur le plan de la santé mentale, 49 % consommaient de l'alcool quotidiennement, 23 % présentaient des symptômes psychotiques ou avaient déjà été hospitalisés dans un établissement psychiatrique, 33 % souffraient de dépression clinique et 5 % étaient atteints de démence (Cohen et coll., 1988). Selon les gens qui travaillent sur le terrain, il y aurait plus de psychotiques et d'anciens pensionnaires des hôpitaux psychiatriques chez les femmes âgées sans abri que chez les hommes.

RÉSUMÉ

Nous avons exposé ici les problèmes médicaux et psychosociaux des adultes sans abri et les rôles des infirmières qui les soignent en milieu hospitalier et communautaire. Nous avons également brossé le tableau des problèmes auxquels font face les sans-abri en Amérique du Nord et décrit les conditions de vie de l'itinérance. Les rôles de l'infirmière ont été vus à la lumière du modèle de Peplau et de celui des soins infirmiers en psychiatrie. En plus des rôles de substitut maternel, de technicienne, de gestionnaire de cas, d'agente de socialisation, de conseillère-psychothérapeute et d'enseignante définis par Peplau, nous avons ajouté celui de porte-parole des sans-abri. Finalement, nous avons montré les aspects positifs et les défis particuliers de ce travail difficile.

On peut obtenir le *Répertoire des ressources communautaires pour personnes itinérantes dans le Grand Montréal* au Centre de référence du Grand Montréal (tél. : 527-1375).

Bibliographie

Ouvrages

Brickner PW et al (eds). Health Care for the Homeless. New York, Springer Publishing, 1985.

Brickner PW et al (eds). Under the Safety Net. New York, WW Norton, 1990.

Caton CL. Homeless in America. New York, Oxford University Press, 1990.

Institute of Medicine. Homelessness, Health and Human Needs. Washington, DC, National Academy Press, 1988.

National Research Council. AIDS: The Second Decade. Washington, DC, National Academy Press, 1990.

U.S. Department of Health and Human Services. Healthy People 2000. Washington, DC, U.S. Government Printing Office, 1990.

Wright JD and Weber E. Homelessness and Health. Washington, DC, McGraw-Hill, 1987.

Revues

Bassuk EL, Rubin L, and Lauriat AS. Is homelessness a mental health problem? Am J Psychiatry 1984 Dec; 141(12):1546-1550.

Berne A et al. A nursing model for addressing the health needs of homeless families. Image: Journal of Nursing Scholarship 1990 Spring; 22(1): 8-13.

Breakey WR et al. Health and mental health problems of homeless men and women in Baltimore. JAMA 1989 Sep; 262(10):1352-1357.

Cohen C, Teresi J, and Holmes D. The mental health of old homeless men. J Am Geriatr Soc 1988 Jun; 36(6):492-501.

Cohen C et al. Survival strategies of older homeless men. Gerontologist 1988 Feb; 28(1):58-65.

Cohen N and Marcos L. Psychiatric care of the homeless mentally ill. Psychiatr Ann 1986 Dec; 16(12):729-732.

Ferguson MA. Psych nursing in a shelter for the homeless. Am J Nurs 1989 Aug; 89(8):1060-1062.

Fischer PJ. Criminal activity among the homeless: A study of arrests in Baltimore. Hosp Community Psychiatry 1988 Jan; 39(1):46-51.

Fischer PJ et al. Mental health and social characteristics of the homeless: A survey of mission users. Am J Public Health 1986 May; 76(5):519-524.

Fischer P and Breakey W. The epidemiology of alcohol, drug, and mental disorders among homeless persons. American Psychologist

Gelberg L and Linn LS. Assessing the physical health of homeless adults. JAMA 1989 Oct; 262(14):1973-1979.

Jones C. Foot care for the homeless. J Am Podiatr Assoc 1990 Jan; 80(1): 41-44.

Koegel P, Burnam MA, and Farr RK. The prevalence of specific psychiatric disorders among homeless individuals in the inner-city of Los Angeles. Arch Gen Psychiatry 1988 Dec; 45(12):1085-1092.

Luder E et al. Assessment of the nutritional status of urban homeless adults. Public Health Rep 1989 Sep/Oct; 104(5):451-456.

Morris W and Crystal S. Diagnostic patterns in hospital use by an urban homeless population. West J Med 1989 Oct; 151(4):472-476.

Nardell E. Tuberculosis in homeless, residential care facilities, prisons, nursing homes, and other close communities. Semin Respir Infect 1989 Sep; 4(3):206-215.

Rafferty M. Standing up for America's homeless. Am J Nurs 1989 Dec; 89(12):1614-1619.

Ramsden SS, Baur S, and El Kabir DJ. Tuberculosis among the central London single homeless. J R Coll Physicians Lond 1988 Jan; 22(1): 16-17.

Robertson M and Cousineu M. Health status and access to health services among the urban homeless. Am J Public Health 1986 May; 76(5): 561-563.

Rossi P et al. The urban homeless: Estimating composition and size. Science 1987 Mar 13; 235:1336-1341.

Scharer K. Nursing therapy with abusive and neglectful families. J Psychosoc Nurs Ment Health Serv 1979 Sep; 17(9):12-21.

Schieffelbein C and Snider D. Tuberculosis control among the homeless population. Arch Intern Med 1988 Aug; 148(8):1843-1846.

Schmitz D. When IV drug abuse complicates AIDS. RN 1990 Jan; 53(1): 60-67.

Soto J, Lamothe F, Bruneau J et Lachance N. Les usagers de drogues par injection de la rue (UDIR), une population à risque élevé d'infection par le VIH. Le 1001, 11(2):14-15.

Stead W. Special problems in tuberculosis. Clin Chest Med 1989 Sep; 10(3): 397-405.

Strasser J. Urban transient women. Am J Nurs 1978 Dec; 78(12):2076-2078.

Susser E, Struening EL, and Conover S. Psychiatric problems in homeless men. Arch Gen Psychiatry 1989 Sep; 46(9):845-850.

Torres R et al. Human immunodeficiency virus among homeless men in a New York City shelter. Arch Intern Med 1990 Oct; 150(10):2030-2036.

Torres R et al. Homelessness among hospitalized patients with the acquired immunodeficiency syndrome in New York City. JAMA 1987 Aug; 258(6):779-780.

Conférences

Bolden A. Delivering dental care in shelter-based programs. Presented at the 118th Annual Meeting of the American Public Health Association, New York, October 1990.

Raynault MF. Diagnostics et durée de séjour chez une population itinérante urbaine hospitalisée. North American Primary Care Research Group, Québec, 1991.

Rapports

Barrow S et al. Effectiveness of programs for the mentally ill homeless: Final report. New York, New York State Psychiatric Institute, 1989.

Baxter E and Hopper K. Private lives, public spaces. New York, Community Service Society, 1981.

Fournier L. Itinérance et santé mentale à Montréal, Rapport de recherche, Centre de recherche de l'hôpital Douglas, Verdun, nov. 1991.

Joseph H and Roman-Nay H. The homeless intravenous drug abuser and the AIDS epidemic. Washington, DC, National Institute of Drug Abuse Monograph, 1988, pp 210-253.

National Coalition for the Homeless. Fighting to live: Homeless people with AIDS. New York, Coalition for the Homeless, 1990.

Rog D. Engaging homeless persons with mental illness into treatment. Alexandria, VA, National Mental Health Association, 1988.

Roth D et al. Homelessness in Ohio: A study of people in need. Columbus, Ohio Department of Mental Health, 1985.

Shaffer D and Caton CL. Runaway and homeless youth in New York City. New York, Report to the Ittelson Foundation, 1984.

Struening E. A study of residents of the New York City shelter system. New York, New York State Psychiatric Institute, 1986.

Articles de journaux

Foderaro L. Queries first, aid later for a county's homeless. The New York Times, Sept 4, 1990, p B3.

Gaines-Carter P. AIDS adding to troubles of homeless. The Washington Post, Oct 22, 1990, p D5.

Nathan J. Disabled homeless are said to find shelters inaccessible. The New York Observer, Nov 30, 1987.

Brochures et bulletins d'information

Lubran B. Alcohol and other drug problems among the homeless population. The Nation's Health 1989 Sep; 19(9):23-25.

Progrès de la recherche en sciences infirmières

Sommaire

Les recherches en sciences infirmières menées sur les aspects psychosociaux de la maladie et du vieillissement sont de plus en plus nombreuses et leur champ d'investigation s'élargit. Les chercheurs qui se sont penchés sur les comportements liés à la maladie ont surtout étudié le stress et l'anxiété entraînés par les actes médicaux et chirurgicaux. Les recherches en gérontologie ont porté sur la promotion et le maintien de la santé chez les personnes âgées ainsi que sur les maladies organiques dont souffre cette clientèle.

Les études suivantes sont des exemples des recherches menées dans ce domaine. Bien qu'on ne puisse pas généraliser les résultats étant donné que la portée de certaines études reste limitée et mérite des investigations supplémentaires, leur importance pour les soins infirmiers n'est pas négligeable.

Réaction à la maladie

▷ ***A. Nyamathi, et A. Kashiwabara. «Preoperative anxiety: Its effect on cognitive thinking»,*** AORN J, *janvier 1988; 47(1):164-169.*

Les chercheurs ont étudié le lien entre l'intensité de l'anxiété et les facultés cognitives chez 60 patients dont l'intervention chirurgicale était prévue pour la même journée. On avait exclu de l'étude des patients qui avaient reçu un diagnostic de cancer et ceux qui avaient subi une opération au cours des six mois précédents. On a mesuré l'intensité de l'anxiété suscitée par l'intervention chirurgicale à l'aide de l'échelle *State Trait Anxiety Inventory,* et la qualité de la pensée critique à l'aide d'un questionnaire intitulé Critical Thinking Appraisal Tool. Les paramètres tels que l'âge, le sexe et le niveau d'instruction ont été étudiés et les résultats n'ont montré aucune corrélation significative du point de vue statistique, à l'exception des femmes qui devaient subir une intervention gynécologique. Les résultats de l'étude ont montré que les sujets qui avaient eu des scores élevés dans le *State Trait Anxiety Inventory* avaient enregistré des scores bas dans le Critical Thinking Appraisal Tool.

Soins infirmiers. L'enseignement au patient constitue une partie essentielle de la préparation préopératoire. Si l'anxiété est intense, la mémoire pour les faits récents peut être altérée, tout comme la perception spatiotemporelle, les habiletés cognitives et la capacité de résoudre des problèmes. Par conséquent, les infirmières ne devraient pas partir du principe que le patient qui a reçu des informations a nécessairement appris quelque chose. Il faut lui faire répéter plusieurs fois les informations données tout en l'aidant à réduire son anxiété. Grâce à de telles interventions, il sera capable de prendre des décisions, de résoudre des problèmes et d'apprendre.

▷ ***T. Davis, et L. Jensen. «Identifying depression in medical patients»,*** Image: Journal of Nursing Scholarship 1988*; 20(4):191-194*

On a comparé l'inventaire des symptômes de dépression de Beck et le modèle d'entretien clinique structuré proposé dans le DSM-III (Épisode dépressif majeur) afin de trouver la méthode optimale d'évaluation de la dépression chez les patients souffrant d'une maladie organique. Cette étude a été menée sur 52 patients ayant subi un infarctus du myocarde qu'on avait examinés au moment de leur congé du centre hospitalier et huit semaines plus tard. Les résultats ont montré que bien que l'inventaire de la dépression de Beck puisse être utile pour évaluer la gravité de la dépression, l'entretien structuré proposé par le DSM-III, constitue une meilleure méthode d'évaluation de la dépression chez les patients souffrant d'une maladie organique.

Soins infirmiers. La dépression affecte tout autant les personnes qui souffrent d'une maladie organique que celles qui n'en présentent pas. L'humeur des personnes physiquement atteintes peut aussi bien être normale qu'anormale. Il est essentiel que les infirmières sachent comment intervenir auprès des patients qui présentent des symptômes dépressifs. On conseille aux infirmières de se servir de l'entretien clinique présenté à la rubrique de l'épisode dépressif majeur du DSM-III pour évaluer la dépression et les symptômes dépressifs chez les patients souffrant d'une maladie organique.

▷ ***V. Wilson, «Identification of stressors related to patients' psychologic responses to the surgical intensive care unit»,*** Heart Lung, *mai 1987; 16(3):267-273.*

On observe chez les opérés hospitalisés dans les unités de soins intensifs des épisodes passagers de délire ou de perturbations psychologiques plus ou moins marquées. Une altération de l'état mental peut tout aussi bien survenir dès le lendemain de l'intervention chirurgicale que cinq jours plus tard. On rencontre plus fréquemment une telle altération dans les unités de soins intensifs que dans les unités de chirurgie générale.

L'étude de Wilson avait pour but de déterminer l'incidence des perturbations psychologiques et la relation entre la réaction psychologique des opérés hospitalisés aux soins intensifs et leur capacité de reconnaître ce qui les stresse. L'étude portait sur 38 opérés hospitalisés dans une unité de soins intensifs. Les résultats ont montré que les patients ayant présenté une altération de l'état mental pendant qu'ils étaient hospitalisés dans l'unité de soins intensifs étaient surtout affectés par quatre facteurs de stress, à savoir le bruit, la perte de la notion du temps, les commentaires échangés à leur sujet en leur présence par les médecins et les infirmières, et le fait d'être examiné par plusieurs médecins et infirmières.

Soins infirmiers. Les interventions infirmières devraient se concentrer sur la prévention primaire, secondaire et tertiaire des facteurs de stress. Dans le cadre de la prévention primaire, il faut essayer de réduire le bruit émis par les appareils, installer des horloges et des calendriers, parler aux patients et affecter dans la mesure du possible les mêmes infirmières à leurs soins pendant qu'ils sont hospitalisés à l'unité de soins intensifs. Dans le cadre de la prévention secondaire, il faut évaluer et traiter rapidement toute altération de l'état mental. La réorientation spatiotemporelle et la reconnaissance des personnes, l'explication des interventions ainsi que les gestes et mots rassurants sont souvent utiles. Finalement, les interventions effectuées dans le cadre de la prévention tertiaire comportent surtout des explications suivies, la rééducation et le renforcement.

Soins aux personnes âgées

▷ *M. J. Schank, et M. A. Lough. «Maintaining health and independence of elderly women»,* J. Gerontol Nurs, *juin 1989; 15(6):8-11.*

Cette étude d'exploration avait pour but d'évaluer l'état de santé des femmes âgées vivant chez elles et les réseaux de soutien dont elles disposent. L'étude portait sur 100 femmes âgées habitant une même ville. La moitié des sujets (N = 50) vivaient dans un foyer subventionné pour personnes âgées et l'autre moitié (N = 50), dans un foyer privé. Afin d'obtenir les données nécessaires, on a utilisé un questionnaire d'entretien structuré qui a permis d'évaluer l'état de santé et les réseaux de soutien social.

L'étude a révélé que les femmes qui vivaient dans un foyer privé avaient une instruction et des moyens financiers considérablement plus élevés que leurs consœurs qui habitaient dans un foyer subventionné. L'état de santé des femmes âgées qui vivaient dans un foyer privé était souvent bon ou même excellent, et leur attitude à l'égard de la vie était plus positive que chez les femmes qui vivaient dans un foyer subventionné. Les femmes dont la santé était bonne ou excellente disposaient d'un réseau de soutien plus vaste que celles dont l'état de santé était médiocre ou mauvais.

Soins infirmiers. L'infirmière doit inclure l'évaluation du réseau de soutien social lorsqu'elle dresse le profil du client, ce qui lui permettra de l'aider à l'utiliser en fonction de ses besoins et de ses intérêts.

▷ *C. A. Patsdaughter, et B. L. Pesznecker. «Medication regimens and the elderly home care client»,* J. Gerontol Nurs, *octobre 1988; 14(10):30-34*

Quand ils vieillissent, les adultes prennent plus de médicaments sur ordonnance et en vente libre. Or, un grand nombre de problèmes sont liés à la prise de médicaments, notamment: (1) une posologie trop forte ou trop faible, (2) l'incapacité de lire l'étiquette ou d'ouvrir le contenant, (3) l'ignorance des buts du traitement, (4) de mauvaises conditions de conservation des médicaments, (5) l'oubli de prendre une dose ou l'interversion des médicaments, (6) la difficulté de se procurer des médicaments en raison de problèmes de transport, (7) l'incapacité de distinguer les différents médicaments et (8) les réactions indésirables.

Cette étude se proposait de déterminer les données à recueillir et les interventions infirmières à appliquer pour faciliter la prise de médicaments à domicile. Quarante-huit infirmières travaillant dans le cadre de programmes de soins à domicile pour les personnes âgées ont participé à cette étude. Après avoir évalué les habitudes de prise de médicaments du patient, chaque infirmière devait répondre à sept questions d'ordre général portant sur son évaluation du patient et sur ses interventions subséquentes.

L'analyse des réponses des infirmières a révélé que la majorité de leurs interventions portaient sur l'enseignement au sujet de la médication au patient et aux membres de sa famille. Aucune infirmière n'a dit avoir contacté une compagnie d'assurances ou un service d'aide financière, ni s'être penchée sur le problème de la polypharmacie. Par ailleurs, peu de répondantes ont dit avoir pris des mesures pour faciliter la prise de médicaments dans les cas de déficience sensorielle ou fonctionnelle.

Soins infirmiers. Pour enseigner au patient, l'infirmière devrait utiliser des stratégies variées chaque fois qu'elles s'imposent. Une évaluation complète de la situation de la personne qui reçoit des soins à domicile peut révéler des problèmes complexes que l'enseignement seul ne pourra résoudre. La communication avec d'autres professionnels de la santé, les conseils visant à favoriser l'observance du traitement et des soins de soutien peuvent s'avérer pertinents lorsqu'une personne souffre d'une déficience sensorielle ou fonctionnelle.

▷ *L. Johnston et S. H. Gueldner. «Remember when...? Using mnemonics to boost memory in the elderly»,* J. Gerontol Nurs, *août 1989; 15(8):22-26.*

La perte de la mémoire des faits récents, trouble courant chez les personnes âgées, peut entraîner de l'anxiété, une perte de l'estime de soi et l'isolement social. Afin d'améliorer l'efficacité de la mémoire, divers procédés mnémotechniques, tels que le regroupement des chiffres, la stimulation de la mémoire et les associations par paires, se sont révélés utiles.

Cette étude avait pour but d'examiner l'effet d'un cours structuré d'amélioration de la mémoire par des moyens mnémotechniques sur la mémoire et l'estime de soi chez les adultes autonomes vivant chez eux. Tous les sujets participaient à cette étude bénévolement et savaient qu'ils souffraient de troubles de mémoire. Cependant, leurs facultés mentales n'étaient pas modérément altérées d'après les réponses qu'ils ont données au questionnaire Pfeiffer sur l'état de conscience. L'échantillon était composé de 11 hommes et de 20 femmes, âgés de 50 à 70 ans. Quinze de ces sujets ont été assignés à un groupe expérimental qui a suivi quatre séances d'un programme d'instruction mnémonique. Le prétest a été effectué à l'aide de l'échelle de mémoire de Wechsler et de l'échelle d'évaluation de l'estime de soi de Rosenberg. Le post-test a été administré deux semaines après la dernière séance. Les résultats du post-test ont révélé que le groupe expérimental avait considérablement amélioré sa mémoire et son estime de soi comparativement au groupe témoin. Après l'étude, on a offert aux membres du groupe témoin le programme d'instruction mnémonique.

Soins infirmiers. Les infirmières et les autres professionnels de la santé peuvent se servir de cette intervention simple et efficace pour aider les personnes âgées à réduire la perte de mémoire associée au vieillissement. La consolidation de l'estime de soi et le soulagement de l'anxiété peuvent favoriser l'autonomie et améliorer la qualité de vie de la personne âgée.

Études supplémentaires

Berryman E et al. Point by point: Predicting elders' falls. Geriatr Nurs 1989 Jul/Aug; 10(4):199-201.

Brink C, Wells T, and Diokno A. Urinary incontinence in women. Public Health Nurs 1987 Jun; 4(2):114-119.

Burgio LD, Jones LT, and Engel BT. Studying incontinence in an urban nursing home. J Gerontol Nurs 1988 Apr; 14(4):40-45.

Gaspar PM. What determines how much patients drink? Geriatr Nurs 1988 Jul/Aug; 9(4):221-224.

Haight BK. Nursing research in long-term facilities (1984-1988). Nurs Health Care 1989 Mar; 10(3):147-150.

Hamilton GP. Prevent elder abuse: Using a family systems approach. J Gerontol Nurs 1989 Mar; 15(3):21-26.

Harrell JS et al. Do nursing diagnoses affect functional status? J Gerontol Nurs 1989 Oct; 15(10):13-19.

Horgan PA. Health status perceptions affect health-related behaviors. J Gerontol Nurs 1987 Dec; 13(12):30-33.

O'Leary PA et al. Gerontological research: Is it useful for nursing practice? J Gerontol Nurs 1990 May; 16(5):28-32.

Palmer MH, McCormick KA, and Langford A. Do nurses consistently document incontinence? J Gerontol Nurs 1989 Dec; 15(12):11-16.

Richter JM. Support: A resource during crisis of mate loss. J Gerontol Nurs 1987 Nov; 13(11):18-22.

Strumpf NE and Evans LK. Physical restraint of the hospitalized elderly: Perceptions of patients and nurses. Nurs Res 1988 May/Jun; 37(3): 132-137.

Weinberg AD et al. Death in the nursing home: Senescence, infection and other causes. J Gerontol Nurs 1989 Apr; 15(4):12-16.

Winger J and Schirm V. Managing aggressive elderly in long-term care. J Gerontol Nurs 1989 Feb; 15(2):28-33.

APPENDICE
ANALYSES DE LABORATOIRE : INTERVALLES DE RÉFÉRENCE* ET INTERPRÉTATION DES RÉSULTATS

SYMBOLES

ANCIENNES UNITÉS

kg = kilogramme
g = gramme
mg = milligramme
μg = microgramme
μμg = micromicrogramme
ng = nanogramme
pg = picogramme
mL = millilitre
mm^3 = millimètre cube
fL = femtolitre
mmol = millimole
nmol = nanomole
mOsm = milliosmole
mm = millimètre
μm = micron ou micromètre
mm Hg = millimètre de mercure
U = unité
mU = milliunité
μU = micro-unité
mEq = milliéquivalent
IU = unité internationale
mIu = milliunité internationale

UNITÉS SI

g = gramme
L = litre
mol = mole
mmol = millimole
μmol = micromole
nmol = nanomole
pmol = picomole
d = jour

* Les valeurs varient selon la méthode d'analyse utilisée.

Hématologie

	Intervalles de référence		
Composant	*Anciennes unités*	*Unités SI*	*Interprétation clinique*
HÉMOSTASE			
Consommation de prothrombine	>20 s		Altérée dans les déficiences en facteurs VIII, IX et X
Facteur V (proaccélérine)	60 à 140 %		
Facteur VIII (facteur antihémophilique)	50 à 200 %		Déficient dans l'hémophilie A
Facteur IX (composant de thrombo-plastine plasmatique)	75 à 125 %		Déficient dans l'hémophilie B
Facteur X (facteur Stuart)	60 à 140 %		
Fibrinogène	200 à 400 mg/100 mL	2 à 4 g/L	Élevé dans la grossesse, les infections avec leucocytose et le syndrome néphrotique Abaissé dans les maladies du foie grave et dans le décollement placentaire
Produits de dégradation de la fibrine	<10 mg/L	<10 mg/L	Élevés dans la coagulation intravasculaire disséminée
Stabilité du caillot de fibrine	Absence de lyse après 24 heures d'incubation		Présence de lyse dans les hémorragies massives, certaines interventions chirurgicales majeures et les réactions transfusionnelles
Temps de céphaline activée	20 à 45 s		Allongé dans les déficiences en fibrinogène et en facteurs II, V, VIII, IX, X, XI et XII; allongé dans le traitement à l'héparine
Temps de prothrombine	9 à 12 s		Allongé dans les déficiences en facteurs I, II, V, VII et X, dans les troubles de l'absorption des lipides, dans les maladies du foie graves et dans le traitement aux coumarines
Temps de saignement	2 à 8 min	2 à 8 min	Allongé dans les thrombopénies et les anomalies de la fonction plaquettaire; allongé par la prise d'aspirine
HÉMATOLOGIE GÉNÉRALE			
Fragilité globulaire	Augmentée quand on observe une hémolyse dans le NaCl à plus de 0,5 % Diminuée quand l'hémolyse est incomplète dans le NaCl à 0,3 %		Augmentée dans la sphérocytose congénitale, dans les anémies hémolytiques idiopathiques acquises, dans l'anémie hémolytique iso-immune et dans l'incompatibilité ABO chez le nouveau-né Diminuée dans la drépanocytose et dans la thalassémie
Hématocrite	Hommes: 42 à 50 % Femmes: 40 à 48 %	0,42 à 0,50 0,40 à 0,48	Abaissé dans les anémies graves, l'anémie de la grossesse et les pertes de sang massives Élevé dans les polyglobulies et dans la déshydratation ou l'hémoconcentration associée au choc

Hématologie (suite)

Composant	Intervalles de référence — Anciennes unités	Intervalles de référence — Unités SI	Interprétation clinique
Hémoglobine	Hommes: 13 à 18 g/100 mL Femmes: 12 à 16 g/100 mL	130 à 180 g/L 120 à 160 g/L	Abaissée dans les anémies, dans la grossesse, dans les hémorragies graves et dans les excès de volume liquidien Élevée dans les polyglobulies, les bronchopneumopathies chroniques obstructives, dans l'hypoxie due à l'insuffisance cardiaque et chez les personnes qui vivent en haute altitude
Hémoglobine A_2	1,5 à 3,5 % de l'hémoglobine totale	0,015 à 0,035	Élevée dans certains types de thalassémie
Hémoglobine F	<2 % de l'hémoglobine totale	<0,02	Élevée chez les bébés et les enfants atteints de thalassémie et dans plusieurs anémies
Indices globulaires:			
volume globulaire moyen (VGM)	80 à 94 (μm^3)	80 à 94 fl	Élevé dans les anémies macrocytaires; abaissé dans les anémies microcytaires
teneur globulaire moyenne en hémoglobine (TGMH)	27 à 32 $\mu\mu g$/globule	27 à 32 pg	Élevé dans l'anémie macrocytaire; abaissé dans l'anémie microcytaire
concentration globulaire moyenne en hémoglobine (CGMH)	33 à 38 %	0,33 à 0,38	Abaissée dans l'anémie hypochrome grave
Numération des érythrocytes	Hommes: 4 600 000 à 6 200 000/mm^3 Femmes: 4 200 000 à 5 400 000/mm^3	$4,6$ à $6,2 \times 10^{12}$/L $4,2$ à $5,4 \times 10^{12}$/L	Élevée dans la diarrhée grave avec déshydratation, dans la polyglobulie, dans les intoxications aiguës et dans la fibrose pulmonaire Abaissée dans les anémies, dans les leucémies et dans les hémorragies
Numération leucocytaire	5000 à 10 000/mm^3	5 à 10×10^9/L	Élevée dans les infections aiguës (la proportion des neutrophiles est augmentée dans les infections bactériennes et celle des lymphocytes dans les infections virales) Élevée dans les leucémies aiguës, après la menstruation et après une intervention chirurgicale ou un traumatisme Abaissée dans l'anémie aplasique, dans l'agranulocytose et par certains agents toxiques, comme les antinéoplasiques La proportion des éosinophiles est augmentée dans les atteintes diffuses du collagène, dans les allergies et dans les parasitoses intestinales
neutrophiles	60 à 70 %	0,6 à 0,7	
éosinophiles	1 à 4 %	0,01 à 0,04	
basophiles	0 à 1 %	0 à 0,01	
lymphocytes	20 à 30 %	0,2 à 0,3	
monocytes	2 à 6 %	0,02 à 0,06	
Numération plaquettaire	100 000 à 400 000/mm^3	100 à 400×10^9/L	Élevée dans certains cancers, dans les affections myéloprolifératives, dans la polyarthrite rhumatoïde et dans la période postopératoire; on diagnostique un cancer chez environ 50 % des personnes qui présentent une élévation non expliquée du nombre des plaquettes Abaissée dans le purpura thrombopénique, dans les leucémies aiguës, dans l'anémie aplasique, dans les infections, dans les réactions médicamenteuses et au cours de la chimiothérapie

Hématologie (suite)

	Intervalles de référence		
Composant	*Anciennes unités*	*Unités SI*	*Interprétation clinique*
Phosphatase alcaline leucocytaire	Score de 40 à 140		Élevée dans la polyglobulie essentielle, dans la myélofibrose et dans les infections Abaissée dans la leucémie granulocytaire chronique, dans l'hémoglobinurie paroxystique nocturne, dans l'aplasie médullaire et dans certaines infections virales, dont la mononucléose infectieuse
Réticulocytes	0,5 à 1,5 %	0,005 à 0,015	Élevés dans les troubles qui stimulent l'activité médullaire (infections, pertes de sang, etc.), après un traitement au fer dans l'anémie ferriprive et dans la polyglobulie essentielle Abaissés dans les troubles qui inhibent l'activité médullaire, dans la leucémie aiguë et dans les anémies graves au stade avancé
Taux de sédimentation (méthode par centrifugation)	41 à 54 %	0,41 à 0,54 %	Même interprétation que pour la vitesse de sédimentation
Vitesse de sédimentation (méthode Westergreen)	Hommes de moins de 50 ans: <15 mm/h Hommes de plus de 50 ans: <20 mm/h Femmes de moins de 50 ans: 20 mm/h Femmes de plus de 50 ans: <30 mm/h	<15 mm/h <20 mm/h <20 mm/h <30 mm/h	Élevée quand il y a destruction des tissus d'origine inflammatoire ou dégénérative; élevée pendant la menstruation et la grossesse et dans les affections fébriles aiguës

Biochimie (sang)

	Intervalles de référence (adultes)		*Interprétation clinique*	
Composant ou épreuve	*Anciennes unités*	*Unités SI*	*Élevé*	*Abaissé*
Acétoacétate	0,2 à 1,0 mg/100 mL	19,6 à 98 µmol/L	Acidose diabétique Jeûne	
Acétone	0,3 à 2,0 mg/100 mL	51,6 à 344,0 µmol/L	Toxémie gravidique Régime pauvre en glucides Régime riche en lipides	
Acide ascorbique (vitamine C)	0,4 à 1,5 mg/100 mL	23 à 85 µmol/L	Larges doses d'acide ascorbique	
Acide folique	4 à 16 ng/mL	9,1 à 36,3 nmol/L	Anémie mégaloblastique de la petite enfance et de la grossesse Carence en acide folique Maladies du foie Malabsorption Anémie hémolytique grave	

Biochimie (sang) (suite)

	Intervalles de référence (adultes)		*Interprétation clinique*	
Composant ou épreuve	*Anciennes unités*	*Unités SI*	*Élevé*	*Abaissé*
Acide lactique	Sang veineux: 5 à 20 mg/100 mL Sang artériel 3 à 7 mg/100 mL	 0,6 à 2,2 mmol/L 0,3 à 0,8 mmol/l	Augmentation de l'activité musculaire Insuffisance cardiaque Hémorragie Choc Certaines acidoses métaboliques Certaines infections fébriles Maladie du foie grave	
Acide pyruvique	0,3 à 0,7 mg/100 mL	34 à 80 μmol/L	Diabète Carence en thiamine Infection en phase aiguë (probablement à cause d'une augmentation de la glycogénolyse et de la glycolyse)	
Acide urique	2,5 à 8 mg/100 mL	120 à 420 μmol/L	Goutte Leucémies aiguës Lymphomes traités par chimiothérapie Toxémie gravidique	Xanthinurie Défaut de réabsorption tubulaire
Adrénocorticotrophine (ACTH)	20 à 100 pg/mL	4 à 22 pmol/mL	Syndrome de Cushing dépendant de l'ACTH Syndrome d'ACTH ectopique Insuffisance surrénalienne (primaire)	Tumeur corticosurrénalienne Insuffisance surrénalienne secondaire d'un hypopituitarisme
Alanine aminotransférase (ALT)	10 à 40 U/mL	5 à 20 U/L	Même que pour l'AST, mais augmentation plus marquée dans les maladies du foie	
Aldolase	0 à 6 U/L à 37 °C (unités Sibley-Lehninger	0 à 6 U/L	Nécrose hépatique Leucémie granulocytaire Infarctus du myocarde Maladies des muscles squelettiques	
Aldostérone	Couché: 3 à 10 ng/100 mL Debout: 5 à 30 ng/100 mL Veine surrénale: 200 à 400 ng/100 mL	 0,08 à 0,30 nmol/L 0,14 à 0,90 nmol/L 5,5 à 22,2 nmol/L	Hyperaldostéronisme primaire et secondaire	Maladie d'Addison
Alpha-1-antitrypsine	200 à 400 mg/100 mL	2 à 4 g/L		Certaines formes de maladies chroniques des poumons et du foie chez les jeunes adultes
Alpha-1-fétoprotéine	0 à 20 ng/mL	0 à 20 μg/L	Hépatocarcinome Cancer métastatique du foie Cancer des testicules et des ovaires à cellules germinales Anomalie de la moelle épinière par défaut de soudure chez le fœtus — valeurs élevées chez la mère	

Biochimie (sang) (suite)

Composant ou épreuve	Intervalles de référence (adultes)		Interprétation clinique	
	Anciennes unités	*Unités SI*	*Élevé*	*Abaissé*
Alpha-hydroxybutyrique déshydrogénase	<140 U/mL	<140 U/L	Infarctus du myocarde Leucémie granulocytaire Anémies hémolytiques Dystrophie musculaire	
Ammoniac	40 à 80 μg/100 mL (varie considérablement selon la méthode de dosage utilisée)	22,2 à 44,3 μmol/L	Maladies du foie graves Décompensation hépatique	
Amylase	60 à 160 U/100 mL (unités Somogyi)	111 à 296 U/L	Pancréatite aiguë Oreillons Ulcère duodénal Cancer de la tête du pancréas Pseudokyste pancréatique (élévation prolongée) Prise de médicaments qui contractent les sphincters des canaux pancréatiques: morphine, codéine, cholinergiques	Pancréatite chronique Fibrose et atrophie du pancréas Cirrhose Grossesse (2e et 3e trimestres)
Antigène carcino-embryonnaire	0 à 2,5 ng/mL	0 à 2,5 μg/L	La présence de cet antigène est fréquente chez les personnes atteintes de cancers du côlon, du rectum, du pancréas et de l'estomac, ce qui porte à croire que son dosage pourrait être utile pour suivre l'évolution de ces cancers.	
Arsenic	6 à 20 μg/100 mL	0,78 à 2,6 μmol/L	Intoxication accidentelle ou intentionnelle Exposition dans le milieu de travail	
Aspartate aminotransférase (AST)	7 à 40 U/mL	4 à 20 U/L	Infarctus du myocarde Maladies des muscles squelettiques Maladies du foie	
Bilirubine	Totale: 0,1 à 1,2 mg/100 mL Directe: 0,1 à 0,2 mg/100 mL Indirecte: 0,1 à 1,0 mg/100 mL	 1,7 à 20,5 μmol/L 1,7 à 3,4 μmol/L 1,7 à 17,1 μmol/L	Anémie hémolytique (indirecte) Obstruction et maladies des voies biliaires Hépatite Anémie pernicieuse Maladie hémolytique du nouveau-né	
Calcitonine	Non mesurable (pg/mL)	Non mesurable (ng/L)	Cancer médullaire de la thyroïde Certaines tumeurs non thyroïdiennes Syndrome de Zollinger-Ellison	

Biochimie (sang) (suite)

Composant ou épreuve	Intervalles de référence (adultes) — Anciennes unités	Intervalles de référence (adultes) — Unités SI	Interprétation clinique — Élevé	Interprétation clinique — Abaissé
Calcium	8,5 à 10,5 mg/100 mL	2,2 à 2,56 mmol/L	Tumeur ou hyperplasie des parathyroïdes Hypervitaminose D Myélome multiple Néphrite avec urémie Tumeurs malignes Sarcoïdose Hyperthyroïdie Immobilisation des os Apport excessif de calcium (syndrome du lait et des alcalins)	Hypoparathyroïdie Diarrhée Maladie cœliaque Carence en vitamine D Pancréatite aiguë Néphrose Après une parathyroïdectomie
Catécholamines	Adrénaline: <90 pg/mL Noradrénaline: 100 à 550 pg/mL Dopamine: <130 pg/mL	 <490 pmol/L 590 à 3240 pmol/L <850 pmol/L	Phéochromocytome	
Céruloplasmine	30 à 80 mg/100 mL	300 à 800 mg/L		Maladie de Wilson (dégénérescence hépatolenticulaire)
Chlorure	95 à 105 mEq/L	95 à 105 mmol/L	Néphrose Néphrite Obstruction urinaire Décompensation cardiaque Anémie	Diabète Diarrhée Vomissements Pneumonie Intoxication par un métal lourd Syndrome de Cushing Brûlures Obstruction intestinale Fièvre
Cholestérol	150 à 200 mg/100 mL	3,9 à 5,2 mmol/L	Hyperlipidémie Ictère obstructif Diabète Hypothyroïdie	Anémie pernicieuse Anémie hémolytique Hyperthyroïdie Infection grave Maladies débilitantes au stade terminal
Cholestérol, esters	60 à 70 % du cholestérol total	En fraction du cholestérol total: 0,6 à 0,7		Maladies du foie
Cholestérol LDL Âge 1 à 19 20 à 29 30 à 39 40 à 49 50 à 59	 mg/100 mL 50 à 170 60 à 170 70 à 190 80 à 190 20 à 210	 mmol/L 1,30 à 4,40 1,55 à 4,40 1,8 à 4,9 2,1 à 4,9 2,1 à 5,4	Les personnes qui ont un taux élevé de cholestérol LDL présentent un risque élevé de maladie cardiaque.	
Cholestérol HDL	(voir tableau ci-dessous)			Les personnes ayant un taux abaissé de cholestérol HDL présentent un risque élevé de maladie cardiaque.

Âge (ans)	Hommes (mg/100 mL)	Femmes (mg/100 mL)	Hommes (mmol/L)	Femmes (mmol/L)
0 à 19	30 à 65	30 à 70	0,78 à 1,68	0,78 à 1,81
20 à 29	35 à 70	35 à 75	0,91 à 1,81	0,91 à 1,94
30 à 39	30 à 65	35 à 80	0,78 à 1,68	0,91 à 2,07
40 à 49	30 à 65	40 à 85	0,78 à 1,68	1,04 à 2,2
50 à 59	30 à 65	35 à 85	0,78 à 1,68	0,91 à 2,2
60 à 69	30 à 65	35 à 85	0,78 à 1,68	0,91 à 2,2

Biochimie (sang) (suite)

	Intervalles de référence (adultes)		*Interprétation clinique*	
Composant ou épreuve	*Anciennes unités*	*Unités SI*	*Élevé*	*Abaissé*
Cholinestérase	620 à 1370 U/L à 25 °C	620 à 1370 U/L	Néphrose Exercice	Intoxication par un gaz neuroplégique Intoxication par les organophosphates
Clairance de la créatinine	100 à 150 mL/min	1,7 à 2,5 mL/s		
Complément, C_3	70 à 160 mg/100 mL	0,7 à 1,6 g/L	Certaines maladies inflammatoires	Glomérulonéphrite aiguë Lupus érythémateux disséminé avec atteinte rénale
Complément, C_4	20 à 40 mg/100 mL	0,2 à 0,4 g/L	Certaines maladies inflammatoires	Souvent dans les maladies immunitaires, surtout le lupus érythémateux disséminé Œdème de Quincke familial
Cortisol	8 h: 4 à 19 μg/100 mL 16 h: 2 à 15 μg/100 mL	 110 à 520 nmol/L 50 à 410 nmol/L	Stress dû à une maladie infectieuse, à des brûlures, etc. Grossesse Syndrome de Cushing Pancréatite Toxémie gravidique	Maladie d'Addison Hypoactivité de l'hypophyse antérieure
CO_2 (sang veineux)	Adultes: 24 à 32 mEq/L Bébés: 18 à 24 mEq/L	 24 à 32 mmol/L 18 à 24 mmol/L	Tétanie Maladies respiratoires Obstructions intestinales Vomissements	Acidose Néphrite Toxémie gravidique Diarrhée Anesthésie
Créatine	Hommes: 0,17 à 0,50 mg/100 mL Femmes: 0,35 à 0,93 mg/100 mL	10 à 40 μmol/L 30 à 70 μmol/L	Grossesse Nécrose ou atrophie des muscles squelettiques	État d'inanition Hyperthyroïdie
Créatine phosphokinase	Hommes: 50 à 325 mU/mL Femmes: 50 à 250 mU/mL	 50 à 325 U/L 50 à 250 U/L	Infarctus du myocarde Myopathies Injections intramusculaires Syndrome d'écrasement Hypothyroïdie Délirium tremens Myopathie alcoolique Accident vasculaire cérébral	
Créatine phosphokinase, isoenzymes	Présence de la fraction MM (muscles squelettiques) Absence de la fraction MB (muscle cardiaque)		Présence de la fraction MB dans l'infarctus du myocarde et l'ischémie	
Créatinine	0,7 à 1,4 mg/100 mL	62 à 124 μmol/L	Néphrite Insuffisance rénale chronique	Maladies rénales
Cryoglobulines	Négatif		Myélome multiple Leucémie lymphoïde chronique Lymphosarcome Lupus érythémateux disséminé Polyarthrite rhumatoïde Endocardite infectieuse subaiguë Certains cancers Sclérodermie	
Cuivre	70 à 165 μg/100 mL	11,0 à 26 μmol/L	Cirrhose Grossesse	Maladie de Wilson

Biochimie (sang) (suite)

Composant ou épreuve	Intervalles de référence (adultes) — Anciennes unités	Intervalles de référence (adultes) — Unités SI	Interprétation clinique — Élevé	Interprétation clinique — Abaissé
11-Désoxycortisol	0 à 2 μg/100 mL	0 à 60 nmol/L	Forme hypertensive de l'hyperplasie surrénalienne virilisante due à un déficit en 11-B-hydroxylase)	
Dibucaïne number (pourcentage d'inhibition par la dibucaïne de la pseudocholinestérase)	Normale: 70 à 85 % d'inhibition Hétérozygotes: 50 à 65 % d'inhibition Homozygotes: 16 à 25 % d'inhibition			Traduit une activité anormale de la pseudocholinestérase pouvant provoquer une apnée prolongée à la succinyldicholine, un myorelaxant administré pendant l'anesthésie
Dihydrotestostérone	Hommes: 50 à 210 ng/100 mL Femmes: non mesurable	 1,72 à 7,22 nmol/L		Syndrome de féminisation testiculaire
Épreuve d'absorption du D-xylose	30 à 50 mg/100 mL (après 2 heures)	2 à 3,5 mmol/L		Syndrome de malabsorption
Électrophorèse des protéines (acétate de cellulose)				
Albumine	3,5 à 5,0 g/100 mL	35 à 50 g/L		
Globulines:				
Alpha 1	0,2 à 0,4 g/100 mL	2 à 4 g/L		
Alpha 2	0,6 à 1,0 g/100 mL	6 à 10 g/L		
Bêta	0,6 à 1,2 g/100 mL	6 à 12 g/L		
Gamma	0,7 à 1,5 g/100 mL	7 à 15 g/L		
Estradiol	Femmes: Phase folliculaire: 10 à 90 pg/mL Milieu du cycle: 100 à 550 pg/mL Phase lutéale: 50 à 240 pg/mL Hommes: 15 à 40 pg/mL	 37 à 370 pmol/L 367 à 1835 pmol/L 184 à 881 pmol/L 55 à 150 pmol/L	Grossesse	Insuffisance ovarienne
Estriol	Femmes non enceintes: <0,5 ng/mL	 <1,75 nmol/L	Grossesse	Insuffisance ovarienne
Estrogènes	Femmes: Jours du cycle: 1 à 10: 61 à 394 pg/mL 11 à 20: 122 à 437 pg/mL 21 à 30: 156 à 350 pg/mL Hommes: 40 à 115 pg/mL	 61 à 394 ng/L 122 à 437 ng/L 156 à 350 ng/L 40 à 115 ng/L	Grossesse	Détresse fœtale Insuffisance ovarienne
Estrone	Femmes: Jours du cycle: 1 à 10: 4,3 à 18 ng/100 mL 11 à 20: 7,5 à 19,6 ng/100 mL 21 à 30: 13 à 20 ng/100 mL Hommes: 2,5 à 7,5 ng/100 mL	 15,9 à 66,6 pmol/L 27,8 à 72,5 pmol/L 48,1 à 74,0 pmol/L 9,3 à 27,8 pmol/L	Grossesse	Insuffisance ovarienne

Biochimie (sang) (suite)

	Intervalles de référence (adultes)		Interprétation clinique	
Composant ou épreuve	*Anciennes unités*	*Unités SI*	*Élevé*	*Abaissé*
Fer	65 à 170 μg/100 mL	11 à 30 μmol/L	Anémie pernicieuse Anémie aplasique Anémie hémolytique Hépatite Hémochromatose	Anémie ferriprive
Fer, capacité de fixation	250 à 420 μg/100 mL	45 à 82 μmol/L	Anémie ferriprive Hémorragie aiguë ou chronique Hépatite	Infections chroniques Cirrhose
Ferritine	Hommes: 10 à 270 ng/mL Femmes: 5 à 100 ng/mL	 10 à 270 μg/L 5 à 100 μg/L	Néphrite Hémochromatose Certains cancers Leucémie myéloblastique aiguë Myélome multiple	Carence en fer
Galactose	<5 mg/100 mL	<0,3 mmol/L		Galactosémie
Gamma-glutamyl-transpeptidase	0 à 30 U/L à 30 °C	0 à 30 U/L	Maladies hépatobiliaires Alcoolisme anictérique Lésions dues à des médicaments Infarctus du myocarde Infarctus rénal	
Gastrine	À jeun: 50 à 155 pg/mL Postprandial: 80 à 170 pg/mL	 50 à 155 ng/L 80 à 170 ng/L	Syndrome de Zollinger-Ellison Ulcère duodénal Anémie pernicieuse	
Gaz carbonique: pression partielle ($PaCO_2$)	35 à 45 mm Hg	4,7 à 6,0 kPa	Acidose respiratoire Alcalose métabolique	Alcalose respiratoire Acidose métabolique
Gaz du sang artériel: Oxygène Pression partielle (PaO_2) Saturation (SaO_2)	95 à 100 mm Hg 94 à 100 %	12,6 à 13,3 kPa 0,94 à 1,0	Polyglobulie Anhydrémie	Anémie Décompensation cardiaque Bronchopneumopathies chroniques obstructives
Globuline de liaison de la thyroxine (TBG)	10 à 26 μg/100 mL	100 à 260 μg/L	Hypothyroïdie Grossesse Œstrogénothérapie Prise de contraceptifs oraux	Prise d'androgènes et de stéroïdes anabolisants Syndrome néphrotique Hypoprotéinémie grave Maladies hépatiques
Glucose	À jeun: 60 à 110 mg/100 mL Postprandial: 65 à 140 mg/100 mL	 3,3 à 6,0 mmol/L 3,6 à 7,7 mmol/L	Diabète Néphrite Hyperthyroïdie Hyperpituitarisme au premier stade Lésions cérébrales Infections Grossesse Urémie	Hyperinsulinisme Hypothyroïdie Hyperpituitarisme au stade avancé Vomissements graves Maladie d'Addison Atteinte hépatique grave
Glucose-6-phosphate déshydrogénase (globules rouges)	1,86 à 2,5 IU/mL de GR	1860 à 2500 U/L		Anémie hémolytique médicamenteuse Maladie hémolytique du nouveau-né

Biochimie (sang) (suite)

Composant ou épreuve	*Intervalles de référence (adultes)* — *Anciennes unités*	*Unités SI*	*Interprétation clinique* — *Élevé*	*Abaissé*
Glycoprotéines(alpha-1-acide)	40 à 110 mg/100 mL	400 à 1100 mg/L	Cancer Tuberculose Diabète compliqué d'une maladie vasculaire dégénérative Grossesse Polyarthrite rhumatoïde Rhumatisme articulaire aigu Hépatite Lupus érythémateux	
Gonadotrophine chorionique (B-HCG)	0 à 5 IU/L	0 à 5 IU/L	Grossesse Mole hydatiforme Choriocarcinome	
Haptoglobine	50 à 250 mg/100 mL	0,5 à 2,5 g/L	Grossesse Œstrogénothérapie Infections chroniques Différents troubles inflammatoires	Anémie hémolytique Réaction transfusionnelle hémolytique
Hémoglobine A1 (hémoglobine glycosylée)	4,4 à 8,2 %		Diabète mal équilibré	
Hémoglobine plasmatique	0,5 à 5,0 mg/100 mL	5 à 50 mg/L	Réactions transfusionnelles Hémoglobinurie paroxystique nocturne Hémolyse intravasculaire	
Hexosaminidase A	Normale: 49 à 68 % Maladie de Tay-Sachs: Hétérozygotes: 26 à 45 % Homozygotes: 0 à 4 % Diabète: 39 à 59 %	 0,49 à 0,68 0,26 à 0,45 0 à 0,04 0,39 à 0,59		Maladie de Tay-Sachs
Hexosaminidase totale	Normale: 333 à 375 nmol/mL/h Maladie de Tay-Sachs: Hétérozygotes: 288 à 644 nmol/mL/h Homozygotes: 284 à 1232 nmol/mL/h Diabète: 567 à 3560 nmol/mL/h	333 à 375 µmol/L/h 288 à 644 µmol/L/h 284 à 1232 µmol/L/h 567 à 3560 µmol/L/h	Diabète Maladie de Tay-Sachs	
Hormone de croissance	<10 ng/mL	<10 mg/L	Acromégalie	Nanisme
Hormone folliculostimulante (FSH)	Phase folliculaire: 5 à 20 mIu/L Milieu du cycle: 12 à 30 mIu/L Phase lutéale: 5 à 15 mIu/L Après la ménopause: 40 à 200 mIu/L	 5 à 20 IU/L 12 à 30 IU/L 5 à 15 IU/L 40 à 200 IU/L	Ménopause Insuffisance ovarienne primaire	Insuffisance hypophysaire

	Intervalles de référence (adultes)		*Interprétation clinique*	
Composant ou épreuve	*Anciennes unités*	*Unités SI*	*Élevé*	*Abaissé*
Hormone lutéinisante	Hommes: 3 à 25 mIu/mL Femmes: 2 à 20 mIu/mL Pic de production: 30 à 140 mIu/mL	 3 à 25 IU/L 2 à 20 IU/L 30 à 140 IU/L	Tumeur hypophysaire Insuffisance ovarienne	Insuffisance hypophysaire
Hormone parathyroïdienne	160 à 350 pg/mL	160 à 350 ng/L	Hyperparathyroïdie	
17-hydroxyprogestérone	Hommes: 0,4 à 4 ng/mL Femmes: 0,1 à 3,3 ng/mL Enfants: 0,1 à 0,5 ng/mL	 1,2 à 12 nmol/L 0,3 à 10 nmol/L 0,3 à 1,5 nmol/L	Hyperplasie congénitale des surrénales Grossesse Certains cas d'adénome surrénalien ou ovarien	
Hyperglycémie provoquée	Limite supérieure de la normale: À jeun: 125 mg/100 mL 1 heure: 190 mg/100 mL 2 heures: 140 mg/100 mL 3 heures: 125 mg/100 mL	 6,9 mmol/L 10,5 mmol/L 7,7 mmol/L 6,9 mmol/L	(Courbe plate ou inversée) Hyperinsulinisme Insuffisance surrénalienne (maladie d'Addison) Hypoactivité de l'hypophyse antérieure Hypothyroïdie Maladie cœliaque	(Courbe élevée) Diabète Hyperthyroïdie Tumeur ou hyperplasie des surrénales Anémie grave Certaines maladies du système nerveux central
Immunoglobuline A	50 à 300 mg/100 mL	0,5 à 3 g/L	Myélome à IgA Syndrome de Wiskott-Aldrich Maladies auto-immunitaires Cirrhose	Ataxie-télangiectasies Agammaglobulinémie Hypogammaglobulinémie transitoire Dysgammaglobulinémie Entéropathies avec pertes de protéines
Immunoglobuline D	0 à 30 mg/100 mL	0 à 300 mg/L	Myélome à IgD Certaines infections chroniques	
Immunoglobuline E	20 à 740 ng/mL	20 à 740 μg/L	Allergies et infections parasitaires	
Immunoglobuline G	635 à 1400 mg/100 mL	6,35 à 14 g/L	Myélome à IgG Après une hyperimmunisation Maladies auto-immunitaires Infections chroniques	Hypogammaglobulinémies congénitales et acquises Myélome à IgA Macroglobulinémie de Waldenström Certains syndromes de malabsorption Grave perte de protéines
Immunoglobuline M	40 à 280 mg/100 mL	0,4 à 2,8 g/L	Macroglobulinémie de Waldenström Infections parasitaires Hépatite	Agammaglobulinémie Certains myélomes à IgG et à IgA Leucémie lymphoïde chronique
Insuline	5 à 25 μU/mL	35 à 145 pmol/L	Insulinome Acromégalie	Diabète
Isocitrate-déshydrogénase	50 à 180 U	0,83 à 3 U/L	Hépatite et cirrhose Ictère obstructif Cancer métastatique du foie Anémie mégaloblastique	
Lactate-déshydrogénase (LDH)	100 à 225 mU/L	100 à 225 U/L	Anémie pernicieuse non traitée Infarctus du myocarde Infarctus pulmonaire Maladies du foie	

Biochimie (sang) (suite)

	Intervalles de référence (adultes)		*Interprétation clinique*	
Composant ou épreuve	*Anciennes unités*	*Unités SI*	*Élevé*	*Abaissé*
Lactate-déshydrogénase, iso-enzymes			LDH-1 et LDH-2:	
LDH-1	20 à 35 %	0,2 à 0,35	Infarctus du myocarde Anémie mégaloblastique	
LDH-2	25 à 40 %	0,25 à 0,4	Anémie hémolytique LDH-4 et LDH-5:	
LDH-3	20 à 30 %	0,2 à 0,3	Infarctus pulmonaire Insuffisance cardiaque	
LDH-4	0 à 20 %	0 à 0,2	Maladies du foie	
LDH-5	0 à 25 %	0 à 0,25		
Leucine aminopeptidase	80 à 200 U/L	19,2 à 48 U/L	Maladies du foie et des voies biliaires Maladies du pancréas Cancers métastatiques du foie et du pancréas Obstruction des voies biliaires	
Lipase	0,2 à 1,5 U/mL	55 à 417 U/L	Pancréatite aiguë et chronique Obstruction des voies biliaires Cirrhose Hépatite Ulcère gastroduodénal	
Lipides totaux	400 à 1000 mg/100 mL	4 à 10 g/L	Hypothyroïdie Diabète Néphrose Glomérulonéphrite Hyperlipoprotéinémies	Hyperthyroïdie

Caractéristiques des différents types d'hyperlipoprotéinémies

					Électrophorèse des lipoprotéines				
Type	*Fréquence*	*Aspect du sérum*	*Triglycérides*	*Cholestérol*	*Bêta*	*Pré-bêta*	*Alpha*	*Chylomicrons*	*Causes*
I	Très rare	Lactescent	Très élevés	Normal à modérément élevé	Faible	Faible	Faible	Très forte	Dysglobulinémie
II	Fréquent	Limpide	Normaux à légèrement élevés	Légèrement élevé à très élevé	Forte	Absente à forte	Modérée	Faible	Hypothyroïdie, myélomes, syndrome hépatique et apport alimentaire élevé en cholestérol
III	Rare	Limpide ou lactescent	Élevés	Élevé	Large bande, forte	Chevauche la bande bêta	Modérée	Faible	
IV	Très fréquent	Limpide ou lactescent	Légèrement élevés ou très élevés	Normal à légèrement élevé	Faible à modérée	Modérée à forte	Faible à modérée	Faible	Hypothyroïdie, diabète, pancréatite, glycogénoses, syndrome néphrotique myélomes, grossesse et prise de contraceptifs oraux
V	Rare	Limpide ou lactescent	Très élevés	Élevé	Faible	Modérée	Faible	Forte	Diabète, pancréatite, alcoolisme

Les types I et II sont provoqués par les lipides, les types III et IV par les glucides et le type V par les lipides et les glucides.

Biochimie (sang) (suite)

	Intervalles de référence (adultes)		*Interprétation clinique*	
Composant ou épreuve	*Anciennes unités*	*Unités SI*	*Élevé*	*Abaissé*
Lithium	0,5 à 1,5 mEq/L	0,5 à 1,5 mmol/L		
Lysozyme (muramidase)	2,8 à 8 μg/mL	2,8 à 8 mg/L	Leucémie monocytaire aiguë Inflammations et infections	Leucémie lymphoïde aiguë
Magnésium	1,3 à 2,4 mEq/L	0,7 à 1,2 mmol/L	Consommation exagérée d'antiacides contenant du magnésium	Alcoolisme chronique Maladie rénale grave Diarrhée Retard de croissance
Manganèse	0,04 à 1,4 μg/100 mL	73 à 255 nmol/L		
Mercure	<10 μg/100 mL	<50 nmol/L	Intoxication au mercure	
Myoglobine	<85 ng/mL	<85 μg/L	Infarctus du myocarde Nécrose musculaire	
5'nucléotidase	3,2 à 11,6 IU/L	3,2 à 11,6 IU/L	Maladies hépatobiliaires	
Osmolalité	280 à 300 mOsm/kg	280 à 300 mmol/L	Déséquilibre hydro-électrolytique	Sécrétion inadéquate d'hormone antidiurétique
Peptide C	1,5 à 10 ng/mL	1,5 à 10 μg/L	Insulinome	Diabète
pH	7,35 à 7,45	7,35 à 7,45	Vomissements Hyperhypnée Fièvre Obstruction intestinale	Urémie Acidose diabétique Hémorragie Néphrite
Phénylalanine	Première semaine de vie: 1,2 à 3,5 mg/100 mL Après: 0,7 à 3,5 mg/100 mL	0,07 à 0,21 mmol/L 0,04 à 0,21 mmol/L	Phénylcétonurie	
Phosphatase acide prostatique	0 à 3 U	0 à 5,5 U/L	Cancer de la prostate	
Phosphatase acide totale	0 à 11 U/L	0 à 11 U/L	Cancer de la prostate Maladie de Paget au stade avancé Hyperparathyroïdie Maladie de Gaucher	
Phosphatase alcaline	30 à 120 U/L	30 à 120 U/L	Augmentation de l'activité ostéoblastique Rachitisme Hyperparathyroïdie Maladies du foie	
Phosphohexose isomérase	20 à 90 IU/L	20 à 90 IU/L	Cancers Maladies du cœur, du foie et des muscles squelettiques	
Phospholipides	125 à 300 mg/100 mL	1,25 à 3,0 g/L	Diabète Néphrite	
Phosphore inorganique	2,5 à 4,5 mg/100 mL	0,8 à 1,45 mmol/L	Néphrite chronique Hypoparathyroïdie	Hyperparathyroïdie Carence en vitamine D
Plomb	<40 μg/100 mL	<2 μmol/L	Intoxication au plomb	
Potassium	3,8 à 5,0 mEq/L	3,8 à 5,0 mmol/L	Maladie d'Addison Oligurie Anurie Hémolyse, nécrose tissulaire	Acidose diabétique Diarrhée Vomissements

Biochimie (sang) (suite)

	Intervalles de référence (adultes)		*Interprétation clinique*	
Composant ou épreuve	*Anciennes unités*	*Unités SI*	*Élevé*	*Abaissé*

Progestérone	Phase folliculaire:
	  <2 ng/mL
	Phase lutéale:
	  2 à 20 ng/mL
	Fin du cycle
	  <1 ng/mL
	Grossesse 20e semaine:
	  jusqu'à 50 ng/mL
		
		<6 nmol/L
		
		6 à 64 nmol/L
		
		<3 nmol/L
		
		jusqu'à 160 nmol/L
			Utile dans l'évaluation des troubles menstruels et de l'infertilité, de même que de la fonction placentaire dans les grossesses avec complications (toxémie gravidique, diabète, menace d'avortement)	

Prolactine	0 à 20 ng/mL	0 à 20 ug/L	Grossesse Troubles fonctionnels ou structurels de l'hypothalamus Section de la tige pituitaire Tumeurs hypophysaires	

Protéines:
  Totales
  Albumine
  Globulines
	
	6 à 8 g/100 mL
	3,5 à 5 g/100 mL
	1,5 à 3 g/100 mL
		
		60 à 80 g/L
		35 à 50 g/L
		15 à 30 g/L
			Hémoconcentration
			Choc
			Myélome multiple (fraction globulines)
			Infections chroniques (fraction globulines)
			Maladies du foie (fraction globulines)
				
				Malnutrition
				Hémorragie
				Brûlures
				Protéinurie

Protoporphyrine	15 à 100 μg/100 mL	0,27 à 1,8 μmol/L	Intoxication au plomb Protoporphyrie érythropoïétique	
Pyridoxine	3,6 à 18 ng/mL			Dépression Neuropathies périphériques Anémie Convulsions néonatales Réaction à certains médicaments
Régime normal en sodium Régime réduit en sodium Rénine	1,1 à 4,1 ng/mL/h 6,2 à 12,4 ng/mL/h	0,3 à 1,14 ng•L^{-1}•s^{-1} 1,72 à 3,44 ng•L^{-1}•s^{-1}	Hypertension rénovasculaire Hypertension maligne Maladie d'Addison non traitée Néphropathie avec perte de sel Régime pauvre en sel Traitement aux diurétiques Hémorragie	Aldostéronisme primaire Augmentation de l'apport en sel Corticothérapie avec rétention de sel Traitement à l'hormone antidiurétique Transfusion sanguine
Sodium	135 à 145 mEq/L	135 à 145 mmol/L	Hémoconcentration Néphrite Obstruction du pylore	Hémodilution Maladie d'Addison Myxœdème
Sulfate inorganique	0,5 à 1,5 mg/100 mL	0,05 à 0,15 mmol/L	Néphrite Rétention d'azote	

Testostérone	Femmes:
	  25 à 100 ng/100 mL
	Hommes:
	  300 à 800 ng/100 mL
		
		0,9 à 3,5 nmol/L
		
		10,5 à 28 nmol/L
			Femmes:
			Polykystose ovarienne
			Tumeurs virilisantes
				Hommes:
				Orchidectomie
				Œstrogénothérapie
				Syndrome de Klinefelter
				Hypopituitarisme
				Hypogonadisme
				Cirrhose

Biochimie (sang) (suite)

	Intervalles de référence (adultes)		*Interprétation clinique*	
Composant ou épreuve	*Anciennes unités*	*Unités SI*	*Élevé*	*Abaissé*
Thyrotrophine (TSH)		2 à 11 mU/L	Hypothyroïdie	Hyperthyroïdie
Thyroxine libre	1,0 à 2,2 ng/100 mL	13 à 30 pmol/L		
Thyroxine (T_4)	4,5 à 11,5 μg/100 mL	58 à 150 nmol/L	Hyperthyroïdie Thyroïdite Prise de contraceptifs oraux (à cause de l'augmentation du taux des protéines de liaison de la thyroxine) Grossesse	Hypothyroïdie Prise d'androgènes et de stéroïdes anabolisants (à cause de la baisse du taux des protéines de liaison de la thyroxine) Hypoprotéinémie Syndrome néphrotique
Transferrine	230 à 320 mg/100 mL	2,3 à 3,2 g/L	Grossesse Anémie ferriprive due à une hémorragie Hépatite aiguë Polyglobulie Prise de contraceptifs oraux	Anémie pernicieuse en rémission Thalassémie et drépanocytose Chromatose Cancer et autres maladies du foie
Triglycérides	10 à 150 mg/100 mL	0,10 1,65 mmol/L	Voir le tableau des hyperlipoprotéinémies	
Triiodothyronine (T_3), captation	25 à 35 %	0,25 à 0,35	Hyperthyroïdie Déficit en TBG Prise d'androgènes et de stéroïdes anabolisants	Hypothyroïdie Grossesse Excès de TBG Prise d'œstrogènes
Triiodothyronine totale	75 à 220 ng/100 mL	1,15 à 3,1 nmol/L	Grossesse Hyperthyroïdie	Hypothyroïdie
Tryptophane	1,4 à 3,0 mg/100 mL	68 à 147 nmol/L		Malabsorption du tryptophane
Tyrosine	0,5 à 4 mg/100 mL	28 à 220 mmol/L	Tyrosinose	
Urée, azote	10 à 20 mg/100 mL	3,6 à 7,2 mmol/L	Glomérulonéphrite aiguë Obstruction urinaire Intoxication au mercure Syndrome néphrotique	Insuffisance hépatique grave Grossesse
Vitamine A	50 à 220 μg/100 mL	1,75 à 7,7 μmol/L	Hypervitaminose A	Carence en vitamine A Maladie cœliaque Ictère obstructif Giardiase
Vitamine B_1 (thiamine)	1,6 à 4,0 μg/100 mL	47 à 135 nmol/L		Anorexie Béribéri Polyneuropathies Myocardiopathies
Vitamine B_6 (pyridoxal)	3,6 à 18 ng/mL	14,6 à 72,8 nmol/L		Alcoolisme chronique Malnutrition Urémie Convulsions néonatales Malabsorption

Biochimie (sang) (suite)

	Intervalles de référence (adultes)		*Interprétation clinique*	
Composant ou épreuve	*Anciennes unités*	*Unités SI*	*Élevé*	*Abaissé*
Vitamine B_{12}	130 à 785 pg/mL	100 à 580 pmol/L	Lésions des cellules hépatiques Maladies myéloprolifératives (les taux les plus élevés s'observent dans la leucémie myéloïde)	Végétarisme strict Alcoolisme Anémie pernicieuse Gastrectomie totale ou partielle Résection de l'iléon Maladie cœliaque Infection par le Diphyllobothrium latum
Vitamine E	0,5 à 2 mg/100 mL	11,6 à 46,4 µmol/L		Carence en vitamine E
Zinc	55 à 150 µg/100 mL	7,6 à 23 µmol/L		

Biochimie (urines)

	Intervalles de référence (adultes)		*Interprétation clinique*	
Composant ou épreuve	*Anciennes unités*	*Unités SI*	*Élevé*	*Abaissé*
Acétone et acétoacétate	Négatif		Diabète mal équilibré État d'inanition	
Acide delta aminolévulinique	0 à 0,54 mg/100 mL	0 à 40 µmol/L	Intoxication au plomb Porphyrie hépatique Hépatite Cancer du foie	
Acide homogentisique	0		Alcaptonurie Ochronose	
Acide homovanillique	< 15 mg/24 h	< 82 µmol/d	Neuroblastome	
Acide 5-hydroxyindole-acétique	0		Carcinomes	
Acide phénylpyruvique	0		Phénylcétonurie	
Acide urique	250 à 750 mg/24 h	1,48 à 4,43 mmol/d	Goutte	Néphrite
Acide vanillylmandélique	< 6,8 mg/24 h	< 35 µmol/d	Phéochromocytome Neuroblastome Certains aliments (café, thé, bananes) et certains médicaments dont l'aspirine	
Acidité titrable	20 à 40 mEq/24 h	20 à 40 mmol/d	Acidose métabolique	Alcalose métabolique
Aldostérone	Régime normal en sel: 4 à 20 µg/24 h	11,1 à 55,5 nmol/d	Aldostéronisme secondaire Déficit en sel Surcharge en potassium Administration d'ACTH à fortes doses Insuffisance cardiaque Cirrhose avec ascite Néphrose Grossesse	

Biochimie (urines)

	Intervalles de référence (adultes)		Interprétation clinique	
Composant ou épreuve	*Anciennes unités*	*Unités SI*	*Élevé*	*Abaissé*
Amylase	35 à 260 unités excrétées à l'heure	6,5 à 48,1 U/h	Pancréatite aiguë	
Arylsulfatase A	>2,4 U/mL			Leucodystrophie métachromatique
Azote d'aminoacide	50 à 200 mg/24 h	3,6 à 14,3 mmol/d	Leucémies Diabète Phénylcétonurie et autres maladies métaboliques	
Calcium	<150 mg/24 h	<3,75 mmol/d	Hyperparathyroïdie Intoxication à la vitamine D Syndrome de Fanconi	Hypoparathyroïdie Carence en vitamine D
Catécholamines	Totales: 0 à 275 μg/24 h Épinéphrine: 10 à 40 % Norépinéprhine: 60 à 90 %	 0 à 1625 nmol/d 0,1 à 0,4 0,6 à 0,9	Phéochromocytome Neuroblastome	
17-cétostéroïdes	Hommes: 10 à 22 mg/24 h Femmes: 6 à 16 mg/24 h	 35 à 76 μmol/d 21 à 55 μmol/d	Carcinome des testicules à cellules interstitielles Hirsutisme (occasionnellement) Hyperplasie surrénalienne Syndrome de Cushing Cancer virilisant des surrénales Arrhénoblastome	Thyrotoxicose Hypogonadisme chez la femme Diabète Hypertension Maladies débilitantes Eunochoïdisme Maladie d'Addison Panhypopituitarisme Myxœdème Néphrose
Clairance de la créatinine	100 à 150 mL/min	1,7 à 2,5 mL/s		Maladies rénales
Cortisol, libre	20 à 90 μg/24 h	55 à 248 nmol/d	Syndrome de Cushing	
Créatine	Hommes: 0 à 40 mg/24 h Femmes: 0 à 80 mg/24 h	 0 à 300 μmol/d 0 à 600 μmol/d	Dystrophie musculaire Fièvre Cancer du foie Grossesse Hyperthyroïdie Myosite	
Créatinine	0,8 à 2 g/24 h	7 à 17,6 mmol/d	Fièvre typhoïde Salmonellose Tétanos	Atrophie musculaire Anémie Insuffisance rénale avancée Leucémie
Cuivre	20 à 70 μg/24 h	0,32 à 1,12 μmol/d	Maladie de Wilson Cirrhose Néphrose	
Cystine et cystéine	10 à 100 mg/24 h	40 à 420 μmol/d	Cystinurie	
11-désoxycortisol	20 à 100 μg/24 h	0,6 à 2,9 μmol/d	Forme hypertensive de l'hyperplasie surrénalienne virilisante due à un déficit en 11-bêta-hyroxylase	
Épreuve d'absorption du D-Xylose	16 à 33 % du D-xylose ingéré	0,16 à 0,33		Syndrome de malabsorption

Biochimie (urines) (suite)

	Intervalles de référence (adultes)		*Interprétation clinique*	
Composant ou épreuve	*Anciennes unités*	*Unités SI*	*Élevé*	*Abaissé*
Estriol (placentaire)	*Semaines de grossesse*	*µg/24 h*	*nmol/d*	Détresse fœtale Prééclampsie Insuffisance placentaire Diabète mal équilibré
	12	<1	$<3,5$	
	16	2 à 7	7 à 24,5	
	20	4 à 9	14 à 32	
	24	6 à 13	21 à 45,5	
	28	8 à 22	28 à 77	
	32	12 à 43	42 à 150	
	36	14 à 45	49 à 158	
	40	19 à 46	66,5 à 160	
Estriol (femmes non enceintes)	Femmes: Début de la menstruation: 4 à 25 µg/24 h Pic ovulation 28 à 99 µg/24 h Pic lutéal 22 à 105 µg/24 h Après la ménopause: 1,4 à 19,6 µg/24 h Hommes: 5 à 18 µg/24 h	 15 à 85 nmol/d 95 à 345 nmol/d 75 à 365 nmol/d 5 à 70 nmol/d 15 à 60 nmol/d	Hypersécrétion d'œstrogènes due à un cancer des gonades ou des surrénales	Aménorrhée primaire ou secondaire
Étiocholanolone	Hommes: 1,9 à 6 mg/24 h Femmes: 0,5 à 4 mg/24 h	 6,5 à 20,6 µmol/d 1,7 à 13,8 µmol/d	Syndrome génitosurrénal Hirsutisme idiopathique	
17-hydroxycorticostéroïdes	2 à 10 mg/24 h	5,5 à 27,5 µmol/d	Maladie de Cushing	Maladie d'Addison Hypofonctionnement de l'hypophyse antérieure
Glucose	Négatif		Diabète Troubles hypophysaires Hypertension intracrânienne Lésion du 4e ventricule	
Gonadotrophine chorionique	Négatif en l'absence de grossesse		Grossesse Chorioépithéliome Môle hydatiforme	
Hémoglobine et myoglobine	Négatif		Brûlures étendues Transfusion de sang incompatible Graves blessures par écrasement (myoglobine)	
Hormone folliculostimulante (FSH)	Femmes: Phase folliculaire: 5 à 20 IU/24 h Phase lutéale: 5 à 15 IU/24 h Milieu du cycle: 15 à 60 IU/24 h Après la ménopause: 50 à 100 IU/24 h Hommes: 5 à 25 IU/24 h	 5 à 20 IU/d 5 à 15 IU/d 15 à 60 IU/d 50 à 100 IU/d 5 à 25 IU/d	Ménopause et insuffisance ovarienne primaire	Insuffisance hypophysaire

Biochimie (urines) (suite)

	Intervalles de référence (adultes)		*Interprétation clinique*	
Composant ou épreuve	*Anciennes unités*	*Unités SI*	*Élevé*	*Abaissé*
Hormone lutéinisante	Hommes: 5 à 18 IU/24 h Femmes: Phase folliculaire: 2 à 25 IU/24 h Pic ovulation: 30 à 95 IU/24 h Phase lutéale: 2 à 20 IU/24 h Après la ménopause: 40 à 110 IU/24 h	 5 à 18 IU/d 2 à 25 IU/d 30 à 95 IU/d 2 à 20 IU/d 40 à 110 IU/d	Tumeur hypophysaire Insuffisance ovarienne	Insuffisance hypophysaire
Hydroxyproline	15 à 43 mg/24 h	0,11 à 0,33 μmol/d	Maladie de Paget Dysplasie fibreuse Ostéomalacie Cancer des os Hyperparathyroïdie	
Métanéphrines	0 à 2 mg/24 h	0 à 11,0 μmol/d	Phéochromocytome; dans quelques cas de phéochromocytome, les métanéprhines sont élevées, mais les catécholamines et l'acide vanillylmandélique sont normaux.	
Mucopolysaccharides	0		Maladie de Hurler Syndrome de Marfan Maladie de Morquio	
Osmolalité	Hommes: 390 à 1090 mOsm/kg Femmes: 300 à 1090 mOsm/kg	 390 à 1090 mmol/kg 300 à 1090 mmol/kg	Utile dans l'étude de l'équilibre hydroélectrolytique	
Oxalate	<40 mg/24 h	<450 μmol/d	Oxalose	
Phosphore inorganique	0,8 à 1,3 g/24 h	26 à 42 mmol/d	Hyperparathyroïdie Intoxication à la vitamine D Maladie de Paget Cancer métastatique des os	Hypoparathyroïdie Carence en vitamine D
Plomb	<150 μg/24 h	<0,6 μmol/d	Intoxication au plomb	
Porphobilinogène	0 à 2,0 mg/24 h	0 à 8,8 μmol/d	Intoxication au plomb chronique Porphyrie aiguë Maladie du foie	
Porphyrines	Coproporphyrine: 45 à 180 μg/24 h Uroporphyrine: 5 à 20 μg/24 h	 68 à 276 nmol/d 6 à 24 nmol/d	Porphyrie hépatique Porphyrie érythropoïétique Porphyrie cutanée tardive Intoxication au plomb (coproporphyrine seulement)	
Potassium	40 à 65 mEq/24 h	40 à 65 mmol/d	Hémolyse	

Biochimie (urines) (suite)

	Intervalles de référence (adultes)		*Interprétation clinique*	
Composant ou épreuve	*Anciennes unités*	*Unités SI*	*Élevé*	*Abaissé*
Prégnandiol	Femmes :		Kystes du corps jaune Rétention placentaire Certaines tumeurs corticosurrénaliennes	Insuffisance placentaire Menace d'avortement Mort intra-utérine
	Phase proliférative : 0,5 à 1,5 mg/24 h	1,6 à 4,8 μmol/d		
	Phase lutéale : 2 à 7 mg/24 h	6 à 22 μmol/d		
	Après la ménopause : 0,2 à 1 mg/24 h	0,6 à 3,1 μmol/d		
	Grossesse :			
	Semaines de gestation — *mg/24 h*	*μmol/d*		
	10 à 12 — 5 à 15	15,6 à 47,0		
	12 à 18 — 5 à 25	15,6 à 78,0		
	18 à 24 — 15 à 33	47,0 à 103,0		
	24 à 28 — 20 à 42	62,4 à 131,0		
	28 à 32 — 27 à 47	84,2 à 146,6		
	Hommes : 0,1 à 2 mg/24 h	0,3 à 6,2 μmol/d		
Prégnantriol	0,4 à 2,4 mg/24 h	1,2 à 7,1 μmol/d	Hyperplasie surrénalienne congénitale androgénique	
Protéines	<100 mg/24 h	<0,10 g/d	Néphrite Insuffisance cardiaque Intoxication au mercure Fièvre Hématurie	
Protéines de Bence-Jones	Absence		Myélome multiple	
Sodium	130 à 200 mEq/24 h	130 à 200 mmol/d	Utile dans l'étude de l'équilibre hydroélectrolytique	
Urée	12 à 20 g/24 h	450 à 700 mmol/d	Augmentation du catabolisme des protéines	Altération de la fonction rénale
Urobilinogène	0 à 4 mg/24 h	0 à 6,8 μmol/d	Maladies du foie et des voies biliaires Anémies hémolytiques	Obstruction des voies biliaires Diarrhée Insuffisance rénale
Zinc	0,15 à 1,2 mg/24 h	2,3 à 18,4 μmol/d		

Liquide céphalorachidien

	Intervalles de référence (adultes)		*Interprétation clinique*	
Composant ou épreuve	*Anciennes unités*	*Unités SI*	*Élevé*	*Abaissé*
Acide lactique	<24 mg/100 mL	<2,7 mmol/L	Méningite bactérienne Hypocapnie Hydrocéphalie Abcès cervical Ischémie cérébrale	
Albumine	15 à 30 mg/100 mL	150 à 300 g/L	Certains troubles neurologiques Lésion du plexus choroïde ou obstruction de l'écoulement du liquide céphalorachidien Altération de la barrière hémato-encéphalique	

Liquide céphalorachidien

	Intervalles de référence (adultes)		*Interprétation clinique*	
Composant ou épreuve	*Anciennes unités*	*Unités SI*	*Élevé*	*Abaissé*
Chlorure	100 à 130 mEq/L	100 à 130 mmol/L	Urémie	Méningite aiguë généralisée Méningite tuberculeuse
Électrophorèse des protéines (acétate de cellulose)			Augmentation de la fraction albumine seulement: lésion du plexus choroïde ou obstruction de l'écoulement du liquide céphalorachidien. Augmentation de la fraction gamma-globuline avec fraction albumine normale: sclérose en plaques, neurosyphilis, panencéphalite sclérosante subaiguë et infections chroniques du SNC. Fraction gamma-globuline élevée avec fraction albumine élevée: altération grave de la barrière hémato-encéphalique.	
Préalbumine	3 à 7 %	0,03 à 0,07		
Albumine	56 à 74 %	0,56 à 0,74		
Globulines:				
Alpha$_1$	2 à 6,5 %	0,02 à 0,065		
Alpha^2	3 à 12 %	0,03 à 0,12		
Bêta	8 à 18,5 %	0,08 à 0,18		
Gamma	4 à 14 %	0,04 à 0,14		
Glucose	50 à 75 mg/100 mL	2,7 à 4,1 mmol/L	Diabète Coma diabétique Encéphalite épidémique Urémie	Méningite aiguë Méningite tuberculeuse Choc insulinique
Glutamine	6 à 15 mg/100 mL	0,4 à 1,0 mmol/L	Encéphalopathies hépatiques, dont le syndrome de Reye Coma hépatique Cirrhose	
IgG	0 à 6,6 mg/100 mL	0 à 6,6 g/L	Altération de la barrière hémato-encéphalique Sclérose en plaques Neurosyphilis Panencéphalite sclérosante subaiguë Infections chroniques du SNC	
Lactate déshydrogénase	1/10 du taux sérique	0,1	Maladies du SNC	
Numération globulaire	0 à 5/mm^3	0 à 5×10^6/L	Méningite bactérienne Méningite virale Neurosyphilis Poliomyélite Encéphalite léthargique	
Protéines				
lombaires	15 à 45 mg/100 mL	15 à 45 g/L	Méningite aiguë Méningite tuberculeuse Neurosyphilis Poliomyélite Syndrome de Guillain-Barré	
sous-occipitales	15 à 25 mg/100 mL	15 à 25 g/L		
ventriculaires	5 à 15 mg/100 mL	5 à 15 g/L		

Liquide gastrique

	Intervalles de référence (adultes)		*Interprétation clinique*	
Composant ou épreuve	*Anciennes unités*	*Unités SI*	*Élevé*	*Abaissé*
Acidité maximum	5 à 50 mEq/h	5 à 40 mmol/h	Syndrome de Zollinger-Ellison	Gastrite atrophique chronique
Débit acide basal	0 à 6 mEq/h	0 à 6 mmol/h	Ulcère gastroduodénal	Cancer de l'estomac
pH	<2	<2		Anémie pernicieuse

Concentrations thérapeutiques de différents médicaments

Médicament	*Anciennes unités*	*Unités SI*
Acétaminophène	10 à 20 μg/mL	10 à 20 mg/L
Aminophylline (théophylline)	10 à 20 μg/mL	10 à 20 mg/L
Bromure	5 à 50 mg/100 mL	50 à 500 mg/L
Chlordiazépoxide	1 à 3 μg/mL	1 à 3 mg/L
Diazépam	0,5 à 2,5 μg/100 mL	5 à 25 μg/L
Digitoxine	5 à 30 ng/mL	5 à 30 μg/L
Digoxine	0,5 à 2 ng/mL	0,5 à 2 μg/L
Gentamicine	4 à 10 μg/mL	4 à 10 mg/L
Phénobarbital	15 à 40 μg/mL	15 à 40 mg/L
Phénytoïne	10 à 20 μg/mL	10 à 20 mg/L
Primidone	5 à 12 μg/mL	5 à 12 mg/L
Quinidine	0,2 à 0,5 mg/100 mL	2 à 5 mg/L
Salicylates	2 à 25 mg/100 mL	20 à 250 mg/L
Sulfamides:		
Sulfadiazine	8 à 15 mg/100 mL	80 à 150 mg/L
Sulfaguanidine	3 à 5 mg/100 mL	30 à 50 mg/L
Sulfamérazine	10 à 15 mg/100 mL	100 à 150 mg/L
Sufanilamide	10 à 15 mg/100 mL	100 à 150 mg/L

Concentrations toxiques de différentes substances

Substance	*Anciennes unités*	*Unités SI*
Éthanol	Intoxication marquée: 0,3 à 0,4 % Stupeur: 0,4 à 0,5 %	
Méthanol	Concentration potentiellement fatale: >10 mg/100 mL	>100 mg/L
Monoxyde de carbone	>20 % de saturation	
Salicylates	>30 mg/100 mL	300 mg/L